KT-415-873

DIZIONARI QUICK

ITALIANO • INGLESE
INGLESE • ITALIANO

A cura di Lucia Incerti Caselli e Franca Cenni
con la collaborazione di Anna Fino

Antonio Vallardi Editore s.r.l.
Corso Italia 13 - 20122 Milano

Ristampe: 9 8 7 6 5 4 3 2 1
2005 2004 2003 2002 2001

ISBN 88-8211-573-9

ITALIANO-INGLESE

Note all'uso

* L'asterisco contraddistingue, in entrambe le sezioni, i verbi inglesi con coniugazione irregolare, le cui forme sono riportate alle pagg. X-XIV.
Nella sezione italiano/inglese, un asterisco contraddistingue anche quei sostantivi inglesi che presentano qualche particolarità nella formazione del plurale.

[U] Accompagna, nella sezione italiano/inglese, i traducenti inglesi *uncountable*, quelli cioè che di solito non sono preceduti dall'articolo *a*, *an* né da *one*, non hanno plurale e che spesso corrispondono a un plurale italiano.

♦ Segnala il passaggio da una categoria grammaticale all'altra all'interno di una stessa voce.

Pronuncia

Ogni lemma è accompagnato dalla trascrizione fonetica secondo il sistema della International Phonetic Association (IPA). Nel caso di parole con uguale grafia e pronuncia la trascrizione fonetica è data solo per la prima di esse. La pronuncia americana viene segnalata solo nel lemma principale e solamente nel caso in cui si differenzi in modo significativo da quella britannica (p.es. *fast*). Per le parole uscenti in *-ness*, *-able*, *-er*, *-tion* ecc. ci siamo limitati a segnalare gli accenti (principali e secondari) e la fonetica della sillaba finale; anche per le parole composte, scritte con (hyphen) o in due parole distinte, abbiamo indicato solo gli accenti rinviando per la pronuncia alle singole voci.

Simboli fonetici speciali

VOCALI

- iː these, eat, cheese, police, key (it. fine)
- ɪ is, thick, business ("i" molto breve)
- e leg, head, guest, said, (it. bello)
- æ has, mad (suono aperto tra la "a" e la "e")
- ɑː bath, passed, start ("a" molto allungata)
- ɒ knowledge, what, want (it. rosa)
- ɔː bore, door, thought (it. corso)
- ʊ put, would, book ("u" molto breve)
- uː June, blue, moon (it. luna)
- ʌ cup, club, London ("a" molto breve)
- ɜː were, shirt, work (fr. heure)
- əː writer, colour ("a" quasi muta)

DITTONGHI

- eiː cable, plain, steak (it. sceicco)
- əʊ coat, toe, flow, sew, though, folk
- aɪ by, side, guide, (it. mai- con la "i" molto breve)
- aʊ sound, crown, plough, doubt (it. ciao)
- ɔɪ boy, noise (it. poi – con la "i" molto breve)
- ɪə ear, beer, (it. spia – con la "a" quasi muta)
- eə air, care (it. reale – con la "e" aperta)
- ʊə tourist, sure (it. tua – "a" quasi muta)

CONSONANTI

- k call, academy, octave, kick, choir, burlesque (it. cambio)
- s seat, small, mass, cigarette, curse, nice, fascination, listen, psalm, psychologist (it. sole)
- z zoo, quiz, his, cycles, arms, studies, busy, cause (it. reso)
- h hot, hostel, behold ("h" aspirata)
- w went, wonderful, which (it. uovo)
- g gas, green, recognize, (it. gara)
- tʃ chair, church, match, nature (it. cinese)
- dʒ joy, gist, gym, rage, judge (it. giardino)
- ŋ bang, seeing, going, ankle, English (fr. cinq)
- θ think, Maths, length ("th" sonoro)
- ð those, father, bathe ("th" sordo)
- ʃ shop, rush, sugar, ratio, nation, Fascism, brochure, permission (it. scirocco)
- ʒ measure, television, garage (fr. George)
- j you, yet, beyond (it. iodio)

ˈ collocato in alto, prima della sillaba accentata, indica l'accento tonico principale

ˌ collocato in basso, prima della sillaba accentata, indica l'accento tonico secondario

* posto a esponente, alla fine della trascrizione fonetica, indica che la "r" finale che sostituisce si pronuncia solo se seguita da suono vocalico

: posti dopo un suono vocalico indicano allungamento

L'uso del corsivo in un simbolo fonetico indica che il suono può essere pronunciato o no.

Abbreviazioni

abbigl. abbigliamento
agg. aggettivo, aggettivale
amer. americano
amm. amministrazione
anat. anatomia
arch. architettura
art. articolo
attr. attributo
austr. australiano
aut. automobile
avv. avverbio, avverbiale
banc. banca, bancario
biol. biologia
bot. botanica
brit. britannico
chim. chimica
cinem. cinematografia
comm. commercio
compl.ind. complemento indiretto
compl.ogg. complemento oggetto
cond. condizionale
cong. congiunzione, congiuntivo
costr.pers. costruzione personale
cuc. cucina
deriv. derivati
det. determinativo
dimostr. dimostrativo
dir. diritto
eccl. ecclesiastico
econ. economia
edil. edilizia
elettr. elettricità, elettronica
f. femminile
fam. familiare
farm. farmacologia
fd forma debole
ferr. ferrovie
ff forma forte
fig. figurato
fin. finanza
fis. fisica
fon. fonetica
fot. fotografia
geogr. geografia
geom. geometria
ger. gerundio
gramm. grammatica
imp. imperativo
imperf. imperfetto
impers. impersonale
ind. industria
indef. indefinito
indet. indeterminativo
indic. indicativo
inf. infinito
inform. informatica
inter. interiezione
interr. interrogativo
intr. intransitivo
invar. invariato
iron. ironico
ling. linguistica
m. maschile
mar. marineria
mat. matematica
mecc. meccanica
med. medicina
metall. metallurgia
mil. militare
min. mineralogia
mus. musica, musicale

non com. non comune
num. numerale
o.s. one self
p.p. participio passato
pass. passato
pitt. pittura
pl. plurale
pol. politica
pop. popolare
pred. predicato, predicativo
pref. prefisso
prep. preposizione
pres. presente
pron. pronome, pronominale
qlco. qualcosa
qlcu. qualcuno
rad. radiofonia
rel. relativo
relig. religione
s. sostantivo
scient. scientifico
sing. singolare
sl. *slang* (gergo)
s.o. *someone*
sogg. soggetto
spec. specialmente
spreg. spregiativo
sthg. *something*
suff. suffisso
teatr. teatro
tecn. tecnologia
tel. telecomunicazioni
tess. industria tessile
tip. tipografia
tr. transitivo
trib. tributi
tv televisione
v. verbo
volg. volgare
zool. zoologia

Verbi irregolari inglesi

infinito	*passato*	*participio passato*
to **be** [bi:]	**was** [wɒz], **were** [wɜ:]	**been** [bi:n]
to **bear** [beə*]	**bore** [bɔ:*]	**borne** [bɔ:n], **born**
to **beat** [bi:t]	**beat** [bi:t]	**beaten** [ˈbi:tn], **beat** [bi:t]
to **begin** [bɪˈgɪn]	**began** [bɪˈgæn]	**begun** [bɪˈgʌn]
to **bend** [bend]	**bent** [bent]	**bent** [bent]
to **beseech** [bɪˈsi:tʃ]	**besought** [bɪˈsɔ:t], **beseeched** [bɪˈsi:tʃt]	**besought** [bɪˈsɔ:t], **beseeched** [bɪˈsi:tʃt]
to **beset** [bɪˈset]	**beset** [bɪˈset]	**beset** [bɪˈset]
to **bet** [bet]	**bet** [bet]	**bet** [bet]
to **bid** [bid]	**bad** [bæd], **bade** [beɪd], **bid** [bɪd]	**bidden** [ˈbɪdn], **bid** [bɪd]
to **bind** [baɪnd]	**bound** [baʊnd]	**bound** [baʊnd]
to **bite** [baɪt]	**bit** [bɪt]	**bit** [bɪt], **bitten** [ˈbɪtn]
to **bleed** [bli:d]	**bled** [bled]	**bled** [bled]
to **blow** [bləʊ]	**blew** [blu:]	**blown** [bləʊn]
to **break** [breɪk]	**broke** [brəʊk]	**broken** [ˈbrəʊkən]
to **breed** [bri:d]	**bred** [bred]	**bred** [bred]
to **bring** [brɪŋ]	**brought** [brɔ:t]	**brought** [brɔ:t]
to **broadcast** [ˈbrɔ:dka:st] *amer.* ˈbrɔ:dkæst]	**broadcast** [brɔ:dka:st], meno com. **broadcasted** [ˈbrɔ:d,ka:stɪd *amer.* ˈbrɔ:d,kæstɪd]	**broadcast** [ˈbrɔ:dka:st], meno com. **broadcasted** [ˈbrɔ:d,ka:stɪd *amer.* ˈbrɔ:d,kæstɪd]
to **build** [bɪld]	**built** [bɪlt]	**built** [bɪlt]
to **burn** [bɜ:n]	**burnt** [bɜ:nt]; (*raro*) **burned** [bɜ:nd]	**burnt** [bɜ:nt]; (*raro*) **burned** [bɜ:nd]
to **burst** [bɜ:st]	**burst** [bɜ:st]	**burst** [bɜ:st]
to **buy** [baɪ]	**bought** [bɔ:t]	**bought** [bɔ:t]
to **cast** [ka:st *amer.* kæst]	**cast** [ka:st *amer.* kæst]	**cast** [ka:st *amer.* kæst]
to **catch** [kætʃ]	**caught** [kɔ:t]	**caught** [kɔ:t]
to **chide** [tʃaɪd]	**chided** [ˈtʃaɪdɪd], meno com. **chid** [tʃɪd]	**chided** [ˈtʃaɪdɪd], meno com. **chid** [tʃɪd], **chidden** [ˈtʃɪdn]
to **choose** [tʃu:z]	**chose** [tʃəʊz]	**chosen** [ˈtʃəʊzn]
to **cleave** [kli:v]	**cleaved** [kli:vd]; (*letter.*) **clove** [kləʊv]	**cleaved** [kli:vd], **cleft** [kleft] (*letter.*) **cloven** [ˈkləʊvn]
to **cling** [klɪŋ]	**clung** [klʌŋ]	**clung** [klʌŋ]
to **come** [kʌm]	**came** [keɪm]	**come** [kʌm]

to **cost** [kɒst]	**cost** [kɒst]	**cost** [kɒst]
to **creep** [kri:p]	**crept** [krept]	**crept** [krept]
to **crow** [krəʊ]	**crowed** [krəʊd], **crow** [kru:]	**crowed** [krəʊd]
to **cut** [kʌt]	**cut** [kʌt]	**cut** [kʌt]
to **deal** [di:l]	**dealt** [delt]	**dealt** [delt]
to **dig** [dɪg]	**dug** [dʌg]	**dug** [dʌg]
to **dive** [daɪv]	**dived** [daɪvd], (*amer.*) **dove** [dəʊv]	**dived** [daɪvd]
to **do** [du:]	**did** [dɪd]	**done** [dʌn]
to **draw** [drɔ:]	**drew** [dru:]	**drawn** [drɔ:n]
to **dream** [dri:m]	**dreamed** [dri:md], **dreamt** [dremt]	**dreamed** [dri:md], **dreamt** [dremt]
to **drink** [drɪŋk]	**drank** [dræŋk]	**drunk** [drʌŋk]
to **drive** [draɪv]	**drove** [drəʊv]	**driven** [ˈdrɪvn]
to **dwell** [dwel]	**dwelt** [dwelt], **dwelted** [dweld]	**dwelt** [dwelt], **dwelted** [dweld]
to **eat** [i:t]	**ate** [et *amer.* eɪt]	**eaten** [ˈi:tn]
to **fall** [fɔ:l]	**fell** [fel]	**fallen** [ˈfɔ:lən]
to **feed** [fi:d]	**fed** [fed]	**fed** [fed]
to **feel** [fi:l]	**felt** [felt]	**felt** [felt]
to **fight** [faɪt]	**fought** [fɔ:t]	**fought** [fɔ:t]
to **find** [faɪnd]	**found** [faʊnd]	**found** [faʊnd]
to **flee** [fli:]	**fled** [fled]	**fled** [fled]
to **fling** [flɪŋ]	**flung** [flʌŋ]	**flung** [flʌŋ]
to **fly** [flaɪ]	**flew** [flu:]	**flown** [fləʊn]
to **forbid** [fəˈbɪd]	**forbade** [fəˈbeɪd]	**forbidden** [fəˈbɪdn]
to **forget** [fəˈget]	**forgot** [fəˈgɒt]	**forgotten** [fəˈgɒtn]
to **forsake** [fəˈseɪk]	**forsook** [fəˈsʊk]	**forsaken** [fəˈseikən]
to **freeze** [fri:z]	**froze** [frəʊz]	**frozen** [ˈfrəʊzn]
to **get** [get]	**got** [gɒt]	**got** [gɒt]; (*ant.* o *amer.*) **gotten** [ˈgɒtn]
to **give** [gɪv]	**gave** [geɪv]	**given** [ˈgɪvn]
to **go** [gəʊ]	**went** [went]	**gone** [gɒn]
to **grind** [graɪnd]	**ground** [graʊnd]	**ground** [graʊnd]
to **grow** [grəʊ]	**grew** [gru:]	**grown** [grəʊn]
to **hang** [hæŋ]	**hung** [hʌŋ], **hanged** [hæŋd]	**hung** [hʌŋ], **hanged** [hæŋd]
to **have** [hæv]	**had** [hæd]	**had** [hæd]
to **hear** [hɪə*]	**heard** [hɜ:d]	**heard** [hɜ:d]
to **hew** [hju:]	**hewed** [hju:d]	**hewed** [hju:d], **hewn** [hju:n]

to **hide** [haɪd]	**hid** [hɪd]	**hidden** [ˈhɪdn]
to **hit** [hɪt]	**hit** [hɪt]	**hit** [hɪt]
to **hold** [həʊld]	**held** [held]	**held** [held]; (*ant.*) **holden** [ˈhəʊldən]
to **hurt** [hɜːt]	**hurt** [hɜːt]	**hurt** [hɜːt]
to **inlay** [ˈɪnˈleɪ]	**inlaid** [ˈɪnˈleɪd]	**inlaid** [ˈɪnˈleɪd]
to **keep** [kiːp]	**kept** [kept]	**kept** [kept]
to **kneel** [niːl]	**kneeled** [niːld], **knelt** [nelt]	**kneeled** [niːld], **knelt** [nelt]
to **knit** [nɪt]	**knitted** [ˈnɪtɪd], **knit** [nɪt]	**knitted** [ˈnɪtɪd], **knit** [nɪt]
to **know** [nəʊ]	**knew** [njuː]	**known** [nəʊn]
to **lay** [leɪ]	**laid** [leɪd]	**laid** [leɪd]
to **lead** [liːd]	**led** [led]	**led** [led]
to **lean** [liːn]	**leaned** [liːnd], **leant** [lent]	**leaned** [liːnd], **leant** [lent]
to **leap** [liːp]	**leapt** [lept], (*amer.*) **leaped** [liːpt]	**leapt** [lept], (*amer.*) **leaped** [liːpt]
to **learn** [lɜːn]	**learnt** [lɜːnt], **learned** [lɜːnd]	**learnt** [lɜːnt], **learned** [lɜːnd]
to **leave** [liːv]	**left** [left]	**left** [left]
to **lend** [lend]	**lent** [lent]	**lent** [lent]
to **let** [let]	**let** [let]	**let** [let]
to **lie** [laɪ]	**lay** [leɪ]	**lain** [leɪn]
to **light** [laɪt]	**lighted** [ˈlaɪtɪd], **lit** [lɪt]	**lighted** [ˈlaɪtɪd], **lit** [lɪt]
to **lose** [luːz]	**lost** [lɒst]	**lost** [lɒst]
to **make** [meik]	**made** [meɪd]	**made** [meɪd]
to **mean** [miːn]	**meant** [ment]	**meant** [ment]
to **meet** [miːt]	**met** [met]	**met** [met]
to **mow** [məʊ]	**mowed** [məʊd]	**mown** [məʊn]
to **outbid** [aʊtˈbɪd]	**outbid** [aʊtˈbid]	**outbidden** [aʊtˈbɪdn]
to **overhang** [ˈəʊvəhæŋ]	**overhung** [ˈəʊvəhʌŋ]	**overhung** [ˈəʊvəhʌŋ]
to **partake** [pɑːˈteɪk]	**partook** [pɑːˈtʊk]	**partaken** [pɑːˈteɪkən]
to **pay** [pei]	**paid** [peɪd]	**paid** [peɪd]
to **put** [pʊt]	**put** [pʊt]	**put** [pʊt]
to **quit** [kwit]	**quit** [kwit]	**quit** [kwit]
to **read** [riːd]	**read** [red]	**read** [red]
to **rend** [rend]	**rent** [rent]	**rent** [rent]
to **rid** [raɪd]	**rid** [rɪd], **ridded** [ˈrɪdɪd]	**rid** [rɪd]
to **ride** [raɪd]	**rode** [raʊd], *ant.* **rid** [rɪd]	**ridden** [ˈrɪdn]
to **ring** [rɪŋ]	**rang** [ræŋ]	**rung** [rʌŋ]
to **rise** [raɪz]	**rose** [rəʊz]	**risen** [ˈrizn]
to **run** [rʌn]	**ran** [ræn]	**run** [rʌn]

to **saw** [sɔ:]	**sawed** [sɔ:d]	**sawn** [sɔ:n], (*amer.*) **sawed** [sɔ:d]
to **say** [seɪ]	**said** [sed]	**said** [sed]
to **see** [si:]	**saw** [sɔ:]	**seen** [si:n]
to **seek** [si:k]	**sought** [sɔ:t]	**sought** [sɔ:t]
to **sell** [sel]	**sold** [səʊld]	**sold** [səʊld]
to **send** [send]	**sent** [sent]	**sent** [sent]
to **set** [set]	**set** [set]	**set** [set]
to **sew** [səʊ]	**sewed** [səʊd]	**sewn** [səʊn]
to **shake** [ʃeɪk]	**shook** [ʃʊk]	**shaken** [ˈʃeikən]
to **shear** [ʃɪə*]	**sheared** [ʃɪəd]	**shorn** [ʃɔ:n]
to **shed** [ʃed]	**shed** [ʃed]	**shed** [ʃed]
to **shine** [ʃaɪn]	**shone** [ʃɒn], **shined** [ʃaɪnd]	**shone** [ʃɒn], **shined** [ʃaɪnd]
to **shoot** [ʃu:t]	**shot** [ʃɒt]	**shot** [ʃɒt]
to **show** [ʃəʊ]	**showed** [ʃəʊd]	**shown** [ʃəʊn]
to **shrink** [ʃrɪŋk]	**shrank** [ræŋk]	**shrunk** [rʌŋk]
to **shut** [ʃʌt]	**shut** [ʃʌt]	**shut** [ʃʌt]
to **sing** [sɪŋ]	**sang** [sæŋ]	**sung** [sʌŋ]
to **sink** [sɪŋk]	**sank** [sæŋk]	**sunk** [sʌŋk]
to **sit** [sɪt]	**sat** [sæt]	**sat** [sæt]
to **slay** [sleɪ]	**slew** [slu:]	**slain** [sleɪn]
to **sleep** [sli:p]	**slept** [slept]	**slept** [slept]
to **slide** [slaɪd]	**slid** [slɪd]	**slid** [slɪd]
to **sling** [slɪŋ]	**slung** [slʌŋ]	**slung** [slʌŋ]
to **slink** [slɪŋk]	**slunk** [slʌŋk]	**slunk** [slʌŋk]
to **smell** [smel]	**smelt** [smelt]	**smelt** [smelt]
to **sow** [səʊ]	**sowed** [səʊd]	**sowed** [səʊd], **sown** [səʊn]
to **speak** [spi:k]	**spoke** [spəʊk]	**spoken** [ˈspəʊkən]
to **speed** [spi:d]	**sped** [sped], **speeded** [ˈspi:dɪd]	**sped** [sped], **speeded** [ˈspi:dɪd]
to **spell** [spel]	**spelt** [spelt], **spelled** [speld]	**spelt** [spelt], **spelled** [speld]
to **spend** [spend]	**spent** [spent]	**spent** [spent]
to **spill** [spɪl]	**spilt** [spɪlt], **spilled** [spɪld]	**spilt** [spɪlt], **spilled** [spɪld]
to **spin** [spɪn]	**span** [spæn], **spun** [spʌn]	**spun** [spʌn]
to **spit** [spɪt]	**spat** [spæt]	**spat** [spæt]
to **split** [splɪt]	**split** [splɪt]	**split** [splɪt]
to **spoil** [spɔɪl]	**spoiled, spoilt** [spɔɪlt]	**spoiled, spoilt** [spɔɪlt]
to **spread** [spred]	**spread** [spred]	**spread** [spred]
to **spring** [sprɪŋ]	**sprang** [spræŋ], (*amer.*) **sprung** [sprʌŋ]	**sprung** [sprʌŋ]

to **stand** [stænd]	**stood** [stʊd]	**stood** [stʊd]
to **steal** [sti:l]	**stole** [stəʊl]	**stolen** [ˈstəʊlən]
to **stick** [stɪk]	**stuck** [stʌk]	**stuck** [stʌk]
to **sting** [stɪŋ]	**stung** [stʌŋ]	**stung** [stʌŋ]
to **stink** [stɪŋk]	**stank** [stæŋk]	**stunk** [stʌŋk]
to **stride** [straɪd]	**strode** [strəʊd]	**stridden** [ˈstrɪdn]
to **strike** [straɪk]	**struck** [strʌk]	**struck** [strʌk]
to **string** [strɪŋ]	**strung** [strʌŋ]	**strung** [strʌŋ]
to **strive** [straɪv]	**strove** [straʊv]	**striven** [ˈstrivn]
to **swear** [swea*]	**swore** [swɔ:*]	**sworn** [swɔ:n]
to **sweep** [swi:p]	**swept** [swept]	**swept** [swept]
to **swell** [swel]	**swelled** [sweld]	**swollen** [ˈswəʊlən]
to **swim** [swɪm]	**swam** [swæm]	**swum** [swʌm]
to **swing** [swɪŋ]	**swung** [swʌŋ]	**swung** [swʌŋ]
to **take** [teɪk]	**took** [tuk]	**taken** [ˈteɪkən]
to **teach** [ti:tʃ]	**taught** [tɔ:t]	**taught** [tɔ:t]
to **tear** [teə*]	**tore** [tɔ:*]	**torn** [tɔ:n]
to **tell** [tel]	**told** [təʊld]	**told** [təʊld]
to **think** [θɪŋk]	**thought** [θɔ:t]	**thought** [θɔ:t]
to **thrive** [θraɪv]	**thrived** [ˈθraɪvd], meno com. **throve** [θrəʊv]	**thrived** [ˈθraɪvd]
to **throw** [θrəʊ]	**threw** [θru:]	**thrown** [θrəʊn]
to **thrust** [θrʌst]	**thrust** [θrʌst]	**thrust** [θrʌst]
to **tread** [tred]	**trod** [trɒd]	**trodden** [ˈtrɒdn]
to **wake** [weɪk]	**waked** [weɪkt], **woke** [wəʊk]	**waked** [weɪkt], **woken** [ˈwəʊkən]
to **wear** [weə*]	**wore** [wɔ:*]	**worn** [wɔ:n]
to **weave** [wi:v]	**wove** [wəʊv]	**woven** [ˈwəʊvən]
to **wed** [wed]	**wedded** [ˈwedɪd]; (*raro*) **wed** [wed]	**wedded** [ˈwedɪd]; (*raro*) **wed** [wed]
to **weep** [wi:p]	**wept** [wept]	**wept** [wept]
to **wet** [wet]	**wet** [wet], **wetted** [ˈwetɪd]	**wet** [wet], **wetted** [ˈwetɪd]
to **win** [wɪn]	**won** [wʌn]	**won** [wʌn]
to **wind** [waɪnd]	**wound** [waʊnd]	**wound** [waʊnd]
to **wring** [rɪŋ]	**wrung** [rʌŋ]	**wrung** [rʌŋ]
to **write** [raɪt]	**wrote** [rəʊt]; (*ant.*) **writ** [rɪt]	**written** [ˈrɪtn]

Numeri cardinali

1 uno	one
2 due	two
3 tre	three
4 quattro	four
5 cinque	five
6 sei	six
7 sette	seven
8 otto	eight
9 nove	nine
10 dieci	ten
11 undici	eleven
12 dodici	twelve
13 tredici	thirteen
14 quattordici	fourteen
15 quindici	fifteen
16 sedici	sixteen
17 diciassette	seventeen
18 diciotto	eighteen
19 diciannove	nineteen
20 venti	twenty
21 ventuno	twenty-one
30 trenta	thirty
40 quaranta	forty
50 cinquanta	fifty
60 sessanta	sixty
70 settanta	seventy
80 ottanta	eighty
90 novanta	ninety
100 cento	one hundred
101 centouno	one hundred and one
200 duecento	two hundred
1 000 mille	one thousand
1 001 milleuno	one thousand and one
2 000 duemila	two thousand
1 000 000 un milione	one million

Numeri ordinali

1° il primo	1st. the first
2° il secondo	2nd. the second
3° il terzo	3rd. the third
4° il quarto	4th. the fourth
5° il quinto	5th. the fifth
6° il sesto	6th. the sixth
7° il settimo	7th. the seventh
8° l'ottavo	8th. the eighth
9° il nono	9th. the ninth
10° il decimo	10th. the tenth
11° l'undicesimo	11th. the eleventh
12° il dodicesimo	12th. the twelfth
13° il tredicesimo	13th. the thirteenth
ecc.	etc.
20° il ventesimo	20th. the twentieth
21° il ventunesimo	21st. the twenty-first
ecc.	etc.
50° il cinquantesimo	50th. the fiftieth
100° il centesimo	100th. the hundredth
1000° il millesimo	1000th. the thousandth

Scale termometriche: comparazione

Centigradi	*Fahrenheit*
– 30	– 22
– 20	– 4
– 10	+ 14
– 5	+ 23
0	+ 32
+ 5	+ 41
+ 10	+ 50
+ 20	+ 68
+ 30	+ 86
+ 40	+ 104
+ 50	+ 122
+ 60	+ 140
+ 70	+ 158
+ 80	+ 176
+ 90	+ 194
+ 100	+ 212

Unità di misura: conversione

1 inch	2,54	centimetri
1 foot	30,48	centimetri
1 yard	0,9143	metri
1 mile (8 furlongs)	1,6093	chilometri
1 sq. inch	6,4516	centimetri quadrati
1 sq. foot	9,2903	decimetri quadrati
1 sq. yard	0,8361	metri quadrati
1 acre (4840 sq. yards)	0,4047	ettari
1 sq. mile (640 acres)	259,00	ettari
1 quart	1,136	litri
1 gallon	4,546	litri
1 bushel (8 gallons)	3,637	decalitri
1 fluid ounce (8 drachms)	2,8412	centilitri
1 ounce (16 drams)	28,350	grammi
1 pounds (16 ounces)	0,4536	chilogrammi
1 stone (14 Ibs.)	6,350	chilogrammi
1 cwt. (112 Ibs.)	50,80	chilogrammi
1 ton (20 cwt.)	1,0160	tonnellate

Alfabeto telefonico

	Italiano	*Inglese*	*Americano*
A	*Ancona*	Andrew	Abel
B	*Bologna*	Benjamin	Baker
C	*Como*	Charlie	Charlie
D	*Domodossola*	David	Dog
E	*Empoli*	Edward	Easy
F	*Firenze*	Frederick	Fox
G	*Genova*	George	George
H	*Hotel*	Harry	How
I	*Imola*	Isaac	Item
J	*Jolly*	Jack	Jig
K	*Kursaal*	King	King
L	*Livorno*	Lucy	Love
M	*Milano*	Mary	Mike
N	*Napoli*	Nellie	Nan
O	*Otranto*	Oliver	Oboe
P	*Palermo*	Peter	Peter
Q	*Quarto*	Queenie	Queen
R	*Roma*	Robert	Roger
S	*Savona*	Sugar	Sugar
T	*Torino*	Tommy	Tare
U	*Udine*	Uncle	Uncle
V	*Venezia*	Victor	Victor
W	*Washington*	William	William
X	*Xeres*	Xmas	X
Y	*Yacht*	Yellow	Yoke
Z	*Zara*	Zebra	Zebra

Fraseologia

Al telefono

Pronto	Hello
Chi parla?	Who's speaking?
Sono Mario Bianchi	This is Mario Bianchi
Vorrei parlare con il signor Smith	I'd like to speak to Mr Smith
C'è John?	Is John there?
Attenda, prego	Hold on, please
Le passo l'interno 25	I'll put you throught the extension numbre 25
La linea è occupata	The line's engaged/busy
La linea è caduta	We've been cut off
Ha sbagliato numero	You've got the wrong number
Il telefono è guasto	The telephone is out of order

Saluti

Incontrandosi

Buongiorno	Good morning; (*di pomeriggio*) good afternoon
Buonasera	Good evening
Ciao	Hello
Come sta/come va?	How are you?
Bene, grazie, e Lei?	Well, thank you, and you?

Lasciandosi

Arrivederci	Goodbye
Ciao	Bye-bye/Bye
Buona giornata/serata	Have a nice day/evening
A presto	See you soon

Presentazioni

Questa è mia cugina	This is my cousin
Conosce il signor Smith?	Do you know / have you met Mr Smith?
Posso presentarle il signor Smith?	Let me introduce you to Mr Smith
Molto piacere	I'm very pleased to meet you

Data

Che giorno è oggi?	What's the date today?
Oggi è sabato, 14 maggio	Today is Saturday, the 14th of May
È accaduto nel 1914	It happened in 1914 (*si legge* nineteen fourteen)
Nel 44 a.C.	In 44 B.C. (Before Christ)
Nel 9 d.C.	In 9 A.D. (Anno Domini)
Nell'Ottocento	In the nineteenth century
Negli anni Venti	In the twenties

Ora

Che ore sono?	What time is it?
Sono le tre	It's three o'clock
Sono le tre e dieci	It's ten past three
Sono le tre e un quarto	It's a quarter past three
Ci vediamo alle quattro precise	We'll meet at four sharp
Verso le sei e mezzo	At about half past six
È mezzogiorno	It's midday
Telefonami a mezzogiorno	Call me at twelve o'clock
L'ho saputo due ore fa	I heard about it two hours ago

Età

Quanti anni hai?	How old are you?
Ho ventidue anni	I'm twenty-two (years old)
Compio trent'anni il mese prossimo	I'll be thirty next month
Ha un anno meno di te	He's one year younger than you
Va per i cinquanta	He's getting on for fifty

Acquisti

Quanto costa?	How much does it cost?
È caro/a buon mercato	It's dear/cheap
Posso pagare con un assegno/ con la carta di credito?	Can I pay by cheque (*amer.* check)/ by credit card?
Può farmi uno sconto?	Can you make me a discount?
Non ho il resto/non ho spiccioli	I've no change
Può cambiarmi 10 sterline?	Can you change me 10 pounds?
Non si fa credito	No credit

A

a *prep.* **1** (*termine*) to **2** (*stato in luogo*) at; (*gener. riferito a città grande*) in **3** (*moto a luogo*) to; (*con* to arrive) at, in: *va' – casa!*, go home! **4** (*tempo, età, prezzo*) at **5** (*seguito da un v. all'inf. non si traduce*): *va' – vedere*, go and see.

abate *s.m.* abbot.

abbacchiato *agg.* (*fam.*) downhearted.

abbacchio *s.m.* (*region.*) (spring) lamb.

abbagliante *agg.* dazzling | (*aut.*) *fari abbaglianti*, high-beams.

abbaiare *v.intr.* to bark (*at*).

abbaino *s.m.* skylight, dormer (window); (*soffitta*) garret.

abbandonare *v.tr.* **1** to leave*, to abandon **2** (*rinunciare a*) to drop; (*con sacrificio*) to give* up ♦ **~rsi** *v. pron.* **1** (*lasciarsi cadere*) to flop **2** (*lasciarsi andare*) to let* oneself go; (*alle passioni, al dolore ecc.*) to give* oneself up (*to*).

abbandonato *agg.* deserted; abandoned; (*trascurato*) neglected.

abbandono *s.m.* (*incuria*) neglect.

abbassare *v.tr.* **1** to lower (*anche fig.*) | *– la radio*, to turn down the radio | *– la luce*, to dim the light **2** (*tapparella ecc.*) to let* down ♦ **~rsi** *v.pron.* **1** to stoop (down); to bend* (down) **2** (*umiliarsi*) to lower oneself **3** (*diminuire*) to lower, to diminish; (*di acque*) to subside; (*di vento, temperatura*) to drop; (*di luce*) to dim.

abbasso *inter.* down (*with*).

abbastanza *avv.* **1** enough: *– buono*, good enough; *hai – denaro?*, have you got enough money (*o* money enough)? **2** (*discretamente*) fairly, quite **3** (*alquanto*) rather; (*fam.*) pretty; *– noioso*, rather (*o* quite) boring.

abbattere *v.tr.* **1** (*far cadere*) to pull down; (*con un colpo*) to knock down; (*alberi*) to cut* down **2** (*scoraggiare*) to dishearten, to depress ♦ **~rsi** *v.pron.* **1** (*cadere*) to fall*; (*colpire*) to hit* (*sthg.*) **2** (*scoraggiarsi*) to get* disheartened, to lose* heart.

abbattuto *agg.* (*fig.*) dejected, depressed.

abbazia *s.f.* abbey.

abbellire *v.tr.* to embellish.

abbiccì *s.m.* alphabet.

abbienti *s.m.pl.* the well-to-do | *gli abbienti e i non abbienti*, the haves and the have-nots; *i meno abbienti*, the less well-off.

abbigliamento *s.m.* clothes (*pl.*): *industria dell'–*, clothing industry.

abbindolare *v.tr.* to cheat, to trick, to take* in.

abboccamento *s.m.* (*colloquio*) interview, talk.

abboccare *v.intr.* to bite* (*at*) | *non ha abboccato*, (*fig.*) he didn't rise to the bait.
abboccato *agg.* (*di vino*) medium sweet.
abbonamento *s.m.* (*a giornale*) subscription; (*a mezzi di trasporto*) pass; (*teatr.*) season ticket | (*rad.*, *tv*) *canone d'*–, licence fee.
abbonarsi *v.pron.* (*a giornale*) to subscribe; (*a mezzi di trasporto*) to get* a pass; (*teatr.*) to get* a season ticket (*for*).
abbonato *s.m.* subscriber; (*a mezzi di trasporto*, *spettacoli*) season-ticket holder; (*rad.*) radio-licence holder; (*tv*) television-licence holder | (*tel.*) *elenco abbonati*, directory.
abbondante *agg.* abundant, plentiful.
abbondanza *s.f.* plenty, abundance.
abbondare *v.intr.* (*avere in abbondanza*) to have* plenty (*of*); to abound, to be rich (*in*); (*essere abbondante*) to be plentiful.
abbordabile *agg.* accessible; (*spec. di persona*) approachable.
abbordare *v.tr.* (*una persona*) to approach.
abbottonare *v.tr.*, **abbottonarsi** *v. pron.* to button (up).
abbottonato *agg.* **1** closed **2** (*riservato*) reserved, reticent.
abbozzo *s.m.* sketch, outline; (*stesura*) draft.
abbracciare *v.tr.* **1** to hug, to embrace **2** (*carriera ecc.*) to embrace; (*partito, causa*) to espouse **3** (*fig.*, *comprendere*) to cover.
abbraccio *s.m.* hug, embrace.
abbreviare *v.tr.* to shorten, to cut* short; (*una parola*) to abbreviate.
abbreviazione *s.f.* abbreviation.
abbronzante *s.m.* suntan lotion, suntan milk.
abbronzarsi *v.pron.* to get* brown, to get* tanned.
abbronzato *agg.* (sun)tanned, brown.
abbronzatura *s.f.* tan.
abbuono *s.m.* (*comm.*) discount, allowance, rebate.
abdicare *v.intr.* to abdicate (*sthg.*).
abete *s.m.* fir.
abile *agg.* **1** able, capable; (*intelligente*) clever (*at, in*); (*destro*) skilful (*at, in*) **2** (*fatto con abilità*) clever, skilful **3** (*idoneo*) fit (*for*).
abilità *s.f.* ability, capability; (*perizia*) cleverness; (*destrezza*) skill, dexterity.
abisso *s.m.* abyss.
abitabile *agg.* inhabitable, habitable.
abitacolo *s.m.* (*di autocarro*) cabin, cab; (*di auto*) inside; (*aer. e sport*) cockpit.
abitante *s.m.* inhabitant.
abitare *v.intr.* to live (*in*).
abitato *s.m.* built-up area.
abitazione *s.f.* home; house.
abito *s.m.* **1** (*da uomo*) suit; (*da donna*) dress, frock; (*pl.*, *indumenti*) clothes **2** (*mentale*) habit.
abituale *agg.* usual, habitual: *un cliente* –, a regular customer.
abituarsi *v.pron.* to get* used, to get* accustomed.
abituato *agg.* accustomed, used; (*allenato*) inured.
abitudinario *s.m.* creature of habit.
abitudine *s.f.* habit; (*usanza*) custom, use | *come d'*–, as usual; *d'*–, as a rule.
abnegazione *s.f.* abnegation, self-denial.
abnorme *agg.* abnormal.

abolire *v.tr.* to abolish; (*una legge*) to repeal.
abolizione *s.f.* abolition, suppression; (*di leggi*) repeal, abrogation.
abominevole *agg.* **1** abominable, detestable **2** (*disgustoso*) disgusting, revolting.
abortire *v.intr.* to abort (*anche fig.*), to have* a miscarriage; (*non naturalmente*) to have* an abortion.
aborto *s.m* abortion (*anche fig.*); (*naturale*) miscarriage.
abrasione *s.f.* abrasion.
abrasivo *agg.*, *s.m.* abrasive.
abrogare *v.tr.* to repeal, to annul, to abrogate.
abside *s.f.* apse.
abusare *v.intr.* **1** (*fare uso illecito*) to abuse (*sthg.*), (*smodato*) to overindulge (*in*) **2** (*approfittare*) to take* advantage **3** (*sessualmente*) to rape (*s.o.*).
abusato *agg.* abused | *un termine* –, an overworked term.
abusivo *agg.* unauthorized; unlawful, illegal.
abuso *s.m.* **1** (*cattivo uso*) abuse, misuse **2** (*uso eccessivo*) overindulgence (*in*), overuse.
acacia *s.f.* acacia.
accademia *s.f.* academy.
accadere *v.intr.* to happen.
accaduto *s.m.* event, happening.
accalcarsi *v.pron.* to crowd, to throng (*sthg.*).
accaldato *agg.* hot.
accampamento *s.m.* camp.
accamparsi *v.pron.* to camp.
accanimento *s.m.* **1** (*furia*) fury, rage **2** (*tenacia*) doggedness, tenacity | – *terapeutico*, over-medication.
accanirsi *v.pron.* **1** (*infierire*) to be ruthless, to be pitiless (*towards*) **2** (*ostinarsi*) to persist (*in*), to persevere (*with*).
accanito *agg.* (*ostinato*) obstinate, dogged.
accanto *avv.* nearby | *qui* –, near here | – *a*, by, next to, beside.
accantonare *v.tr.* to set* aside, to put* aside, to lay* aside.
accaparrare *v.tr.* **1** (*spec. viveri*) to hoard **2** (*conquistarsi*) to gain, to win*, to secure.
accapo *avv.* on a new line.
accappatoio *s.m.* bathrobe.
accarezzare *v.tr.* to caress.
accatastare *v.tr.* to pile (up), to stack (up), to heap (up).
accattivante *agg.* attractive, winning.
accattonaggio *s.m.* begging.
accavallare *v.tr.* to overlap | – *le gambe*, to cross one's legs.
accecare *v.tr.* to blind.
accelerare *v.intr.* to accelerate ♦ *v.tr.* to quicken.
acceleratore *s.m.* accelerator.
accelerazione *s.f.* acceleration.
accendere *v.tr.* **1** to light*; (*fiammifero*) to strike; (*luce*) to switch on; (*radio*) to turn on **2** (*suscitare*) to inflame; to kindle; to stir up **3** (*ipoteca ecc.*) to take* out, to raise ♦ **~rsi** *v.pron.* to light* (up); (*prendere fuoco*) to catch* fire .
accendino *s.m.* (*fam.*) lighter.
accennare *v.intr.* **1** to hint (*at*); to allude; (*menzionare*) to mention (*sthg.*) **2** (*dar segno*) to show* signs (*of*) ♦ *v.tr.* (*abbozzare*) to outline, to sketch out.
accenno *s.m.* **1** sign, indication; (*col capo*) nod **2** (*allusione*) hint; allusion; (*menzione*) mention.

accensione *s.f.* (*mecc.*) ignition; (*di caldaia*) starting.
accentare *v.tr.* to accent; (*con la voce*) to stress.
accento *s.m.* accent; (*tonico*) stress.
accentrare *v.tr.* to centralize; to concentrate.
accentratore *s.m.* centralizer.
accentuare *v.tr.* to accentuate, to stress, to emphasize (*anche fig.*) ♦ **~rsi** *v.pron.* to grow* more marked.
accentuato *agg.* marked; conspicuous.
accentuazione *s.f.* accentuation, stress.
accerchiare *v.tr.* to encircle, to surround.
accertamento *s.m.* check, verification; (*d'imposta*) assessment.
accertare *v.tr.* to ascertain; to check; (*i danni*) to assess ♦ **~rsi** *v.pron.* to ascertain, to check up, to make* sure.
acceso *agg.* **1** lighted, alight (*pred.*); lit up (*pred.*) **2** (*in funzione*) on **3** (*di colore*) bright.
accessibile *agg.* (*di prezzo*) affordable, reasonable.
accesso *s.m.* **1** access; (*entrata*) admission, (*form.*) admittance **2** (*crisi*) fit **3** (*inform.*) access.
accessori *s.m.pl.* (*di auto*) fittings, optionals; (*abbigl.*) accessories.
accetta *s.f.* hatchet | *tagliato con l'–*, (*fig.*) rough-hewn.
accettabile *agg.* acceptable; (*discreto*) fair.
accettare *v.tr.* to accept; (*acconsentire*) to agree (*to*).
accettazione *s.f.* (*ufficio*) reception.
acciaieria *s.f.* steelworks, steel plant.
acciaio *s.m.* steel.
accidentale *agg.* accidental.
accidentato *agg.* (*di terreno*) uneven, irregular, rough.
accidente *s.m.* **1** (*imprevisto*) accident, mishap **2** (*colpo*) fit **3** (*fam.*) (*niente*) damn thing.
acciuga *s.f.* anchovy.
acclamare *v.tr.* to acclaim.
acclimatazione *s.f.* acclimatization.
accludere *v.tr.* to enclose | (*comm.*) *Vi accludiamo...*, please find enclosed...
accogliente *agg.* comfortable; cosy; snug.
accoglienza *s.f.* welcome.
accogliere *v.tr.* **1** to receive; (*con gioia*) to welcome **2** (*contenere*) to hold* **3** (*accettare*) to agree (*to, with*).
accollato *agg.* (*di abito*) high-necked.
accoltellare *v.tr.* to stab, to knife.
accomiatarsi *v.pron.* to take* leave (*of*), to say* good-bye (*to*).
accomodante *agg.* obliging, accommodating.
accomodarsi *v.pron.* (*sedersi*) to sit* down, to take* a seat.
accompagnamento *s.m* (*mus.*) accompaniment | *lettera d'–*, cover(ing) letter.
accompagnare *v.tr.* **1** to take*, to see*, to accompany | *– al pianoforte*, to accompany on the piano ♦ **~rsi** *v.pron.* (*armonizzarsi con*) to match (*sthg.*), to go* (*with*).
accompagnatore *s.m.* companion; (*di signora*) escort | *– turistico*, tourist guide.
acconciatura *s.f.* **1** hairstyle; (*fam.*) hairdo **2** (*ornamento*) headdress.
accondiscendente → *condiscendente.*
acconsentire *v.intr.* to consent, to agree.
accontentare *v.tr.* to satisfy, to please

♦ **~rsi** *v.pron.* to be satisfied (*with*), to be content (*with*).
acconto *s.m.* down payment, advance, payment on account; (*amer.*) instalment: *in* –, on account, down.
accoppiare *v.tr.* to pair.
accorciare *v.tr.* to shorten, to make* shorter ♦ **~rsi** *v.pron.* to become* short(er).
accordare *v.tr.* **1** (*concedere*) to grant, to concede **2** (*mus.*) to tune ♦ **~rsi** *v.pron.* **1** (*mettersi d'accordo*) to agree (*on*), (*form.*) to come* to an agreement **2** (*armonizzarsi*) to match, to go* (*with*).
accordo *s.m.* **1** agreement **2** (*armonia*) harmony **3** (*mus.*) chord.
accorgersi *v.pron.* (*notare*) to notice (*sthg.*); (*rendersi conto*) to realize (*sthg.*) | *senza* – , (*inavvertitamente*) inadvertently; (*con facilità*) with the greatest ease (*o* effortlessly).
accorgimento *s.m.* (*accortezza*) shrewdness; (*espediente*) trick, expedient.
accorrere *v.intr.* to run*, to hasten, to rush.
accortezza *s.f.* shrewdness.
accorto *agg.* **1** discerning, shrewd **2** (*prudente*) cautious, wary.
accostare *v.tr.* **1** to put* near; to draw* near **2** (*persone*) to approach **3** (*porte, finestre*) to leave* ajar, to half-close ♦ *v.intr.*, **accostarsi** *v.pron.* to approach (*s.o., sthg.*); to come* near(er).
accostato *agg.* half-closed, ajar.
accreditare *v.tr.* (*comm.*) to credit.
accredito *s.m.* (*banc.*) credit; crediting.
accrescere *v.tr.*, **accrescersi** *v.pron.* to increase.
accucciarsi *v.pron.* to lie* down; (*di persona*) to crouch (down); to curl up.
accumulare *v.tr.*, **accumularsi** *v.pron.* to accumulate, to pile up.
accumulatore *s.m.* (*elettr.*) accumulator, (storage) battery.
accumulo *s.m.* accumulation.
accuratezza *s.f.* care, precision.
accurato *agg.* careful, precise; (*approfondito*) thorough.
accusa *s.f.* accusation, charge | *atto d'*–, charge, (bill of) indictment | *pubblica* –, public prosecution; (*persona*) Public Prosecutor, Prosecutor for the Crown (*in* GB); District Attorney (*in* USA).
accusare *v.tr.* to accuse (*s.o. of sthg., of doing*); to charge (*s.o. with sthg., with doing*).
accusato *s.m.* (*dir.*) accused; defendant.
acerbo *agg.* (*immaturo*) unripe, green; (*fig.*) immature.
acero *s.m.* maple.
acetato *s.m.* acetate.
aceto *s.m.* vinegar.
acetone *s.m.* (*per unghie*) nail varnish remover.
acidità *s.f.* acidity.
acido *agg., s.m.* acid.
acino *s.m.* (*di uva*) grape.
acne *s.f.* acne.
acqua *s.f.* **1** water: – *minerale*, mineral water; – *potabile*, drinking water | – *ossigenata*, hydrogen peroxide **2** (*pioggia*) rain.
acquaforte *s.f.* etching.
acquamarina *s.f.* (*min.*) aquamarine.
acquaplano *s.m.* aquaplane.
acquaragia *s.f.* turpentine; (*fam.*) turps.
acquarello *s.m.* watercolour.

acquario *s.m.* aquarium*.
acquasanta *s.f.* holy water.
acquasantiera *s.f.* stoup.
acquavite *s.f.* brandy.
acquazzone *s.m.* shower, downpour.
acquedotto *s.m.* aqueduct.
acquerello *s.m.* watercolour.
acquirente *s.m./f.* buyer, purchaser.
acquisire *v.tr.* to acquire (*anche fig.*).
acquisizione *s.f.* (*econ.*) buy-out.
acquistabile *agg.* purchas(e)able.
acquistare *v.tr.* **1** to buy*, to purchase **2** (*guadagnarsi*) to gain; to win*.
acquisto *s.m.* buy, purchase.
acquitrino *s.m.* marsh, swamp.
acquolina *s.f.*: *ho l'– in bocca*, my mouth 's watering.
acquoso *agg.* watery.
acre *agg.* pungent, acrid, bitter (*anche fig.*).
acrilico *agg.* acrylic.
acrobata *s.m. / f.* acrobat.
acustico *agg.* acoustic.
acutizzarsi *v.pron.* to worsen; (*di malattia*) to become* critical.
acuto *agg.* acute; sharp; (*aguzzo*) pointed; (*di suono*) shrill.
adagiare *v.tr.* to lay* down (with care) ♦ **~rsi** *v.pron.* to lie* down.
adagio *avv.* **1** slowly; (*fam.*) slow; (*senza fretta*) unhurriedly **2** (*con cautela*) carefully.
adattabile *agg.* adaptable.
adattamento *s.m.* adaptation.
adattare *v.tr.* to adapt; to adjust; (*trasformare*) to turn into ♦ **~rsi** *v.pron.* **1** (*adeguarsi*) to adapt, to adjust **2** (*essere adatto*) to be suitable.
adattatore *s.m.* (*elettr.*) adapter.
adatto *agg.* suited; right; suitable.
addebitare *v.tr.* to debit; to charge.
addebito *s.m.* debit.
addensarsi *v.pron.* to thicken; (*ammassarsi*) to gather.
addentare *v.tr.* to sink* one's teeth into.
addentrarsi *v.pron.* to go* into.
addestramento *s.m.* training.
addestrare *v.tr.*, **addestrarsi** *v.pron.* to train.
addetto *agg.* employed (*in*); (*adibito*) intended (*for*) ♦ *s.m.* attaché.
addio *s.m.*, *inter.* goodbye.
addirittura *avv.* even.
additare *v.tr.* (*indicare*) to point (*to, at*); (*mostrare*) to point out, to show.
additivo *s.m.* additive.
addizione *s.f.* addition.
addolcire *v.tr.* to sweeten; (*fig.*) to soften.
addolorato *agg.* grieved; sorrowful; sorry.
addome *s.m.* abdomen.
addormentarsi *v.pron.* to fall* asleep, to go* to sleep.
addormentato *agg.* **1** asleep (*pred.*), sleeping **2** (*sonnolento*) sleepy, drowsy **3** (*intorpidito*) numb.
addosso *avv.* (*su di sé*) on.
adeguare *v.tr.*, **adeguarsi** *v.pron.* to adapt.
adeguato *agg.* adequate, suitable, fit; (*giusto*) fair.
aderente *agg.* (*di abito*) tight, close-fitting.
aderire *v.intr.* **1** to adhere, to stick* **2** (*acconsentire*) to agree (*to*), to accept.
adesione *s.f.* (*consenso*) agreement, assent.
adesivo *agg.*, *s.m.* adhesive.
adesso *avv.* now.
adiacente *agg.* adjacent; (*a contatto*) adjoining.

adibire *v.tr.* to use as, to use for.
adirato *agg.* angry; irate.
adocchiare *v.tr.* **1** (*con desiderio*) to eye **2** (*scorgere*) to glimpse, to catch* sight of.
adolescente *agg.* teenage ♦ *s.m./f.* teenager.
adop(e)rare *v.tr.* to employ, to use ♦ **~rsi** *v.pron.* to do* one's best.
adorabile *agg.* adorable, charming.
adorare *v.tr.* to worship; (*fig.*) to adore.
adottare *v.tr.* to adopt (*anche fig.*).
adottivo *agg.* adoptive, adopted.
adozione *s.f.* adoption.
adriatico *agg., s.m.* Adriatic.
adulare *v.tr.* to flatter, to adulate.
adulazione *s.f.* flattery, adulation.
adulterare *v.tr.* to adulterate.
adulterio *s.m.* adultery.
adulto *agg., s.m.* adult, grown-up.
adunanza *s.f.* assembly, meeting.
adunco *agg.* hooked.
aerare *v.tr.* to air, to ventilate.
aereo *agg.* air (*attr.*); aerial ♦ *s.m.* plane; (*amer.*) airplane.
aerobica *s.f.* aerobics ▭.
aerobus *s.m.* airbus.
aeroclub *s.m.* flying club.
aerodinamico *agg.* (*fis.*) aerodynamic; (*di linea slanciata*) streamlined.
aeronautica *s.f.* aeronautics ▭| *Aeronautica Militare*, Air Force.
aeroplano *s.m.* (aero)plane; (*amer.*) airplane.
aeroporto *s.m.* airport.
aerosol *s.m.* aerosol | *apparecchio per* –, inhalator.
aerospaziale *agg.* aerospace (*attr.*).
aerostazione *s.f.* air terminal.
afa *s.f.* sultriness; stuffiness, closeness.
affabile *agg.* affable, amiable.
affaccendato *agg.* busy.
affacciarsi *v.pron.* **1** (*di finestra ecc.*) to overlook (a place) **2** (*mostrarsi*) to appear, to show oneself.
affamato *agg.* **1** hungry, starving **2** (*fig.*) greedy, avid, eager (*for*).
affannarsi *v.pron.* to worry oneself; to trouble oneself.
affanno *s.m.* **1** breathlessness **2** (*pena*) worry, pain; (*angoscia*) anxiety, anguish.
affannoso *agg.* breathless, gasping;(*fig.*) troubled.
affare *s.m.* **1** business ▭, transaction, deal; (*vantaggioso*) bargain | *– fatto!*, it's a deal! **2** (*faccenda*) affair, matter.
affascinante *agg.* charming, enchanting.
affaticato *agg.* tired.
affatto *avv.* not at all, not in the least.
affermare *v.tr.* to affirm, to declare; (*asserire*) to assert ♦ **~rsi** *v.pron.* to impose oneself; to be successful.
affermativo *agg.* affirmative.
affermazione *s.f.* **1** affirmation, statement; (*asserzione*) assertion **2** (*successo*) success.
afferrare *v.tr.* to seize, to grasp ♦ **~rsi** *v.pron.* to grasp at, to clutch at.
affettare *v.tr.* (*tagliare a fette*) to slice.
affettatrice *s.f.* slicing machine, slicer.
affettivo *agg.* affective; (*emozionale*) emotional.
affetto *s.m.* affection, fondness, love | *con* –, (*in fine di lettera*) with love.
affettuoso *agg.* tender, loving, affectionate.
affezionato *agg.* fond (*of*); affectionate (*towards*).
affiancarsi *v.pron.* to come* alongside.
affiatamento *s.m.* harmony, concord.

affiatato *agg.* close, close-knit.
affidabile *agg.* reliable.
affidabilità *s.f.* reliability.
affidamento *s.m.* **1** trust, confidence, reliance | *fare – su qlcu.*, to rely on s.o. **2** (*di minore*) custody.
affidare *v.tr.* to entrust, to confide ♦ **~rsi** *v.pron.* to rely (*on, upon*); (*confidare*) to trust (*in*).
affievolirsi *v.pron.* to weaken, to grow* weak; (*diminuire*) to fade.
affilato *agg.* **1** sharp **2** (*di lineamenti*) thin.
affinare *v.tr.* (*aguzzare*) to sharpen; (*assottigliare*) to (make*) thin.
affinché *cong.* so that, in order that.
affine *agg.* similar, analogous.
affiorare *v.intr.* to appear (on the surface), to surface.
affissione *s.f.* billposting, billsticking, placarding | *divieto d'–*, stick no bills, post no bills.
affittacamere *s.m.* landlord ♦ *s.f.* landlady.
affittare *v.tr.* **1** (*dare in affitto*) to let* (out), to rent | *affittasi*, to let **2** (*prendere in affitto*) to rent **3** (*prendere a noleggio*) to hire; (*dare a noleggio*) to hire out.
affitto *s.m.* rent | *contratto d'–*, lease.
affliggere *v.tr.* to afflict, to distress; (*tormentare*) to bother, to annoy ♦ **~rsi** *v.pron.* to grieve (over); (*tormentarsi*) to torment oneself.
afflosciarsi *v.pron.* to droop; to wilt.
affluenza *s.f.* influx, inflow; (*di persone*) attendance | *l'– alle urne*, the polling.
affluire *v.intr.* to flow (*in*); to pour (*in*); to stream; (*solo di persone*) to crowd, to flock, to throng.
afflusso *s.m.* flow, stream.
affogare *v.tr./intr.* to drown (*anche fig.*).
affollare *v.tr.* to crowd, to throng, to pack ♦ **~rsi** *v.pron.* to throng, to crowd (together).
affollato *agg.* crowded, packed (*with*).
affondare *v.tr.* **1** to sink* **2** (*far penetrare*) to drive*, to plunge.
affrancare *v.tr.* (*lettera, pacco*) to stamp; to frank.
affrancatura *s.f.* (*postale*) postage | *privo di –*, unstamped.
affranto *agg.* broken-hearted.
affresco *s.m.* fresco*.
affrettarsi *v.pron.* to hurry (up); (*premurarsi*) to hasten, to be quick (*to do*).
affrettato *agg.* (*fatto in fretta*) hasty, hurried; (*poco curato*) rushed.
affrontare *v.tr.* to face; (*fig.*) to face up to , to deal* with, to tackle.
affronto *s.m.* affront, insult, outrage.
affumicato *agg.* smoked.
affusolato *agg.* tapered, tapering.
afono *agg.* voiceless.
afoso *agg.* sultry, muggy, sweltering.
africano *agg.*, *s.m.* African.
agave *s.f.* agave.
agenda *s.f.* **1** (*taccuino*) diary **2** (*ordine del giorno*) agenda.
agente *s.m.* agent; (*di polizia*) policeman.
agenzia *s.f.* agency; (*filiale*) branch (office).
agevolare *v.tr.* to facilitate, to make* easy; (*favorire*) to favour.
agevolazione *s.f.* facilitation, facility.
agevole *agg.* easy.
agganciare *v.tr.* **1** to hook, to clasp; (*collegare*) to link **2** (*persone*) to get* hold of.
aggancio *s.m.* (*contatto*) contact.

aggeggio *s.m.* gadget, device.
aggettivo *s.m.* adjective.
agghiacciante *agg.* dreadful, appalling, ghastly.
aggiornamento *s.m.* **1** updating, bringing up to date **2** (*rinvio*) adjournment, postponement.
aggiornare *v.tr.* **1** to update, to bring* up to date **2** (*rinviare*) to adjourn, to postpone ♦ **~rsi** *v.pron.* **1** to keep* oneself up to date **2** (*di assemblea*) to adjourn.
aggiornato *agg.* up-to-date.
aggiotaggio *s.m.* agiotage, stockjobbing.
aggirare *v.tr.* **1** to go* round ♦ **~rsi** *v.pron.* **1** to wander about, to roam (about), to rove **2** (*di importo*) to be around, to be about.
aggiudicare *v.tr.* (*premio ecc.*) to award; (*alle aste*) to knock down.
aggiungere *v.tr.* to add ♦ **~rsi** *v.pron.* (*di persona*) to join (s.o.); (*di cosa*) to be added.
aggiunta *s.f.* addition.
aggiustare *v.tr.* (*riparare*) to mend, to fix, to repair; (*mettere in ordine*) to adjust.
agglomerato *s.m* (*urbano*) urban conglomeration.
aggrapparsi *v.pron.* to cling*.
aggravante *s.f.* aggravating circumstance.
aggravare *v.tr.*, **aggravarsi** *v.pron.* to worsen.
aggraziato *agg.* graceful.
aggredire *v.tr.* to assault, to assail.
aggregare *v.tr.*, **aggregarsi** *v.pron.* to aggregate; (*unirsi a*) to join (*s.o., sthg.*).
aggressione *s.f.* assault.
aggressività *s.f.* aggressiveness.
aggressivo *agg.* aggressive.
aggressore *s.m.* aggressor.
aggrovigliato *agg.* tangled (*anche fig.*).
agguantare *v.tr.* to catch*, to grasp, to seize.
agguato *s.m.* ambush; (*trappola*) snare.
agiatezza *s.f.* comfort, ease.
agiato *agg.* well-off, well-to-do.
agibile *agg.* (*di edificio*) fit for habitation; habitable.
agile *agg.* agile, nimble; (*di mano*) deft.
agio *s.m.* comfort; (*comodo*) ease, leisure.
agire *v.intr.* to act, to operate.
agitare *v.tr.* to agitate; (*scuotere*) to shake* ♦ **~rsi** *v.pron.* **1** (*divenire inquieto*) to become* upset, to get* upset, to worry **2** (*muoversi*) to toss.
agitato *agg.* **1** agitated; troubled **2** (*eccitato*) excited; (*irrequieto*) restless.
agitazione *s.f.* **1** agitation; anxiety **2** (*sindacale*) industrial unrest.
aglio *s.m.* garlic.
agnello *s.m.* lamb.
ago *s.m.* needle.
agonia *s.f.* pangs of death (*pl.*).
agopuntura *s.f.* acupuncture.
agosto *s.m.* August.
agricolo *agg.* agricultural.
agricoltore *s.m.* farmer.
agricoltura *s.f.* agriculture, farming.
agrifoglio *s.m.* holly.
agriturismo *s.m.* farm holidays (*pl.*).
agroalimentare *agg.* agroindustrial | *industria* –, agroindustry.
agrodolce *agg.* sweet and sour.
agronomo *s.m.* agronomist.
agrume *s.m.* citrus (fruit).
aguzzare *v.tr.* to sharpen.

aguzzo *agg.* sharp; pointed.
AIDS *s.m./f.* AIDS.
aitante *agg.* well built, well knit; athletic.
aiuola *s.f.* (*di erba*) lawn; (*di fiori*) flowerbed.
aiutare *v.tr.* to help.
aiuto *s.m.* **1** help; (*sussidio*) aid **2** (*aiutante*) helper; assistant.
ala *s.f.* **1** wing **2** (*di cappello*) brim.
alano *s.m.* (*cane*) Great Dane.
alba *s.f.* dawn (*anche fig.*); daybreak.
albanese *agg., s.m.* Albanian.
albergatore *s.m.* hotelier, hotelkeeper.
alberghiero *agg.* hotel (*attr.*).
albergo *s.m.* hotel | *casa* –, residential hotel.
albero *s.m.* **1** tree **2** (*mar.*) mast **3** (*mecc.*) shaft.
albicocca *s.f.* apricot.
albo *s.m.* **1** register; roll **2** (*per affissione*) notice board **3** (*di fumetti*) album.
album *s.m.* album.
alce *s.m.* elk.
alcol *s.m.* alcohol.
alcolici *s.m.pl.* alcoholic drinks.
alcolico *agg.* alcoholic.
alcolizzato *agg., s.m.* alcoholic.
alcuno → *qualche, qualcuno; nessuno.*
alettone *s.m.* (*aer.*) aileron; (*aut.*) stabilizer.
alfabetico *agg.* alphabetic(al) | *in ordine* –, alphabetically, in alphabetical order.
alfabeto *s.m.* alphabet.
alfiere *s.m.* (*a scacchi*) bishop.
alga *s.f.* seaweed ⊡; (*scient.*) alga*.
algebra *s.f.* algebra.
algebrico *agg.* algebraic(al).
algerino *agg., s.m.* Algerian.
aliante *s.m.* glider.
alibi *s.m.* alibi.
alienare *v.tr.* to alienate.
alieno *s.m.* alien.
alimentare[1] *agg.* alimentary.
alimentare[2] *v.tr.* to feed*; (*fornire*) to supply, to furnish ♦ **~rsi** *v.pron.* to feed* (*on*).
alimentari *s.m.pl.* foodstuffs.
alimentazione *s.f.* **1** – *ricca, povera*, rich, poor diet **2** (*tecn.*) feeding; (*di corrente*) supply.
alimento *s.m.* **1** food **2** *pl.* (*al coniuge*) *alimony* ⊡; (*amer.*) *maintenance* ⊡.
aliquota *s.f.* **1** (*trib.*) rate **2** (*parte, quota*) quota, share; (*mat.*) aliquot (part).
aliscafo *s.m.* hydrofoil (boat); (*amer.*) hydroplane.
alito *s.m.* breath.
allacciamento *s.m.* connection, link.
allacciare *v.tr.* **1** to lace, to tie (up); (*fibbia*) to buckle; (*collegare*) to connect; to link up **2** (*fig.*) to establish.
allagamento *s.m.* flooding.
allagare *v.tr.* to inundate, to flood ♦ **~rsi** *v.pron.* to be flooded.
allampanato *agg.* lanky.
allargare *v.tr.* to widen, to broaden; (*ampliare*) to enlarge, to increase.
allarmante *agg.* alarming.
allarmare *v.tr.* to alarm.
allarme *s.m.* alarm, warning, alert.
allarmismo *s.m.* alarmism.
allattamento *s.m.* feeding; (*periodo*) lactation | – *artificiale*, bottle-feeding.
allattare *v.tr.* to feed*.
alleanza *s.f.* alliance.
alleato *agg.* allied (*to*) ♦ *s.m.* ally.
allegare *v.tr.* (*accludere*) to enclose.

allegato *s.m.* enclosure.
alleggerire *v.tr.* to lighten.
allegria *s.f.* cheerfulness, gaiety.
allegro *agg.* merry, cheerful; (*di colore*) bright.
allenamento *s.m.* training, coaching.
allenare *v.tr.*, **allenarsi** *v.pron.* to train.
allenatore *s.m.* trainer, coach.
allentare *v.tr.* to slacken, to loosen; (*ridurre*) to reduce ♦ **~rsi** *v.pron.* to become* loose, to become* slack.
allergia *s.f.* allergy.
allergico *agg.* allergic.
allergologo *s.m.* allergist.
allerta *s.f.* alert; look out.
allertare *v.tr.* to alert, to put* on (the) alert.
allestimento *s.m.* preparation, setting up; (*di vetrine*) window dressing | *– scenico*, set design.
allettante *agg.* alluring, inviting, tempting.
allettare *v.tr.* (*tentare*) to entice; to tempt.
allevamento *s.m.* raising, breeding; (*il luogo*) farm | *polli di –*, battery chicken.
allevare *v.tr.* to bring* up; (*animali*) to raise, to breed*.
allevatore *s.m.* breeder; farmer.
alleviare *v.tr.* to relieve, to alleviate; to mitigate.
allibito *agg.* astonished, stupefied.
allibratore *s.m.* bookmaker, (*fam.*) bookie.
allievo *s.m.* pupil, schoolboy; (*studente*) student.
alligatore *s.m.* alligator.
allineare *v.tr.* to line up, to align; (*tip.*) to justify ♦ **~rsi** *v.pron.* (*adeguarsi*) to fall* into line (*with*).
allodola *s.f.* lark, skylark.
alloggiare *v.tr.* to accommodate, to house, to put* up ♦ *v.intr.* to stay.
alloggio *s.m.* accomodation, home; lodgings (*pl.*).
allontanamento *s.m.* removal; (*licenziamento*) dismissal.
allontanare *v.tr.* to move away; to remove (*anche fig.*) ♦ **~rsi** *v.pron.* to go* away.
allora *avv.* then; (*perciò*) so, therefore | *proprio –*, just then | *e –?*, so what?
alloro *s.m.* bay.
alluce *s.m.* big toe.
allucinazione *s.f.* hallucination.
alludere *v.intr.* to allude; to hint (*at*).
alluminio *s.m.* aluminium.
allungabile *agg.* extendable.
allungare *v.tr.* **1** to lengthen; to extend **2** (*gambe ecc.*) to stretch (out) **3** (*porgere*) to pass, to hand **4** (*annacquare*) to water (down); (*diluire*) to dilute ♦ **~rsi** *v.pron.* to lengthen, to grow* long(er).
allusione *s.f.* allusion, hint; (*riferimento*) reference.
allusivo *agg.* allusive.
alluvione *s.f.* flood, inundation.
almeno *avv.* at least | *– telefonasse!*, if only he'd phone!
alogeno *agg.*: *lampada alogena*, halogen lamp.
alone *s.m.* **1** halo* (*anche fig.*) **2** (*su tessuto*) mark, ring.
alpaca *s.m.* alpaca.
alpinismo *s.m.* mountaineering, (mountain-) climbing.
alpinista *s.m./f.* mountaineer, (mountain-) climber.
alquanto *avv.* somewhat, a bit, rather; quite a lot.
alt *s.m.*, *inter.* stop, halt.

altalena *s.f.* (*appesa a due funi*) swing; (*tavola in bilico*) seesaw.
altare *s.m.* altar.
alterare *v.tr.* **1** to alter **2** (*distorcere*) to distort, to misrepresent ♦ **~rsi** *v.pron.* to alter; (*turbarsi*) to get* worked up.
alterazione *s.f.* **1** (*mutamento*) alteration, change **2** (*distorsione*) distortion.
alterco *s.m.* quarrel, altercation, dispute.
alternare *v.tr.*, **alternarsi** *v.pron.* to alternate.
alternativa *s.f.* alternative.
alternativo *agg.* alternative.
alterno *agg.* alternate.
altezza *s.f.* height; (*di tessuto*) width; (*di suono*) pitch | *all'– di*, level with; (*fig.*) up to.
altezzoso *agg.* haughty, arrogant, lofty.
alticcio *agg.* tipsy, tight.
altipiano → *altopiano.*
altitudine *s.f.* altitude, height.
alto *agg.* **1** high (*anche fig.*); (*di statura*) tall; (*di spessore*) thick **2** (*di acqua*) deep **3** (*di stoffa*) wide **4** (*forte*) loud.
altoparlante *s.m.* loudspeaker.
altopiano *s.m.* upland, plateau, tableland.
altrettanto *agg.* as much (... as), *pl.* as many (... as) ♦ *pron.* as much, *pl.* as many; (*la stessa cosa*) the same ♦ *avv.* as much.
altrimenti *avv.*, *cong.* otherwise.
altro *agg.* **1** other; (*un altro*) another; (*in più*) more; further | *noi,voi altri*, we, you | *chi –?*, who else?; *dove –?*, where else?; *qualcun –*, somebody else **2** (*diverso*) different ♦ *pron.indef.* **1** (*un altro*) another (one); (*l'altro*) the other (one); *pl.* others, other people | *alcuni... altri...*, some... some (*o* others)...; (*l'*) *uno... l'–...*, one... the other...; *uno..., un –...*, one..., another...; *l'uno e l'–*, both; *né l'uno né l'–*, neither; either; *o l'uno o l'–* , either | *l'un l'–*, (*reciprocamente*) one another, (*spec. tra due*) each other **2** (*altra cosa*) something else; anything else: *niente –*, nothing else | *tra l'–*, besides, among other things.
altroché *avv.* certainly, sure.
altronde, d' *avv.* (d'altra parte) besides, on the other hand.
altrove *avv.* elsewhere, somewhere else.
altrui *agg.* (*di altre persone*) other people's; (*di un individuo in particolare*) someone else's.
altruismo *s.m.* altruism, unselfishness.
altruista *s.m./f.* altruist, unselfish person.
alunna *s.f.* pupil; schoolgirl.
alunno *s.m.* pupil; schoolboy | *gli alunni*, schoolchildren.
alveare *s.m.* beehive, hive.
alzacristallo *s.m.* (*aut.*) winder.
alzare *v.tr.* to raise; (*sollevare*) to lift (up) ♦ **~rsi** *v.pron.* **1** (*in piedi*) to stand* up **2** (*dal letto*) to get* up **3** (*di astri, vento ecc.*) to rise **4** (*crescere*) to rise*; (*in altezza*) to grow* (taller).
alzato *agg.* up.
amabile *agg.* **1** lovable **2** (*di vino*) medium sweet.
amaca *s.f.* hammock.
amante *agg.* fond (*of*), keen (*on*) ♦ *s.m.* lover ♦ *s.f.* mistress.
amare *v.tr.* **1** to love, to be in love (*with*) **2** (*gradire*) to like; (*essere appassionato*) to be* fond (*of*).
amareggiato *agg.* embittered; (*rattristato*) saddened.
amarena *s.f.* sour black cherry.

amaretto *s.m.* (*biscotto*) macaroon.
amarezza *s.f.* bitterness; (*tristezza*) sadness.
amaro *agg.* bitter (*anche fig.*) ♦ *s.m* (*liquore*) bitters (*pl.*).
amarognolo *agg.* bitterish.
amato *agg.* beloved, dear.
ambasciata *s.f.* **1** embassy **2** (*messaggio*) message.
ambasciatore *s.m.* ambassador.
ambedue *agg.*, *pron.* both.
ambientale *agg.* environmental.
ambientalismo *s.m.* ecology.
ambientalista *agg.*, *s.m./f.* ecologist, environmentalist.
ambientare *v.tr.*, **ambientarsi** *v.pron.* to acclimatize.
ambiente *s.m.* **1** environment; habitat | *tutela dell'*–, environmental protection **2** (*stanza*) room.
ambiguo *agg.* ambiguous; (*di persona*) shady.
ambito *s.m.* sphere, area.
ambivalente *agg.* ambivalent.
ambizione *s.f.* ambition.
ambizioso *agg.* ambitious.
ambra *s.f.* amber.
ambulante *agg.* travelling, itinerant | *suonatore* –, street musician, busker; *venditore* –, street vendor.
ambulanza *s.f.* ambulance.
ambulatorio *s.m.* (*di medico*) surgery; (*di ospedale*) outpatients' department.
americano *agg.*, *s.m.* American; (*lingua*) American English.
ametista *s.f.* amethyst.
amianto *s.m.* asbestos.
amichevole *agg.* friendly.
amicizia *s.f.* friendship; *pl.* friends.
amico *agg.* friendly ♦ *s.m.* friend.
amido *s.m.* starch.
ammaccato *agg.* dented; (*di frutta*, *di pelle*) bruised.
ammalarsi *v.pron.* to become* ill, to be* taken ill.
ammalato *agg.* ill, unwell (*spec. pred.*); sick (*spec. attr.*) ♦ *s.m.* sick person; (*paziente*) patient.
ammanco *s.m.* deficit.
ammanettare *v.tr.* to handcuff.
ammansire *v.tr.* to domesticate, to tame; (*calmare*) to calm (down).
ammaraggio *s.m.* landing; (*di capsula spaziale*) splashdown.
ammassare *v.tr.* to heap up, to amass ♦**~rsi** *v.pron.* **1** (*affollarsi*) to crowd (together); to mass **2** (*accumularsi*) to accumulate, to pile up.
ammasso *s.m.* heap, pile, hoard.
ammazzare *v.tr.* to kill ♦ **~rsi** *v.pron.* (*suicidarsi*) to kill oneself; (*rimanere ucciso*) to be* killed, to get* killed.
ammesso che *cong.* supposing (that); even if; (*se*) if, as long as.
ammettere *v.tr.* to admit; (*supporre*) to suppose, to assume; (*permettere*) to allow.
ammezzato *s.m.* mezzanine.
ammiccare *v.intr.* to wink (*at*).
amministrare *v.tr.* to manage, to run*.
amministrativo *agg.* administrative | *elezioni amministrative*, local elections.
amministratore *s.m.* manager, director | – *delegato*, managing director.
amministrazione *s.f.* administration; (*gestione*) management.
ammiraglio *s.m.* admiral.
ammirare *v.tr.* to admire.
ammirato *agg.* full of admiration.
ammiratore *s.m.*, **ammiratrice** *s.f.* admirer; (*di attore ecc.*) fan.
ammirazione *s.f.* admiration.

ammirevole *agg.* admirable.
ammissibile *agg.* admissible; acceptable.
ammissione *s.f.* **1** admission **2** (*riconoscimento*) acknowledgement.
ammobiliare *v.tr.* to furnish.
ammoniaca *s.f.* ammonia.
ammonimento *s.m.* warning; (*rimprovero*) reprimand.
ammonire *v.tr.* **1** (*rimproverare*) to admonish, to reprimand; (*sport*) to book, to warn **2** (*mettere in guardia*) to warn, to caution.
ammonizione *s.f.* reprimand; (*avvertimento*) warning.
ammontare *v.intr.* to amount, to come* to ♦ *s.m.* amount.
ammorbidente *s.m.* softener.
ammorbidire *v.tr.*, **ammorbidirsi** *v. pron.* to soften.
ammortizzatore *s.m.* (*mecc.*) shock absorber | *ammortizzatori sociali*, welfare support provisions.
ammucchiare *v.tr.* to heap, to pile up ♦ **~rsi** *v.pron.* (*di cose*) to pile up; (*di gente*) to crowd (together), to mass.
ammuffire *v.intr.* to grow* mouldy.
ammuffito *agg.* mouldy.
ammutolire *v.intr.* to be* struck dumb.
amnesia *s.f.* loss of memory; (*med.*) amnesia.
amnistia *s.f.* amnesty.
amnistiare *v.tr.* to give* amnesty (*to*).
amo *s.m.* (fish) hook.
amore *s.m.* love | *con* –, heartily.
amoreggiare *v.intr.* to flirt.
amorevole *agg.* loving.
ampiezza *s.f* width, wideness | – *di vedute,* broadmindness.
ampio *agg.* wide, broad; (*vasto*) ample, large (*anche fig.*); (*spazioso*) spacious.
ampliamento *s.m.* enlargement, expansion.
ampliare *v.tr.* to enlarge, to extend.
amplificatore *s.m.* amplifier.
ampolla *s.f.* small bottle; (*per olio, aceto*) cruet.
amputare *v.tr.* to amputate.
amuleto *s.m.* amulet, charm.
anabbaglianti *s.m. pl.* (*aut.*) dipped headlights.
anacronismo *s.m.* anachronism.
anacronistico *agg.* anachronistic.
anagrafe *s.f.* **1** register (of births, deaths etc.) **2** (*ufficio*) registry office.
anagramma *s.m.* anagram.
analcolico *agg.* non-alcoholic | *bibita analcolica*, soft drink.
analfabeta *agg., s.m.* illiterate.
analfabetismo *s.m.* illiteracy.
analgesico *agg., s.m.* analgesic.
analisi *s.f.* analysis*; test.
analista *s.m./f.* analyst.
analitico *agg.* analytic(al).
analizzare *v.tr.* to analyse.
analogamente *avv.* likewise.
analogia *s.f.* analogy.
analogo *agg.* analogous, similar.
ananas *s.f.* pineapple.
anarchia *s.f.* anarchy.
anarchico *agg.* anarchic(al) ♦ *s.m.* anarchist.
anatomia *s.f.* anatomy.
anatra *s.f.* duck*; (*maschio*) drake.
anatroccolo *s.m.* duckling.
anca *s.f.* hip.
anche *cong.* **1** (*pure*) also, too, as well; (*in frasi negative*) either **2** (*perfino*) even | – *se, quand'*–, even if.
ancora *avv.* **1** still; (*solo in frasi negative*) yet **2** (*di nuovo*) again | – *un po'*, a

little more, *pl.* a few more; (*di più*) some more.
àncora *s.f.* anchor.
ancorare *v.tr.*, **ancorarsi** *v.pron.* to anchor (*anche fig.*).
andamento *s.m.* (*tendenza*) trend; (*corso*) course.
andante *agg.* (*ordinario*) ordinary, common, plain; (*mediocre*) poor; second-rate; cheap.
andare *v.intr.* **1** to go*; (*in auto*) to drive*; (*a piedi*) to walk **2** (*funzionare*) to work **3** (*piacere*) to like (*costr. pers.*); (*sentirsi di*) to feel* like (*doing*) (*costr. pers.*) **4** (*essere di moda*) to be in (fashion) **5** (*essere, sentirsi*) to be, to feel* **6** (*seguito da ger.*) to be + -ing: *va peggiorando*, he is getting worse **7** *andarsene*, to go* (away), to leave*; (*di macchia*) to come* off.
andata *s.f.*: *viaggio di* –, outward journey; (*viaggio di*) – *e ritorno*, round trip; *all'*–, on the outward journey.
andato *agg.* **1** (*trascorso*) gone (by), elapsed, passed **2** (*rovinato*) ruined; (*di persona*) done for, finished; (*di cosa*) worn out.
andatura *s.f.* walk; gait; carriage; (*passo*) pace.
andirivieni *s.m.* comings and goings (*pl.*).
aneddoto *s.m.* anecdote.
anelante *agg.* panting, breathless.
anello *s.m.* ring; (*di catena*) link.
anemia *s.f.* anaemia.
anemone *s.m.* anemone | – *di mare*, sea anemone.
anestesia *s.f.* anaesthesia.
anestesista *s.m./f.* anaesthetist.
anestetizzare *v.tr.* to anaesthetize.
anfora *s.f.* amphora*.
angelico *agg.* angelic(al).
angelo *s.m.* angel: – *custode*, guardian angel | *lunedì dell'Angelo*, Easter Monday.
anglicanesimo *s.m.* Anglicanism.
anglicano *agg.*, *s.m.* Anglican.
angloamericano *agg.*, *s.m.* Anglo-American.
anglosassone *agg.*, *s.m.* Anglo-Saxon | *il mondo* –, the English-speaking world.
angolo *s.m.* corner; (*geom.*) angle.
angora *s.f.* angora.
angoscia *s.f.* anguish.
angosciare *v.tr.* to cause anguish (*to*), to afflict, to distress ♦ **~rsi** *v.pron.* to be distressed, to get anxious, to torment oneself (*about*).
angosciato *agg.* anguished, distressed; anxious.
angoscioso *agg.* (*che dà angoscia*) distressing, painful; (*pieno di angoscia*) distressed, anguished.
anguilla *s.f.* eel.
anguria *s.f.* watermelon.
angustiarsi *v.pron.* (*preoccuparsi*) to worry (*about*); (*tormentarsi*) to be tormented (*about*).
angusto *agg.* narrow, cramped.
anice *s.m.* **1** (*bot.*) anise* **2** (*seme, sapore*) aniseed.
anidride carbonica *s.f.* carbon dioxide.
anima *s.f.* **1** soul **2** (*parte interna*) core.
animale *agg.*, *s.m.* animal.
animare *v.tr.* **1** to enliven, to give* life (*to*), to liven up (*anche fig.*); (*stimolare*) to stimulate ♦ **~rsi** *v.pron.* **1** to become* animated, to become* livelier; (*di persone*) to get* lively; (*di luoghi*) to grow* busy.

animato *agg.* animated; lively; (*movimentato*) busy | *cartoni animati*, (animated) cartoons.
animatore *s.m.* (*turistico*) entertainment organiser.
animelle *s.f.pl.* (*cuc.*) sweetbread(s).
animo *s.m.* (*mente*) mind; (*cuore, coraggio*) heart | *stato d'–*, mood.
anitra → ***anatra***.
annacquare *v.tr.* to water; (*diluire*) to dilute.
annaffiare *v.tr.* to water, to sprinkle.
annaffiatoio *s.m.* watering can; (*meccanico*) sprinkler.
annata *s.f.* year; (*raccolto*) crop | *vino d'–*, vintage wine.
annebbiare *v.tr.* to dim, to obscure ♦ **~rsi** *v.pron.* to grow* dim.
annegare *v.tr.* to drown.
annerire *v.tr., intr.*, **annerirsi** *v.pron.* to blacken.
annessione *s.f.* (*di territorio*) annexation.
annettere *v.tr.* **1** (*pol.*) to annex **2** (*attribuire*) to attach.
annidarsi *v.pron.* to hide*.
annientamento *s.m.* destruction.
annientare *v.tr.* to destroy.
anniversario *s.m.* anniversary.
anno *s.m.* **1** year | *tutti gli anni*, every year | *Buon Anno*, Happy New Year | *"Quanti anni hai?" "Ho vent'anni"*, "How old are you?" "I am twenty (years old)".
annodare *v.tr.* to knot, to tie in a knot.
annoiare *v.tr.* to bore ♦ **~rsi** *v.pron.* to get* bored, to be bored.
annotare *v.tr.* (*prender nota*) to note, to make* a note of, to jot down.
annotazione *s.f.* note.
annoverare *v.tr.* to number, to count.
annuale *agg.* (*che dura un anno*) one-year, year's; (*che si verifica ogni anno*) annual, yearly.
annualmente *avv.* **1** annually, yearly **2** (*di anno in anno*) from year to year.
annuario *s.m.* yearbook.
annuire *v.intr.* to nod (in assent).
annullamento *s.m.* cancellation | *– di matrimonio*, annulment of a marriage.
annullare *v.tr.* to cancel, to annul ♦ **~rsi** *v.pron.*(*a vicenda*) to cancel each other out.
annullo *s.m.* (*di francobollo*) cancellation.
annunciare *v.tr.* to announce; (*lasciar prevedere*) to indicate.
annunciatore *s.m.*, **annunciatrice** *s.f.* announcer; (*rad., tv*) newscaster, newsreader.
annuncio *s.m.* announcement | *– pubblicitario*, advertisement, (*in tv*) commercial; *– economico*, classified ad, advertisement.
annuo *agg.* annual, yearly.
annusare *v.tr.* to smell*.
annuvolarsi e *deriv.* → *rannuvolarsi* e *deriv.*
ano *s.m.* anus.
anomalia *s.f.* anomaly.
anomalo *agg.* anomalous, irregular.
anonimato *s.m.* anonymity.
anonimo *agg.* anonymous | (*comm.*) *società anonima*, joint-stock company.
anormale *agg.* abnormal.
ansare *v.intr.* to pant.
ansia *s.f.* anxiety, anxiousness.
ansimare *v.intr.* to pant, to gasp.
ansioso *agg.* anxious; (*desideroso*) eager.
anta *s.f.* shutter; (*di armadio*) door.

antagonista *s.m./f.* opponent, rival; antagonist.
antecedente *agg.* antecedent.
antecedentemente *avv.* previously, before, prior (*to*).
antefatto *s.m.* antecedent, previous history.
anteguerra *s.m.* prewar period | *prezzi* (*d'*) –, prewar prices.
antenato *s.m.* ancestor, forefather.
antenna *s.f.* **1** (*rad.*) aerial, antenna* **2** (*di animale*) feeler.
antennista *s.m.* aerial fitter.
anteporre *v.tr.* to place before, to put* before.
anteprima *s.f.* preview.
anteriore *agg.* (*nello spazio*) front, fore; (*nel tempo*) previous, preceding.
antesignano *s.m.* forerunner, precursor.
antiabortista *agg.*, *s.m./f.* anti-abortionist.
antiaereo *agg.* antiaircraft.
antiappannante *agg.* demisting ♦ *s.m.* demister.
antiatomico *agg.* antinuclear | *rifugio* –, nuclear (*o* atomic) shelter.
antibiotico *agg.*, *s.m.* antibiotic.
anticamera *s.f.* hall; (*di teatro*, *albergo ecc.*) lobby.
antichità *s.f.* **1** (*classica*) antiquity **2** *pl.* (*oggetti antichi*) antiques; (*dell'antichità classica*) antiquities | *negozio di* –, antique shop.
anticiclone *s.m.* anticyclone, high.
anticipare *v.tr.* **1** to bring* forward; (*denaro*) to advance **2** (*prevenire*) to anticipate ♦ *v.intr.* **1** to come* early, to arrive early **2** (*di orologio*) to be fast.
anticipatamente *avv.* in advance, beforehand.
anticipo *s.m.* advance | *in* –, in advance; *in* – *di due ore*, *due ore di* –, two hours early.
antico *agg.* ancient; (*vecchio*) old; (*d'antiquariato*) antique | *gli antichi*, the ancients; *il nuovo e l'*–, the old and the new.
anticoncezionale *agg*, *s.m.* contraceptive.
anticonformista *s.m./f.* nonconformist.
anticorpo *s.m.* antibody.
anticostituzionale *agg.* unconstitutional.
anticrimine *agg.* anticrime; crime prevention (*attr.*) | *squadra* –, crime squad.
anticrittogamico *agg.* anticryptogamic ♦ *s.m.* fungicide.
antidatare *v.tr.* to backdate.
antidemocratico *agg.* undemocratic.
antidepressivo *agg.*, *s.m.* antidepressant.
antidolorifico *agg.*, *s.m.* analgesic.
antifurto *s.m.* (*per auto*) antitheft device, (*in casa ecc.*) burglar alarm.
antigelo *agg.*, *s.m.* antifreeze.
antilope *s.f.* antelope.
antimeridiano *agg.* a. m.: *erano le sette antimeridiane*, it was seven a.m. (*o* seven in the morning).
antimonopolistico *agg.* antitrust.
antincendio *agg.* fire-proof.
antinebbia *agg.* fog (*attr.*) | *fari* –, fog lights.
antiorario *agg.* anticlockwise.
antiparassitario *agg.* pesticidal ♦ *s.m.* pesticide.
antipasto *s.m.* hors-d'œuvre.
antipatia *s.f.* dislike, antipathy.
antipatico *agg.* disagreeable, unpleasant; nasty.
antipiega *agg.* crease-resistant.

antipolio *s.f.* polio vaccination.
antiproiettile *agg.* bullet-proof.
antiquariato *s.m.* antiques; antique trade | *un pezzo di* –, an antique.
antiquario *s.m.* antique dealer.
antiquato *agg.* antiquated; old-fashioned.
antiruggine *agg.* anti-rust, rust-proof.
antiscasso *agg.* anti-theft.
antisismico *agg.* aseismic, (earth) quake proof.
antispastico *agg.*, *s.m.* antispasmodic.
antistaminico *agg.* antihistaminic ♦ *s.m.* antihistamine.
antitarmico *agg.*, *s.m.* moth-repellent.
antitartaro *agg.* antitartar.
antologia *s.f.* anthology.
antropologia *s.f.* anthropology.
antropologo *s.m.* anthropologist.
anulare *s.m.* ring finger.
anzi *cong.* **1** (*al contrario*) on the contrary; in fact **2** (*o piuttosto*) or better still; even better.
anzianità *s.f.* seniority: *per* –, in order of seniority.
anziano *agg.* **1** (*avanti negli anni*) elderly; (*vecchio*) old **2** (*senior*) senior ♦ *s.m.* senior citizen, old person | *gli anziani*, the elderly.
anziché *cong.* **1** (*piuttosto che*) rather than **2** (*invece di*) instead of (*sthg.*, *doing*).
apatico *agg.* apathetic, listless.
ape *s.f.* bee; (*maschio*) drone: – *operaia*, worker (bee).
aperitivo *s.m.* aperitif.
aperto *agg.* **1** open (*anche fig.*); (*franco*, *schietto*) open; frank; (*di ampie vedute*) open-minded; broadminded ♦ *s.m.* open; open air: *all'*–, in the open (air).
apertura *s.f.* opening.
apice **1** *s.m.* peak, summit **2** (*fig.*) height, peak: *essere all'– della carriera*, to be at the height (*o* peak) of one's career **3** (*anat.*, *bot.*) apex*: – *del polmone*, apex of the lung **4** (*mat.*, *tip.*) prime.
apnea *s.f.* apn(o)ea | *immersione in* –, diving without breathing apparatus.
apogeo *s.m.* apogee.
apolide *agg.*, *s.m./f.* stateless (person).
apologetico *agg.* apologetic.
apologia *s.f.* apologia.
apostolico *agg.* apostolic.
apostolo *s.m.* apostle.
apostrofare[1] *v.tr.* (*gramm.*) to apostrophize.
apostrofare[2] *v.tr.* (*rivolgersi*) to address.
apostrofo *s.m.* apostrophe.
apoteosi *s.f.* apotheosis.
appagamento *s.m.* satisfaction, gratification, fulfilment.
appagare *v.tr.* to satisfy, to gratify, to fulfil ♦ **~rsi** *v.pron.* to be satisfied, to be content (*with*).
appaiare *v.tr.* to pair.
appaltare *v.tr.* (*dare in appalto*) to award a contract, to let* out a contract (*for*); (*prendere in appalto*) to contract.
appaltatore *s.m.* contractor.
appalto *s.m.* contract.
appannare *v.tr.*, **appannarsi** *v.pron.* to mist up, to dim.
apparato *s.m.* equipment ⊡; (*apparecchiatura*) apparatus*.
apparecchiare *v.tr.* (*la tavola*) to lay the table.
apparecchiatura *s.f.* device, machine; (*impianto*) apparatus*, equipment ⊡.
apparecchio *s.m.* **1** (*rad.*, *tv*) set;

(*congegno*) device, appliance | – *fotografico*, camera | – *telefonico*, telephone; *resti all'–!*, hold the line! **2** (*aeroplano*) aircraft*, aeroplane, (*amer.*) airplane.

apparente *agg.* apparent; (*evidente*) evident, clear.

apparenza *s.f.* appearance | *in, all'* –, seemingly, to all appearances.

apparire *v.intr.* (*mostrarsi*) to appear; (*sembrare*) to look, to seem.

appariscente *agg.* (*vistoso*) showy; ostentatious; (*di colore*) gaudy.

apparizione *s.f.* apparition.

appartamento *s.m.* flat; (*amer.*) apartment.

appartenere *v.intr.* to belong.

appassionante *agg.* riveting, gripping.

appassionare *v.tr.* to thrill, to excite ♦ **~rsi** *v.pron.* to become* keen (*on*), to develop a passion (*for*).

appassionato *agg.* passionate; (*che ha passione per qlco.*) keen (*on*), fond (*of*).

appassire *v.tr.*, **appassirsi** *v.pron.* (*avvizzire*) to wither; (*fig.*) to fade.

appellarsi *v.pron.* to appeal.

appellativo *s.m.* appellation.

appello *s.m.* **1** (*chiamata*) roll call: *fare l'–*, to call the roll **2** (*invocazione*) appeal, call **3** (*dir.*) appeal: *ricorrere in –*, to appeal.

appena *avv.* **1** (*a stento, a malapena*) scarcely, hardly **2** (*soltanto, solo un poco*) only, hardly **3** (*da pochissimo tempo*) only just ♦ *cong.* as soon as: *– possibile*, as soon as possible.

appendere *v.tr.* to hang* (up).

appendice *s.f.* (*aggiunta*) appendage; (*di libro, giornale*) appendix*.

appendicite *s.f.* appendicitis ⊡.

appetito *s.m.* appetite | *buon –!*, enjoy your meal!, have a good meal!

appetitoso *agg.* appetizing, tasty.

appianare *v.tr.* (*risolvere*) to settle.

appiattimento *s.m.* flattening; (*fig.*) levelling out.

appiattire *v.tr.* **appiattirsi** *v.pron.* to flatten; (*livellare*) to level; (*fig.*) to level out.

appiccare *v.tr.*: *– il fuoco a qlco.*, to set fire to sthg., to set sthg. on fire.

appiccicare *v.tr.* to stick* ♦ *v.intr.* to be sticky.

appiccicoso *agg.* sticky; (*di persona*) clinging.

appigliarsi *v.pron.* (*aggrapparsi*) to cling* (*to*).

appiglio *s.m.* **1** (*per la mano*) handhold; (*per il piede*) foothold **2** (*pretesto*) pretext, excuse.

appioppare *v.tr.* (*dare*) to give*; (*rifilare*) to palm off.

appisolarsi *v.pron.* to doze off, to snooze off.

applaudire *v.tr./intr.* to applaud; (*battendo le mani*) to clap.

applauso *s.m.* applause ⊡; (*a gran voce*) cheers (*pl.*).

applicare *v.tr.* to apply; (*mettere*) to put*.

applicazione *s.f.* application; (*uso*) use; (*di legge, norma*) enforcement.

applique *s.f.* wall lamp; (*a forma di candela*) sconce.

appoggiare *v.tr.* **1** (*contro qlco.*) to lean*; (*su qlco.*) to put* **2** (*favorire*) to support, to back ♦ **~rsi** *v.pron.* to lean* (*against*).

appoggio *s.m.* support.

apportare *v.tr.* to bring* about; (*causare*) to cause.

apporto *s.m.* contribution.

appositamente *avv.* on purpose, pur-

posely, deliberately | – *studiato*, specially designed.
apposito *agg.* special | *luogo* –, proper place.
apposta *avv.* **1** (*di proposito*) on purpose, deliberately, intentionally **2** (*espressamente*) specially, expressly.
apprendere *v.tr.* **1** (*imparare*) to learn* **2** (*venire a sapere*) to hear*, to get* to know.
apprendista *s.m./f.* apprentice.
apprensione *s.f.* anxiety, apprehension.
apprensivo *agg.* anxious, apprehensive.
apprezzabile *agg.* valuable; (*rilevante*) appreciable, considerable.
apprezzamento *s.m.* appreciation.
apprezzare *v.tr.* to appreciate.
approccio *s.m.* approach (*anche fig.*).
approdo *s.m.* landing; (*luogo*) landing place.
approfittare *v.intr.*, **approfittarsi** *v. pron.* **1** to take* advantage of; to make* the most of **2** (*abusare*) to impose on.
approfondire *v.tr.* **1** to deepen, to make* deeper **2** (*fig.*) to go* (*into sthg.*) thoroughly, to study (*sthg.*) in depth.
approfondito *agg.* in-depth.
appropriarsi *v.pron.* to appropriate, to take* possession (*of*); (*indebitamente*) to embezzle, to misappropriate.
appropriato *agg.* appropriate; suitable (*for*).
appropriazione *s.f.* appropriation | – *fraudolenta*, fraudulent conversion; – *indebita*, embezzlement.
approssimativo, **approssimato** *agg.* approximate; rough.
approssimazione *s.f.* approximation.
approvare *v.tr.* to approve (*of*).
approvazione *s.f.* approval, approvation; (*consenso*) assent.
appuntamento *s.m.* appointment, engagement; (*amoroso*) date.
appuntito *agg.* pointed; sharp.
appunto[1] *s.m.* **1** (*annotazione*) note **2** (*osservazione*) remark, comment; (*critica*) criticism.
appunto[2] *avv.* exactly, precisely; (*proprio*) just | *per l'*–, that's so; that's it.
appurare *v.tr.* to ascertain.
apribottiglie *s.m.* bottle opener.
aprile *s.m.* April.
aprire *v.tr.*, **aprirsi** *v.pron.* to open.
apriscatole *s.m.* tin opener, can opener.
aquila *s.f.* eagle.
aquilone *s.m.* kite.
arabile *agg.* arable, ploughable, tillable.
arabo *agg.*, *s.m.* Arab; (*costumi*) Arabian; (*lingua*) Arabic.
arachide *s.f.* peanut.
aragosta *s.f.* lobster.
araldo *s.m.* herald.
aranceto *s.m.* orange grove.
arancia *s.f.* orange.
aranciata *s.f.* orangeade, orange drink.
arancio *s.m.* orange.
arancione *agg.* orange.
arare *v.tr.* to plough; (*amer.*) to plow.
aratro *s.m.* plough; (*amer.*) plow.
arazzo *s.m.* tapestry, hanging, arras.
arbitrare *v.tr./intr.* to arbitrate; (*sport*) to umpire; (*calcio, pugilato*) to referee.
arbitrario *agg.* arbitrary.
arbitrato *s.m.* arbitration.
arbitrio *s.m.* will; (*sopruso*) abuse.
arbitro *s.m.* **1** arbitrator **2** (*sport*) umpire; (*calcio, pugilato*) referee **3** (*fig.*) arbiter.

arbusto *s.m.* shrub.
arcata *s.f.* arch; (*serie di archi*) arcade.
archeologia *s.f.* archaeology.
archeologico *agg.* archaeological.
archeologo *s.m.* archaeologist.
architettare *v.tr.* to plot; to plan.
architetto *s.m.* architect.
architettura *s.f.* architecture.
archiviare *v.tr.* to register, to record; (*comm.*) to file.
archivio *s.m.* archives (*pl.*); (*comm.*) files (*pl.*); (*mobile*) filing cabinet.
arcipelago *s.m.* archipelago*.
arcivescovo *s.m.* archbishop.
arco *s.m.* **1** (*arma*) bow **2** (*arch., anat.*) arch | *nell'– di un mese*, in (the space of) a month.
arcobaleno *s.m.* rainbow.
ardente *agg.* burning, scorching; (*fig.*) ardent.
ardere *v.tr./intr.* to burn*.
ardesia *s.f.* slate.
ardire *v.intr.* to dare.
ardito *agg.* bold, daring.
ardore *s.m.* ardour, passion.
arduo *agg.* arduous, difficult.
area *s.f.* area.
arena *s.f.* **1** arena **2** (*sabbia*) sand.
arenarsi *v.pron.* to run* aground; (*fig.*) to get* bogged down.
argano *s.m.* winch.
argentato *agg.* **1** (*color argento*) silvery, silver **2** (*metall.*) silver-plated.
argenteria *s.f.* silver [U], silverware [U].
argentino *agg., s.m.* Argentine.
argento *s.m.* silver.
argilla *s.f.* clay.
arginare *v.tr.* to embank; (*fig.*) to stem, to check.
argine *s.m.* embankment; bank; (*diga*) dyke.
argomento *s.m.* **1** (*tema*) subject (matter), topic **2** (*ragionamento a sostegno*) argument.
arguire *v.tr.* to deduce, to infer.
arguto *agg.* witty.
arguzia *s.f.* wit; humour; (*detto, motto*) witty remark, witticism.
aria *s.f.* **1** air; (*vento*) breeze | *– condizionata*, air conditioning **2** (*aspetto*) appearance; look; expression **3** (*mus.*) tune, air, melody.
arido *agg.* **1** arid, dry **2** (*fig.*) insensitive, unfeeling.
ariete *s.m.* ram.
aringa *s.f.* herring | *– affumicata*, kipper.
aristocratico *agg.* aristocratic ♦ *s.m.* aristocrat.
aristocrazia *s.f.* aristocracy.
aritmetica *s.f.* arithmetic.
aritmetico *agg.* arithmetical.
arma *s.f.* **1** weapon, arm | *porto d'armi*, firearm licence **2** (*corpo dell'esercito*) force, corps.
armadietto *s.m.* locker; (*per strumenti*) cabinet.
armadio *s.m.* wardrobe, closet: *– a muro*, built-in wardrobe.
armare *v.tr.* to arm; (*un'arma*) to load.
armata *s.f.* army.
armato *agg.* armed (*with*) | *cemento –*, reinforced concrete.
armatore *s.m.* shipowner.
armeria *s.f.* armoury; (*negozio*) gunshop.
armistizio *s.m.* armistice.
armonia *s.f* harmony.
armonica *s.f.*: *– a bocca*, harmonica, mouthorgan.
armonioso *agg.* harmonious.
arnese *s.m.* **1** (*attrezzo*) tool, implement; (*spec. da cucina*) utensil **2** (*ag-*

geggio) contraption, gadget **3** *male in –, in cattivo –*, (*malvestito*) shabbily dressed, shabby; (*malaticcio*) in poor health.

arnia *s.f.* (bee)hive, apiary.

aroma *s.m.* **1** (*spezia*) spice, aromatic herb | *aromi artificiali*, artificial flavouring **2** (*profumo*) aroma, fragrance.

aromatico *agg.* aromatic.

arpa *s.f.* harp.

arpione *s.m.* harpoon.

arrabbiarsi *v.pron.* to get* angry, to lose* one's temper | *fare arrabbiare*, to make (*s.o.*) angry.

arrabbiatura *s.f.* rage, fit of anger.

arrampicarsi *v.pron.* to climb (up).

arrangiare *v.tr.* to arrange ♦ **~rsi** *v.pron.* to get* by, to manage.

arrecare *v.tr.* to bring*; (*causare*) to cause.

arredamento *s.m.* furnishing; (*mobili ecc.*) furnishings (*pl.*), furniture ⓤ.

arredare *v.tr.* to furnish.

arredatore *s.m.* interior decorator.

arrendersi *v.pron.* to surrender.

arrendevole *agg.* submissive, docile.

arrestare *v.tr.* **1** (*fermare*) to stop, to halt **2** (*trarre in arresto*) to arrest ♦ **~rsi** *v.pron.* to stop.

arresto *s.m.* **1** (*fermata*) stop, halt **2** (*dir.*) arrest | *mandato di –*, warrant | *arresti domiciliari*, house arrest.

arretrare *v.tr./intr.* to move back.

arretrato *agg.* (*indietro*) behind; (*di sviluppo ecc.*) backward | *numero –*, back number | *lavoro –*, backlog (of work).

arricchire *v.tr.* to enrich ♦ *v.intr.*,**~rsi** *v.pron.* to get* rich.

arricchito *s.m.* nouveau riche.

arricciare *v.tr.* to curl ♦ **~rsi** *v.pron.* to become* curly.

arringa *s.f.* harangue, address; (*del difensore*) summing up (for the defense).

arrischiare *v.tr.* to risk, to venture; (*assol.*) to take* a/the risk.

arrischiato *agg.* risky, hazardous; (*imprudente*) rash, reckless.

arrivare *v.intr.* **1** to arrive (*in*, fig. *at*), to come* (*to*); (*raggiungere*) to reach **2** (*riuscire*) to manage (*to do*); to succeed (*in doing*) **3** (*giungere al punto di*) to go* so far as (*to do*); (*essere ridotto a*) to be* reduced to (*doing*).

arrivato *agg.* (*di successo*) successful | *ben –!*, welcome!; *primo, secondo –*, the first, second to arrive.

arrivederci, **arrivederla** *inter.* goodbye; (*fam.*) so long; bye-bye: *– giovedì*, goodbye till Thursday, see you (on) Thursday.

arrivista *s.m./f.* careerist, social climber; (*fam. amer.*) go-getter.

arrivo *s.m.* arrival; (*sport*) finish, finishing line.

arrochito *agg.* hoarse.

arrogante *agg.* arrogant.

arroganza *s.f.* arrogance.

arrossamento *s.m.* reddening; (*sfogo*) rash.

arrossare *v.tr.*, **arrossarsi** *v.pron.* to redden, to turn red.

arrossire *v.intr.* to blush (*with*), to turn red.

arrostire *v.tr.*, **arrostirsi** *v.pron.* to roast; (*su griglia*) to grill.

arrosto *agg., s.m.* roast.

arrotare *v.tr.* **1** (*affilare*) to sharpen, to grind*, to whet **2** (*investire*) to run* over.

arrotino *s.m.* knife grinder.

arrotolare *v.tr.*, **arrotolarsi** *v.pron.* to roll up.

arrotondare *v.tr.* **1** to round, to make* round **2** (*una cifra*) to round off; (*per eccesso*) to round up; (*per difetto*) to round down.
arroventato *agg.* red-hot: (*fig.*) heated.
arruffato *agg.* **1** ruffled, tousled **2** (*fig.*) muddled, tangled.
arrugginire *v.tr./intr.*, **arrugginirsi** *v.pron* to rust; (*fig.*) to become* rusty.
arrugginito *agg.* rusty (*anche fig.*).
arruolare *v.tr.* to recruit, to enlist, to enrol ♦ **~rsi** *v.pron.* to join (*sthg.*), to enlist (*in*); (*volontario*) to volunteer.
arsenale *s.m.* **1** (*cantiere*) naval dockyard **2** (*per armi*) arsenal.
arsenico *s.m.* arsenic.
arsura *s.f.* **1** (*caldo*) scorching heat **2** (*da sete*) parched feeling.
arte *s.f.* art; (*mestiere, abilità*) skill.
arteria *s.f.* artery.
artico *agg., s.m.* Arctic.
articolare *v.tr.* to articulate.
articolazione *s.f.* articulation; (*giuntura*) joint.
articolo *s.m.* article.
artificiale *agg.* artificial.
artificio *s.m.* (*espediente*) artifice, contrivance, device; (*tattica*) stratagem | *fuochi di* –, fireworks.
artificioso *agg.* affected, artificial.
artigianato *s.m.* handicraft.
artigiano *agg.* artisan ♦ *s.m.* craftsman*, artisan.
artiglio *s.m.* claw; (*di rapaci*) talon.
artista *s.m./f.* artist.
artistico *agg.* artistic(al).
arto *s.m.* limb.
artrite *s.f.* arthritis.
artritico *agg.* arthritic.
artrosi *s.f.* arthrosis.
arzillo *agg.* sprightly, lively.
ascella *s.f.* armpit.
ascendente *s.m.* ascendancy, influence.
ascensore *s.m.* lift; (*amer.*) elevator.
ascesa *s.f.* ascent; (*al trono*) accession.
ascesso *s.m.* abscess.
ascia *s.f.* axe; (*accetta*) hatchet.
asciugacapelli *s.m.* hairdryer.
asciugamano *s.m.* towel.
asciugare *v.tr.* to wipe, to dry ♦ *v. intr.*,**~rsi** *v.pron.* to dry, to get* dry.
asciutto *agg.* dry ♦ *s.m.* dry place.
ascoltare *v.tr.* to listen (*to*); (*esaudire*) to hear*, to grant.
ascoltatore *s.m.* listener; hearer; (*pl.*, *uditorio*) audience.
ascolto *s.m.*: *essere in* –, to be listening | *indice di* –, (audience) rating.
asfaltare *v.tr.* to asphalt.
asfalto *s.m.* asphalt.
asfissiare *v.tr.* to asphyxiate, to suffocate; (*con gas*) to gas.
asiatico *agg., s.m.* Asian.
asilo *s.m.* (*rifugio*) refuge, shelter, retreat | – *infantile* kindergarten, nursery school | – *nido*, crêche.
asino *s.m.* ass, donkey.
asma *s.f.* asthma.
asola *s.f.* buttonhole.
aspettare *v.tr.* **1** to wait for; (*ansiosamente*) to be looking forward (*to*) **2** (*prevedere*) to expect.
aspettativa *s.f.* (*attesa*) wait, waiting; (*speranza*) expectation.
aspetto *s.m.* **1** appearance, look **2** (*di problema ecc.*) side, aspect.
aspirapolvere *s.m.* vacuum cleaner.
aspirare *v.tr.* **1** to breathe in, to inhale **2** (*fon.*) to aspirate ♦ *v.intr.* to aspire.
aspiratore *s.m.* (*mecc.*) aspirator, extractor fan, exhaust fan.

aspirazione *s.f.* **1** inhalation, breathing in **2** (*fig.*) aspiration (*after, for*).
aspirina *s.f.* aspirin.
asportare *v.tr.* to take* away; to remove.
aspro *agg.* (*acido*) sour; (*ruvido*) rough: (*di clima*) harsh, hard; (*di suono*) harsh; (*severo*) severe.
assaggiare *v.tr.* to taste, to try.
assaggio *s.m.* **1** tasting, sampling **2** (*piccola quantità*) small quantity; taste.
assai → *molto.*
assalire *v.tr.* to attack, to assail.
assaltare *v.tr.* to attack; (*rapinare*) to hold* up, to raid.
assalto *s.m.* assault, attack; (*rapina*) holdup, raid.
assaporare *v.tr.* to savour; to taste, to relish.
assassinare *v.tr.* to murder (*anche fig.*); (*per motivi politici*) to assassinate.
assassinio *s.m.* murder; (*per motivi politici*) assassination.
assassino *s.m.* murderer; (*per motivi politici*) assassin.
asse *s.f.* (*tavola*) board; plank.
assecondare *v.tr.* to support, to back up.
assediare *v.tr.* to besiege.
assedio *s.m.* siege.
assegnare *v.tr.* to assign.
assegnazione *s.f.* assignment, allocation.
assegno *s.m.* **1** cheque, (*amer.*) check: – *a vuoto, scoperto*, uncovered cheque; – *circolare*, bank(er's) draft, bank cheque, (*amer.*) cashier's check; – *in bianco*, blank cheque; – *non trasferibile*, non-negotiable cheque; – *sbarrato*, crossed cheque; – *postale*, giro cheque; – *di conto corrente*, personal cheque, current account cheque **2** (*sussidio*) allowance, benefit.
assemblea *s.f.* **1** meeting **2** (*corpo deliberante*) assembly.
assembramento *s.m.* gathering, meeting.
assenso *s.m.* assent; (*approvazione*) approval.
assentarsi *v.pron.* to leave* (*a place*), to go* away.
assente *agg.* away from; (*da scuola*) absent; (*fig.*) absent, distracted ♦ *s.m.* absentee.
assenteista *s.m./f.* habitual absentee, (*fam.*) skiver.
assentire *v.intr.* to assent.
assenza *s.f.* absence.
assertore *s.m.* defender, upholder.
asserzione *s.f.* assertion, statement.
assestarsi *v.pron.* to settle (down).
assetato *agg.* thirsty.
assetto *s.m* structure, set-up.
assicurare *v.tr.* **1** (*fissare*) to fasten, to secure; (*con una corda*) to tie (up) **2** (*garantire*) to ensure, to make* sure (*of*) **3** (*ass.*) to insure.
assicurazione *s.f.* **1** insurance **2** (*garanzia*) assurance.
assiduo *agg.* assiduous, diligent; (*di cliente ecc.*) regular.
assillante *agg.* tormenting, insistent.
assimilare *v.tr.* to assimilate.
assimilazione *s.f.* assimilation.
assise *s.f.pl.* assizes | *Corte d'Assise*, Court of Assizes.
assistente *s.m./f.* assistant.
assistenza *s.f.* assistance, aid, help.
assistenziale *agg.* welfare (*attr.*); charity (*attr.*).
assistere *v.tr.* **1** to assist, to help, to

aid 2 (*curare*) to nurse, to look after ♦ *v.intr.* to be present (*at*); to attend (*sthg.*); (*essere testimone*) to witness (*sthg.*).
asso *s.m.* ace.
associare *v.tr.* 1 to take* into partnership 2 (*correlare*) to associate ♦ **~rsi** *v.pron.* to join; (*comm.*) to enter into partnership (*with*).
associazione *s.f.* association.
assoggettare *v.tr.* 1 (*sottomettere*) to subjugate, to subdue 2 (*sottoporre*) to subject ♦ **~rsi** *v.pron.* to submit.
assolato *agg.* sunny.
assoldare *v.tr.* to engage, to hire.
assolutamente *avv.* absolutely; (*senza dubbio*) undoubtedly.
assoluto *agg.* absolute | *in* –, absolutely.
assoluzione *s.f.* 1 (*dir.*) acquittal, discharge 2 (*relig.*) absolution.
assolvere *v.tr.* 1 (*dir.*) to acquit, to discharge 2 (*adempiere*) to perform, to carry out 3 (*relig.*) to absolve.
assomigliare *v.intr.* to be like, to look like, to resemble (*s.o.*) ♦ **~rsi** *v.pron.* to resemble each other (one another), to be alike.
assonnato *agg.* drowsy, sleepy.
assorbente *s.m.*: – (*igienico*), sanitary towel, (*interno*) tampon.
assorbire *v.tr.* to absorb; (*liquidi*) to soak (up).
assordare *v.tr.* to deafen.
assortimento *s.m.* assortment, range; (*di merce*) stock.
assortito *agg.* assorted, sorted / *bene* –, well-matched; *male* –, ill-assorted, badly matched.
assorto *agg.* absorbed, engrossed.
assottigliare *v.tr.* 1 (*rendere sottile*) to thin, to make* thin 2 (*ridurre*) to reduce.
assuefazione *s.f.* (*med.*) tolerance; (*dipendenza*) addiction.
assumere *v.tr.* 1 (*personale*) to engage, to take* on 2 (*incarico, impegno*) to take*up, to assume 3 (*addossarsi*) to undertake* 3 (*ingerire*) to take*.
assunto *s.m.* employee.
assunzione *s.f.* 1 assumption; (*accettazione*) acceptance 2 (*di sostanza*) taking 3 (*di personale*) engagement, employment.
assurdità *s.f.* absurdity.
assurdo *agg.* absurd, ridiculous.
asta *s.f.* 1 pole 2 (*segno verticale*) stroke 3 (*comm.*) auction.
astemio *agg.* abstemious; teetotal (*pred.*) ♦ *s.m.* teetotaller.
astenersi *v.pron.* to refrain, to abstain.
astensione *s.f.* abstention.
asterisco *s.m.* asterisk.
astigmatico *agg.* astigmatic.
astinenza *s.f.* abstinence | *crisi di* –, withdrawal symptoms.
astio *s.m.* rancour, resentment.
astioso *agg.* rancorous, resentful.
astrattezza *s.f.* abstractness.
astrattismo *s.m.* (*arte*) abstractionism.
astratto *agg.*, *s.m.* abstract | *in* –, in the abstract.
astrazione *s.f.* abstraction.
astringente *agg.*, *s.m.* astringent.
astro *s.m.* 1 star; (*pianeta*) planet 2 (*bot.*) aster 3 (*fig.*) star.
astrologia *s.f.* astrology.
astronauta *s.m.* astronaut, spaceman*.
astronave *s.f.* spaceship, spacecraft.
astronomia *s.f.* astronomy.
astronomico *agg.* astronomic(al).

astronomo *s.m.* astronomer.
astuccio *s.m.* case.
astuto *agg.* astute, shrewd.
astuzia *s.f.* **1** (*qualità*) astuteness, shrewdness **2** (*atto*) trick, stratagem.
ateneo *s.m.* (*accademia*) academy; (*università*) university.
ateo *agg.* atheistic ♦ *s.m.* atheist.
atipico *agg.* atypic(al).
atlante *s.m.* atlas*.
atlantico *agg.* Atlantic.
atleta *s.m./f.* athlete.
atletica *s.f.* athletics ⊡.
atletico *agg.* athletic.
atmosfera *s.f.* atmosphere.
atomica *s.f.* atom(ic) bomb.
atomico *agg.* atomic.
atomo *s.m.* atom.
atout *s.m.* (*a carte*) trump.
atrio *s.m.* foyer, lobby, (entrance) hall.
atroce *agg.* atrocious, dreadful, terrible.
attaccamento *s.m.* attachment, affection.
attaccante *s.m.*(*sport*) forward.
attaccapanni *s.m.* (*gruccia*) (coat) hanger; (*a muro*) coat rack; (*a piantana*) clothes tree.
attaccare *v.tr.* **1** (*unire*) to attach; (*legare*) to tie; (*appendere*) to hang* **2** (*cucire*) to sew* on **3** (*appiccicare*) to stick* **4** (*aggredire*) to attack (*anche fig.*) **5** (*iniziare*) to begin*, to start **6** (*malattia*) to pass on (*to*), to give* ♦ *v.intr.* **1** to stick* **2** (*diffondersi*) to catch* on ♦ **~rsi** *v.pron.* **1** (*appigliarsi*) to cling* **2** (*affezionarsi*) to become* fond (*of*); to become* attached (*to*).
attaccaticcio *agg.* **1** sticky **2** (*di persona*) clinging.
attaccatura *s.f.* joining; (*punto*) joint | – *della manica*, armhole | – *dei capelli*, hair root.
attacco *s.m.* attack.
attecchire *v.intr.* **1** (*di pianta*) to take* root **2** (*diffondersi*) to catch* on.
atteggiamento *s.m.* attitude, pose.
attempato *agg.* elderly, aged.
attendere *v.tr.* → *aspettare* ♦ *v.intr.* (*dedicarsi*) to attend.
attendibile *agg.* reliable, trustworthy.
attentare *v.intr.* to make* an attempt (*on*).
attentato *s.m.* attempt on s.o.'s life, attack; (*atto terroristico*) act of terrorism.
attento *agg.* careful.
attenuante *s.f.* extenuating circumstance.
attenuare *v.tr.* to mitigate; to attenuate; (*colpo*) to soften ♦ **~rsi** *v.pron.* to diminish.
attenzione *s.f.* **1** attention, care **2** *pl.* (*premure*) attention(s); (*gentilezze*) kindness.
atterraggio *s.m.* landing.
atterrare *v.intr.* to land.
atterrire *v.tr.* to terrify, to frighten.
attesa *s.f.* **1** (*periodo*) wait; (*l'attendere*) waiting **2** (*aspettativa*) expectation.
atteso *agg.* **1** awaited, expected **2** (*desiderato, sperato*) eagerly awaited, longed for.
attico *s.m.* penthouse.
attiguo *agg.* adjoining, adjacent (*to*).
attillato *agg.* close-fitting, tight.
attimo *s.m.* moment, instant.
attinente *agg.* relevant, pertinent.
attirare *v.tr.* to attract.
attitudine *s.f.* aptitude, ability.
attivista *s.m./f.* activist, militant.
attività *s.f.* **1** activity **2** (*occupazione*) occupation, work; job; *pl.* (*comm.*) assets.

attivo *agg.* active; (*in attività*) working.
attizzatoio *s.m.* poker.
atto[1] *s.m.* **1** act; (*azione*) action **2** (*certificato*) certificate **3** *pl.* records; (*di assemblea ecc.*) proceedings, minutes.
atto[2] *agg.* (*di cosa, mezzo*) fitted (*to*), suitable (*for*); (*di persona*) qualified (*for, to do*).
attonito *agg.* astonished, amazed.
attorcigliare *v.tr.*, **attorcigliarsi** *v.pron.* to wind*; to twine; to twist; (*di serpente*) to coil.
attore *s.m.* actor.
attorno → *intorno.*
attraente *agg.* attractive; charming, fascinating; (*allettante*) alluring; seductive.
attrarre *v.tr.* → *attirare* ♦ **attrarsi** *v.pron.* to attract (each other, one another).
attrattiva *s.f.* attraction, appeal.
attraversamento *s.m.* crossing.
attraversare *v.tr.* to cross, to go* across; (*passare per, in mezzo a*) to pass through.
attraverso *avv., prep.* through.
attrazione *s.f.* attraction.
attrezzare *v.tr.* to equip.
attrezzatura *s.f.* equipment; facilities (*pl.*).
attrezzo *s.m.* tool, implement; utensil | *carro attrezzi*, breakdown van, (*amer.*) wrecker.
attribuire *v.tr.* to attribute, to ascribe; (*valore*) to attach.
attributo *s.m.* attribute.
attrice *s.f.* actress.
attrito *s.m.* friction.
attuale *agg.* **1** (*del momento*) present, current **2** (*di attualità*) topical, relevant.
attualità *s.f.* topicality, relevance; (*fatti recenti*) news ▭, current events; (*cinem.*) newsreel | *di* –, topical.
attualmente *avv.* at present, at the moment.
attuare *v.tr.* to carry out ♦ **~rsi** *v.pron.* to be carried out.
attutire *v.tr.* to soften; to deaden; (*un suono*) to muffle.
audace *agg.* daring.
audacia *s.f.* boldness; (*sfrontatezza*) audacity, impudence.
audio *s.m.* audio; (*suono*) sound.
audiovisivo *agg.* audio-visual: *mezzi audiovisivi*, audio-visual media.
audizione *s.f.* **1** (*teatr.*) audition **2** (*di teste*) examination.
augurare *v.tr.* to wish | *augurarsi*, (*sperare*) to hope.
augurio *s.m.* **1** wish | *auguri di Natale*, Christmas greetings **2** (*auspicio*) omen, presage.
aula *s.f.* room.
aumentare *v.tr./intr.* to increase.
aumento *s.m.* increase.
aureo *agg.* gold; (*fig.*) golden.
auricolare *s.m.* earphone.
aurora *s.f.* dawn (*anche fig.*).
ausiliare *agg.* auxiliary.
austerità *s.f.* austerity.
austero *agg.* austere.
australe *agg.* southern.
australiano *agg., s.m.* Australian.
austriaco *agg., s.m.* Austrian.
autenticare *v.tr.* to authenticate.
autenticità *s.f.* authenticity.
autentico *agg.* authentic; (*vero*) true.
autista *s.m./f.* driver.
auto *s.f.* car.
autoadesivo *agg.* sticky ♦ *s.m.* sticker.
autoambulanza *s.f.* ambulance.

autobiografia *s.f.* autobiography.
autobotte *s.f.* tanker; (*amer.*) tank truck.
autobus *s.m.* bus.
autocarro *s.m.* (motor-)lorry; (*amer.*) truck.
autocisterna *s.f.* tanker; (*amer.*) tank truck.
autocontrollo *s.m.* self-control.
autocritica *s.f.* self-criticism.
autodidatta *s.m.* autodidact; self -taught man*.
autodifesa *s.f.* self-defence.
autodromo *s.m.* (motor racing) circuit.
autofficina *s.f.* repair shop, garage.
autofinanziamento *s.m.* self-financing, autofinancing.
autofurgone *s.m.* van.
autogestito *agg.* self-managed.
autogol *s.m.* (*sport*) own goal.
autografo *agg.*, *s.m.* autograph.
autogrill *s.m.* motorway restaurant.
autolavaggio *s.m.* car wash.
autolettiga *s.f.* ambulance.
autolinea *s.f.* bus service, bus route.
automatico *agg.* automatic ♦ *s.m.* snap fastener, press stud; (*fam. amer.*) snapper.
automatizzare *v.tr.* to automate.
automezzo *s.m.* motor vehicle.
automobile *s.f.* (motor)car; (*amer.*) automobile: – *da corsa*, racing car; – *di serie*, production-model car, (*amer.*) stock car; – *fuori serie*, custom-built car; – *sportiva*, sports car.
automobilismo *s.m.* motoring; (*sport*) motor racing.
automobilista *s.m./f.* motorist.
automobilistico *agg.* car (*attr.*); motor (*attr.*).
automotrice *s.f.* (*ferr.*) rail car; (*amer.*) motor car.
autonoleggio *s.m.* car rental, car hire.
autonomia *s.f.* autonomy, self-government, independence.
autonomo *agg.* autonomous; self-governing; independent.
autopattuglia *s.f.* car patrol.
autopsia *s.f.* autopsy, postmortem (examination).
autoradio *s.f.* **1** (*radio per auto*) car radio **2** (*auto con ricetrasmittente*) radio car.
autore *s.m.* author | *diritto d'–*, copyright; *diritti* (*patrimoniali*) *d'–*, royalties.
autoregolamentazione *s.f.* self-regulation.
autorespiratore *s.m.* (*per sub*) aqualung.
autorete *s.f.* own goal.
autorevole *agg.* authoritative; (*influente*) influential.
autorimessa *s.f.* garage.
autorità *s.f.* authority.
autoritario *agg.* authoritarian.
autoritratto *s.m.* self-portrait.
autorizzare *v.tr.* to authorize; (*giustificare*) to entitle, to justify.
autorizzazione *s.f.* **1** authorization; (*permesso*) permission **2** (*documento*) permit, licence.
autosalone *s.m.* (car) showroom.
autoscuola *s.f.* driving school.
autosilo *s.m.* multistorey car park.
autostop *s.m.* hitchhiking.
autostoppista *s.m./f.* hitchhiker.
autostrada *s.f.* motorway; (*amer.*) superhighway, expressway.
autosuggestione *s.f.* autosuggestion.
autotreno *s.m.* lorry (with trailer); (*amer.*) truck (with trailer).

autoveicolo *s.m.* motor vehicle.
autovettura *s.f.* motorcar, car; (*amer.*) automobile.
autrice *s.f.* authoress.
autunnale *agg.* autumnal, autumn (*attr.*).
autunno *s.m.* autumn; (*amer.*) fall | *d'–, in –*, in autumn.
avanguardia *s.f.* vanguard; (*arte*) avant-garde.
avanti *avv.* **1** (*nello spazio*) ahead; (*davanti*) in front; (*in avanti*) forward **2** (*nel tempo*) before; forward, on: *d'ora in –*, from now on | *andare –*, (*di orologio*) to be fast.
avanzamento *s.m.* **1** (*progresso*) advancement, progress **2** (*promozione*) promotion.
avanzare[1] *v.tr.* (*presentare*) to advance ♦ *v.intr.* to go* forward, (*procedere*) to advance.
avanzare[2] *v.intr.* (*rimanere*) to be* left (over).
avanzo *s.m.* **1** (*residuo*) remainder, residue, remnant **2** (*econ.*) surplus.
avaria *s.f.* (*guasto*) damage; (*tecn.*) breakdown.
avariato *agg.* (*danneggiato*) damaged; (*deteriorato*) rotten, gone bad.
avarizia *s.f.* avarice, meanness.
avaro *agg.* avaricious, mean ♦ *s.m.* miser.
avena *s.f.* oats (*pl.*).
avere *v.tr.* to have*; (*provare*) to feel*.
aviatore *s.m.* aviator, airman*, pilot.
aviazione *s.f.* aviation; (*arma*) Air Force.
avidità *s.f.* avidity; greed; eagerness (*for*).
avido *agg.* avid; (*ingordo*) greedy (*for*); (*desideroso*) eager (*for*, *to do*).
avocado *s.m.* avocado.
avorio *s.m.* ivory.
avvantaggiare *v.tr.* to favour ♦ **~rsi** *v.pron.* to benefit, to profit (*from*).
avveduto *agg.* (*accorto*) shrewd; (*saggio*) wise.
avvelenamento *s.m.* poisoning.
avvelenare *v.tr.* to poison (*anche fig.*).
avvenimento *s.m.* event.
avvenire[1] *s.m.* future.
avvenire[2] *v.intr.* to happen, to occur.
avveniristico *agg.* futuristic.
avventato *agg.* rash, reckless.
avvento *s.m.* Advent.
avventore *s.m.* customer.
avventura *s.f.* **1** adventure **2** (*relazione amorosa*) love affair.
avventuriero *s.m.* adventurer.
avventuroso *agg.* adventurous.
avverarsi *v.pron.* to come* true, to be fulfilled.
avverbio *s.m.* adverb.
avversario *s.m.* opponent, adversary.
avversione *s.f.* dislike.
avversità *s.f.* adversity; misfortune.
avverso *agg.* adverse; (*contrario*) opposed.
avvertenza *s.f.* **1** (*riguardo*) consideration; (*attenzione*) attention, care **2** (*avvertimento*) warning; (*pl.*, *istruzioni*) instructions.
avvertimento *s.m.* warning.
avvertire *v.tr.* **1** (*informare*) to inform, to let* (*s.o.*) know; (*mettere in guardia*) to warn **2** (*percepire*) to notice; (*sentire*) to feel*; (*udire*) to hear*.
avvezzo *agg.* accustomed, used.
avviamento *s.m.* **1** starting, start | *motorino d'–*, starter **2** (*comm.*) goodwill.
avviare *v.tr.* **1** to start (up) **2** (*dirigere verso*) to direct, to show ♦ **~rsi** *v.pron.*

(*incamminarsi*) to set* out.
avvicendare *v.tr.*, **avvicendarsi** *v. pron.* to alternate.
avvicinamento *s.m.* approach.
avvicinare *v.tr.* **1** to draw* near(er), to bring* near(er); (*spingere vicino*) to push near(er) **2** (*contattare*) to approach ♦ **~rsi** *v.pron.* to approach (*s.o.*), to draw* near (*s.o., sthg.*).
avvilente *agg.* disheartening, discouraging; (*umiliante*) humiliating.
avvilito *agg.* (*scoraggiato*) disheartened, discouraged.
avvincente *agg.* engaging, fascinating, enthralling.
avvinghiarsi *v.pron.* to cling*.
avvio *s.m.* start, beginning.
avvisare → **avvertire** 1.
avviso *s.m.* **1** (*avvertimento*) warning **2** (*annuncio*) notice, announcement **3** (*opinione*) opinion, judgement | *a mio* –, in my opinion.
avvistare *v.tr.* to sight.
avvitare *v.tr.* to screw.
avvizzire *v.tr.*/*intr.* to wither (*anche fig.*).
avvocato *s.m.* **1** lawyer; (*amer.*) attorney (at law) **2** (*consulente legale*) legal adviser.
avvolgere *v.tr.* to wrap (up), to envelop; (*arrotolare*) to roll up ♦ **~rsi** *v.pron.* to wrap oneself (up).
avvolgibile *agg.* roll-up ♦ *s.m.* roller blind; (*saracinesca*) roll-up shutter.
avvoltoio *s.m.* vulture (*anche fig.*).
azalea *s.f.* azalea.
azienda *s.f.* business, firm.
azionare *v.tr.* to operate, to work; (*avviare*) to start up, to set* going; (*pulsante*) to press; (*interruttore*) to push.
azionario *agg.* share (*attr.*).
azione *s.f.* action; (*fin.*) share.
azionista *s.m.*/*f.* shareholder.
azoto *s.m.* nitrogen.
azzardare *v.tr.* to hazard, to venture ♦
azzardarsi *v.pron.* to risk (*doing*), to venture, to dare.
azzardato *agg.* (*temerario*) bold, daring; (*precipitoso*) rash.
azzardo *s.m.* hazard, risk | *giocatore d'*–, gambler; *gioco d'*–, gambling.
azzerare *v.tr.* to zero.
azzuffarsi *v.pron.* to come* to blows.
azzurro *agg.* blue, sky-blue, azure.

B

babbuino *s.m.* baboon.
bacca *s.f.* berry; fruit.
baccano *s.m.* row, uproar, din.
baccello *s.m.* pod.
bacchetta *s.f.* rod, stick; (*del direttore d'orchestra*) baton | – *magica*, magic wand.
bacheca *s.f.* showcase; (*per avvisi*) notice board.
baciare *v.tr.* to kiss.
bacillo *s.m.* bacillus.
bacinella *s.f.* (small) basin, bowl.
bacino *s.m.* **1** basin **2** (*mar.*) dock **3** (*anat.*) pelvis.
bacio *s.m.* kiss.
baco *s.m.* worm | – *da seta*, silkworm.
badare *v.intr.* **1** to mind (*s.o., sthg.*), to pay* attention | *senza* – *a spese*, regardless of expense **2** (*prendersi cura*) to look (*after*), to take* care (*of*).
badile *s.m.* shovel.
baffo *s.m.* moustache; (*di animali*) whisker.

bagagliaio *s.m.* **1** (*sui treni*) luggage van; (*amer.*) baggage car **2** (*di auto*) boot; (*amer.*) trunk.
bagaglio *s.m.* luggage [U]; (*amer.*) baggage [U]: – *a mano*, hand luggage.
bagarino *s.m.* (ticket) tout; (*amer.*) scalper.
bagliore *s.m.* flash, glare, beam.
bagnare *v.tr.* **1** to wet; (*innaffiare*) to water **2** (*di fiume*) to flow through ♦ **~rsi** *v.pron.* **1** to get* wet **2** (*in mare ecc.*) to bathe.
bagnato *agg.* wet.
bagnino *s.m.* lifeguard.
bagno *s.m.* **1** bath; (*in mare ecc.*) bathe **2** (*stanza*) bathroom.
bagnoschiuma *s.m.* bubble bath, bath foam.
baia *s.f.* (*geogr.*) bay.
balaustra *s.f.* balustrade.
balbettare *v.intr.* to stammer.
balconata *s.f.* balcony.
balcone *s.m.* balcony.
balena *s.f.* whale.
balenare *v.intr.* to flash.
balia *s.f.* (wet) nurse.
balla[1] *s.f.* (*involto*) bale.
balla[2] *s.f.* (*bugia*) lie; rubbish [U].
ballare *v.intr./tr.* to dance: – *il tango*, to dance a tango.
ballerina *s.f.* **1** dancer; (*classica*) ballerina **2** (*scarpa*) pump.
ballerino *s.m.* dancer; (*classico*) ballet dancer.
balletto *s.m.* ballet.
ballo *s.m.* dance; dancing: *scuola di* –, dancing school | *c'è in – la mia reputazione,* my reputation is at stake | *tirare in* –, to call into question; *entrare in* –, to come into the picture.
ballottaggio *s.m.* second ballot.
balneare *agg.* bathing | *stazione* –, seaside resort.
balordo *s.m.* fool, crackpot.
balsamico *agg.* balsamic; (*salubre*) balmy.
balsamo *s.m.* balm; balsam.
balzare *v.intr.* to jump, to leap*: – *in piedi*, to jump to one's feet.
balzo *s.m.* jump, leap.
bambagia *s.f.* cotton wool.
bambino *s.m.* child*; (*fam.*) kid.
bambola *s.f.* doll.
bambù *s.m.* bamboo*.
banale *agg.* banal.
banana *s.f.* banana.
banca *s.f.* bank.
bancarella *s.f.* stall; (*coperta*) booth; (*di libri*) bookstall.
bancario *agg.* bank (*attr.*) ♦ *s.m.* bank clerk.
bancarotta *s.f.* bankruptcy | *fare* –, to go bankrupt.
banchetto *s.m.* banquet.
banchiere *s.m.* banker.
banchina *s.f.* **1** (*mar.*) quay, dock **2** (*ferr.*) platform **3** (*di strada*) (hard) shoulder, verge.
banco[1] *s.m.* bench, seat; (*di negozio*) counter; (*bancarella*) stall | *sotto* –, under the counter | – *di prova,* test bed | – *di nebbia*, fog bank.
banco[2] *s.m.* (*banca*) bank.
bancomat *s.m.* cash dispenser; (*fam.*) cashomat; (*amer.*) automated teller machine.
banconota *s.f.* banknote, note; (*amer.*) bill.
banda[1] *s.f.* band; (*di malviventi*) gang.
banda[2] *s.f.* (*fascia*) band.
bandiera *s.f.* flag; colours (*pl.*)
bandire *v.tr.* **1** to announce publicly

2 (*esiliare*) to banish.
bandito *s.m.* bandit.
banditore *s.m.* (*di aste*) auctioneer.
bando *s.m.* **1** ban; (*esilio*) banishment | *mettere al* –, to ban **2** (*annuncio*) announcement, notification.
bara *s.f.* coffin.
baracca *s.f.* hut, cabin.
barare *v.intr.* to cheat (at cards).
barattare *v.tr.* to barter; (*fam.*) to swap, to swop.
barattolo *s.m.* pot, jar; (*di metallo*) tin, can.
barba *s.f.* beard.
barbabietola *s.f.* beet; (*rossa*) beetroot.
barbaro *agg.* barbarous; barbaric ♦ *s.m.* barbarian.
barbiere *s.m.* barber, (men's) hairdresser.
barbiturico *s.m.* barbiturate.
barboncino *s.m.* poodle.
barbone *s.m.* (*straccione*) tramp, vagrant.
barbuto *agg.* bearded.
barca *s.f.* boat | *una – di soldi*, (*fam.*) pots of money.
barcollare *v.intr.* to stagger, to totter.
barella *s.f.* stretcher.
barile *s.m.* barrel, cask.
barista *s.m.* barman*; bartender ♦ *s.f.* barmaid.
baritono *s.m.* baritone, barytone.
barlume *s.m.* gleam.
baro *s.m.* cheat.
barocco *agg., s.m.* baroque.
barometro *s.m.* barometer.
barone *s.m.* baron.
baronetto *s.m.* baronet; (*col nome*) Sir.
barra *s.f.* **1** bar **2** (*del timone*) tiller, helm.
[illegible]rare *v.tr.* to cross.
barricata *s.f.* barricade.
barriera *s.f.* barrier | – *corallina*, coral reef.
baruffa *s.f.* brawl, scuffle.
barzelletta *s.f.* joke, funny story.
basare *v.tr.* to base, to found ♦ **~rsi** *v.pron.* to be based.
base *s.f.* **1** base; basis* | *di* –, basic, base | *a – di*, based on | – *imponibile*, taxable base | *prezzo* –, basic (*o* base) price **2** (*di partito*) rank-and-file.
basilare *agg.* basic, fundamental.
basilica *s.f.* basilica.
basilico *s.m.* basil.
basso *agg.* low; (*di statura*) short; (*di acque*) shallow | da –, downstairs | *bassa Italia*, Southern Italy ♦ *s.m.* (*mus.*) bass ♦ *avv.* low; (*a bassa voce*) in a low voice.
bassorilievo *s.m.* bas-relief.
bassotto *s.m.* dachshund, (*fam.*) sausage dog.
basta *inter.* stop (it), (that's) enough.
bastardo *s.m., agg.* bastard; (*di cane*) mongrel.
bastare *v.intr.* **1** to be enough | *mi pare che basti*, I think that will do; *basta chiedere*, you have only to ask **2** (*durare*) to last.
bastione *s.m.* rampart, bastion.
bastonare *v.tr.* to beat*.
bastone *s.m.* **1** stick **2** (*di pane*) French loaf.
battaglia *s.f.* battle; (*lotta*) fight, struggle; (*campagna*) campaign.
battaglione *s.m.* battalion.
battello *s.m.* boat.
battente *s.m.* (*di porta*) leaf*, wing; (*di finestra*) shutter.
battere *v.tr./intr.* **1** to beat* | *battersela*, to beat it **2** (*alla porta*) to knock **3** (*a macchina*) to type(write)* **4** (*tennis*)

to serve ♦ **~rsi** *v.pron.* to fight*.
batteria *s.f.* **1** battery **2** (*mus.*) drums (*pl.*), percussion.
battesimo *s.m.* baptism, christening | *tenere a –*, to stand (as) godfather (*m.*), godmother (*f.*)
battezzare *v.tr.* to baptize, to christen.
battistero *s.m.* baptist(e)ry.
battistrada *s.m.* (*di pneumatico*) tread.
battitappeto *s.m.* carpet cleaner, carpet sweeper.
battito *s.m.* heartbeat.
battitore *s.m.* **1** (*di asta*) auctioneer **2** (*cricket*) batsman*; (*baseball*) batter.
battuta *s.f.* **1** (*di caccia*) hunt, hunting **2** (*teatr.*) cue | *– di spirito*, witticism | *– d'arresto*, rest, pause **3** (*tennis*) service; (*baseball*) strike.
batuffolo *s.m.* flock.
baule *s.m.* **1** trunk **2** (*aut.*) boot; (*amer.*) trunk.
bavaglino *s.m.* bib.
bazzecola *s.f.* trifle.
bazzicare *v.tr./intr.* to frequent.
beato *agg.* blissful.
beccaccia *s.f.* woodcock.
beccaccino *s.m.* snipe.
beccare *v.tr.* **1** to peck **2** (*prendere*) to catch*.
beccheggio *s.m.* pitching.
becchime *s.m.* birdseed.
becchino *s.m.* grave-digger.
becco *s.m.* beak, bill.
Befana *s.f.* Epiphany.
beffa *s.f.* (*burla*) joke; (*scherno*) mockery.
beh *inter.* well...; (*e allora?*) and then...?, so what...?
belare *v.intr.* to bleat.
Belgio *no.pr.m.* Belgium.
belga *agg.*, *s.m./f.* Belgian.
bella *s.f.* **1** beauty, belle; (*innamorata*) sweetheart **2** (*spareggio*) decider; (*a carte*) final game **3** (*copia*) fair copy.
bellezza *s.f.* beauty.
bello *agg.* **1** beautiful; (*di tempo*) fine | *bell'e pronto*, quite ready | *alla bell'e meglio*, any old how | *questa è bella!*, that's funny! **2** (*di persona*) (*spec. donna*) beautiful; (*uomo*) handsome; (*di bell'aspetto*) good-looking.
bemolle *s.m.* (*mus.*) flat.
benché *cong.* (al)though.
benda *s.f.*, **bendaggio** *s.m.* bandage.
bendare *v.tr.* to bandage.
bendisposto *agg.* well-disposed.
bene[1] *s.m.* **1** good **2** (*affetto*) affection **3** (*proprietà*) goods (*pl.*), property | *beni mobili*, movable property, movables, chattels; *beni immobili*, real estate, immovables, real assets.
bene[2] *avv.* well | *– o male*, somehow | *né – né male*, so-so | *ben –*, well, properly | *lo spero –!*, I hope so!
benedire *v.tr.* to bless.
benedizione *s.f.* blessing.
beneducato *agg.* well-mannered; well-brought-up.
beneficenza *s.f.* charity.
beneficiare *v.intr.* to benefit (*from*), to take* advantage (*of*).
beneficio *s.m.* benefit; (*vantaggio*) advantage.
benefico *agg.* beneficial; (*di beneficenza*) charitable.
benessere *s.m.* wellbeing, welfare; comfort.
benestante *agg.*, *s.m./f.* well-off, well-to-do (person).
benestare *s.m.* authorization.
benevolo *agg.* well-disposed; (*indulgente*) indulgent.

benigno *agg.* (*med.*) benign.
beninformato *agg.* well-informed.
benintenzionato *agg.* well-intentioned.
benvenuto *agg., s.m.* welcome.
benzina *s.f.* petrol; (*amer.*) gas(oline).
bequadro *s.m.* (*mus.*) natural.
bere *v.tr.* to drink* ♦ *s.m.* drinking.
berlina *s.f.* saloon; (*amer.*) sedan.
Berlino *no.pr.f.* Berlin.
bermuda *s.m.pl.* Bermuda shorts, Bermudas.
bernoccolo *s.m.* **1** bump **2** (*fig.*) flair, bent.
berretto *s.m.* cap.
bersaglio *s.m.* mark, target.
besciamella *s.f.* (*cuc.*) bechamel.
bestemmiare *v.tr./intr.* to curse, to swear* (*at*).
bestia *s.f.* beast | *andare, mandare in –*, to fly into a rage.
bestiame *s.m.* livestock; (*bovino*) cattle*.
betoniera *s.f.* concrete mixer.
betulla *s.f.* birch.
bevanda *s.f.* drink.
bevitore *s.m.* drinker.
biancheria *s.f.* linen | *– per signora*, ladies' underwear, lingerie.
bianco *agg., s.m.* white; (*non scritto*) blank | *in –*, blank, (*bollito*) boiled, (*senza dormire*) sleepless | *di punto in –*, all of a sudden.
biancospino *s.m.* hawthorn.
biasimare *v.tr.* to blame.
biasimo *s.m.* blame.
Bibbia *s.f.* Bible.
biberon *s.m.* (feeding) bottle, baby's bottle.
bibita *s.f.* (soft) drink.
biblico *agg.* biblical.
biblioteca *s.f.* library.
bibliotecario *s.m.* librarian.
bicamerale *agg.* bicameral.
bicameralismo *s.m.* bicameralism.
bicarbonato *s.m.* bicarbonate.
bicchiere *s.m.* glass | *affogare, perdersi in un – d'acqua*, to drown in an inch of water; *è facile come bere un – d'acqua*, it's as easy as falling off a log.
bici *s.f.* (*fam.*) bike.
bicicletta *s.f.* bicycle.
bidè *s.m.* bidet.
bidello *s.m.* caretaker; (*di università*) porter.
bidone *s.m.* **1** drum, tank | *– della spazzatura*, dustbin, (*amer.*) garbage can **2** (*imbroglio*) swindle, cheat | *fare un – qlcu.*, to stand s.o. up.
bidonville *s.f.* shantytown.
biennale *agg.* (*durata*) two-year, two-yearly; (*frequenza*) biennal.
biennio *s.m.* period of two years.
bietola → *barbabietola*.
biforcarsi *v.pron.* to bifurcate.
biforcazione *s.f.* fork.
big *s.m./f.* big name, big shot.
bigamo *agg.* bigamous ♦ *s.m.* bigamist.
bighellonare *v.intr.* to loaf about.
bigiotteria *s.f.* **1** (*negozio*) costume jeweller's **2** (*oggetti*) costume jewellery ☐.
bigliettaio *s.m.* ticket seller; (*su autobus*) conductor.
biglietteria *s.f.* (*di stazione*) booking office, (*amer.*) ticket office; (*di teatro*) box office.
biglietto *s.m.* **1** ticket | *– di andata e ritorno*, return (ticket), (*amer.*) round-trip ticket; *– di* (*sola*) *andata*, single (ticket), one-way ticket **2** (*nota*) note **3** (*cartoncino*) card **4** (*bancono-

ta) (bank)note, (*amer.*) bill.
bignè *s.m.* cream puff.
bigodino *s.m.* curler.
bilancia *s.f.* **1** scales (*pl.*) **2** (*econ.*) balance.
bilancio *s.m.* **1** balance; (*di previsione*) budget; (*di esercizio*) balance sheet.
bilaterale *agg.* bilateral.
bilia *s.f.* marble.
biliardino *s.m.* miniature billiards (*pl.*).
biliardo *s.m.* (*gioco*) billiards (*pl.*); (*tavolo*) billiard table.
bilico, in *avv.*: *stare in* –, to be balanced; *essere in* – (*tra*), to hover (between).
bilingue *agg.* bilingual.
bilione *s.m.* **1** (*un milione di milioni*) trillion **2** (*miliardo*) billion.
bilocale *s.m.* two-roomed flat.
bimensile *agg.* fortnightly.
bimestrale *agg.* (*frequenza*) bimonthly; (*durata*) two-month.
bimestre *s.m.* two-month period.
binario *s.m.* line, track; (*di partenza, arrivo*) platform.
binocolo *s.m.* binoculars (*pl.*).
biochimica *s.f.* biochemistry.
biodegradabile *agg.* biodegradable.
biografia *s.f.* biography.
biografo *s.m.* biographer.
biologia *s.f.* biology.
biologico *agg.* biological.
bionda *s.f.* blonde, fair(-haired) woman.
biondo *agg.* fair, blond.
bipolare *agg.* bipolar.
birichino *agg.* cheeky, naughty ♦ *s.m.* scamp, rascal.
birillo *s.m.* skittle.
biro *s.f.* biro*, ballpoint (pen).
birra *s.f.* beer; (*chiara*) lager; (*scura*) stout: – *alla spina*, draught beer.
birreria *s.f.* (*fabbrica*) brewery.
bis *s.m.* (*a teatro*) encore; (*di cibo*) second helping.
bisbetico *agg.* bad-tempered.
bisbigliare *v.intr./tr.* to whisper.
bisbiglio *s.m.* whisper, murmur.
bisca *s.f.* gambling house.
biscia *s.f.* snake.
biscotto *s.m.* biscuit; (*amer.*) cookie.
bisestile *agg.* leap: *anno* –, leap year.
bisettimanale *agg.* twice weekly (*attr.*), twice a week (*pred.*), (*amer.*) semiweekly.
bislungo *agg.* oblong.
bisnonna *s.f.* great-grandmother.
bisnonno *s.m.* great-grandfather.
bisognare *v.intr.* to have (*to do*), must (*costr. pers.*): *bisognerebbe vederlo*, we would have to see it.
bisogno *s.m.* need, necessity: *c'è* – *di un idraulico*, we need (*o* require) a plumber.
bisognoso *agg.* needy, poor | – *di aiuto*, in need of help.
bisonte *s.m.* bison.
bistecca *s.f.* steak, beefsteak.
bisticciare *v.intr.*, **bisticciarsi** *v.pron.* to squabble.
bisticcio *s.m.* **1** squabble **2** (*di parole*) quibble, pun.
bisturi *s.m.* scalpel, lancet.
bitta *s.f.* (*mar.*) bollard, bitt.
bitter *s.m.* (*aperitivo*) bitters (*pl.*).
bitume *s.m.* bitumen; (*per barche*) pitch.
bivio *s.m.* crossroads, junction.
bizzarro *agg.* peculiar, freakish.
bizzeffe, a *avv.* plenty; galore (*pred.*).
blandire *v.tr.* to blandish; (*adulare*) to flatter.
blando *agg.* mild; (*tenue*) soft.

blasfemo *agg.* blasphemous.
blasone *s.m.* blazon, coat of arms.
blindato *agg.* armoured, armour-plated.
bloccare *v.tr.* to block; (*arrestare*) to stop ♦ **~rsi** *v.pron.* to stop; to get* stuck; (*di meccanismo*) to jam.
bloccasterzo *s.m.* (*aut.*) steering lock.
blocchetto *s.m.* pad.
blocco[1] *s.m.* stoppage, blockage; (*stradale*) roadblock; (*di prezzi*) freeze.
blocco[2] *s.m.* **1** block; (*di carta*) pad **2** (*pol.*) bloc, coalition.
block-notes *s.m.* notepad, notebook.
blu *agg., s.m.* dark blue, navy blue.
bluffare *v.intr.* to bluff.
blusa *s.f.* blouse.
blusotto *s.m.* jerkin.
boa *s.f.* (*mar.*) buoy.
boato *s.m.* boom.
bobina *s.f.* spool, reel; (*film*) reel.
bocca *s.f.* mouth | – *di leone*, snapdragon | *acqua in –!*, mum's the word!, keep it under your hat! | *in – al lupo!*, good luck! | *restare a – asciutta*, to be left empty-handed | *restare a – aperta*, to be dumbfounded.
boccaglio *s.m.* mouthpiece.
boccale *s.m.* tankard; (*con beccuccio*) jug.
boccheggiare *v.intr.* to gasp.
bocchino *s.m.* cigarette holder.
boccia *s.f.* bowl.
bocciare *v.tr.* **1** to reject, to turn down; (*a esame*) to fail, (*amer.*) to flunk **2** (*a bocce*) to hit*.
bocciatura *s.f.* rejection; (*a esame*) failure.
boccino *s.m.* jack.
bocciolo *s.m.* bud, button.
boccone *s.m.* bit, morsel; (*fam.*) bite.
bocconi *avv.* face downwards.
body *s.m.* (*abbigl.*) leotard.
boicottaggio *s.m.* boycott | – *parlamentare*, filibustering.
boicottare *v.tr.* to boycott.
bolgia *s.f.* bedlam, babel.
bolina *s.f.* (*mar.*) bowline: *andare di –*, to sail close to the wind.
bolla[1] *s.f.* bubble.
bolla[2] *s.f.* (*comm.*) bill; note: – *di consegna*, delivery note; – *di accompagnamento*, packing list.
bollato *agg.* **1** stamped **2** (*fig.*) branded.
bollente *agg.* hot.
bolletta *s.f.* **1** note; bill **2** (*fam.*) lack of money.
bollettino *s.m.* bulletin; (*pubblicazione*) gazette; (*modulo*) form.
bollino *s.m.* stamp, coupon.
bollire *v.intr./tr.* to boil.
bollito *s.m.* boiled meat.
bollitore *s.m.* kettle.
bollo *s.m.* stamp | – *di circolazione*, (*tassa*) road tax; (*contrassegno*) tax disc.
bomba *s.f.* bomb; (*fig.*) bombshell.
bombardare *v.tr.* to bombard; (*con aerei*) to bomb.
bombola *s.f.* cylinder; (*con spruzzatore*) spray.
bomboletta *s.f.* bomb.
bomboniera *s.f.* wedding keepsake.
bonario *agg.* good-natured, kindly; (*affabile*) friendly.
bonifica *s.f.* (land) reclamation.
bonificare *v.tr.* **1** to reclaim, to drain **2** (*scontare*) to allow, to discount.
bonifico *s.m.* **1** (*banca*) (credit) transfer **2** (*sconto*) discount.
bontà *s.f.* goodness; (*gentilezza*) kindness.

bonus-malus *s.m.* (*ass.*) no claims bonus.
borbottare *v.tr.* to mumble, to mutter ♦ *v.intr.* to grumble.
bordo *s.m.* **1** (*orlo*) edge; (*profilo*) border **2** (*mar., aer.*) board: *a* –, on board, aboard.
borghese *agg.* **1** middle-class **2** (*civile*) civilian | *poliziotto in* –, plain-clothes policeman.
borghesia *s.f.* middle classes.
borioso *agg.* arrogant, conceited.
borotalco *s.m.* talcum powder.
borraccia *s.f.* water bottle, flask.
borsa[1] *s.f.* bag | – *di studio*, scholarship.
Borsa[2] *s.f.* (Stock) Exchange: *agente di* –, stockbroker | – *nera*, black market.
borsaiolo, **borseggiatore** *s.m.* pickpocket.
borseggio *s.m.* pickpocketing.
borsellino *s.m.* purse.
borsetta *s.f.* handbag, bag.
borsista *s.m./f.* scholarship holder.
bosco *s.m.* wood.
boscoso *agg.* wooded, woody.
bossolo *s.m.* (cartridge) case.
botanica *s.f.* botany.
botta *s.f.* **1** (*colpo*) blow, bang: *fare a botte*, to come to blows **2** (*livido*) bruise.
botte *s.f.* barrel, cask | *in una* – *di ferro*, on sure ground.
bottega *s.f.* shop, store; (*laboratorio*) workshop.
botteghino *s.m.* (*di teatro*) box office; (*di stadio*) ticket office; (*di ippodromo*) betting shop.
bottiglia *s.f.* bottle.
bottino *s.m.* loot; (*di guerra*) booty.
bottone *s.m.* button | *attaccare un* – *a qlcu.*, to buttonhole s.o.
box *s.m.* **1** garage; (*negli autodromi*) pit **2** (*per bambini*) playpen.
boxe *s.f.* boxing.
bozza *s.f.* **1** rough draft, rough copy **2** (*tip.*) proof.
bozzetto *s.m.* sketch.
bozzolo *s.m.* cocoon.
braccare *v.tr.* (*preda*) to hunt, to chase; (*persona*) to hunt down.
braccetto, a *avv.* arm in arm.
bracchetto *s.m.* (*cane*) beagle.
bracciale *s.m.* armband; (*per nuotare*) waterwings (*pl.*).
braccialetto *s.m.* bracelet.
bracciante *s.m./f.* labourer.
bracciata *s.f.* **1** armful **2** (*nuoto*) stroke.
braccio *s.m.* arm.
bracciolo *s.m.* arm.
bracco *s.m.* (*cane*) hound.
bracconiere *s.m.* poacher.
brace *s.f.* embers (*pl.*).
braciola *s.f.* chop.
branca *s.f.* branch.
branco *s.m.* herd; pack; (*banda*) gang.
brancolare *v.intr.* to grope.
branda *s.f.* camp bed, folding bed.
brandello *s.m.* shred | *a brandelli*, tattered.
brandire *v.tr.* to brandish.
brano *s.m.* passage, piece.
branzino *s.m.* (sea) bass.
Brasile *no.pr.m.* Brazil.
brasiliano *agg., s.m.* Brazilian.
bravo *agg.* good (*at*); (*abile*) clever (*at*).
bravura *s.f.* cleverness, skill.
breccia *s.f.* breach, gap.
bretella *s.f.* **1** brace, (*amer.*) suspender **2** (*stradale*) link road.
breve *agg.* short, brief | *in* –, in short, in brief; *tra* –, shortly, soon.

brevettato *agg.* patent(ed) | *marchio* –, registered trademark.
brevetto *s.m.* patent; (*di volo*) pilot's licence.
brezza *s.f.* breeze.
bricco *s.m.* jug.
briccone *s.m.* rascal.
briciola *s.f.* crumb.
briciolo *s.m.* bit, grain.
bricolage *s.m.* do-it-yourself.
briga *s.f.*: *prendersi, darsi la – di fare*, to take the trouble to do; *attaccar – con*, to pick a quarrel with.
briglie *s.f.pl.* bridles.
brillante *agg., s.m.* brilliant.
brillantina *s.f.* brilliantine.
brillare *v.intr.* to shine*; (*luccicare*) to glitter; to sparkle; (*di stelle*) to twinkle ♦ *v.tr.* (*esplosivo*) to set* off.
brillo *agg.* (*fam.*) tipsy.
brina *s.f.* (white) frost, hoarfrost.
brinata *s.f.* frost, hoarfrost.
brindare *v.intr.* to toast (*s.o.*): – *con qlcu.*, to touch glasses with s.o.
brindisi *s.m.* toast.
brio *s.m.* liveliness.
brioso *agg.* lively.
britannico *agg.* British.
brivido *s.m.* shiver; (*di paura*) shudder; (*di emozione*) thrill.
brizzolato *agg.* greying.
brocca *s.f.* jug.
broccato *s.m.* brocade.
brodo *s.m.* broth, clear soup.
brodoso *agg.* watery.
bronchite *s.f.* bronchitis.
brontolare *v.intr.* to grumble.
bronzo *s.m.* bronze.
brossura *s.f.* paperback (binding).
bruciapelo, a *avv.* all at once, out of the blue.
bruciare *v.tr./intr.* **1** to burn* **2** (*dare bruciore*) to sting*, to smart ♦ **~rsi** *v.pron.* (*di lampadina*) to burn* out.
bruciatore *s.m.* burner.
bruciatura *s.f.* burn.
bruciore *s.m.* burning sensation | – *di stomaco*, heartburn.
bruco *s.m.* caterpillar, grub.
brufolo *s.m.* pimple, spot.
brughiera *s.f.* heath, moor.
brulicare *v.intr.* to swarm (*with*).
bruno *agg.* brown; (*di carnagione*) dark.
brusco *agg.* **1** sharp, sourish **2** (*sgarbato*) rough **3** (*improvviso*) abrupt, sudden.
brusio *s.m.* (*di gente*) buzz; (*delle foglie*) rustling.
brutale *agg.* brutal; brutish.
brutta *s.f.* rough copy, rough draft.
brutto *agg.* **1** ugly **2** (*sgradevole*) bad, nasty | – *tiro*, dirty trick **3** (*di tempo*) foul.
Bruxelles *no.pr.f.* Brussels.
buca *s.f.* hole.
bucare *v.tr.* to make* a hole (*in*); (*forare*) to pierce ♦ **~rsi** *v.pron.* (*drogarsi*) to shoot* up.
bucato *s.m.* washing; laundry.
buccia *s.f.* (*di frutto*) peel, skin; (*di legume*) hull, husk.
buco *s.m.* **1** hole **2** (*intervallo*) gap.
budino *s.m.* pudding.
bue *s.m.* ox*.
bufalo *s.m.* buffalo*.
bufera *s.f.* storm.
buffet *s.m.* **1** (*mobile*) sideboard **2** (*rinfresco*) buffet **3** (*di stazione*) (station) buffet, cafeteria.
buffo *agg.* funny; comical.
buffone *s.m.* clown; (*spreg.*) buffoon.

bugia[1] *s.f.* lie.
bugia[2] *s.f.* (*candeliere*) candle-holder.
bugiardo *s.m.* liar.
buio *agg., s.m.* dark | *– pesto*, pitch-dark.
bulbo *s.m.* bulb; (*d'occhio*) eyeball.
bullone *s.m.* bolt.
buonanotte *s.f., inter.* goodnight.
buonasera *s.f., inter.* good evening.
buoncostume *s.f.* vice squad.
buongiorno *s.m., inter.* good morning.
buono[1] *agg.* good; (*gentile*) kind | *un – a nulla*, a good-for-nothing | *alla buona*, (*agg.*) informal, (*avv.*) informally | *con le buone*, gently | *buon per te!*, lucky for you! | *portare –*, to bring good luck.
buono[2] *s.m.* coupon, voucher | *– del Tesoro*, Treasury Bill, Treasury Bond.
buonora, **buon'ora** : *alla –!*, at long last!, at last!; *di –*, early.
buonsenso *s.m.* common sense | *di –*, sensible.
buonumore *s.m.* good humour, good mood.
buonuscita *s.f.* **1** key money **2** (*di fine lavoro*) severance pay.
burattino *s.m.* puppet.
burbero *agg.* grumpy, surly; (*brusco*) rough, gruff.
burla *s.f.* practical joke, trick.
burlarsi *v.pron.* to make* fun (*of*).
burlone *s.m.* joker.
burocrate *s.m.* bureaucrat.
burocratico *agg.* bureaucratic.
burocrazia *s.f.* bureaucracy.
burotica *s.f.* office data-processing.
burrasca *s.f.* storm.
burrascoso *agg.* stormy.
burro *s.m.* butter.
burrone *s.m.* ravine, gorge.
bussare *v.intr.* to knock.
bussola *s.f.* compass.
busta *s.f.* envelope | *– paga*, pay packet, (*amer.*) pay envelope.
bustarella *s.f.* bribe.
bustina *s.f.* sachet; (*di tè*) bag.
busto *s.m.* bust; (*indumento*) corset.
buttare *v.tr.* to throw* | *– giù*, to knock down; (*ingoiare*) to gulp down; (*abbozzare*) to sketch out; (*scrivere*) to scribble down; (*scoraggiare*) to dishearten | *– là*, to drop | *– via*, to throw* away; (*sprecare*) to waste ♦ *v.intr.* (*germogliare*) to shoot* ♦ **~rsi** *v.pron.* to throw* oneself | *– giù*, to jump; (*deprimersi*) to get depressed.

C

cabina *s.f.* cabin | *–* (*balneare*), beach hut | *– telefonica*, telephone booth | *– elettorale*, polling booth | *– di pilotaggio*, cockpit.
cabinato *s.m.* (*mar.*) cabin cruiser.
cabriolet *s.m.* (*aut.*) convertible.
cacao *s.m.* cocoa | *burro di –*, (*per labbra*) lip salve.
caccia *s.f.* hunting.
cacciagione *s.f.* game.
cacciare *v.tr.* **1** to hunt; (*col fucile*) to shoot* **2** (*scacciare*) to throw* out.
cacciatore *s.m.* hunter.
cacciavite *s.m.* screwdriver.
cachet *s.m.* **1** (*analgesico*) pain-killer **2** (*compenso*) fee.
cadauno *agg., pron.* each.
cadavere *s.m.* corpse, dead body.
cadere *v.intr.* to fall* (down) | *lasciar –*, to drop | (*tel.*) *è caduta la linea*, I've been cut off.

caduta *s.f.* 1 fall; falling; (*di capelli, denti*) loss 2 (*calo*) drop.

caffè *s.m.* coffee; (*locale*) coffee bar, (*amer.*) coffee shop.

caffe(l)latte *s.m.* white coffee.

caffettiera *s.f.* coffee maker; (*bricco*) coffeepot.

cafone *s.m.* (*zoticone*) boor, lout.

cagna *s.f.* bitch (*anche spreg.*).

calabrone *s.m.* hornet.

calamaio *s.m.* inkpot.

calamaro *s.m.* squid.

calamita *s.f.* magnet (*anche fig.*).

calamità *s.f.* calamity, disaster.

calare *v.tr.* 1 to lower; to let* down 2 (*lavoro a maglia*) to decrease ♦ *v.intr.* 1 to descend, to go* down | *cala la notte*, night is falling 2 (*diminuire*) to fall*; (*di peso*) to lose* weight ♦ **~rsi** *v.pron.* to let* oneself down.

calca *s.f.* crowd, throng.

calcagno *s.m.* heel.

calcare[1] *v.tr.* 1 (*calpestare*) to tread* 2 (*premere con forza*) to press (down), to cram.

calcare[2] *s.m.* (*geol.*) limestone.

calcareo *agg.* limestone; calcareous.

calce *s.f.* lime.

calcestruzzo *s.m.* concrete.

calciare *v.tr.* to kick.

calciatore *s.m.* football player.

calcinacci *s.m.pl.* rubble ▭.

calcio[1] *s.m.* 1 kick | (*football*): *– d'angolo*, corner; *– di punizione*, free kick; *– di rigore*, penalty 2 (*football*) football, soccer.

calcio[2] *s.m.* (*chim.*) calcium.

calcolare *v.tr.* 1 to calculate 2 (*valutare*) to weigh up; (*considerare*) to think* of.

calcolatore *s.m.* computer.

calcolatrice *s.f.* calculating machine, calculator.

calcolo *s.m.* 1 calculation; (*mat.*) calculus* | *agire per –*, to act out of self-interest 2 (*med.*) calculus*, stone.

caldaia *s.f.* boiler.

caldo *agg.* warm; (*molto caldo*) hot ♦ *s.m.* heat, warmth: *avere, fare–*, to be hot | *a –*, (*fig.*) on the spur of the moment.

calendario *s.m.* calendar.

calibro *s.m.* 1 calibre (*anche fig.*) 2 (*strumento*) callipers (*pl.*).

calice *s.m.* goblet; (stem) glass.

callifugo *s.m.* corn-plaster.

calligrafia *s.f.* (*scrittura*) handwriting.

callista *s.m./f.* chiropodist.

callo *s.m.* corn.

calma *s.f.* calm, peace.

calmante *s.m.* sedative; painkiller.

calmare *v.tr.* 1 to calm (down) 2 (*lenire*) to soothe, to ease ♦ **~rsi** *v.pron.* to calm down; (*placarsi*) to ease; to drop.

calmiere *s.m.* price control.

calmo *agg.* calm; (*di mare*) smooth.

calo *s.m.* drop, fall; (*di peso*) loss.

calore *s.m.* 1 heat; (*tepore*) warmth 2 (*cordialità*) warmth, friendliness; (*entusiasmo*) eagerness.

caloria *s.f.* calorie, calory.

calorifero *s.m.* radiator.

caloroso *agg.* 1 not feeling the cold 2 (*cordiale*) warm, friendly.

calotta *s.f.* cap.

calpestare *v.tr.* to tread* on | *vietato – l'erba*, keep off the grass.

calunnia *s.f.* slander, calumny.

calunniare *v.tr.* to slander.

calvo *agg.* bald ♦ *s.m.* bald man.

calza *s.f.* (*da uomo*) sock; (*da donna*) stocking.

calzamaglia *s.f.* leotard; (*collant*) tights (*pl.*).
calzante *s.m.* (*calzascarpe*) shoehorn.
calzare *v.tr.* to put* on ♦ *v.intr.* (*andar bene*) to fit (*s.o., sthg.*).
calzettone *s.m.* knee(-length) sock.
calzolaio *s.m.* shoemaker.
calzoni *s.m.pl.* trousers, (*amer.*) pants: – *corti*, shorts.
cambiale *s.f.* (*comm.*) bill (of exchange), promissory note.
cambiamento *s.m.* change.
cambiare *v.tr.*, *intr.*, **cambiarsi** *v.pron.* to change | – *un assegno*, to cash a cheque | *tanto per* –, just for a change.
cambio *s.m.* **1** change; (*scambio*) exchange | *dare il – a qlcu.*, to stand in for s.o. **2** (*aut.*) (*scatola*) gear, gearbox; (*leva*) gear lever, (*amer.*) gear shift.
camelia *s.f.* camellia.
camera *s.f.* **1** room; (*da letto*) bedroom | – *a un letto, singola*, single room; – *doppia*, double room, (*a due letti*) room with twin beds **2** (*tecn.*) chamber: – *d'aria*, inner tube.
camerata *s.f.* **1** (*dormitorio*) dormitory **2** (*compagni di dormitorio*) roommates (*pl.*).
cameriera *s.f.* (house)maid ; (*in albergo*) chambermaid; (*al ristorante*) waitress.
cameriere *s.m.* servant; (*al ristorante*) waiter.
camerino *s.m.* (*teatr.*) dressing room.
camice *s.m.* white coat.
camicetta *s.f.* blouse.
camicia *s.f.* (*da uomo*) shirt; (*da donna*) blouse: – *da notte*, (*da donna*) nightdress, (*da uomo*) nightshirt.
caminetto *s.m.* fireplace.
camino *s.m.* **1** fireplace; (*fuoco*)-fire **2** (*comignolo*) chimney (pot).
camion *s.m.* lorry, (*amer.*) truck.
camionista *s.m./f.* lorry driver, (*amer.*) truck driver.
cammello *s.m.* camel; (*tess.*) camelhair.
camminare *v.intr.* **1** to walk | – *in punta di piedi*, to tiptoe **2** (*fam.*) (*funzionare*) to work.
camminata *s.f.* walk, stroll.
cammino *s.m.* way, journey.
camomilla *s.f.* camomile; (*infuso*) camomile tea.
camoscio *s.m.* chamois*; (*pelle*) suede.
campagna *s.f.* **1** country, countryside **2** (*pubblicitaria ecc.*) campaign.
campana *s.f.* bell | *sentire anche l'altra* –, to hear both sides | *tenere sotto una – di vetro*, to mollycoddle.
campanello *s.m.* bell; (*della porta*) doorbell.
campanile *s.m.* bell tower.
campanilismo *s.m.* parochialism.
campanula *s.f.* bellflower.
campeggiatore *s.m.* camper.
campeggio *s.m.* camping; (*area*) campsite, camping ground.
campionario *s.m.* (set of) samples.
campionato *s.m.* championship.
campione *s.m.* **1** sample; (*esemplare*) specimen; (*di stoffa*) swatch | (*comm.*) – *senza valore*, sample only **2** (*sport*) champion.
campo *s.m.* **1** field | – *d'affari*, line of business | – *sportivo*, sports (*o* athletics) ground; *campi di sci*, ski-runs | *scendere in* –, to step in, to take a stand **2** (*accampamento*) camp.
camuffare *v.tr.* to camouflage.
canadese *agg.*, *s.m./f.* Canadian | (*tenda*) –, ridge tent.
canaglia *s.f.* scoundrel, rogue.

canale *s.m.* 1 canal; (*di mare*) channel 2 (*rad.*, *tv*, *inform.*) channel 3 (*condotto*) pipe.
canapa *s.f.* hemp.
Canarie *no.pr.f.pl.* Canary Islands, the Canaries.
canarino *s.m.* canary.
cancellare *v.tr.* 1 to erase; (*con un tratto di penna*) to cross out; (*fig.*) to wipe out 2 (*disdire*) to cancel.
cancelleria *s.f.* 1 stationery (articles), writing-materials 2 (*ufficio del cancelliere*) office of the court's clerk.
cancelliere *s.m.* 1 (*di tribunale*) registrar; (*negli* USA) justice's clerk 2 (*ministro*) Chancellor.
cancello *s.m.* gate.
cancerogeno *agg.* cancerogenic.
cancro *s.m.* cancer; (*fig.*) canker.
candeggina *s.f.* bleach.
candela *s.f.* 1 candle 2 (*aut.*) sparking-plug.
candelabro *s.m.* candelabrum*.
candelotto *s.m.* (*fumogeno*) smoke bomb.
candidare *v.tr.* to propose s.o.'s candidature, (*amer.*) to propose s.o.'s candidacy ♦ **~rsi** *v.pron.* to present one's candidature.
candidato *s.m.* candidate; (*aspirante*) applicant.
candidatura *s.f.* candidature, (*amer.*) candidacy.
candido *agg.* 1 (pure) white, snow-white 2 (*innocente*) innocent; (*ingenuo*) ingenuous, naive.
candito *s.m.* candied fruit.
cane *s.m.* 1 dog | *non c'è un –*, (*fig.*) there isn't a single soul | *solo come un –*, all alone and miserable 2 (*di arma da fuoco*) cock, hammer.
canestro *s.m.* basket; (*il contenuto*) basketful.
canfora *s.f.* camphor.
canguro *s.m.* kangaroo.
canicola *s.f.* scorching heat.
canile *s.m.* kennel; (*luogo di custodia*) kennels*.
canino *s.m.*(*dente*) canine (tooth).
canna *s.f.* 1 cane | *povero in –*, as poor as a church mouse 2 (*bot.*) reed | *– da zucchero*, sugarcane 3 (*da pesca*) fishing rod 4 (*di fucile*) (gun) barrel 5 (*tubo*) pipe.
cannella *s.f.* (*bot.*, *cuc.*) cinnamon.
canneto *s.m.* reed thicket.
cannibale *s.m.* cannibal.
cannocchiale *s.m.* spyglass.
cannone *s.m.* cannon, gun.
cannuccia *s.f.* (*per bibite*) straw.
canoa *s.f.* canoe.
canone *s.m.* (*somma da pagare*) fee: *– d'affitto*, rent; *equo –*, controlled rent.
canottaggio *s.m.* rowing: *gara di –*, boat race.
canottiera *s.f.* vest, singlet.
canotto *s.m.* rubber dinghy | *– di salvataggio*, lifeboat.
canovaccio *s.m.* 1 tea cloth, tea towel 2 (*trama di un'opera*) plot.
cantante *s.m./f.* singer.
cantare *v.intr.* 1 to sing* 2 (*del gallo*) to crow 3 (*fam.*) (*fare la spia*) to grass, to squeal ♦ *v.tr.* to sing*.
cantiere *s.m.* yard.
cantina *s.f.* basement; (*per il vino*) cellar.
canto *s.m.* 1 singing 2 (*canzone*) song; tune | *– di Natale*, Christmas carol.
cantonata *s.f.* 1 (street) corner 2 (*errore grossolano*) blunder.
canzone *s.f.* song.

caos *s.m.* 1 chaos 2 (*fig.*) mess.
caotico *agg.* chaotic; confused.
capace *agg.* 1 able; capable 2 (*ampio*) large, roomy.
capacità *s.f.* 1 ability, capability 2 (*capienza*) capacity.
capanna *s.f.* hut, cabin.
caparra *s.f.* deposit, down payment.
capello *s.m.* hair ⊡ | *mettersi le mani nei capelli*, to be at one's wits end | *tirare qlcu. per i capelli*, to twist s.o.'s arm | *averne fin sopra i capelli di qlco.*, to be fed up with sthg.
capiente *agg.* capacious, roomy.
capienza *s.f.* capacity.
capigliatura *s.f.* hair ⊡.
capire *v.tr.* to understand*; (*rendersi conto di*) to realize | *riuscire a –*, to make it out | *se ho ben capito*, if I've got it right | *si capisce!*, naturally! | *capisco!*, I see!, I understand!
capitale *agg.*, *s.m./f.* capital | – *versato*, opening capital.
capitalista *agg.*, *s.m./f.* capitalist.
capitaneria *s.f.*: – (*di porto*), harbour-office.
capitano *s.m.* captain.
capitare *v.intr.* 1 (*giungere*) to come* (*to*), to arrive (*at*); (*fam.*) to turn up (*at*) 2 (*accadere*) to happen, to occur: *mi capitò di incontrarli a Parigi*, I happened to meet them in Paris | *sono cose che capitano*, these things happen, that's life | *a chi capita, capita*, it's the luck of the draw.
capitello *s.m.* (*arch.*) capital.
capitolare *v.intr.* to capitulate; (*fig.*) to give* in.
capitolo *s.m.* chapter | *aver voce in –*, (*fig.*) to have a say in a matter.
capitombolo *s.m.* tumble.
capo *s.m.* 1 head | *tra – e collo*, unexpectedly | *senza – né coda*, senseless | *a –*, new line, new paragraph | *venire a – di qlco.*, to get through sthg. 2 (*estremità*) head; (*fine*) end 3 (*geogr.*) cape 4 (*articolo commerciale*) article 5 (*chi comanda*) head, chief, (*fam.*) boss; (*pol.*) leader.
capodanno *s.m.* New Year's Day.
capogiro *s.m.* (fit of) dizziness | *da –*, dizzy.
capolavoro *s.m.* masterpiece.
capolinea *s.m.* terminus*.
caporedattore *s.m.* editor-in-chief, (*amer.*) managing editor.
caposala *s.f.* (*di ospedale*) ward sister.
capostazione *s.m.* stationmaster.
capotreno *s.m./f.* guard; conductor.
capovolgere *v.tr.*, **capovolgersi** *v. pron.* to overturn; (*di barca*) to capsize.
cappa *s.f.* 1 cape, cloak 2 (*di camino*) hood.
cappella *s.f.* chapel.
cappello *s.m.* hat.
cappero *s.m.* caper.
cappotto *s.m.* (over)coat.
cappuccino *s.m.* (*bevanda*) cappuccino.
cappuccio *s.m.* hood; (*estens.*) cap.
capra *s.f.* goat.
capretto *s.m.* kid.
capriccio *s.m.* whim, caprice: *fare i capricci*, to play up.
capriccioso *agg.* (*di bambino*) naughty.
caprifoglio *s.m.* honeysuckle.
capriola *s.f.* somersault.
capriolo *s.m.* roe (deer).
capsula *s.f.* 1 capsule 2 (*di dente*) crown.
caraffa *s.f.* carafe, jug.

caraibico *agg.* Caribbean.
carambola *s.f.* (*di auto*) pileup.
caramella *s.f.* sweet; (*dura*) drop; (*amer.*) candy.
carato *s.m.* carat.
carattere *s.m.* **1** character, nature **2** (*tip.*) type; (*lettera*) letter.
caratteristica *s.f.* characteristic.
caratteristico *agg.* characteristic; (*tipico*) typical.
carboidrato *s.m.* carbohydrate.
carbone *s.m.* coal | – *di legna*, charcoal.
carbonio *s.m.* carbon.
carburante *s.m.* fuel.
carburatore *s.m.* carburettor.
carcassa *s.f.* **1** (*di animale*) carcass **2** (*fig.*) wreck.
carcerato *s.m.* convict, prisoner.
carcere *s.m.* prison.
carciofo *s.m.* artichoke.
cardiaco *agg.* cardiac, heart (*attr.*).
cardinale *agg.*, *s.m.* cardinal.
cardiochirurgo *s.m.* heart surgeon.
cardiologo *s.m.* cardiologist.
cardo *s.m.* thistle.
carezza *s.f.* caress.
cariato *agg.* decayed.
carica *s.f.* **1** office; (*incarico*) position, appointment **2** (*mil.*) charge, attack (*anche fig.*).
caricare *v.tr.* **1** to load (up); (*fig.*) to load down, to burden **2** (*passeggeri*) to take* (*on*) **3** (*riempire*) to fill; (*armi*) to load **4** (*mil.*) to charge; (*attaccare*) to attack.
caricatura *s.f.* caricature.
carico *agg.* **1** loaded (*with*), laden (*with*); (*fig.*) burdened (*with*) **2** (*di infuso*) strong; (*di colore*) deep, dark ♦ *s.m.* **1** cargo, load **2** (*peso*) load; (*fig.*) burden | *a – del destinatario*, at the consignee's expense | *persona a –*, dependant | *teste a –*, witness for the prosecution.
carie *s.f.* (tooth) decay ▭.
carino *agg.* **1** pretty, charming; cute **2** (*gentile*) nice, kind.
carità *s.f.* **1** charity | *per –, taci!*, for Heaven's sake, shut up! **2** (*elemosina*) alms (*pl.*).
carlinga *s.f.* (*aer.*) nacelle.
carnagione *s.f.* complexion.
carnale *agg.* carnal | *violenza –*, rape.
carne *s.f.* **1** flesh | *in – e ossa*, in the flesh | *non essere né – né pesce*, to be neither fish, flesh, nor fowl. **2** (*alimento*) meat | *avere troppa – al fuoco*, to have too many irons in the fire.
carnevale *s.m.* carnival.
caro *agg.* **1** dear **2** (*costoso*) dear, expensive | *vendere cara la pelle*, to sell one's life dearly ♦ *s.m.* **1** dear, darling **2** *pl.* loved ones ♦ *avv.* dear, dearly.
carota *s.f.* carrot.
carovana *s.f.* caravan.
carovita *s.m.* high cost of living.
carraio *agg.*: *passo –*, drive(way).
carreggiata *s.f.* carriageway; (*fig.*) right track.
carrello *s.m.* **1** trolley, (*amer.*) wagon **2** (*aer.*) landing gear.
carriera *s.f.* career.
carro *s.m.* (*a due ruote*) cart; (*a quattro ruote*) wa(g)gon | – *armato*, tank | – *attrezzi*, breakdown van, (*amer.*) wrecking car | – *bestiame*, cattle truck, (*amer.*) stockcar; – *merci* goods wag(g)gon, (*amer.*) freight car.
carrozza *s.f.* carriage, coach.
carrozzeria *s.f.* (*aut.*) **1** bodywork **2** (*officina*) body shop.

carrozziere *s.m.* coachbuilder.
carrozzina *s.f.* pram, (*amer.*) baby carriage.
carta *s.f.* 1 paper: – *assorbente*, blotting paper; – *igienica*, toilet paper; – *da lettera*, notepaper; – *oleata*, greaseproof paper; – *velina*, tissue paper; – *vetrata*, glass-paper, sandpaper | *alla* –, à la carte 2 (*documento*) card; paper: – *d'identità*, identity card; – *di credito*, credit card; – *d'imbarco*, boarding card | – *bollata*, stamped paper; – *semplice*, unstamped paper | *far carte false*, to go to any lengths | *avere* – *bianca*, to have carte blanche 3 (*statuto*) charter 4 (*mappa*) map; chart 5 (*da gioco*) (playing) card: *dare le carte*, to deal (the cards); *alzare le carte*, to cut the pack.
cartacarbone *s.f.* carbon paper.
cartastraccia *s.f.* waste paper.
cartella *s.f.* 1 (*di cartone*) folder, file; (*di cuoio*) portfolio, briefcase 2 (*da scuola*) satchel, schoolbag 3 (*pagina*) sheet | – *clinica*, case history.
cartellino *s.m.* 1 ticket: – *del prezzo*, price ticket 2 (*targhetta*) nameplate.
cartello *s.m.* notice | – *stradale*, (road) sign.
cartellone *s.m.* poster, placard, (*amer.*) billboard.
cartiera *s.f.* paper mill.
cartina *s.f.* (*geografica*) map.
cartoccio *s.m.* 1 (paper) bag; (*fatto a cono*) cornet | *pesce al* –, fish baked in foil.
cartolaio *s.m.* stationer.
cartolina *s.f.* (post)card.
cartone *s.m.* 1 cardboard 2 (*imballaggio*) carton, box.
cartuccia *s.f.* cartridge.
casa *s.f.* 1 house; home: *andare a* –, to go home; *essere in* –, to be at home; *uscire di* –, to go out; *a* – *di mia zia*, at my aunt's (home) | *fatto in* –, home-made 2 (*dinastia*) family, dynasty 3 (*comm.*) house, firm | – *madre*, (*sede principale*) head office.
casalinga *s.f.* housewife*.
casalingo *agg.* homely, domestic | *cucina casalinga*, plain (*o* home) cooking ♦ *s.m.pl.* household objects.
cascare *v.intr.* to fall* (down).
cascata *s.f.* (water)fall.
cascina *s.f.* farmstead.
casco *s.m.* 1 helmet 2 (*dal parrucchiere*) (hair)dryer.
caseggiato *s.m.* block (of flats).
casella *s.f.* compartment; (*di schedario*) pigeonhole | – *postale*, post-office box.
casello *s.m.* (*di autostrada*) tollbooth.
caserma *s.f.* barracks*.
caso *s.m.* 1 chance | *a* –, at random | *per* –, by chance 2 (*circostanza*) case; (*avvenimento*) event | – *mai*, in case; *in* – *affermativo*, if so; *in* – *contrario*, otherwise | *non è il* – *di allarmarsi*, there is no need to worry.
cassa *s.f.* 1 case, box, chest 2 (*di negozio*) till; (*banco*) cash desk | – *comune*, (*fam.*) kitty | – *automatica*, cash dispenser 3 (*banca*) bank.
cassaforte *s.f.* safe, strongbox.
casseruola *s.f.* saucepan.
cassetta *s.f.* 1 box, case | – *delle lettere*, letterbox, (*amer.*) mail box 2 (*nastro magnetico*) cassette.
cassetto *s.m.* drawer.
cassettone *s.m.* chest of drawers, (*amer.*) bureau*.
cassiere *s.m.* cashier.
cassonetto *s.m.* rubbish skip.

castagna *s.f.* chestnut.
castagno *s.m.* chestnut.
castano *agg.* chestnut, brown.
castello *s.m.* castle.
castigare *v.tr.* to punish, to chastise.
castigo *s.m.* punishment: *mettere in*, to punish.
castoro *s.m.* beaver.
casuale *agg.* random, fortuitous.
catalogare *v.tr.* to list, to catalogue.
catalogo *s.m.* catalogue.
catarro *s.m.* catarrh.
catasta *s.f.* pile, heap.
catasto *s.m.* cadastre, land register.
catastrofe *s.f.* catastrophe, disaster.
categoria *s.f.* category, class.
categorico *agg.* categorical.
catena *s.f.* chain | – *di montaggio*, assembly line.
catenaccio *s.m.* bolt.
catino *s.m.* basin.
catrame *s.m.* tar.
cattedra *s.f.* **1** desk **2** (*il posto del professore di ruolo*) teaching post; (*all'università*) chair, professorship.
cattedrale *s.f.* cathedral.
cattiveria *s.f.* **1** wickedness, spite **2** (*atto malvagio*) wicked action.
cattivo *agg.* **1** bad **2** (*spiacevole*) bitter, harsh | *con le buone o con le cattive*, by fair means or foul.
cattolico *agg.*, *s.m.* (Roman) Catholic.
cattura *s.f.* capture; (*arresto*) arrest.
catturare *v.tr.* to capture, to catch*; (*arrestare*) to arrest.
caucciù *s.m.* India rubber ⓤ.
causa *s.f.* **1** cause; (*motivo*) reason | *a – di*, because of **2** (*dir.*) lawsuit.
causare *v.tr.* to cause.
cautela *s.f.* caution; (*precauzione*) precaution.
cauto *agg.* cautious, prudent.
cauzione *s.f.* caution money, deposit; (*dir.*) bail.
cava *s.f.* quarry.
cavalcare *v.tr.*/*intr.* to ride*.
cavalcavia *s.f.* flyover, (*amer.*) overpass.
cavaliere *s.m.* **1** rider, horseman* **2** (*accompagnatore*) escort; partner **3** (*gentiluomo*) gentleman* **4** (*titolo onorifico*) knight.
cavalleria *s.f.* **1** chivalry **2** (*mil.*) cavalry.
cavalletta *s.f.* grasshopper.
cavalletto *s.m.* trestle; (*da pittore*) easel.
cavallo *s.m.* **1** horse | – *di battaglia*, tour de force | *essere a –*, (*fig.*) to be safe **2** (*di pantaloni*) crotch, crutch.
cavare *v.tr.* **1** (*togliere*) to remove; (*di dosso*) to take* off **2** (*tirar fuori*) to take* out **3** *cavarsela*, to manage.
cavatappi *s.m.* corkscrew.
caverna *s.f.* cave.
cavia *s.f.* guinea pig (*anche fig.*).
caviale *s.m.* caviar.
caviglia *s.f.* ankle.
cavillo *s.m.* quibble, cavil.
cavità *s.f.* cavity.
cavo[1] *agg.*, *s.m.* hollow.
cavo[2] *s.m.* (*fune*) cable.
cavolfiore *s.m.* cauliflower.
cavolo *s.m.* cabbage.
ce *pron.* (to) us ♦ *avv.* there.
ceco *agg.*, *s.m.* Czech | *Repubblica Ceca*, Czech Republic.
cedere *v.tr.* **1** to give*, to let* (*s.o.*) have **2** (*vendere*) to sell* ♦ *v.intr.* **1** (*arrendersi*) to give* in, to yield; (*al nemico*) to surrender **2** (*sprofondare*; *spezzarsi*) to give* way.

cedimento *s.m.* (*di terreno*) sinking; (*di struttura*) collapse.
cedola *s.f.* coupon, voucher.
cedro[1] *s.m.* citron (tree).
cedro[2] *s.m.* (*conifera*) cedar.
ceffo *s.m.* (*muso*) muzzle; (*grugno*) snout.
celebrare *v.tr.* to celebrate.
celebre *agg.* renowned, famous.
celebrità *s.f.* **1** fame **2** (*persona celebre*) celebrity.
celeste *agg.*, *s.m.* (*azzurro*) sky-blue, light blue.
celibe *agg.* single ♦ *s.m.* bachelor.
cella *s.f.* **1** cell **2** (*frigorifera*) cold store.
cellula *s.f.* cell.
cellulare *agg.* cellular ♦ *s.m.* **1** (*furgone*) police van **2** (*telefono*) cell-phone.
cellulite *s.f.* cellulite.
cellulosa *s.f.* cellulose.
cemento *s.m.* cement: – *armato*, reinforced concrete.
cena *s.f.* dinner; (*pasto leggero*) supper.
cenare *v.intr.* to have dinner, to dine; to have supper.
cenere *s.f.* ash, cinder.
cenno *s.m.* **1** sign; (*col capo*) nod; (*con la mano*) gesture **2** (*accenno*) hint.
censimento *s.m.* census.
censura *s.f.* censorship; (*critica*) censure.
centenario *s.m.* **1** centenarian **2** (*anniversario*) centenary, centennial.
centesimo *agg.*, *s.m.* hundredth; (*di dollaro*) cent | *al* –, to the last penny.
centimetro *s.m.* **1** centimetre **2** (*nastro centimetrato*) tape measure.
centinaio *s.m.* (about) hundred.
cento *agg.*, *s.m.* hundred.
centrale *agg.* **1** central **2** (*fig.*) main, central ♦ *s.f.* **1** plant, station **2** (*centro di coordinamento*) headquarters (*pl.*).
centralinista *s.m.*, *f.* (switchboard) operator.
centralino *s.m.* (telephone) exchange, (*amer.*) (telephone) central; (*di albergo, azienda ecc.*) switchboard.
centrare *v.tr.* **1** to hit* (the centre of) **2** (*fissare nel centro*) to centre.
centrifuga *s.f.* **1** centrifuge **2** (*della lavatrice*) spin-dryer.
centrifugo *agg.* centrifugal.
centro *s.m.* **1** centre | – *storico*, city centre | – *commerciale*, shopping centre | *far* –, to hit the mark **2** (*complesso urbano*) centre, town; (*di soggiorno*) resort.
ceppo *s.m.* **1** (*base dell'albero*) stump **2** (*origine*) stock **3** (*da ardere*) log **4** (*per auto*) (wheel) clamp.
cera[1] *s.f.* wax: *dare la* –, to wax.
cera[2] *s.f.* (*aspetto*) air, look.
ceramica *s.f.* **1** (*arte*) ceramics ⊡, pottery ⊡ **2** (*oggetto*) piece of pottery **3** (*materiale*) baked clay.
cerbiatto *s.m.* fawn.
cercapersone *s.m.* bleeper, beeper.
cercare *v.tr.* to look for | *cercasi*, wanted ♦ *v.intr.* (*tentare*) to try.
cerchia *s.f.* **1** circle (*anche fig.*) **2** (*ambito*) range.
cerchio *s.m.* circle, ring.
cerchione *s.m.* (*di ruota*) rim.
cereale *s.m.* cereal, grain ⊡.
cerebrale *agg.* cerebral.
ceretta *s.f.* (*per depilazione*) wax.
cerimonia *s.f.* ceremony.
cerino *s.m.* (wax) match.
cernia *s.f.* grouper.
cerniera *s.f.* hinge.

cero *s.m.* candle.
cerone *s.m.* greasepaint.
cerotto *s.m.* plaster.
certezza *s.f.* certainty.
certificato *s.m.* certificate.
certo *agg.* 1 certain 2 (*preciso*) definite 3 (*qualche*) some 4 (*tale, simile*) such ♦ *pron.pl.* (*alcuni*) some, some people ♦ *avv.* certainly: *di* –, for certain, for sure; *ma* –!, by all means!, of course! ♦ *s.m.* (*cosa certa*): *lasciare il* – *per l'incerto*, to step into the unknown.
cervello *s.m.* brain: *usare il* –, to use one's brains.
cervo *s.m.* deer*.
cesareo *agg.* (*med.*) caesarean.
cesello *s.m.* chisel.
cespuglio *s.m.* bush, shrub.
cessare *v.tr.* to cease, to stop.
cesta *s.f.* basket.
cestello *s.m.* (*di lavatrice*) drum.
cestino *s.m.* basket.
cesto *s.m.* basket.
ceto *s.m.* class, rank.
cetriolino *s.m.* gherkin.
cetriolo *s.m.* cucumber.
che *pron.* that; who; which | *il* –, which | (*prego*) *non c'è di* –, not at all, you're welcome | *non è* (*un*) *gran* –, it isn't up to much ♦ *agg.* what; which | – *strano!*, how strange! ♦ *cong.* 1 that 2 (*eccettuativa*) only, but.
chetichella, alla *avv.* on the sly.
chi *pron.* 1 who | *di* –, (*poss.*) whose 2 (*colui che*) the one (who) 3 (*chiunque*) whoever, anyone (who) 4 (*qualcuno che*) someone (who) | *chi... chi...*, some... some..., some... others....
chiacchiera *s.f.* 1 chat, talk 2 (*notizia infondata*) rumour; (*pettegolezzo*) gossip ☐.
chiacchierare *v.intr.* 1 to chat, to talk 2 (*fare pettegolezzi*) to gossip.
chiacchierata *s.f.* chat.
chiacchierone *s.m.* chatterbox.
chiamare *v.tr.* to call ♦ **~rsi** *v.pron.* to be called: *come ti chiami?*, what's your name?
chiamata *s.f.* call.
chiarezza *s.f.* clearness, clarity.
chiarire *v.tr.* to make* clear.
chiaro *agg.* clear; (*luminoso*) bright; (*di colore*) light; (*di carnagione*) fair ♦ *avv.* clearly; (*con franchezza*) frankly | – *e tondo*, straight.
chiasso *s.m.* noise, racket.
chiassoso *agg.* 1 noisy, rowdy 2 (*di colore*) gaudy, loud.
chiave *s.f.* key | (*prezzo*) *chiavi in mano*, on the road (price) | – *inglese*, monkey spanner, wrench.
chicco *s.m.* kernel, grain; (*di caffè*) coffee-bean; (*d'uva*) grape | – *di grandine*, hailstone.
chiedere *v.tr./intr.* to ask; (*per avere*) to ask (*s.o.*) for | *mi chiedo se*, I wonder whether.
chierichetto *s.m.* altar boy.
chiesa *s.f.* church.
chiglia *s.f.* (*mar.*) keel.
chilo, chilogrammo *s.m.* kilogram(me).
chilometro *s.m.* kilometre.
chimica *s.f.* chemistry.
chimico *agg.* chemical ♦ *s.m.* chemist.
china[1] *s.f.* slope; descent.
china[2] *s.f.* (*bot.*) chinaroot.
chinare *v.tr.*, **chinarsi** *v.pron.* to bend* (down).
chincaglieria *s.f.* knick-knacks (*pl.*).
chino *agg.* bent, bowed.
chioccia *s.f.* broody hen.

chiodo *s.m.* nail | – *di garofano*, clove | *avere un – fisso*, to have a bee in one's bonnet.
chioma *s.f.* hair ▭.
chiosco *s.m.* kiosk, stall; (*per giornali*) newsstand.
chiromante *s.m./f.* palmist.
chirurgia *s.f.* surgery.
chirurgo *s.m.* surgeon.
chissà *avv.* I wonder, who knows.
chitarra *s.f.* guitar.
chiudere *v.tr.* **1** to shut*, to close; (*tappare*) to stop | – *a chiave*, to lock | – *il gas*, to turn off the gas **2** (*sbarrare*) to bar **3** (*rinchiudere*) to shut* up, to lock up ♦ *v.intr.* to close | – *in attivo*, to show a profit ♦ **~rsi** *v.pron.* **1** to close **2** (*rinchiudersi*) to shut* oneself up **3** (*ritirarsi*) to withdraw*.
chiunque *pron.* anyone, anybody; whoever, anyone who; whichever.
chiuso *s.m.*: *se piove staremo al –*, if it rains we'll stay indoors | *odore di –*, a stale smell.
chiusura *s.f.* **1** closing, shutting **2** (*fine*) end, close **3** (*serratura*) lock; (*allacciatura*) fastening **4** (*mentale*) narrow-mindedness.
ci *pron.* **1** (to) us **2** (*coi v.pron.*) ourselves; (*l'un l'altro*) one another; (*spec. tra due*) each other **3** (*a ciò*) about it ♦ *avv.* **1** (*là*) there; (*qui*) here **2** (*di qui, lì*) through it.
ciabatta *s.f.* slipper.
ciambella *s.f.* **1** (*cuc.*) ring-shaped cake, doughnut **2** (*salvagente*) life belt.
ciao *inter.* (*fam.*) **1** (*incontrandosi*) hello!, hallo!, (*amer.*) hi! **2** (*congedandosi*) goodbye, (bye-)bye.
ciascuno *agg.* every; each ♦ *pron.* everyone, everybody; each (one).
cibo *s.m.* food.
cicala *s.f.* cicada.
cicalino *s.m.* (*elettr.*) buzzer.
cicatrice *s.f.* scar (*anche fig.*).
ciccia *s.f.* (*fam. scherz.*) flesh.
cicerone *s.m.* guide, cicerone.
ciclamino *s.m.* cyclamen.
ciclismo *s.m.* cycling.
ciclista *s.m.* cyclist, bicyclist.
ciclo *s.m.* cycle.
ciclone *s.m.* cyclone.
cicogna *s.f.* stork.
cicoria *s.f.* chicory, succory.
cieco *agg.*, *s.m.* blind (man) | *alla cieca*, blindly.
cielo *s.m.* **1** sky | *a ciel sereno*, out of the blue | *non stare né in – né in terra*, to be utter nonsense | *toccare il – con un dito*, to walk on air **2** (*paradiso*) heaven, paradise | *santo –!*, my goodness!
cifra *s.f.* **1** digit; figure | – *tonda*, in round figure **2** (*somma di denaro*) amount of money, figure **3** (*codice*) cipher, code.
ciglio *s.m.* **1** eyelash | *senza batter –*, without batting an eyelid **2** (*bordo*) edge, border.
cigno *s.m.* swan; (*femmina*) pen.
cigolare *v.intr.* to squeak.
ciliegia *s.f.*, **ciliegio** *s.m.* cherry.
cilindro *s.m.* **1** (*geom.*, *mecc.*) cylinder **2** (*cappello*) top hat.
cima *s.f.* **1** top, summit **2** (*genio*) genius **3** *cime di rapa*, turnip-tops.
cimelio *s.m.* antique, relic.
cimentarsi *v.pron.* to test oneself (*against*); (*con qlcu.*) to compete.
cimice *s.f.* bug, (*amer.*) chinch.
ciminiera *s.f.* smokestack, chimney; (*di nave*) funnel.

cimitero *s.m.* cemetery; (*annesso alla chiesa*) churchyard.
cin cin, cincin *inter.* cheers.
cineasta *s.m.* cineaste.
cineclub *s.m.* film club, film society.
cinema, **cinematografo** *s.m.* cinema, pictures (*pl.*), (*spec. amer.*) movies (*pl.*) | – *muto*, silent cinema.
cinepresa *s.f.* (film) camera, cinecamera.
cinese *agg.*, *s.m./f.* Chinese | *i cinesi*, the Chinese.
cineteca *s.f.* film library.
cinghia *s.f.* strap; (*cintura*) belt.
cinghiale *s.m.* wild boar.
cinico *agg.* cynical ♦ *s.m.* cynic.
ciniglia *s.f.* chenille.
cinquanta *agg.*, *s.m.* fifty.
cinquantesimo *agg.*, *s.m.* fiftieth.
cinque *agg.*, *s.m.* five.
cintare *v.tr.* to fence in.
cintura *s.f.* belt.
cinturino *s.m.* strap.
ciò *pron.* that; this; it | – *che*, what | *e con –?*, so what?
ciocca *s.f.* (*di capelli*) lock.
cioccolata *s.f.* chocolate.
cioccolatino *s.m.* chocolate.
cioccolato *s.m.* chocolate.
cioè *avv.* that is | *–?*, what do you mean?
ciondolo *s.m.* pendant.
ciononostante *avv.* nevertheless.
ciotola *s.f.* bowl.
ciottolo *s.m.* pebble.
cipolla *s.f.* onion.
cipresso *s.m.* cypress.
cipria *s.f.* powder.
circa *avv.* about, nearly.
circo *s.m.* circus*.
circolare[1] *agg.*, *s.f.* circular.
circolare[2] *v.intr.* to circulate.
circolazione *s.f.* circulation | *divieto di –*, no thoroughfare.
circolo *s.m.* **1** circle **2** (*associazione*) club.
circondare[2] *v.tr.* to surround.
circonferenza *s.f.* circumference.
circonvallazione *s.f.* ring road.
circostanza *s.f.* circumstance; (*occasione*) occasion | *parole di –*, words suited to the occasion.
circuito *s.m.* circuit.
cisterna *s.f.* **1** cistern; tank **2** (*veicolo*) tanker.
cisti *s.f.* (*med.*) cyst.
cistifellea *s.f.* gall bladder.
citare *v.tr.* **1** to cite **2** (*fare una citazione*) to quote **3** (*dir.*) to summon | – *per danni*, to sue for damages.
citazione *s.f.* **1** quotation **2** (*dir.*) summons.
citofono *s.m.* (*fra appartamento e portineria*) house-phone; (*fra l'ingresso e gli appartamenti*) entryphone.
città *s.f.* **1** town; (*grande*) city **2** (*gli abitanti*) town.
Città del Capo *no.pr.f.* Cape Town.
cittadinanza *s.f.* **1** (*dir.*) nationality, citizenship **2** (*popolazione*) citizens (*pl.*).
cittadino *agg.* town (*attr.*); city (*attr.*) ♦ *s.m.* citizen.
ciuffo *s.m.* tuft; (*di capelli*) quiff; (*sulla fronte*) forelock.
ciurma *s.f.* crew.
civetta *s.f.* **1** owl | *auto –*, Q-car **2** (*fig.*) flirt, coquette.
civico *agg.* civic.
civile *agg.* **1** civil | *stato –*, marital status **2** (*in opposizione a militare*) civilian ♦ *s.m.* civilian.

civilizzare *v.tr.* to civilize.
civiltà *s.f.* civilization.
clacson *s.m.* horn: *suonare il* –, to hoot.
clamore *s.m.* clamour, uproar.
clamoroso *agg.* sensational.
clandestino *agg.* clandestine, underground ♦ *s.m.* stowaway.
clarinetto *s.m.* (*mus.*) clarinet.
classe *s.f.* **1** class **2** (*a scuola*) class; (*aula*) classroom **3** (*mil.*) draft.
classico *agg.* classic; (*riferito alle arti*) classical ♦ *s.m.* classic.
classifica *s.f.* results (*pl.*); (*di dischi*) hit parade.
classificare *v.tr.* **1** to classify **2** (*valutare*) to give* a mark (*to*), to mark ♦ **~rsi** *v.pron.* to come*.
classista *agg.* class-conscious.
clausola *s.f.* clause, term.
clausura *s.f.* seclusion.
clavicola *s.f.* collarbone, clavicle.
clemente *agg.* **1** lenient, merciful **2** (*di clima*) mild, clement.
clero *s.m.* clergy.
cliente *s.m./f.* (*di esercizio*) customer; (*di professionista*) client; (*di albergo*) guest.
clientela *s.f.* (*di esercizio*) customers (*pl.*), clients (*pl.*).
clima *s.m.* climate.
climatizzazione *s.f.* air-conditioning.
clinica *s.f.* clinic; nursing home.
clinico *agg.* clinical ♦ *s.m.* clinician.
cloche *s.f.* **1** (*aer.*) control column **2** (*aut.*): *cambio a* –, floor-mounted gear shift.
cloro *s.m.* (*chim.*) chlorine.
clorofilla *s.f.* chlorophyll.
coabitare *v.intr.* to live together.
coagulare *v.tr./intr.*, **coagularsi** *v.pron.* to coagulate.
coalizione *s.f.* coalition.
coalizzarsi *v.pron.* to form a coalition, to unite.
cocaina *s.f.* cocaine; (*fam.*) coke.
coccinella *s.f.* ladybird, (*amer.*) ladybug.
cocciuto *agg.* stubborn, obstinate.
cocco *s.m.* coconut (palm).
coccodrillo *s.m.* crocodile.
coccolare *v.tr.* to cuddle.
cocomero *s.m.* (*bot.*) watermelon.
coda *s.f.* **1** tail | (*cuc.*) – *di rospo*, angler fish **2** (*fila*) queue.
codice *s.m.* code | – (*d'avviamento*) *postale*, postcode, (*amer.*) zip code | – *fiscale*, tax number.
coerente *agg.* consistent, coherent.
coetaneo *agg.*, *s.m.* contemporary.
cofano *s.m.* (*aut.*) bonnet, (*amer.*) hood.
cogliere *v.tr.* **1** to pick **2** (*sorprendere*) to catch*: – *in fallo*, *sul fatto*, to catch (*s.o.*) red-handed **3** (*colpire*) to hit* **4** (*afferrare*) to seize **5** (*capire*) to catch*.
cognata *s.f.* sister-in-law*.
cognato *s.m.* brother-in-law*.
cognizione *s.f.* knowledge ▭.
cognome *s.m.* surname, family name.
coincidenza *s.f.* **1** coincidence **2** (*ferr.*) connection, connexion.
coincidere *v.intr.* to coincide.
coinquilino *s.m.* (co-)resident.
coinvolgere *v.tr.* to involve.
colapasta *s.m.* pasta strainer.
colare *v.tr.* **1** (*filtrare*) to filter; (*scolare*) to strain, to drain **2** (*fondere*) to cast* ♦ *v.intr.* to drip, to trickle; (*di candela*) to melt | (*mar.*) – *a picco*, to sink*.
colazione *s.f.* **1** (*del mattino*) breakfast: *far* –, to have breakfast **2** (*di mezzogiorno*) lunch.

colera *s.m.* (*med.*) cholera.
colica *s.f.* (*med.*) colic.
colino *s.m.* strainer, colander.
colite *s.f.* (*med.*) colitis.
colla *s.f.* glue.
collaborare *v.intr.* to collaborate, to work together.
collaboratore *s.m.* collaborator; (*di giornali*) contributor | – *esterno*, free lance.
collaborazione *s.f.* collaboration; (*a un giornale*) contribution.
collana *s.f.* **1** necklace **2** (*raccolta*) series.
collant *s.m.* tights (*pl.*).
collare *s.m.* collar.
collasso *s.m.* collapse.
collaterale *agg.* secondary | *effetti collaterali*, side effects.
collaudare *v.tr.* to test.
collaudo *s.m.* test; testing.
collega *s.m./f.* colleague.
collegamento *s.m.* connection, link.
collegare *v.tr.* to connect, to link (up) ♦ **~rsi** *v.pron.* to link up.
collegiale *agg.* collective, joint.
collegio *s.m.* **1** (*organo*) body, board **2** (*scuola con convitto*) boarding school.
collera *s.f.* anger; (*ira*) rage.
colletta *s.f.* collection (of money).
collettivo *agg., s.m.* collective.
colletto *s.m.* collar.
collezione *s.f.* collection.
collezionista *s.m./f.* collector.
collina *s.f.* hill.
collirio *s.m.* eyewash.
collisione *s.f.* collision.
collo[1] *s.m.* **1** neck | *prendere qlcu. per il –*, to force s.o. to accept bad terms **2** (*colletto*) collar | – *del piede*, instep.
collo[2] *s.m.* (*pacco*) package, parcel.
collocamento *s.m.* employment: *agenzia di –*, employment agency.
collocare *v.tr.* to place.
colloquio *s.m.* talk; (*di lavoro*) interview | *essere a – con*, to have a meeting with.
collutorio *s.m.* mouthwash, gargle.
colmare *v.tr.* to fill.
colmo *s.m.* highest point; (*fig.*) height | *al – della disperazione*, in the depths of despair | *per – di sfortuna*, and to crown it all | *è il –!*, that's the last straw!
colomba *s.f.* dove.
colombo *s.m.* pigeon.
colonia[1] *s.f.* **1** colony **2** (*per bambini*) holiday camp.
colonia[2] *s.f.* eau-de-Cologne.
colonna *s.f.* **1** column, pillar **2** (*fila*) line.
colonnello *s.m.* colonel.
colonnina *s.f.* column | – *di soccorso*, emergency telephone.
colorante *s.m.* colouring agent.
colorare *v.tr.* to colour.
colore *s.m.* **1** colour | *colori solidi*, fast colours | *colori a olio*, oil paints | *combinarne di tutti i colori*, to get up to all kinds of tricks **2** (*a carte*) flush.
colorito *agg.* colourful; (*di viso*) rosy ♦ *s.m.* complexion.
colosso *s.m.* giant.
colpa *s.f.* **1** wrong, misdeed **2** (*colpevolezza*) guilt; (*responsabilità*) fault: *sentirsi in –*, to feel guilty **3** (*biasimo*) blame.
colpevole *agg.* guilty: *dichiararsi –*, to plead guilty ♦ *s.m./f.* culprit, offender.
colpire *v.tr.* to hit*; to strike*; (*con arma da fuoco*) to shoot*.
colpo *s.m.* **1** blow, stroke | – *basso*, blow under the belt | – *d'aria*, chill | – *di*

grazia, finishing stroke | – *da maestro*, masterstroke | – *di mano*, surprise move | – *d'occhio*, (*occhiata*) quick glance; (*vista*) view | – *di scena*, unexpected turn of events | – *di stato*, coup d'état | – *di testa*, rash act | – *giornalistico*, scoop | *a – sicuro*, without any risk | *di –*, all of a sudden | *far –*, to cause a sensation **2** (*d'arma da fuoco*) shot **3** (*apoplettico*) stroke | *le è venuto un – quando...*, she got a shock when... **4** (*rapina*) robbery.
coltello *s.m.* knife*; (*a serramanico*) flick knife.
coltivare *v.tr.* to cultivate, to till.
coltivatore *s.m.* farmer.
colto *agg.* learned.
comandante *s.m.* (*mil.*) commander; (*aer.*, *mar.*) captain.
comandare *v.tr.* **1** to command **2** (*mecc.*) to control.
comando *s.m.* **1** order, command | *prendere il –*, to take the lead **2** (*sede*) headquarters (*pl.*) **3** (*dispositivo*) control: – *a distanza*, remote control.
combaciare *v.intr.* to fit together.
combattere *v.intr.*/*tr.* to fight*.
combattimento *s.m.* **1** fight; (*mil.*) action **2** (*boxe*) match.
combinare *v.tr.* **1** to combine; (*colori*) to match (up) **2** (*concludere*) to conclude; (*organizzare*) to arrange **3** (*fare*) to do* ♦ **~rsi** *v.pron.* (*conciarsi*) to get* oneself up.
combinazione *s.f.* **1** coincidence; (*caso*) chance **2** (*di cassaforte*) combination.
combustibile *s.m.* fuel.
come *avv.* **1** as **2** (*in frasi interr.*) how | *com'era il film?*, what was the film like? | – *mai?*, *com'è che...*, why?; (*enfatico*) why ever? | *ma –?!*, how come? | – *no?!*, (*ma certo*) of course! | – *non detto*, forget it **3** (*per indicare somiglianza*) like; such as ♦ *cong.* **1** (*appena*) as (soon as) **2** – *se*, as if.
cometa *s.f.* comet.
comico *agg.* comical, funny ♦ *s.m.* (*attore*) comic (actor).
comignolo *s.m.* chimneypot.
cominciare *v.tr.*, *intr.* to begin*, to start.
comitato *s.m.* committee, board.
comitiva *s.f.* party, group.
comizio *s.m.* meeting.
commedia *s.f.* comedy | *fare*, *recitare la –*, (*fig.*) to play a part, to sham.
commemorare *v.tr.* to commemorate.
commentare *v.tr.* to comment (*on*).
commento *s.m.* **1** commentary **2** (*giudizio*) comment, remark.
commerciale *agg.* commercial; trade; business.
commercialista *s.m.*/*f.* business consultant.
commercializzare *v.tr.* to market.
commerciante *s.m.* dealer, trader.
commerciare *v.intr.* to trade, to deal*.
commercio *s.m.* trade [C]; commerce [U] | *fuori –*, not for sale.
commessa *s.f.* shop assistant.
commesso *s.m.* shop assistant, (*amer.*) salesclerk | – *viaggiatore*, travelling salesman.
commestibile *agg.* edible, eatable.
commettere *v.tr.* to commit.
commissariato *s.m.* police station.
commissario *s.m.* police superintendent, (*amer.*) Commissioner of Police.
commissione *s.f.* **1** errand **2** (*incarico*) commission | *fatto su –*, made to order **3** (*compenso*) commission, fee **4** (*comitato*) committee; (*d'esame*) board.

commozione *s.f.* **1** emotion **2** – *cerebrale*, concussion.
commuovere *v.tr.* to move, to touch ♦ **~rsi** *v.pron.* to be moved, to be touched.
commutatore *s.m.* (*elettr.*) commutator.
comodino *s.m.* bedside table.
comodità *s.f.* comfort.
comodo *agg.* **1** comfortable | *mettersi* –, to make oneself comfortable | *prendersela comoda*, to take one's time **2** (*agevole*) handy ♦ *s.m.* comfort | *far* – *a*, to be convenient for, to suit.
compagnia *s.f.* company | – *di bandiera*, (*aerea*) national airline | *e* – *bella*, (*fam.*) and so on, and so forth.
compagno *s.m.* **1** mate, fellow; (*fam.*) pal; (*amer.*) buddy **2** (*convivente*) partner.
comparire *v.intr.* to appear.
comparsa *s.f.* **1** appearance **2** (*teatr.*, *cinem.*) extra, walk-on (part).
compartimento *s.m.* compartment.
compassione *s.f.* pity, sympathy: *fare* –, to arouse pity.
compasso *s.m.* compasses (*pl.*).
compatibile *agg.* compatible.
compatire *v.tr.* to pity.
compatto *agg.* **1** compact, close **2** (*fig.*) united.
compensare *v.tr.* **1** to compensate **2** (*pagare*) to pay*; (*risarcire*) to pay* compensation to.
compensato *s.m.* (*legno*) plywood.
compenso *s.m.* payment, fee | *in* – in return.
compera *s.f.* purchase, shopping.
comperare e *deriv.* → ***comprare*** e *deriv.*
competente *agg.* competent, qualified.
competenza *s.f.* **1** competence | *non è di tua* –, this is out of your province **2** (*onorario*) fee.
competere *v.intr.* **1** to compete **2** (*spettare*) to be due.
competitivo *agg.* competitive.
competizione *s.f.* competition.
compiacente *agg.* obliging.
compiacimento *s.m.* satisfaction.
compiere *v.tr.* **1** to do*, to perform **2** (*terminare*) to finish, to complete | *ha compiuto venti anni ieri*, he was twenty yesterday | *per* – *l'opera*, on top of it all (*o* to crown it all).
compilare *v.tr.* to compile; (*un documento*) to draw up; (*un modulo*) to fill in; (*un assegno*) to write.
compito *s.m.* **1** task; (*lavoro*) job **2** (*scolastico*) exercise; (*a casa*) homework [U].
compleanno *s.m.* birthday.
complementare *agg.* complementary.
complessato *agg.* full of complexes.
complessivamente *avv.* altogether.
complessivo *agg.* overall.
complesso *agg.* complex, complicated ♦ *s.m.* **1** whole: *in* –, on the whole **2** (*serie*) set **3** (*azienda*, *stabilimento*) complex, group **4** (*mus.*) band **5** (*psic.*) complex.
completare *v.tr.* to complete.
completo *agg.* **1** complete **2** (*esaurito*) full (up) ♦ *s.m.* (*abbigl.*) suit.
complicare *v.tr.* to complicate ♦ **~rsi** *v.pron.* to get* complicated.
complicato *agg.* complicated, complex.
complicazione *s.f.* complication.
complice *s.m./f.* accomplice ♦ *agg.* conspiratorial.
complicità *s.f.* complicity.

complimentarsi *v.pron.* to congratulate (*s.o.*).
complimento *s.m.* **1** compliment **2** *pl.* (*cerimonie*) ceremony (*sing.*): *fare complimenti*, to stand on ceremony.
complotto *s.m.* plot, conspiracy.
componente *s.m.* **1** member **2** (*tecn.*) component ♦ *s.f.* element.
componibile *agg.* modular.
componimento *s.m.* composition.
comporre *v.tr.* **1** to compose, to make* up | (*tel.*) – *un numero*, to dial a number **2** (*scrivere*) to write*; (*musica*) to compose **3** (*conciliare*) to settle **4** (*tip.*) to set*.
comportamento *s.m.* behaviour.
comportare *v.tr.* to imply; (*richiedere*) to require ♦ **~rsi** *v.pron.* to behave: *comportati bene!*, behave yourself!; – *male*, to misbehave.
compositore *s.m.* (*mus.*) composer.
composizione *s.f.* composition.
composto *agg.* **1** compound **2** (*formato*) consisting (*of*) **3** (*ordinato*) tidy, neat ♦ *s.m.* **1** (*chim.*) compound **2** (*miscela*) mixture.
comprare *v.tr.* **1** to buy* **2** (*corrompere*) to bribe.
compratore *s.m.* buyer.
compravendita *s.f.* (*dir.*) sale.
comprendere *v.tr.* **1** to include, to comprise **2** (*capire*) to understand*.
comprensibile *agg.* **1** comprehensible **2** (*giustificabile*) understandable.
comprensione *s.f.* **1** comprehension, understanding **2** (*compassione*) sympathy.
comprensivo *agg.* **1** (*che include*) comprehensive, inclusive **2** (*che prova compassione*) sympathetic, understanding.
compreso *agg.* (*incluso*) including, inclusive | *prezzo tutto* –, inclusive price; *viaggio tutto* –, package tour.
compressa *s.f.* pill, tablet.
compressore *s.m.* (*mecc.*) compressor; (*stradale*) roller.
comprimere *v.tr.* to compress.
compromesso *s.m.* **1** compromise **2** (*dir.*) preliminary agreement.
compromettere *v.tr.* to compromise.
computerizzare *v.tr.* to computerize.
comunale *agg.* municipal; town; city.
comune[1] *agg.* **1** common; (*reciproco*) mutual **2** (*ordinario*) ordinary ♦ *s.m.* (*normalità*) common run | *fuori del* –, exceptional | *le due camere avevano il bagno in* –, the two bedrooms shared the same bathroom.
comune[2] *s.m.* municipality; (*sede*) town hall; city hall.
comunicare *v.tr./intr.* to communicate.
comunicativa *s.f.* communicativeness.
comunicato *s.m.* bulletin, communiqué | – *stampa*, press release.
comunicazione *s.f.* **1** communication **2** (*tel.*) telephone call; (*collegamento*) (telephone) line, connection **3** (*messaggio*) message.
comunione *s.f.* communion.
comunismo *s.m.* Communism.
comunista *agg., s.m./f.* Communist.
comunitario *agg.* **1** community (*attr.*), public (*attr.*): *è una persona di grande spirito* –, he is a very public-spirited (*o* community-minded) person **2** (*del* UEC) Community (*attr.*), EEC (*attr.*): *politica comunitaria*, Community (*o* EEC) policy.
comunque *cong.* **1** no matter (how) **2** (*tuttavia*) however, all the same ♦ *avv.* anyhow, anyway, in any case; (*tuttavia*) however.

con *prep.* 1 with 2 (*nei riguardi di*) to 3 (*mezzo*) by; with.
concatenazione *s.f.* 1 (*il concatenare*) linking (together) 2 (*connessione*) link, connection.
concavo *agg.* concave, hollow.
concedere *v.tr.* 1 to grant, to concede 2 (*permettere*) to allow | *concedersi una vacanza*, to treat oneself to a holiday.
concentramento *s.m.* concentration.
concentrare *v.tr.*, **concentrarsi** *v. pron.* to concentrate.
concepire *v.tr.* 1 to conceive 2 (*comprendere*) to understand*.
concertista *s.m./f.* concert artist.
concerto *s.m.* concert.
concessionario *s.m.* (*d'auto*) car dealer.
concessione *s.f.* concession, grant; (*governativa*) licence.
concetto *s.m.* concept; idea.
concezione *s.f.* conception.
conchiglia *s.f.* shell.
conciare *v.tr.* 1 (*pelli*) to tan; (*tabacco*) to cure 2 (*ridurre in cattivo stato*) to ruin, to spoil ♦ **~rsi** *v.pron.* to get* oneself up (badly).
conciliante *agg.* conciliatory.
conciliare *v.tr.* 1 (*mettere d'accordo*) to reconcile, to conciliate 2 (*favorire*) to bring* on.
concilio *s.m.* council.
concimare *v.tr.* to manure.
concime *s.m.* manure, dung; (*chimico*) fertilizer.
conciso *agg.* concise.
concitato *agg.* excited, agitated.
concittadino *s.m.* fellow-citizen.
concludere *v.tr.* 1 to conclude; to finish | *per –, concludendo...*, lastly, finally... 2 (*fare*) to do* ♦ **~rsi** *v.pron.* to conclude, to finish.
conclusione *s.f.* conclusion; close.
concordare *v.tr.*, *intr.* to agree (*upon*).
concorde *agg.* in agreement (*pred.*).
concordia *s.f.* concord, harmony.
concorrente *s.m./f.* 1 competitor 2 (*candidato*) candidate; applicant.
concorrenza *s.f.* 1 competition 2 (*i concorrenti*) competitors (*pl.*).
concorrere *v.intr.* 1 to contribute; (*partecipare*) to take* part (*in*) 2 (*competere*) to compete (*in*, *for*); (*aspirare*) to try (*for*).
concorso *s.m.* 1 competition; (*gara*) contest | *fuori –*, non-competing 2 (*concomitanza*) concomitance 3 (*aiuto*) aid ▭; (*contributo*) contribution.
concreto *agg.* 1 concrete; (*reale*) real, actual 2 (*di persona*) practical.
concussione *s.f.* (*dir.*) extortion.
condanna *s.f.* 1 (*dir.*) sentence; conviction 2 (*fig.*) condemnation, censure.
condannare *v.tr.* to condemn, to sentence.
condannato *s.m.* offender; (*carcerato*) prisoner.
condensare *v.tr.*, **condensarsi** *v.pron.* to condense.
condimento *s.m.* seasoning; (*di insalata*) dressing; (*salsa*) sauce.
condire *v.tr.* 1 to season; (*insalata*) to dress 2 (*fig.*) to sweeten.
condiscendente *agg.* compliant.
condividere *v.tr.* to share.
condizionale *s.f.* (*dir.*) suspended sentence.
condizionato *agg.* conditioned.
condizionatore *s.m.* air-conditioner.
condizione *s.f.* condition.
condoglianza *s.f.* condolence.

condominio *s.m.* block of flats, (*amer.*) condominium.
condomino *s.m.* joint owner.
condonare *v.tr.* (*dir.*) to remit.
condono *s.m.* remission, pardon.
condotta *s.f.* conduct, behaviour.
condotto *s.m.* pipe.
conducente *s.m.* driver.
condurre *v.tr.* **1** to lead*; (*veicoli*) to drive* **2** (*gestire*) to run* **3** (*fis.*) to conduct.
conduttore *s.m.* **1** driver **2** (*presentatore*) host **3** (*fis.*) conductor.
conduttura *s.f.* pipe, piping ⓤ.
confederato *agg.*, *s.m.* confederate.
confederazione *s.f.* confederation.
conferenza *s.f.* **1** lecture **2** (*assemblea*) conference.
conferire *v.tr./intr.* to confer.
conferma *s.f.* confirmation.
confermare *v.tr.* to confirm; (*avvalorare*) to bear* out.
confessare *v.tr.* to confess ♦ **~rsi** *v.pron.* to go* to confession.
confessionale *s.m.* confessional.
confessione *s.f.* confession.
confetto *s.m.* **1** sugared almond **2** (*med.*) sugarcoated pill.
confezionare *v.tr.* **1** to make* **2** (*impacchettare*) to wrap up.
confezione *s.f.* **1** manufacture, tailoring **2** *pl.* (*abiti confezionati*) clothes, garments **3** (*pacchetto*) packet | – *regalo*, gift wrapping.
conficcare *v.tr.*, **conficcarsi** *v.pron.* to stick*.
confidare *v.tr.*, **confidarsi** *v.pron.* to confide.
confidente *s.m./f.* (*della polizia*) (police) informer.
confidenza *s.f.* **1** confidence: *fare una* –, to confide sthg. **2** (*familiarità*) familiarity: *essere in* –, to be on familiar terms.
confidenziale *agg.* **1** confidential **2** (*cordiale*) familiar.
confinare *v.intr.* to border ♦ *v.tr.* to confine.
confine *s.m.* border; (*fra proprietà*) boundary.
confiscare *v.tr.* to confiscate.
conflitto *s.m.* conflict.
conflittuale *agg.* turbulent.
confluenza *s.f.* confluence.
confondere *v.tr.* **1** (*scambiare*) to mistake* **2** (*turbare*) to confuse | – *le idee*, to muddle one's ideas ♦ **~rsi** *v.pron.* to get* mixed up.
conforme *agg.* in accordance (*with*); in keeping (*with*) | *copia – all'originale*, true copy.
conformista *agg.*, *s.m./f.* conformist.
confortare *v.tr.* to comfort.
confortevole *agg.* comfortable.
conforto *s.m.* comfort, solace.
confrontare *v.tr.* to compare; (*dir.*) to confront.
confronto *s.m.* comparison; (*dir.*) confrontation | *senza* –, beyond comparison | – *all'americana*, line up.
confusionario *s.m.* muddler.
confusione *s.f.* **1** confusion; (*disordine*) mess, muddle **2** (*chiasso*) noise.
confuso *agg.* **1** confused; (*poco chiaro*) muddled; (*indistinto*) blurred **2** (*imbarazzato*) embarrassed.
confutare *v.tr.* to refute.
congedare *v.tr.* to dismiss; (*mil.*) to discharge ♦ **~rsi** *v.pron.* to take* one's leave (*of*).
congedo *s.m.* leave; (*mil.*) discharge | – *per motivi di salute*, sick leave.

congegno *s.m.* device.
congelare *v.tr.*, **congelarsi** *v.pron.* to freeze*; (*di parti del corpo*) to be frostbitten.
congelatore *s.m.* freezer.
congenito *agg.* (*med.*) congenital.
congestione *s.f.* congestion.
congettura *s.f.* conjecture, surmise.
congiungere *v.tr.* to join; (*collegare*) to connect, to link ♦ **~rsi** *v.pron.* to join (*sthg.*).
congiunto *s.m.* relative.
congiura *s.f.* conspiracy, plot.
congratularsi *v.pron.* to congratulate (*s.o. on sthg.*).
congratulazioni *s.f.pl.* congratulations.
congressista *s.m./f.* congress participant.
congresso *s.m.* congress.
congruo *agg.* (*adeguato*) suitable.
conguaglio *s.m.* balancing, adjustment.
coniare *v.tr.* **1** to mint **2** (*inventare*) to coin.
coniglio *s.m.* **1** rabbit **2** (*fig.*) coward, chicken.
coniugale *agg.* conjugal.
coniuge *s.m./f.* spouse.
connazionale *s.m./f.* compatriot.
connettere *v.tr.* to connect.
connivente *agg.* conniving.
connotato *s.m.* feature.
cono *s.m.* cone.
conoscente *s.m./f.* acquaintance.
conoscenza *s.f.* **1** knowledge | *essere a – di qlco.*, to be aware of sthg. **2** (*persona conosciuta*) acquaintance **3** (*coscienza*) consciousness.
conoscere *v.tr.* **1** to know* | *farsi –*, to make oneself known **2** (*incontrare*) to meet*: *lieto di conoscerla*, (*form.*) pleased to meet you! ♦ **~rsi** *v.pron.* (*incontrarsi*) to meet*.
conoscitore *s.m.* connoisseur.
conquista *s.f.* conquest.
conquistare *v.tr.* to conquer; (*fig.*) to win*.
consacrare *v.tr.* **1** to consecrate **2** (*dedicare*) to devote.
consanguineo *s.m.* blood relation.
consapevole, conscio *agg.* conscious, aware.
consecutivo *agg.* consecutive; in a row.
consegna *s.f.* **1** delivery: *alla –*, on delivery | *dare qlco. in – a qlcu.*, to entrust sthg. to s.o. **2** (*mil.*) orders (*pl.*).
consegnare *v.tr.* **1** to deliver, to consign **2** (*mil.*) to confine to barracks.
conseguenza *s.f.* consequence, effect | *di –*, consequently.
conseguire *v.tr.* to attain; (*ottenere*) to achieve ♦ *v.intr.* to follow.
consenso *s.m.* **1** consent, assent **2** (*matrimoniale*) marriage licence.
consensuale *agg.* consensual.
consentire *v.tr.* to allow ♦ *v.intr.* to consent, to assent.
conserva *s.f.* preserve; (*di pomodoro*) (tomato) purée.
conservante *agg.*, *s.m.* preservative.
conservare *v.tr.*, **conservarsi** *v.pron.* to keep*.
conservatore *agg.*, *s.m.* conservative.
conservatorio *s.m.* conservatoire, (*amer.*) conservatory.
considerare *v.tr.* **1** to consider **2** (*apprezzare*) to respect.
considerazione *s.f.* **1** consideration **2** (*stima*) regard; respect **3** (*commento*) remark.
considerevole *agg.* considerable.

consigliare *v.tr.* to advise; to counsel; (*raccomandare*) to recommend ♦ **~rsi** *v.pron.* to seek* (*s.o.'s*) advice.

consigliere *s.m.* **1** advisor, counsellor **2** (*membro di un consiglio*) councillor: – *delegato*, managing director.

consiglio *s.m.* **1** advice [U], counsel [U]: *un – da amico*, a piece of friendly advice 2 (*organo collegiale*) council | – *d'amministrazione*, board of directors.

consistente *agg.* thick; (*fig.*) sound, valid.

consistenza *s.f.* **1** consistency **2** (*fondatezza*) basis*, foundation.

consistere *v.intr.* to consist.

consociato *agg.* associated.

consolare[1] *v.tr.* **1** to console, to comfort **2** (*rallegrare*) to cheer up.

consolare[2] *agg.* consular, consul's.

consolato *s.m.* consulate.

consolazione *s.f.* **1** comfort, consolation **2** (*gioia*) joy, delight.

console *s.m.* consul.

consolidare *v.tr.* **1** to solidify, to harden **2** (*rinsaldare*) to strengthen.

consonante *s.f.* consonant.

consorzio *s.m.* trust; (*d'imprese*) pool.

constatare *v.tr.* **1** to ascertain; (*un decesso*) to certify **2** (*osservare*) to notice, to observe.

consulente *s.m.* consultant, advisor.

consulenza *s.f.* consultation, advice [U].

consultare *v.tr.*, **consultarsi** *v.pron.* to consult, to ask (*s.o.'s*) advice; (*un testo ecc.*) to look up.

consulto *s.m.* (*med.*) consultation.

consumare *v.tr.* **1** to consume, to use up; (*logorare*) to wear* out **2** – *un pasto*, to have a meal ♦ **~rsi** *v.pron.* to run* out; (*logorarsi*) to wear* out.

consumatore *s.m.* (*comm.*) consumer.

consumazione *s.f.* (*da bere*) drink; (*da mangiare*) snack.

consumismo *s.m.* consumerism.

consumo *s.m.* consumption | *beni di* –, consumer goods | *per proprio uso e* –, for one's own use.

consuntivo *s.m.* final balance.

contabile *agg.* accounting ♦ *s.m./f.* bookkeeper, accountant.

contabilità *s.f.* (*comm.*) bookkeeping, accounting.

contachilometri *s.m.* (*aut.*) kilometer recorder.

contadino *s.m.* peasant; (*agricoltore*) farmer; (*bracciante*) farm-worker.

contagiare *v.tr.* to infect.

contagio *s.m.* contagion, infection.

contagioso *agg.* contagious, infectious.

contagiri *s.m.* (*aut.*) rev counter.

contagocce *s.m.* dropper.

contaminare *v.tr.* to contaminate.

contaminuti *s.m.* timer.

contante *s.m.* cash [U], ready money [U]: *pagare in, per contanti*, to pay cash.

contare *v.tr.* **1** to count | *senza – che*, not to mention **2** (*sperare*) to expect; to hope | *cosa contate di fare?*, what do you plan to do? ♦ *v.intr.* to count | *e, quel che più conta*, ..., and, what's more...

contascatti *s.m.* telephone meter.

contato *agg.* numbered, counted; (*limitato*) limited | *preparare il denaro* –, to have the exact money ready.

contatore *s.m.* meter.

contattare *v.tr.* to contact.

contatto *s.m.* contact; touch: *mettersi in, prendere – con qlcu.*, to keep in contact (*o* touch) with s.o.

conteggio *s.m.* counting; (*calcolo*) calculation.

contegno *s.m.* 1 behaviour □, conduct □ 2 (*atteggiamento dignitoso*) attitude.

contemplare *v.tr.* 1 to gaze (*at*), to contemplate 2 (*prevedere*) to provide (*for*); (*dir.*) to consider.

contemporaneo *agg., s.m.* contemporary.

contendente *s.m.* competitor, opponent.

contendere *v.tr.* to compete (*with s.o. for sthg.*).

contenere *v.tr.* to contain, to hold*.

contenitore *s.m.* container.

contentino *s.m.* sweetener, sop.

contento *agg.* happy; content (*with*), pleased (*with*).

contenuto *agg.* limited ♦ *s.m.* 1 contents (*pl.*) 2 (*argomento*) content.

contenzioso *s.m.* cases (*pl.*).

conteso *agg.* (*ambito*) sought-after.

contestare *v.tr.* 1 to challenge, to contest 2 (*notificare*) to notify.

contestatore *s.m.* (political) dissenter.

contestazione *s.f.* 1 objection; dispute 2 (*pol.*) protest, dissent.

contesto *s.m.* context.

contiguo *agg.* adjoining; adjacent.

continente *s.m.* continent.

contingente *agg.* contingent.

continuare *v.tr./intr.* to continue, to keep* on (*with*) | *continua*, (*alla fine di una puntata*) to be continued.

continuazione *s.f.* continuation.

continuo *agg.* continuous, uninterrupted; (*ripetuto*) continual, constant.

conto *s.m.* 1 sum, calculation | – *alla rovescia*, countdown | *in fin dei conti*, after all | *far – su qlcu.*, to rely on s.o. | *per – suo*, (*da solo*) on his own; (*a nome suo*) on his behalf 2 (*comm.*) account: – *corrente*, current account, (*amer.*) drawing account; *estratto* –, statement of account 3 (*fattura*) bill, (*amer.*) check.

contorcersi *v.pron.* to writhe.

contorno *s.m.* 1 contour, outline 2 (*cuc.*) vegetables (*pl.*).

contorto *agg.* contorted, twisted.

contrabbandiere *s.m.* smuggler.

contrabbando *s.m.* contraband, smuggling | *di* –, illegally.

contrabbasso *s.m.* (*mus.*) contrabass, double bass.

contraccambiare *v.tr.* to return, to repay*.

contraccettivo *agg., s.m.* contraceptive.

contraddire *v.tr./intr.* to contradict.

contraddittorio *agg.* contradictory.

contraddizione *s.f.* contradiction: *cadere in* –, to contradict oneself.

contraffare *v.tr.* to forge; (*denaro*) to counterfeit.

contrappasso *s.m.* retaliation.

contrapposto *agg.* opposed, opposing.

contrariamente *avv.* contrary.

contrariato *agg.* annoyed; irritated.

contrarietà *s.f.* misfortune, difficulty; (*fastidio*) trouble □, problem.

contrario *agg.* 1 contrary, opposite | *in caso* –, otherwise 2 (*sfavorevole*) unfavourable ♦ *s.m.* opposite, contrary | *al – di voi*, unlike you.

contrarre *v.tr.* to contract.

contrassegno *s.m.* mark, countermark.

contrassegno *avv.* (*comm.*) (cash) on delivery.

contrastare *v.intr.* to clash ♦ *v.tr.* (*ostacolare*) to oppose, to hinder.

contrasto *s.m.* 1 contrast 2 (*disaccordo*) conflict, clash.

contrattacco *s.m.* counterattack.
contrattare *v.tr.* to negotiate (*over*); (*mercanteggiare*) to bargain (*over*).
contrattempo *s.m.* hitch, setback.
contratto *s.m.* contract.
contravvenzione *s.f.* **1** infringement, violation **2** (*multa*) fine.
contrazione *s.f.* **1** contraction | – *muscolare*, cramp **2** (*riduzione*) drop (*in*).
contribuente *s.m./f.* taxpayer.
contribuire *v.intr.* to contribute.
contributo *s.m.* **1** contribution **2** (*sovvenzione*) aid, grant.
contro *prep.* against; (*dir., sport*) versus ♦ *avv.* against ♦ *s.m.*: *il pro e il* –, the pros and cons.
controbattere *v.tr.* to refute.
controcorrente *s.f.*: *andare* –, to go up stream; (*fig.*) to swim against the stream.
controfigura *s.f.* (*cinem.*) stuntman*, stand-in.
controindicato *agg.* not recommended.
controllare *v.tr.* **1** to control **2** (*verificare*) to check, to verify; (*ispezionare*) to inspect; (*esaminare*) to examine.
controllato *agg.* (*padrone di sé*) self-controlled.
controllo *s.m.* **1** control **2** (*verifica*) control, check; (*ispezione*) inspection; examination **3** (*med.*) checkup; (*esame*) test.
controllore *s.m.* controller; (*ferr.*) ticket collector.
controluce, in *avv.* against the light.
contromano *avv.* on the wrong side of the road.
controparte *s.f.* adverse party; (*nelle trattative*) opposite party.
contropiede *s.m.* (*sport*) counter-attack | *prendere in* –, (*fig.*) to catch on the hop (*o* on the wrong foot).
controproducente *agg.* counterproductive.
controprova *s.f.* countercheck.
contrordine *s.m.* counterorder.
controsenso *s.m.* nonsense, absurdity.
controspionaggio *s.m.* counterespionage.
controversia *s.f.* controversy, dispute.
controverso *agg.* controversial.
contumacia *s.f.* (*dir.*) default.
contundente *agg.* blunt.
contusione *s.f.* bruise, contusion.
convalescente *agg., s.m./f.* convalescent.
convalidare *v.tr.* **1** (*dir.*) to ratify **2** (*avvalorare*) to corroborate.
convegno *s.m.* convention, congress.
conveniente *agg.* **1** suitable (*for*) **2** (*vantaggioso*) good (value); (*a buon mercato*) cheap.
convenire *v.intr.* **1** *impers.* to suit (*s.o.*), had better (*costr. pers.*) **2** (*concordare*) to agree **3** (*essere vantaggioso*) to be worthwhile.
convento *s.m.* convent.
convenzionale *agg.* conventional.
convenzione *s.f.* **1** (*accordo*) agreement **2** (*consuetudine*) convention.
convergere *v.intr.* to converge.
conversare *v.intr.* to talk.
conversazione *s.f.* conversation; (*colloquio*) talk.
conversione *s.f.* **1** conversion **2** (*di direzione*) turn.
convertire *v.tr.* to convert ♦ **~rsi** *v.pron.* to be converted.
convincente *agg.* convincing, persuasive.
convincere *v.tr.* to convince.

convinzione *s.f.* conviction.
convivere *v.intr.* to live together.
convocare *v.tr.* to convene, to call.
convulso *agg.* **1** convulsive **2** (*frenetico*) hectic, feverish.
cooperativa *s.f.* cooperative (society).
coordinare *v.tr.* to coordinate.
coperchio *s.m.* lid.
coperta *s.f.* **1** blanket **2** (*mar.*) deck.
copertina *s.f.* (*di libro*) cover; (*di disco*) sleeve.
coperto[1] *agg.* **1** covered **2** (*di cielo*) overcast **3** (*vestito*) clothed ♦ *s.m.* cover, shelter | (*sport*) *al* –, indoor.
coperto[2] *s.m.* (*nei ristoranti*) cover.
copertone *s.m.* tire, tyre.
copertura *s.f.* covering; (*ciò che copre*) cover.
copia *s.f.* copy | – *fotostatica*, photostat.
copiare *v.tr.* to copy.
copione *s.m.* (*teatr.*, *cinem.*) script.
coppa *s.f.* **1** glass **2** (*sport*) cup.
coppia *s.f.* couple, pair.
coprifuoco *s.m.* curfew.
copriletto *s.m.* bedspread, bedcover.
coprire *v.tr.* **1** to cover **2** (*occupare*) to hold*; (*andare a occupare*) to fill.
coraggio *s.m.* **1** courage, bravery; (*ardimento*) boldness: *far* – *a qlcu.*, to cheer s.o. up; *farsi* –, to pluck up courage **2** (*impudenza*) impudence; (*fam.*) nerve, cheek.
coraggioso *agg.* courageous, brave; (*ardito*) bold.
corallo *s.m.* coral.
Corano *s.m.* Koran.
corazzata *s.f.* (*mar.*) battleship.
corda *s.f.* **1** (*fune*) rope; (*spago*) string, twine | *saltare alla* –, to skip | *esser giù di* –, (*fam.*) to feel seedy | *dar* – *a qlcu.*, to give s.o. his way | *tagliare la* –, (*fig.*) to slip away **2** (*di strumenti musicali*) string **3** (*anat.*) cord.
cordiale *agg.* cordial, hearty; warm.
cordoglio *s.m.* sorrow, grief.
cordone *s.m.* **1** cord **2** (*fig.*) cordon, line.
coreografia *s.f.* choreography.
coriandolo *s.m.* (*spec. pl.*) confetti ⊡.
coricarsi *v.pron.* to go* to bed.
cornacchia *s.f.* crow..
cornamusa *s.f.* bagpipes (*pl.*).
cornice *s.f.* frame; (*estens.*) setting.
cornicione *s.m.* (*arch.*) cornice.
corno *s.m.* horn | *fare le corna*, (*come scongiuro*) to touch wood; (*tradire*) (*di marito*) to be unfaithful to one's wife; (*di moglie*) to cuckold one's husband.
Cornovaglia *no.pr.f.* Cornwall.
coro *s.m.* chorus; (*di chiesa*) choir.
corona *s.f.* crown.
coronare *v.tr.* to realize, to achieve.
coronaria *s.f.* (*anat.*) coronary artery.
corpo *s.m.* **1** body | – *del reato*, material evidence; – *contundente*, blunt instrument | *lotta* – *a* –, hand-to-hand struggle **2** (*organismo*) corps.
corporatura *s.f.* build, physique.
corposo *agg.* full-bodied.
corredino *s.m.* layette, baby's outfit.
corredo *s.m.* **1** (*di sposa*) trousseau* **2** (*fig.*) fund, wealth.
correggere *v.tr.* to correct.
correlazione *s.f.* correlation.
corrente[1] *agg.* **1** running **2** (*in corso*) current **3** (*comune*) common, current **4** *al* –, (well) informed: *mettere qlcu. al* – *di qlco.*, to acquaint s.o. with sthg.
corrente[2] *s.f.* **1** current, stream: *andare contro* –, to go up stream; (*fig.*) to swim against the stream **2** (*di aria*) draught **3** (*elettr.*) current.

correntista *s.m./f.* (current) account holder.
correre *v.intr.* **1** to run*; (*affrettarsi*) to rush, to hurry | – *ai ripari*, to find a remedy | *corre voce che*, there's a rumour that | *coi tempi che corrono*, the way things are going **2** (*di veicoli*) to speed* along **3** (*gareggiare*) to compete, to race ♦ *v.tr.* to run*.
corretto *agg.* **1** correct, right **2** (*irreprensibile*) honest, fair **3** (*di caffè ecc.*) laced, spiked.
correttore *s.m.* corrector | – *di bozze*, proofreader.
correzione *s.f.* correction.
corridoio *s.m.* corridor; (*di teatro*) aisle.
corridore *s.m.* (*sport*) runner.
corriera *s.f.* coach, bus.
corriere *s.m.* carrier.
corrimano *s.m.* handrail.
corrispondente *s.m./f.* (*giornalista*) correspondent.
corrispondenza *s.f.* correspondence; (*posta*) mail.
corrispondere *v.intr.* **1** to correspond **2** (*equivalere*) to be equivalent ♦ *v.tr.* (*ricambiare*) to reciprocate, to return.
corrodere *v.tr.*, **corrodersi** *v.pron.* to corrode.
corrompere *v.tr.* to corrupt; (*con denaro*) to bribe.
corrosivo *agg.* corrosive.
corrotto *agg.* corrupt.
corruzione *s.f.* corruption; (*con denaro*) bribery.
corsa *s.f.* **1** run **2** (*sport*) race **3** (*su veicolo pubblico*) trip, journey | *prezzo della* –, fare.
corsetto *s.m.* corset.
corsia *s.f.* **1** aisle; (*di strada, pista ecc.*) lane **2** (*di ospedale*) ward.
corsivo *agg.* (*tip.*) italic: *carattere* –, italic type, italics.
corso *s.m.* **1** course | *nel – della settimana*, during the week | *il mese in* –, the present (*o* current) month | *lavori in* –, work in progress; (*cartello stradale*) road works ahead **2** (*serie di lezioni*) course: – *accelerato*, crash course.
corte *s.f.* court.
corteccia *s.f.* bark.
corteggiare *v.tr.* to court.
corteggiatore *s.m.* suitor.
corteo *s.m.* procession, cortege; (*di dimostranti*) march.
cortese *agg.* kind; (*educato*) polite.
cortesia *s.f.* **1** kindness; (*educazione*) politeness **2** (*favore*) favour | *per* –, please.
cortile *s.m.* courtyard, court; (*aia*) barnyard.
corto *agg.* short | *essere a – di*, to be short of.
cortocircuito *s.m.* short circuit.
cortometraggio *s.m.* short (film).
corvo *s.m.* crow, raven.
cosa *s.f.* **1** thing | *da – nasce* –, one things leads to another | *una – da nulla*, a mere trifle | *non sono cose che ti riguardano*, it's none of your business | *la qual* –, which | *qualunque* –, whatever **2** (*interr.*) what? **3** (*con art. indet.*) something.
coscia *s.f.* **1** (*anat.*) thigh **2** (*di pollo, tacchino*) leg, drumstick.
cosciente *agg.* conscious (*pred.*).
coscienza *s.f.* **1** conscience | *obiettore di* –, conscientious objector | *mettersi una mano sulla* –, to have a heart **2** (*conoscenza*) consciousness.
cosciotto *s.m.* leg.

così *avv.* 1 so, thus; (*in questo modo*) like this, this way; (*in quel modo*) like that, that way; (*come segue*) as follows | – –, so so | *e – via*, and so on | *fu – che...*, that's how... | *stando – le cose*, if that's how things are | *per – dire*, so to say | – *dicendo*, saying this 2 (*talmente*) so; such a ♦ *cong.* so ♦ *agg.* such; like that.
cosiddetto *agg.* so-called.
cosmetico *agg.*, *s.m.* cosmetic.
cosmo *s.m.* cosmos.
cosmopolita *agg.* cosmopolitan.
coso *s.m.* (*fam.*) whatsit.
cospargere *v.tr.* to strew*.
cospicuo *agg.* considerable.
costa *s.f.* 1 coast, coastline 2 (*di monte*) side; (*pendio*) slope 3 (*di libro*) spine.
costante *agg.*, *s.f.* constant.
costanza *s.f.* steadiness, constancy.
costare *v.intr.*, *tr.* to cost*: *quanto costa?*, how much is it? | – *caro*, (*fig.*) to cost dear | *costi quel che costi!*, hang the expense! | *mi costa doverlo fare*, it pains me to have to do this.
costata *s.f.* entrecôte (steak).
costeggiare *v.tr.* 1 (*per mare*) to coast 2 (*per terra*) to skirt.
costellazione *s.f.* constellation.
costernato *agg.* dismayed.
costiera *s.f.* (stretch of) coast.
costipazione *s.f.* (*raffreddore*) cold.
costituire *v.tr.* to constitute, to set* up; (*formare*) to make* up ♦ **~rsi** *v.pron.* (*alla giustizia*) to give* oneself up.
costituzione *s.f.* 1 constitution 2 (*creazione*) setting up; (*di società*) incorporation.
costo *s.m.* cost | *ad ogni* –, at all costs | *a – di*, at the cost of.
costola *s.f.* rib | *stare alle costole di qlcu.*, to be at s.o.'s elbow.
costoletta *s.f.* (*cuc.*) cutlet.
costoso *agg.* expensive, dear.
costringere *v.tr.* to force, to compel.
costrizione *s.f.* constraint, compulsion.
costruire *v.tr.* to construct; (*edificare*) to build*.
costruttivo *agg.* constructive.
costruzione *s.f.* construction; building.
costume *s.m.* 1 custom, use; (*abitudine*) habit 2 (*indumento*) costume: – *da bagno*, bathing costume; (*spec. da donna*) swimsuit.
cotoletta *s.f.* (*cuc.*) cutlet.
cotone *s.m.* cotton: – *idrofilo*, cotton wool.
cotonificio *s.m.* cotton mill.
cottimo *s.m.* piecework, jobbing | *a* –, by the piece, (*fam.*) by the tut.
cotto *agg.* 1 cooked; (*in forno*) baked: – *a puntino*, done to a turn, (*fam.*) done to a T | *ben* –, *poco* –, *molto* –, (*di carne*) well-done, underdone, overdone | *farne di cotte e di crude*, to get up to all kinds of tricks 2 (*fam.*) (*innamorato*) (madly) in love ♦ *s.m.* terracotta tiles (*pl.*).
cottura *s.f.* cooking; (*in forno*) baking.
covare *v.tr.* to brood, to sit* (on eggs); (*fig.*) to brood over | – *un'influenza*, to be going down with influenza.
covo *s.m.* lair, den (*anche fig.*).
covone *s.m.* sheaf*.
cozza *s.f.* mussel.
cozzare *v.intr.* 1 to butt; (*urtare*) to crash (*into*) 2 (*fig.*) to collide (*with*).
crac *s.m.* (financial) crash.
crampo *s.m.* cramp.
cranio *s.m.* skull.
cravatta *s.f.* tie.
creare *v.tr.* 1 to create 2 (*causare*) to produce, to cause.

creativo *agg.*, *s.m.* creative.
creatore *s.m.* creator; (*inventore*) inventor | *andare al* –, (*fam.*) to go to (meet) one's maker.
creatura *s.f.* creature.
credente *s.m.*/*f.* believer.
credenza[1] *s.f.* belief.
credenza[2] *s.f.* (*mobile*) sideboard.
credere *v.tr.*/*intr.* to believe; (*pensare*) to think*: – *ai propri occhi*, to believe one's eyes; – *in Dio*, to believe in God; *chi credi di essere?*, who do you think you are? | *credo di no*, *di sì*, I (don't) think so.
credibile *agg.* credible; (*attendibile*) reliable.
credito *s.m.* credit: *far – a qlcu.*, to grant s.o. credit | *a* –, on credit.
creditore *s.m.* creditor.
credo *s.m.* creed.
credulone *s.m.* sucker, dupe.
crema *s.f.* **1** cream **2** (*di uova e latte*) custard.
cremazione *s.f.* cremation.
cremoso *agg.* creamy.
crepa *s.f.* crack; (*profonda*) fissure.
crepaccio *s.m.* crevasse.
crepare *v.intr.* (*morire*) to die; (*scoppiare*) to burst* ♦ **~rsi** *v.pron.* to crack.
crepitare *v.intr.* to crackle, to crack, (*scoppiettare*) to pop.
crepuscolo *s.m.* twilight, dusk.
crescere *v.intr.* to grow* (up); (*aumentare*) to increase, to rise* ♦ *v.tr.* to bring* up, to raise.
crescione *s.m.* (*bot.*) cress.
crescita *s.f.* growth; (*aumento*) increase, rise.
cresima *s.f.* confirmation.
crespo *agg.* (*di capelli*) curly, frizzy.
cresta *s.f.* crest: – *di gallo*, cockscomb | *alzare la* –, (*fig.*) to get on one's high horse | *far la – sulla spesa*, to cheat on the shopping money.
creta *s.f.* clay.
cretino *s.m.* idiot ♦ *agg.* idiotic.
cric *s.m.* (*mecc.*) jack.
criceto *s.m.* hamster.
criminale *agg.*, *s.m.*/*f.* criminal.
criminalità *s.f.* crime.
crimine *s.m.* crime.
criniera *s.f.* mane.
crisi *s.f.* **1** crisis* **2** (*attacco*) fit, attack.
crisma *s.m.* chrism | *con tutti i* (*sacri*) *crismi*, by the book.
cristalleria *s.f.* (*oggetti*) crystalware (U).
cristallino *agg.* crystal.
cristallo *s.m.* crystal: – *di Boemia*, Bohemian glass.
cristianesimo *s.m.* Christianity.
cristiano *agg.*, *s.m.* Christian.
Cristo *s.m.* Christ: *Gesù* –, Jesus Christ | *un povero cristo*, (*fam.*) a poor devil.
criterio *s.m.* **1** criterion*; principle **2** (*buon senso*) common sense.
critica *s.f.* **1** criticism **2** (*recensione*) review.
criticare *v.tr.* to criticize.
critico *agg.* critical ♦ *s.m.* critic, reviewer.
crivellare *v.tr.* to riddle.
croato *agg.*, *s.m.* Croatian.
croccante *agg.* crunchy ♦ *s.m.* (*cuc.*) almond brittle.
croce *s.f.* cross: *farsi il segno della* –, to cross oneself, to make the sign of the cross; *mettere in – qlcu.*, to crucify s.o. (*anche fig.*) | *puoi farci una – sopra!*, (*fig.*) just forget it! | *a occhio e* –, at a rough guess.

crociera *s.f.* cruise: *velocità di –*, cruising speed.
crocifisso *s.m.* crucifix.
crogiolarsi *v.pron.* to bask.
crogiolo *s.m.* crucible; (*fig.*) melting pot.
crollare *v.intr.* **1** to collapse, to fall* down; (*di prezzi*) to slump **2** (*cedere*) to break* down | *far – un alibi*, to demolish an alibi **3** (*lasciarsi cadere*) to sink*.
crollo *s.m.* collapse (*anche fig.*); (*di prezzi*) slump.
cromato *agg.* chromium(-)plated.
cronaca *s.f.* **1** news ⊡; reporting: *– rosa, mondana*, society news, (*fam.*) gossip column; *– nera*, crime news **2** (*resoconto*) account: *– diretta*, running commentary.
cronico *agg.* chronic.
cronista *s.m./f.* reporter.
cronologico *agg.* chronological.
cronometrare *v.tr.* to time.
cronometro *s.m.* chronometer; (*orologio*) stopwatch.
crosta *s.f.* **1** crust; (*di formaggio*) rind **2** (*di ferita*) scab.
crostacei *s.m.pl.* shellfish.
crostata *s.f.* (*cuc.*) tart.
crostino *s.m.* croûton.
cruccio *s.m.* worry.
cruciale *agg.* crucial.
cruciverba *s.m.* crossword (puzzle).
crudele *agg.* cruel.
crudeltà *s.f.* cruelty.
crudo *agg.* **1** raw; (*poco cotto*) underdone **2** (*rude*) crude, harsh | *nudo e –*, plain, unvarnished.
cruento *agg.* bloody.
crumiro *s.m.* (*spreg.*) blackleg, scab.
cruna *s.f.* eye (of a needle).
crusca *s.f.* bran.
cruscotto *s.m.* dashboard.
cubetto *s.m.* cube.
cubo *s.m.* cube ♦ *agg.* cubic.
cuccagna *s.f.*: *è finita la –*, the party's over; *è una –!*, it's a dream!
cuccetta *s.f.* (*di treno*) couchette; (*di nave*) berth.
cucchiaino *s.m.* (*da tè*) teaspoon; (*da caffè*) coffeespoon.
cucchiaio *s.m.* **1** spoon **2** (*cucchiaiata*) spoonful.
cuccia *s.f.* dog's bed.
cucciolata *s.f.* litter.
cucciolo *s.m.* cub; (*di cane*) puppy.
cucina *s.f.* **1** kitchen **2** (*modo di cucinare*) cooking; (*arte del cucinare*) cookery; (*cibo*) food **3** (*apparecchio di cottura*) stove, range.
cucinare *v.tr.* to cook.
cucinino *s.m.* kitchenette.
cucire *v.tr.* to sew*, to stitch.
cucito *s.m.* needlework.
cucitrice *s.f.* (*mecc.*) stapler.
cucitura *s.f.* seam.
cuculo *s.m.* cuckoo.
cuffia *s.f.* **1** cap | *per il rotto della –*, by the skin of one's teeth **2** (*rad.*, *tel.*) headphones (*pl.*), earphones (*pl.*).
cugino *s.m.* (male) cousin.
cui *pron.* **1** (*riferito a persone*) who(m); (*riferito a cose o animali*) which | *in –*, (*dove*) where; (*quando*) when | *per –*, so, therefore | *tra –*, including **2** (*per indicare possesso*) whose.
culla *s.f.* cradle.
cullare *v.tr.* to rock; (*fra le braccia*) to dandle ♦ **~rsi** *v.pron.* (*illudersi*) to cherish (*sthg.*).
culminare *v.intr.* to culminate.
culmine *s.m.*summit, top; (*fig.*) height, peak.

culto *s.m.* cult, worship ⓤ.
cultura *s.f.* culture.
culturale *agg.* cultural.
culturismo *s.m.* body-building.
cumulare *v.tr.* to combine.
cumulativo *agg.* inclusive; all-in.
cumulo *s.m.* heap, pile | – *dei redditi*, combined income.
cuneo *s.m.* wedge; (*per spaccare la legna*) splitter.
cunetta *s.f.* bump; (*per lo scolo delle acque*) gutter.
cuoca *s.f.* cook.
cuocere *v.tr., intr.*, **cuocersi** *v.pron.* to cook: – *al forno*, to roast; (*pane ecc.*) to bake.
cuoco *s.m.* cook.
cuoio *s.m.* leather; (*pelle*) hide: *vero* –, genuine leather | – *capelluto*, scalp.
cuore *s.m.* heart | *nel – della notte*, at dead of night | *persona di buon* –, kind-hearted person | *la squadra del* –, one's favourite team | *avere il – in gola*, (*per l'emozione*) to have one's heart in one's mouth | *mi si allarga il* –, I am overjoyed.
cupo *agg.* **1** dark, dim; (*di suono, colore*) deep **2** (*fig.*) gloomy, sullen.
cupola *s.f.* dome.
cura *s.f.* **1** care **2** (*med.*) treatment; (*specifica*) cure.
curare *v.tr.* **1** to take* care of, to look after | – *l'edizione di un libro*, to edit a book **2** (*far guarire*) to cure, to heal; (*di medico*) to treat ♦ ~**rsi** *v.pron.* to take* care of oneself; (*seguire una cura*) to follow a treatment.
curiosare *v.intr.* to pry, to nose.
curiosità *s.f.* curiosity.
curioso *agg.* curious.
curva *s.f.* bend, curve; (*svolta*) turn: *una strada piena di curve*, a winding road.
curvare *v.tr./intr.* to bend*, to curve; (*girare*) to turn ♦ ~**rsi** *v.pron.* to bend* (down).
curvo *agg.* **1** curved **2** (*piegato*) bent.
cuscinetto *s.m.* **1** pad | *stato* –, buffer state **2** (*mecc.*) bearing.
cuscino *s.m.* cushion; (*guanciale*) pillow.
custode *s.m./f.* guardian; (*di casa*) concierge, (*amer.*) doorkeeper.
custodia *s.f.* **1** custody, guardianship; (*cura*) care | (*dir.*) – *cautelare*, custody **2** (*astuccio*) case, holder.
custodire *v.tr.* to keep*, to guard.
cute *s.f.* skin.
cyclette *s.f.* exercise bike.

D

da *prep.* **1** (*moto da luogo*; *separazione*; *origine*) from **2** (*moto a luogo*) to **3** (*stato in luogo*) at **4** (*moto per luogo*) through **5** (*tempo*) (*durata*) for; (*decorrenza*) since **6** (*agente, causa efficiente*) by **7** (*come*; *in qualità di*) like; (*condizione*) as **8** (*con valore consecutivo*) as **9** (*limitazione*) in **10** (*seguito da un v. all'inf., non si traduce*): *vorrei un bel libro – leggere*, I'd like a good book to read.
daccapo *avv.* (over) again.
dado *s.m.* **1** dice* **2** (*mecc.*) (screw) nut **3** (*cuc.*) stock cube.
dai *inter.* (*fam.*) come on!
daino *s.m.* fallow deer* | *pelle di* –, chamois leather.
dalia *s.f.* dahlia.

dama *s.f.* (*gioco*) draughts (*pl.*), (*amer.*) checkers (*pl.*).
damasco *s.m.* damask.
damigiana *s.f.* demijohn.
dannare *v.tr.* to damn ♦ **~rsi** *v.pron.* (*fig.*) to go* crazy | *far – qlcu.*, to drive s.o. crazy.
danneggiare *v.tr.* to damage; (*rovinare*) to spoil*.
danno *s.m.* damage ⊡; (*a persona*) injury, harm.
dannoso *agg.* harmful, injurious, damaging.
danza *s.f.* dance.
dappertutto *avv.* everywhere; (*fam.*) all over the place.
dare *v.tr.* **1** to give* | *– del cretino*, to call (*s.o.*) an idiot **2** (*produrre*) to yield; (*rendere*) to bring* in; (*comm.*) to bear* **3** (*augurare*) to wish, to say* **4** (*qualificare*) to call **5** (*rappresentare*) to put* on, to do* ♦ *v.intr.* (*di casa, porta ecc.*) to look on (*to*), to open (*on*); to lead* (*to*) ♦ **~rsi** *v.pron.* **1** to devote oneself; (*incominciare*) to take* | *– da fare*, to bustle about **2** (*accadere*) to happen | *può –*, maybe, perhaps ♦ *s.m.* (*econ.*) debt, amount due; (*amm.*) debit (side).
darsena *s.f.* dock.
data *s.f.* date.
datare *v.tr.* to date.
dati *s.m.pl.* data.
dato *agg.* given | *– che*, since, as.
datore *s.m.* : *– di lavoro*, employer.
dattero *s.m.* date.
dattilografa *s.f.*, **dattilografo** *s.m.* typist.
dattilografare *v.tr.* to type.
davanti *avv.* in front | *– a*, in front of; (*prima*) before; (*dirimpetto*) opposite ♦ *agg., s.m.* front.
davanzale *s.m.* windowsill.
davvero *avv.* **1** really, indeed **2** (*sì certo*) of course.
dazio *s.m.* duty, tax.
debellare *v.tr.* to defeat; (*una malattia*) to eradicate.
debilitare *v.tr.* to weaken.
debito[1] *agg.* due, proper | *a tempo –*, in due course.
debito[2] *s.m.* debt | *sentirsi in – con*, to feel indebted to.
debitore *s.m.* debtor.
debole *agg.* weak, feeble; (*di luce, suono*) faint ♦ *s.m.* weak point; (*preferenza*) weakness.
debuttare *v.intr.* **1** to make* one's début **2** (*in società*) to come* out.
decadere *v.intr.* to decay.
decaffeinato *agg.* decaffeinated.
decalcificare *v.tr.* to decalcify.
decalogo *s.m.* decalogue; (*estens.*) rulebook.
decappottabile *agg., s.f.* convertible.
deceduto *agg.* dead, deceased.
decennale *agg., s.m.* decennial.
decente *agg.* decent, proper.
decentrare *v.tr.* to decentralize.
decidere *v.tr./intr.* to decide ♦ **~rsi** *v.pron.* to make* up one's mind; (*risolversi*) to bring* oneself.
decifrare *v.tr.* to decode.
decimale *agg., s.m.* decimal.
decimo *agg., s.m.* tenth.
decina *s.f.* (about) ten.
decisione *s.f.* decision.
decisivo *agg.* decisive.
deciso *agg.* **1** decisive, resolute **2** (*definito*) bold.
declassare *v.tr.* to declass.
declino *s.m.* decline.
decodificare *v.tr.* to decode.

decollare *v.intr.* to take* off.
decollo *s.m.* takeoff.
decolorare *v.tr.* to bleach.
decongestionare *v.tr.* to decongest; (*fig.*) to relieve the congestion (*of*).
decontaminare *v.tr.* to decontaminate.
decorare *v.tr.* to decorate.
decorativo *agg.* decorative, ornamental.
decorazione *s.f.* decoration.
decoro *s.m.* decorum; (*dignità*) dignity.
decoroso *agg.* decent, proper.
decorrere *v.intr.* to start, to run*; (*avere effetto*) to come* into force.
decorso *s.m.* course.
decotto *s.m.* decoction.
decrepito *agg.* decrepit.
decreto *s.m.* decree.
dedalo *s.m.* labyrinth, maze.
dedica *s.f.* dedication.
dedicare *v.tr.* to dedicate ♦ **-rsi** *v.pron.* to devote oneself.
dedito *agg.* devoted; (*a vizio*) addicted.
dedizione *s.f.* dedication.
dedurre *v.tr.* **1** to deduce **2** (*detrarre*) to deduct.
deduzione *s.f.* deduction.
deferire *v.tr.* to submit; (*denunciare*) to report.
defezione *s.f.* defection.
deficiente *s.m./f.* **1** mental deficient person **2** (*stupido*) idiot.
deficienza *s.f.* deficiency, shortage.
deficit *s.m.* (*comm.*) deficit.
defilarsi *v.pron.* (*fam.*) to sneak off, to ship off.
definire *v.tr.* **1** to define **2** (*risolvere*) to determine, to settle.
definitivo *agg.* definitive, final.
definizione *s.f.* **1** definition **2** (*risoluzione*) settlement.
deflagrazione *s.f.* deflagration.
deflazionistico *agg.* deflationary.
deflettore *s.m.* (*aut.*) quarter vent.
defluire *v.intr.* to flow.
deformare *v.tr.* to deform; (*fig.*) to distort ♦ **-rsi** *v.pron.* to lose* one's shape.
deformazione *s.f.* deformation | – *professionale*, professional bias.
deforme *agg.* deformed.
defraudare *v.tr.* to defraud.
defunto *agg.* dead, late ♦ *s.m.* dead person | *i defunti*, the dead.
degenerare *v.intr.* to degenerate.
degente *agg.* bedridden ♦ *s.m./f.* in-patient.
deglutire *v.tr.* to swallow.
degnare *v.tr.*, **degnarsi** *v.pron.* to deign, to condescend.
degno *agg.* worthy: – *di fiducia*, trustworthy | *essere – di*, to deserve.
degradare *v.tr.* **1** (*mil.*) to demote **2** (*fig.*) to degrade ♦ **-rsi** *v.pron.* to deteriorate.
degrado *s.m.* deterioration, decay.
degustare *v.tr.* to taste.
delatore *s.m.* informer; (*dir.*) delator.
delazione *s.f.* delation, information.
delega *s.f.* (*procura*) (power of) proxy.
delegare *v.tr.* to delegate; (*dare una procura*) to make* (*s.o.*) one's proxy.
delegato *s.m.* **1** delegate, representative **2** (*dir.*) proxy.
delegazione *s.f.* delegation.
delegittimare *v.tr.* to delegitimize.
delfino *s.m.* dolphin.
delibera *s.f.* deliberation; (*di assemblea*) resolution.
deliberare *v.tr.* to deliberate (*on*) ♦ *v.intr.* to decide.
deliberato *agg.* deliberate, intentional.
delicatezza *s.f.* delicacy; (*tatto*) tact.

delicato *agg.* delicate.
delineare *v.tr.* to outline ♦ **~rsi** *v.pron.* to show* (up); (*fig.*) to emerge, to appear.
delinquente *s.m./f.* delinquent, criminal.
delinquenza *s.f.* criminality: – *minorile*, juvenile delinquency.
delirante *agg.* delirious.
delirare *v.intr.* to be delirious.
delirio *s.m.* delirium; (*fig.*) frenzy.
delitto *s.m.* crime, offence; (*omicidio*) murder.
delizia *s.f.* delight.
delizioso *agg.* delightful; (*squisito*) delicious.
deltaplano *s.m.* hang glider.
delucidazione *s.f.* explanation, clarification.
deludere *v.tr.* to disappoint.
delusione *s.f.* disappointment.
demagogia *s.f.* demagogy.
demanio *s.m.* state property.
demarcazione *s.f.* demarcation.
democratico *agg.* democratic ♦ *s.m.* democrat.
democrazia *s.f.* democracy.
demografico *agg.* demographic.
demolire *v.tr.* to demolish.
demone *s.m.* demon.
demonio *s.m.* devil.
demoralizzare *v.tr.* to demoralize ♦ **~rsi** *v.pron.* to lose* heart.
demoscopico *agg.* public opinion (*attr.*).
demotivato *agg.* demotivated.
denaro *s.m.* money ▭: – *contante*, cash, ready money | – *sporco*, dirty money, slush money.
denigrare *v.tr.* to denigrate.
denominatore *s.m.* denominator.
denominazione *s.f.* denomination | – *controllata*, appellation controlée.
denotare *v.tr.* to denote, to show*.
densità *s.f.* density.
denso *agg.* **1** dense; (*spesso*) thick **2** (*pieno*) crowded (*with*).
dentario *agg.* dental, tooth (*attr.*).
dentatura *s.f.* (set of) teeth.
dente *s.m.* **1** tooth* | *al* –, (slightly) underdone **2** (*di ruota*) cog; (*di forchetta*) prong; (*di pettine, sega*) tooth*.
dentice *s.m.* dentex.
dentiera *s.f.* dentures (*pl.*); (set of) false teeth.
dentifricio *s.m.* toothpaste; (*liquido*) mouthwash.
dentista *s.m./f.* dentist.
dentistico *agg.* dental.
dentro *avv.* **1** inside | *in* –, in; inwards **2** (*fig.*) inwardly ♦ *prep.* **1** in, inside; (*con v. di moto*) into **2** (*entro*) within.
denuncia *s.f.* **1** accusation, charge **2** (*dichiarazione*) declaration, statement: – *dei redditi*, income tax return | (*ass.*) – *di sinistro*, report of an accident.
denunciare *v.tr.* **1** to report **2** (*manifestare*) to show*.
denutrito *agg.* undernourished.
deodorante *s.m.* deodorant; (*per ambienti*) air-freshener.
depenalizzare *v.tr.* to decriminalize.
deperibile *agg.* perishable.
deperimento *s.m.* poor state of health.
deperire *v.intr.* to lose* strength.
deperito *agg.* run-down.
depilare *v.tr.* to remove hair from, to depilate.
depilatorio *agg.* depilatory.
depistare *v.tr.* to sidetrack, to mislead*.

dépliant *s.m.* leaflet, brochure.
deplorare *v.tr.* to deplore, to disapprove of.
deplorazione *s.f.* disapproval (*at, over*).
deplorevole *agg.* deplorable, regrettable.
deporre *v.tr.* **1** to lay* down; (*depositare*) to leave*, to deposit **2** (*destituire*) to remove **3** (*anche intr.*) (*testimoniare*) to give* evidence, to testify.
deportare *v.tr.* to deport.
depositare *v.tr.* **1** to put* down **2** (*dare in deposito*) to deposit **3** (*registrare*) to register ♦ **~rsi** *v.pron.* to settle.
depositario *s.m.* depositary.
deposito *s.m.* **1** deposit; (*il depositare*) depositing; (*merci*) storage **2** (*luogo*) depot, warehouse | – *bagagli*, left luggage office, (*amer.*) baggage room **3** (*sedimento*) deposit, sediment.
deposizione *s.f.* **1** deposition **2** (*testimonianza*) evidence ▭, testimony.
depravato *agg.* depraved, corrupt.
deprecare *v.tr.* to condemn, to deprecate.
depressione *s.f.* depression.
depressivo *agg.* **1** depressive **2** (*che deprime*) depressing.
depresso *agg.* depressed ♦ *s.m.* (*med.*) depressive.
deprezzare *v.tr.* to lower the price of ♦ **~rsi** *v.pron.* to depreciate.
deprimere *v.tr.* to depress.
depurare *v.tr.* to purify.
depuratore *s.m.* purification plant.
deputato *s.m.* deputy; (*in* GB) Member of Parliament; (*negli* USA) Congressman*.
deragliare *v.intr.* to go* off the rails: *far* –, to derail.
derelitto *s.m.* wretch.
deridere *v.tr.* to laugh at, to mock.
deriva *s.f.* drift: *andare alla* –, to drift.
derivare *v.intr./tr.* to derive.
dermatologo *s.m.* dermatologist.
deroga *s.f.* dispensation.
derrata *s.f.* (*spec.pl.*) foodstuffs.
derubare *v.tr.* to rob.
descrivere *v.tr.* to describe.
descrizione *s.f.* description.
deserto *agg., s.m.* desert.
desiderare *v.tr.* to want; (*ardentemente*) to long (*for*), to desire | *desidera un caffè?*, would you like a cup of coffee?
desiderio *s.m.* wish; (*forte*) desire.
desideroso *agg.* eager, longing (*for*).
designare *v.tr.* to designate.
desistere *v.intr.* to desist.
destabilizzare *v.tr.* to destabilize.
destinare *v.tr.* **1** (*assegnare*) to assign; (*a un incarico*) to appoint **2** (*stabilire*) to fix.
destinatario *s.m.* consignee; (*di posta*) addressee.
destinato *agg.* **1** destined, bound **2** (*inteso per*) intended (*for*).
destinazione *s.f.* **1** destination **2** (*di funzionario ecc.*) posting.
destino *s.m.* destiny, fate.
destituire *v.tr.* to dismiss, to remove.
destra *s.f.* right; (*mano*) right (hand).
destro *agg.* **1** right(-hand) **2** (*capace, abile*) skilful, adroit.
desumere *v.tr.* to infer, to deduce.
deteinato *agg.* decaffeinated.
detentivo *agg.* prison (*attr.*).
detentore *s.m.* holder.
detenuto *s.m.* prisoner.

detenzione *s.f.* **1** possession **2** (*dir.*) detention.
detergente *agg., s.m.* detergent | *crema, latte* –, cleanser.
deteriorare *v.tr.* to make* worse ♦ **~rsi** *v.pron.* to deteriorate; (*guastarsi*) to perish; (*andare a male*) to go* bad.
determinante *agg.* decisive, determining.
determinare *v.tr.* to determine.
determinato *agg.* **1** given, stated **2** (*particolare*) certain, particular **3** (*risoluto*) determined, resolute.
deterrente *agg., s.m.* deterrent.
detersivo *agg., s.m.* detergent.
detestare *v.tr.* to detest, to hate.
detrarre *v.tr.* to deduct, to take* away.
detriti *s.m.pl.* debris, rubble ⌧.
dettagliante *s.m.* (*comm.*) retailer.
dettagliato *agg.* detailed, in detail (*pred.*).
dettaglio *s.m.* **1** detail **2** (*comm.*) retail.
dettare *v.tr.* to dictate; (*suggerire*) to tell*.
dettato *s.m.* dictation.
detto *agg.* called, named ♦ *s.m.* saying.
deturpare *v.tr.* to disfigure.
devastare *v.tr.* to devastate, to ravage.
deviare *v.intr.* to deviate ♦ *v.tr.* to divert.
deviazione *s.f.* deviation; (*stradale*) detour, diversion.
devolvere *v.tr.* to assign, to give*.
devoto *agg.* **1** devout **2** (*affezionato*) devoted.
di *prep.* **1** of | *una borsa – pelle*, a leather handbag; *un uomo – mezza età*, a middle-aged man **2** (*partitivo*) some; any **3** (*origine, provenienza*) from **4** (*mezzo*) with; on **5** (*tempo*) in; on **6** (*argomento*) about, of **7** (*nei compar.*) than; (*nei superl. rel.*) of; in **8** (*seguito da inf.*): *gli dissi – venire*, I told him to come.
diabete *s.m.* diabetes.
diadema *s.m.* tiara.
diaframma *s.m.* diaphragm.
diagnosi *s.f.* diagnosis*.
diagonale *agg., s.f.* diagonal.
dialetto *s.m.* dialect.
dializzato *agg.* undergoing dialysis ♦ *s.m.* dialysis patient.
dialogo *s.m.* dialogue.
diamante *s.m.* diamond.
diametro *s.m.* diameter.
diapositiva *s.f.* slide.
diaria *s.f.* daily allowance.
diario *s.m.* diary, journal.
diavolo *s.m.* devil | *va' al –!*, go to hell! | *dove – è finito?*, where the hell has he got to?
dibattimento *s.m.* debate; (*dir.*) hearing.
dibattito *s.m.* debate; discussion.
dicembre *s.m.* December.
diceria *s.f.* piece of gossip, rumour.
dichiarare *v.tr.* to declare.
dichiarazione *s.f.* **1** declaration; statement **2** (*a carte*) bid.
diciannove *agg., s.m.* nineteen.
diciassette *agg., s.m.* seventeen.
diciotto *agg., s.m.* eighteen.
didascalia *s.f.* **1** caption **2** (*sottotitolo*) subtitle; (*amer.*) caption.
didattico *agg.* didactic; (*d'insegnamento*) teaching.
dieci *agg., s.m.* ten.
diesis *s.m.* (*mus.*) sharp.
dieta *s.f.* diet.
dietologo *s.m.* dietician.
dietro *avv.* behind; (*sul retro*) at the

back | *qui* –, round the back; *lì* – , back there ♦ *prep.* behind; after: *uno – l'altro*, one after the other | – *l'angolo*, (just) round the corner ♦ *agg.,s.m.* back.
dietrofront *s.m.* about-turn.
difendere *v.tr.* to defend; (*sostenere*) to support.
difensiva *s.f.* defensive.
difensore *s.m.* **1** defender; (*sostenitore*) supporter **2** (*avvocato*) counsel for the defence; (*amer.*) attorney for the defense.
difesa *s.f.* defence.
difettato *agg.* defective, faulty.
difetto *s.m.* **1** defect, flaw **2** (*colpa*) fault **3** (*mancanza*) lack, want.
difettoso *agg.* defective, faulty.
diffamare *v.tr.* to slander; (*con scritti*) to libel.
diffamazione *s.f.* slander: *querela per* –, libel suit.
differente *agg.* different.
differenza *s.f.* difference.
differenziato *agg.* differentiated.
differita *s.f.* recording.
difficile *agg.* **1** difficult, hard **2** (*poco probabile*) improbable, unlikely.
difficoltà *s.f.* **1** difficulty **2** (*obiezione*) objection.
diffida *s.f.* warning, notice.
diffidare *v.intr.* to distrust (*s.o., sthg.*) ♦ *v.tr.* to warn.
diffidente *agg.* wary.
diffidenza *s.f.* wariness.
diffondere *v.tr.*, **diffondersi** *v.pron.* to spread*; to diffuse.
diffusione *s.f.* diffusion, spread; (*di giornale ecc.*) circulation.
difterite *s.f.* diphtheria.
diga *s.f.* dam; (*argine*) dyke; (*frangiflutti*) breakwater.
digerire *v.tr.* **1** to digest **2** (*tollerare*) to stand*.
digestione *s.f.* digestion.
digestivo *agg.* digestive ♦ *s.m.* liqueur.
digitale *agg.* digital.
digitare *v.tr.* to punch; (*inform.*) to type.
digiunare *v.intr.* to fast.
digiuno *agg.* **1** fasting **2** (*fig.*) ignorant ♦ *s.m.* fast.
dignità *s.f.* dignity.
dignitoso *agg.* **1** dignified **2** (*decoroso*) decent, respectable.
digradare *v.intr.* to slope (down).
dilagare *v.intr.* to spread* (*anche fig.*).
dilaniare *v.tr.* to tear* to pieces.
dilapidare *v.tr.* to waste.
dilatare *v.tr.*, **dilatarsi** *v. pron.* to dilate.
dilazione *s.f.* extension; (*form.*) deferment.
dilemma *s.m.* dilemma: *mi trovo di fronte a un* –, I'm faced by a dilemma.
dilettante *agg., s.m./f.* amateur.
diligente *agg.* diligent.
diligenza *s.f.* (*cura*) diligence, care.
diluire *v.tr.* to dilute.
diluviare *v.intr.* to pour (down).
diluvio *s.m.* deluge; flood.
dimagrante *agg.* slimming.
dimagrire *v.intr.* to lose* weight; (*con dieta*) to slim: *voglio – di qualche chilo*, I want to lose some kilos.
dimagrito *agg.* thinner, slimmer.
dimensione *s.f.* dimension.
dimenticanza *s.f.* oversight.
dimenticare *v.tr.*, **dimenticarsi** *v.pron.* to forget*.
dimesso *agg.* (*modesto*) modest, humble; (*trasandato*) shabby.
dimettere *v.tr.* to discharge ♦ **~rsi** *v.pron.* to resign.

diminuire *v.tr.* 1 to reduce, to decrease 2 (*a maglia*) to drop ♦ *v.intr.* to fall*, to decrease.
diminuzione *s.f.* decrease, reduction; (*caduta*) fall, drop.
dimissioni *s.f.pl.* resignation (*solo sing.*).
dimostrare *v.tr.* to demonstrate; (*mostrare*) to show* ♦ **~rsi** *v.pron.* to prove.
dimostrazione *s.f.* demonstration.
dinamico *agg.* dynamic.
dinamite *s.f.* dynamite.
dintorni *s.m.pl.* surroundings.
dio *s.m.* god.
diocesi *s.f.* diocese.
dipartimento *s.m.* department.
dipendente *agg.* subordinate ♦ *s.m./f.* employee.
dipendenza *s.f.* 1 dependence 2 (*da farmaci*) addiction.
dipendere *v.intr.* 1 to depend (*on*); to be up (*to*) 2 (*essere alle dipendenze*) to be subordinate (*to*) 3 (*derivare*) to derive, to result.
dipingere *v.tr.* 1 to paint 2 (*descrivere*) to depict.
dipinto *s.m.* painting.
diploma *s.m.* diploma; certificate.
diplomatico *agg.* diplomatic ♦ *s.m.* diplomat.
diplomato *agg.* holding a diploma.
diplomazia *s.f.* diplomacy; diplomatic service.
diradare *v.tr.* to cut* down (*on*), to reduce ♦ **~rsi** *v.pron.* to thin (away).
diramare *v.tr.* to issue, to send* out.
diramazione *s.f.* branch.
dire *v.tr.* 1 to say*; (*raccontare, riferire*) to tell* | *non c'è che –, niente da –*, there's nothing to be said | *oserei –*, I'd say | *dici sul serio?*, are you serious? | *per così –*, as it were, so to speak 2 (*significare*) to mean*.
diretta *s.f.* (*rad., tv*) live broadcast: *in –*, live.
direttiva *s.f.* directive, instruction.
direttivo *s.m.* leadership ♦ *agg.* managerial.
diretto *agg.* 1 direct 2 (*in un luogo*) going (*to*); bound (*for*) 3 (*indirizzato*) addressed; (*inteso*) intended (*for*) ♦ *s.m.* 1 (*pugilato*) straight 2 (*ferr.*) through train, fast train.
direttore *s.m.* 1 manager; director | *– di giornale*, editor (in chief) 2 (*di scuola*) headmaster 3 (*d'orchestra*) conductor.
direzione *s.f.* 1 direction, way | *in – di*, towards 2 (*guida*) direction; control; (*di azienda*) management; (*di giornale*) editorship 3 (*sede*) head office, (*amer.*) front office; (*ufficio del direttore*) manager's office 4 (*consiglio direttivo*) board of directors.
dirigente *agg.* managerial, executive ♦ *s.m./f.* manager.
dirigenza *s.f.* 1 managership 2 (*i dirigenti*) management.
dirigere *v.tr.* 1 (*volgere*) to direct, to turn 2 (*rivolgere*) to address 3 (*azienda*) to manage, to run*; (*giornale*) to edit; (*orchestra*) to conduct ♦ **~rsi** *v.pron.* to make* (*for*), to head (*for*).
dirimpetto *avv.*, *agg.* opposite (*pred.*).
diritto[1] → ***dritto***.
diritto[2] *s.m.* 1 right 2 (*legge*) law 3 (*tassa*) duty, toll.
dirittura *s.f.* 1 straight line 2 (*onestà*) honesty.
diroccato *agg.* crumbling, ruined.
dirottare *v.tr.* (*aereo, nave*) to hijack.
disabile *agg.*, *s.m./f.* disabled (person).

disabitato *agg.* uninhabited, desert.
disabituarsi *v.pron.* to give* up (a habit).
disaccordo *s.m.* disagreement.
disadattato *s.m.* misfit.
disagiato *agg.* uncomfortable.
disagio *s.m.* **1** uneasiness, discomfort | *sentirsi a –*, to feel uneasy **2** *pl.* discomforts; (*difficoltà*) hardships, difficulties.
disapprovare *v.tr.* to disapprove (*of*).
disappunto *s.m.* disappointment.
disarmante *agg.* disarming.
disarmato *agg.* disarmed.
disarmo *s.m.* disarmament.
disastro *s.m.* **1** disaster **2** (*fallimento*) failure.
disastroso *agg.* disastrous.
disattento *agg.* inattentive.
disattenzione *s.f.* inattention; (*svista*) slip, oversight.
disattivare *v.tr.* to deactivate.
disavanzo *s.m.* (*econ.*) deficit; (*divario*) gap.
disavventura *s.f.* mishap.
discarica *s.f.* (rubbish) tip; (rubbish) dump.
discendente *s.m./f.* descendant.
discendere *v.intr.* **1** → *scendere* **2** (*avere origine*) to be descended; to come*.
discernimento *s.m.* discernment, understanding.
discesa *s.f.* descent; slope | *– libera*, downhill race.
discesista *s.m./f.* downhill skier.
dischetto *s.m.* (*inform.*) diskette; floppy disk.
disciogliere → *sciogliere.*
disciplina *s.f.* **1** discipline **2** (*regolamentazione*) regulation.
disciplinato *agg.* **1** disciplined **2** (*regolato*) orderly, regulated.
disco *s.m.* **1** disk, disc **2** (*mus.*) record, disc **3** (*sport*) discus.
discolpare *v.tr.* to clear (*of*) ♦ **~rsi** *v.pron.* to prove one's innocence.
disconoscimento *s.m.* (*dir.*) disownment.
discorde *agg.* discordant.
discordia *s.f.* **1** discord, conflict **2** (*divergenza*) disagreement.
discorrere *v.intr.* to talk (*with s.o., about sthg.*), to converse (*with s.o., on, about sthg.*).
discorso *s.m.* **1** speech **2** (*conversazione*) conversation, talk.
discoteca *s.f.* **1** discotheque, disco* **2** (*collezione*) record collection.
discredito *s.m.* discredit.
discreto *agg.* **1** discreet, tactful **2** (*moderato*) moderate **3** (*abbastanza buono*) fair, fairly good.
discrezione *s.f.* discretion.
discriminare *v.tr.* to discriminate.
discriminazione *s.f.* discrimination.
discussione *s.f.* **1** discussion **2** (*litigio*) argument.
discusso *agg.* (*controverso*) controversial.
discutere *v.tr.* **1** to discuss **2** (*obiettare*) to question ♦ *v.intr.* **1** to discuss (*sthg.*) **2** (*litigare*) to argue.
discutibile *agg.* questionable.
disdegnare *v.tr.* to disdain.
disdetta *s.f.* **1** (*dir.*) notice **2** (*sfortuna*) bad luck.
disdire *v.tr.* to cancel.
disegnare *v.tr.* **1** to draw* **2** (*delineare*) to outline **3** (*progettare*) to plan, to design.
disegnatore *s.m.* draughtsman*; (*crea-*

tivo) designer.
disegno *s.m.* 1 drawing; (*schizzo*) sketch 2 (*motivo ornamentale*) pattern 3 (*progetto*) plan, design; (*schema*) scheme | – *di legge*, (government) bill.
diserbante *s.m.* weedkiller, herbicide.
diseredare *v.tr.* to disinherit.
disertare *v.intr.* (*mil.*) to desert ♦ *v.tr.* to leave*.
disfare *v.tr.* to undo* ♦ **~rsi** *v.pron.* 1 to get* rid 2 (*liquefarsi*) to melt.
disfatta *s.f.* defeat, rout.
disfunzione *s.f.* 1 (*med.*) disorder 2 (*inefficienza*) inefficiency.
disgelo *s.m.* thaw (*anche fig.*).
disgrazia *s.f.* 1 accident 2 (*sfortuna*) bad luck 3 (*sfavore*) disgrace | *cadere in* –, to lose s.o.'s favour.
disgraziato *agg.* unlucky; (*infelice*) miserable ♦ *s.m.* 1 (poor) wretch 2 (*sciagurato*) rascal, scoundrel.
disgregare *v.tr.*, **disgregarsi** *v.pron.* to break* up.
disguido *s.m.* postal error.
disgustare *v.tr.* to disgust.
disgusto *s.m.* disgust.
disgustoso *agg.* disgusting.
disidratare *v.tr.* to dehydrate.
disilludere *v.tr.* to disillusion.
disillusione *s.f.* disillusion, disillusionment.
disimpegno *s.m.* disengagement; lack of commitment.
disincantato *agg.* disenchanted.
disincanto *s.m.* disenchantment.
disinfestazione *s.f.* disinfestation.
disinfettante *agg.*, *s.m.* disinfectant.
disinfettare *v.tr.* to disinfect.
disinformato *agg.* uninformed; (*mal informato*) misinformed.
disinganno *s.m.* disillusion.
disinibito *agg.* uninhibited.
disinnescare *v.tr.* to defuse.
disinnestare *v.tr.* to disconnect; (*mecc.*) to disengage.
disinquinare *v.tr.* to depollute, to clean up.
disintegrare *v.tr.* to disintegrate | (*fis.*) – *l'atomo*, to split the atom.
disinteressarsi *v.pron.* to take* no interest (*in*).
disinteressato *agg.* disinterested.
disinteresse *s.m.* 1 disinterestedness 2 (*indifferenza*) indifference.
disintossicare *v.tr.* (*med.*) to detoxify.
disinvolto *agg.* 1 confident, self-assured 2 (*spregiudicato*) unscrupulous.
disinvoltura *s.f.* 1 confidence, self-assurance 2 (*sfrontatezza*) impudence 3 (*leggerezza*) carelessness.
dislivello *s.m.* difference in level.
disobbedire e *deriv.* → *disubbidire* e *deriv.*
disoccupato *agg.*, *s.m.* unemployed (person).
disoccupazione *s.f.* unemployment.
disonestà *s.f.* 1 dishonesty 2 (*atto disonesto*) fraud.
disonesto *agg.* dishonest.
disonore *s.m.* dishonour, disgrace.
disopra, di sopra *avv.*, *agg.* upstairs | *al* – *di*, above, over.
disordinato *agg.* untidy, disorderly.
disordine *s.m.* 1 disorder, untidiness 2 (*spec.pl.*) disorder, riot.
disorganizzato *agg.* disorganized.
disorientare *v.tr.* 1 to disorientate 2 (*sconcertare*) to bewilder, to puzzle.
disossare *v.tr.* to bone.
disotto, di sotto *avv.*, *agg.* downstairs | *al* – *di*, under; below.

dispaccio *s.m.* dispatch.
dispari *agg.* odd.
disparità *s.f.* difference.
disparte, in *avv.* aside; apart.
dispendio *s.m.* waste.
dispendioso *agg.* expensive, costly.
dispensa *s.f.* **1** pantry, larder; (*mobile*) sideboard **2** (*pubblicazione*) instalment **3** (*esonero*) exemption.
dispensare *v.tr.* **1** to dispense **2** (*esentare*) to exempt.
disperarsi *v.pron.* to despair.
disperato *agg.* **1** desperate, in despair (*pred.*) **2** (*senza speranza*) hopeless ♦ *s.m.* wretch.
disperazione *s.f.* despair, desperation.
disperdere *v.tr.* to disperse, to scatter.
disperso *agg., s.m.* missing (person).
dispetto *s.m.* nasty trick.
dispettoso *agg.* spiteful.
dispiacere *v.intr.* **1** to be sorry (*costr. pers.*) **2** (*in espressioni di cortesia*) to mind (*costr. pers.*).
dispiacere *s.m.* regret; (*dolore*) grief.
dispiaciuto *agg.* **1** sorry **2** (*contrariato*) annoyed.
disponibile *agg.* **1** available **2** (*libero*) free, vacant **3** (*disposto*) helpful, willing.
disporre *v.tr.* **1** to arrange **2** (*stabilire*) to provide ♦ *v.intr.* **1** to dispose **2** (*avere*) to have.
dispositivo *s.m.* device.
disposizione *s.f.* **1** arrangement **2** (*prescrizione*) order, instruction | *sono a tua* –, I am at your disposal.
disposto *agg.* ready, willing; (*propenso*) disposed.
disprezzare *v.tr.* to despise, to scorn.
disprezzo *s.m.* contempt, scorn.
dissacrante *agg.* desecrating.
dissalare *v.tr.* to desalinate.
dissanguare *v.tr.* to bleed*.
dissanguato *agg.* bloodless.
dissapore *s.m.* disagreement.
dissennato *agg.* senseless, foolish.
dissenso *s.m.* dissent.
dissequestrare *v.tr.* to release from seizure.
disservizio *s.m.* inefficiency.
dissestato *agg.* (*di strada*) uneven.
dissesto *s.m.* financial trouble.
dissetante *agg.* thirst-quenching, refreshing.
dissidente *agg., s.m./f.* dissident.
dissidio *s.m.* disagreement.
dissimile *agg.* unlike (*s.o., sthg.*).
dissimulare *v.tr.* to dissemble, to dissimulate.
dissipare *v.tr.* **1** to dispel **2** (*sperperare*) to waste, to squander.
dissociarsi *v.pron.* to dissociate oneself.
dissodare *v.tr.* to till.
dissoluto *agg.* dissolute, loose.
dissolvenza *s.f.* (*cinem.*) dissolve, fading.
dissuadere *v.tr.* to dissuade.
distaccare *v.tr.* **1** → *staccare* **2** (*trasferire*) to detach.
distaccato *agg.* detached.
distacco *s.m.* **1** detachment **2** (*separazione*) separation **3** (*sport*) gap; (*vantaggio*) lead.
distante *agg.* distant.
distanza *s.f.* distance; (*intervallo*) interval.
distanziare *v.tr.* **1** to distance **2** (*lasciar indietro*) to outdistance, to leave* behind.
distendere *v.tr.* **1** to stretch (out), to extend; (*allargare*) to spread* **2**

(*sdraiare*) to lay* ♦ **~rsi** *v.pron.* (*sdraiarsi*) to lie* down.
distensione *s.f.* (*pol.*) détente.
distensivo *agg.* relaxing.
distesa *s.f.* expanse, stretch.
distillare *v.tr.* to distil.
distinguere *v.tr.* to distinguish ♦ **~rsi** *v.pron.* to stand* out.
distinta *s.f.* (*comm.*) list, note.
distintivo *s.m.* badge; (*di partito*) emblem.
distinto *agg.* distinguished, refined.
distinzione *s.f.* distinction.
distorsione *s.f.*(*med.*) sprain.
distorto *agg.* twisted, warped.
distrarre *v.tr.* **1** to distract, to divert **2** (*divertire*) to entertain, to amuse ♦ **~rsi** *v.pron.* **1** to be distracted **2** (*divertirsi*) to amuse oneself, to relax.
distratto *agg.* absent-minded; (*disattento*) inattentive.
distrazione *s.f.* **1** absent-mindedness; (*disattenzione*) inattention **2** (*sbadataggine*) carelessness **3** (*divertimento*) recreation, distraction.
distretto *s.m.* district.
distribuire *v.tr.* **1** to distribute, to give* out | – *la posta*, to deliver the mail **2** (*disporre*) to place, to arrange.
distributore *s.m.* distributor | – *di benzina*, service station.
distribuzione *s.f.* distribution; (*della posta*) delivery.
districarsi *v.pron.* to get out (*of*).
distruggere *v.tr.* to destroy.
distrutto *agg.* (*prostrato*) shattered, broken; (*esausto*) exhausted.
distruzione *s.f.* destruction 📖.
disturbare *v.tr.* **1** to disturb; (*infastidire*) to trouble, to bother **2** (*dare malessere*) to upset* **3** (*rad.*) to jam.
disturbo *s.m.* **1** trouble **2** (*rad.*) noise; (*intenzionale*) jamming.
disubbidiente *agg.* disobedient.
disubbidire *v.intr.* to disobey (*s.o.*).
disuguale *agg.* **1** unequal **2** (*irregolare*) uneven.
disumano *agg.* inhuman, cruel.
disuso *s.m.* disuse.
ditale *s.m.* thimble.
ditata *s.f.* fingermark, fingerprint.
dito *s.m.* finger; (*del piede*) toe.
ditta *s.f.* firm, company, house | *Spett.* –, Dear Sirs, (*amer.*) Gentlemen; (*negli indirizzi*) Messrs.
dittatore *s.m.* dictator.
dittatura *s.f.* dictatorship.
diurno *agg.* day (*attr.*).
diva *s.f.* (film) star.
divagare *v.intr.* to digress.
divampare *v.intr.* to flare up.
divano *s.m.* sofa.
divaricare *v.tr.* to open wide.
divenire, **diventare** *v.intr.* **1** to become* **2** (*farsi*) to grow* (*into*); to turn (*into*); (*fam.*) to get*.
diverbio *s.m.* dispute, quarrel.
divergenza *s.f.* (*d'opinioni*) disagreement.
divergere *v.intr.* to diverge.
diversità *s.f.* diversity, difference.
diversivo *s.m.* (*svago*) change, distraction.
diverso *agg.*, *pron.* **1** different **2** (*spec.pl.*) several, quite a few.
divertente *agg.* amusing, fun.
divertimento *s.m.* amusement; (*passatempo*) pastime.
divertire *v.tr.* to amuse ♦ **~rsi** *v.pron.* to enjoy oneself, to have a good time.
dividendo *s.m.* dividend.
dividere *v.tr.* to divide (up); to split*;

(*spartire*) to share (out) ♦ **~rsi** *v.pron.* (*separarsi*) to part; (*di coniugi*) to separate.
divieto *s.m.* prohibition.
divino *agg.* divine; godlike.
divisa[1] *s.f.* uniform.
divisa[2] *s.f.* (*fin.*) currency.
divisione *s.f.* **1** division **2** (*amm.*) department; (*amer.*) division.
divisorio *s.m.* partition (wall).
divo *s.m.* star.
divorare *v.tr.* to devour.
divorziare *v.intr.* to divorce (*s.o.*), to be divorced: *divorziò da lei dopo un mese*, he divorced (*o* got divorced from) her after a month; *stanno divorziando*, they're getting divorced.
divorzio *s.m.* divorce.
divulgare *v.tr.* **1** to spread* **2** (*volgarizzare*) to popularize.
dizionario *s.m.* dictionary.
do *s.m.* (*mus.*) C, do.
doccia *s.f.* shower.
docile *agg.* docile, meek.
documentare *v.tr.* to document ♦ **~rsi** *v.pron.* to gather information.
documentario *s.m.* (*cinem.*) documentary (film).
documento *s.m.* document, paper.
dodicesimo *agg.*, *s.m.* twelfth.
dodici *agg.*, *s.m.* twelve.
dogana *s.f.* customs (*pl.*); (*dazio*) duty.
doglie *s.f.pl.* labour pains.
dolce *agg.* **1** sweet **2** (*mite, lieve*) mild, gentle **3** (*di acqua*) fresh ♦ *s.m.* **1** (*portata*) sweet, dessert; (*torta*) cake **2** (*sapore*) sweetness.
dolcevita *s.f.* (*abbigl.*) polo-necked pullover.
dolcezza *s.f.* sweetness; (*gentilezza*) kindness.
dolciastro *agg.* sweetish.
dolcificante *s.m.* sweetener.
dolciumi *s.m.pl.* sweetmeats.
dolente *agg.* **1** aching, sore **2** (*spiacente*) sorry.
dolere *v.intr.* to ache ♦ **~rsi** *v.pron.* to regret (*sthg.*, *doing*).
dollaro *s.m.* dollar.
dolore *s.m.* **1** (*fisico*) pain, ache **2** (*morale*) sorrow, grief.
doloroso *agg.* **1** painful (*anche fig.*) **2** (*triste*) sorrowful, sad.
doloso *agg.* (*dir.*) fraudulent, malicious.
domanda *s.f.* **1** question **2** (*richiesta*) request; (*scritta*) application **3** (*econ.*) demand.
domandare *v.tr.*/*intr.* → *chiedere*.
domani *avv.*, *s.m.* tomorrow; (*futuro*) future.
domare *v.tr.* to tame.
domenica *s.f.* Sunday.
domestico *agg.*, *s.m.* domestic.
domiciliare *agg.* (*dir.*) house (*attr.*).
domicilio *s.m.* residence, (*dir.*) domicile | – *coatto*, internal exile | *consegna a –*, home delivery; *visita a –*, (*di medico*) house call.
dominante *agg.* dominant.
dominare *v.tr.* **1** to dominate, to rule; (*tenere a freno*) to control **2** (*sovrastare*) to command ♦ *v.intr.* **1** to rule (*over*) **2** (*prevalere*) to stand* out.
dominazione *s.f.* rule.
dominio *s.m.* **1** rule, control **2** (*territorio*) dominion.
donare *v.tr.* to give*, to donate ♦ *v.intr.* to suit (*s.o.*).
donatore *s.m.* donor.
dondolare *v.tr.*/*intr.* to swing*; to rock; (*oscillare*) to shake*.

dondolo *s.m.* swing | *sedia a –*, rocking chair.
donna *s.f.* 1 woman 2 (*domestica*) (home) help, maid 3 (*a carte*) queen.
dono *s.m.* gift.
dopo *avv.* after; (*poi*) then; (*più tardi*) later (on); (*in seguito*) next ♦ *prep.* after; (*oltre*) past | *– che*, since | *– di che*, and then ♦ *agg.* next; after (*pred.*) ♦ *s.m.* what happens next.
dopobarba *s.m.* aftershave.
dopodomani *avv.* the day after tomorrow.
doposcì *s.m.pl.* après-ski boots.
doposole *s.m.* after sun lotion.
doppiaggio *s.m.* (*cinem.*) dubbing.
doppietta *s.f.* double-barrelled (shot)gun.
doppio *agg.* 1 double 2 (*ambiguo*) two-faced, double-dealing 3 (*mecc.*) dual ♦ *s.m.* 1 double; twice (as much* as) 2 (*tennis*) doubles (*pl.*) ♦ *avv.* double.
doppiofondo *s.m.* false bottom.
doppiopetto *agg.* double-breasted.
dorare *v.tr.* 1 to gild 2 (*cuc.*) to brown.
dormire *v.intr./tr.* to sleep*.
dormita *s.f.* sleep.
dorso *s.m.* 1 back 2 (*nuoto*) backstroke.
dosare *v.tr.* 1 to measure out 2 (*fig.*) to dole out.
dose *s.f.* amount, quantity; (*di farmaco*) dose; (*di droga*) fix.
dosso, di *avv.* off.
dotare *v.tr.* to provide, to equip.
dotato *agg.* gifted.
dotazione *s.f.* equipment.
dote *s.f.* gift, talent; (*qualità*) quality.
dottore *s.m.* 1 doctor (of medicine) 2 (*laureato*) graduate.
dottrina *s.f.* doctrine.
dove *avv.* where | *fin –*, how far; as far as.
dovere[1] *v.tr.* 1 must; to have (got) to; (*al cond.*) should, ought to 2 (*necessità*) to have to, must; to need 3 (*essere previsto*) to be to; to be due 4 (*per esprimere una richiesta*) shall 5 (*essere debitore di*) to owe.
dovere[2] *s.m.* duty.
doveroso *agg.* dutiful; (*giusto*) right.
dovunque *avv.* everywhere; anywhere ♦ *cong.* wherever.
dovuto *agg.*, *s.m.* due.
dozzina *s.f.* dozen.
drago *s.m.* dragon.
dramma[1] *s.m.* drama.
dramma[2] *s.f.* (*moneta greca*) drachma*.
drammatico *agg.* dramatic.
drammatizzare *v.tr.* to dramatize.
drappo *s.m.* cloth, drape.
drastico *agg.* drastic.
drenaggio *s.m.* 1 drainage 2 (*med.*) drain.
dritto *agg.* straight; (*eretto*) upright ♦ *s.m.* 1 right side 2 (*a maglia*) plain 3 (*fam.*) (*persona furba*) smart person, crafty person ♦ *avv.* straight, straight ahead.
droga *s.f.* 1 (*spezia*) spice 2 (*stupefacente*) drug.
drogare *v.tr.* to drug, to dope ♦ **~rsi** *v.pron.* to take* drugs.
drogato *s.m.* (drug) addict.
droghiere *s.m.* grocer.
dubbio *s.m.* doubt ♦ *agg.* 1 doubtful 2 (*ambiguo*) ambiguous; (*sospetto*) dubious.
dubbioso *agg.* doubtful.
dubitare *v.intr.* 1 to doubt (*sthg.*) 2 (*temere*) to be afraid.

due *agg., s.m.* two.
duello *s.m.* duel.
duepezzi *s.m.* two-piece bathing suit.
duna *s.f.* dune.
dunque *cong.* well; so ♦ *s.m.* point.
duomo *s.m.* cathedral.
duplicato *s.m.* duplicate.
durante *prep.* during.
durare *v.intr.* **1** to last **2** (*conservarsi*) to keep*.
duraturo *agg.* lasting; (*resistente*) durable.
durezza *s.f.* hardness.
duro *agg.* hard (*anche fig.*) ♦ *s.m.* bully, tough person ♦ *avv.* hard, harshly.
duttile *agg.* **1** ductile **2** (*fig.*) flexible.

E

e(d) *cong.* and.
ebano *s.m.* ebony.
ebbene *cong.* well, (well) then.
ebbro *agg.* inebriated (*with*).
ebete *agg.* idiotic, stupid; half-witted.
ebollizione *s.f.* boiling.
ebraico *agg.* Jewish, Hebrew.
ebraismo *s.m.* Judaism.
ebrea *s.f.* Jewess.
ebreo *agg.* Jewish ♦ *s.m.* Jew.
eccedenza *s.f.* excess, surplus.
eccellente *agg.* excellent, first-rate.
eccellere *v.intr.* to excel.
eccentrico *agg, s.m.* eccentric.
eccessivo *agg.* excessive.
eccesso *s.m.* excess, surplus.
eccetera *avv.* and so on.
eccetto (che) *prep.* except (for), apart from.
eccettuato *avv.* excepted, excluded.
eccezionale *agg.* exceptional.
eccezione *s.f.* exception | *a – di*, except | *d'–*, exceptional.
eccitare *v.tr.* to excite ♦ **~rsi** *v.pron.* to get* excited.
eccitazione *s.f.* excitement.
ecclesiastico *agg, s.m.* ecclesiastic.
ecco *avv.* (*qui*) here; (*là*) there | *– come, perché*, this is how, why | *– fatto*, that's that | *– tutto*, that's all.
eclissare *v.tr.* to eclipse ♦ **~rsi** *v.pron.* to steal* away.
eclissi *s.f.* eclipse.
eco *s.f./m.* echo*.
ecografia *s.f.* ultrasound.
ecologico *agg.* ecological.
ecologo *s.m.* ecologist.
economia *s.f.* **1** economy; (*scienza*) economics ⓤ **2** (*risparmio*) economy, thrift | *fare –*, to economize, to save money | *in –*, on the cheap; *senza –*, without stinting **3** *pl.* savings.
economico *agg.* **1** economical; cheap, inexpensive **2** (*dell'economia*) economic; financial.
economista *s.m.f.* economist.
economizzare *v.intr./tr.* to cut* down (expenses); to save.
edera *s.f.* ivy.
edicola *s.f.* newsstand, newspaper kiosk.
edicolante *s.m./f.* newsagent.
edificante *agg.* edifying, uplifting.
edificare *v.tr.* to build*.
edificio *s.m.* building.
edile *agg.* building, construction (*attr.*).
edilizia *s.f.* building; building trade | *– popolare*, council-house building, public housing.
Edimburgo *no.pr.f.* Edinburgh.
edito *agg.* published; printed.
editore *s.m.* publisher.

editoria *s.f.* publishing; book trade.
edizione *s.f.* edition.
educare *v.tr.* to educate.
educativo *agg.* educational; instructive.
educato *agg.* well-mannered, polite; well-brought-up.
educazione *s.f.* education; upbringing; (*buone maniere*) (good) manners (*pl.*).
effeminato *agg.* effeminate.
effervescente *agg.* effervescent; sparkling, (*fam.*) fizzy.
effettivamente *avv.* actually, really.
effettivo *agg.* actual, real, effective; (*permanente*) permanent.
effetto *s.m.* **1** effect; result, consequence | *per – di*, because of, owing to, due to | *– serra*, greenhouse effect | *in effetti*, in fact, in effect **2** (*fin.*) bill (of exchange); (*tratta*) draft, draught | *effetti personali*, personal belongings.
effettuare *v.tr.* to effect, to make* ♦ **~rsi** *v.pron.* to take* place, to happen.
efficace *agg.* effective, efficacious.
efficacia *s.f.* effectiveness, efficacy.
efficiente *agg.* efficient, competent.
efficienza *s.f.* efficiency.
effrazione *s.f.* (*dir.*) housebreaking, burglary.
effusione *s.f.* effusion.
Egitto *no.pr.m.* Egypt.
egiziano *agg.,s.m.* Egyptian.
egli *pron.* he.
egoismo *s.m.* selfishness, egoism.
egoista *s.m./f.* egoist, selfish person.
egoista, **egoistico** *agg.* egoistic(al), selfish.
elaborare *v.tr.* **1** to elaborate; to work out **2** (*inform.*) to process.
elaboratore *s.m.* computer.
elaborazione *s.f.* **1** elaboration; (*di prodotto*) manufacture **2** (*inform.*) processing.
elargizione *s.f.* donation.
elasticità *s.f.* elasticity | *– mentale*, mental flexibility.
elasticizzato *agg.* elasticized.
elastico *agg.* elastic ♦ *s.m.* rubber band; elastic.
elefante *s.m.* elephant.
elegante *agg.* elegant; smart.
eleganza *s.f.* elegance; smartness.
eleggere *v.tr.* to elect.
elementare *agg.* elementary.
elemento *s.m.* element.
elemosina *s.f.* alms (*pl.*), charity.
elemosinare *v.intr./tr.* to beg (*for*).
elencare *v.tr.* to list.
elenco *s.m.* list.
elettorale *agg.* electoral.
elettorato *s.m.* electorate.
elettore *s.m.* voter; (*di collegio elettorale*) constituent.
elettrauto *s.m.* (*persona*) car electrician.
elettricista *s.m.* electrician.
elettricità *s.f.* electricity.
elettrico *agg.* electric.
elettrizzante *agg.* thrilling, exciting.
elettrizzare *v.tr.* to electrify.
elettrizzazione *s.f.* electrification.
elettro – *pref.* electro –.
elettrocardiogramma *s.m.* electrocardiogram.
elettrodomestico *s.m.* domestic appliance.
elettronica *s.f.* electronics [U].
elettronico *agg.* electronic.
elettrotreno *s.m.* electric train.
elevare *v.tr.* **1** to raise, to elevate **2** (*erigere*) to erect ♦ **~rsi** *v.pron.* to rise* (*anche fig.*); (*sovrastare*) to tower (*over*).

elevato *agg.* elevated; (*alto*) high.
elezione *s.f.* **1** election **2** (*scelta*) choice | *patria di* –, adopted country.
elica *s.f.* propeller.
elicottero *s.m.* helicopter.
eliminare *v.tr.* to eliminate.
eliminatoria *s.f.* (*sport*) heat.
eliminazione *s.f.* elimination.
eliporto *s.m.* heliport.
ella *pron.* she.
elmetto, elmo *s.m.* helmet | – *da minatore*, hard hat.
elogiare *v.tr.* to praise.
elogiativo *agg.* laudatory.
elogio *s.m.* praise.
eloquente *agg.* eloquent.
eloquenza *s.f.* eloquence.
elusione *s.f.* elusion, evasion | – *fiscale*, tax avoidance.
elvetico *agg., s.m.* Helvetian, Swiss.
elzeviro *s.m.* literary article.
emaciato *agg.* emaciated.
emanare *v.tr.* to give* off; (*leggi ecc.*) to issue, to enact.
emancipazione *s.f.* emancipation.
emarginare *v.tr.* to marginalize.
emarginato *s.m.* social outcast.
emarginazione *s.f.* marginalization | – *sociale*, social alienation.
emblema *s.m.* emblem; symbol.
embolia *s.f.* embolism.
embrionale *agg.* embryonic.
embrione *s.m.* embryo*.
emendamento *s.m.* amendment.
emergente *agg.* emergent, emerging.
emergenza *s.f.* emergency.
emergere *v.intr.* to emerge.
emettere *v.tr.* to give* out; (*emanare*) to give* off; (*leggi*) to enact; (*sentenze*) to pronounce; (*in circolazione*) to issue.
emicrania *s.f.* migraine.
emigrante *agg., s.m./f.* emigrant.
emigrare *v.intr.* to emigrate; (*di animali*) to migrate.
eminente *agg.* eminent.
emirato *s.m.* emirate.
emiro *s.m.* emir.
emisfero *s.m.* hemisphere.
emissione *s.f.* emission | – *di banconote*, note issue.
emittente *s.f.* broadcasting station, transmitting station.
emo- *pref.* h(a)emo-.
emorragia *s.f.* hemorrhage.
emorroidi *s.f.pl.* hemorrhoids, (*fam.*) piles.
emotivo *agg.* emotional.
emozionarsi *v.pron.* to get* excited; (*turbarsi*) to be upset.
emozionato *agg.* deeply moved; excited; upset.
emozione *s.f.* emotion.
empio *agg.* impious.
emulare *v.tr.* to emulate.
enciclopedia *s.f.* encyclop(a)edia.
endovena *s.f.* intravenous injection.
endovenoso *agg.* intravenous.
energetico *agg.* energy (*attr.*); (*di alimento*) energy-giving.
energia *s.f.* energy | *con* –, energetically | *senza* –, listlessly.
energico *agg.* energetic; (*efficace*) powerful; strong.
enfatizzare *v.tr.* to emphasize.
enigma *s.m.* enigma, puzzle.
enigmatico *agg.* enigmatic, puzzling.
enorme *agg.* huge, enormous.
ente *s.m.* body, board; authority; (*amer.*) corporation, agency.
entità *s.f.* importance, value.
entrambi *agg., pron.* both.
entrare *v.intr.* **1** to go* in, to get* in; to

come* in | *far – qlcu.*, to show s.o. in **2** (*a far parte*) to join (*sthg.*) **3** *entrarci*, (*avere attinenza*) to have to do with: *io non c'entro*, this is none of my business.
entrata *s.f.* **1** entrance; entry | *– libera*, admission free **2** *pl.* income | *entrate pubbliche*, public revenue.
entro *prep.* within; (*prima di*) before: *– sera*, before (the) evening; *– un'ora*, within an hour.
entusiasmare *v.tr.* to arouse enthusiasm in ♦ **~rsi** *v.pron.* to become* enthusiastic (*over*).
entusiasmo *s.m.* enthusiasm.
entusiasta *s.m./f.* enthusiast.
entusiastico *agg.* enthusiastic.
enumerare *v.tr.* to enumerate.
enunciare *v.tr.* to enunciate.
epatico *agg.* hepatic.
epidemia *s.f.* epidemic.
epidemico *agg.* epidemic(al).
epilogo *s.m.* end, ending.
episodio *s.m.* episode.
epoca *s.f.* epoch; age; time.
eppure *cong.* and yet, and still.
epurazione *s.f.* purge.
equanime *agg.* fair; impartial.
equatore *s.m.* equator.
equatoriale *agg.* equatorial.
equazione *s.f.* equation.
equilibrato *agg.* (well) balanced.
equilibrio *s.m.* balance.
equipaggiamento *s.m.* equipment.
equipaggiare *v.tr.* to equip.
equipaggio *s.m.* crew.
équipe *s.f.* team.
equità *s.f.* equity, fairness.
equitazione *s.f.* (horse-)riding.
equivalente *agg.* equivalent.
equivocare *v.intr.* to be mistaken; (*fraintendere*) to misunderstand* (*sthg.*).
equivoco *agg.* ambiguous, equivocal; (*sospetto*) suspicious; shady; (*malfamato*) disreputable ♦ *s.m.* misunderstanding.
equo *agg.* fair, just.
era *s.f.* era; epoch; age.
erario *s.m.* revenue, treasury.
erba *s.f.* grass | *in –*, (*fig.*) budding.
erbaccia *s.f.* weed.
erbicida *s.m.* herbicide, weed killer.
erborista *s.m./f.* herbalist.
erede *s.m.* heir ♦ *s.f.* heiress.
eredità *s.f.* inheritance; (*fig.*) heritage.
ereditare *v.tr.* to inherit.
ereditario *agg.* hereditary.
eremita *s.m.* hermit.
eremo *s.m.* hermitage.
eresia *s.f.* heresy.
eretto *agg.* upright.
ergastolano *s.m.* lifer.
ergastolo *s.m.* life imprisonment; life sentence.
erica *s.f.* heather.
erigere *v.tr.* **1** to erect; (*costruire*) to build* **2** (*fondare, istituire*) to found, to set* up ♦ **~rsi** *v.pron.* (*fig.*) to set* oneself up as.
ermetico *agg.* hermetic, airtight; watertight.
ernia *s.f.* hernia | *– del disco*, slipped disk.
eroe *s.m.* hero*.
erogare *v.tr.* to supply.
eroico *agg.* heroic.
eroina[1] *s.f.* heroine.
eroina[2] *s.f.* (*droga*) heroin.
eroinomane *s.m./f.* heroin addict.
eroismo *s.m.* heroism.
erosione *s.f.* erosion; (*d'acqua*) wash.
erotico *agg.* erotic.
errare *v.intr.* **1** to wander, to roam (*about, around*) **2** (*sbagliare*) to err, to make* a mistake.

errato *agg.* wrong, incorrect.
errore *s.m.* mistake | *– giudiziario*, miscarriage of justice; *– di stampa*, misprint.
erudito *agg.* learned, scholarly ♦ *s.m.* scholar.
erudizione *s.f.* erudition, learning.
esacerbare *v.tr.* to exacerbate.
esagerare *v.tr.* to exaggerate ♦ *v.intr.* to go* too far | *non –!*, don't overdo it!
esagerato *agg.* exaggerated; (*di prezzo*) excessive, exorbitant.
esagerazione *s.f.* exaggeration.
esalare *v.tr./intr.* to exhale.
esaltante *agg.* exciting, stimulating.
esaltare *v.tr.* **1** to exalt, to extol **2** (*entusiasmare*) to elate **3** (*far risaltare*) to intensify, to heighten ♦ **~rsi** *v.pron.* to get* excited.
esaltato *s.m.* (*testa calda*) hothead; (*fanatico*) fanatic.
esaltazione *s.f.* **1** (*lode*) exaltation **2** (*eccitazione*) excitement, enthusiasm.
esame *s.m.* examination; (*analisi, prova*) test; (*scolastico*) exam: *dare un –*, to take an examination.
esaminare *v.tr.* to examine.
esasperante *agg.* exasperating.
esasperato *agg.* **1** exasperated, irritated **2** (*spinto*) exaggerated.
esatto *agg.* exact; (*giusto*) correct, right ♦ *avv.* exactly.
esattore *s.m.* collector.
esaudire *v.tr.* to grant; (*desiderio*) to fulfil.
esauriente *agg.* exhaustive.
esaurimento *s.m.* exhaustion, depletion | *– nervoso*, nervous breakdown.
esaurire *v.tr.* to exhaust, to wear* out; (*risorse*) to run* out of ♦ **~rsi** *v.pron.* to get* exhausted, to wear* out; (*di denaro, merci*) to run* out; (*di sorgente*) to dry up.
esaurito *agg.* out of stock; (*di libro*) out of print.
esausto *agg.* exhausted, worn-out.
esca *s.f.* bait.
escavatore *s.m.*, **escavatrice** *s.f.* excavator, digger.
eschimese *agg., s.m.* Eskimo.
esclamare *v.intr.* to exclaim.
esclamazione *s.f.* exclamation.
escludere *v.tr.* to exclude.
esclusione *s.f.* exclusion.
esclusiva *s.f.* sole right, exclusive right.
esclusivo *agg.* exclusive.
escluso *agg.* **1** excluded, left out **2** (*eccettuato*) except **3** (*improbabile*) improbable, unlikely.
escogitare *v.tr.* to think* up.
escoriazione *s.f.* excoriation; abrasion.
escursione *s.f.* excursion, trip.
escursionista *s.m./f.* tripper, tourist; (*a piedi*) hiker.
esecutivo *agg., s.m.* executive.
esecuzione *s.f.* execution; (*mus.*) performance.
eseguire *v.tr.* to execute, to carry out; (*mus., teatr.*) to perform.
esempio *s.m.* example | *per –*, for instance, for example.
esemplare[1] *agg.* exemplary.
esemplare[2] *s.m.* specimen.
esemplificare *v.tr.* to exemplify.
esentare *v.tr.* to exempt.
esente *agg.* exempt, free.
esenzione *s.f.* exemption.
esercente *s.m./f.* shopkeeper, (*amer.*) storekeeper.
esercitare *v.tr.* to practise; (*far valere*) to exert, to exercise ♦ **~rsi** *v.pron.* to practise (*sthg.*).

esercitazione *s.f.* (*fisica*) exercise; (*allenamento*) training; (*di studio*) practice.
esercito *s.m.* army.
esercizio *s.m.* **1** exercise; practice; (*uso*) exertion **2** (*negozio*) shop, store **3** (*gestione*) management | *costi d'*–, operating costs.
esibire *v.tr.* to exhibit; (*mostrare*) to show*; (*mettere in mostra*) to show* off.
esibizione *s.f.* display, exhibition; (*sfoggio*) showing-off.
esigente *agg.* exacting, demanding.
esigenza *s.f.* need, requirements; (*pretesa*) pretension.
esigere *v.tr.* to demand; (*comportare*) to require.
esiguo *agg.* meagre, scant.
esile *agg.* slender, slim; (*fig.*) weak, faint.
esiliare *v.tr.* to exile, to banish.
esiliato *s.m.* exile.
esilio *s.m.* exile.
esistenza *s.f.* existence.
esistere *v.intr.* to exist.
esitare *v.intr.* to hesitate.
esitazione *s.f.* hesitation, hesitancy.
esito *s.m.* result, outcome.
esodo *s.m.* exodus | – *per le vacanze*, mass departure.
esonerare *v.tr.* to exempt; (*da incarico*) to dismiss.
esonero *s.m.* exemption; (*da incarico*) dismissal.
esorbitante *agg.* excessive.
esordio *s.m.* beginning; (*debutto*) début.
esordire *v.intr.* to begin*, to start.
esortare *v.tr.* to urge, to exhort.
esoso *agg.* greedy; (*eccessivo*) excessive.
esotico *agg.* exotic.
espandere *v.tr.*, **espandersi** *v.pron.* to expand; to spread*.
espansione *s.f.* expansion.
espansivo *agg.* extroverted, warm.
espatriare *v.intr.* to expatriate.
espatrio *s.m.* expatriation.
espediente *s.m.* expedient, device.
espellere *v.tr.* **1** to expel **2** (*emettere*) to discharge.
esperienza *s.f.* experience.
esperimento *s.m.* experiment; (*prova*) test.
esperto *agg.*, *s.m.* expert.
espianto *s.m.* explant.
espiare *v.tr.* to expiate.
espirare *v.intr./tr.* to expire, to breathe out.
esplicito *agg.* explicit.
esplodere *v.intr.* to explode.
esplorare *v.tr.* to explore.
esplorativo *agg.* exploratory.
esploratore *s.m.* explorer | *giovane* –, (boy) scout.
esplorazione *s.f.* exploration.
esplosione *s.f.* explosion, outburst.
esplosivo *agg.*, *s.m.* explosive.
esponente *s.m.* exponent, representative.
esporre *v.tr.* **1** (*a sole, luce*) to expose **2** (*esibire*) to display; (*avvisi*) to stick* up, to post up; (*in mostre ecc.*) to exhibit.
esportabile *agg.* exportable.
esportare *v.tr.* to export.
esportatore *s.m.* exporter.
esportazione *s.f.* export; exportation.
esposimetro *s.m.* exposure meter.
espositore *s.m.* exhibitor.
esposizione *s.f.* **1** (*a luce, aria*) exposure **2** (*di merci*) display **3** (*mostra*) exhibition, show.

esposto *agg.* exposed; (*fig.*) open to; (*di edificio*) facing.
espressamente *avv.* expressly; (*apposta*) specially.
espressione *s.f.* expression.
espressivo *agg.* expressive.
espresso *agg.* express | *caffè* –, espresso | *lettera* –, express letter, (*amer.*) special delivery letter.
esprimere *v.tr.* to express.
espropriare *v.tr.* to expropriate, to dispossess.
espropriazione *s.f.*, **esproprio** *s.m.* expropriation, dispossession.
espulsione *s.f.* expulsion.
esquimese → ***eschimese***.
essa *pron.* she (*sogg.*), her (*compl.*); it.
esse *pron.* they (*sogg.*), them (*compl.*).
essenza *s.f.* essence.
essenziale *agg.* essential.
essere *v.intr.* to be; (*aus. nei tempi composti*) to have: *è mezz' ora che ti aspetto*, I've been waiting for you for half an hour | *"Chi è?" "Sono io"*, "Who is it?" "It's me" (*o form.* "It is I"); *sei tu?*, is that (*o* is it) you? | *ci siamo!*, (*siamo arrivati*) here we are!; (*siamo alle solite*) here we go again!; *ci sono!*, (*ho capito*) I've got it! ♦ *s.m.* being; (*persona*) person, creature.
essi *pron.* they (*sogg.*), them (*compl.*).
essiccare *v.tr.*, **essiccarsi** *v.pron.* to dry (up), to dessicate.
esso *pron.* he (*sogg.*), him (*compl.*); it.
est *s.m.* east.
estasi *s.f.* ecstasy, rapture.
estate *s.f.* summer: *d'–*, *in –*, in summer | *– di San Martino*, Indian summer.
estendere *v.tr.*, **estendersi** *v.pron.* to extend.
estensibile *agg.* extensible, extendable.
estensione *s.f.* extension; (*ampiezza*) extent.
estenuante *agg.* exhausting, wearing.
estenuato *agg.* exhausted, tired out.
esteriore *agg.* outward, external.
esternare *v.tr.* to manifest.
esterno *agg.* external, outside; outer ♦ *s.m.* **1** outside, exterior **2** *pl.*(*cinem.*) location (*sing.*).
estero *agg.* foreign | (*andare*) *all'–*, (to go) abroad.
esterrefatto *agg.* amazed, astonished.
esteso *agg.* large, wide, extensive | *per –*, in full, (*dettagliatamente*) in detail.
estetico *agg.* aesthetic | *chirurgia estetica*, cosmetic surgery.
estetista *s.m./f.* beautician.
estinguere *v.tr.* to extinguish; (*debito*) to pay* off, to settle ♦ **~rsi** *v.pron.* **1** (*di fuoco*) to go* out, to die out; (*terminare*) to die (away), to come* to an end **2** (*di specie*) to become* extinct.
estintore *s.m.* (fire) extinguisher.
estirpare *v.tr.* to uproot, to pull out; (*fig.*) to eradicate.
estivo *agg.* summer (*attr.*).
estorcere *v.tr.* to extort.
estorsione *s.f.* extortion.
estradizione *s.f.* extradition.
estraibile *agg.* extractable, pull-out.
estraneo *agg.* **1** extraneous **2** (*alieno*) foreign ♦ *s.m.* stranger.
estrarre *v.tr.* to extract, to take* out, to pull out.
estrazione *s.f.* extraction; (*di lotteria*) draw | *– a sorte*, drawing lots.
estremi *s.m.pl.* (*di contratto*) terms; (*di documento*) details.
estremità *s.f.* extremity, end.
estremo *agg.*, *s.m.* extreme | *un – tentativo*, a last attempt | *da un – all'altro*,

from end to end | *l'Estremo Oriente*, the Far East.
estromettere *v.tr.* to expel, to exclude.
estroso *agg.* fanciful.
estroverso *agg., s.m.* extrovert.
estuario *s.m.* estuary.
esuberante *agg.* exuberant.
esuberanza *s.f.* exuberance | – *di manodopera*, redundancies.
esule *s.m./f.* exile, refugee.
esultare *v.intr.* to exult (*at, in*).
esumare *v.tr.* to exhume.
età *s.f.* age | *di mezza* –, middle-aged.
eternità *s.f.* eternity.
eterno *agg.* eternal; (*senza fine*) everlasting, endless.
eterodosso *agg.* heterodox.
eterogeneo *agg.* heterogeneous.
eterosessuale *agg., s.m./f.* heterosexual.
etica *s.f.* ethics ⧠.
etichetta *s.f.* label, tag.
etichettare *v.tr.* to label.
etico *agg.* ethical.
etilista *s.m./f.* alcoholic.
etnico *agg.* ethnic.
etnografico *agg.* ethnographic.
etnologico *agg.* ethnological.
etnologo *s.m.* ethnologist.
etrusco *agg., s.m.* Etruscan, Etrurian.
ettaro *s.m.* hectare.
etto(grammo) *s.m.* hectogram(me).
eucalipto *s.m.* eucalyptus.
eucaristia *s.f.* Eucharist.
eufemistico *agg.* euphemistic.
euforico *agg.* euphoric.
eurasiatico *agg., s.m.* Eurasian.
eurodollaro *s.m.* Eurodollar.
Europa *no.pr.f.* Europe.
europarlamentare *s.f.* Euro MP.
europeista *s.m./f., agg.* Europeanist.
europeo *agg., s.m.* European.
eutanasia *s.f.* euthanasia.
evacuare *v.tr.* to evacuate.
evadere *v.intr.* to escape ♦ *v.tr.* **1** (*sbrigare*) to dispatch, to deal* with **2** (*tasse*) to evade.
evangelico *agg., s.m.* evangelical.
evaporare *v.tr./intr.* to evaporate.
evaporazione *s.f.* evaporation.
evasione *s.f.* **1** escape **2** (*fiscale*) evasion **3** (*comm.*) execution.
evasivo *agg.* evasive.
evaso *s.m.* escaped prisoner.
evasore *s.m.* evader.
evenienza *s.f.* eventuality.
evento *s.m.* event.
eventuale *agg.* possible.
eventualità *s.f.* eventuality.
eventualmente *avv.* in case.
eversivo *agg.* subversive.
evidente *agg.* evident.
evidenza *s.f.* evidence.
evidenziare *v.tr.* to highlight.
evidenziatore *s.m.* highlighter.
evitabile *agg.* avoidable.
evitare *v.tr.* **1** to avoid **2** (*ad altri, a sé*) to spare.
evolutivo *agg.* evolutionary.
evoluto *agg.* advanced, (highly) civilized; (*senza pregiudizi*) broadminded, liberal.
evoluzione *s.f.* evolution.
evolvere *v.intr.*, **evolversi** *v.pron.* to evolve, to develop.
evviva *inter.* hurrah, hooray.
ex *prep.* ex-, former.
extra *agg., s.m.* extra: *spese* –, additional expenses.
extracomunitario *agg., s.m.* non-European.
extraterrestre *s.m./f.* alien.

F

fa[1] *avv.* ago.
fa[2] *s.m.* (*mus.*) fa, F.
fabbisogno *s.m.* needs, wants; requirements (*pl.*).
fabbrica *s.f.* factory, plant.
fabbricabile *agg.* building: *area* –, building area.
fabbricante *s.m.* manufacturer, maker.
fabbricare *v.tr.* **1** to manufacture, to make*, to produce **2** (*costruire*) to build*, to construct.
fabbricato *s.m.* building.
fabbricazione *s.f.* manufacture, making, make.
fabbro *s.m.* blacksmith, smith; (*per serrature*) locksmith.
faccenda *s.f.* matter, business, affair.
facchino *s.m.* porter.
faccia *s.f.* face | *di, in* – (*a*), in front (of), opposite (to) | *in* –, to s.o.'s face | *che* – (*tosta*)!, what cheek! | *salvare la* –, to save one's face.
faccia a faccia *s.m.* confrontation.
facciata *s.f.* front, façade.
facile *agg.* **1** easy **2** (*incline*) prone, inclined **3** (*probabile*) likely, probable.
facilità *s.f.* **1** ease, easiness **2** (*attitudine*) aptitude, facility.
facilitare *v.tr.* to make* easier, to make* easy.
facilitazioni *s.f.pl.* easy terms.
facoltà *s.f.* faculty; (*potere*) power.
facoltativo *agg.* optional.
facoltoso *agg.* wealthy, rich, well-off, well-to-do.
faggio *s.m.* beech.
fagiano *s.m.* pheasant*.
fagiolino *s.m.* French bean; (*amer.*) string bean.
fagiolo *s.m.* bean.
fagotto *s.m.* bundle | *far* –, to pack up.
fai da te *s.m.* do-it-yourself.
falce *s.f.* **1** scythe **2** (*di luna*) crescent.
falcetto *s.m.* sickle.
falciare *v.tr.* to mow*.
falciatrice *s.f.* mower.
falco *s.m.* hawk.
falcone *s.m.* falcon.
falda *s.f.* (*geol.*) stratum*; layer.
falegname *s.m.* joiner; (*carpentiere*) carpenter.
falena *s.f.* moth.
falesia *s.f.* cliff, falaise.
falla *s.f.* leak.
fallimentare *agg.* bankruptcy (*attr.*).
fallimento *s.m.* bankruptcy; (*fig.*) failure.
fallire *v.intr.* **1** to go* bankrupt, (*fam.*) to go* broke **2** (*fig.*) to fail.
fallito *agg.* (*comm.*) bankrupt; (*fig.*) unsuccessful ♦ *s.m.* bankrupt; (*fig.*) failure.
fallo *s.m.* **1** (*errore*) error, mistake | *senza* –, without fail, definitely **2** (*difetto*) fault, defect; (*imperfezione*) flaw **3** (*sport*) foul.
falò *s.m.* bonfire.
falsario *s.m.* forger, counterfeiter; (*di monete*) coiner.
falsificare *v.tr.* to falsify; (*banconote*) to forge; (*opere d'arte*) to fake.
falsificazione *s.f.* falsification; forgery; faking.
falsità *s.f.* falseness, falsity; (*menzogna*) falsehood, lie.
falso *agg.* false; (*falsificato*) falsified; forged; faked | *nota falsa*, wrong note | *gioielli falsi*, imitation jewellery ♦ *s.m.* **1** falsehood **2** (*oggetto*) forgery; fake.
fama *s.f.* fame, renown; (*reputazione*) reputation, repute.

fame *s.f.* hunger | *avere* –, to be hungry | *patire la* –, to starve.
famigerato *agg.* notorious, ill-famed.
famiglia *s.f.* family.
fami(g)liare *agg.* **1** family (*attr.*) **2** (*ben conosciuto*) familiar; (*consueto*) usual **3** (*alla buona*) informal ♦ *s.m.* relative.
familiarità *s.f.* familiarity.
familiarizzare *v.tr.* to familiarize.
famoso *agg.* famous.
fanale *s.m.* light, lamp | – *anteriore*, headlight; – *posteriore*, taillight, rear-light.
fanatico *agg.* fanatical; (*fig.*) mad (*about*) ♦ *s.m.* fanatic.
fanatismo *s.m.* fanaticism.
fango *s.m.* **1** mud; (*fanghiglia*) slush **2** (*termale*) mud bath.
fangoso *agg.* muddy; (*di acqua*) slimy, sludgy.
fannullone *s.m.* idler, loafer; (*fam.*) lazy-bones.
fantascienza *s.f.* science fiction.
fantasia *s.f.* fancy.
fantasioso *agg.* **1** fanciful, imaginative **2** (*inverosimile*) unlikely.
fantasma *s.m.* ghost.
fantasticare *v.intr.* to daydream* (*about*).
fantastico *agg.* fantastic.
fante *s.m.* (*a carte*) jack.
fanteria *s.f.* infantry.
fantino *s.m.* jockey.
fantoccio *s.m.* puppet.
fantomatico *agg.* (*immaginario*) mysterious, imaginary; (*inafferrabile*) elusive.
farabutto *s.m.* rascal, rogue.
faraona *s.f.* guinea-hen.
farcire *v.tr.* to stuff, to fill.
fare *v.tr.* **1** to do*; (*in senso materiale, produrre*) to make* | – *in modo di*, to try to (*do*) | – *sì che*, (*causare*) to cause; (*combinare*) to arrange **2** (*di professione*) to be **3** (*rifornirsi*) to get* **4** (*seguito da inf.*) (*costringere*) to make*; (*persuadere*) to get*; (*lasciare*) to let* | *voglio farlo riparare*, I want to have it mended ♦ *v.intr.* **1** to be: *fa bello*, it's fine **2** (*essere adatto*) to suit ♦ **farsi** *v.pron.* **1** to go*; to come*; to move **2** (*diventare*) to grow* into **3** (*drogarsi*) to shoot* up; to take* drugs ♦ *s.m.*: *modo di* –, manner; way; (*comportamento*) behaviour.
faretto *s.m.* spotlight.
farfalla *s.f.* butterfly; (*notturna*) moth.
farfallino *s.m.* bow tie.
farina *s.f.* flour.
farinacei *s.m.pl.* starchy food ⌨, starches.
farinoso *agg.* floury, mealy | *neve farinosa*, powdery snow.
farmaceutico *agg.* pharmaceutical.
farmacia *s.f.* chemist's (shop); (*scienza*) pharmacy.
farmacista *s.m./f.* chemist, (*amer.*) druggist.
farmaco *s.m.* medicine, drug | – *naturale*, natural remedy.
faro *s.m.* **1** lighthouse **2** (*aut.*) headlight, headlamp.
farsa *s.f.* farce.
farsesco *agg.* farcical.
fascetta *s.f.* wrapper.
fascia *s.f.* band, strip; (*riga*) stripe.
fasciare *v.tr.* to bandage, to dress.
fasciatura *s.f.* dressing, bandage.
fascicolo *s.m.* **1** booklet; brochure **2** (*di rivista*) number, issue; (*dispensa*) instalment **3** (*amm.*) dossier, file.

fascina *s.f.* faggot.
fascino *s.m.* charm.
fascio *s.m.* bundle, sheaf*; (*di luce*) beam.
fascismo *s.m.* Fascism.
fascista *agg., s.m./f.* Fascist.
fase *s.f.* phase; stage.
fastidio *s.m.* nuisance; (*pl., grattacapi*) trouble ⓤ; problems.
fastidioso *agg.* annoying, irritating.
fata *s.f.* fairy.
fatale *agg.* **1** fatal, deadly **2** (*inevitabile*) inevitable, fated.
fatalità *s.f.* misfortune; fate.
fatica *s.f.* **1** hard work, toil | *è – sprecata*, it is a wasted effort | *fare – a*, to have difficulty in (*doing*); *a –*, with difficulty **2** (*stanchezza*) weariness, fatigue | *morto di –*, dog-tired.
faticare *v.intr.* **1** to toil, to work hard **2** (*stentare*) to have difficulty (*in doing*).
faticata *s.f.* hard work; (*fam.*) grind.
faticosamente *avv.* laboriously; (*a stento*) with difficulty, hardly.
faticoso *agg.* **1** hard, tiring **2** (*difficile*) difficult, tough.
fatiscente *agg.* crumbling, dilapidated.
fato *s.m.* fate, destiny.
fattezze *s.f.pl.* features.
fatto[1] *agg.* **1** done; made: *– a mano*, *a macchina*, handmade, machine-made; *ben –!*, well done! | *uomo –*, fullgrown man **2** (*adatto*) fit **3** (*drogato*) stoned.
fatto[2] *s.m.* **1** fact; (*azione*) deed, act, action | *di –*, actually, virtually | *in – di*, as regards **2** (*avvenimento*) event **3** (*faccenda*) affair.
fattore *s.m.* (*elemento*) factor.
fattoria *s.f.* farm.
fattorino *s.m.* messenger, errand boy; (*per consegne*) deliveryman*.
fattura *s.f.* **1** making, manufacture; (*lavorazione*) workmanship **2** (*comm.*) invoice.
fatturare *v.tr.* (*comm.*) to invoice.
fatturato *s.m.* turnover, (*amer.*) billing.
fauna *s.f.* fauna, wildlife.
fava *s.f.* broad bean.
favola *s.f.* (fairy) tale, story.
favoloso *agg.* fabulous.
favore *s.m.* favour; (*appoggio*) support, backing | *per –*, (if you) please | *prezzo di –*, special price.
favorevole *agg.* in favour; (*vantaggioso*) favourable.
favorire *v.tr.* to favour; (*sostenere*) to support, to back; (*aiutare*) to aid, to help.
favorito *agg., s.m.* favourite.
fazzoletto *s.m.* handkerchief*; (*fam.*) hanky.
febbraio *s.m.* February.
febbre *s.f.* temperature; (*specifica*) fever.
febbricitante *agg.* feverish.
febbrile *agg.* feverish.
feccia *s.f.* dregs (*pl.*).
fecondazione *s.f.* fecundation | *– artificiale*, artificial insemination.
fecondo *agg.* fertile.
fede *s.f.* **1** faith; (*fiducia*) trust **2** (*anello*) wedding ring.
fedele *agg.* faithful; (*leale*) loyal ♦ *s.m./f.* believer; (*seguace*) follower.
federa *s.f.* pillowcase, slip.
federazione *s.f.* federation.
fedina *s.f.* criminal record, police record.
fegato *s.m.* **1** liver **2** (*fig.*) pluck; (*fam.*) guts (*pl.*).

felce *s.f.* fern.
felice *agg.* happy, glad; (*fortunato*) lucky.
felicità *s.f.* happiness.
felpa *s.f.* **1** (*tessuto*) brushed fabric **2** (*indumento*) sweatshirt.
feltro *s.m.* felt.
femmina *s.f.* female.
femminile *agg.* feminine.
femore *s.m.* femur*, thigh-bone.
fenicottero *s.m.* flamingo*.
fenomeno *s.m.* **1** phenomenon* **2** wonder, marvel.
feretro *s.m.* coffin.
feriale *agg.* working, weekday.
ferie *s.f.pl.* holidays; (*amer.*) vacation (*sing.*).
ferire *v.tr.* to wound, to injure, to hurt*.
ferita *s.f.* wound, injury.
fermacarte *s.m.* paperweight.
fermaglio *s.m.* clasp, fastener; (*per carte, capelli*) clip.
fermare *v.tr.* **1** to stop, to halt **2** (*interrompere*) to interrupt **3** (*fissare*) to fasten; to fix **4** (*dir.*) to hold*, to detain ♦ *v.intr.*, **~rsi** *v.pron.* to stop; (*in un luogo*) to stay.
fermata *s.f.* stop, halt: *– facoltativa, a richiesta*, request stop.
fermento *s.m.* ferment, turmoil ⓤ.
fermezza *s.f.* firmness.
fermo *agg.* **1** still, motionless; (*inattivo*) idle: *sta' –!*, keep still! **2** (*stabile*) steady ♦ *s.m.* **1** lock; stop **2** (*dir.*) (provisional) arrest; detention.
fermoposta *s.m., avv.* poste restante; (*amer.*) general delivery.
feroce *agg.* ferocious; cruel | *bestie feroci*, wild beasts.
ferramenta *s.f.pl.* hardware ⓤ, ironware ⓤ.
ferro *s.m.* iron | *– da calza*, knitting needle.
ferrovia *s.f.* railway; (*amer.*) railroad.
ferroviere *s.m.* railwayman*; (*amer.*) railroader.
fertile *agg.* fertile.
fertilizzante *s.m.* fertilizer.
fertilizzare *v.tr.* to fertilize.
fervente, fervido *agg.* fervent.
fervore *s.m.* fervour, ardour.
fesseria *s.f.* nonsense, rubbish; (*cosa da nulla*) trifle, nothing.
fessura *s.f.* fissure; (*fenditura*) slit; (*per gettone*) slot.
festa *s.f.* **1** holiday; (*religiosa*) feast; (*festività*) festivity | *Buone Feste!*, Season's Greetings! **2** (*ricevimento*) party.
festeggiamento *s.m.* celebration.
festeggiare *v.tr.* to celebrate; to welcome.
festività *s.f.* holiday; (*religiosa*) feast.
festivo *agg.* holiday (*attr.*).
fetta *s.f.* slice; (*porzione*) piece, bit.
fiaba *s.f.* fairy tale; fable.
fiacca *s.f.* weariness, tiredness; (*svogliatezza*) sluggishness.
fiacco *agg.* weary; (*debole*) weak.
fiaccola *s.f.* torch.
fiala *s.f.* phial, vial.
fiamma *s.f.* flame; (*viva*) blaze.
fiammifero *s.m.* match; (*svedese*) safety match.
fiancheggiare *v.tr.* to flank; (*costeggiare*) to border.
fianco *s.m.* side | *– a –*, side by side | *di –*, sideways.
fiasco *s.m.* **1** flask **2** (*insuccesso*) flop, failure, fiasco.
fiato *s.m.* breath | *tutto d'un –*, in one go | *strumenti a –*, wind instruments.
fibbia *s.f.* buckle.

fibra *s.f.* **1** fibre **2** (*costituzione*) constitution, physique.
ficcare *v.tr.* to stick*, to poke; (*mettere*) to put* ♦ **~rsi** *v.pron.* (*finire*) to get* to.
fico *s.m.* fig | *– d'India*, prickly pear, Indian fig.
fidanzamento *s.m.* engagement.
fidanzarsi *v.pron.* to get* engaged (*to*).
fidanzata *s.f.* girlfriend; (*ufficiale*) fiancée.
fidanzato *agg.* engaged (*to*) ♦ *s.m.* boyfriend; (*ufficiale*) fiancé.
fidarsi *v.pron.* to trust (*s.o., sthg.*), to rely (*on*).
fidato *agg.* trustworthy, reliable.
fido *s.m.* (*comm.*) credit line.
fiducia *s.f.* trust, confidence.
fienile *s.m.* hayloft.
fieno *s.m.* hay | *raffreddore da –*, hay fever.
fiera *s.f.* fair; (*esposizione*) exhibition.
fievole *agg.* feeble, faint; (*di luce, suono*) dim.
figlia *s.f.* daughter.
figlio *s.m.* son.
figura *s.f.* **1** figure | *fare una bella, cattiva –*, to cut a fine, a poor figure; *che –!*, how embarrassing! **2** (*illustrazione*) illustration; (*tavola*) plate **3** (*a carte*) court card.
figurare *v.tr.* to imagine, to fancy; (*pensare*) to think* ♦ *v.intr.* (*comparire*) to appear, to be.
figurinista *s.m./f.* dress designer.
fila *s.f.* row, line; (*coda*) queue; (*serie*) stream; string | *in prima –*, in the front row | *fare la –*, to queue (up), to line up | *di –*, continuously | *in – per due*, by twos.
filare *v.tr./intr.* **1** to spin* **2** (*andarsene*) to run* away; to make* off **3** (*comportarsi bene*) to behave **4** (*amoreggiare*) to go* out (with).
filastrocca *s.f.* nursery rhyme.
filatelia *s.f.* stamp collecting.
filato *s.m.* yarn.
filetto *s.m.* (*cuc.*) fillet (steak).
filiale[1] *agg.* filial.
filiale[2] *s.f.* (*comm.*) branch.
filippino *agg.* Philippine ♦ *s.m.* Filipino*.
film *s.m.* film, (motion) picture; (*amer.*) movie.
filmare *v.tr.* to film; (*spec. scene*) to shoot*.
filo *s.m.* **1** thread; (*tess.*) yarn; (*metallico*) wire | *un – d'erba*, a blade of grass **2** (*di lama*) edge.
filobus *s.m.* trolleybus.
filodiffusione *s.f* cable radio.
filone *s.m.* **1** (*geol.*) seam, vein **2** (*pane*) French bread **3** (*fig.*) current.
filosofia *s.f.* philosophy.
filosofo *s.m.* philosopher.
filtrare *v.tr.* to filter; to strain.
filtro[1] *s.m.* filter | *sigarette con –*, filter cigarettes.
filtro[2] *s.m.* (*magico*) philtre.
finale *agg.* final; (*ultimo*) last ♦ *s.m.* end, ending ♦ *s.f.* final.
finalista *s.m./f.* finalist.
finalmente *avv.* at last; (*per ultimo*) finally, lastly.
finanza *s.f.* finance ▭; (*pl. entrate*) finances.
finanziamento *s.m.* financing; (*prestito*) loan.
finanziare *v.tr.* to finance.
finanziaria *s.f.* **1** (*società*) investment trust (company) **2** (*legge*) financial act.
finché *cong.* till, until; (*per tutto il tempo che*) as long as.

fine[1] *s.f.* end | *volgere alla* –, to draw to an end | *senza* –, (*agg.*) endless; (*avv.*) endlessly ♦ *s.m.* 1 (*scopo*) purpose, end, aim | *secondo* –, ulterior purpose 2 (*esito*) result, outcome | *lieto* –, happy ending.
fine[2] *agg.* fine; thin; (*di udito, vista*) keen.
fine settimana *s.m.* weekend.
finestra *s.f.* window.
finestrino *s.m.* window.
fingere *v.tr./intr.* to pretend, to feign ♦ **~rsi** *v.pron.* to pretend to be.
finire *v.tr./intr.* 1 to finish (*doing*); (*smettere*) to stop (*doing*) | *far* –, to put an end (*to*) | *finiscila!*, stop it! 3 (*esaurire*) to run* out (*of*) 4 (*andare a finire*) to end up; (*cacciarsi*) to get* to.
finito *agg.* finished; (*esaurito*) sold out; (*rovinato*) done for.
finlandese *agg.* Finnish ♦ *s.m./f.* Finn ♦ *s.m.* (*lingua*) Finnish.
Finlandia *no. pr. f.* Finland.
fino *prep.* (*tempo*) till, until, up to; (*spazio*) as far as, up to | *fin da*, since; from | *fino a che* → *finché.*
finocchio *s.m.* fennel ▭.
finora *avv.* so far, up to now.
finto *agg.* false; artificial.
fiocco[1] *s.m.* 1 bow 2 (*batuffolo*) flock; (*di neve*) snowflake.
fiocco[2] *s.m.* (*vela*) jib.
fioraio *s.m.* florist; (*ambulante*) flower seller.
fiordaliso *s.m.* bluebottle.
fiordo *s.m.* fiord, fjord.
fiore *s.m.* 1 flower; (*di albero*) blossom ▭ 2 *pl.* (*a carte*) clubs.
fiorente *agg.* thriving.
fiorentina *s.f.* T-bone steak.
fiorire *v.intr.* to flower; (*di alberi*) to blossom; (*fig.*) to flourish.
fiorista *s.m./f.* florist.
firma *s.f.* 1 signature 2 (*nome famoso*) (big) name.
firmamento *s.m.* firmament.
firmare *v.tr.* to sign; (*sottoscrivere*) to subscribe.
fisarmonica *s.f.* accordion.
fiscale *agg.* fiscal.
fiscalista *s.m./f.* tax consultant, tax advisor.
fischiare *v.intr./tr.* 1 to whistle; (*per disapprovazione*) to hiss 2 (*di orecchi*) to buzz 3 (*di proiettile*) to whiz(z).
fischiettare *v.tr./intr.* to whistle.
fischietto *s.m.* whistle.
fischio *s.m.* whistle; (*di disapprovazione*) hiss.
fisco *s.m.* Inland Revenue; (*negli* USA) Internal Revenue; (*ufficio*) tax office.
fisica *s.f.* physics ▭.
fisico *agg.* physical ♦ *s.m.* 1 physicist 2 (*costituzione*) physique.
fissare *v.tr.* 1 to fix, to fasten 2 (*guardare*) to gaze (*at*), to stare (*at*) 3 (*stabilire*) to fix (up), to arrange 4 (*prenotare*) to book, to reserve ♦ **~rsi** *v.pron.* (*ostinarsi*) to be determined.
fissatore *s.m.* (*per capelli*) setting lotion; (*lacca*) lacquer.
fissazione *s.f* fixed idea.
fisso *agg.* fixed | *cliente* –, regular customer | *impiego* –, regular job.
fitto *agg.*, *s.m.* thick.
fiume *s.m.* river; (*fig.*) flood.
fiutare *v.tr.* to smell.
fiuto *s.m.* smell; (*fig.*) nose.
flacone *s.m.* bottle.
flagranza *s.f.* (*dir.*) flagrancy.
flanella *s.f.* flannel.
flauto *s.m.* flute.

flebile *agg.* feeble, faint.
flessibile *agg.* flexible.
flessione *s.f.* **1** flexion **2** (*diminuzione*) drop, fall.
flessuoso *agg.* flexuous, sinuous; (*di corpo*) supple, lithe.
flettere *v.tr.*, **flettersi** *v.pron.* to bend*.
flipper *s.m.* pinball (machine).
flirt *s.m.* flirtation.
flirtare *v.intr.* to flirt.
flora *s.f.* flora.
floricoltore *s.m.* floriculturist, flower grower.
florido *agg.* flourishing, booming.
floscio *agg.* flabby, floppy.
flotta *s.f.* fleet.
fluente *agg.* flowing; (*di discorso*) fluent.
fluido *agg.* ,*s.m.* fluid.
fluire *v.intr.* to flow.
fluorescente *agg.* fluorescent.
flusso *s.m.* flow.
fluttuare *v.intr.* **1** to sway **2** (*econ.*) to fluctuate.
foca *s.f.* seal.
focalizzare *v.tr.* to focus.
foce *s.f.* mouth.
focolare *s.m.* hearth; (*caminetto*) fireplace.
fodera *s.f.* cover; (*interna*) lining.
foderare *v.tr.* to line (*with*); (*rivestire*) to cover.
foglia *s.f.* leaf*.
foglietto *s.m.* slip of paper.
foglio *s.m.* sheet.
fogliolina *s.f.* leaflet.
fogna *s.f.* sewer; drain; (*fig.*) cesspit.
fognatura *s.f.* sewer system.
folata *s.f.* gust, rush.
folclore *s.m.* folklore.
folcloristico *agg.* folk.
folla *s.f.* crowd.
folle *agg.* **1** mad, crazy **2** (*aut.*) neutral ♦ *s.m.* lunatic, madman*.
follia *s.f.* madness; (*atto*) folly.
folto *agg.*, *s.m.* thick; (*numeroso*) large, big.
fomentare *v.tr.* to foment.
fon *s.m.* hairdryer.
fondamentale *agg.* fundamental.
fondamento *s.m.* foundation.
fondare *v.tr.* to found ♦ **~rsi** *v.pron.* to be based, to be founded .
fondato *agg.* well-grounded, well -founded.
fondazione *s.f.* foundation.
fondere *v.tr.*, **fondersi** *v.pron.* to melt; (*società*) to merge.
fonderia *s.f.* foundry.
fondina[1] *s.f.* holster.
fondina[2] *s.f.* (*piatto*) soup plate.
fondo[1] *agg.* deep.
fondo[2] *s.m.* **1** bottom; (*fine*) end: *in – a*, at the bottom of; at the end of | *andare a –*, (*di nave*) to sink | *conoscere a –*, to know inside out | (*in –*) *in –*, after all | *problema di –*, basic problem **2** *pl.* dregs; grounds **3** (*econ.*) fund | *fondi neri*, slush funds **4** (*podere*) country estate **5** (*sport*) long-distance race.
fondotinta *s.m.* foundation (cream).
fonetica *s.f.* phonetics ▭.
fono- *pref.* phono-.
fontana *s.f.* fountain.
fonte *s.f.* spring; (*anche fig.*) source.
foraggio *s.m.* forage, fodder.
forare *v.tr.* to perforate, to pierce; (*biglietti*) to punch ♦ *v.intr.* to get* a puncture; (*amer.*) to get* a flat tyre.
forbici *s.f.pl.* scissors; (*cesoie*) shears.
forchetta *s.f.* fork.
forchettata *s.f.* forkful.

forcina *s.f.* hairpin.
forense *agg.* forensic.
foresta *s.f.* forest.
foresteria *s.f.* guestrooms (*pl.*).
forestiero *agg.* foreign ♦ *s.m.* foreigner; (*estraneo*) stranger.
forfait *s.m.* lump-sum.
forfora *s.f.* dandruff.
forma *s.f.* **1** shape; form | *sotto – di*, in the form of | *essere in –* , to be in good form **2** (*stampo*) mould.
formaggiera *s.f.* cheese bowl.
formaggio *s.m.* cheese.
formale *agg.* formal.
formalità *s.f.* formality.
formare *v.tr.*, **formarsi** *v.pron.* to form.
formato *s.m.* format; (*misura*) size.
formazione *s.f.* formation; (*professionale*) training.
formica *s.f.* ant.
formicaio *s.m.* anthill.
formicolio *s.m.* tingling; (*fam.*) pins and needles (*pl.*).
formidabile *agg.* extraordinary, wonderful.
formula *s.f.* formula*.
formulare *v.tr.* to formulate.
formulario *s.m.* **1** formulary, form **2** questionnaire.
formulazione *s.f.* formulation.
fornace *s.f.* furnace; (*per laterizi*) kiln.
fornaio *s.m.* baker; (*negozio*) baker's (shop); bakery.
fornello *s.m.* cooker.
fornire *v.tr.* to supply (*with*).
fornitore *s.m.* supplier.
forno *s.m.* **1** oven **2** (*panetteria*) bakery.
foro[1] *s.m.* hole; (*apertura*) opening.
foro[2] *s.m.* (*tribunale*) court.
forse *avv.* perhaps, maybe.
forte *agg.* **1** strong; (*di suono*) loud **2** (*grande*) large; considerable **3** (*bravo*) good (*at*) ♦ *s.m.* **1** strong point **2** (*fortezza*) fort ♦ *avv.* **1** strongly, hard; (*stretto*) tight, tightly **2** (*a voce alta*) loud, loudly **3** (*svelto*) fast.
fortezza *s.f.* **1** fortress **2** (*morale*) fortitude.
fortificare *v.tr.* to fortify.
fortificazione *s.f.* fortification, defence.
fortuito *agg.* fortuitous, casual.
fortuna *s.f.* luck; fortune; (*successo*) success | *buona –!*, good luck!; *che –!*, what luck!; *aver –*, to be lucky | *di –*, emergency | *far –*, to make a fortune.
fortunato *agg.* lucky, fortunate; (*riuscito*) successful.
foruncolo *s.m.* pimple.
forza *s.f.* strength; force; (*potere*) power | *con la –*, by force | *per –*, against one's will | *per – di cose*, by force of circumstances | *un caso di – maggiore*, a question of force majeure | *forze armate*, armed forces.
forzare *v.tr.* to force.
forzatura *s.f.* forcing.
forzoso *agg.* forced.
foschia *s.f.* haze, mist.
fossa *s.f.* pit, hole; (*tomba*) grave.
fossile *agg.*, *s.m.* fossil.
fossilizzarsi *v.pron.* to fossilize.
fosso *s.m.* ditch.
foto *s.f.* (*fam.*) photo*, snapshot.
foto- *pref.* photo-.
fotocopia *s.f.* photocopy.
fotocopiare *v.tr.* to photocopy.
fotocopiatrice *s.f.* photocopier.
fotografare *v.tr.* to photograph.
fotografia *s.f.* **1** photo(graph) **2** (*arte*) photography.

fotografo *s.m.* photographer.
fotomodella *s.f.* model.
fotoreporter *s.m.* press photographer.
fotoromanzo *s.m.* picture story.
foulard *s.m.* scarf*.
fra *prep.* **1** between; among, amongst: – *me e te*, between you and me; – *amici*, among friends | *uno – tanti*, one of (*o* among) many | *uno – mille*, one in a thousand **2** (*tempo*) in, within.
frac *s.m.* tailcoat; tails (*pl.*).
fracassare *v.tr.*, **fracassarsi** *v.pron.* to shatter.
fracasso *s.m.* din, racket; (*di cose rotte*) crash.
fradicio *agg.* **1** soaking wet; wet through, soaked **2** (*marcio*) rotten.
fragile *agg.* fragile; (*debole*) weak.
fragola *s.f.* strawberry.
fragrante *agg.* fragrant.
fraintendere *v.tr.* to misunderstand*.
frammentario *agg.* fragmentary.
frammento *s.m.* fragment.
frammisto *agg.* mingled, mixed (*with*).
frana *s.f.* landslide.
franare *v.intr.* to slide* down; (*crollare*) to collapse.
francese *agg.*, *s.m.* French; (*abitante*) Frenchman* | *i francesi*, the French.
franchezza *s.f.* frankness.
Francia *no.pr.f.* France.
franco[1] *agg.* **1** frank **2** (*comm.*) free; ex.
franco[2] *s.m.* (*moneta*) franc.
francobollo *s.m.* stamp.
frangetta *s.f.* bang.
frangia *s.f.* fringe; (*di capelli*) bang.
frappé *s.m.* shake.
frase *s.f.* sentence.
frassino *s.m.* ash.
frastagliato *agg.* indented.
frastornato *agg.* confused.
frastuono *s.m.* din, uproar.
frate *s.m.* friar.
fratellastro *s.m.* half-brother.
fratello *s.m.* brother.
fraternizzare *v.intr.* to fraternize, to make* friends.
fraterno *agg.* brotherly.
frattanto, **nel frattempo** *avv.* meanwhile, in the meantime.
frattura *s.f.* split; (*fig.*) rift; (*med.*) fracture.
fratturare *v.tr.*, **fratturarsi** *v.pron.* to fracture, to break*.
fraudolento *agg.* fraudulent.
frazionare *v.tr.* to divide, to split* up.
frazione *s.f.* **1** fraction **2** (*villaggio*) small village.
freccia *s.f.* **1** arrow **2** (*aut.*) indicator.
freddo *agg.*, *s.m.* cold | *fa* –, it's cold; *avere* –, to be (*o* to feel) cold.
freddoloso *agg.* sensitive to cold.
fregare *v.tr.* **1** to rub; (*pavimenti*) to scrub **2** (*rubare*) to pinch; (*imbrogliare*) to cheat | *me ne frego!*, I don't give a damn!
fregatura *s.f.* rip-off.
fregio *s.m.* **1** (*arch.*) frieze **2** (*ornamento*) ornament.
fremere *v.intr.* to quiver (*with*).
fremito *s.m.* quiver; thrill.
frenare *v.intr.* to brake; (*rallentare*) to slow down ♦ *v.tr.*(*fig.*) to restrain, to check.
frenata *s.f.* braking.
frenetico *agg.* frenetic.
freno *s.m.* brake: *togliere il* –, to release the brake | *mettere un – a*, to control, to restrain (*sthg.*).
frequentare *v.tr.* (*scuola ecc.*) to attend; (*persone*) to see (regularly).

frequentato *agg.* busy, popular.
frequente *agg.* frequent.
frequenza *s.f.* **1** attendance **2** (*fis.*) frequency.
fresco *agg.* fresh; (*di temperatura*) cool | *stai –!*, you'll be in for it!
fretta *s.f.* hurry: *in –*, in a hurry; *fai in –!*, hurry up!
friggere *v.tr./intr.* to fry.
friggitrice *s.f.* deep fryer.
frigo, frigorifero *s.m.* fridge.
fringuello *s.m.* finch.
frittata *s.f.* omelet(te).
frivolo *agg.* frivolous.
frizione *s.m.* **1** rubbing, massage **2** (*aut.*) clutch **3** (*attrito*) friction.
frodare *v.tr.* to defraud (*s.o. of sthg.*).
frode *s.f.* fraud.
frondoso *agg.* leafy.
frontale *agg.* frontal | *scontro –*, head-on collision.
fronte *s.f.* forehead | *di – (a)*, opposite ♦ *s.m.* front.
fronteggiarsi *v.pron.* to face each other.
frontiera *s.f.* frontier, border.
frugale *agg.* frugal | *un uomo –*, a thrifty man.
frugare *v.tr./intr.* to search, to rummage (*through*).
frullato *s.m.* milk shake.
frullatore *s.m.* blender, liquidizer.
frumento *s.m.* wheat.
frusciare *v.intr.* to rustle.
frusta *s.f.* whip; (*cuc.*) whisk.
frustare *v.tr.* to whip, to lash.
frustata *s.f.* lash.
frustrante *agg.* frustrating.
frustrazione *s.f.* frustration.
frutta *s.f.* fruit.
fruttare *v.tr./intr.* to bring* in, to yield.
frutteto *s.m.* orchard.
fruttifero *agg.* (*econ.*) interest-bearing.
fruttivendolo *s.m.* greengrocer.
frutto *s.m.* fruit (*anche fig.*) | *frutti di mare*, sea-food.
fu *agg.* (*defunto*) late.
fucilare *v.tr.* to shoot*.
fucilata *s.f.* shot.
fucile *s.m.* rifle, gun.
fuga *s.f.* flight, escape; (*di fluidi, notizie*) leak.
fugace *agg.* fleeting, transient.
fuggire *v.intr.* to run* away, to escape.
fuggitivo *agg., s.m.* fugitive, runaway.
fuliggine *s.f.* soot.
fuligginoso *agg.* sooty.
full *s.m.* (*a poker*) full house
fulminarsi *v.pron.* (*di lampadina*) to blow.
fulmine *s.m.* lightning.
fulvo *agg.* tawny.
fumare *v.tr./intr.* to smoke.
fumatore *s.m.* smoker.
fumetto *s.m.* (*vignetta*) cartoon; (*striscia*) comic strip; (*giornale*) comic (book).
fumo *s.m.* smoke; (*il fumare tabacco*) smoking | *fumi industriali*, fumes | *gettare – negli occhi a qlcu.*, to throw dust in s.o.'s eyes.
fune *s.f.* rope; cable.
funebre *agg.* funeral; (*fig.*) funereal, gloomy | *impresa di pompe funebri*, undertaker's.
funerale *s.m.* funeral.
funereo *agg.* funereal, gloomy.
fungo *s.m.* mushroom.
funicolare *s.f.* funicular.
funivia *s.f.* cable railway.
funzionale *agg.* functional.
funzionamento *s.m.* functioning: *difet-*

to di –, malfunction.
funzionare *v.intr.* to work, to function | *far* –, to operate.
funzionario *s.m.* official, functionary; (*banca, ass.*) executive.
funzione *s.f.* **1** function, role; duty **2** (*eccl.*) ceremony; (*protestante*) service.
fuoco *s.m.* fire; (*scient.*) focus*: *appiccare, dare – a*, to set fire to | *un – di paglia*, a flash in the pan | *messa a* –, focusing.
fuorché *cong., prep.* except, but.
fuori *avv.* out; (*all'esterno*) outside; (*all'aperto*) outdoors | *in* –, out; outwards ♦ *prep.* out of; outside.
fuorigioco *s.m.* offside.
fuorimano *avv.* out of the way.
fuoriserie *agg., s.f.* custom-built (car).
fuoristrada *s.m.* off-road vehicle.
fuoruscita *s.f.* leak, leakage.
fuoruscito *s.m.* (*profugo*) refugee.
fuorviante *agg.* misleading.
furbesco *agg.* cunning, crafty, sly.
furbizia *s.f.* shrewdness.
furbo *agg.* cunning, crafty; (*sagace*) clever, shrewd.
furente *agg.* furious, wild.
furfante *s.m.* rascal, scoundrel.
furgoncino *s.m.* small van, light van.
furgone *s.m.* **1** van **2** (*mortuario*) hearse.
furia *s.f.* fury; (*rabbia*) rage.
furioso *agg.* **1** furious **2** (*violento*) violent, wild.
furore *s.m.* fury; (*rabbia*) rage | *far* –, (*fam.*) to be (all) the rage; to be (quite) a hit.
furtivo *agg.* furtive; (*di passo*) stealthy.
furto *s.m.* theft; (*con scasso*) burglary | *è un* –!, it's daylight robbery!, it's a rip -off!
fusibile *s.m.* fuse.
fusione *s.f.* **1** fusion; (*non metallica*) melting **2** (*unione*) merging; (*di società*) merger, amalgamation.
fusoliera *s.f.* fuselage.
fustagno *s.m.* fustian.
fusto *s.m.* **1** (*gambo*) stalk, stem; (*tronco*) trunk; (*di colonna*) shaft **2** (*recipiente*) drum; (*di legno*) barrel.
futile *agg.* trifling, petty.
futuro *agg., s.m.* future.

G

gabbia *s.f.* cage.
gabbiano *s.m.* (sea)gull.
gabinetto *s.m.* **1** water closet (*abbr.* WC), lavatory, toilet **2** (*studio*) study; office **3** (*ministero*) ministry; (*ministri*) cabinet.
gaffe *s.f.* blunder, gaffe.
gaio *agg.* merry, cheerful.
galante *agg.* gallant; (*d'amore*) amorous, love (*attr.*).
galantuomo *s.m.* gentleman*, man of honour; honest man.
galassia *s.f.* galaxy.
galateo *s.m.* etiquette; (*buone maniere*) (good) manners (*pl.*).
galera *s.f.* prison, jail, gaol.
galla, a *avv.* afloat, floating: *venire a* –, to surface, to come to the surface, (*fig.*) to come to light.
galleggiante *s.m.* buoy.
galleggiare *v.intr.* to float.
galleria *s.f.* **1** (*traforo*) tunnel; (*passaggio sotterraneo*) subway **2** (*per esposizioni*) gallery **3** (*teatr.*) circle **4** (*per pedoni*) arcade.

gallese *agg., s.m.* Welsh; (*abitante*) Welshman* | *i gallesi*, the Welsh.
galletto *s.m.* cockerel.
gallina *s.f.* hen.
gallo *s.m.* cock, rooster | *peso* –, bantamweight.
gallone *s.m.* (*misura*) gallon.
galoppare *v.intr.* to gallop.
galoppatoio *s.m.* riding track.
galoppo *s.m.* gallop | *al, di* –, at a gallop; (*fig.*) at full speed.
gamba *s.f.* leg | *correre a gambe levate*, to run flat out | *darsela a gambe*, to take to one's heels | *gambe in spalla!*, run for it! | *prendere sotto* –, to underrate (*sthg.*) | *in* –, (*abile*) smart; (*arzillo*) sprightly.
gamberetto *s.m.* shrimp.
gambero *s.m.* (*di mare*) shrimp; (*grosso*) prawn; (*di acqua dolce*) crayfish, crawfish.
gambo *s.m.* stem, stalk.
gamma *s.f.* range.
gancio *s.m.* hook; (*fermaglio*) clasp; fastener.
gara *s.f.* competition, contest; race; (*d'appalto*) tender | *fecero a – per aiutarlo*, they outdid one another in helping him | *fuori* –, non-competing.
garage *s.m.* garage.
garante *s.m./f.* guarantee, guarantor, warranter | – *per l'editoria*, press watch dog.
garantire *v.tr.* **1** to guarantee; to secure **2** (*dare per certo*) to assure.
garanzia *s.f.* guarantee | *a – di*, in security for, as a guarantee for.
garbato *agg.* polite, well-mannered; (*gentile*) kind, amiable.
gardenia *s.f.* gardenia.
gareggiare *v.intr.* to compete, to vie.
gargarismo *s.m.* gargle.
garofano *s.m.* carnation, pink; (*pianta aromatica*) clove-tree.
garza *s.f.* gauze.
garzone *s.m.* boy; (*apprendista*) apprentice.
gas *s.m.* gas | – *di scarico*, exhaust (gas).
gasdotto *s.m.* gas pipeline.
gasolio *s.m.* gas oil, diesel oil.
gastronomia *s.f.* gastronomy.
gatta *s.f.* (female) cat; (*fam.*) pussycat.
gattino *s.m.* kitten; (*fam.*) kitty, pussy.
gatto *s.m.* cat, tom(cat); (*fam.*) pussycat, pussy: – *soriano*, tabby (cat) | – *delle nevi*, snowmobile.
gattoni *avv.* on all fours.
gazza *s.f.* magpie.
gazzella *s.f.* **1** gazelle **2** (*aut.*) police car.
gazzetta *s.f.* gazette | *Gazzetta Ufficiale*, (Official) Gazette.
gelare *v.tr./intr.*, **gelarsi** *v.pron.* to freeze*.
gelata *s.f.* frost.
gelataio *s.m.* ice-cream vendor; ice-cream maker.
gelateria *s.f.* ice-cream parlour.
gelatina *s.f.* gelatine; (*spec. dolce*) jelly.
gelato *s.m.* ice cream.
gelido *agg.* icy.
gelo *s.m.* intense cold; (*fig.*) chill.
gelosia *s.f.* jealousy.
geloso *agg.* jealous.
gelso *s.m.* mulberry (tree).
gelsomino *s.m.* jasmine.
gemello *s.m.* twin.
gemere *v.intr.* to groan.
gemito *s.m.* groan.
gemma *s.f.* **1** gem, jewel **2** (*bot.*) bud.
genealogico *agg.* genealogical | *albero* –, family tree.

generale *agg., s.m.* general | *in –*, in general, generally.
generalizzare *v.tr./intr.* to generalize.
generalizzato *agg.* general, widespread; (*comune*) common.
generare *v.tr.* to generate.
generazione *s.f.* generation.
genere *s.m.* kind; (*gramm.*) gender; (*prodotto*) product | *generi di prima necessità*, commodities | *in –*, generally.
generico *agg.* generic; (*vago*) indefinite, vague.
genero *s.m.* son-in-law*.
generosità *s.f.* generosity.
generoso *agg.* generous.
genetica *s.f.* genetics ▭.
gengiva *s.f.* gum.
geniale *agg.* ingenious, clever
genio *s.m.* genius | *lampo di –*, brainwave.
genitore *s.m.* parent.
gennaio *s.m.* January.
gente *s.f.* people; (*fam.*) folk | *molta, poca –*, a lot of (*o* many) people, few people.
gentile *agg.* kind; (*cortese*) polite.
gentilezza *s.f.* kindness; (*cortesia*) politeness.
genuino *agg.* genuine; (*naturale*) wholesome, natural.
genziana *s.f.* gentian.
geografia *s.f.* geography.
geologia *s.f.* geology.
geometra *s.m./f.* surveyor.
geometria *s.f.* geometry.
geranio *s.m.* geranium.
gerarchia *s.f.* hierarchy.
gerarchico *agg.* hierarchic(al).
gerente *s.m.* manager.
gergo *s.m.* slang; (*professionale*) jargon.
geriatra *s.m./f.* geriatrician.
geriatria *s.f.* geriatrics ▭.
germe *s.m.* germ (*anche fig.*).
germicida *agg.* germicidal ♦ *s.m.* germicide.
germinare *v.intr.* to germinate.
germogliare *v.intr.* to bud; (*di semi*) to sprout; (*fig.*) to germinate.
germoglio *s.m.* bud; (*di seme*) sprout, shoot.
gesso *s.m.* **1** (*per scrivere*) chalk **2** (*ingessatura*) plaster cast.
gesticolare *v.intr.* to gesticulate.
gestionale *agg.* managerial, operational.
gestione *s.f.* management; (*conduzione*) running.
gestire *v.tr.* to manage; to run*; (*trattative ecc.*) to conduct.
gesto *s.m.* gesture, sign; (*del capo*) nod; (*della mano*) wave.
gestore *s.m.* manager, director.
gettare *v.tr.* to throw*; (*con violenza*) to fling*, to hurl ♦ *v. intr.* (*germogliare*) to shoot* ♦ **-rsi** *v.pron.* **1** to throw* oneself; (*saltando*) to jump **2** (*sfociare*) to flow (*into*).
gettito *s.m.* yield, revenue: *– fiscale*, tax yield.
getto *s.m.* throw; *(di liquidi)* jet, spout | *a – continuo*, non-stop | *di –*, at a sitting, at one go **2** (*bot.*) bud, turion, spur.
gettone *s.m.* **1** token | *– di presenza*, appearance money **2** (*al gioco*) chip.
ghepardo *s.m.* cheetah.
gheriglio *s.m.* kernel.
ghettizzare *v.tr.* to ghettoize.
ghetto *s.m.* ghetto*.
ghiacciaio *s.m.* glacier.
ghiacciato *agg.* frozen; (*freddissimo*) icy, iced.

ghiaccio *s.m.* ice.
ghiacciolo *s.m.* water ice, ice lolly.
ghiaia *s.f.* gravel [U].
ghianda *s.f.* acorn.
ghiandola *s.f.* gland.
ghigno *s.m.* sneer.
ghinea *s.f.* (*moneta*) guinea.
ghiotto *agg.* (*di persona*) greedy; (*di cibo*) tasty.
ghirlanda *s.f.* garland, wreath.
ghiro *s.m.* dormouse*.
ghisa *s.f.* cast iron.
già *avv.* already; (*ormai*) by now, by then; (*prima*) before | *è – venuto il dottore?*, has the doctor been yet? | *– da*, (ever) since, from | *eh –!*, of course!; that's right!
giacca *s.f.* jacket | *– a vento*, windcheater.
giacché *cong.* as, since.
giacere *v.intr.* to lie*.
giacimento *s.m.* layer; deposit | *– di petrolio*, oilfield.
giacinto *s.m.* hyacinth.
giada *s.f.* jade.
giaggiolo *s.m.* iris.
giaguaro *s.m.* jaguar.
giallo *agg., s.m.* yellow | *– d'uovo*, yolk | *libro, film –*, thriller, (*fam.*) whodunit.
Giappone *no.pr.m.* Japan.
giapponese *agg., s.m./f.* Japanese | *i giapponesi*, the Japanese.
giardinaggio *s.m.* gardening.
giardiniere *s.m.* gardener.
giardino *s.m.* garden.
giarrettiera *s.f.* suspender; (*alla coscia*) garter.
gigante *s.m.* giant.
gigantesco *agg.* gigantic.
gigantografia *s.f.* blow-up, giant poster.
giglio *s.m.* lily.
gilé, **gilet** *s.m.* waistcoat.
gimcana, **gimkana**, **gincana** *s.f.* obstacle race.
ginecologia *s.f.* gynaecology.
ginecologo *s.m.* gynaecologist.
ginepro *s.m.* juniper.
ginestra *s.f.* broom.
Ginevra *no.pr.f.* Geneva.
ginnasta *s.m./f.* gymnast.
ginnastica *s.f.* (*attività*) exercise; physical training; (*disciplina*) gymnastics [U], (*fam.*) gym [U] | *scarpe da –*, gym shoes.
ginocchio *s.m.* knee: *in –*, on one's knees.
giocare *v.tr./intr.* **1** to play **2** (*d'azzardo*) to gamble; (*scommettere*) to bet* **3** (*in Borsa*) to gamble on the stock exchange **4** (*contare, aver peso*) to count, to play a part **3** (*rischiare*) to risk **4** (*ingannare*) to fool, to make* a fool of.
giocata *s.f.* stake, bet.
giocatore *s.m.* player; (*d'azzardo*) gambler.
giocattolo *s.m.* toy, plaything.
giocherellare *v.intr.* to play, to toy; to fiddle.
gioco *s.m.* **1** play [U]; (*regolato da norme*) game | *– d'azzardo*, gambling | *per –*, for fun | *stare al – di*, to play along with | *fare il – di*, to play s.o.'s game | *fare il doppio –*, to doublecross s.o. | *scoprire il proprio –*, to show one's hand **2** (*giocattolo*) toy **3** (*al tennis*) game.
gioia *s.f.* joy, delight.
gioielleria *s.f.* jeweller's shop; jewelry.
gioielliere *s.m.* jeweller.
gioiello *s.m.* jewel.
gioioso *agg.* joyful, merry.

gioire *v.intr.* to rejoice (*at*).
Giordania *no.pr.f.* Jordan.
giordano *agg., s.m.* Jordanian.
giornalaio *s.m.* newsagent, newsvendor, (*amer.*) news dealer.
giornale *s.m.* **1** (news)paper | – *radio*, news **2** (*registro*) journal | – *di bordo*, log(book), ship's journal.
giornaliero *agg.* daily; (*valido un giorno*) day (*attr.*).
giornalismo *s.m.* journalism.
giornalista *s.m./f.* journalist; pressman* (*m.*).
giornata *s.f.* day | *in* –, today.
giorno *s.m.* day | – *festivo*, holiday; – *lavorativo, feriale*, weekday; – *di permesso, libero,* day off | *tutti i giorni*, every day; *tutto il* (*santo*) –, all day, the whole day | – *e notte*, night and day | *un – o l'altro*, one of these days | *che – è?*, (*del mese*) what is the date?, (*della settimana*) what day is it?
giostra *s.f.* merry-go-round.
giovamento *s.m.* benefit, advantage.
giovane *agg.* young ♦ *s.m.* young man, youth ♦ *s.f.* young woman, girl.
giovanile *agg.* youthful; (*di, per giovani*) youth (*attr.*).
giovanotto *s.m.* young man, youth.
giovare *v.intr.* to be good (*for*), to do* good; (*tornar utile*) to be of use ♦ **~rsi** *v.pron.* to profit (*by*).
giovedì *s.m.* Thursday.
gioventù *s.f.* youth.
giovinastro *s.m.* hooligan, lout.
giovinezza *s.f.* youth.
giradischi *s.m.* record player.
giraffa *s.f.* **1** giraffe **2** (*microfono*) (microphone) boom.
girare *v.tr.* **1** to turn | *girato l'angolo*, just around the corner **2** (*mescolare*) to stir **3** (*avvolgere*) to wind* **4** (*passare ad altri*) to pass (on) | – *una telefonata*, to put through a call **5** (*assegno*) to endorse **6** (*filmare*) to shoot*, to film ♦ *v.intr.* **1** (*curvare*) to turn **2** (*ruotare*) to turn, to rotate; (*rapidamente*) to spin* **3** (*andare in giro*) to go* round, to circulate | – *in tondo*, to go round in circles | *gira al largo!*, keep (*o* stear) clear! ♦ **~rsi** *v.pron.* to turn.
girasole *s.m.* sunflower.
girata *s.f.* (*banca*) endorsement.
giravolta *s.f.* turn; (*fig.*) about-turn.
girello *s.m.* (*per bambini*) (baby) walker.
giro *s.m.* **1** (*rotazione*) turn, turning; (*percorso circolare*) round | *nel – di*, within | *essere su, giù di giri*, (*fig.*) to be high-spirited, low-spirited | *prendere in – qlcu.*, to make fun (*o* a fool) of s.o. **2** (*viaggio*) tour; (*passeggiata*) short walk, stroll **3** (*cerchia*) circle **4** (*a carte*) hand **5** (*d'affari*) turnover.
giromanica *s.m.* armhole.
girone *s.m.*: – *di andata, di ritorno*, first, second leg (*o* round).
gironzolare, **girovagare** *v.intr.* to wander, to roam (*around, about*).
gita *s.f.* trip, excursion.
gitante *s.m./f.* tripper, excursionist.
giù *avv.* (*in basso*) down; (*da basso*) downstairs | *in –, all'ingiù*, down, downward(s); *più in –*, (*lontano*) further (*o* farther) down | *su per –, – di lì*, roughly, about | *essere –*, (*di morale*) to be down (in the dumps), (*fisicamente*) to be run down.
giubbotto *s.m.* jacket; (*antiproiettile*) bullet-proof vest; (*di salvataggio*) life jacket.
giubileo *s.m.* jubilee.

giudicare *v.tr.* 1 to judge 2 (*ritenere*) to consider, to think*.
giudice *s.m.* judge | *il – Rossi*, Mr Justice Rossi | *– istruttore*, investigating magistrate | *– popolare*, member of a jury.
giudiziario *agg.* judicial | *ufficiale –*, bailiff.
giudizio *s.m.* 1 (*dir.*) judgement; (*sentenza*) sentence; (*processo*) trial | *rinvio a –*, indictment; *rinviare a –*, to commit for trial 2 (*opinione*) opinion 3 (*saggezza*) wisdom, (common) sense.
giudizioso *agg.* sensible.
giugno *s.m.* June.
giunchiglia *s.f.* jonquil; daffodil.
giunco *s.m.* reed, rush.
giungere → *arrivare* 1,3.
giungla *s.f.* jungle.
giuntare *v.tr.* to join; (*con cuciture*) to sew* together.
giuntura *s.f.* joint.
giuramento *s.m.* oath | *sotto –*, on, under oath.
giurare *v.tr./intr.* to swear* (*by*).
giurato *s.m.* juryman* | *i giurati*, the jury.
giuria *s.f.* jury.
giuridico *agg.* juridical; legal.
giurisdizione *s.f.* jurisdiction.
giurisprudenza *s.f.* jurisprudence, law.
giurista *s.m./f.* jurist.
giustamente *avv.* correctly, properly; (*a ragione*) rightly, justly.
giustapporre *v.tr.* to juxtapose.
giustezza *s.f.* 1 exactness, correctness 2 (*tip.*) justification.
giustificabile *agg.* justifiable.
giustificare *v.tr.* to justify.
giustificazione *s.f.* justification, excuse.
giustizia *s.f.* justice | *Palazzo di Giustizia*, Law Courts.
giustiziare *v.tr.* to execute.
giusto *agg.* 1 just; (*equo*) fair 2 (*esatto*) right 3 (*legittimo*) legitimate, lawful ♦ *avv.* 1 exactly, precisely 2 (*proprio*) just.
glaciale *agg.* glacial.
gli *pron.* (to) him; (to) it; (to) them.
glicine *s.m.* wisteria.
globale *agg.* global.
globo *s.m.* globe; (*oculare*) eyeball.
gloria *s.f.* glory.
glorificare *v.tr.* to glorify.
glorioso *agg.* glorious.
glossario *s.m.* glossary.
glucosio *s.m.* glucose.
gnomo *s.m.* gnome.
gobba *s.f.* hump; (*di luna*) crescent.
gobbo *agg.* humpbacked, hunchbacked ♦ *s.m.* humpback, hunchback.
goccia *s.f.* drop.
gocciolare *v.tr./intr.* to drip.
gocciolio *s.m.* dripping.
godere *v.tr./intr.* to enjoy; (*rallegrarsi*) to be* glad (*at*).
godimento *s.m.* enjoyment; (*piacere*) pleasure.
goffo *agg.* awkward, clumsy.
gola *s.f.* 1 throat 2 (*golosità*) gluttony | *far –*, to tempt 3 (*geogr.*) gorge, ravine.
golf[1] *s.m.* jersey, pullover; (*maglione*) sweater; (*aperto*) cardigan; (*chiuso, da donna*) jumper.
golf[2] *s.m.* (*sport*) golf: *campo da –*, golf course.
golfo *s.m.* gulf.
goloso *agg.* greedy ♦ *s.m.* glutton.
golpe *s.m.* coup (d'état).
golpista *s.m.* coup-man.
gomitata *s.f.* nudge.
gomito *s.m.* elbow | *– a –*, side by side.

gomitolo *s.m.* ball.
gomma *s.f.* **1** (*pneumatico*) tyre **2** (*per cancellare*) rubber, eraser **3** (*da masticare*) chewing gum.
gommapiuma *s.f.* foam rubber.
gommone *s.m.* rubber dinghy.
gommoso *agg.* rubbery.
gonfiare *v.tr.* **1** (*con aria, gas*) to inflate; (*pneumatico*) to pump up **2** (*fig.*) to exaggerate ♦ **~rsi** *v.pron.* to swell*.
gonfio *agg.* swollen; (*d'aria*) inflated.
gonfiore *s.m.* swelling.
gonna *s.f.* skirt: – *pantalone*, divided skirt.
gorgo *s.m.* whirlpool.
gorgogliare *v.intr.* to gurgle.
gorilla *s.m.* **1** gorilla **2** (*guardia del corpo*) bodyguard.
governante *s.m.* ruler ♦ *s.f.* housekeeper.
governare *v.tr.* to govern, to rule.
governativo *agg.* government (*attr.*), governmental.
governo *s.m.* government.
gracile *agg.* delicate, frail.
gradatamente *avv.* gradually, by degrees.
gradazione *s.f.* gradation; (*di colori*) shade | – *alcolica*, alcoholic content.
gradevole *agg.* pleasant.
gradimento *s.m.* pleasure, liking | *indice di* –, ratings.
gradino *s.m.* step.
gradire *v.tr.* to enjoy | *gradisci un whisky?*, would you like a whisky?
gradito *agg.* welcome; (*piacevole*) pleasant.
grado *s.m.* degree; (*gerarchico*) rank | *essere in*, to be able; *metter in* –, to enable.
graduale *agg.* gradual.
graduatoria *s.f.* list.
graffetta *s.f.* (paper) clip.
graffiare *v.tr.* to scratch.
graffio *s.m.* scratch.
grafica *s.f.* graphics
grafico *agg.* graphic ♦ *s.m.* **1** (*diagramma*) graph, chart **2** (*disegnatore*) designer.
gramigna *s.f.* weed.
grammatica *s.f.* grammar.
grammaticale *agg.* grammatical.
grammo *s.m.* gram, gramme.
grana *s.f.* trouble, problem.
granaio *s.m.* barn.
Gran Bretagna *no.pr.f.* Great Britain.
granchio *s.m.* **1** crab **2** (*errore*) blunder.
grandangolo *s.m.* (*fot.*) wide-angle lens.
grande *agg.* **1** great; (*grosso*) big; (*ampio*) large; (*largo*) wide, broad | *in* –, on a large scale **2** (*alto, elevato*) high; (*di statura*) tall **3** (*adulto*) grown-up.
grandezza *s.f.* (*dimensione*) size; (*mat., fis.*) quantity.
grandinare *v.intr.* to hail; (*fig.*) to hail down.
grandinata *s.f.* hailstorm.
grandine *s.f.* hail.
grandioso *agg.* grand.
granello *s.m.* grain; (*di polvere*) speck.
granita *s.f.* crushed-ice drink.
granito *s.m.* granite.
grano *s.m.* (*frumento*) wheat; (*cereale in genere*) corn.
granturco *s.m.* maize; (*amer.*) corn.
grappolo *s.m.* bunch, cluster.
grasso *agg.* **1** fat | *pianta grassa*, succulent plant **2** (*di cibi*) fatty **3** (*unto*) greasy, oily ♦ *s.m.* fat; (*per lubrificare*) grease.

grassoccio *agg.* plump, chubby.
grata *s.f.* grating.
graticcio *s.m.* trellis.
graticola *s.f.* gridiron, grill.
gratifica *s.f.* bonus.
gratificare *v.tr.* to gratify.
gratificazione *s.f.* fulfilment, satisfaction.
gratis *avv.* free; for nothing.
gratitudine *s.f.* gratitude.
grato *agg.* grateful, thankful.
grattacielo *s.m.* skyscraper.
grattare *v.tr.* **1** to scratch; (*raschiare*) to scrape **2** (*grattugiare*) to grate **3** (*fam., rubare*) to pinch.
grattugia *s.f.* grater.
grattugiare *v.tr.* to grate.
gratuito *agg.* free (of charge); (*ingiustificato*) gratuitous.
gravare *v.tr.* to burden, to encumber.
grave *agg.* **1** heavy, severe; serious; important **2** (*solenne, austero*) grave, solemn.
gravidanza *s.f.* pregnancy.
gravitare *v.intr.* to gravitate.
gravoso *agg.* heavy, burdensome.
grazia *s.f.* grace; (*favore*) favour; (*dir.*) pardon.
graziare *v.tr.* to pardon.
grazie *s.m., inter.* thank you, thanks: – *tante!, mille –!*, many thanks!, thank you very much!; – *di tutto*, thanks for everything; *sì*, –, yes, please; *no*, –, no, thanks | – *a*, thanks to.
grazioso *agg.* pretty; charming.
Grecia *no.pr.f.* Greece.
greco *agg., s.m.* Greek.
gregge *s.m.* herd, flock.
greggio *agg.* raw; (*di petrolio*) crude.
grembiule *s.m.* apron.
grembo *s.m.* lap.
gremito *agg.* crammed, packed (*with*).
gretto *agg.* **1** (*meschino*) mean; (*di mente*) petty, narrow-minded **2** (*spilorcio*) stingy.
grezzo *agg.* rough, raw; (*di minerale*) crude.
gridare *v.tr./intr.* to shout, to cry (out).
grido *s.m.* cry; shout; scream | *di* –, famous, renowned.
grigio *agg.* grey, (*amer.*) gray.
griglia *s.f.* grill | *alla* –, grilled.
grigliare *v.tr.* to grill, to barbecue.
grilletto *s.m.* trigger.
grillo *s.m.* **1** cricket **2** (*capriccio*) fancy, whim.
grimaldello *s.m.* picklock.
grinta *s.f.* pluck.
grintoso *agg.* plucky.
grinza *s.f.* crease.
grissino *s.m.* breadstick.
Groenlandia *no.pr.f.* Greenland.
grondaia *s.f.* (*canale*) roof gutter; (*tubo di discesa*) gutter-pipe, water-spout.
grossezza *s.f.* size; (*volume*) bulk; (*spessore*) thickness.
grossista *s.m./f.* wholesaler, wholesale dealer.
grosso *agg.* big, great; (*esteso*) large; (*spesso*) thick | *parole grosse*, hard words | *questa è grossa*, this is too much | *sbagliare di* –, to be completely wrong.
grossolano *agg.* coarse; rough; (*di errore*) gross.
grossomodo *avv.* roughly, about.
grotta *s.f.* cave.
grottesco *agg.* grotesque.
groviglio *s.m.* tangle.
gru *s.f.* crane.
gruccia *s.f.* crutch.
grugnito *s.m.* grunt.
grumo *s.m.* clot; (*di farina ecc.*) lump.

grumoso *agg.* lumpy.
gruppo *s.m.* group: *in* –, in a group.
guadagnare *v.tr.* to earn; (*al gioco*) to win*; (*tempo, terreno ecc.*) to gain; (*conquistare*) to win*.
guadagno *s.m.* gain; (*pl. profitti*) profits, (*entrate*) earnings.
guaio *s.m.* trouble | *che –!*, what a nuisance! | *in un mare di guai*, in deep trouble.
guancia *s.f.* cheek.
guanciale *s.m.* pillow.
guanto *s.m.* glove: – *a manopola*, mitt(en).
guardare *v.tr.* **1** to look (*at*); (*osservare*) to watch | *guardarsi intorno*, to look around **2** (*cercare*) to search, to look **3** (*sorvegliare*) to take* care (*of*); to look after ♦ *v.intr.* **1** to face; (*dare su*) to look out on **2** (*considerare*) to look (*on, upon*), to regard **3** (*badare*) to mind ♦ **~rsi** *v.pron.* **1** (*stare in guardia*) to beware (*of*) **2** (*astenersi*) to refrain (*from*).
guardaroba *s.m.* **1** wardrobe **2** (*stanza*) linen room; (*armadio*) linen cupboard; (*amer.*) closet **3** (*di cinema, teatro*) cloakroom; (*amer.*) checkroom.
guardata *s.f.* look; (*occhiata*) glance.
guardia *s.f.* guard; watch: – *carceraria*, warder.
guardiano *s.m.* guard: – *notturno*, night watchman.
guardiola *s.f.* porter's lodge.
guarigione *s.f.* recovery.
guarire *v.intr.* to recover; (*rimarginarsi*) to heal ♦ *v.tr.* to cure.
guarnizione *s.f.* **1** trimming, decoration; (*cuc.*) garnish **2** (*di rubinetto*) washer.
guastafeste *s.m./f.* spoilsport.
guastare *v.tr.* to spoil*; (*rovinare*) to ruin ♦ **~rsi** *v.pron.* **1** (*di alimenti*) to go* bad **2** (*di meccanismo*) to break* down **3** (*di tempo*) to change for the worse.
guasto *agg.* **1** spoilt; damaged; (*di meccanismi*) out of order **2** (*marcio*) rotten | *un dente* –, a decayed tooth ♦ *s.m.* fault, failure; breakdown.
guerra *s.f.* war: *in tempo di* –, in wartime.
guerriero *s.m.* warrior.
guerriglia *s.f.* guer(r)illa warfare.
guerrigliero *s.m.* guer(r)illa.
gufo *s.m.* owl.
guglia *s.f.* spire.
gugliata *s.f.* needleful.
guida *s.f.* **1** guide **2** (*passatoia*) (carpet) runner **3** (*aut.*) drive, driving | *scuola (di)* –, driving school.
guidare *v.tr.* **1** to guide; (*capeggiare*) to lead* **2** (*veicoli*) to drive*.
guidatore *s.m.* driver.
guinzaglio *s.m.* leash, lead.
guizzare *v.intr.* to dart; to flash.
guizzo *s.m.* dart; flash.
guscio *s.m.* shell; (*baccello*) husk.
gustare *v.tr.* **1** to taste, to try **2** (*apprezzare*) to enjoy, to appreciate.
gusto *s.m.* **1** taste: *al – di vaniglia*, vanilla-flavoured **2** (*piacere*) pleasure | *di* –, heartily.
gustoso *agg.* tasty.

I

iarda *s.f.* yard.
ibrido *agg., s.m.* hybrid.
icona *s.f.* icon.

idea *s.f.* 1 idea: *la minima* –, the faintest (*o* slightest) idea | *rendere l'*–, to make oneself clear | *neanche per* –!, not on your life! | *avere una mezza* –, to have half a mind 2 (*opinione*) mind, opinion 3 (*ideale*) ideal.
ideale *agg., s.m.* ideal.
idealizzare *v.tr.* to idealize.
ideare *v.tr.* 1 to devise 2 (*progettare*) to plan.
idem *avv., pron.* ditto (*abbr.* do).
identico *agg.* identical.
identificare *v.tr.* to identify.
identità *s.f.* identity.
ideologico *agg.* ideological.
ideologo *s.m.* ideologist.
idilliaco, idillico *agg.* idyllic.
idillio *s.m.* 1 idyllic life 2 (*relazione amorosa*) romance.
idiomatico *agg.* idiomatic.
idiota *s.m./f.* idiot.
idolo *s.m.* idol.
idoneo *agg.* fit (*for*) (*pred.*).
idrante *s.m.* (*pompa*) hose.
idratante *s.m.* moisturizing cream.
idraulico *agg.* hydraulic ♦ *s.m.* plumber.
idrico *agg.* water (*attr.*).
idro- *pref.* hydro-.
idrocarburo *s.m.* (*chim.*) hydrocarbon.
idrofobo *agg.* rabid, mad.
idrogeno *s.m.* (*chim.*) hydrogen.
idromassaggio *s.m.* hydromassage.
idropittura *s.f.* water paint.
idrorepellente *agg.* water-repellent.
idrovolante *s.m.* seaplane.
iella *s.f.* (*fam.*) bad luck.
iellato *agg.* (*fam.*) unlucky.
iena *s.f.* hy(a)ena.
ieri *avv., s.m.* yesterday: – *sera*, yesterday evening, last night; *l'altro* –, the day before yesterday.
iettatore *s.m.* jinx.
igiene *s.f.* hygiene.
igienico *agg.* 1 hygienic, sanitary 2 (*sano*) healthy.
ignaro *agg.* unaware, ignorant.
ignifugo *agg.* fireproof.
ignobile *agg.* ignoble, mean.
ignominioso *agg.* ignominious.
ignorante *agg., s.m./f.* ignorant (person).
ignoranza *s.f.* ignorance.
ignorare *v.tr.* 1 not to know* 2 (*trascurare*) to ignore.
ignoto *agg., s.m.* unknown.
il *art.* the.
ilarità *s.f.* 1 hilarity 2 (*riso*) laughter ⓤ.
illazione *s.f.* inference, deduction.
illecito *agg.* illicit ♦ *s.m.* (*dir.*) offence.
illegale *agg.* illegal, unlawful.
illeggibile *agg.* unreadable; (*indecifrabile*) illegible.
illegittimo *agg.* illegitimate.
illeso *agg.* unhurt, unharmed.
illimitato *agg.* unlimited.
illogico *agg.* illogical.
illudere *v.tr.* to deceive, to delude.
illuminare *v.tr.* to light* (up), to illuminate | – *a giorno*, to floodlight ♦ **~rsi** *v.pron.* to lighten (*anche fig.*).
illuminazione *s.f.* lighting.
illusione *s.f.* illusion.
illusionista *s.m./f.* conjurer.
illuso *s.m.* dreamer; fool.
illusorio *agg.* illusory.
illustrare *v.tr.* to illustrate.
illustrativo *agg.* explanatory.
illustrazione *s.f.* illustration.
illustre *agg.* illustrious, renowned.
imbacuccarsi *v.pron.* to muffle oneself (up).

imballaggio *s.m.* packing, wrapping.
imballare *v.tr.* to pack, to wrap up.
imballarsi *v.pron.* (*aut.*) to race.
imbalsamare *v.tr.* to embalm; (*animale*) to stuff.
imbambolato *agg.* vacant, blank.
imbarazzare *v.tr.* to embarrass.
imbarazzo *s.m.* embarrassment | *non c'è che l'– della scelta*, you can take your pick.
imbarcadero *s.m.* (*mar.*) pier, wharf*.
imbarcare *v.tr.* to take* on board; (*merci*) to load | *– acqua*, to ship water ♦ **~rsi** *v.pron.* to embark.
imbarcazione *s.f.* boat.
imbarco *s.m.* embarkation; (*su aereo*) boarding; (*di merci*) loading.
imbastire *v.tr.* **1** to baste, to tack **2** (*improvvisare*) to improvise.
imbattersi *v.pron.* to run* (*into*).
imbattibile *agg.* unbeatable.
imbeccata *s.f.* **1** beakful **2** (*fig.*) prompting.
imbecille *s.m./f.* imbecile, idiot.
imbevuto *agg.* soaked (*in*); (*fig.*) imbued.
imbiancare *v.tr.* to whiten; (*a calce*) to whitewash; (*con pittura*) to paint.
imbianchino *s.m.* painter, decorator.
imbiondire *v.tr.* (*cuc.*) to brown.
imbizzarrirsi *v.pron.* to become* frisky.
imboccare *v.tr.* **1** to feed* **2** (*entrare in*) to turn into, to enter.
imboccatura *s.f.* mouth, opening.
imbocco *s.m.* entrance.
imboscata *s.f.* ambush.
imboscato *s.m.* (*mil.*) draft-dodger.
imbottigliato *agg.* **1** bottled **2** (*fig.*) caught, stuck (in a traffic jam).
imbottito *agg.* **1** stuffed **2** (*farcito*) filled.
imbottitura *s.f.* stuffing; (*per indumenti*) padding.
imbracciare *v.tr.* to shoulder.
imbranato *agg.* (*fam.*) clumsy, awkward.
imbroccare *v.tr.* to hit*; (*indovinare*) to guess.
imbrogliare *v.tr.* **1** to cheat **2** (*ingarbugliare*) to tangle up.
imbroglio *s.m.* **1** cheat **2** (*impiccio*) mess.
imbroglione *s.m.* cheat, swindler.
imbronciato *agg.* sulky.
imbrunire *s.m.* nightfall, dusk.
imbucare *v.tr.* to post.
imbuto *s.m.* funnel.
imitare *v.tr.* to imitate.
imitatore *s.m.* (*attore*) mimic.
imitazione *s.f.* **1** imitation **2** (*contraffazione*) forgery; (*falso*) fake.
immaginare *v.tr.* to imagine.
immagine *s.f.* image.
immancabile *agg.* unfailing; (*certo*) sure, certain.
immangiabile *agg.* uneatable.
immatricolare *v.tr.* (*persona*) to enrol; (*veicolo*) to register.
immaturo *agg.* unripe; (*fig.*) immature.
immedesimarsi *v.pron.* to identify oneself (*with*).
immediato *agg.* immediate.
immemorabile *agg.* immemorial.
immenso *agg.* immense.
immergere *v.tr.* to immerse; (*delicatamente*) to dip; (*con forza*) to plunge.
immeritato *agg.* undeserved, unmerited.
immersione *s.f.* immersion.
immettere *v.tr.* to introduce; (*sul mercato*) to bring* out.
immigrato *agg., s.m.* immigrant.

imminente *agg.* imminent.
immischiare *v.tr.* to involve ♦ **~rsi** *v.pron.* to interfere.
immobile *agg.* motionless ♦ *s.m.* real estate [U]; (*edificio*) building.
immobiliare *agg.* estate (*attr.*): *proprietà* –, real estate; *società* –, property company.
immobilizzare *v.tr.* to immobilize.
immondizia *s.f.* rubbish [U], (*amer.*) garbage [U].
immorale *agg.* immoral.
immortale *agg.* immortal.
immune *agg.* immune; (*libero*) free.
immunitario *agg.* immune (*attr.*).
immunodeficienza *s.f.* immunodeficiency.
immutabile *agg.* immutable.
immutato *agg.* unchanged.
impacciato *agg.* awkward, clumsy.
impaccio *s.m.* hindrance.
impacco *s.m.* compress.
impadronirsi *v.pron.* **1** to seize (*sthg.*) **2** (*imparare bene*) to master (*sthg.*).
impagabile *agg.* invaluable.
impalato *agg.* stiff.
impalcatura *s.f.* scaffolding.
impallidire *v.intr.* to turn pale.
impalpabile *agg.* impalpable; very fine.
impantanarsi *v.pron.* to get* stuck.
impappinarsi *v.pron.* to stammer.
imparare *v.tr.* to learn*.
impareggiabile *agg.* incomparable.
impari *agg.* unequal.
imparziale *agg.* impartial.
impassibile *agg.* impassive.
impastare *v.tr.* (*cuc.*) to mix.
impasto *s.m.* (*cuc.*) mixture.
impatto *s.m.* impact (*anche fig.*).
impaziente *agg.* impatient; (*desideroso*) eager.
impazzire *v.intr.* **1** to go* mad, to go* crazy **2** (*cuc.*) (*di salse*) to separate.
impazzito *agg.* mad, crazy.
impeccabile *agg.* impeccable.
impedimento *s.m.* impediment, hindrance.
impedire *v.tr.* to prevent (*s.o. from doing*); (*ostacolare*) to obstruct.
impegnare *v.tr.* **1** to pawn, to pledge **2** (*vincolare*) to bind* **3** (*tenere impegnato*) to engage ♦ **~rsi** *v.pron.* **1** to commit oneself **2** (*dedicarsi*) to dedicate oneself (*to*).
impegnativo *agg.* demanding, exacting.
impegno *s.m.* **1** commitment, obligation **2** (*incombenza*) engagement; (*appuntamento*) appointment **3** (*zelo*) dedication.
impenetrabile *agg.* impenetrable.
impenitente *agg.* (*fig.*) inveterate.
impensierire *v.tr.* to worry.
impercettibile *agg.* imperceptible.
imperfezione *s.f.* imperfection; (*difetto*) defect.
imperialismo *s.m.* imperialism.
imperioso *agg.* imperious.
impermeabile *agg.* impermeable; (*all'acqua*) waterproof ♦ *s.m.* raincoat; trench coat.
impermeabilizzare *v.tr.* to waterproof.
imperniare *v.tr.* to hinge.
impero *s.m.* empire.
impersonale *agg.* impersonal.
imperterrito *agg.* unperturbed.
impertinente *agg.* impertinent.
imperturbabile *agg.* imperturbable.
imperversare *v.intr.* to rage.
impeto *s.m.* impetus, force; (*impulso*) outburst | *con* –, vehemently.

impetuoso *agg.* impetuous, impulsive; (*di acqua*) rushing.
impianto *s.m.* **1** plant, system: – *elettrico*, wiring | *impianti sportivi*, sports facilities **2** (*installazione*) installation.
impiastro *s.m.* (*fig. fam.*) nuisance.
impiccare *v.tr.* to hang*.
impicciarsi *v.pron.* to meddle (*in*).
impiegare *v.tr.* **1** to use, to employ; (*tempo*) to spend* **2** (*metterci*) to take* ♦ **~rsi** *v.pron.* to get* a job.
impiegato *s.m.* employee; office-worker; (*contabile*) clerk: – *statale*, state employee; (*in* GB) civil servant.
impiego *s.m.* **1** job, position: *offerta d'*–, vacancy; *domanda d'*–, application for a post | *pubblico* –, state employees, (*in* GB) Civil Service **2** (*uso*) use, employment.
impietoso *agg.* merciless, pitiless.
impigliarsi *v.pron.* to catch*.
implacabile *agg.* relentless.
implicare *v.tr.* **1** to involve **2** (*comportare*) to entail.
implicito *agg.* implicit.
implorare *v.tr.* to implore (*s.o. for sthg.*).
impolverato *agg.* covered with dust.
imponente *agg.* imposing; impressive.
imponibile *s.m.* taxable income.
impopolare *agg.* unpopular.
imporre *v.tr.* **1** to impose **2** (*ordinare*) to command, to order ♦ **~rsi** *v.pron.* **1** (*farsi valere*) to assert one's authority **2** (*aver successo*) to become* popular.
importante *agg.* important ♦ *s.m.* main point.
importanza *s.f.* importance.
importare *v.tr.* to import ♦ *v.intr.* **1** to matter; to care: *non importa!*, it doesn't matter! (*o* never mind!); *non gliene importa niente*, he couldn't care less **2** (*occorrere*) to be necessary.
importazione *s.f.* import; importation.
importo *s.m.* amount; sum.
imposizione *s.f.* **1** imposition **2** (*ordine*) order, command.
impossessarsi *v.pron.* to seize (*sthg.*).
impossibile *agg.* impossible.
imposta[1] *s.f.* tax; duty; taxation: – *sul reddito*, income tax; *al netto delle imposte*, after tax.
imposta[2] *s.f.* (*di finestra*) shutter.
impostare *v.tr.* to plan out.
impotente *agg.* impotent.
impraticabile *agg.* impracticable.
imprecare *v.intr.* to curse (*s.o., sthg.*).
imprecisato *agg.* unspecified.
impregnare *v.tr.* to impregnate.
imprenditore *s.m.* entrepreneur.
impreparato *agg.* unprepared (*for*).
impresa *s.f.* **1** undertaking, enterprise; venture **2** (*azienda*) business, firm, concern: – *di costruzioni*, builders, building contractors.
impresario *s.m.* (*teatr.*) manager, (*amer.*) producer.
impressionante *agg.* impressive; (*spaventoso*) awful.
impressionare *v.tr.* to shock ♦ **~rsi** *v.pron.* to be shocked.
impressione *s.f.* impression, feeling; (*turbamento*) shock: *fare buona – a qlcu.*, to impress s.o. favourably.
imprevedibile *agg.* unforeseeable.
imprevisto *agg.* unforeseen ♦ *s.m.* accident.
imprigionare *v.tr.* to imprison.
imprimere *v.tr.* **1** to impress, to imprint **2** (*dare*) to give*.
improbabile *agg.* improbable, unlikely.

improduttivo *agg.* unproductive.
impronta *s.f.* **1** track; (*fig.*) mark, stamp: – *digitale*, fingerprint **2** (*calco*) cast.
improprio *agg.* improper | *arma impropria*, offensive weapon.
improrogabile *agg.* final | *scadenza, termine* –, deadline.
improvvisare *v.tr./intr.* to improvise ♦ **~rsi** *v.pron.* to play, to turn oneself into.
improvvisata *s.f.* surprise.
improvviso *agg.* sudden | *all'*–, suddenly, all of a sudden; (*inaspettatamente*) unexpectedly.
imprudente *agg.* imprudent; rash.
impudente *agg.* impudent.
impugnare *v.tr.* (*dir.*) to contest.
impulsivo *agg.* impulsive.
impulso *s.m.* impulse: *d'*–, on impulse.
impunemente *avv.* scot-free.
impuntarsi *v.pron.* to stick* obstinately (*to*).
imputato *s.m.* defendant, accused ♦ *agg.* accused; charged (*with*).
imputazione *s.f.* charge, imputation.
in *prep.* in; (*moto a luogo*) to | – *casa*, at home; – *giardino*, in the garden | – *quel momento*, at that moment; *nel 1990*, in 1990 | *andare – treno*, to go by train | *andare – cucina*, to go into the kitchen | *sono – due*, there are two of them | – *pantofole*, wearing slippers.
inabile *agg.* unfit.
inabissarsi *v.pron.* to sink*.
inaccessibile *agg.* inaccessible.
inaccettabile *agg.* unacceptable.
inacidirsi *v.pron.* to turn sour.
inadeguato *agg.* inadequate.
inadempiente *agg.* defaulting.
inagibile *agg.* unfit for use (*pred.*).
inalazione *s.f.* inhalation.
inamidare *v.tr.* to starch.
inammissibile *agg.* unacceptable.
inanimato *agg.* inanimate; lifeless.
inappuntabile *agg.* irreproachable.
inaridito *agg.* dried up, parched; (*di piante*) withered.
inaspettato *agg.* unexpected; (*imprevisto*) unforeseen.
inasprire *v.tr.* to embitter ♦ **~rsi** *v.pron.* to become* embittered.
inattendibile *agg.* unreliable.
inattività *s.f.* inactivity, idleness.
inaudito *agg.* incredible.
inaugurare *v.tr.* to inaugurate; to open.
inaugurazione *s.f.* inauguration; opening.
incagliarsi *v.pron.* to run* ashore.
incalcolabile *agg.* incalculable.
incallito *agg.* hardened, inveterate.
incamminarsi *v.pron.* to set* out; to set* off.
incanalare *v.tr.* (*fig.*) to direct, to channel.
incandescente *agg.* incandescent; (*fig.*) heated.
incantare *v.tr.* to enchant, to charm ♦ **~rsi** *v.pron.* **1** to be enchanted, to be charmed **2** (*incepparsi*) to get* stuck, to jam.
incantesimo *s.m.* spell, charm: *fare un* –, to cast a spell.
incantevole *agg.* enchanting, charming; (*delizioso*) delightful.
incanto *s.m.* enchantment; (*fascino*) charm.
incapace *agg.* incapable, unable; (*inetto*) incompetent | – *di intendere e di volere*, of unsound mind.
incaricare *v.tr.* to charge, to entrust ♦ **~rsi** *v.pron.* to take* upon oneself.
incaricato *s.m.* person in charge.

incarico *s.*task, job; (*nomina*) appointment.
incarnito *agg.* ingrowing.
incartamento *s.m.* file, dossier.
incartare *v.tr.* to wrap (up).
incassare *v.tr.* to cash, to collect.
incassato *agg.* **1** (*di mobile*) built-in **2** (*di luogo*) enclosed.
incasso *s.m.* collection; (*somma incassata*) takings (*pl.*).
incastrare *v.tr.* **1** to drive*, to stick* **2** (*fig. fam.*) to frame, to set* up.
incastro *s.m.* joint.
incauto *agg.* incautious.
incavo *s.m.* hollow; (*cavità*) cavity; (*scanalatura*) groove.
incendiare *v.tr.* to set* on fire ♦ **~rsi** *v.pron.* to catch* fire.
incendio *s.m.* fire | – *doloso*, arson.
incensurato *agg.* (*dir.*) *essere* –, to have a clean record.
incentivo *s.m.* incentive; (*spinta*) boost.
incepparsi *v.pron.* to jam, to block.
incertezza *s.f.* **1** uncertainty **2** (*indecisione*) indecision, hesitation.
incerto *agg.* **1** doubtful, uncertain | *tempo* –, unsettled weather **2** (*indeciso*) undecided **3** (*vago*) unclear, indistinct ♦ *s.m.* risk: *gli incerti del mestiere*, occupational hazards.
incessante *agg.* unceasing, incessant.
incetta *s.f.* buying up.
inchiesta *s.f.* inquiry, investigation.
inchino *s.m.* bow; (*di donna*) curtsey.
inchiodare *v.tr.* to nail.
inchiostro *s.m.* ink: – *di china*, Indian ink.
inciampare *v.intr.* to trip (up).
incidente *s.m.* accident.
incidere *v.tr.* **1** to cut*, to carve; to engrave **2** (*registrare*) to record ♦ *v.intr.* (*gravare*) to weigh upon.
incinta *agg.* pregnant.
incisione *s.f.* **1** incision, cut **2** (*arte*) engraving **3** (*registrazione*) recording.
incisivo *agg.* incisive ♦ *s.m.* (*dente*) incisor.
inciso, per *avv.* incidentally.
incisore *s.m.* engraver.
incitare *v.tr.* to incite, to urge.
incivile *agg.* (*maleducato*) rude.
inclemente *agg.* inclement; (*rigido*) severe.
inclinare *v.tr./intr.* to incline.
inclinazione *s.f.* inclination; slope.
incline *agg.* inclined, prone.
includere *v.tr.* to include.
incoerente *agg.* inconsistent.
incognita *s.f.* (*fig.*) uncertainty.
incollare *v.tr.* to stick*.
incollatura *s.f.* (*ippica*) neck.
incolore *agg.* colourless (*anche fig.*).
incolpevole *agg.* innocent, blameless.
incolto *agg.* uncultivated | *barba incolta*, unkempt beard.
incolume *agg.* safe (and sound).
incombere *v.intr.* to impend.
incominciare → *cominciare*.
incompatibilità *s.f.* incompatibility.
incompetente *agg.* incompetent.
incompleto *agg.* incomplete.
incomprensibile *agg.* incomprehensible.
inconcepibile *agg.* absurd, incredible.
inconcludente *agg.* inconclusive; (*di persona*) ineffectual.
incondizionato *agg.* unconditional.
inconfessabile *agg.* unmentionable.
inconfondibile *agg.* unmistak(e)able.
incongruente *agg.* inconsistent.
inconsapevole *agg.* unaware.
inconscio *agg.*, *s.m.* unconscious.

inconsueto *agg.* unusual.
inconsulto *agg.* rash, reckless.
incontaminato *agg.* uncontaminated.
incontentabile *agg.* hard to please (*pred.*).
incontrare *v.tr.*, **incontrarsi** *v.pron.* to meet*.
incontro[1] *s.m.* **1** meeting, encounter **2** (*sport*) match.
incontro[2], *prep.* **1** toward(s): *andare – a qlcu.*, to go and meet s.o. | *cercheremo di venirle –*, we shall try to meet you halfway **2** (*contro*) against.
incontrovertibile *agg.* incontrovertible.
inconveniente *s.m.* mishap, hitch.
incoraggiare *v.tr.* to encourage.
incorniciare *v.tr.* to frame.
incoronare *v.tr.* to crown.
incoronazione *s.f.* coronation.
incorporare *v.tr.* to incorporate; (*amalgamare*) to mix in.
incorreggibile *agg.* incorrigible.
incorrere *v.intr.* to incur (*sthg.*).
incosciente *agg.* **1** unconscious **2** (*irresponsabile*) reckless.
incostante *agg.* inconstant, fickle.
incostituzionale *agg.* unconstitutional.
incredibile *agg.* incredible.
incredulo *agg.* incredulous.
incremento *s.m.* increase.
incriminare *v.tr.* to indict (*for*), to charge (*with*).
incriminazione *s.f.* indictment, charge.
incrinare *v.tr.* to crack; (*fig.*) to damage ♦ **-rsi** *v.pron.* to crack; (*fig.*) to deteriorate.
incrinatura *s.f.* crack; (*fig.*) rift.
incrociare *v.tr.* to cross.
incrociatore *s.m.* (*mar.*) cruiser.
incrocio *s.m.* **1** crossing; intersection **2** (*bot., zool.*) cross.
incrollabile *agg.* unshak(e)able.
incrostato *agg.* encrusted.
incruento *agg.* bloodless.
incubatrice *s.f.* incubator.
incubo *s.m.* nightmare.
incudine *s.f.* anvil.
inculcare *v.tr.* to inculcate.
incurabile *agg.* incurable.
incurante *agg.* careless.
incuria *s.f.* negligence.
incuriosire *v.tr.* to make* curious.
incursione *s.f.* raid.
incurvare *v.tr.* to curve; to bend*.
incustodito *agg.* unguarded.
incutere *v.tr.* to inspire (*s.o. with sthg.*).
indaffarato *agg.* busy (*doing*).
indagare *v.tr.* to inquire (*into*).
indagine *s.f.* **1** inquiry **2** (*ricerca*) survey, research.
indebitarsi *v.pron.* to get* into debt.
indebitato *agg.* indebted, in debt.
indebito *agg.* unlawful.
indebolire *v.tr.*, **indebolirsi** *v.pron.* to weaken.
indecente *agg.* indecent.
indeciso *agg.* undecided.
indefinibile *agg.* indefinable.
indefinito *agg.* indefinite.
indeformabile *agg.* shape-retaining.
indegno *agg.* unworthy; (*di cosa*) base.
indelebile *agg.* indelible.
indelicato *agg.* tactless.
indenne *agg.* unharmed, uninjured.
indennità *s.f.* allowance.
indennizzare *v.tr.* to indemnify.
indennizzo *s.m.* indemnity | *richiesta di –*, claim for damages.
indentro *avv.* in(wards).
inderogabile *agg.* binding.
indescrivibile *agg.* indescribable.
indeterminato *agg.* indeterminate.

indiano *agg., s.m.* Indian.
indiavolato *agg.* frantic; crazy.
indicare *v.tr.* **1** to indicate, to show*; (*col dito*) to point at **2** (*consigliare*) to suggest **3** (*significare*) to mean*.
indicativo *agg.* **1** indicative **2** (*approssimativo*) approximate.
indicato *agg.* suitable; (*giusto*) right.
indicazione *s.f.* piece of information; (*pl.*) information ⓤ.
indice *s.m.* **1** forefinger, index finger **2** (*di libro*) contents (*pl.*) **3** (*stat.*) index* **4** (*fig.*) (*segno*) sign.
indicibile *agg.* inexpressible.
indicizzare *v.tr.* (*econ.*) to index.
indietro *avv.* back; (*dietro*) behind | *avanti e* –, to and fro | *essere, restare* –, (*di orologio*) to be slow.
indifeso *agg.* defenceless.
indifferente *agg.* indifferent.
indigeno *agg., s.m.* native.
indigestione *s.f.* indigestion.
indigesto *agg.* indigestible.
indignato *agg.* indignant (*at*).
indignazione *s.f.* indignation.
indimenticabile *agg.* unforgettable.
indipendente *agg., s.m.* independent (*of*).
indire *v.tr.* to announce; to call.
indiretto *agg.* indirect.
indirizzare *v.tr.* to address.
indirizzo *s.m.* address.
indisciplinato *agg.* undisciplined.
indiscreto *agg.* indiscreet.
indiscrezione *s.f.* indiscretion.
indiscusso *agg.* undisputed.
indiscutibile *agg.* unquestionable.
indispensabile *agg.* indispensable; essential ♦ *s.m.* necessary.
indispettito *agg.* annoyed, irritated.
indisponente *agg.* irritating.
indisposto *agg.* indisposed, unwell.
indistinto *agg.* indistinct; vague.
indivia *s.f.* (*bot.*) endive.
individuale *agg.* individual.
individuo *s.m.* individual; character.
indiziato *s.m.* suspect ♦ *agg.* suspected.
indizio *s.m.* indication, clue.
indole *s.f.* nature, temperament.
indolente *agg.* indolent, lazy.
indolenzito *agg.* aching, stiff, sore.
indolore *agg.* painless.
indossatore *s.m.*, **indossatrice** *s.f.* model.
indosso *avv.* on.
indovinare *v.tr.* to guess; (*azzeccare*) to choose* right.
indovinato *agg.* well-chosen; (*riuscito*) successful.
indovinello *s.m.* puzzle; (*enigma*) riddle.
indubbio *agg.* undoubted.
indugio *s.m.* delay.
indulgente *agg.* indulgent (*to*).
indumento *s.m.* garment; (*pl.*) clothes.
indurire *v.tr.* to harden.
indurre *v.tr.* to lead*.
industria *s.f.* industry.
industriale *agg.* industrial ♦ *s.m.* industrialist.
inebetito *agg.* stupefied, stupid.
inebriante *agg.* intoxicating.
ineccepibile *agg.* unexceptionable.
inedito *agg., s.m.* unpublished (work).
ineffabile *agg.* ineffable.
ineguagliabile *agg.* unequalled.
inenarrabile *agg.* unspeakable.
inequivocabile *agg.* unmistakable.
inerte *agg.* **1** inert **2** (*immobile*) still.
inesatto *agg.* incorrect.
inesauribile *agg.* inexhaustible.
inesorabile *agg.* inexorable.

inesperienza *s.f.* inexperience.
inestimabile *agg.* inestimable.
inetto *agg., s.m.* good-for-nothing.
inevaso *agg.* (*comm.*) outstanding.
inevitabile *agg., s.m.* inevitable.
inezia *s.f.* trifle.
infallibile *agg.* infallible.
infamante *agg.* defamatory, slanderous.
infame *agg.* infamous, vile.
infangare *v.tr.* to muddy; (*fig.*) to sully.
infantile *agg.* **1** children's; childlike **2** (*puerile*) childish.
infanzia *s.f.* childhood.
infastidire *v.tr.* to annoy; (*importunare*) to bother.
infatti *cong.* in fact, as a matter of fact; (*veramente*) actually.
infedele *agg.* unfaithful.
infelice *agg.* **1** unhappy **2** (*inopportuno*) unfortunate **3** (*fatto male*) bad, poor.
inferiore *agg.* **1** lower **2** (*meno buono*) inferior ♦ *s.m.* subordinate.
inferiorità *s.f.* inferiority.
infermeria *s.f.* infirmary.
infermiera *s.f.* nurse.
infermiere *s.m.* (male) nurse.
infernale *agg.* hellish; (*terribile*) terrible.
inferno *s.m.* hell.
inferocito *agg.* furious; enraged.
inferriata *s.f.* grille, grating.
infestare *v.tr.* to infest.
infettivo *agg.* infectious, contagious.
infetto *agg.* infected.
infezione *s.f.* infection.
infiammabile *agg.* inflammable.
infiammare *v.tr.* to set* on fire; (*fig.*) to inflame ♦ **~rsi** *v.pron.* (*med.*) to get* inflamed.
infiammazione *s.f.* inflammation.
infierire *v.intr.* to be pitiless (*towards*).
infilare *v.tr.* **1** to thread; (*perle*) to string*; (*anelli*) to slip **2** (*inserire*) to insert ♦ **~rsi** *v.pron.* to slip.
infiltrato *s.m.* infiltrator.
infiltrazione *s.f.* (*di acqua*) seepage.
infimo *agg.* very low.
infine *avv.* **1** finally **2** (*in fondo*) after all.
infinità *s.f.* infinite number.
infinito *agg., s.m.* **1** infinite **2** (*senza fine*) endless.
infischiarsi *v.pron.* not to care.
infisso *s.m.* frame.
inflazione *s.f.* inflation.
inflessibile *agg.* inflexible.
infliggere *v.tr.* to inflict (*sthg. on s.o.*).
influente *agg.* influential.
influenza *s.f.* **1** influence **2** (*med.*) influenza; (*fam.*) flu.
influenzare *v.tr.* to influence, to affect.
influire *v.intr.* to influence (*s.o., sthg.*).
influsso *s.m.* influence.
infondato *agg.* groundless, unfounded.
informale *agg.* informal.
informare *v.tr.* to inform ♦ **~rsi** *v.pron.* to make* inquiries.
informatica *s.f.* computer science.
informazione *s.f.* piece of information; (*pl.*) information ⓤ.
infortunato *agg.* injured.
infortunio *s.m.* accident.
infradito *s.m./f.* flip-flop, thong.
infrangere *v.tr.* to break*.
infrangibile *agg.* unbreakable.
infrasettimanale *agg.* midweek (*attr.*).
infrastruttura *s.f.* infrastructure; (*servizi*) facilities (*pl.*).
infrazione *s.f.* infringement.
infreddolito *agg.* cold.

infruttuoso *agg.* fruitless.
infuriato *agg.* enraged, infuriated.
infuso *s.m.* infusion.
ingaggiare *v.tr.* to engage, to take* on.
ingaggio *s.m.* taking on; (*di calciatore*) signing.
ingannare *v.tr.* to deceive ♦ **~rsi** *v. pron.* to be wrong.
inganno *s.m.* deceit, deception.
ingarbugliare *v.tr.* **1** to tangle **2** (*complicare*) to complicate ♦ **~rsi** *v.pron.* **1** to get* tangled **2** (*complicarsi*) to become* complicated.
ingegnere *s.m.* engineer.
ingegneria *s.f.* engineering.
ingegno *s.m.* intelligence | *alzata d'–*, brainwave.
ingegnoso *agg.* ingenious, clever.
ingenuo *agg.* naïve, ingenuous.
ingerenza *s.f.* interference.
ingessare *v.tr.* to put* in plaster.
Inghilterra *no.pr.f.* England.
inghiottire *v.tr.* to swallow (up).
ingigantire *v.tr.* to magnify.
inginocchiarsi *v.pron.* to kneel* (down).
ingiustificato *agg.* unjustified.
ingiustizia *s.f.* injustice.
ingiusto *agg.* unjust, unfair.
inglese *agg.*, *s.m.* English; (*abitante*) Englishman* | *gli inglesi*, the English.
ingoiare *v.tr.* to swallow.
ingolfato *agg.* (*di motore*) flooded.
ingombrante *agg.* cumbersome, bulky.
ingombrare *v.tr.* to obstruct.
ingombro *agg.* cluttered (*with*).
ingordo *agg.* greedy (*for*).
ingorgarsi *v.pron.* to become obstructed.
ingorgo *s.m.* (*del traffico*) (traffic) jam.
ingranaggio *s.m.* (*mecc.*) gear.
ingranare *v.tr.* (*mecc.*) to engage.
ingrandimento *s.m.* enlargement.
ingrassare *v.intr.* to get* fat.
ingrato *agg.* **1** ungrateful (*to*) **2** (*sgradevole*) thankless, unrewarding.
ingrediente *s.m.* ingredient.
ingresso *s.m.* **1** entrance | *– libero*, free admittance **2** (*l'entrare*) entry.
ingrossare *v.tr.* to swell*.
ingrosso, all'*avv.* wholesale.
ingualcibile *agg.* crease-resistant.
inguaribile *agg.* incurable.
inguine *s.m.* groin.
inibito *agg.* inhibited.
iniettare *v.tr.* to inject.
iniezione *s.f.* injection.
inimicizia *s.f.* enmity, hostility.
inimitabile *agg.* inimitable.
iniquo *agg.* iniquitous.
iniziale *agg.*, *s.f.* initial.
iniziare *v.tr.*, *intr.* to begin*, to start.
iniziativa *s.f.* initiative | (*econ.*) *– privata*, private enterprise.
inizio *s.m.* beginning.
innalzare *v.tr.* to raise.
innamorarsi *v.pron.* to fall* in love (*with*).
innegabile *agg.* undeniable.
innervosire *v.tr.* to get* on s.o.'s nerves ♦ **~rsi** *v.pron.* to become* nervous.
innescare *v.tr.* to trigger (off).
innesto *s.m.* graft, grafting.
inno *s.m.* hymn.
innocente *agg.*, *s.m./f.* innocent.
innocuo *agg.* innocuous, harmless.
innovazione *s.f.* innovation.
innumerevole *agg.* innumerable.
inoffensivo *agg.* harmless.
inoltre *avv.* besides, moreover.
inondare *v.tr.* to flood.
inopportuno *agg.* untimely.

inorridire *v.intr.* to be horrified.
inospitale *agg.* inhospitable.
inosservato *agg.* unnoticed.
inossidabile *agg.* rustproof; (*di acciaio*) stainless.
inquadrare *v.tr.* **1** to frame **2** (*amm.*) to classify.
inquadratura *s.f.* (*fot.*, *cinem.*) shot.
inqualificabile *agg.* unspeakable.
inquietante *agg.* disturbing, worrying.
inquieto *agg.* **1** restless **2** (*preoccupato*) uneasy, worried.
inquilino *s.m.* tenant.
inquinamento *s.m.* pollution.
inquinare *v.tr.* to pollute.
inquisire *v.tr.* to investigate.
insabbiare *v.tr.* (*fig.*) to shelve; (*uno scandalo*) to cover up.
insalata *s.f.* salad.
insalatiera *s.f.* salad bowl.
insanguinare *v.tr.* to stain with blood.
insaponare *v.tr.* to soap.
insaporire *v.tr.* to flavour.
insaziabile *agg.* insatiable.
inscenare *v.tr.* to stage (*anche fig.*).
insediarsi *v.pron.* to take* office.
insegna *s.f.* (shop) sign, signboard.
insegnamento *s.m.* **1** teaching **2** (*lezione*) lesson.
insegnante *s.m./f.* teacher.
insegnare *v.tr.* to teach*.
inseguire *v.tr.* to run* after.
insenatura *s.f.* cove, inlet.
insensibile *agg.* insensitive.
inserimento *s.m.* insertion.
inserire *v.tr.* to insert; (*includere*) to include; (*una spina*) to plug in ♦ **~rsi** *v.pron.* (*integrarsi*) to settle in.
inserto *s.m.* insert; (*di giornale*) supplement.
inservibile *agg.* of no use (*pred.*).
inserviente *s.m.* attendant.
inserzione *s.f.* advertisement, ad.
insetticida *agg.*, *s.m.* insecticide.
insetto *s.m.* insect.
insicuro *agg.* insecure; uncertain.
insidia *s.f.* snare (*anche fig.*).
insidioso *agg.* insidious.
insieme *avv.* **1** together **2** (*allo stesso tempo*) at the same time ♦ *s.m.* whole.
insignificante *agg.* insignificant.
insindacabile *agg.* unquestionable.
insinuare *v.tr.* (*fig.*) to insinuate ♦ **~rsi** *v.pron.* to creep* (*anche fig.*).
insipido *agg.* insipid (*anche fig.*).
insistente *agg.* insistent.
insistere *v.intr.* to insist (*on*).
insoddisfatto *agg.* dissatisfied.
insofferente *agg.* intolerant.
insolazione *s.f.* sunstroke.
insolente *agg.* insolent, impudent.
insolito *agg.* unusual; (*strano*) strange.
insolubile *agg.* insoluble.
insolvente *agg.*, *s.m.* (*dir.*) insolvent.
insomma *avv.* **1** in short, in brief **2** (*per esprimere impazienza*) well (then).
insonnia *s.f.* sleeplessness, insomnia.
insonorizzato *agg.* soundproof.
insopportabile *agg.* unbearable.
insospettabile *agg.* **1** above suspicion **2** (*impensato*) unsuspected.
insostenibile *agg.* unsustainable; (*insopportabile*) unbearable.
insostituibile *agg.* irreplaceable.
inspiegabile *agg.* inexplicable.
inspirare *v.tr.* to breathe in.
instabile *agg.* unstable; (*variabile*) changeable.
installare *v.tr.* to install ♦ **~rsi** *v.pron.* to settle (down).
installatore *s.m.* fitter.
instancabile *agg.* tireless.

insuccesso *s.m.* failure.
insufficiente *agg.* insufficient | *compito* –, work below the pass mark.
insufficienza *s.f.* **1** insufficiency **2** (*a scuola*) low mark.
insulso *agg.* inane, vacuous.
insultare *v.tr.* to insult, to abuse.
insulto *s.m.* insult, abuse ▭.
insuperabile *agg.* unsurpassable.
insurrezione *s.f.* insurrection.
intaccare *v.tr.* **1** to corrode **3** (*capitale*) to draw* on.
intagliare *v.tr.* to carve, to cut*.
intanto *avv.* meanwhile, in the meantime; (*per ora*) for the moment, for the present.
intarsio *s.m.* inlay.
intasare *v.tr.* to stop up, to block.
intascare *v.tr.* to pocket.
intatto *agg.* intact.
integrale *agg.* complete, integral | *edizione* –, unabridged edition | *pane* –, wholemeal bread.
integralismo *s.m.* extremism.
integrare *v.tr.*, **integrarsi** *v.pron.* to integrate.
integro *agg.* complete.
intelaiatura *s.f.* framework.
intellettuale *agg.*, *s.m./f.* intellectual.
intelligente *agg.* intelligent.
intelligenza *s.f.* intelligence.
intemperie *s.f.pl.* (bad) weather (*sing.*).
intempestivo *agg.* untimely.
intendere *v.tr.* **1** (*udire*) to hear* **2** (*capire*) to understand* | *intendersela con qlcu.*, to have an affair with s.o. **3** (*significare*) to mean* **4** (*avere intenzione di*) to intend ♦ **~rsi** *v.pron.* **1** to be an expert (*in*) **2** (*andare d'accordo*) to get* along | (*ci siamo*) *intesi?*, is it clear?
intenditore *s.m.* connoisseur.
intensificare *v.tr.* to intensify.
intenso *agg.* intense; (*di colore*) deep.
intentato *agg.* unattempted.
intenzione *s.f.* intention; (*idea*) mind.
interagire *v.intr.* to interact.
interamente *avv.* completely, entirely | (*econ.*) *capitale – versato*, fully paid (up) capital.
intercalare *s.m.* pet phrase.
intercapedine *s.f.* cavity.
intercettazione *s.f.* interception; (*telefonica*) tap.
interdetto *agg.* (*sbalordito*) dumbfounded.
interdire *v.tr.* (*dir.*) to deprive of civil rights.
interessamento *s.m.* interest (*in*).
interessante *agg.* interesting.
interessare *v.tr.* **1** to interest **2** (*riguardare*) to concern **3** (*implicare*) to affect ♦ *v.intr.* to be of interest; (*importare*) to matter ♦ **~rsi** *v.pron.* **1** to take* an interest (*in*) **2** (*prendersi cura*) to care (*for*).
interessato *agg.* **1** interested (*in*) **2** (*opportunistico*) self-seeking ♦ *s.m.* party concerned.
interesse *s.m.* **1** interest **2** (*tornaconto*) self-interest: *l'– comune*, the common good.
interferenza *s.f.* interference ▭.
interferire *v.intr.* to interfere.
interiora *s.f.pl.* entrails.
interiore *agg.* inner, interior.
interlocutore *s.m.* interlocutor.
intermediario *s.m.* intermediary; (*comm.*) broker.
intermedio *agg.* intermediate.
interminabile *agg.* endless.
internare *v.tr.* to intern.

internazionale *agg.* international.
interno *agg.* internal; inner (*anche fig.*) ♦ *s.m.* 1 inside, interior | *notizie dall'*–, home news 2 (*fodera*) lining 3 (*tel.*) extension.
intero *agg.*, *s.m.* whole | *latte* –, full-cream milk | *costume* (*da bagno*) –, one-piece (swimsuit).
interpellare *v.tr.* to question.
interposto *agg.* interposed | *per interposta persona*, through a third party.
interpretare *v.tr.* 1 to interpret 2 (*di attore*) to perform.
interprete *s.m./f.* 1 interpreter 2 (*teatr.*, *cinem.*) actor (*m.*); actress (*f.*).
interrogare *v.tr.* to question; (*a scuola*) to examine, to test.
interrogatorio *s.m.* (*dir.*) examination.
interrogazione *s.f.* question, query; (*a scuola*) oral test.
interrompere *v.tr.* to interrupt; to cut* off ♦ **~rsi** *v.pron.* to stop.
interruttore *s.m.* (*elettr.*) switch.
interruzione *s.f.* interruption, break.
interurbano *agg.* (*tel.*) trunk, long-distance (*attr.*).
intervallo *s.m.* interval; (*pausa*) break.
intervenire *v.intr.* 1 to intervene; (*parlare*) to speak* 2 (*partecipare*) to attend (*sthg.*).
intervento *s.m.* intervention; (*discorso*) speech.
intervista *s.f.* interview.
intervistare *v.tr.* to interview.
intesa *s.f.* agreement, accord.
intestare *v.tr.* 1 to head 2 (*comm.*, *dir.*) to register (in s.o.'s name).
intestino *s.m.* (*anat.*) intestine.
intimare *v.tr.* to order.
intimidire *v.tr.* 1 to make* shy 2 (*minacciare*) to intimidate.
intimità *s.f.* privacy, intimacy.
intimo *agg.* 1 intimate; (*stretto*) close; (*privato*) private 2 (*profondo*) inner ♦ *s.m.* (*animo*) soul, heart.
intingere *v.tr.* to dip.
intirizzito *agg.* numb (*with*).
intitolare *v.tr.* 1 to entitle 2 (*dedicare*) to dedicate.
intollerante *agg.* intolerant.
intonaco *s.m.* plaster.
intonare *v.tr.* to (start to) sing* ♦ **~rsi** *v.pron.* to match.
intontito *agg.* dazed, dizzy; stunned.
intorno (a) *avv.*, *prep.* around, about.
intossicazione *s.f.* intoxication.
intralciare *v.tr.* to hinder, to hamper; (*il traffico*) to hold up.
intrallazzo *s.m.* intrigue.
intramuscolare *agg.* intramuscular.
intransigente *agg.* intransigent; strict.
intrappolare *v.tr.* to trap.
intraprendente *agg.* enterprising.
intrattabile *agg.* intractable.
intrattenere *v.tr.* to entertain.
intravedere *v.tr.* to glimpse.
intrecciare *v.tr.* to interlace.
intreccio *s.m.* (*trama*) plot.
intrico *s.m.* tangle, maze.
intrigante *agg.* intriguing ♦ *s.m./f.* intriguer.
introdotto *agg.* well-known | *un articolo ben* –, an article which sells well.
introdurre *v.tr.* 1 to introduce 2 (*fare entrare*) to show* in.
introduzione *s.f.* introduction.
introito *s.m.* (*comm.*) profit, return; (*incasso*) takings (*pl.*).
intromettersi *v.pron.* to interfere.
introvabile *agg.* not to be found.
introverso *s.m.* (*psic.*) introvert.
intrufolarsi *v.pron.* to slip in.

intruso *s.m.* intruder.
intuire *v.tr.* to guess, to intuit.
intuito *s.m.* intuition.
inumidire *v.tr.* to moisten, to dampen.
inutile *agg.* useless, (of) no use.
invadente *agg.* intrusive.
invadere *v.tr.* to invade (*anche fig.*).
invalido *agg., s.m.* invalid.
invano *avv.* in vain.
invariabile *agg.* invariable.
invasione *s.f.* invasion.
invecchiare *v.intr., tr.* to age.
invece *avv.* instead; (*al contrario*) on the contrary | *– di, che*, instead of.
inveire *v.intr.* to shout (abuse) (*at*).
inventare *v.tr.* to invent.
inventario *s.m.* inventory, list.
inventore *s.m.* inventor.
invenzione *s.f.* **1** invention **2** (*bugia*) lie, story.
invernale *agg.* wintry; winter.
inverosimile *agg.* unlikely.
inverso *agg., s.m.* opposite.
invertire *v.tr.* to invert, to reverse.
investigare *v.tr., intr.* to investigate.
investigatore *s.m.* detective.
investimento *s.m.* **1** (*di denaro*) investment **2** (*urto*) crash.
investire *v.tr.* **1** (*denaro*) to invest **2** (*urtare*) to crash into; (*una persona*) to run* over **3** (*assalire*) to assail.
inviare → *mandare.*
inviato *s.m.* correspondent.
invidia *s.f.* envy.
invidiare *v.tr.* to envy.
invidioso *agg.* envious.
invio *s.m.* (*di merci*) dispatch; (*per nave*) shipment; (*di denaro*) remittance.
invisibile *agg.* invisible.
invitante *agg.* attractive; (*di cibo*) appetizing.
invitare *v.tr.* **1** to invite **2** (*richiedere*) to request, to ask.
invitato *s.m.* guest.
invito *s.m.* **1** invitation **2** (*richiesta*) request.
invivibile *agg.* uninhabitable.
invocare *v.tr.* to invoke; (*fare appello a*) to appeal to.
invogliare *v.tr.* to tempt.
involontario *agg.* involuntary.
involucro *s.m.* covering, wrapper.
inzuppare *v.tr.* to soak.
io *pron.* I ♦ *s.m.* oneself.
iodio *s.m.* iodine.
iper- *pref.* hyper-.
ipermercato *s.m.* hypermarket.
ipnosi *s.f.* hypnosis.
ipo- *pref.* hypo-.
ipocrisia *s.f.* hypocrisy.
ipocrita *s.m./f.* hypocrite.
ipoteca *s.f.* mortgage.
ipotecare *v.tr.* **1** to mortgage **2** (*fig.*) to take* for granted.
ipotesi *s.f.* hypothesis*.
ippica *s.f.* horse racing.
ippodromo *s.m.* racecourse.
ira *s.f.* rage, fury.
iracheno *agg., s.m.* Iraqi.
iraniano *agg., s.m.* Iranian.
irascibile *agg.* irascible, hot-tempered.
iride *s.f.* **1** rainbow **2** (*anat.*) iris.
iridescente *agg.* iridescent; (*di lacca per unghie*) frosted.
Irlanda *no.pr.f.* Ireland.
irlandese *agg., s.m.* Irish; (*abitante*) Irishman* | *gli Irlandesi*, the Irish.
ironia *s.f.* irony | *– della sorte*, (a) twist of fate.
ironico *agg.* ironic(al).
irraggiungibile *agg.* unreachable.
irragionevole *agg.* unreasonable.

irrazionale *agg.* irrational.
irreale *agg.* unreal.
irrefrenabile *agg.* irrepressible.
irregolare *agg.* irregular; (*non uniforme*) uneven.
irremovibile *agg.* unflexible.
irreprensibile *agg.* irreproachable.
irrequieto *agg.* restless.
irresistibile *agg.* irresistible.
irrespirabile *agg.* unbreathable; (*soffocante*) suffocating.
irresponsabile *agg.* irresponsible.
irrestringibile *agg.* unshrinkable.
irreversibile *agg.* irreversible.
irriconoscibile *agg.* unrecognizable.
irriducibile *agg.* (*fig.*) indomitable.
irrigare *v.tr.* to irrigate.
irrigidire *v.tr.*, **irrigidirsi** *v. pron.* to stiffen: – *sull'attenti*, to stand stiffy to attention.
irrinunciabile *agg.* inalienable.
irripetibile *agg.* unrepeatable; (*unico*) unique.
irrisorio *agg.* trifling.
irritare *v.tr.* to irritate.
irritazione *s.f.* irritation.
irrobustirsi *v.pron.* to grow* strong(er).
irruente *agg.* impetuous.
irruzione *s.f.* raid: *fare* –, to break.
irto *agg.* bristly; (*estens.*) bristling (*with*).
iscrivere *v.tr.*, **iscriversi** *v.pron.* to enrol, to enter (*s.o.*, *sthg.*).
iscrizione *s.f.* (*a scuola*) enrolment, registration; (*a competizione*) entry.
islamico *agg.* Islamic ♦ *s.m.* Moslem.
islamismo *s.m.* Islam.
Islanda *no.pr.f.* Iceland.
islandese *agg.* Icelandic ♦ *s.m.f.* Icelander.
isola *s.f.* island | *le Isole Britanniche*, the British Isles.
isolamento *s.m.* isolation.
isolante *agg.* insulating.
isolare *v.tr.* **1** to isolate **2** (*fis.*) to insulate.
isolato *s.m.* block.
isoletta *s.f.*, **isolotto** *s.m.* islet.
ispettore *s.m.* inspector.
ispezione *s.f.* inspection.
ispido *agg.* bristly, prickly.
ispirare *v.tr.* to inspire.
Israele *no.pr.m.* Israel.
israeliano *agg.*, *s.m.* Israeli.
issare *v.tr.* to hoist.
istantanea *s.f.* (*fot.*) snap(shot).
istantaneo *agg.* instantaneous, instant.
istante *s.m.* instant, moment.
isterico *agg.* hysterical.
istigare *v.tr.* to instigate.
istintivo *agg.* instinctive.
istinto *s.m.* instinct.
istituire *v.tr.* to found, to establish.
istituto *s.m.* institute; (*scuola*) school | – *di bellezza*, beauty parlour.
istituzionale *agg.* institutional.
istituzione *s.f.* institution.
istrice *s.m.* porcupine.
istruire *v.tr.* **1** to teach*, to instruct **2** (*dir.*) to institute.
istruito *agg.* learned.
istruttoria *s.f.* (*dir.*) committal proceedings (*pl.*).
istruzione *s.f.* **1** education; (*insegnamento*) teaching **2** (*indicazione*) direction.
Italia *no.pr.f.* Italy.
italiano *agg.*, *s.m.* Italian.
iter *s.m.* procedure, course.
itinerario *s.m.* itinerary, route.
iuta *s.f.* jute.
IVA *s.f.* (*trib.*) VAT.

L

la[1] *pron.* her; it; (*formula di cortesia*) you.
la[2] *s.m.* (*mus.*) A, la.
là *avv.* there | *al di – di*, on the other side of; beyond.
labbro *s.m.* lip.
labile *agg.* weak, faint.
labirinto *s.m.* labyrinth.
laboratorio *s.m.* 1 laboratory 2 (*di artigiano*) workshop.
laburista *s.m./f.* Labour Party member.
lacca *s.f.* 1 lacquer; (*smalto*) enamel 2 (*per capelli*) hair spray.
laccio *s.m.* lace, string | *– emostatico*, tourniquet.
lacerare *v.tr.* to lacerate, to tear*.
lacero *agg.* torn, ragged.
lacrima *s.f.* tear.
lacrimogeno *agg.* tear (gas).
lacuna *s.f.* gap.
lacunoso *agg.* patchy; incomplete.
ladro *s.m.* thief*; burglar.
laggiù *avv.* over there.
lago *s.m.* lake; (*fig.*) pool.
laguna *s.f.* lagoon.
laico *agg.* lay ♦ *s.m.* layman*.
lama *s.f.* blade.
lamare *v.tr.* to plane.
lambire *v.tr.* to lap (up), to lick.
lamentarsi *v.pron.* to lament; (*gemere*) to moan; (*lagnarsi*) to complain.
lamentela *s.f.* complaint.
lamento *s.m.* lament; (*gemito*) moaning.
lametta *s.f.* razor blade.
lamiera *s.f.* plate.
lamina *s.f.* leaf*, foil.
lampada *s.f.* lamp; (*lume*) light.
lampadario *s.m.* light fixture; (*a bracci*) chandelier.
lampadina *s.f.* (light) bulb.
lampeggiare *v.intr.* 1 to lighten 2 (*mandare lampi*) to flash.
lampeggiatore *s.m.* (*aut.*) indicator; (*di ambulanza ecc.*) flashing light.
lampione *s.m.* street lamp.
lampo *s.m.* 1 flash of lightning; (*pl.*) lightning ⓤ 2 (*bagliore*) flash ♦ *s.f.* (*fam.*) zip, zipper.
lampone *s.m.* raspberry.
lana *s.f.* wool | *di –*, woollen.
lancetta *s.f.* (*di orologio*) hand.
lancia *s.f.* 1 lance 2 *– termica*, cutting torch.
lanciare *v.tr.* 1 to throw* | *– un missile*, to launch a missile | *– un'auto a tutta velocità*, to start a car off at full speed 2 (*diffondere*) to launch.
lanciatore *s.m.* (*atletica*) thrower; (*baseball*) pitcher.
lancinante *agg.* shooting.
lancio *s.m.* 1 throw; throwing 2 (*atletica*) throwing; (*baseball*) pitching 3 (*pubblicitario*) launching.
lanificio *s.m.* wool(len) mill.
lanterna *s.f.* lantern.
lapidario *agg.* lapidary (*anche fig.*).
lapide *s.f.* 1 tombstone 2 (*commemorativa*) plaque.
lapsus *s.m.* slip.
lardo *s.m.* lard.
largheggiare *v.intr.* to be free (*with*).
larghezza *s.f.* 1 width, breadth 2 (*abbondanza*) abundance, largeness.
largo *agg.* 1 wide, broad 2 (*di indumenti*) loose-fitting ♦ *s.m.* 1 breadth, width | *farsi –*, to make (*o* to push) one's way | *tenersi alla larga da qlcu.*, to keep clear of s.o. 2 (*mar.*) open sea: *prendere il –*, to set sail | *al – di*, off.
larice *s.m.* larch.

larva *s.f.* larva*, maggot | *ridotto a una* –, reduced to a skeleton.
lasciapassare *s.m.* pass.
lasciare *v.tr.* **1** to leave* | – *detto a qlcu.*, to leave word with s.o. | *lasciarci la vita*, to lose one's life **2** (*permettere*) to let*: *lascialo andare!*, let him go! | *lasciar perdere, correre*, to forget it ♦ **~rsi** *v.pron.* to part.
lascito *s.m.* legacy.
lassativo *agg., s.m.* laxative.
lassù *avv.* up there.
lastra *s.f.* slab; (*spec. metallica*) plate.
laterale *agg.* lateral, side (*attr.*).
latino *agg., s.m.* Latin.
latitante agg. (*dir.*) absconding: *essere* –, to be at large ♦ *s.m./f.* (*dir.*) absconder.
lato *s.m.* side.
latore *s.m.* bearer (*anche comm.*).
latta *s.f.* tin.
lattaio *s.m.* milkman*.
lattante *s.m./f.* (unweaned) baby, suckling.
latte *s.m.* milk: – *a lunga conservazione*, long-life milk; – *parzialmente scremato*, partially skim(med) milk.
latteria *s.f.* dairy.
latticini *s.m.pl.* dairy products.
lattiera *s.f.* milk jug.
lattiginoso *agg.* milky.
lattina *s.f.* can, tin.
lattuga *s.f.* lettuce.
laurea *s.f.* (university) degree.
laurearsi *v.pron.* to graduate.
laureato *agg., s.m.* graduate.
lauto *agg.*: *lauta mancia*, generous reward; – *pasto*, lavish meal.
lavabo *s.m.* washbasin.
lavaggio *s.m.* washing.
lavagna *s.f.* blackboard | – *luminosa*, overhead projector.
lavanda *s.f.* (*bot.*) lavender.
lavanderia *s.f.* laundry; (*a gettone*) laund(e)rette, (*amer.*) laundromat.
lavandino *s.m.* sink; (*lavabo*) washbasin.
lavare *v.tr.*, **lavarsi** *v.pron.* to wash | – *a secco*, to dry-clean.
lavastoviglie *s.f.* dishwasher.
lavata *s.f.* wash | *una – di capo*, (*fig. fam.*) a good telling-off.
lavativo *s.m.* lazybones.
lavatrice *s.f.* washing machine.
lavello *s.m.* sink.
lavorare *v.intr., tr.* to work.
lavorativo *agg.* working.
lavoratore *s.m.* worker.
lavorazione *s.f.* working, processing; manufacture; (*fattura*) workmanship.
lavoro *s.m.* **1** work; (*manuale*) labour | – *domestici*, housework **2** (*occupazione*) job | – *autonomo*, self-employment | – *nero*, concealed labour | *vivere del proprio* –, to earn one's living.
lazzarone *s.m.* lazybones.
le[1] *pron.* (to) her; (to) it; (*formula di cortesia*) (to) you.
le[2] *pron.* them.
leale *agg.* loyal; (*onesto*) fair.
leccare *v.tr.* to lick.
lecito *agg.* allowed; (*dir.*) lawful.
ledere *v.tr.* to damage, to injure.
lega *s.f.* **1** alliance; (*associazione*) association, union **2** (*metall.*) alloy.
legale *agg.* legal; (*conforme alla legge*) lawful | *medicina* –, forensic medicine ♦ *s.m.* lawyer, (*amer.*) attorney.
legame *s.m.* **1** bond; (*vincolo*) tie **2** (*nesso*) link.
legare *v.tr.* to tie (up), to bind*; (*a qlco.*) to fasten | *pazzo da* –, stark raving mad ♦ *v.intr.* to get* on well.
legge *s.f.* law; (*del parlamento inglese*)

act: *disegno di –* , bill; *proposta di –*, draft bill; *presentare una – in Parlamento*, to bring a bill before Parliament.
leggenda *s.f.* legend.
leggere *v.tr.* to read*.
leggerezza *s.f.* **1** lightness **2** (*fig.*) thoughtlessness | *con –*, thoughtlessly.
leggero *agg.* **1** light; (*di bevanda*) weak **2** (*lieve*) slight **3** (*fig.*) thoughtless.
leggibile *agg.* legible.
legislativo *agg.* legislative.
legittima *s.f.* (*dir.*) legitim.
legittimo *agg.* legitimate | *legittima difesa*, self-defence.
legna *s.f.* firewood.
legname *s.m.* wood; (*da costruzione*) timber, (*amer.*) lumber.
legno *s.m.* wood | *di –*, wooden.
legumi *s.m.pl.* pulses.
lei *pron.* (*compl.*) her; (*sogg.*) she; (*formula di cortesia*) you.
lente *s.f.* lens.
lenticchia *s.f.* lentil.
lentiggine *s.f.* freckle.
lento *agg.* **1** slow; (*ottuso*) dull **2** (*allentato*) slack, loose.
lenza *s.f.* fishing line.
lenzuolo *s.m.* sheet.
leone *s.m.* lion.
leonessa *s.f.* lioness.
leopardo *s.m.* leopard.
lepre *s.f.* hare.
lesbica *s.f.* lesbian.
lesione *s.f.* **1** injury; (*med.*) lesion **2** (*danno*) damage **3** (*crepa*) crack.
lessare *v.tr.* to boil.
lesso *agg.*, *s.m.* boiled (meat).
letame *s.m.* manure, dung.
letargo *s.m.* hibernation; (*fig.*) lethargy.
lettera *s.f.* letter.
letterale *agg.* literal.
letterario *agg.* literary.
letteratura *s.f.* literature.
lettiga *s.f.* stretcher.
letto *s.m.* bed: *– a una piazza*, single bed | *– a castello*, bunk bed.
lettone *agg.*, *s.m./f.* Latvian.
Lettonia *no.pr.f.* Latvia.
lettura *s.f.* **1** reading **2** (*testo*) literature; book.
leucemia *s.f.* (*med.*) leuk(a)emia.
leva[1] *s.f.* (*mecc.*) lever.
leva[2] *s.f.* (*mil.*) call-up; (*spec. amer.*) draft.
levare → *alzare*; → *togliere*.
levatrice *s.f.* midwife*.
levigare *v.tr.* to smooth.
lezione *s.f.* lesson; (*collettiva*) class; (*universitaria*) lecture.
li *pron.* them.
lì *avv.* there.
libanese *agg.*, *s.m./f.* Lebanese.
Libano *no.pr.m.* Lebanon.
libbra *s.f.* pound.
libellula *s.f.* dragonfly.
liberale *agg.*, *s.m.* liberal.
liberalizzare *v.tr.* to liberalize.
liberare *v.tr.* to free; (*mettere in libertà*) to release.
liberazione *s.f.* liberation.
libero *agg.* **1** free **2** (*non occupato*) vacant; (*di taxi*) for hire **3** (*sgombro*) clear.
libertà *s.f.* liberty, freedom; (*indipendenza*) independence | (*dir.*): *– provvisoria*, bail; *mettere in –*, to release.
liberty *agg.*, *s.m.* (*stile*) –, Art Nouveau.
Libia *no.pr.f.* Libya.
libico *agg.*, *s.m.* Libyan.
libraio *s.m.* bookseller.
libreria *s.f.* **1** bookshop **2** (*mobile*) bookcase.

libretto *s.m.* booklet, (small) book: – *di assegni*, chequebook; (*aut.*) – *di circolazione*, logbook.
libro *s.m.* book.
licenza *s.f.* 1 licence | – *edilizia*, planning permission 2 (*permesso*) leave.
licenziamento *s.m.* dismissal; (*fam.*) sacking, firing.
licenziare *v.tr.* to dismiss, (*fam.*) to sack, to fire ♦ **-rsi** *v.pron.* to resign.
lieto *agg.* happy, glad; pleased.
lieve *agg.* light, (*spec. fig.*) slight.
lievitare *v.intr.* to rise*.
lievito *s.m.* yeast; (*in polvere*) baking powder.
lifting *s.m.* face-lift.
ligio *agg.* faithful.
lilla, lillà *s.m.*, *agg.* lilac.
lima *s.f.* file.
limare *v.tr.* to file; (*fig.*) to polish.
limitare *v.tr.* to limit; (*consumi*) to restrict.
limite *s.m.* limit | *nei limiti del possibile*, as far as possible | *caso* –, extreme case.
limonata *s.f.* lemonade; (*di limone spremuto*) lemon-squash.
limone *s.m.* lemon.
limpido *agg.* clear.
linciare *v.tr.* to lynch.
linea *s.f.* line | *in – d'aria*, as the crow flies | (*tel.*): *prendere la* –, to get through; *è caduta la* –, I've been cut off; *attenda in* –, hold on | *mantenere la* –, to keep one's figure.
lineamenti *s.m.pl.* features.
lineetta *s.f.* dash; (*trattino*) hyphen.
linfa *s.f.* 1 (*biol.*) lymph 2 (*bot.*) sap.
lingotto *s.m.* ingot.
lingua *s.f.* 1 tongue | *non ha peli sulla* –, she doesn't mince (her) words 2 (*linguaggio*) language; tongue.
linguaggio *s.m.* language.
lino *s.m.* 1 flax | *seme di* –, linseed 2 (*tela*) linen.
liofilizzare *v.tr.* to freeze-dry.
liquidare *v.tr.* to settle; (*pagare*) to pay* off; (*merci*) to sell off.
liquidazione *s.f.* 1 (*di conti*) payment, settlement; (*di merci*) clearance 2 (*per fine lavoro*) severance pay.
liquido *agg.* 1 liquid 2 (*comm.*) ready ♦ *s.m.* 1 liquid, fluid 2 (*comm.*) ready money (U), cash (U).
liquirizia *s.f.* liquorice.
liquore *s.m.* liqueur; (*pl.*) spirits.
lira *s.f.* lira*.
Lisbona *no.pr.f.* Lisbon.
lisca *s.f.* (fish)bone.
lisciare *v.tr.* 1 to smooth 2 (*adulare*) to flatter.
liscio *agg.* 1 smooth (*anche fig.*) | *passarlā liscia*, to get away with it 2 (*di bevanda alcolica*) neat.
liso *agg.* threadbare, worn-out.
lista *s.f.* 1 list | – *elettorale*, electoral roll 2 (*striscia*) strip.
listato *agg.* edged.
listino *s.m.* list.
lite *s.f.* 1 quarrel 2 (*dir.*) lawsuit.
litigare *v.intr.* to quarrel.
litigio *s.m.* quarrel, dispute.
litorale *s.m.* coast.
litro *s.m.* litre.
liturgico *agg.* liturgical.
livellare *v.tr.* to level.
livello *s.m.* level (*anche fig.*).
livido *agg.* livid ♦ *s.m.* bruise.
lizza *s.f.* lists (*pl.*).
lo *pron.* him; it: *dimmelo*, tell me.
lobo *s.m.* lobe.
locale[1] *agg.* local.
locale[2] *s.m.* room.

località *s.f.* resort, town.
localizzare *v.tr.* to locate; to localize.
locanda *s.f.* inn.
locandina *s.f.* playbill; (*di cinema*) poster.
locomotiva *s.f.*, **locomotore** *s.m.* locomotive, engine.
lodare *v.tr.* to praise.
lode *s.f.* praise ▭: *degno di* –, praiseworthy.
loggia *s.f.* **1** loggia **2** (*massonica*) lodge.
loggione *s.m.* gallery.
logica *s.f.* logic | *a rigor di* –, logically.
logico *agg.* logical.
logorare *v.tr.* to wear* out.
logorio *s.m.* wear and tear; (*fig.*) strain.
logoro *agg.* worn(-out).
lombaggine *s.f.* (*med.*) lumbago.
lombare *agg.* lumbar.
londinese *agg.* London (*attr.*) ♦ *s.m./f.* Londoner.
Londra *no.pr.f.* London.
longevo *agg.* long-lived.
longilineo *agg.* long-limbed.
lontananza *s.f.* distance.
lontano *agg.* **1** distant; faraway | *parenti alla lontana*, distant relations **2** (*vago*) vague, faint ♦ *avv.* a long way (away), far (away) | *più* –, farther (*o* further) away | *da* –, from afar; *venire da* –, to come from a long way off.
lontra *s.f.* otter.
loquace *agg.* loquacious, talkative.
lordo *agg.* **1** filthy **2** (*comm.*) gross.
loro[1] *agg.* their; (*pred.*) theirs; (*formula di cortesia*) your, (*pred.*) yours ♦ *pron.* theirs; (*formula di cortesia*) yours.
loro[2] *pron.* (*compl.*) (to) them; (*sogg.*) they; (*formula di cortesia*) you.
Losanna *no.pr.f.* Lausanne.
losco *agg.* shady; suspicious.
lotta *s.f.* **1** struggle, fight **2** (*sport*) wrestling.
lottare *v.intr.* to fight*; to struggle.
lotteria *s.f.* lottery, raffle.
lottizzare *v.tr.* **1** to divide up **2** (*pol.*) to carve up.
lozione *s.f.* lotion.
lubrificante *s.m.* lubricant.
lubrificare *v.tr.* to lubricate.
lucchetto *s.m.* padlock.
luccicare *v.intr.* to sparkle (*with*); (*di stella*) to twinkle.
luccio *s.m.* pike.
lucciola *s.f.* **1** firefly **2** (*prostituta*) streetwalker.
luce *s.f.* **1** light | *mettere in* –, (*fig.*) to highlight | *far* –, (*fig.*) to throw light | *dare alla* –, to give birth to | (*aut.*) *luci di posizione*, side lights **2** (*elettrica*) electricity **3** (*vetrina*) window.
lucente *agg.* bright, shining.
lucertola *s.f.* lizard.
lucidalabbra *s.m.* lipgloss.
lucidare *v.tr.* to polish.
lucidatrice *s.f.* (floor) polisher.
lucido *agg.* **1** shiny, bright; (*lucidato*) polished **2** (*fig.*) lucid, clear ♦ *s.m.* polish.
lucro *s.m.* gain, profit.
luglio *s.m.* July.
lugubre *agg.* gloomy, sombre.
lui *pron.* (*compl.*) him; (*sogg.*) he.
lumaca *s.f.* snail.
lume *s.m.* **1** light **2** (*lampada*) lamp.
luminaria *s.f.* illuminations (*pl.*).
luminoso *agg.* bright (*anche fig.*).
luna *s.f.* moon | *avere la* –, to be in a bad mood.
luna park *s.m.* funfair.
lunatico *agg.* moody.
lunedì *s.m.* Monday.

lunghezza *s.f.* length.
lungimirante *agg.* farsighted.
lungo *agg.* **1** long | *a –*, (for) a long time; *a – andare, alla lunga*, in the long run | *andare per le lunghe*, to go on and on **2** (*alto*) tall **3** (*lento*) slow **4** (*diluito*) weak ♦ *s.m.* length | *in – e in largo*, far and wide ♦ *prep.* along.
lungolago *s.m.* lake-front.
lungomare *s.m.* seafront, promenade.
lunotto *s.m.* (*termico*) (heated) rear window.
luogo *s.m.* place | *il – del delitto*, the scene of the crime | *in nessun –*, nowhere; *in ogni –*, everywhere | *– comune*, commonplace.
lupo *s.m.* wolf*: *cane –*, Alsatian | *avevo una fame da –*, I could have eaten a horse.
lusinga *s.f.* flattery [U].
lusingare *v.tr.* **1** to flatter **2** (*illudere*) to delude.
lusinghiero *agg.* flattering.
lussazione *s.f.* (*med.*) dislocation.
Lussemburgo *no.pr.m.* Luxemburg.
lusso *s.m.* luxury.
lussuoso *agg.* luxurious.
lustrino *s.m.* (*guarnizione*) sequin.
lustro *agg.* → *lucido*.
lutto *s.m.* **1** mourning **2** (*dolore*) grief **3** (*perdita*) loss.
luttuoso *agg.* mournful, sorrowful; (*funesto*) tragic.

M

ma *cong.* but | *– davvero?, – no!*, really? | *– va là!, – via!*, go on!, come off it! | *– come?!*, how come?, what?
macabro *agg.* macabre, gruesome.
macchia *s.f.* stain; spot.
macchiare *v.tr.* to stain ♦ **-rsi** *v.pron.* to get* stained; (*sporcarsi*) to get* dirty.
macchina *s.f.* **1** machine | *– fotografica*, camera; *– da presa*, movie camera **2** (*automobile*) car.
macchinare *v.tr.* to plot.
macchinario *s.m.* machinery [U].
macchinazione *s.f.* intrigue, plot.
macchinoso *agg.* elaborate, complicated.
macchiolina *s.f.* speck.
macedonia *s.f.* fruit salad.
macellaio *s.m.* butcher.
macelleria *s.f.* butcher's (shop).
macello *s.m.* slaughterhouse | *che –!*, what a shambles!
macerie *s.f.pl.* rubble [U]; debris [U].
macigno *s.m.* boulder, heavy stone.
macilento *agg.* emaciated, gaunt.
macinacaffè *s.m.* coffee mill, coffee grinder.
macinapepe *s.m.* pepper mill, pepper grinder.
macinare *v.tr.* to grind*.
macrobiotica *s.f.* macrobiotics [U].
macrobiotico *agg.* macrobiotic.
maculato *agg.* spotted, speckled.
Madonna *s.f.* Virgin Mary, Our Lady.
madornale *agg.* huge, enormous: *errore –*, blunder, glaring mistake.
madre *s.f.* **1** mother | *ragazza –*, unmarried mother **2** (*matrice*) counterfoil, stub.
madrelingua *s.f.* mother tongue ♦ *s.m./f.* native speaker.
madrepatria *s.f.* homeland.
madreperla *s.f.* mother-of-pearl | *bottone di –*, pearl button.
madrina *s.f.* godmother.

maestà *s.f.* majesty.
maestoso *agg.* majestic, stately.
maestra *s.f.* teacher, mistress.
maestranze *s.f.pl.* workers.
maestro *s.m.* master; (*insegnante*) teacher ♦ *agg.* **1** (*principale*) main **2** (*abile*) masterly, skilful.
magari *cong.* if only: – *venisse!*, if only he would come! ♦ *avv.* (*forse*) perhaps, maybe ♦ *inter.* you bet!, and how!
magazzino *s.m.* warehouse, storehouse: *grandi magazzini*, department stores.
maggio *s.m.* May.
maggiorana *s.f.* marjoram.
maggioranza *s.f.* majority; (*la maggior parte*) most.
maggiordomo *s.m.* butler.
maggiore *agg.* **1** (*più grande*) greater; (*più grosso*) larger, bigger; (*più alto*) higher; (*più lungo*) longer; (*più importante*) major; (*di età*) older **2** (*superl.*) the greatest; the largest, the biggest; the highest; the longest; major, main; (*di età*) oldest, (*fra due*) older; (*di fratelli, figli*) eldest; elder **3** (*mus.*) major ♦ *s.m.* (*mil.*) major.
maggiorenne *agg.* of age.
maggiormente *avv.* more; (*più di tutto*) most.
magia *s.f.* magic ▭.
magico *agg.* magic; (*fig.*) magical.
magistrato *s.m.* **1** (*giudice*) judge, magistrate **2** (*funzionario*) official, authority.
magistratura *s.f.* magistrature, magistracy.
maglia *s.f.* **1** (*punto*) stitch; (*di rete*) mesh; (*di catena*) link **2** (*indumento*) sweater, pullover; (*intimo*) vest.
maglietta *s.f.* T-shirt; (*intima*) vest.
maglificio *s.m.* knitwear factory.
maglione *s.m.* sweater, pullover, jumper.
magnanimo *agg.* magnanimous; (*generoso*) generous.
magnate *s.m.* magnate.
magnesio *s.m.* magnesium.
magnetico *agg.* magnetic.
magnetofono *s.m.* magnetophone.
magnificenza *s.f.* magnificence; (*sfarzo*) pomp.
magnifico *agg.* magnificent, splendid; wonderful.
magnolia *s.f.* magnolia.
mago *s.m.* magician; (*stregone*) wizard, sorcerer.
magro *agg.* **1** thin, lean: *molto* –, skinny | *carne magra*, lean meat; *cibi magri*, low-fat foods **2** (*scarso*) poor, meagre, scanty.
mai *avv.* never; ever | *quasi* –, hardly ever, almost never | *come* –?, why?, how come? | *dove, chi* –?, where, who on earth? | *se* –, *caso* –, (if) ever, in case | *più che* –, more than ever.
maiale *s.m.* pig; (*carne*) pork.
maionese *s.f.* mayonnaise.
mais → *granturco.*
maiuscola *s.f.* capital (letter).
maiuscolo *agg.* capital ♦ *s.m.* capitals (*pl.*).
malaccorto *agg.* unwise, ill-advised.
malafede *s.f.* bad faith.
malalingua *s.f.* backbiter, gossip.
malandato *agg.* in bad condition.
malanimo *s.m.* animosity, malevolence.
malanno *s.m.* (*disgrazia*) misfortune; (*malattia*) illness.
malapena, a *avv.* hardly, scarcely.
malaria *s.f.* malaria.

malato *agg.* ill, unwell (*spec. pred.*); sick (*spec. attr.*).
malattia *s.f.* illness; (*infettiva*) disease.
malaugurio *s.m.* ill omen, evil omen: *essere di* –, to bring bad luck.
malavita *s.f.* (criminal) underworld | *la – organizzata*, organized crime.
malavoglia, di *avv.* unwillingly.
malcapitato *agg., s.m.* (unfortunate) person.
malconcio *agg.* in a bad state.
malcontento *agg.* dissatisfied, discontented (*with*) ♦ *s.m.* discontent, dissatisfaction.
malcostume *s.m.* (*immoralità*) immorality; (*corruzione*) corruption.
maldestro *agg.* awkward, clumsy.
maldicente *s.m./f.* slanderer, scandalmonger.
maldicenza *s.f.* backbiting.
maldisposto *agg.* ill-disposed (*towards*).
male *s.m.* **1** evil **2** (*dolore*) pain; (*malattia*) illness | *mal di denti*, toothache; *mal di stomaco*, stomachache; *mal di testa*, headache; *mal di gola*, a sore throat; *mal di mare*, seasickness | *far* –, (*dolere*) to ache; (*a qlcu.*) to hurt **3** (*danno*) harm | *portare* –, to bring bad luck ♦ *avv.* badly | *andare a* –, to go bad | *star* –, to be ill, (*vomitare*) to be sick | *per – che vada*, at the worst | *meno –!*, just as well! | *hai fatto – a non venire*, you did wrong not to come.
maledetto *agg.* damned; (*nelle imprecazioni*) cursed.
maledire *v.tr.* to curse, to damn.
maledizione *s.f.* curse | *–!*, damn!
[illegible]leducato *agg.* rude, ill-mannered.
[illegible]cazione *s.f.* rudeness; bad [illegible] (*pl.*).
malessere *s.m.* indisposition; (*fig.*) uneasiness.
malfamato *agg.* disreputable, of ill repute.
malfattore *s.m.* criminal.
malfermo *agg.* shaky, unsteady.
malgoverno *s.m.* misgovernment; mismanagement.
malgrado *prep.* in spite of, notwithstanding | *mio, suo* –, against my, his will ♦ *cong.* (*benché*) although, even though.
malignare *v.intr.* to speak* ill (*of*).
malignità *s.f.* malice ▭.
maligno *agg.* malicious; (*malefico*) evil; (*di malattia*) malignant.
malinconia *s.f.* melancholy, gloom.
malinconico *agg.* melancholy, gloomy.
malincuore, a *avv.* unwillingly, reluctantly.
malintenzionato *agg., s.m.* ill-intentioned (person).
malinteso *agg.* mistaken ♦ *s.m.* misunderstanding.
malizia *s.f.* malice; maliciousness.
malizioso *agg.* malicious; (*furbo*) sly, artful.
malleabile *agg.* malleable.
malore *s.m.* collapse.
malridotto *agg.* in a bad state; (*di salute*) run down; (*economicamente*) hard up.
malsano *agg.* unhealthy.
maltempo *s.m.* bad weather.
malto *s.m.* malt.
maltrattamento *s.m.* ill-treatment.
maltrattare *v.tr.* to ill-treat.
malumore *s.m.* **1** bad mood; (*scontento*) discontent **2** (*dissapore*) slight disagreement.
malva *s.f.* mallow | *color* –, mauve.

malvagio *agg.* wicked, evil.
malvisto *agg.* unpopular (*with*).
malvivente *s.m.* criminal, (*fam.*) crook.
malvolentieri *avv.* reluctantly, unwillingly.
mammola *s.f.* violet.
manageriale *agg.* managerial.
mancante *agg.* **1** missing **2** (*di qlco.*) lacking (*in*).
mancanza *s.f.* **1** (*di qlco.*) lack; (*di qlcu.*) absence **2** (*errore*) fault; (*difetto*) shortcoming.
mancare *v.intr.* **1** (*non esserci*) not to be; (*non esserci più*) to be missing; (*essere assente*) to be absent | *mancano due miglia, venti minuti*, there are two miles, twenty minutes to go **2** (*non avere, non esserci a sufficienza*) to lack, to be lacking (*in*) **3** (*sentire la mancanza*) to miss **4** (*venire a mancare*) to fail; (*esaurirsi*) to run* out (*of*) **5** (*tralasciare*) to fail **6** (*sbagliare*) not to be correct ♦ *v.tr.* to miss.
mancato *agg.* unsuccessful | *un artista* –, a would-be artist.
mancia *s.f.* tip.
manciata *s.f.* handful.
mancino *agg.* left-handed ♦ *s.m.* left-hander.
mandarancio *s.m.* clementine.
mandare *v.tr.* to send*: – *a chiamare*, *a prendere*, to send for.
mandarino *s.m.* tangerine, mandarin(e).
mandato *s.m.* **1** (*incarico*) mandate, commission **2** (*dir.*) warrant.
mandibola *s.f.* jaw.
mandolino *s.m.* mandolin.
mandorla *s.f.* almond.
mandorlo *s.m.* almond (tree).
mandria *s.f.* herd.
mandriano *s.m.* herdsman*.
maneggevole *agg.* handy.
maneggiare *v.tr.* to handle.
maneggio *s.m.* (*galoppatoio*) riding track.
manette *s.f.pl.* handcuffs.
manganello *s.m.* truncheon, baton.
mangiare *v.tr./intr.* **1** to eat*; (*consumare i pasti*) to have* one's meals **2** (*a dama ecc.*) to take*.
mangime *s.m.* feed, fodder.
mania *s.f.* mania.
maniaco *agg.* maniacal; (*fig.*) mad (*about*), keen (*on*) ♦ *s.m.* maniac.
manica *s.f.* sleeve.
manico *s.m.* handle; (*di scopa*) broomstick.
manicomio *s.m.* mental hospital.
manicure *s.f.* manicure; (*persona*) manicurist.
maniera *s.f.* manner; way.
manifestante *s.m./f.* demonstrator.
manifestare *v.tr.* to show*, to manifest; (*esprimere*) to express ♦ *v.intr.* to demonstrate.
manifestazione *s.f.* **1** display, manifestation **2** (*pol.*) demonstration **3** (*spettacolo*) event.
manifestino *s.m.* leaflet.
manifesto *s.m.* poster, placard; bill.
maniglia *s.f.* handle.
manipolare *v.tr.* to manipulate.
mannequin *s.f.* fashion model, mannequin.
mano *s.f.* **1** hand | *fatto a* –, handmade | *a mani vuote*, empty-handed | *alla* –, easygoing | *man* –, little by little | *man* – *che*, as **2** (*parte, lato*) side **3** (*di vernice ecc.*) coat.
manodopera *s.f.* labour, manpower.
manopola *s.f.* **1** handle **2** (*di radio ecc.*) knob **3** (*guanto*) mitten.

manovra *s.f.* manoeuvre.
manovrare *v.tr.* to operate, to work ♦ *v.intr.* to manoeuvre.
manrovescio *s.m.* backhander.
mansarda *s.f.* attic.
mansione *s.f.* function, duty; (*incarico*) office.
mansueto *agg.* meek, docile.
mantella *s.f.* cloak.
mantello *s.m.* cloak, mantle; (*di neve ecc.*) blanket.
mantenere *v.tr.* **1** to maintain **2** (*conservare*) to keep* ♦ **~rsi** *v.pron.* **1** to earn one's living **2** (*conservarsi*) to keep*.
mantenimento *s.f.* maintenance; (*di coniuge, figli*) alimony.
manuale *agg., s.m.* manual.
manubrio *s.m.* handlebar(s).
manufatto *s.m.* handmade article.
manutenzione *s.f.* upkeep, maintenance.
manzo *s.m.* (*carne*) beef.
mappa *s.f.* map.
maratona *s.f.* marathon.
marca *s.f.* brand; make | *– da bollo*, revenue stamp.
marcare *v.tr.* **1** to mark; (*a fuoco*) to brand **2** (*sport*) to score; (*avversario*) to mark **3** (*accentuare*) to emphasize, to stress.
marcato *agg.* marked, pronounced.
marchiare *v.tr.* to stamp, to mark; (*a fuoco*) to brand.
marchio *s.m.* **1** stamp, mark; (*a fuoco*) brand **2** (*comm.*) mark: *– di fabbrica*, trademark, brand name.
marcia *s.f.* **1** march; (*sport*) walk **2** (*aut.*) gear | *inversione di –*, U-turn.
marciapiede *s.m.* pavement, (*amer.*) sidewalk; (*di stazione*) platform.
marciare *v.intr.* to march.
marcio *agg.* rotten.
marcire *v.intr.* to rot; (*di cibo*) to go* bad.
marco *s.m.* (*moneta*) mark.
mare *s.m.* sea: *– calmo*, smooth sea; *– mosso, agitato*, rough sea | *andare al –*, to go to the seaside.
marea *s.f.* tide | *una – di gente*, crowds of people.
mareggiata *s.f.* sea storm.
maremoto *s.m.* seaquake.
margarina *s.f.* margarine.
margherita *s.f.* daisy.
marginale *agg.* marginal.
margine *s.m.* margin.
marina *s.f.* navy.
marinaio *s.m.* sailor, seaman*.
marinare *v.tr.* (*cuc.*) to marinade, to souse.
marino *agg.* sea (*attr.*).
marionetta *s.f.* puppet (*anche fig.*).
marito *s.m.* husband.
marittimo *agg.* maritime; marine | *commercio –*, shipping business.
marmellata *s.f.* jam; (*d'agrumi*) marmalade.
marmitta *s.f.* **1** saucepan **2** (*aut.*) silencer, (*amer.*) muffler.
marmo *s.m.* marble.
marmotta *s.f.* marmot.
Marocco *no.pr.m.* Morocco.
marocchino *agg., s.m.* Moroccan.
marrone *agg.* brown ♦ *s.m.* chestnut.
marsupio *s.m.* pouch; (*portabambini*) baby sling; (*borsetta*) waist-bag, bum-bag.
martedì *s.m.* Tuesday | *– grasso*, Shrove Tuesday.
martellare *v.tr.* to hammer; (*fig.*) to bombard ♦ *v.intr.* (*pulsare*) to throb.

martello *s.m.* hammer.
martire *s.m./f.* martyr.
marzo *s.m.* March.
mascalzone *s.m.* scoundrel, rogue, rascal.
mascella *s.f.* jaw.
maschera *s.f.* **1** mask | – *di bellezza*, face pack **2** (*persona mascherata*) masker **3** (*cinem.*, *teatr.*) usher; (*f.*) usherette.
mascherare *v.tr.* **1** to mask; (*in costume*) to dress up as **2** (*fig.*) to hide*, to conceal ♦ **~rsi** *v.pron.* to put* on a mask | – *da*, to dress up as.
maschile *agg.* male, men's.
maschio *agg.*, *s.m.* male; (*virile*) manly, masculine.
mascotte *s.f.* mascot.
massa *s.f.* mass; (*mucchio*) heap.
massacrare *v.tr.* **1** to massacre, to slaughter **2** (*affaticare*) to exhaust.
massacro *s.m.* massacre, slaughter.
massaggiare *v.tr.* to massage.
massaggiatore *s.m.* masseur.
massaggiatrice *s.f.* masseuse.
massaggio *s.m.* massage.
massaia *s.f.* housewife*.
massicciata *s.f.* roadbed; (*ferr.*) ballast.
massiccio *agg.* solid; (*imponente*) massive ♦ *s.m.* (*geogr.*) massif.
massima *s.f.* maxim; principle, rule | *in linea di –*, generally speaking | *accordo di –*, outline agreement.
massimo *agg.* greatest; maximum; (*l'estremo*) extreme, utmost; (*il più elevato*) top; (*il più alto*) highest; (*il più lungo*) longest; (*il migliore*) best ♦ *s.m.* **1** maximum* | *al –*, (*tutt'al più*) at (the) most; (*al più tardi*) at the latest **2** (*tutto ciò che*) the most.
masso *s.m.* block, rock | *caduta massi*, falling rocks.
masticare *v.tr.* to chew.
mastice *s.m.* mastic; (*per sigillare*) putty.
mastino *s.m.* mastiff.
mastro *s.m.*(*libro*) ledger.
matassa *s.f.* skein, hank.
matematica *s.f.* mathematics ⧈; (*fam.*) maths ⧈.
matematico *agg.* mathematical ♦ *s.m.* mathematician.
materassino *s.m.* mat; (*gonfiabile*) airbed.
materasso *s.m.* mattress.
materia *s.f.* matter; (*materiale*) material; (*di studio*) subject | *materie prime*, raw materials.
materiale *agg.*, *s.m.* material.
maternità *s.f.* (*reparto*) maternity ward.
materno *agg.* motherly; maternal; mother (*attr.*) | *scuola materna*, nursery school.
matita *s.f.* pencil.
matrice *s.f.* **1** (*stampo*) matrix* **2** (*comm.*) counterfoil; (*di assegno*, *biglietto*) stub.
matricola *s.f.* (*studente*) fresher, (*amer.*) freshman*.
matrimonio *s.m.* marriage; (*cerimonia*) wedding.
matterello *s.m.* rolling-pin.
mattina *s.f.* morning | *di*, *la –*, in the morning.
mattiniero *agg.* early-rising ♦ *s.m.* early riser, (*fam.*) early bird.
mattino *s.m.* morning.
matto[1] *agg.* mad, crazy ♦ *s.m.* madman*.
matto[2] *agg.* : *scacco –*, checkmate.
mattone *s.m.* brick; (*fig.*) bore.

mattonella *s.f.* tile.
maturare *v.intr.* to ripen; (*fig.*) to mature.
maturo *agg.* **1** ripe; mature **2** (*comm.*) due.
mazza *s.f.* club; (*baseball*) bat.
mazzetta *s.f.* **1** (*di banconote*) wad of banknotes **2** (*bustarella*) bribe, kickback.
mazzo *s.m.* bunch; (*di carte*) pack.
me *pron.* (to) me | *fate come –*, do as I do.
meccanica *s.f.* mechanics ⌨.
meccanico *agg.* mechanical ♦ *s.m.* mechanic.
meccanismo *s.m.* mechanism.
meccanizzato *agg.* mechanized; (*automatizzato*) automated.
mecenate *s.m./f.* patron.
mèche *s.f.* streak.
medaglia *s.f.* medal.
medesimo → ***stesso***.
media *s.f.* average; (*mat.*) mean | *in –*, on average.
mediante *prep.* by means of, through.
medicare *v.tr.* (*una ferita*) to dress.
medicina *s.f.* medicine.
medico *agg.* medical ♦ *s.m.* doctor.
medio *agg.* average; (*di mezzo*) middle ♦ *s.m.* middle finger.
mediocre *agg.* second-rate, mediocre; (*scadente*) poor.
meditare *v.intr./tr.* to meditate (*on*).
meditazione *s.f.* meditation.
mediterraneo *agg.* Mediterranean | *il mare –*, the Mediterranean sea.
medusa *s.f.* jellyfish.
meglio *avv., agg.* better; (the) best | *stare –*, to feel better | *fare il – possibile*, to do one's best | *al –*, at one's best | *tanto –!, – così!*, so much the better! | *fa' come credi –*, do as you think best | *avere la –*, to get the better of it.
mela *s.f.* apple: *– renetta*, rennet.
melagrana *s.f.* pomegranate.
melanzana *s.f.* aubergine; (*amer.*) eggplant.
melissa *s.f.* lemon verbena.
melma *s.f.* slime; (*fango*) mud, mire.
melmoso *agg.* slimy; (*fangoso*) muddy.
melo *s.m.* apple (tree).
melodia *s.f.* melody, tune.
melodioso *agg.* melodious.
melodrammatico *agg.* (*fig.*) melodramatic.
melograno *s.m.* pomegranate (tree).
melone *s.m.* melon.
membro *s.m.* **1** member **2** (*arto*) limb.
memorabile *agg.* memorable, unforgettable.
memoria *s.f.* memory | *imparare a –*, to learn by heart.
memorizzare *v.tr.* to memorize; (*inform.*) to store.
menadito, a *avv.* at one's fingertips.
mendicante *s.m./f.* beggar.
mendicare *v.tr.* to beg (*for*).
meno *avv.* **1** (*nei compar.*) less; not so... (as); not as... (as) | *tanto –, ancora –*, even less | *quanto –, per lo –*, at least | *a – che, a – di*, unless **2** (*mat.*) minus ♦ *agg.* less; not so much, not as much; (*con s.pl.*) fewer; not so many, not as many ♦ *s.m.* (*compar.*) less, not as much; (*superl.*) the least; as little as: *il – possibile*, as little as possible.
mensa *s.f.* canteen; (*di scuola*) refectory.
mensile *agg.* monthly ♦ *s.m.* **1** (*stipendio*) salary **2** (*pubblicazione*) monthly.
mensola *s.f.* shelf*; (*di caminetto*) mantelpiece.
menta *s.f.* mint.

mentale *agg.* mental.
mentalità *s.f.* mentality.
mentalmente *avv.* mentally; (*con la mente*) silently.
mente *s.f.* **1** mind **2** (*di organizzazione*) brains (*pl.*).
mentire *v.intr.* to lie.
mento *s.m.* chin.
mentre *cong.* **1** while; (*quando*) as, when **2** (*e invece*) whereas, while.
menzogna *s.f.* lie.
meraviglia *s.f.* **1** wonder; (*sorpresa*) astonishment, surprise | *a* –, wonderfully (well) **2** (*cosa meravigliosa*) marvel, wonder | *che* – *!*, how wonderful!
meravigliare *v.tr.* to astonish, to surprise ♦ **~rsi** *v.pron.* to be astonished, to be surprised (*at*).
meraviglioso *agg.* wonderful, marvellous.
mercante *s.m.* merchant | – *d'arte*, art dealer.
mercanteggiare *v.intr.* to bargain, to haggle.
mercato *s.m.* market | *a buon* –, cheap.
merce *s.f.* goods (*pl.*).
merceria *s.f.* haberdasher's (shop).
mercoledì *s.m.* Wednesday.
mercurio *s.m.* mercury.
merda *s.f.* shit.
merenda *s.f.* (afternoon) snack.
meridiana *s.f.* sundial.
meridiano *s.m.* meridian.
meridionale *agg.* southern ♦ *s.m./f.* southerner.
meringa *s.f.* meringue.
meritare *v.tr.* to deserve, to merit.
merito *s.m.* merit.
merletto *s.m.* lace.
merlo[1] *s.m.* **1** blackbird **2** (*ingenuo*) fool, simpleton.
merlo[2] *s.m.* (*arch.*) merlon.
merluzzo *s.m.* cod.
meschino *agg.* mean.
mescolanza *s.f.* mix, mixture; (*miscela*) blend.
mescolare *v.tr.* **1** to mix; (*tè, liquori, tabacco*) to blend **2** (*rimestare*) to stir **3** (*le carte*) to shuffle ♦ **~rsi** *v.pron.* to get* mixed, to get* jumbled up; (*associarsi*) to mingle.
mese *s.m.* month.
messa[1] *s.f.* (*eccl.*) Mass.
messa[2] *s.f.*: – *in piega*, set; – *a punto*, (*mecc.*) setting up, adjustment, (*aut.*) tuning; – *in moto*, starting up; – *in opera*, installation, setting up.
messaggero *s.m.* messenger.
messaggio *s.m.* message; (*discorso*) address.
messicano *agg., s.m.* Mexican.
Messico *no.pr.m.* Mexico.
messinscena *s.f.* **1** (*teatr.*) staging **2** (*fig.*) performance, sham; (*fam.*) act.
mestiere *s.m.* **1** trade, craft; (*professione*) profession **2** (*perizia*) skill; experience.
mesto *agg.* sad.
mestolo *s.m.* ladle.
mestruazione *s.f.*, **mestruo** *s.m.* menstruation, menses (*pl.*).
meta *s.f.* destination; (*scopo*) goal, aim.
metà *s.f.* half*; (*centro*) middle | *dividere a* –, to divide in half, (*le spese*) to go halves.
metallico *agg.* (*di metallo*) metal (*attr.*); (*simile a metallo*) metallic.
metallo *s.m.* metal.
metalmeccanico *agg.* engineering (*attr.*).
metano *s.m.* methane.
metanodotto *s.m.* methane pipeline.

meteora *s.f.* meteor.
meteorologia *s.f.* meteorology.
meteorologico *agg.* meteorologic(al) | *bollettino* –, weather report.
meticoloso *agg.* meticulous.
metodico *agg.* methodical.
metodo *s.m.* method.
metro *s.m.* metre; (*lo strumento*) rule: – *da sarto*, tape measure.
metronotte *s.m.* night watchman*.
metropolitana *s.f.* underground; (*fam.*) tube; (*amer.*) subway.
metropolitano *agg.* metropolitan.
mettere *v.tr.* **1** to put* **2** (*causare*) to cause; to make* (+ *agg.*): – *fame, sete*, to make hungry, thirsty **3** (*tempo*) to take* **4** (*indossare*) to put* on; to wear* **5** (*supporre*) to suppose **6** (*installare*) to install, to put* in ♦ **~rsi** *v.pron.* **1** to put* oneself; to place oneself **2** (*iniziare*) to begin*, to start **3** (*indossare*) to wear*; to put* on.
mezzanino *s.m.* mezzanine (floor).
mezzanotte *s.f.* midnight.
mezzo[1] *agg.*, *avv.* half: – *vuoto*, half empty; *mezz'ora*, half an hour | – *e* –, so-so ♦ *s.m.* **1** (*metà*) half* **2** (*centro*) middle, centre | *in* – *a*, (*fra molti*) among, (*fra due*) between.
mezzo[2] *s.m.* **1** means; (*di trasporto*) means of transport | *a* – (*di*), *per* – *di*, by; through **2** (*apparecchiatura*) equipment [U] **3** *pl.* (*denaro*) means, money [U].
mezzobusto *s.m.* (*annunciatore*) newsreader, (*amer.*) newscaster.
mezzofondo *s.m.* (*sport*) middle-distance race.
mezzogiorno *s.m.* **1** midday, noon **2** (*sud*) South.
mi[1] *pron.* **1** (to) me **2** (*coi v.pron.*) myself.
mi[2] *s.m.* (*mus.*) E, mi.
miagolare *v.intr.* to mew, to miaow.
miagolio *s.m.* mewing.
michetta *s.f.* bread roll.
micidiale *agg.* lethal, deadly; (*fig.*) killing.
micio *s.m.* (*fam.*) pussy(cat).
microbo *s.m.* microbe.
microfilm *s.m.* microfilm.
microfono *s.m.* microphone; (*fam.*) mike.
microscopico *agg.* microscopic(al); (*piccolissimo*) tiny.
microscopio *s.m.* microscope.
microspia *s.f.* bugging device, bug.
midollo *s.m.* marrow.
miele *s.m.* honey.
mietere *v.tr.* to reap.
migliaio *s.m.* (about a) thousand | *a migliaia*, in thousands, by the thousand.
miglio[1] *s.m.* mile.
miglio[2] *s.m.* (*bot.*) millet.
miglioramento *s.m.* improvement.
migliorare *v.tr.*, *intr.* to improve.
migliore *agg.* better; (the) best, (*fra due*) the better ♦ *s.m./f.* the best.
miglioria *s.f.* improvement.
mignolo *agg.*, *s.m.* little finger; (*del piede*) little toe.
migrare *v.intr.* to migrate.
Milano *no.pr.f.* Milan.
miliardario *agg.*, *s.m.* multimillionaire.
miliardo *s.m.* one thousand million(s), milliard; (*amer.*) billion.
milionario *agg.*, *s.m.* millionaire.
milione *s.m.* **1** million **2** (*gran quantità*) thousands of.
militare *agg.* military.
militesente *agg.* exempt from military service.
mille *agg.*, *s.m.* thousand.

millimetro *s.m.* millimetre.
milza *s.f.* spleen.
mimare *v.tr./intr.* to mime.
mimetizzare *v.tr.* to camouflage.
mimo *s.m.* mime.
mimosa *s.f.* mimosa.
mina *s.f.* **1** mine **2** (*di matita*) lead.
minaccia *s.f.* threat, menace.
minacciare *v.tr.* to threaten, to menace.
minare *v.tr.* to mine; (*fig.*) to undermine.
minatore *s.m.* miner.
minatorio *agg.* threatening, minatory.
minerale *agg.* mineral ♦ *s.m.* mineral; (*greggio*) ore.
minerario *agg.* mining | *risorse minerarie*, mineral resources; *giacimento* –, ore deposit.
minestra *s.f.* soup.
minialloggio, **miniappartamento** *s.m.* flatlet.
miniatura *s.f.* miniature.
miniaturizzato *agg.* miniaturized.
miniera *s.f.* mine.
minigolf *s.m.* miniature golf.
minigonna *s.f.* miniskirt.
minimizzare *v.tr.* to minimize.
minimo *agg.* **1** least; smallest; slightest; (*il più basso*) lowest **2** (*piccolissimo*) very small; very slight; (*bassissimo*) very low ♦ *s.m.* **1** minimum*; (*il meno che*) the least, (*per lo meno*) at least, at the very least **2** (*aut.*) idling.
ministeriale *agg.* ministerial | *crisi* –, cabinet crisis.
ministero *s.m.* **1** Ministry; (*spec. negli* USA) Department **2** (*dir.*) *pubblico* –, Public Prosecutor, (USA) District Attorney.
ministro *s.m.* minister.
minoranza *s.f.* minority.
minorato *agg., s.m.* disabled (person).
minore *agg.* **1** less; (*più piccolo*) smaller; (*più basso*) lower; (*più corto*) shorter; (*meno importante*) minor; (*di età*) younger **2** (*superl.*) the least; the smallest; the lowest; the shortest; minor; the youngest, (*fra due*) the younger **3** (*mus.*) minor ♦ *s.m./f.* minor.
minorenne *agg.* underage ♦ *s.m./f.* minor.
minorile *agg.* juvenile | *carcere* –, detention home.
minuscola *s.f.* small letter.
minuscolo *agg.* small; (*piccolo*) tiny ♦ *s.m.* small letters (*pl.*).
minuta *s.f.* rough copy, draft.
minuto[1] *agg.* minute, small, tiny | *al* –, retail; *commerciante al* –, retailer.
minuto[2] *s.m.* (*primo*) minute: – *secondo*, second.
minuziosamente *avv.* in (great) detail.
minuzioso *agg.* (*dettagliato*) detailed; (*meticoloso*) meticulous.
mio *agg.* my; (*mio proprio*) my own | *è* –, it's mine.
miope *agg., s.m./f.* shortsighted (person).
mira *s.f.* aim.
miracolo *s.m.* miracle.
miracoloso *agg.* miraculous; (*portentoso*) wonderful.
mirare *v.intr.* to aim (*at*).
mirato *agg.* specific.
mirino *s.m.* (*di arma*) (fore)sight; (*fot.*) viewfinder.
mirtillo *s.m.* blueberry, bilberry.
mirto *s.m.* myrtle.
miscela *s.f.* mixture; (*di tè, tabacco*) blend.
miscelatore *s.m.* mixer.

mischiare *v.tr.*, **mischiarsi** *v.pron.* to mix, to mingle; (*le carte*) to shuffle.
miscredente *s.m./f.* unbeliever; (*ateo*) atheist.
miscuglio *s.m.* mixture.
miserabile *agg.* **1** miserable, wretched **2** (*spregevole*) despicable, mean.
miseria *s.f.* **1** poverty | *porca –!*, damn! **2** (*inezia*) trifle.
misericordia *s.f.* mercy.
misericordioso *agg.* merciful.
misero *agg.* poor; wretched, miserable.
misfatto *s.m.* misdeed, crime.
misogino *agg.* misogynous ♦ *s.m.* misogynist.
missaggio *s.m.* (*cinem.*) mixing | *tecnico del –*, mixer.
missile *s.m.* missile.
missilistica *s.f.* rocketry.
missionario *agg., s.m.* missionary.
missione *s.f.* mission.
misterioso *agg.* mysterious.
mistero *s.m.* mystery.
misura *s.f.* **1** measure **2** (*misurazione*) measurement **3** (*dimensione*) size | *fuori, oltre –*, excessive (*agg.*); excessively (*avv.*) **4** (*limite*) limit; (*moderazione*) moderation.
misurare *v.tr.* **1** to measure **2** (*valutare*) to estimate, to judge; (*soppesare*) to weigh **3** (*limitare*) to limit **4** (*indumenti*) to try on ♦ *v.intr.* to measure ♦ **~rsi** *v.pron.* (*cimentarsi*) to measure oneself.
misurazione *s.f.* measurement.
misurino *s.m.* (small) measure.
mite *agg.* **1** gentle, meek; (*di clima*) mild **2** (*moderato*) moderate.
mitigare *v.tr.* to mitigate.
mito *s.m.* myth.
mitologia *s.f.* mythology.
mitologico *agg.* mythological.
mitra *s.m.* submachine gun.
mitragliare *v.tr.* to machinegun; (*fig.*) to bombard.
mitragliatrice *s.f.* machinegun.
mitteleuropeo *agg.* Central European.
mittente *s.m./f.* sender.
mobile *agg.* (*che si muove*) mobile; (*che può essere mosso*) movable ♦ *s.m.* piece of furniture; *pl.* furniture ⓤ.
mobilia *s.f.*, **mobilio** *s.m.* furniture ⓤ.
mobilitare *v.tr.* to mobilize.
mocassino *s.m.* moccasin.
moda *s.f.* fashion, style | *alla –*, fashionable | *di –*, in fashion | *fuori –*, out of fashion | *– pronta*, ready-to-wear clothes.
modella *s.f.* model.
modellare *v.tr.* to model, to mould.
modellino *s.m.* model.
modellismo *s.m.* modelling.
modello *s.m.* **1** model; pattern **2** (*modulo*) form ♦ *agg.* model.
moderare *v.tr.* to moderate; (*diminuire*) to reduce ♦ **~rsi** *v.pron.* to control oneself.
moderato *agg., s.m.* moderate.
moderazione *s.f.* moderation.
modernizzare *v.tr.*, **modernizzarsi** *v. pron.* to modernize.
moderno *agg.* modern; (*attuale*) up-to-date.
modestia *s.f.* modesty.
modesto *agg.* modest.
modico *agg.* moderate.
modifica *s.f.* alteration.
modificare *v.tr.* to alter, to modify: *– una legge*, to amend a law ♦ **~rsi** *v.pron.* to alter, to change.
modo *s.m.* **1** way | *in qualche –*,

somehow or other | *ad ogni* –, in any case | *in, di – che*, so that **2** (*garbo*) manners (*pl.*) | *a* –, polite, well-mannered (*agg.*), politely (*avv.*) **3** – *di dire*, idiom | *per – di dire*, so to speak **4** (*misura*) measure.
modulare *agg.* modular.
modulo *s.m.* form.
mogano *s.m.* mahogany.
moglie *s.f.* wife*.
molare[1] *v.tr.* to grind*; (*affilare*) to sharpen.
molare[2] *s.m.* (*dente*) molar.
mole *s.f.* mass, bulk; (*dimensione*) size.
molesto *agg.* irritating, annoying.
molla *s.f.* spring.
mollare *v.tr.* **1** (*allentare*) to slacken; (*lasciar andare*) to let* go **2** (*abbandonare*) to give* up **3** (*pugno ecc.*) to give*, to land ♦ *v.intr.* (*cedere*) to give* in.
molle *agg.* **1** (*morbido*) soft; (*flaccido*) flabby **2** (*debole*) weak.
molletta *s.f.* **1** (*bucato*) clothes peg; (*capelli*) hairpin **2** *pl.* tongs.
mollica *s.f.* crumb.
mollusco *s.m.* mollusc.
molo *s.m.* pier; (*banchina*) wharf.
molteplice *agg.* numerous; (*svariato*) various.
moltiplicare *v.tr.*, **moltiplicarsi** *v.pron.* to multiply: – *un numero per tre*, to multiply a number by three.
moltiplicazione *s.f.* multiplication.
moltitudine *s.f.* multitude.
molto *agg.* a lot of, lots of; (*spec. con neg. o interr.*) much*; *pl.* many | – (*tempo*), a long time; long; *fra non* – (*tempo*), before long ♦ *pron.* **1** a lot, lots; much* **2** (*molte cose*) much, a lot, a great deal **3** *pl.* (*molte persone*) many (people), a lot of people ♦ *avv.* **1** very **2** (*con compar. e p.p.*) much: – *di più*, much more; – *meglio*, much better **3** (*con v.*) a lot; (*neg. o interr.*) much.
momentaneo *agg.* passing; (*temporaneo*) temporary.
momento *s.m.* moment | *a un dato, certo* –, at a given, certain time | *al primo* –, at first | *sul* –, there and then | *per il* –, for the time being | *da un – all'altro*, at any moment | *dal – che*, given that.
monaca *s.f.* nun.
monaco *s.m.* monk.
monarchia *s.f.* monarchy.
Monaco *no.pr.m.* (*di Baviera*) Munich.
monastero *s.m.* monastery; (*di monache*) convent.
monastico *agg.* monastic.
mondano *agg.* society (*attr.*), fashionable.
mondiale *agg.* world; worldwide.
mondo *s.m.* world | *un – di*, (*fam.*) lots of, loads of.
mondovisione *s.f.* international (TV) broadcasting.
monello *s.m.* rascal, scallywag.
moneta *s.f.* **1** (*metallica*) coin; (*denaro*) money ▭; (*valuta*) currency **2** (*spiccioli*) change.
monetario *agg.* monetary.
mongolfiera *s.f.* hot-air balloon.
monito *s.m.* warning.
monocamerale *agg.* (*pol.*) unicameral.
monografia *s.f.* monograph.
monografico *agg.* monographic.
monogramma *s.m.* monogram.
monolingue *agg.* monolingual.
monolocale *s.m.* bedsit(ter), one-room flat.
monologo *s.m.* monologue.

monopolio *s.m.* monopoly.
monopolizzare *v.tr.* to monopolize.
monotono *agg.* monotonous.
monouso *agg.* disposable, throwaway.
montacarichi *s.m.* lift, hoist.
montaggio *s.m.* assemblage, assembling; (*di film*) editing.
montagna *s.f.* mountain | *montagne russe*, roller coaster.
montare *v.intr., tr.* **1** to mount; to climb*; to get* on **2** (*cavalcare*) to ride **3** (*assemblare*) to assemble **4** *montarsi* (*la testa*), to get* swollen headed.
montato *agg.* **1** (*di uovo*) beaten; (*di panna*) whipped **2** (*di persona*) swollen-headed.
montatura *s.f.* **1** (*di occhiali*) frame; (*di gioiello*) setting, mount **2** (*gonfiatura*) stunt: – *pubblicitaria*, advertising stunt.
monte *s.m.* mountain; (*col nome proprio*) mount | *andare a* –, (*fig.*) to fall through | *mandare a* –, (*fig.*) to cause to fail, (*disdire*) to call off.
montepremi *s.m.* prize money, jackpot.
montone *s.m.* **1** ram | *carne di* –, mutton **2** (*indumento*) sheepskin.
montuoso *agg.* mountainous.
monumentale *agg.* monumental.
monumento *s.m.* monument.
moquette *s.f.* fitted carpet, wall-to-wall carpet.
mora[1] *s.f.* (*di gelso*) mulberry; (*di rovo*) blackberry.
mora[2] *s.f.* (*ritardo*) arrears (*pl.*).
morale *agg.* moral ♦ *s.f.* morals (*pl.*); (*insegnamento*) moral ♦ *s.m.* morale, spirits (*pl.*).
moralista *s.m./f.* moralist.
moralistico *agg.* moralistic.
moralità *s.f.* morality; (*condotta*) morals (*pl.*).
moralizzare *v.tr.* to moralize.
morbido *agg.* soft.
morbillo *s.m.* measles.
morboso *agg.* morbid.
mordace *agg.* biting, cutting.
mordere *v.tr.* to bite*.
morfina *s.f.* morphia, morphine.
morire *v.intr.* **1** to die **2** (*di luce, colori*) to fade; (*di suoni*) to die away **3** (*estinguersi*) to die out.
mormorare *v.intr./tr.* to murmur; (*bisbigliare*) to whisper.
mormorio *s.m.* murmur; (*bisbiglio*) whispering.
morsicare *v.tr.* to bite*; (*di insetto*) to sting.
morsicatura *s.f.*, **morso** *s.m.* bite; (*di insetto*) sting.
mortale *agg.* mortal; fatal; (*fig.*) deadly.
mortaretto *s.m.* squib, (fire) cracker.
morte *s.f.* death.
mortificare *v.tr.* to mortify.
morto *agg., s.m.* dead (man).
mosaico *s.m.* mosaic.
mosca *s.f.* fly.
Mosca *no.pr.f.* Moscow.
moscato *s.m., agg.* muscat | *noce moscata*, nutmeg.
moscerino *s.m.* midge, gnat.
moschea *s.f.* mosque.
moschettone *s.m.* spring-clip.
moscone *s.m.* bluebottle, blowfly.
moscovita *agg., s.m./f.* Muscovite.
mossa *s.f.* move.
mostarda *s.f.* mustard.
mosto *s.m.* must.
mostra *s.f.* show, exhibition.
mostrare *v.tr.* to show*, to display; (*di-

mostrare) to prove, to demonstrate ♦ **~rsi** *v.pron.* to show* oneself; (*apparire*) to appear.
mostro *s.m.* monster.
mostruoso *agg.* monstrous.
motivare *v.tr.* to motivate.
motivato *agg.* **1** (*di persona*) motivated **2** (*fondato*) well-founded.
motivazione *s.f.* motivation; (*motivo*) motive; reason.
motivo *s.m.* **1** reason; (*movente*) motive **2** (*mus.*) theme, motif **3** (*ornamento*) motif.
moto *s.m.* **1** motion; movement; (*gesto*) gesture | *fare del* –, to take exercise **2** (*impulso*) impulse **3** (*sommossa*) revolt, rising.
motocicletta *s.f.* motorcycle; (*fam.*) motorbike.
motociclista *s.m./f.* motorcyclist.
motociclo *s.m.* motorcycle; (*fam.*) motorbike.
motore *s.m.* engine, motor | *veicolo a* –, motor vehicle.
motorino *s.m.* moped.
motoscafo *s.m.* motorboat.
motrice *s.f.* engine.
motto *s.m.* motto; (*detto*) saying | *un* – *di spirito*, a witticism.
movente *s.m.* motive.
movimentato *agg.* **1** lively, animated; (*trafficato*) busy **2** (*ricco di avvenimenti*) eventful.
movimento *s.m.* movement; (*traffico*) traffic.
mozione *s.f.* motion.
mozzicone *s.m.* butt, end.
mucca *s.f.* cow.
mucchio *s.m.* heap; (*di gente*) crowd.
muffa *s.f.* mould.
muffola *s.f.* mitten; (*da forno*) muffle.
muggire *v.intr.* to bellow; (*solo di mucca*) to moo.
muggito *s.m.* bellowing; moo.
mughetto *s.m.* (*bot.*) lily of the valley.
mulatto *s.m., agg.* mulatto*.
mulino *s.m.* mill.
mulo *s.m.* mule.
multa *s.f.* fine.
multare *v.tr.* to fine.
multimediale *agg.* multimedia (*attr.*).
multinazionale *agg., s.f.* multinational.
multiplo *agg., s.m.* multiple: *minimo comune* –, least common multiple.
multiproprietà *s.f.* (freehold) time-sharing.
multiuso *agg.* multipurpose, multi-use.
mummia *s.f.* mummy.
mungere *v.tr.* to milk.
municipale *agg.* municipal, town (*attr.*).
municipalizzato *agg.* municipal.
municipio *s.m.* municipality; (*l'edificio*) townhall.
munire *v.tr.* (*fornire*) to supply, to provide (*s.o. with sthg.*).
munizioni *s.f.pl.* munitions; ammunition [U].
muovere *v.tr./intr.*, **muoversi** *v.pron.* to move.
murale *agg., s.m.* mural.
murare *v.tr.* to wall up.
muratore *s.m.* bricklayer.
murena *s.f.* moray (eel).
muro *s.m.* wall.
muschio *s.m.* moss.
muscolo *s.m.* muscle.
museo *s.m.* museum.
museruola *s.f.* muzzle.
musica *s.f.* music.
musicale *agg.* musical, music (*attr.*).
musicare *v.tr.* to set* to music.

musicassetta *s.f.* cassette, audiocassette.
musicista *s.m./f.* musician.
muso *s.m.* **1** muzzle **2** (*fam.*, *broncio*) long face.
musulmano *agg.*, *s.m.* Muslim, Moslem.
muta[1] *s.f.* (*da subacqueo*) wet suit.
muta[2] *s.f.* (*di cani*) pack (of hounds).
mutamento *s.m.* change.
mutande *s.f.pl.* briefs; (*da donna*) panties; (*da uomo*) underpants.
mutare *v.tr.*, **mutarsi** *v.pron.* to change.
mutevole *agg.* changeable.
mutilato *agg.* maimed, crippled ♦ *s.m.* cripple.
muto *agg.*, *s.m.* dumb (person), mute.
mutuo[1] *agg.* mutual, reciprocal.
mutuo[2] *s.m.* (*prestito*) loan.

N

nafta *s.f.* fuel oil; (*per Diesel*) Diesel oil | *a* –, oil-firing.
naftalina *s.f.* moth-balls (*pl.*).
nanna *s.f.* bye-bye(s).
nano *agg.*, *s.m.* dwarf.
Napoli *no.pr.f.* Naples.
narciso *s.m.* narcissus.
narcotico *s.m.* narcotic | *squadra narcotici*, drug squad.
narcotrafficante *s.m./f.* drug dealer.
narice *s.f.* nostril.
narrare *v.tr.*, *intr.* to tell*.
narrativa *s.f.* fiction ⌨.
nasale *agg.* nasal.
nascere *v.intr.* **1** to be born **2** (*di piante*) to sprout, to come* up **3** (*di astro, fiume*) to rise* **4** (*fig.*) (*avere origine*) to arise* | *far* –, (*suscitare*) to give* rise to, to cause.
nascita *s.f.* birth: *luogo di* –, birthplace; *inglese di* –, English by birth.
nascondere *v.intr.*, **nascondersi** *v. pron.* to hide*.
nascondiglio *s.m.* hiding-place; (*solo di persone*) hideout.
nascondino *s.m.* (*gioco*) hide-and-seek.
nascosto *agg.* hidden, concealed; (*segreto*) secret.
nasello *s.m.* hake.
naso *s.m.* nose.
nastro *s.m.* ribbon | – *per registrazione*, recording tape | – *trasportatore*, conveyer belt.
Natale *s.m.* Christmas (*abbr.* Xmas): *buon* –!, happy (*o* merry) Christmas!
natica *s.f.* buttock.
nato *agg.* born (*of*).
natura *s.f.* nature | – *morta*, still life*.
naturale *agg.* natural.
naturalizzare *v.tr.* to naturalize.
naturalmente *avv.* (*certamente*) naturally, of course.
naufragare *v.intr.* **1** to be (ship) wrecked **2** (*fallire*) to fail, to fall* through.
naufragio *s.m.* (ship)wreck.
nausea *s.f.* nausea: *avere la* –, to feel sick.
nauseare *v.tr.* to nauseate, to sicken.
nautica *s.f.* boating, sailing | *negozio di* –, marine shop.
nautico *agg.* nautical.
navale *agg.* naval.
navata *s.f.* (*centrale*) nave; (*laterale*) (side) aisle.
nave *s.f.* ship.

navetta *s.f.* shuttle.
navigabile *agg.* navigable.
navigare *v.intr., tr.* to sail, to navigate.
navigazione *s.f.* navigation; (*a vela*) sailing.
nazionale *agg.* national; home (*attr.*) ♦ *s.f.* national team.
nazionalità *s.f.* nationality.
nazionalizzare *v.tr.* to nationalize.
nazione *s.f.* nation; country.
nazismo *s.m.* Nazism.
nazista *agg., s.m./f.* Nazi.
ne *pron.* **1** of, about him, her, them; of, about it, this, that | *non – abbiamo,* we haven't any **2** (*da ciò*) from it, out of it ♦ *avv.* from there; out of there.
né *cong.* neither, nor; (*con altra neg.*) either, or | *né... né,* (neither)... nor; (either)... or | *– l'uno – l'altro,* neither; either.
neanche *avv.* **1** neither, nor; (*con altra neg.*) either, or **2** (*rafforzativo di neg.*) even | *– uno,* not a single one ♦ *cong.* even if.
nebbia *s.f.* fog; (*foschia*) mist.
nebbioso *agg.* foggy; misty.
nebuloso *agg.* nebulous.
necessario *agg.* necessary: *è – che tu venga,* it's necessary for you to come.
necessità *s.f.* necessity; (*bisogno*) need.
necrologio *s.m.* obituary (notice).
negare *v.tr.* to deny.
negativa *s.f.* (*fot.*) negative.
negativo *agg.,s.m.* negative.
negato *agg.* hopeless (*at*).
negletto *agg.* neglected.
negligente *agg.* negligent (*of*), careless (*in*).
negoziante *s.m./f.* shopkeeper, (*amer.*) storekeeper.
negoziare *v.tr., intr.* **1** (*commerciare*) to deal* (*in*) **2** (*trattare*) to negotiate.
negoziato *s.m.* negotiation.
negozio *s.m.* shop, (*amer.*) store.
negro *agg., s.m.* black.
nemico *agg., s.m.* enemy.
nemmeno → *neanche.*
neo *s.m.* **1** mole; (*posticcio*) beauty-spot **2** (*fig.*) flaw, drawback.
neo- *pref.* neo-.
neonato *agg.* newborn ♦ *s.m.* newborn baby.
neozelandese *agg.* New Zealand (*attr.*) ♦ *s.m./f.* New Zealander.
neppure → *neanche.*
nerastro *agg.* blackish.
nero *agg.* black; (*scuro*) dark; (*malinconico*) gloomy.
nervo *s.m.* nerve.
nervosismo *s.m.* irritation; (*apprensione*) nervousness.
nervoso *agg.* nervous; (*irritabile*) irritable, short-tempered.
nespola *s.f.* loquat.
nesso *s.m.* connection, relation.
nessuno *agg.* **1** no; (*con altra neg.*) any **2** (*qualche*) any ♦ *pron.* **1** (*persona*) nobody, no one; anybody, anyone; (*cosa*) none; any | *– di noi,* none of us | *– dei due,* neither | *non è –,* he's (a) nobody **2** (*qualcuno*) anybody, anyone.
netto *agg.* clean; (*chiaro*) clear | *di –,* cleanly **2** (*comm., econ.*) net.
netturbino *s.m.* dustman*, (*amer.*) garbage collector.
neutrale *agg.* neutral.
neutralità *s.f.* neutrality.
neutralizzare *v.tr.* to neutralize.
neve *s.f.* snow.
nevicare *v.intr.* to snow.
nevicata *s.f.* snowfall.

nevischio *s.m.* sleet.
nevoso *agg.* snowy.
nevralgia *s.f.* neuralgia.
nevrotico *agg., s.m.* neurotic.
newyorkese *agg.* New York (*attr.*) ♦ *s.m./f.* New Yorker.
nicchia *s.f.* niche.
nicotina *s.f.* nicotine.
nidificare *v.intr.* to nest.
nido *s.m.* **1** nest **2** (*per neonati*) day nursery.
niente *pron., s.m.* nothing; (*con altra neg.*) anything; (*qualche cosa, interr.*) anything: – *di meglio*, nothing better; – *di nuovo!*, anything new? | – *altro*, nothing else; – *altro che*, nothing but ♦ *avv.* (*affatto*) not at all: – *male!*, not bad at all! ♦ *agg.* (*fam.*) → *nessuno*.
ninfea *s.f.* waterlily.
ninnananna *s.f.* lullaby.
nipote *s.m./f.* (di zii) nephew (*m.*), niece (*f.*); (*di nonni*) grandchild*; grandson (*m.*); grand-daughter (*f.*).
nitido *agg.* **1** (*lindo*) neat, tidy **2** (*chiaro*) clear, sharp.
nitrire *v.intr.* to neigh, to whinny.
no *avv.* no | *perché –?*, why not? | *credo di –*, I don't think so | *se –*, otherwise, or else, if not.
nobile *agg., s.m.* noble; nobleman* (*s.*).
nobiltà *s.f.* nobility.
nocciola *s.f.* hazelnut | *noccioline* (*americane*), peanuts ♦ *agg.* (light) brown.
nocciolo[1] *s.m.* stone, kernel.
nocciolo[2] *s.m.* (*bot.*) hazel (tree).
noce *s.m./f.* walnut | – *di cocco*, coconut.
nocepesca *s.f.* nectarine.
nocivo *agg.* harmful.
nodo *s.m.* knot | – *ferroviario*, junction.
nodoso *agg.* knotty.
noi *pron.* (*sogg.*) we; (*compl.*) us.
noia *s.f.* **1** boredom: *che –!*, what a bore! **2** (*fastidio*) nuisance; (*seccatura*) trouble ▭.
noioso *agg.* **1** boring, tedious **2** (*fastidioso*) annoying, tiresome.
noleggiare *v.tr.* (*prendere*) to hire; (*dare*) to hire out.
noleggio, nolo *s.m.* hire; (*il costo*) rental, hire charge.
nomade *s.m./f.* nomad ♦ *agg.* nomadic.
nome *s.m.* **1** name: – *di battesimo*, Christian name, first name | – *depositato*, registered trade name **2** (*gramm.*) noun.
nomina *s.f.* appointment.
nominale *agg.* nominal | *appello –*, roll call.
nominare *v.tr.* to name; (*menzionare*) to mention; (*eleggere*) to appoint.
non *avv.* not (*contr.* n't).
nonché *cong.* **1** (*tanto più*) let alone **2** (*e inoltre*) as well as.
noncurante *agg.* careless, indifferent (*to*).
nondimeno *cong.* nevertheless, however.
nonna *s.f.* grandmother; (*fam.*) grandma, granny.
nonno *s.m.* grandfather; (*fam.*) grandpa, grandad: *i miei nonni*, my grandparents.
nonnulla *s.m.* trifle.
nono *agg., s.m.* ninth.
nonostante *prep.* in spite of, notwithstanding.
nontiscordardimé *s.m.* forget-me-not.
nonviolenza *s.f.* nonviolence.
nord *s.m.* north.
nordafricano *agg., s.m.* North African.
nordamericano *agg., s.m.* North American.

nordeuropeo *agg.* ,*s.m.* Northern European.
norma *s.f.* rule; (*consuetudine*) norm, custom | *di* –, as a rule, normally | *norme per l'uso*, instructions.
normale *agg.* normal; standard.
normalizzare *v.tr.*, **normalizzarsi** *v. pron.* to normalize.
norvegese *agg.*, *s.m./f.* Norwegian.
Norvegia *no.pr.f.* Norway.
nostalgia *s.f.* (*di casa*) homesickness; (*del passato*) nostalgia.
nostalgico *agg.* nostalgic; homesick.
nostrano *agg.* local, home (*attr.*).
nostro *agg.* our; (*di nostra proprietà*) our own | *qualcosa, niente di* –, something, nothing of our own ♦ *pron.* ours | *i nostri*, our family; our supporters; our soldiers.
nota *s.f.* **1** note **2** (*conto*) bill **3** (*lista*) list.
notaio *s.m.* notary.
notare *v.tr.* **1** (*annotare*) to note down, to write* down **2** (*osservare*) to notice; (*rilevare*) to remark, to observe.
notarile *agg.* notarial.
notazione *s.f.* annotation.
notes *s.m.* notepad.
notevole *agg.* remarkable, notable; (*grande*) considerable.
notifica *s.f.* notice.
notificare *v.tr.* to serve, to give* notice of, to notify.
notizia *s.f.* **1** piece of news; (*pl.*) news ◻ **2** *pl.* (*informazioni*) information ◻; (*dati*) notes.
notiziario *s.m.* news ◻; (*bollettino*) newsletter.
noto *agg.* well-known.
notorietà *s.f.* renown, fame.
notte *s.f.* night | *di* –, at night.
nottetempo *avv.* during the night; at night.
notturno *agg.* night (*attr.*).
novanta *agg.*, *s.m.* ninety.
nove *agg.*, *s.m.* nine.
novella *s.f.* short story.
novembre *s.m.* November.
novità *s.f.* novelty; (*innovazione*) innovation.
nozionale *agg.* notional.
nozione *s.f.* notion; idea.
nozze *s.f.pl.* wedding (*sing.*).
nube *s.f.* cloud.
nubifragio *s.m.* downpour, cloudburst.
nubile *agg.* unmarried, single.
nuca *s.f.* nape.
nucleare *agg.* nuclear ♦ *s.m.* nuclear power.
nucleo *s.m.* **1** core; nucleus **2** (*gruppo*) group, unit; (*squadra*) team, squad.
nudista *agg.*, *s.m./f.* nudist.
nudo *agg.* naked; (*di parte* o *fig.*) bare.
nulla → ***niente***.
nullaosta *s.m.* authorization, permission; (*documento*) permit.
nullità *s.f.* nonentity.
numerare *v.tr.* to number.
numerazione *s.f.* numbering; (*mat.*) numeration.
numerico *agg.* numerical.
numero *s.m.* number | – *chiuso*, selective entry | – *legale*, quorum | – *verde*, Freefone, (*amer.*) eight-hundred number.
numeroso *agg.* numerous; (*di gruppo*) large.
nuocere → *danneggiare*.
nuora *s.f.* daughter-in-law*.
nuotare *v.intr.* to swim* | – *a rana*, to do breaststroke.
nuotata *s.f.* swim | *fare una* –, to go for a swim.

nuoto *s.m.* swimming.
Nuova Zelanda *no.pr.f.* New Zealand.
nuovo *agg.* new; (*mai visto*) unknown | *– fiammante*, brand-new | *di –*, again.
nutriente *agg.* nourishing.
nutrimento *s.m.* nourishment.
nutrire *v.tr.* to feed*; to nourish; (*provare*) to feel* ♦ **~rsi** *v.pron.* to feed* (*on*).
nutrizione *s.f.* nutrition.
nuvola *s.f.* cloud.
nuvoloso *agg.* cloudy; overcast.

O

o *cong.* or.
oasi *s.f.* oasis* (*anche fig.*).
obbediente *agg.* obedient.
obbedire *v.intr.* to obey (*s.o.*).
obbligare *v.tr.* to oblige, to compel.
obbligato *agg.* **1** (*riconoscente*) obliged **2** (*imposto*) fixed; (*inevitabile*) unavoidable.
obbligatorio *agg.* compulsory.
obbligazione *s.f.* (*fin.*) bond.
obbligo *s.m.* obligation.
obeso *agg.* obese.
obiettare *v.tr., intr.* to object.
obiettivo *agg., s.m.* objective.
obiettore *s.m.* objector.
obitorio *s.m.* morgue, mortuary.
obliquo *agg.* slanting; oblique.
oblò *s.m.* (*mar.*) porthole.
obolo *s.m.* (small) offering.
oca *s.f.* **1** goose* **2** (*fig.*) ninny.
occasionale *agg.* **1** chance (*attr.*) **2** (*saltuario*) occasional.
occasione *s.f.* **1** (*circostanza*) occasion; (*opportunità*) opportunity, chance **2** (*affare*) bargain | *d'–*, second-hand.
occhiaia *s.f.* eye socket | *avere le occhiaie*, to have shadows under one's eyes.
occhiali *s.m.pl.* glasses; (*da sci ecc.*) goggles.
occhiata *s.f.* look, glance: *dare un'– a*, to have a look at.
occhiello *s.m.* buttonhole.
occhio *s.m.* eye | *a – (e croce)*, by sight; roughly | *a occhi chiusi*, blindfold | *a – nudo*, with the naked eye | *a quattr'occhi*, in private | *con la coda dell'–*, out of the corner of one's eye | *dare nell'–*, to attract attention | *tenere d'– qlcu.*, to keep an eye on s.o. | *vedere di buon –*, to look favourably on.
occidentale *agg.* western; west ♦ *s.m./f.* westerner.
occidente *s.m.* west.
occlusione *s.f.* (*med.*) occlusion.
occorrente *agg., s.m.* (the) necessary.
occorrenza *s.f.* necessity, need | *all'–*, in case of need.
occorrere *v.intr.* to need* (*costr. pers.*).
occulto *agg.* **1** hidden **2** (*magico*) occult.
occupare *v.tr.* **1** to occupy | *– una casa* (*abusivamente*), to squat (in a house) **2** (*tempo*) to spend* **3** (*tenere*) to hold*: *– un posto vacante*, to fill a vacancy ♦ **~rsi** *v.pron.* **1** to do* (*sthg.*); to work (*in*); (*specificamente*) to deal* (*with*) **2** (*interessarsi*) to be involved (*in*) **3** (*prendersi cura*) to look (*after*); to see* (*to*).
occupato *agg.* **1** occupied; (*di telefono*) engaged **2** (*indaffarato*) busy.
occupazione *s.f.* **1** occupation **2** (*attività*) job; (*impiego*) employment.
oceano *s.m.* ocean.

ocra *s.f.* ochre.
oculare *agg.* ocular; eye (*attr.*).
oculato *agg.* cautious; (*saggio*) shrewd.
oculista *s.m./f.* ophthalmologist.
ode *s.f.* ode.
odiare *v.tr.* to hate, to detest.
odio *s.m.* hatred, hate.
odioso *agg.* hateful, odious.
odissea *s.f.* odyssey.
odontotecnico *s.m.* dental technician.
odorare *v.tr./intr.* to smell*.
odore *s.m.* smell; (*profumo*) scent: *c'era – di chiuso*, it smelt musty; *mandare buon, cattivo –*, to smell good, bad.
offendere *v.tr.* **1** to offend **2** (*ledere*) to damage ♦ **~rsi** *v.pron.* to take* offence (*at*).
offensivo *agg.* offensive.
offerta *s.f.* **1** offer; (*donazione*) offering **2** (*comm.*) offer; (*a un'asta*) bid; (*in un appalto*) tender; (*econ.*) supply.
offesa *s.f.* offence; insult | (*sia detto*) *senza –*, no offence meant.
offeso *agg.* **1** offended | (*dir.*) *la parte offesa*, the plaintiff **2** (*leso*) damaged.
officina *s.f.* workshop, shop; (*per automobili*) garage.
offrire *v.tr.* **1** to offer **2** (*comm.*) to offer; (*a un'asta*) to bid*; (*a un appalto*) to tender ♦ **~rsi** *v.pron.* **1** to offer **2** (*presentarsi*) to present itself.
offuscare *v.tr.* to dim, to obscure.
oggettistica *s.f.* gift and fancy goods (*pl.*).
oggettivo *agg.* objective.
oggetto *s.m.* **1** object, article | (*ufficio*) *oggetti smarriti*, lost property office **2** (*argomento*) subject.
oggi *avv.*, *s.m.* today | *al giorno d'–*, nowadays.
ogni *agg.* **1** every; (*ciascuno*) each | *– cosa*, everything | *– tanto*, every now and then **2** (*qualsiasi*) any, all | *in – caso*, anyway, in any case.
ognuno *pron.* everybody, everyone; (*ciascuno*) each (one).
Olanda *no.pr.f.* Holland.
olandese *agg.*, *s.m.* Dutch; (*abitante*) Dutchman* | *gli Olandesi*, the Dutch.
oleandro *s.m.* oleander.
oleodotto *s.m.* (oil) pipeline.
oleoso *agg.* oily; oil (*attr.*).
olfatto *s.m.* sense of smell.
oliare *v.tr.* to oil, to lubricate.
oliera *s.f.* oil and vinegar cruet.
olimpiadi *s.f.pl.* Olympic games.
olimpico, **olimpionico** *agg.* Olympic.
olio *s.m.* oil: *– di semi*, vegetable oil; *– solare*, sun tan oil | *sott'–*, in oil.
oliva *s.f.* olive.
oliveto *s.m.* olive grove.
olivo *s.m.* olive (tree).
olocausto *s.m.* holocaust.
oltraggio *s.m.* insult | *– al pudore*, indecent behaviour.
oltranza, a *a. avv.* to the bitter end.
oltre *avv.* **1** farther (on) **2** (*di tempo*) longer; (*più tardi*) later ♦ *prep.* **1** beyond | *– a, che*, besides **2** (*più di*) over.
oltrepassare *v.tr.* to go* beyond; (*eccedere*) to exceed.
omaggio *s.m.* **1** tribute, homage **2** *pl.* respects, regards **3** (*dono*) free gift; (*unito a un prodotto*) giveaway: *copia (in) –*, complimentary copy; *cassetta in –*, free cassette.
ombelico *s.m.* navel.
ombra *s.f.* **1** shade; shadow: *fare –*, to give shade; *all'–*, in the shade | *restare nell'–*, (*fig.*) to keep a low profile **2** (*immagine proiettata*) shadow | *è l'– di se*

stesso, he is the shadow of his former self **3** (*traccia*) hint **4** (*spettro*) ghost **5** (*alone*) slight stain.
ombrello *s.m.* umbrella.
ombrellone *s.m.* beach umbrella.
ombretto *s.m.* eye shadow.
ombroso *agg.* **1** shady **2** (*di cavallo*) skittish.
omeopatico *agg.* homeopathic.
omertà *s.f.* conspiracy of silence.
omettere *v.tr.* to omit.
omicida *agg.* homicidal ♦ *s.m./f.* murderer (*m.*), murderess (*f.*).
omicidio *s.m.* murder, (*amer.*) homicide.
omissione *s.f.* omission | – *di soccorso*, failure to assist.
omogeneizzato *agg.* homogenized ♦ *s.m.* baby food.
omogeneo *agg.* homogeneous.
omologare *v.tr.* to register.
omonimo *agg.* with the same name ♦ *s.m.* namesake.
omosessuale *agg.*, *s.m./f.* homosexual.
oncia *s.f.* ounce.
oncologo *s.m.* (*med.*) oncologist.
onda, **ondata** *s.f.* wave.
ondeggiare *v.intr.* to sway; (*di imbarcazione*) to rock.
ondulato *agg.* wavy; (*di lamiera*) corrugated.
onere *s.m.* burden; (*spesa*) charge.
onestà *s.f.* honesty.
onesto *agg.* honest.
onnipotente *agg.* almighty.
onomastico *s.m.* name day.
onorabilità *s.f.* honour.
onorare *v.tr.* **1** to honour **2** (*dare onore a*) to do* credit to ♦ **~rsi** *v.pron.* to be honoured.
onorario[1] *agg.* honorary.
onorario[2] *s.m.* fee.
onorato *agg.* honoured; (*rispettabile*) honourable.
onore *s.m.* honour | *a – del vero*, to tell the truth | *fare gli onori di casa*, to do the honours (of the house) | *farsi – in qlco.*, to excel in sthg.
onorevole *agg.* honourable ♦ *s.m./f.* Member of Parliament, MP.
onorificenza *s.f.* honour.
onta *s.f.* **1** shame **2** (*oltraggio*) affront.
opaco *agg.* opaque; (*non brillante*) dull.
opera *s.f.* **1** work; (*azione*) deed **2** (*melodramma*) opera **3** (*istituzione*) institution.
operaio *s.m.*, *agg.* worker.
operare *v.tr.* **1** to do*, to perform **2** (*med.*) to operate (on) ♦ **~rsi** *v.pron.* (*med.*) to have an operation.
operatore *s.m.* operator.
operatorio *agg.* operating.
operazione *s.f.* operation.
operoso *agg.* active.
opinione *s.f.* opinion.
opinionista *s.m./f.* columnist; (*rad.*, *tv*) opinion-maker.
oppio *s.m.* opium.
opporre *v.tr.* to oppose | *opporsi a qlco.*, to oppose sthg.
opportunista *s.m./f.* opportunist.
opportunità *s.f.* **1** opportuneness **2** (*occasione*) opportunity.
opportuno *agg.* opportune; (*giusto*) right.
oppositore *s.m.* opponent.
opposizione *s.f.* opposition ▭.
opposto *agg.* opposite ♦ *s.m.* contrary.
oppressione *s.f.* oppression.
opprimente *agg.* oppressive.

opprimere *v.tr.* to oppress.
oppure *cong.* or (else).
opuscolo *s.m.* booklet; (*pubblicitario*) brochure.
ora[1] *s.f.* 1 hour | – *di punta*, rush hour | *80 km all'*–, 80 km an hour | *non veder l'– di*, to look forward to (*+ing*) 2 (*tempo, momento*) time: – *legale*, summer time, (*amer.*) daylight-saving time; *che – fai?*, what time do you make it? | *a quest'– sarà arrivato*, he will be there by now | *era* –!, about time!; *era – che parlassi!*, it was high time you spoke!
ora[2] *avv., cong.* now.
oracolo *s.m.* oracle.
orafo *s.m.* goldsmith.
orale *agg., s.m.* oral.
orario *s.m.* 1 hours (*pl.*), schedule: – *continuato*, all-day opening;– *elastico, flessibile*, flexitime 2 (*tabella*) time table ♦ *agg.* hourly, time (*attr.*).
orata *s.f.* gilthead bream.
oratore *s.m.* orator.
oratorio *s.m.* parish youth club.
orbita *s.f.* 1 orbit 2 (*anat.*) (eye) socket.
orchestra *s.f.* orchestra; (*complesso*) band.
orchidea *s.f.* orchid.
orco *s.m.* ogre.
orda *s.f.* horde.
ordigno *s.m.* device.
ordinale *agg., s.m.* ordinal.
ordinamento *s.m.* regulations (*pl.*); (*sistema*) system.
ordinare *v.tr.* 1 to order 2 (*mettere in ordine*) to put* in order.
ordinario *agg.* 1 ordinary | *biglietto* –, full fare 2 (*grossolano*) common ♦ *s.m.* 1 ordinary 2 (*professore*) (full) professor.
ordinato *agg.* neat, tidy.
ordinazione *s.f.* order.
ordine *s.m.* order | – *degli Avvocati*, Bar Association | (*all'*) – *del giorno*, (on the) agenda | *di infimo* –, third-class.
orecchiabile *agg.* catchy.
orecchino *s.m.* earring; (*pendente*) eardrop.
orecchio *s.m.* ear | *avere* – (*musicale*), to have an ear for music; *non avere* –, to have a tin ear; *suonare a* –, to play by ear.
orecchioni *s.m.pl.* mumps.
orefice *s.m.* jeweller.
orfano *agg., s.m.* orphan.
orfanotrofio *s.m.* orphanage.
organico *agg.* organic ♦ *s.m.* personnel.
organismo *s.m.* organism; (*fig.*) body.
organizzare *v.tr.* to organize.
organizzazione *s.f.* organization.
organo *s.m.* organ.
orgia *s.f.* orgy.
orgoglio *s.m.* pride.
orgoglioso *agg.* proud.
orientale *agg.* eastern; (*asiatico*) oriental ♦ *s.m./f.* Oriental.
orientamento *s.m.* 1 orientation 2 (*tendenza*) trend.
orientare *v.tr.* to orient ♦ **-rsi** *v.pron.* to get* one's bearings; (*fig.*) to find* one's way.
oriente *s.m.* east.
origano *s.m.* (*bot.*) oregano.
originale *agg., s.m.* 1 original 2 (*stravagante*) eccentric.
originario *agg.* 1 native (*to*) 2 (*primitivo*) original.
origine *s.f.* origin.
orizzontale *agg.* horizontal.
orizzontarsi *v.pron.* to get* one's bearings.
orizzonte *s.m.* horizon.

orlare *v.tr.* to hem; (*bordare*) to edge.
orlo *s.m.* **1** edge; (*di bicchiere ecc.*) rim, brim | *sull'– della rovina*, on the verge of ruin **2** (*di abiti*) hem.
orma *s.f.* footprint; (*di animale*) track.
ormai *avv.* (by) now; (*riferito al passato*) by then.
ormeggiare *v.tr.* to moor.
ormeggio *s.m.* mooring.
ormone *s.m.* hormone.
ornamento *s.m.* ornament.
ornare *v.tr.* to adorn.
oro *s.m.* gold | *prendere qlco. per – colato*, to take sthg. as gospel.
orologeria *s.f.* watchmaker's (shop).
orologio *s.m.* clock; (*da polso, da tasca*) watch.
oroscopo *s.m.* horoscope.
orrendo *agg.* dreadful.
orribile *agg.* awful.
orrore *s.m.* horror.
orsa *s.f.* she-bear | *Orsa Maggiore, Minore*, Great, Little Bear.
orso *s.m.* bear; (*grigio*) grizzly.
ortaggio *s.m.* vegetable.
ortensia *s.f.* hydrangea.
ortica *s.f.* nettle.
orticaria *s.f.* nettle rash.
orto *s.m.* kitchen garden.
ortodosso *agg., s.m.* orthodox.
ortografia *s.f.* spelling.
ortopedico *agg.* orthop(a)edic ♦ *s.m.* orthop(a)edist.
orzo *s.m.* barley.
osare *v.intr.* to dare.
osceno *agg.* obscene; indecent.
oscillare *v.intr.* to swing*.
oscurare *v.tr.* to darken.
oscurità *s.f.* darkness.
oscuro *agg.* dark; (*fig.*) obscure ♦ *s.m.* dark.
ospedale *s.m.* hospital.
ospedaliero *agg., s.m.* hospital (worker).
ospitale *agg.* hospitable.
ospitalità *s.f.* hospitality.
ospitare *v.tr.* to give* hospitality to.
ospite *s.m./f.* **1** guest **2** (*chi ospita*) host (*m.*); hostess (*f.*).
ospizio *s.m.* home hospice.
osseo *agg.* bony, osseous.
ossequiare *v.tr.* to pay* one's respects to.
ossequio *s.m.* respect, regard.
osservante *agg.* observant.
osservare *v.tr.* **1** to observe, to watch **2** (*attenersi a*) to keep* to **3** (*notare*) to notice; (*rilevare*) to remark.
osservatorio *s.m.* observatory.
osservazione *s.f.* **1** observation | (*med.*) *in –*, under observation **2** (*rilievo*) comment, remark **3** (*rimprovero*) criticism.
ossessionare *v.tr.* to obsess.
ossessione *s.f.* obsession.
ossessivo *agg.* obsessing.
ossesso *s.m.* person possessed.
ossidato *agg.* oxidized.
ossido *s.m.* oxide.
ossidrico *agg.* oxyhydrogen.
ossigenare *v.tr.* **1** to oxygenate **2** (*capelli*) to peroxide.
ossigeno *s.m.* oxygen.
osso *s.m.* bone | *è pelle e ossa*, he's all skin and bones | *sentirsi le ossa rotte*, to be dead beat | *farsi le ossa*, to get experience | *è un – duro*, he's a tough nut to crack.
ossuto *agg.* bony.
ostacolare *v.tr.* to obstruct; (*intralciare*) to hinder.
ostacolo *s.m.* **1** obstacle; (*intralcio*) hindrance **2** (*sport*) hurdle.

ostaggio *s.m.* hostage.
oste *s.m.* host, innkeeper.
ostello *s.m.* (youth) hostel.
ostentare *v.tr.* to show* off.
osteria *s.f.* tavern, inn.
ostetrico *s.m.* obstetrician.
ostia *s.f.* host.
ostile *agg.* hostile.
ostinarsi *v.pron.* to persist (*in*); to insist (*on*).
ostinato *agg.* obstinate, stubborn.
ostinazione *s.f.* obstinacy.
ostrica *s.f.* oyster.
ostruire *v.tr.* to obstruct.
otite *s.f.* otitis.
ottano *s.m.* octane.
ottanta *agg., s.m.* eighty.
ottavo *agg.* eighth.
ottenere *v.tr.* to get*; (*conseguire*) to achieve.
ottica *s.f.* **1** optics ▭ **2** (*punto di vista*) point of view.
ottico *agg.* optic(al) ♦ *s.m.* optician.
ottimale *agg.* optimum.
ottimista *s.m./f.* optimist.
ottimizzare *v.tr.* to optimize.
ottimo *agg.* very good, excellent ♦ *s.m.* the best.
otto *agg., s.m.* eight.
ottobre *s.m.* October.
ottone *s.m.* brass.
ottovolante *s.m.* switchback.
otturare *v.tr.* to stop (up); (*un dente*) to fill.
ottuso *agg.* slow, dull.
ovale *agg., s.m.* oval.
ovatta *s.f.* wadding.
ovazione *s.f.* ovation.
ovest *s.m.* west.
ovile *s.m.* (sheep)fold.
ovolo *s.m.* golden agaric.
ovvio *agg.* obvious.
ozio *s.m.* **1** idleness: *stare in* –, to loaf about **2** (*riposo*) leisure.
ozioso *agg.* idle.
ozono *s.m.* ozone.

P

pacato *agg.* calm, quiet.
pacca *s.f.* (*fam.*) slap.
pacchetto *s.m.* packet; (*estens.*) package.
pacco *s.m.* parcel: – *postale*, parcel post.
pace *s.f.* peace: *fare la* –, to make peace | *lascialo in* –*!*, leave him alone!
paciere *s.m.* peacemaker.
pacificare *v.tr.* to pacify.
pacifico *agg.* **1** peaceable; (*tranquillo*) peaceful **2** (*evidente*) self-evident ♦ *no.pr.m.* (*oceano*) *Pacifico*, Pacific (Ocean).
pacifista *agg., s.m./f.* pacifist.
padella *s.f.* **1** frying pan **2** (*per malati*) bedpan.
padiglione *s.m.* pavilion.
padre *s.m.* father.
padreterno *s.m.* God the Father.
padrino *s.m.* godfather.
padrona *s.f.* mistress; (*di casa*) the lady of the house; (*quando riceve*) hostess.
padronanza *s.f.* control; (*conoscenza*) mastery.
padrone *s.m.* **1** master **2** (*proprietario*) owner: – *di casa*, landlord **3** (*datore di lavoro*) employer; (*fam.*) boss.
paesaggio *s.m.* landscape, scenery.
paesano *agg.* country (*attr.*) ♦ *s.m.* countryman*, peasant.

paese *s.m.* 1 country; (*patria*) homeland: *Paesi Bassi*, the Netherlands 2 (*villaggio*) village | *va a quel –!*, (*fam.*) go to hell!
paga *s.f.* pay.
pagamento *s.m.* payment.
pagano *agg.*, *s.m.* pagan.
pagare *v.tr.* to pay*: – *qlco. 1000 lire*, to pay 1000 lire for sthg.; *far –*, to charge | *– da bere a qlcu.*, to stand s.o. a drink.
pagella *s.f.* (school) report.
pagina *s.f.* page | *prima –* (*di giornale*), front page; *terza –*, the cultural page.
paglia *s.f.* straw.
pagliaccio *s.m.* clown.
pagliaio *s.m.* barn.
paglietta *s.f.* steel wool.
paio *s.m.* pair | *un – di mesi*, a couple of months.
pala *s.f.* 1 shovel 2 (*di remo, elica*) blade; (*di mulino*) vane.
palafitta *s.f.* pile-dwelling.
palato *s.m.* palate.
palazzo *s.m.* 1 palace; (*casa*) mansion | *– di giustizia*, Law Courts, Court House 2 (*edificio*) building; (*di appartamenti*) block of flats.
palco *s.m.* 1 (*teatr.*) box 2 (*pedana*) stand.
palcoscenico *s.m.* stage.
palese *agg.* clear.
Palestina *no.pr.f.* Palestine.
palestinese *agg.*, *s.m./f.* Palestinian.
palestra *s.f.* gym(nasium).
paletto *s.m.* stake; (*di tenda*) peg; (*nello sci*) pole.
palinsesto *s.m.* (*rad.*, *tv*) schedule.
palissandro *s.m.* rosewood.
palizzata *s.f.* fence.
palla *s.f.* ball.
pallacanestro *s.f.* basketball.
pallanuoto *s.f.* water polo.
pallavolo *s.f.* volleyball.
palliativo *s.m.* palliative.
pallido *agg.* 1 pale 2 (*tenue*) dim; (*vago*) faint.
pallino *s.m.* 1 spot 2 (*mania*) craze 3 *pl.* (*per fucile da caccia*) pellets.
palloncino *s.m.* balloon.
pallone *s.m.* ball.
pallore *s.m.* pallor.
pallottola *s.f.* 1 pellet 2 (*di arma*) bullet.
palma *s.f.* palm.
palmo *s.m.* 1 span 2 (*palma*) palm.
palo *s.m.* pole, post | *fare il –*, to act as a lookout.
palombaro *s.m.* diver.
palpare *v.tr.* to touch.
palpebra *s.f.* eyelid.
palpitare *v.intr.* to palpitate (*with*), to throb (*with*).
paltò *s.m.* overcoat.
palude *s.f.* marsh, bog.
panca *s.f.* bench; (*senza schienale*) form.
pancarré *s.m.* sandwich loaf*.
pancetta *s.f.* (*cuc.*) bacon.
panchina *s.f.* bench.
pancia *s.f.* belly; stomach; (*fam.*) tummy.
pane *s.m.* bread | *rendere pan per focaccia*, to give tit for tat | *dir – al –*, to call a spade a spade.
panetteria *s.f.* baker's (shop).
panfilo *s.m.* yacht.
pangrattato *s.m.* breadcrumbs (*pl.*).
panico *s.m.* panic.
paniere *s.m.* basket.
panino *s.m.* roll; (*imbottito*) sandwich.
panna *s.f.* cream.
panne *s.f.* breakdown.
pannello *s.m.* panel.

panno *s.m.* 1 cloth 2 *pl.* (*indumenti*) clothes.
pannocchia *s.f.* cob.
pannolino *s.m.* napkin, (*fam.*) nappy; (*amer.*) diaper.
panorama *s.m.* view, panorama.
panoramica *s.f.* survey.
panoramico *agg.* panoramic.
pantaloni *s.m.pl.* trousers; (*corti*) shorts.
pantano *s.m.* bog, quagmire.
pantera *s.f.* 1 panther 2 (*auto della polizia*) patrol car.
pantofola *s.f.* slipper.
paonazzo *agg.* purple.
papa *s.m.* Pope.
papà *s.m.* dad, daddy.
papale *agg.* papal.
papavero *s.m.* poppy.
papera *s.f.* 1 young goose* 2 (*errore*) slip (of the tongue).
papiro *s.m.* papyrus*.
pappa *s.f.* (baby) food | – *reale*, royal jelly.
pappagallo *s.m.* 1 parrot 2 (*molestatore*) wolf*, (*amer.*) masher 3 (*per malati*) urinal.
paprica *s.f.* paprika.
pap-test *s.m.* smear test.
para *s.f.* para rubber.
parabola *s.f.* parable.
parabrezza *s.m.* windscreen, (*amer.*) windshield.
paracadute *s.m.* parachute.
paracadutista *s.m./f.* parachutist; (*mil.*) paratrooper.
paracarro *s.m.* roadside post.
paradiso *s.m.* paradise, heaven.
paradossale *agg.* paradoxical.
paradosso *s.m.* paradox.
parafango *s.m.* mudguard, (*amer.*) fender.
paraffina *s.f.* paraffin.
parafulmine *s.m.* lightning conductor, (*amer.*) lightning rod.
paraggi *s.m.pl.* neighbourhood.
paragonare *v.tr.* to compare.
paragone *s.m.* comparison.
paragrafo *s.m.* paragraph.
paralisi *s.f.* paralysis*.
paralizzare *v.tr.* to paralyse.
parallela *s.f.* parallel.
parallelo *agg.*, *s.m.* parallel.
paralume *s.m.* lampshade.
paramedico *agg.* paramedical ♦ *s.m.* paramedic.
paramenti *s.m.pl.* paraments.
parametro *s.m.* parameter.
paranoico *agg.*, *s.m.* paranoic.
paranormale *agg.*,*s.m.* paranormal.
paraocchi *s.m.* blinkers (*pl.*).
paraorecchi *s.m.* earflap.
parapetto *s.m.* parapet.
parare *v.tr.* 1 to adorn 2 (*evitare*) to parry | – *un goal*, to make a save.
parassita *agg.* parasitic(al) ♦ *s.m.* parasite.
parata[1] *s.f.* (*calcio*) save.
parata[2] *s.f.* (*sfilata*) parade.
paraurti *s.m.* (*aut.*) bumper.
paravento *s.m.* screen (*anche fig.*).
parcella *s.f.* bill, fee.
parcheggiare *v.tr.* to park.
parcheggio *s.m.* 1 parking 2 (*area*) (car) park, (*amer.*) parking lot.
parchimetro *s.m.* parking meter.
parco *s.m.* park.
parecchio *agg.* 1 quite a lot of, plenty of; *pl.* several 2 (*di tempo*) quite a long; (*in frasi interr.*) long ♦ *pron.* quite a lot; *pl.* several, quite a few ♦ *avv.* quite(a lot).
pareggiare *v.tr.* 1 (*comm.*) to bal-

ance 2 (*livellare*) to level; (*tagliando*) to trim ♦ *v.intr.* (*sport*) to draw*, to tie.
pareggio *s.m.* 1 (*comm.*) balance 2 (*sport*) draw.
parente *s.m./f.* relative.
parentela *s.f.* 1 relationship 2 (*i parenti*) relatives (*pl.*).
parentesi *s.f.* 1 parenthesis*; (*inciso*) digression 2 (*segno grafico*) bracket | *tra –...*, by the way...
parere *v.intr.* 1 to seem, to appear; to look (like) | *a quanto pare*, it seems that; so it seems 2 (*pensare*) to think* (*costr. pers.*).
parere *s.m.* opinion | *non sono del* (*suo*) *–*, I do not agree (with him) | *cambiar –*, to change one's mind.
parete *s.f.* 1 wall 2 (*di monte*) face.
pari *agg.* 1 equal; (*stesso*) the same | *due –*, two all; *quaranta –*, (*a tennis*) deuce | *essere –*, (*nel punteggio*) to be level; *adesso siamo –*, now we are quits 2 (*divisibile per due*) even 3 (*senza dislivelli*) level ♦ *s.m.* 1 (*pareggio*) draw | *alla –*, au pair; (*di punteggio*) all square; in a draw 2 (*persona di ugual grado*) equal.
parificato *agg.* (*di scuola*) officially recognized.
Parigi *no.pr.f.* Paris.
parigino *agg., s.m.* Parisian.
parità *s.f.* parity | (*sport*) *in –*, in a draw.
parlamentare *agg.* parliamentary, (*amer.*) congressional ♦ *s.m.* Member of Parliament, (*amer.*) Congressman*.
parlamento *s.m.* Parliament, (*amer.*) Congress.
parlare *v.intr.* 1 to speak*, to talk | *– del più e del meno*, to talk about this and that | *– turco, arabo*, to speak double-Dutch | *per non – di*, not to mention 2 (*rivolgersi*) to address (*s.o.*) ♦ *v.tr.* to speak*: *qui si parla inglese*, English (is) spoken here ♦ **~rsi** *v.pron.* to speak*; to be on speaking terms.
parlare *s.m.* (*chiacchiere*) talk.
parlato *s.m.* (*di film*) dialogue.
parlatorio *s.m.* parlour; (*spec. di carcere*) visitors' room.
parmigiano *s.m.* Parmesan (cheese).
parodia *s.f.* parody.
parola *s.f.* 1 word | *– d'ordine*, password | *parole crociate*, crossword puzzle 2 (*facoltà di parlare*) speech 3 (*permesso di parlare*) leave to speak.
parolaccia *s.f.* swear word, curse.
paroliere *s.m.* lyricist.
parricida *agg., s.m./f.* parricide.
parrocchia *s.f.* 1 parish church 2 (*comunità*) parish.
parroco *s.m.* parish priest; (*protestante*) parson.
parrucca *s.f.* wig.
parrucchiere *s.m.* hairdresser; (*per uomo*) barber.
parte *s.f.* 1 part; (*porzione*) share, portion | *la maggior – di*, most (of) | *in –*, partly | *in gran –*, largely 2 (*lato*) side, part | *a –*, extra; (*eccetto*) apart from | *da –*, aside | *d'altra –*, on the other hand | *molto gentile da – sua*, very kind of him | *da questa –, prego!*, this way, please! 3 (*ruolo*) rôle 4 (*comm., dir.*) party: *la – lesa*, the injured party.
partecipante *s.m./f.* participant.
partecipare *v.intr.* 1 to take* part (*in*); (*condividere*) to share (*sthg.*) 2 (*presenziare*) to be present.
partecipazione *s.f.* 1 participation; (*presenza*) presence 2 (*annuncio*) card 3 (*comm.*) sharing.
parteggiare *v.intr.* to side (*with*).

partenza *s.f.* departure; (*sport*) start.
particella *s.f.* particle.
particolare *agg.* particular; (*speciale*) special ♦ *s.m.* detail.
partigiano *agg.*, *s.m.* partisan.
partire *v.intr.* **1** to leave*; (*mettersi in moto*) to start **2** (*iniziare*) to start (*anche fig.*) **3** (*provenire*) to come*.
partita *s.f.* **1** game; (*incontro*) match **2** (*di merce*) lot, stock **3** (*contabilità*) entry | – *IVA*, VAT number.
partito *s.m.* **1** party **2** *per – preso*, on principle.
partitura *s.f.* (*mus.*) score.
parto *s.m.* (child)birth, delivery: – *podalico*, breech delivery.
partoriente *s.f.* woman in labour.
partorire *v.tr.* to give* birth (*to*).
parziale *agg.* partial | *risultati parziali*, results so far | *giudizio* –, biased judgement.
pascolare *v.tr.*, *intr.* to graze.
pascolo *s.m.* grazing, pasture.
Pasqua *s.f.* (*dei cristiani*) Easter; (*degli ebrei*) Passover.
passabile *agg.* passable, fairly good.
passaggio *s.m.* **1** passing, passage; (*traversata*) crossing | – *pedonale*, pedestrian crossing | – *a livello*, level crossing | *vietato il* –, no thoroughfare | *impedire, ostruire il* –, to obstruct the way **2** (*su veicolo*) lift.
passamontagna *s.m.* balaclava.
passante *s.m./f.* passer-by* ♦ *s.m.* (*ferr.*) railway link .
passaporto *s.m.* passport.
passare *v.intr.* **1** to pass: – *davanti a qlcu., qlco.*, to go past s.o., sthg. | – *a prendere qlcu.*, to call for s.o.; – *da qlcu.*, to call on s.o. **2** (*essere promosso*) to be promoted ♦ *v.tr.* **1** to pass | *le passo l'interno X*, (*al telefono*) I'll put you through extension X **2** (*attraversare*) to cross | – *col rosso*, to go through a red light **3** (*trascorrere*) to pass, to spend* | *ne ha passate tante*, he's been through a lot (of troubles) | *passarsela bene, male*, to be well off, badly off **4** (*la verdura*) to purée.
passatempo *s.m.* pastime.
passato *agg.* past; (*scorso*) last ♦ *s.m.* **1** past: *in* –, in the past **2** (*cuc.*) soup.
passeggero *agg.* passing; (*di breve durata*) short-lived ♦ *s.m.* passenger.
passeggiare *v.intr.* to walk, to stroll.
passeggiata *s.f.* **1** walk, stroll **2** (*strada di passeggio*) (public) walk; (*lungomare, lungolago*) promenade.
passeggiatrice *s.f.* streetwalker.
passeggino *s.m.* pushchair, (*amer.*) stroller.
passeggio *s.m.* **1** walk **2** (*la gente che passeggia*) promenaders (*pl.*).
passerella *s.f.* footbridge; (*di nave*) gangway; (*di aereo*) ramp | *sfilare in* –, to parade on the platform.
passero *s.m.* sparrow.
passibile *agg.* liable (*to*).
passiflora *s.f.* passionflower.
passionale *agg.* **1** passionate **2** (*dettato dalla passione*) of passion.
passione *s.f.* passion.
passivo *agg.* **1** passive **2** (*comm.*) debit (*attr.*), in the red ♦ *s.m.* (*comm.*) liabilities (*pl.*).
passo[1] *s.m.* **1** step; (*andatura*) pace | – (*a*) –, step by step; *a – d'uomo*, at (a) walking pace; *di questo* –..., at this rate...; *fare due, quattro passi*, to go for a stroll | *pellicola a – ridotto*, substandard gauge film **2** (*rumore*) footstep **3** (*brano*) passage.

passo[2] *s.m.* **1** (*passaggio*) passage; way: *cedere il* –, to give way **2** (*valico*) pass.
pasta *s.f.* **1** dough | – *sfoglia*, puff pastry; – *frolla*, short pastry **2** (*per primi piatti*) pasta **3** (*impasto*) paste **4** (*pasticcino*) pastry.
pastasciutta *s.f.* pasta.
pastello *s.m.*, *agg.* pastel.
pasticca *s.f.* tablet, pill.
pasticceria *s.f.* **1** confectionery **2** (*negozio*) confectioner's (shop).
pasticciare *v.tr.* **1** to mess (up) **2** (*fare sgorbi*) to scribble (*on*).
pasticcino *s.m.* pastry, cake, (*amer.*) cookie.
pasticcio *s.m.* **1** (*cuc.*) pie **2** (*lavoro disordinato*) mess **3** (*guaio*) trouble.
pastiglia *s.f.* lozenge, pastille.
pasto *s.m.* meal | *lontano dai pasti*, *fuori* –, between meals.
pastorale *agg.* pastoral.
pastore *s.m.* **1** shepherd **2** (*prete protestante*) minister; (*anglicano*) parson **3** (*zool.*) sheepdog: – *tedesco*, Alsatian.
pastorizzato *agg.* pasteurized.
pastoso *agg.* **1** doughy; (*morbido*) soft **2** (*di colori, suoni*) mellow.
patacca *s.f.*(*macchia*) stain.
patata *s.f.* potato*: *patate fritte*, (*a bastoncino*) chips, (*amer.*) French fries; (*croccanti*) crisps, (*amer.*) chips | – *bollente*, (*fig.*) hot potato.
patentato *agg.* qualified | *un cretino* –, (*scherz.*) a prize idiot.
patente *s.f.* licence.
paternale *s.f.* lecture, talking to.
paternalistico *agg.* paternalist(ic).
paternità *s.f.* paternity.
paterno *agg.* paternal; (*da padre*) fatherly.
patetico *agg.*, *s.m.* pathetic | *cadere nel* –, to become mawkish.
patibolo *s.m.* gallows, scaffold.
patina *s.f.* **1** patina **2** (*sulla lingua*) coating.
patinato *agg.* (*di carta*) glossy.
patire *v.tr.* to suffer (*from*).
patito *agg.* sickly(-looking) ♦ *s.m.* (*fam.*) fan.
patologico *agg.* pathologic(al).
patria *s.f.* country | *in* –, at home.
patriarca *s.m.* patriarch.
patrimoniale *agg.* patrimonial | *tassa* –, property tax.
patrimonio *s.m.* property ▭; (*fig.*) heritage.
patriota *s.m./f.* patriot.
patrocinio *s.m.* **1** defence, pleading: – *gratuito*, legal aid **2** (*sostegno*) sponsorship; (*pubblico*) patronage.
patronato *s.m.* patronage.
patrono *s.m.* **1** (*dir.*) counsel **2** (*santo*) patron saint.
patteggiamento *s.m.* (*dir.*) plea bargaining.
patteggiare *v.intr.*, *tr.* to negotiate.
pattinaggio *s.m.* skating.
pattinare *v.intr.* to skate.
pattino *s.m.* skate: – *a rotelle*, roller skate.
patto *s.m.* **1** pact, agreement **2** (*condizione*) term, condition.
pattuglia *s.f.* patrol.
pattumiera *s.f.* dustbin, (*amer.*) garbage can.
paura *s.f.* fear; (*spavento*) fright, scare | *aver* –, to be afraid | *far* –, to frighten.
pauroso *agg.* **1** fearful **2** (*che fa paura*) frightening.
pausa *s.f.* pause; (*nel lavoro*) break.
pavimentazione *s.f.* (*stradale*) paving.

pavimento *s.m.* floor.
pavone *s.m.* peacock.
paziente *agg., s.m.* patient.
pazienza *s.f.* patience: *avere* –, to be patient; *perdere la* –, to lose one's temper | –*!*, never mind!
pazzesco *agg.* crazy, absurd.
pazzia *s.f.* **1** madness, insanity **2** (*azione insensata*) folly.
pazzo *agg.* mad, crazy, insane | – *di gioia*, beside oneself with joy ♦ *s.m.* madman*, lunatic.
peccaminoso *agg.* sinful.
peccare *v.intr.* to sin; (*sbagliare*) to be guilty.
peccato *s.m.* sin | (*che*) –*!*, what a pity!
pechinese *agg., s.m.* Pekin(g)ese | *i pechinesi*, the Pekin(g)ese.
Pechino *no.pr.f.* Peking, Beijing.
pecora *s.f.* sheep*.
peculato *s.m.* (*dir.*) embezzlement.
pedaggio *s.m.* toll.
pedalare *v.intr.* to pedal.
pedale *s.m.* pedal.
pedana *s.f.* **1** footboard, platform **2** (*sport*) (*per il salto*) springboard.
pedante *agg.* pedantic ♦ *s.m.* pedant.
pedata *s.f.* kick.
pediatra *s.m./f.* p(a)ediatrician.
pedicure *s.m./f.* **1** chiropodist **2** (*cura dei piedi*) pedicure.
pedina *s.f.* piece.
pedinare *v.tr.* to shadow.
pedone *s.m.* pedestrian.
peggio *avv., agg.* worse; (the) worst ♦ *s.m./f.* the worst | *alla* –, at (the) worst; *alla meno* –, anyhow, somehow.
peggioramento *s.m.* worsening.
peggiorare *v.tr.* to make* worse ♦ *v.-intr.* to get* worse.
peggiore *agg.* worse; (the) worst; (*tra due*) the worse | *nel* – *dei casi*, if the worst comes to the worst.
pegno *s.m.* **1** pawn; (*oggetto impegnato*) pledge **2** (*segno*) token.
pelare *v.tr.* to skin; (*sbucciare*) to peel | – *qlcu.*, (*scherz.*) to fleece s.o.
pelato *agg.* bald, hairless ♦ *s.m.pl.* peeled tomatoes.
pellame *s.m.* hide, leather.
pelle *s.f.* **1** skin; (*carnagione*) complexion | – *d'oca*, gooseflesh, goose pimples | *a fior di* –, on the edge **2** (*cuoio*) leather **3** (*buccia*) peel.
pellegrinaggio *s.m.* pilgrimage.
pellegrino *s.m.* pilgrim.
pellerossa *s.m./f.* redskin.
pelletteria *s.f.* leather goods (shop).
pellicano *s.m.* pelican.
pellicceria *s.f.* furrier's (shop).
pelliccia *s.f.* fur (coat).
pellicola *s.f.* film.
pelo *s.m.* **1** hair | *il* – *dell'acqua*, the surface of the water | *salvarsi per un* –, to have a narrow escape | *non avere peli sulla lingua*, to be very outspoken **2** (*pelame*) hair; (*pelliccia*) fur.
peloso *agg.* hairy.
peltro *s.m.* pewter.
pena *s.f.* **1** punishment, penalty: *scontare una* –, to serve a sentence **2** (*sofferenza*) sorrow | *non ne vale la* –, it isn't worth while.
penale *agg.* penal ♦ *s.f.* penalty, fine.
penalista *s.m.* criminal lawyer.
penalizzare *v.tr.* **1** to penalize **2** (*fig.*) (*danneggiare*) to damage.
penare *v.intr.* **1** to suffer **2** (*faticare*) to have trouble (*doing*).
pendente *agg.* (*dir.*) pending.
pendenza *s.f.* slope, incline.
pendere *v.intr.* **1** to hang* (down);

(*fig.*) to hang* (*over*) **2** (*essere inclinato*) to lean*, to incline.
pendio *s.m.* slope.
pendolare *s.m.* commuter.
pendolo *s.m.* pendulum.
penetrare *v.intr.*, *tr.* **1** to penetrate (*into*); (*entrare*) to go* (*into*), (*furtivamente*) to steal* (*into*) **2** (*perforare*) to pierce (*into*).
penisola *s.f.* peninsula.
penitenza *s.f.* **1** penance **2** (*nei giochi*) forfeit.
penitenziario *s.m.* prison, gaol, jail, (*amer.*) penitentiary.
penna *s.f.* **1** (*di uccello*) feather **2** (*per scrivere*) pen.
pennarello *s.m.* felt-tip (pen), fibre-tip (pen).
pennellata *s.f.* (brush)stroke.
pennello *s.m.* brush; (*da pittore, imbianchino*) paintbrush | *stare a* –, to suit to a T.
pennino *s.m.* nib.
penombra *s.f.* dim light, gloom.
penoso *agg.* painful.
pensare *v.tr.* **1** to think*: *penso di venire*, I think I'll come; *penso di sì, di no*, I (don't) think so | *pensa per te*, mind your own business **2** (*decidere*) to decide **3** (*tenere a mente*) to bear* in mind ♦ *v.intr.* **1** to think* (*of*) **2** (*badare*) to see*.
pensata *s.f.* bright idea.
pensiero *s.m.* **1** thought **2** (*opinione*) opinion, mind **3** (*preoccupazione*) worry.
pensile *agg.* hanging | (*mobile*) –, wall cupboard (*o* unit).
pensilina *s.f.* shelter; (*di stazione*) platform roof.
pensionamento *s.m.* retirement; (*per anzianità*) superannuation.
pensionato *s.m.* **1** pensioner, retired person **2** (*per studenti*) student's hostel; (*per anziani*) old people's home.
pensione *s.f.* **1** pension: *andare in* –, to retire **2** (*vitto e alloggio*) board and lodging: *mezza* –, half board **3** (*albergo*) boardinghouse.
pentimento *s.m.* **1** repentance **2** (*cambiamento di opinione*) change of mind.
pentirsi *v.pron.* **1** to repent; (*rammaricarsi*) to regret (*sthg.*, *doing*) **2** (*cambiare opinione*) to change one's mind.
pentola *s.f.* **1** pot: – *a pressione*, pressure cooker **2** (*contenuto*) potful.
penultimo *agg.*, *s.m.* last but one.
penzolare *v.intr.* to hang* (down).
pepe *s.m.* pepper.
peperoncino *s.m.* chilli.
peperone *s.m.* pepper; (*piccante*) chilli.
per *prep.* **1** for **2** (*moto per luogo*) through; (*lungo*) along **3** (*stato in luogo*) in **4** (*entro, mezzo, modo*) by **5** (*causa*) for; owing to; because of **6** (*nei riguardi di*) to **7** (*distributivo*) per **8** (*finale*) (in order) to (+ *inf.*); for (+ *ger.*).
pera *s.f.* **1** pear **2** (*interruttore elettrico*) pear switch.
perbene *agg.* decent ♦ *avv.* well, properly.
percentuale *agg.* per cent ♦ *s.f.* **1** percentage; (*quota*) rate **2** (*provvigione*) commission.
percepire *v.tr.* **1** to perceive; (*udire*) to hear **2** (*ricevere*) to receive.
perché *avv.* why; (*a quale scopo*) what for: – *no?*, why not? ♦ *cong.* **1** because; (*poiché*) as, since: – *sì*, just because **2** (*affinché*) so that ♦ *s.m.* why; (*ragione*) reason.

perciò *cong.* so, therefore.
percorrere *v.tr.* to cover; to go* (*through*).
percorso *s.m.* run; (*distanza*) distance; (*tragitto*) way; (*tracciato*) route | – *obbligato*, set course.
percossa *s.f.* blow, stroke.
percuotere *v.tr.* to beat*, to hit*.
perdere *v.tr.*, *intr.* **1** to lose* | – *colpi*, (*di motore*) to misfire; (*fig.*) to go downhill | – *di vista qlcu.*, to lose sight of s.o. | *saper* –, to be a good loser; *lascia* –!, forget it! **2** (*mancare*) to miss **3** (*sprecare*) to waste **4** (*di contenitori*) to leak ♦ ~**rsi** *v.pron.* to get* lost.
perdita *s.f.* **1** loss | *a – d'occhio*, as far as the eye can see **2** (*sciupio*) waste **3** (*di liquidi, gas*) leak, leakage.
perdonare *v.tr.*, *intr.* **1** to forgive* **2** (*scusare*) to excuse.
perdono *s.m.* pardon: *chiedere – a qlcu.*, to ask s.o.'s pardon.
perenne *agg.* perennial, perpetual.
perentorio *agg.* peremptory.
perfetto *agg.* perfect.
perfezionare *v.tr.* to perfect; (*migliorare*) to improve ♦ ~**rsi** *v.pron.* to become* proficient; (*specializzarsi*) to specialize.
perfezione *s.f.* perfection.
perfido *agg.* perfidious.
perfino *avv.* even.
perforare *v.tr.* to perforate.
perforatrice *s.f.* drill.
pergamena *s.f.* parchment.
pericolante *agg.* shaky; (*malsicuro*) unsafe.
pericolo *s.m.* danger; (*rischio*) risk: *a vostro rischio e* –, at your own risk; *è in – di vita*, his life is in danger; *scampato* –, narrow escape | – *pubblico*, public menace | *non c'è – che...*, there is no fear that...
pericoloso *agg.* dangerous.
periferia *s.f.* outskirts (*pl.*); (*sobborghi*) suburbs (*pl.*).
perimetro *s.m.* perimeter.
periodico *agg.*, *s.m.* periodical.
periodo *s.m.* period.
peripezia *s.f.* vicissitudes (*pl.*).
perito *s.m.* expert.
peritonite *s.f.* peritonitis.
perizia *s.f.* **1** (*maestria*) skill, expertise **2** (*dir.*) (expert's) report; (*valutazione*) assessment.
perla *s.f.* pearl.
perlomeno *avv.* at least.
perlustrazione *s.f.* search.
permaloso *agg.* touchy.
permanente *agg.* permanent ♦ *s.f.* perm.
permanenza *s.f.* **1** permanency: *in* –, permanently **2** (*soggiorno*) stay.
permeabile *agg.* permeable.
permeare *v.tr.* to permeate.
permesso *agg.* allowed | (*è*) – ?, may I come in?; –!, excuse me (please)! ♦ *s.m.* permission; (*scritto*) permit; (*di assentarsi*) leave.
permettere *v.tr.* to allow, to let*; (*autorizzare*) to authorize: *gli permise di parlare*, he let him speak | *permette?*, may I? | *tempo permettendo*, weather permitting | *permettersi* (*il lusso*) *di*, to afford | *ma come si permette!*, how dare you!
permissivo *agg.* permissive.
pernice *s.f.* partridge.
perno *s.m.* **1** pin, pivot; (*cardine*) hinge **2** (*fig.*) mainstay.
pernottamento *s.m.* overnight stay.
pero *s.m.* pear tree.
però *cong.* but, yet; (*tuttavia*) however | – (, *niente male*)!, (well,) not bad!

perpendicolare *agg.*, *s.f.* perpendicular.
perpetuo *agg.* perpetual.
perplesso *agg.* perplexed, puzzled.
perquisizione *s.f.* search.
persecuzione *s.f.* persecution.
perseguitare *v.tr.* to persecute; (*ossessionare*) to haunt.
perseverare *v.intr.* to persevere.
persiana *s.f.* shutter.
persistente *agg.* persistent.
persona *s.f.* person.
personaggio *s.m.* **1** character: *personaggi e interpreti*, characters and cast **2** (*personalità*) personality.
personale *agg.* personal ♦ *s.m.* staff, personnel ♦ *s.f.* one-man show.
personalità *s.f.* personality.
personificare *v.tr.* to personify.
persuadere *v.tr.* to persuade; (*convincere*) to convince.
persuasione *s.f.* persuasion; (*convinzione*) conviction.
pertinente *agg.* pertinent; pertaining.
pertosse *s.f.* whooping cough.
perturbazione *s.f.* disturbance.
pervadere *v.tr.* to pervade.
perverso *agg.* perverse.
pervertito *agg.* perverted ♦ *s.m.* pervert.
pervinca *s.f.* periwinkle.
pesa *s.f.* (*mecc.*) weighing machine.
pesante *agg.* **1** heavy: *aria* –, sultry air | (*fin.*) *lira* –, hard lira **2** (*noioso*) boring **3** (*faticoso*) tiring.
pesantezza *s.f.* heaviness | *avere – di stomaco*, to feel bloated.
pesare *v.tr.*, *intr.* to weigh.
pesca[1] *s.f.* (*bot.*) peach.
pesca[2] *s.f.* **1** fishing **2** (*pescato*)-catch **3** (*lotteria*) lucky dip.
pescare *v.tr.* **1** to fish; (*catturare*) to catch*: – *con la lenza*, to angle **2** (*trovare*) to find* **3** (*a carte*) to draw*.
pescatore *s.m.* fisherman*.
pesce *s.m.* fish (*pl. invar.*): *pesci rossi*, goldfish.
pescecane *s.m.* shark (*anche fig.*).
pesce spada *s.m.* swordfish.
peschereccio *s.m.* fishing boat.
pescheria *s.f.* fish shop.
pescivendolo *s.m.* fishmonger.
pesco *s.m.* peach(tree).
peso *s.m.* weight: *aumentare*, *diminuire di* –, to put on, to lose weight | – *forma*, ideal weight | (*sport*): *lancio del* –, shot put; *sollevamento pesi*, weight lifting.
pessimismo *s.m.* pessimism.
pessimo *agg.* very bad; (*orribile*) awful.
pesta *s.f.* (*spec. pl.*) track | *essere nelle peste*, to be left in the lurch.
pestare *v.tr.* **1** to crush **2** (*calpestare*) to tread* (*on*) **3** (*picchiare*) to beat* up.
peste *s.f.* plague | *è una vera* –, he's a real pest.
pesticida *s.m.* pesticide.
pestifero *agg.* pestiferous; (*insopportabile*) obnoxious.
petalo *s.m.* petal.
petardo *s.m.* (fire)cracker.
petizione *s.f.* petition.
petroliera *s.f.* tanker.
petroliere *s.m.* oilman*.
petrolifero *agg.* oil (*attr.*).
petrolio *s.m.* oil; (*da illuminazione*) paraffin (oil).
pettegolezzo *s.m.* gossip ▭.
pettegolo *s.m.* gossip.
pettinare *v.tr.* to comb (s.o.'s hair) ♦ **~rsi** *v.pron.* to comb one's hair.

pettinatura *s.f.* hairdo, hair style.
pettine *s.m.* comb.
pettirosso *s.m.* robin.
petto *s.m.* breast; (*torace*) chest.
petulante *agg.* nagging.
pezza *s.f.* **1** bolt (of cloth) **2** (*toppa*) patch; (*ritaglio*) cutting.
pezzente *s.m./f.* ragamuffin.
pezzo *s.m.* **1** piece | *– grosso*, (*fig.*) big shot | *1000 lire al –*, 1000 liras apiece **2** (*di tempo*) quite a long time **3** (*articolo di giornale*) article; (*brano*) passage.
piacente *agg.* attractive.
piacere *s.m.* **1** pleasure | *–*, (*nelle presentazioni*) how do you do; *abbiamo il – di informarla...*, we are pleased to inform you... **2** (*favore*) favour | *per –*, please.
piacere *v.intr.* to like (*costr. pers.*); (*essere appassionato*) to be fond (*of*): *mi piace*, I like it; *mi piacerebbe che fosse qui*, I'd like him to be here; *mi piace molto viaggiare*, I'm fond of travelling.
piacevole *agg.* pleasant, agreeable.
piaga *s.f.* **1** sore | *mettere il dito sulla –*, to touch a sore point **2** (*calamità*) scourge **3** (*di persona*) nuisance, pest.
pialla *s.f.* plane.
pianeggiante *agg.* level.
pianerottolo *s.m.* landing.
pianeta *s.m.* planet.
piangere *v.intr./tr.* **1** to cry, to weep* **2** (*dolersi*) to mourn, to grieve (*for*).
pianista *s.m./f.* pianist.
piano[1] *agg.* **1** flat, even **2** (*semplice*) simple ♦ *avv.* **1** slowly | *pian –*, little by little **2** (*sommessamente*) softly, quietly.
piano[2] *s.m.* **1** top, surface; (*geom.*) plane | *primo –*, foreground; (*fot., cinem., tv*) close up | *– cottura*, hob **2** (*di casa*) floor, storey; (*amer.*) story: *– rialzato*, mezzanine (floor); *primo –*, first floor, (*amer.*) second floor; *– terra*, ground floor, (*amer.*) first floor.
piano[3] *s.m.* (*progetto*) plan, scheme | *– regolatore*, town-planning scheme.
piano[4], **pianoforte** *s.m.* piano*: *– a coda*, grand piano.
pianoro *s.m.* tableland.
pianta *s.f.* **1** plant **2** (*di piede, scarpa*) sole **3** (*di edificio ecc.*) plan; (*carta topografica*) map | *in – stabile*, on the permanent staff.
piantagione *s.f.* plantation.
piantare *v.tr.* **1** to plant **2** (*conficcare*) to stick*, to drive* **3** (*lasciare*) to leave* ♦ **~rsi** *v.pron.* **1** (*conficcarsi*) to stick* **2** (*lasciarsi*) to leave* each other.
pianterreno *s.m.* ground floor, (*amer.*) first floor.
pianto *s.m.* weeping, crying.
piantonare *v.tr.* to guard.
pianura *s.f.* plain.
piastra *s.f.* **1** plate **2** (*elettrica*) hot plate; (*griglia*) grill.
piastrella *s.f.* tile.
piattaforma *s.f.* platform.
piattino *s.m.* (*di tazza*) saucer.
piatto *agg.* flat ♦ *s.m.* **1** plate; (*solo per vivande*) dish: *servizio di piatti*, dinner service **2** (*portata*) course: *il – forte*, the main course **3** (*di bilancia*) scale pan **4** *pl.* (*mus.*) cymbals **5** (*a carte*) jackpot.
piazza *s.f.* **1** square | *manifestazione di –*, mass meeting | *fare – pulita di qlco.*, to make a clean sweep of sthg. **2** (*comm.*) market | *assegno su –*, local cheque.

piazzare *v.tr.* to place ♦ **~rsi** *v.pron.* **1** (*fam.*) to settle **2** (*sport*) to be placed.
piazzata *s.f.* scene.
piazzola *s.f.* (*di strada*) lay-by.
piccante *agg.* spicy (*anche fig.*); (*di formaggio*) strong.
picche *s.f.pl.* spades.
picchetto *s.m.* **1** (*paletto*) stake, peg **2** (*mil., di scioperanti*) picket.
picchiare *v.tr./intr.* to beat* up; (*colpire*) to hit* (*sthg.*); (*sbattere*) to bang (*sthg.*) | *– in testa*, (*di motore*) to knock ♦ **~rsi** *v.pron.* to come* to blows.
picchiata *s.f.* (*aer.*) nosedive.
piccino *agg.* small, tiny ♦ *s.m.* child*; little one.
piccione *s.m.* pigeon.
picco *s.m.* peak | *a –*, vertically.
piccolo *agg.* **1** small; little | *nel mio –*, in my own small way **2** (*basso*) short **3** (*giovane*) young | *da –*, as a child ♦ *s.m.* child*, little one; (*di animali*) young.
piccone *s.m.* pick, pickaxe.
pidocchio *s.m.* **1** louse* **2** (*fig.*) miser.
piede *s.m.* foot*: *a piedi*, on foot | *in piedi!*, stand up! | *dalla testa ai piedi*, from head to foot, from top to toe | *pestare i piedi*, to stamp one's feet; *pestare i piedi a qlcu.*, to tread on s.o.'s toes | *prender –*, to gain ground | *tenere un – in due scarpe*, to run with the hare and hunt with the hounds | *– di porco*, crowbar | (*dir.*) *a – libero*, on bail | *su*(*i*) *due piedi*, on the spot.
piega *s.f.* **1** fold; (*grinza*) crease | *prendere una brutta –*, to take a turn for the worse **2** (*cucito*) pleat; (*dei calzoni*) crease.
piegare *v.tr.* **1** to fold (up) **2** (*flettere*) to bend* (*anche fig.*) ♦ **~rsi** *v.pron.* **1** to bend* | *– in due dalle risate*, to double up with laughter **2** (*cedere*) to yield, to give* in.
pieghettare *v.tr.* to pleat.
piena *s.f.* flood.
pieno *agg.* **1** full | *in – giorno*, in broad daylight; *in piena notte*, at dead of night **2** (*non cavo*) solid ♦ *s.m.* **1** (*colmo*) height, peak | *in –* , fully, (*nel mezzo*) in the middle **2** (*carico completo*) full load: *fare il –* (*di benzina*), to fill up.
pienone *s.m.* full house.
pietà *s.f.* pity: *fare –*, to arouse pity.
pietanza *s.f.* (main) course.
pietoso *agg.* **1** pitiful **2** (*misericordioso*) compassionate.
pietra *s.f.* stone: *– dura*, semiprecious stone | *la prima –*, the foundation stone.
pigiama *s.m.* pyjamas (*pl.*).
pigiare *v.tr.* to press; (*l'uva*) to tread.
pigliare → *prendere*.
pigmento *s.m.* pigment.
pigna *s.f.* pinecone.
pignolo *agg.* fussy ♦ *s.m.* fusspot.
pignorare *v.tr.* (*dir.*) to distrain.
pigolare *v.intr.* to cheep, to chirp.
pigro *agg.* lazy; (*lento*) sluggish.
pila *s.f.* **1** pile **2** (*elettr.*) battery.
pilastro *s.m.* pillar.
pillola *s.f.* pill.
pilone *s.m.* pillar; (*di ponte*) pier.
pilota *s.m./f.* pilot; (*aut.*) driver.
pilotare *v.tr.* to pilot; (*aut.*) to drive*; (*fig.*) to rig.
pimpante *agg.* (*fam.*) sprightly.
pinacoteca *s.f.* art gallery.
pince *s.f.* dart.
pineta *s.f.* pinewood, pine forest.
pinguino *s.m.* penguin.
pinna *s.f.* **1** fin **2** (*per nuotare*) flipper.

pino *s.m.* pine(tree).
pinza *s.f.* pliers (*pl.*).
pinzetta *s.f.* tweezers (*pl.*).
pio *agg.* **1** pious **2** (*benefico*) charitable.
pioggia *s.f.* rain; (*estens.*) shower.
piombare[1] *v.intr.* (*precipitare*) to crash down.
piombare[2] *v.tr.* (*sigillare*) to seal (with a lead seal).
piombino *s.m.* (lead) seal.
piombo *s.m.* lead | *filo a –*, plumb line.
pioniere *s.m.* pioneer (*anche fig.*).
pioppo *s.m.* poplar (tree).
piovere *v.intr.* **1** to rain; (*a dirotto*) to pour **2** (*estens.*) to pour in.
piovigginare *v.intr.* to drizzle.
piovoso *agg.* rainy.
piovra *s.f.* octopus*.
pipa *s.f.* pipe.
pipì *s.f.* (*fam.*) pee (pee), wee (wee).
pipistrello *s.m.* bat.
piramide *s.f.* pyramid.
pirata *s.m.* pirate | *– della strada*, hit-and-run driver | *– dell'aria*, hijacker.
pirofila *s.f.* oven-proof dish; (*di vetro*) Pyrex dish.
piromane *s.m./f.* pyromaniac.
piroscafo *s.m.* steamer, steamship.
piscina *s.f.* swimming pool.
pisello *s.m.* (*bot.*) pea.
pisolino *s.m.* (*fam.*) nap.
pista *s.f.* **1** track; (*sentiero*) path; (*traccia*) trail **2** (*sport*) (race)track; (*ippica*) racecourse; (*automobilistica*) racing circuit; (*da sci*) ski run | (*aut.*) *giro di –*, lap | *– da ballo*, dance floor **3** (*aer.*) (*di atterraggio*) landing strip; (*di decollo*) runway.
pistacchio *s.m.* pistachio*.
pistola *s.f.* **1** pistol **2** (*tecn.*) gun.
pistone *s.m.* piston.
pitone *s.m.* python.
pittore *s.m.* painter.
pittoresco *agg.* picturesque.
pittura *s.f.* painting.
pitturare *v.tr.* to paint.
più *avv.* **1** more | *chi – chi meno*, some more than others | *tanto – che*, all the more so because | *non abita – qui*, he doesn't live here any longer (*o* any more); *mai –!*, never again! **2** (*nei compar.*) more; ...-er; (*nei superl. rel.*) the most, (*tra due*) the more; the ...-est, (*tra due*) the ...-er | *due volte – grande di...*, twice as big as... | *a – non posso*, as much as one can; *il – possibile*, as much as possible **3** (*mat.*) plus ♦ *prep.* (*oltre a*) plus ♦ *agg.* **1** more **2** (*parecchi*) several ♦ *s.m.* **1** (*con valore di compar.*) more; (*con valore di superl.*) (the) most **2** *pl.* (*la maggioranza*) the majority.
piuma *s.f.* feather.
piumino *s.m.* **1** (*di cigno, oca*) down **2** (*copriletto*) eiderdown.
piumone *s.m.* (*coperta*) duvet.
piuttosto *avv.* **1** rather | *– che, di*, rather than **2** (*invece*) instead.
pivello *s.m.* (*fam.*) greenhorn.
pizza *s.f.* **1** (*cuc.*) pizza **2** (*cinem.*) film can **3** (*cosa noiosa*) bore.
pizzeria *s.f.* pizzeria.
pizzicare *v.tr.* **1** to pinch **2** (*cogliere di sorpresa*) to catch*; to nab ♦ *v.intr.* (*prudere*) to itch.
pizzico *s.m.* pinch, nip.
pizzicotto *s.m.* pinch, nip.
pizzo *s.m.* **1** lace ⌧ **2** (*barba*) pointed beard **3** (*gergo*) (*tangente*) protection money.
placare *v.tr.* to appease; (*dolore*) to

soothe; (*fame*) to satisfy; (*sete*) to quench.
placca *s.f.* 1 plate 2 (*med.*) plaque.
placcato *agg.* plated.
placido *agg.* placid, calm.
plagiare *v.tr.* to plagiarize.
plagio *s.m.* plagiarism.
plaid *s.m.* rug.
planetario *agg.* planetary ♦ *s.m.* planetarium.
planimetria *s.f.* plan.
plantare *s.m.* arch support.
plasmare *v.tr.* to mould (*anche fig.*).
plastica *s.f.* 1 plastic 2 (*med.*) plastic surgery.
plastico *agg.* plastic: *le materie plastiche*, plastics ♦ *s.m.* 1 plastic model 2 (*carta in rilievo*) relief map 3 (*esplosivo*) plastic explosive.
plastificare *v.tr.* to plasticize.
plastilina *s.f.* plasticine.
platano *s.m.* plane (tree).
platea *s.f.* 1 stalls (*pl.*) 2 (*pubblico*) audience.
plateale *agg.* theatrical.
platino *s.m.* platinum.
plausibile *agg.* plausible.
plauso *s.m.* approval.
plenario *agg.* plenary.
plenilunio *s.m.* full moon.
pleonastico *agg.* pleonastic.
pleurite *s.f.* pleurisy.
plico *s.m.* envelope.
plissé, **plissettato** *agg.* pleated.
plotone *s.m.* (*mil.*) platoon; squad.
plumbeo *agg.* leaden.
plurale *agg.*, *s.m.* plural.
plurimo *agg.* multiple.
pluriomicida *s.m./f.* multiple murderer.
pneumatico *agg.* pneumatic, air (*attr.*) ♦ *s.m.* tyre, (*amer.*) tire.
po' → **poco**.
poco *agg.* little*, not much*; *pl.* (*alcuni*) a few | – (*tempo*) *dopo*, shortly after; *manca* – (*tempo*) *a* ..., it isn't long to ... ♦ *pron.* little, not much; *pl.* (*poche persone*) few people | *fra* –, very soon; *a fra* –, see you soon; – *fa*, a short time ago (*o* not long ago) ♦ *s.m.* little | *un po' di pane*, a little (*o* some) bread; *un po' di gente*, a few people | *un, una – di buono*, (*fam.*) a bad lot ♦ *avv.* 1 not very | *a – a* –, little by little 2 (*con compar.*) not much; little; (*di tempo*) not long 3 (*con verbi*) little.
podere *s.m.* farm.
podio *s.m.* platform; (*sport*) podium*.
podista *s.m./f.* runner; walker.
poema *s.m.* (long) poem.
poesia *s.f.* 1 poem 2 (*arte*) poetry.
poeta *s.m.* poet.
poetico *agg.* poetical; poetic.
poggiare *v.intr.* (*fig.*) to be* based.
poggiatesta *s.m.* headrest.
poi *avv.* 1 then; (*più tardi*) later (on) | *da ora in* –, from now on | *no e – no!*, definitely not! | *e – vi lamentate!*, and you still have the nerve to complain! 2 (*inoltre*) besides, and then; (*in secondo luogo*) secondly.
poiché *cong.* as, since.
pois *s.m.* (polka) dot.
polacco *agg.*, *s.m.* Polish; (*abitante*) Pole.
polare *agg.* polar.
polemica *s.f.* controversy, polemic.
polemico *agg.* controversial; polemical.
polemizzare *v.intr.* to argue.
poliambulatorio *s.m.* medical centre.
policlinico *s.m.* general hospital.
poliedrico *agg.* (*fig.*) versatile.

polifunzionale *agg.* multi-purpose.
poligrafico *agg.* hectographic ♦ *s.m.* (*operaio*) printer.
poliomielite, *fam.* **polio** *s.f.* (*med.*) poliomyelitis, polio.
polipo *s.m.* 1 octopus* 2 (*med.*) polyp.
polistirolo *s.m.* polystyrene.
politecnico *s.m.* polytechnic.
politica *s.f.* 1 politics ▭ 2 (*linea di condotta*) policy.
politicante *s.m.* petty politician.
politichese *s.m.* political jargon.
politicizzato *agg.* politicized.
politico *agg.* political ♦ *s.m.* politician.
polizia *s.f.* police.
poliziesco *agg.* police (*attr.*) | *romanzo* –, detective story.
poliziotto *s.m.* policeman*, constable; (*fam.*) cop.
polizza *s.f.* 1 (*comm.*) policy 2 (*ricevuta*) bill; receipt.
pollaio *s.m.* poultry pen, hen house.
pollame *s.m.* poultry.
pollice *s.m.* 1 thumb | – *verde*, green fingers 2 (*misura*) inch.
polline *s.m.* pollen.
pollivendolo *s.m.* poulterer.
pollo *s.m.* 1 chicken 2 (*fig.*) sucker.
polmone *s.m.* lung.
polmonite *s.f.* (*med.*) pneumonia.
polo *s.m.* pole.
Polonia *no.pr.f.* Poland.
polpa *s.f.* lean meat; (*di frutto*) pulp.
polpaccio *s.m.* calf*.
polpastrello *s.m.* fingertip.
polpetta *s.f.* rissole.
polpettone *s.m.* (*cuc.*) meat roll.
polpo *s.m.* octopus*.
polsino *s.m.* cuff.
polso *s.m.* 1 wrist 2 (*pulsazioni*) pulse 3 (*fig.*) firmness.
poltiglia *s.f.* mush; (*fanghiglia*) slush.
poltrona *s.f.* 1 easy chair; armchair: – *letto*, chairbed 2 (*teatr.*) stall.
poltrone *s.m.* idler; (*fam.*) lazybones.
polvere *s.f.* 1 dust 2 (*sostanza in polvere*) powder.
polveriera *s.f.* powder magazine; (*fig.*) powder keg.
polverizzare *v.tr.* to pulverize.
polveroso *agg.* dusty.
pomata *s.f.* salve, ointment.
pomeriggio *s.m.* afternoon.
pomodoro *s.m.* tomato*.
pompa *s.f.* (*mecc.*) pump.
pompare *v.tr.* 1 to pump 2 (*fig. fam.*) (*esagerare*) to blow* up, to inflate.
pompelmo *s.m.* grapefruit.
pompiere *s.m.* fireman*: *i pompieri*, the fire brigade.
pomposo *agg.* pompous.
ponderare *v.tr./intr.* to weigh (up).
ponderazione *s.f.* reflection.
ponente *s.m.* west.
ponte *s.m.* 1 bridge | – *aereo*, air lift | – *radio*, radio link | *rompere, tagliare i ponti con qlcu.*, to break it off with s.o. 2 (*mar.*) deck 3 (*periodo di vacanza*) long weekend.
pontificare *v.intr.* to pontificate.
pontile *s.m.* wharf, pier.
popolare[1] *agg.* popular | *casa* –, council house | *canto* –, folk song.
popolare[2] *v.tr.* to populate ♦ **-rsi** *v.pron.* to become* populated.
popolazione *s.f.* population.
popolo *s.m.* people; (*popolino*) lower classes (*pl.*) | *a furor di* –, by public acclaim.
popoloso *agg.* densely-populated.
poppa *s.f.* (*mar.*) stern.
poppante *s.m.* suckling.

poppata *s.f.* feed.
porcellana *s.f.* china ▭.
porcellanato *agg.* glazed.
porcellino *s.m.* piglet | – *d'India*, guinea pig.
porcheria *s.f.* **1** (*atto disonesto*) dirty trick **3** (*cosa disgustosa, malfatta*) rubbish ▭.
porcile *s.m.* pigsty, (*amer.*) pigpen.
porcino *s.m.* (*fungo*) boletus.
porco *s.m.* pig; swine*; (*cuc.*) pork.
porfido *s.m.* (*min.*) porphyry.
porgere *v.tr.* to give*; (*con le mani*) to hand; (*offrire*) to offer.
pornografico *agg.* pornographic.
poro *s.m.* pore.
poroso *agg.* porous.
porpora *s.f.* **1** purple **2** (*cardinalizia*) the dignity of cardinal.
porre → *mettere.*
porta *s.f.* **1** door: – *principale, di servizio*, front, back door; – *blindata*, reinforced door **2** (*di città*) gate **3** (*sport*) goal.
portabagagli *s.m.* **1** (*di automobile*) boot; (*sul tetto*) roof rack **2** (*di treno, autobus*) luggage rack **3** (*facchino*) porter.
portaborse *s.m./f.* sidekick.
portacenere *s.m.* ashtray.
portachiavi *s.m.* key holder.
portacipria *s.m.* (powder) compact.
portaerei *s.f.* (*mar.*) aircraft carrier.
portafinestra *s.f.* French window.
portafoglio *s.m.* **1** wallet, (*amer.*) billfold: *lo alleggerirono del* –, they picked his pocket **2** (*ministero*) portfolio*.
portafortuna *s.m.* lucky charm.
portagioie *s.m.* jewel case.
portalampada *s.m.* bulb socket.
portale *s.m.* (*arch.*) portal.
portamento *s.m.* gait, walk.
portante *agg.* supporting.
portaombrelli *s.m.* umbrella stand.
portapacchi *s.m.* (*di bici*) carrier.
portare *v.tr.* **1** (*verso chi parla, ascolta*) to bring*; (*andare a prendere*) to fetch **2** (*lontano da chi parla; accompagnare*) to take* | – *via*, to take away; (*rubare*) to steal **3** (*trasportare*) to carry **4** (*condurre*) to lead* **5** (*indossare*) to wear* **6** (*nutrire nell'animo*) to bear* **7** (*mat.*) to carry **8** (*avere la portata di*) to hold* ♦ **~rsi** *v.pron.*(*andare*) to go*.
portasapone *s.m.* soap dish.
portasci *s.m.* ski rack.
portata *s.f.* **1** (*di pranzo*) course **2** (*raggio d'azione*) range | *a – di mano*, to hand, within reach; *alla – di tutti*, within everybody's reach **3** (*capacità di carico*) capacity; (*di nave*) tonnage **4** (*di fiume*) flow **5** (*importanza*) importance.
portatile *agg.* portable.
portato *agg.* inclined: *essere – per*, to have a flair for.
portatore *s.m.* **1** carrier **2** (*comm.*) bearer.
portavalori *s.m.* security guard.
portavoce *s.m.* spokesman*.
portellone *s.m.* hatch.
portico *s.m.* (*porticato*) arcade.
portiera *s.f.* **1** (*aut.*) door **2** → *portinaia.*
portiere *s.m.* **1** → *portinaio* **2** (*di albergo*) hall porter, (*amer.*) doorman* **3** (*sport*) goalkeeper, (*fam.*) goalie.
portinaia *s.f.* concierge, caretaker.
portinaio *s.m.* porter, caretaker, (*amer.*) janitor.

portineria *s.f.* porter's lodge.
porto[1] *s.m.* harbour; (*attrezzato*) port.
porto[2] *s.m.* **1** (*trasporto*) carriage: – *franco*, *assegnato*, carriage free, forward **2** (*licenza*) licence.
Portogallo *no.pr.m.* Portugal.
portoghese *agg.*, *s.m./f.* Portuguese | *i portoghesi*, the Portuguese.
portone *s.m.* main door.
portoricano *agg.*, *s.m.* Puerto Rican.
Portorico *no.pr.m.* Puerto Rico.
porzione *s.f.* (*di cibo*) helping.
posa *s.f.* **1** (*il porre*) laying **2** (*per foto*) pose | *teatro di* –, studio **3** (*atteggiamento*) pose.
posare *v.tr.* to lay* ♦ *v.intr.* **1** (*poggiare*) to rest **2** (*per una foto*; *atteggiarsi*) to pose ♦ **~rsi** *v.pron.* to settle; (*calando dall'alto*) to alight.
posate *s.f.pl.* cutlery □, (*amer.*) silverware □.
poscritto *s.m.* postscript.
positivo *agg.* **1** positive **2** (*reale*) real, actual **3** (*pratico*) practical.
posizione *s.f.* position (*anche fig.*).
posporre *v.tr.* to place after (*anche fig.*); (*posticipare*) to postpone.
possedere *v.tr.* **1** to possess, to own **2** (*conoscere a fondo*) to master.
possessivo *agg.* possessive.
possesso *s.m.* possession.
possessore *s.m.* possessor; owner.
possibile *agg.*, *s.m.* possible | *il più*, *il meno* –, as much, as little as possible; *nei limiti del* –, as far as possible.
possibilità *s.f.* **1** possibility; (*probabilità*) chance **2** *pl.* (*mezzi economici*) means.
posta *s.f.* **1** post, mail | *a giro di* –, by return of post | *fermo* –, poste restante **2** (*ufficio postale*) post office **3** (*al gioco*) stake (*anche fig.*).
postale *agg.* postal; post (*attr.*), mail (*attr.*): *spese postali*, postage.
posteggiare *v.tr.* to park.
posteggio → *parcheggio*.
posteriore *agg.* **1** back; rear **2** (*nel tempo*) following.
posticipare *v.tr.* to postpone.
postino *s.m.* postman*.
posto *s.m.* **1** (*luogo*) place; spot | *sul* –, on the spot | *al* – *di*, (*invece di*) instead of; *al suo* –, in his place (*o* if I were him) | –*letto*, bed | – *macchina*, parking place | – *di blocco*, road block | – *telefonico pubblico*, public telephone exchange **2** (*spazio*) room; space **3** (*posto a sedere*) seat | *posti in piedi*, standing room | *auto a quattro posti*, four-seater car **4** (*impiego*) job; (*carica*) position.
posto, a *agg.* (*pulito*) neat; (*in ordine*) in order; (*sistemato*) settled ♦ *avv.* in place | *mettere la testa a* –, to settle down | *avere la coscienza a* –, to have an easy conscience.
postumo *agg.* posthumous ♦ *s.m.pl.* aftereffects.
potabile *agg.* drinkable.
potare *v.tr.* to prune; (*una siepe*) to trim.
potente *agg.* powerful; (*efficace*) potent.
potenza *s.f.* power; (*efficacia*) potency | *in* –, potential (*agg.*); potentially (*avv.*).
potere *v.intr.* **1** can*; to be able: *non posso venire*, I can't come; *non potrò venire*, I won't be able to come **2** (*permesso*) may*; to be allowed **3** (*eventualità*) may*; can* | *può darsi*, maybe ♦ *v.intr.* (*avere potere*) to have an effect | *è uno che può*, (*che ha denaro*) he is a man of means; (*che ha potere*) he's got

a lot of pull | *volere è* –, where there's a will there's a way. ♦ *s.m.* 1 power: *al* –, in power | *Quarto Potere*, Fourth Estate 2 (*influenza*) influence.
povero *agg.*, *s.m.* poor (man) | *i poveri*, the poor.
povertà *s.f.* poverty; (*scarsità*) lack.
pozza *s.f.* (*liquido versato*) pool.
pozzanghera *s.f.* puddle.
pozzo *s.m.* 1 well 2 (*di miniera*) shaft.
Praga *no.pr.f.* Prague.
pranzare *v.intr.* to have dinner, to dine; (*solo a mezzogiorno*) to (have) lunch.
pranzo *s.m.* dinner; (*solo a mezzogiorno*) lunch | *sala da* –, dining room.
prateria *s.f.* grassland; (*spec. amer.*) prairie.
pratica *s.f.* 1 practice | *in* –, practically 2 (*esperienza*) practice, experience: *far* –, to practise 3 (*incartamento*) file, dossier.
praticare *v.tr.* to practise.
pratico *agg.* 1 practical 2 (*funzionale*) handy 3 (*esperto*) experienced.
prato *s.m.* (*naturale*) meadow; (*rasato*) lawn.
preavviso *s.m.* notice.
precario *agg.* precarious ♦ *agg.*, *s.m.* temporary (employee).
precauzione *s.f.* precaution; (*cautela*) caution.
precedente *agg.* previous, preceding ♦ *s.m.* precedent.
precedenza *s.f.* precedence; (*priorità*) priority | *dare la* –, (*di veicoli*) to give way.
precedere *v.tr.*/*intr.* to precede.
precipitare *v.intr.* 1 to fall*; (*di aereo*) to crash 2 (*di eventi*) to come* to a head ♦ *v.tr.* (*affrettare*) to rush ♦ **~rsi** *v.pron.* (*affrettarsi*) to rush.
precipitoso *agg.* 1 headlong 2 (*affrettato*) hasty, rash.
precipizio *s.m.* precipice.
precisare *v.tr.* to specify.
precisazione *s.f.* specification.
precisione *s.f.* 1 precision 2 (*esattezza*) preciseness.
preciso *agg.* 1 exact, precise 2 (*definito*) definite 3 (*identico*) identical.
precoce *agg.* precocious.
preda *s.f.* 1 prey 2 (*bottino*) booty, plunder.
predatore *agg.* predatory: *uccelli predatori*, birds of prey ♦ *s.m.* plunderer.
predecessore *s.m.* predecessor.
predellino *s.m.* footboard.
predestinato *agg.* (pre)destined.
predica *s.f.* 1 sermon 2 (*ramanzina*) lecture.
predicare *v.tr.* to preach (*anche fig.*).
predire *v.tr.* to foretell*, to predict.
preesistente *agg.* preexistent.
prefabbricato *agg.* prefabricated.
prefazione *s.f.* preface, foreword.
preferenza *s.f.* preference.
preferenziale *agg.* preferential.
preferibile *agg.* preferable.
preferire *v.tr.* to prefer; to like.
preferito *agg.* favourite.
prefetto *s.m.* prefect.
prefisso *s.m.* (*tel.*) (dialling) code.
pregare *v.tr.* 1 to pray 2 (*domandare*) to ask; (*richiedere*) to request.
pregevole *agg.* valuable.
preghiera *s.f.* 1 prayer 2 (*richiesta*) request, entreaty.
pregiato *agg.* 1 (*stimato*) esteemed 2 (*di pregio*) valuable.
pregio *s.m.* value; (*merito*) good point.
pregiudicare *v.tr.* to compromise.

pregiudicato *s.m.* (*dir.*) previous offender.
pregiudizio *s.m.* prejudice.
prego *inter.* **1** don't mention it, not at all; (*spec. amer.*) you're welcome **2** (*per invitare*) please; (*cedendo il passo*) after you | – (*, può ripetere*)?, I beg your pardon (, what did you say)?
preistoria *s.f.* prehistory.
prelato *s.m.* (*eccl.*) prelate.
prelavaggio *s.m.* prewash (cycle).
prelevare *v.tr.* to draw*.
prelievo *s.m.* **1** withdrawal **2** (*med.*) sample.
preliminare *agg.*, *s.m.* preliminary.
preludio *s.m.* prelude.
prematrimoniale *agg.* premarital.
prematuro *agg.* premature.
premeditato *agg.* premeditated.
premeditazione *s.f.* premeditation.
premere *v.tr.* to press ♦ *v.intr.* **1** to press **2** (*insistere*) to urge (*s.o.*) **3** (*importare*) to matter, to interest.
premessa *s.f.* preamble, introduction.
premettere *v.tr.* to state in advance.
premiare *v.tr.* to award a prize to.
premiazione *s.f.* prizegiving.
premio *s.m.* **1** prize | (*aut.*) *Gran Premio*, Grand Prix **2** (*ricompensa*) reward | – *di produzione*, production bonus **3** (*comm.*) (insurance) premium.
premura *s.f.* **1** hurry, haste **2** (*cura, attenzione*) care.
premuroso *agg.* solicitous; attentive.
prendere *v.tr.* **1** to take*; (*catturare*) to catch*; (*colpire*) to get* | – *su*, (*raccogliere*) to pick up | – *il raffreddore*, to catch a cold | *andare a* –, to fetch; *vengo a prenderti stasera*, I'll call for you in the evening | *prendersela*, to take it amiss, to get angry | *prenderla alla lontana*, to break it gently | *prenderle*, (*le botte*) to be smacked **2** (*assumere*) to assume; (*personale*) to take* on | – *informazioni*, to make inquiries **3** (*comprare*) to buy*, to get* **4** (*mangiare, bere*) to have **5** (*far pagare*) to charge **6** (*guadagnare*) to get* ♦ *v.intr.* (*attecchire*) to take* root.
prendisole *s.m.* (*abbigl.*) sundress.
prenotare *v.tr.*, **prenotarsi** *v.pron.* to book.
prenotazione *s.f.* reservation.
preoccupare *v.tr.*, **preoccuparsi** *v. pron.* to worry: – *di*, to worry about.
preoccupazione *s.f.* worry, care.
preparare *v.tr.* **1** to prepare **2** (*allenare*) to coach, to train ♦ **~rsi** *v.pron.* to get* ready, to prepare (oneself).
preparativi *s.m.pl.* preparations.
preparazione *s.f.* **1** preparation **2** (*sport*) training.
prepotente *agg.* overbearing ♦ *s.m./f.* domineering person; (*fam.*) bully.
prerogativa *s.f.* **1** prerogative **2** (*qualità*) (special) quality.
presa *s.f.* **1** hold, grasp | – *di posizione*, (*fig.*) taking sides | – *in giro*, leg-pull | *far – sul pubblico*, to grip the audience **2** (*d'aria, acqua*) intake; (*di corrente*) plug, socket **3** (*espugnazione*) seizure **4** (*pizzico*) pinch.
presbite *agg.* longsighted.
prescelto *agg.* chosen, selected.
prescrivere *v.tr.* to prescribe.
presentare *v.tr.* **1** to present; (*mostrare*) to show* **2** (*far conoscere*) to introduce: *mi presentò suo padre*, he introduced me to his father ♦ **~rsi** *v.pron.* **1** to present oneself; (*fam.*) to turn up **2** (*farsi conoscere*) to introduce one-

self 3 (*offrirsi*) to offer; (*capitare*) to occur 4 (*apparire*) to seem.
presentatore *s.m.* (*di spettacolo*) compère.
presentazione *s.f.* 1 presentation 2 (*di una persona*) introduction: *fare le presentazioni*, to do the introducing.
presente[1] *agg.* 1 present | *far – qlco. a qlcu.*, to bring sthg. to s.o.'s attention; *tenere –*, to bear in mind | *–!*, here!, present! 2 (*questo*) this* ♦ *s.m.* 1 present (time) 2 *pl.* those present.
presente[2] *s.m.* (*dono*) present, gift.
presentimento *s.m.* presentiment.
presenza *s.f.* 1 presence: *in – di*, in the presence of | *di –*, in person | *una ragazza di bella –*, a fine-looking girl 2 (*in un luogo*) attendance.
presepio *s.m.* crib; (*amer.*) crèche.
preservare *v.tr.* to preserve.
preservativo *s.m.* condom, rubber.
preside *s.m.* headmaster, principal ♦ *s.f.* headmistress.
presidente *s.m.* president; (*di assemblea*) chairman*.
presidenza *s.f.* 1 presidency; (*di assemblea*) chair; chairmanship; (*di società*) management 2 (*consiglio di amministrazione*) board of directors.
presidiare *v.tr.* (*mil.*) to garrison; (*estens.*) to guard.
presiedere *v.intr.*/*tr.* to preside.
pressappoco *avv.* about, roughly.
pressione *s.f.* pressure (*anche fig.*).
presso *prep.* 1 near 2 (*a casa di*) at; (*negli indirizzi*) c/o (care of).
pressurizzare *v.tr.* to pressurize.
prestabilito *agg.* prearranged.
prestare *v.tr.* 1 to lend*; (*spec. denaro*) to loan: *farsi – qlco. da qlcu.*, to borrow sthg. from s.o. 2 (*dare*) to give* | – *aiuto*, to lend a hand ♦ **~rsi** *v.pron.* 1 (*adoperarsi*) to be useful 3 (*essere adatto*) to be fit (*for*).
prestazione *s.f.* 1 (*servizio*) service 2 (*di motore, atleta*) performance.
prestigiatore *s.m.* conjurer, conjuror.
prestigio *s.m.* 1 prestige 2 (*prestidigitazione*) conjuring.
prestito *s.m.* loan: *dare in –*, to lend; *prendere in, a –*, to borrow.
presto *avv.* 1 soon, before long | *– o tardi*, sooner or later 2 (*di buon'ora*) early 3 (*in fretta*) quickly.
presumere *v.tr.* to presume.
presunto *agg.* presumed | (*dir.*) *– colpevole*, the alleged culprit.
presuntuoso *agg.* presumptuous, conceited.
prete *s.m.* priest: *– protestante*, clergyman, minister.
pretendente *s.m.* 1 pretender 2 (*corteggiatore*) admirer, suitor.
pretendere *v.tr.* 1 to demand, to expect 2 (*sostenere*) to claim, to pretend 3 (*ritenere*) to think*.
pretesa *s.f.* 1 (*presunzione*) pretension 2 (*esigenza*) claim, demand.
pretesto *s.m.* 1 pretext: *col – di*, under the pretext of 2 (*occasione*) opportunity.
pretore *s.m.* lower court judge.
prevalente *agg.* prevalent, prevailing.
prevalere *v.intr.* 1 to prevail 2 (*essere di più*) to outnumber.
prevaricare *v.intr.* to abuse one's power.
prevedere *v.tr.* 1 to foresee*; (*tempo atmosferico*) to forecast*; (*aspettarsi*) to expect 2 (*di legge, contratto ecc.*) to provide (*for*).
prevenire *v.tr.* 1 (*anticipare*) to anti-

cipate **2** (*evitare*) to prevent, to avoid **3** (*avvertire in anticipo*) to (fore)warn.
preventivo *agg.* preventive; (*cautelativo*) precautionary ♦ *s.m.* (*comm.*) estimate.
prevenuto *agg.* prejudiced, biased.
prevenzione *s.f.* **1** prevention **2** (*pregiudizio*) bias, prejudice.
previdente *agg.* provident.
previdenza *s.f.* providence | – *sociale*, social security.
previsione *s.f.* **1** forecast; (*aspettativa*) expectation **2** (*comm.*) estimate.
prezioso *agg.* precious; (*di valore*) valuable.
prezzemolo *s.m.* parsley.
prezzo *s.m.* price | – *politico*, government-established price; – *simbolico*, nominal price.
prigione *s.f.* prison, jail, gaol.
prigioniero *agg.* imprisoned ♦ *s.m.* prisoner.
prima[1] *avv.* **1** before | – *che*, *di*, before **2** (*in anticipo*) beforehand, in advance **3** (*più presto*) earlier; sooner | *quanto* –, as soon as possible **4** (*un tempo*) once, formerly **5** (*per prima cosa*) first; (*in un primo tempo*) at first | – *di tutto*, first of all, to begin with.
prima[2] *s.f.* **1** (*aut.*) first (gear) **2** (*a scuola*) first class, (*amer.*) first grade **3** (*ferr.*) first class **4** (*teatr.*) first night; (*cinem.*) première.
primario *agg.* primary ♦ *s.m.* head physician.
primatista *s.m./f.* record holder.
primato *s.m.* **1** lead, supremacy **2** (*sport*) record.
primavera *s.f.* spring; springtime.
primaverile *agg.* spring; springlike.
primitivo *agg.* primitive.
primizia *s.f.* **1** first fruit; (*ortaggio*) early vegetable **2** (*notizia in anteprima*) fresh news ⓤ hot news ⓤ.
primo *agg.*, *pron.*, *s.m.* first; (*tra due*) former | (*cinem.*) – *piano*, close up | (*minuto*) –, minute | – (*piatto*), first course | – *attore*, leading actor | *ai primi di giugno*, in early June | *il* – *dell'anno*, New Year's Day.
primogenito *agg.*, *s.m.* firstborn.
primula *s.f.* primrose.
principale *agg.* main, chief ♦ *s.m.* employer; (*fam.*) boss.
principe *s.m.* prince.
principiante *s.m./f.* beginner.
principio *s.m.* **1** beginning **2** (*norma*) principle.
priorità *s.f.* priority.
privare *v.tr.* to deprive.
privatizzare *v.tr.* to privatize.
privato *agg.* private ♦ *s.m.* **1** private citizen **2** (*intimità*) privacy.
privazione *s.f.* **1** deprivation **2** *pl.* (*rinunce*) privations.
privilegiare *v.tr.* to favour.
privilegiato *agg.*, *s.m.* privileged.
privilegio *s.m.* privilege.
privo *agg.* devoid; lacking (*in*).
probabile *agg.* probable; likely.
problema *s.m.* problem.
proboscide *s.f.* trunk.
procedere *v.intr.* **1** to go* on, to proceed (*anche dir.*) **2** (*agire*) to act **3** (*dare inizio*) to start (*sthg.*).
procedimento *s.m.*, **procedura** *s.f.* procedure.
processare *v.tr.* to try.
processione *s.f.* procession.
processo *s.m.* **1** process **2** (*dir.*) trial; (*civile*) lawsuit.

procione *s.m.* raccoon.
proclamare *v.tr.* to proclaim; (*dichiarare*) to declare.
procura *s.f.* (*dir.*) **1** power of attorney | *per* –, by proxy **2** (*sede*) solicitor's office.
procurare *v.tr.* **1** to get*: – *qlco. a qlcu.*, to get s.o. sthg. (*o* to get sthg. for s.o.); *procurarsi da vivere*, to get a living **2** (*causare*) to cause.
procuratore *s.m.* (*dir.*) **1** (*persona munita di procura*) proxy; attorney **2** – (*legale*), attorney, attorney-at-law; (*in* GB) solicitor | *sostituto* –, investigating magistrate.
prodezza *s.f.* exploit, feat; (*atto di coraggio*) act of valour.
prodigare *v.tr.* to lavish ♦ **~rsi** *v.pron.* to do* one's outmost.
prodigio *s.m.* prodigy; (*meraviglia*) wonder.
prodigo *agg.* lavish (*with*).
prodotto *s.m.* product | *prodotti agricoli*, agricultural produce; *prodotti alimentari*, foodstuffs.
produrre *v.tr.* **1** to produce; (*generare*) to bear* **2** (*causare*) to cause.
produttivo *agg.* productive; (*di produzione*) production.
produttore *agg.* producing ♦ *s.m.* producer.
produzione *s.f.* **1** production **2** (*quantità prodotta*) output.
profano *agg.* **1** (*non sacro*) secular **2** (*inesperto*) ignorant ♦ *s.m.* **1** the profane **2** (*incompetente*) layman*.
professionale *agg.* professional | *scuola* –, vocational school | *rischio* –, occupational hazard.
professionalità *s.f.* professionalism.
professione *s.f.* profession.
professionista *s.m./f.* professional: *libero* –, independent professional; freelance.
professore *s.m.* teacher; (*all'università*) professor.
profeta *s.m.* prophet (*anche fig.*).
profezia *s.f.* prophecy.
profilare *v.tr.* to edge, to border ♦ **~rsi** *v.pron.* to be outlined.
profilattico *s.m.* condom.
profilo *s.m.* **1** (*contorno*) outline **2** (*di viso*) profile | *di* –, in profile, side on **3** (*punto di vista*) point of view.
profitto *s.m.* profit: *trarre – da*, to profit by.
profondità *s.f.* depth: *in* –, deeply.
profondo *agg.* deep ♦ *s.m.* **1** depth **2** (*psic.*) the unconscious.
profugo *agg.*, *s.m.* refugee.
profumare *v.tr.* to perfume, to scent ♦ *v.intr.* to smell*.
profumato *agg.* sweet-smelling.
profumeria *s.f.* perfumer's shop.
profumo *s.m.* perfume, scent.
progettare *v.tr.* **1** to plan **2** (*tecn.*) to design.
progettista *s.m./f.* designer.
progetto *s.m.* plan, project | – *di legge*, bill.
prognosi *s.f.* prognosis*.
programma *s.m.* **1** programme, (*amer.*) program; (*progetto*) plan | *fuori* –, unscheduled **2** (*a scuola*) syllabus.
programmare *v.tr.* to plan; (*inform.*) to program.
programmazione *s.f.* planning.
progredire *v.intr.* **1** to advance **2** (*fare progressi*) to progress.
progressista *agg.*, *s.m./f.* progressive.
progresso *s.m.* progress [U].
proibire *v.tr.* **1** to forbid*; (*spec. per leg-*

ge) to prohibit **2** (*impedire*) to prevent.
proibitivo *agg.* prohibitive.
proibizione *s.f.* prohibition.
proiettare *v.tr.* **1** to project, to cast* **2** (*cinem.*) to show*.
proiettile *s.m.* projectile; (*pallottola*) bullet.
proiettore *s.m.* (movie) projector.
proiezione *s.f.* projection; (*cinem.*) showing.
prole *s.f.* children (*pl.*).
proletario *agg., s.m.* proletarian.
proliferare *v.intr.* to proliferate.
prolifico *agg.* prolific.
prolisso *agg.* prolix.
prolunga *s.f.* extension.
prolungare *v.tr.* to prolong, to extend.
promemoria *s.m.* memorandum*, memo*.
promessa[1] *s.f.* promise.
promessa[2] *s.f.* (*fidanzata*) fiancée.
promettere *v.tr.* to promise.
promiscuità *s.f.* promiscuity.
promiscuo *agg.* mixed.
promontorio *s.m.* promontory.
promotore *agg.* promoting ♦ *s.m.* promoter, sponsor.
promozionale *agg.* promotional.
promozione *s.f.* promotion.
promuovere *v.tr.* **1** to promote **2** (*a scuola*) to pass.
pronome *s.m.* (*gramm.*) pronoun.
pronostico *s.m.* forecast, prediction.
pronto *agg.* **1** ready | *–!*, (*al telefono*) hello! **2** (*rapido*) prompt, quick.
pronuncia *s.f.* pronunciation.
pronunciare *v.tr.* **1** to pronounce **2** (*dire*) to say*; (*esporre*) to deliver ♦ **~rsi** *v.pron.* to give one's opinion.
propaganda *s.f.* publicity | *– elettorale*, electoral propaganda.
propagare *v.tr.*, **propagarsi** *v.pron.* to propagate, to spread*.
propellente *s.m.* propellant.
propenso *agg.* inclined.
propizio *agg.* propitious; (*adatto*) right.
proponimento *s.m.* resolution.
proporre *v.tr.* to propose.
proporzionale *agg.* proportional.
proporzionato *agg.* **1** proportioned **2** (*adeguato*) proportionate.
proporzione *s.f.* **1** proportion; (*rapporto*) ratio* **2** (*dimensione*) dimension, size.
proposito *s.m.* **1** purpose; (*intenzione*) intention | *di –*, on purpose **2** (*argomento*) subject | *a –*, by the way; *giungere a –*, to come at the right time | *a – di*, with regard to.
proposizione *s.f.* clause.
proposta *s.f.* proposal.
proprietà *s.f.* property; (*i proprietari*) owners (*pl.*).
proprietario *s.m.* owner.
proprio *agg.* **1** (*poss.*) one's (own); his (own); her (own); its (own); their (own) **2** (*tipico*) typical, characteristic | *vero e –*, real, sheer ♦ *s.m.* one's (own) | *lavorare in –*, to work on one's own account ♦ *avv.* **1** just, exactly | *– in quel momento*, at that very moment **2** (*veramente*) really.
prora *s.f.* prow, bow.
proroga *s.f.* (*rinvio*) adjournment; (*dilazione*) respite.
prorogare *v.tr.* to put* off.
prosa *s.f.* **1** prose **2** (*teatr.*) drama, (straight) theatre.
prosaico *agg.* prosaic.
prosciutto *s.m.* ham: *– crudo*, Parma ham.
proseguire *v.tr.* to continue.

prosperare *v.intr.* to flourish.
prospettare *v.tr.* to propose ♦ **~rsi** *v.pron.* to appear.
prospettiva *s.f.* **1** perspective **2** (*possibilità futura*) prospect.
prospetto *s.m.* prospectus*; (*sommario*) summary.
prossimo *agg.* **1** near (*sthg.*), close **2** (*seguente*) next ♦ *s.m.* neighbour.
prostituta *s.f.* prostitute.
prostrato *agg.* prostrate (*with*).
protagonista *s.m./f.* protagonist.
proteggere *v.tr.* **1** to protect; (*riparare*) to shelter **2** (*favorire*) to favour.
proteina *s.f.* protein.
protesta *s.f.* protest.
protestante *agg.*, *s.m./f.* Protestant.
protestare *v.tr.*, *intr.* to protest.
protesto *s.m.* (*comm.*) protest | *cambiale in* –, dishonoured bill.
protettivo *agg.* protective.
protettore *s.m.* **1** protector **2** (*sfruttatore di prostitute*) pimp.
protezione *s.f.* **1** protection **2** (*sostegno*) patronage.
protocollo *s.m.* **1** protocol **2** (*registro*) record, register: *mettere a* –, to record, to register; *numero di* –, reference number.
prototipo *s.m.* prototype.
protuberanza *s.f.* protuberance.
prova *s.f.* **1** (*dimostrazione*) proof; (*testimonianza*) evidence[U] | *fino a – contraria*, until proved otherwise **2** (*verifica*) trial, test | *– del fuoco*, (*fig.*) decisive test | *a – di bomba*, bombproof **3** (*esame*) test, examination **4** (*tentativo*) try **5** (*avversità*) trial **6** (*sport*) preliminary **7** (*di abito*) fitting **8** (*teatr.*) rehearsal: *– generale*, dress rehearsal.
provare *v.tr.* **1** (*dimostrare*) to prove **2** (*verificare*) to try **3** (*mettere alla prova*) to test, to try **4** (*sentire*) to feel* **5** (*abiti ecc.*) to try on **6** (*teatr.*) to rehearse.
provato *agg.* **1** (*affaticato*) exhausted, worn out **2** (*sicuro*) proven.
provenienza *s.f.* origin.
provenire *v.intr.* to come*; (*fig.*) to be caused.
proverbio *s.m.* proverb; (*detto*) saying.
provetta *s.f.* test tube.
provetto *agg.* skilled, experienced.
provincia *s.f.* province.
provinciale *agg.*, *s.m./f.* provincial.
provino *s.m.* (*cinem.*) screen test.
provocare *v.tr.* to provoke; (*suscitare*) to give* rise to.
provvedere *v.intr.* to provide (*for*); (*occuparsi*) to see* (*to*) ♦ *v.tr.* to supply.
provvedimento *s.m.* measure.
provvidenza *s.f.* providence.
provvigione *s.f.* (*comm.*) commission.
provvisorio *agg.* provisional; temporary.
provvista *s.f.* provision, supply.
prua *s.f.* (*mar.*) prow.
prudente *agg.* prudent.
prudenza *s.f.* prudence.
prudere *v.intr.* to itch (*costr. pers.*).
prugna *s.f.* plum | *– secca*, prune.
prurito *s.m.* itch.
pseudonimo *s.m.* pseudonym; (*di scrittore*) pen name.
psicanalisi e *deriv.* → *psicoanalisi* e *deriv.*
psiche *s.f.* psyche.
psichedelico *agg.* psychedelic.
psichiatra *s.m./f.* psychiatrist.
psichico *agg.* psychic.
psicoanalisi *s.f.* psychoanalysis.
psicoanalista *s.m./f.* psychoanalyst.

psicofarmaco *s.m.* psychotrope drug.
psicologia *s.f.* psychology.
psicologo *s.m.* psychologist.
psicosi *s.f.* **1** (*med.*) psychosis **2** (*estens.*) fever.
psicosomatico *agg.* psychosomatic.
pubblicare *v.tr.* to publish.
pubblicazione *s.f.* **1** publication **2** *pl.* (*di matrimonio*) banns.
pubblicista *s.m./f.* freelance journalist.
pubblicità *s.f.* publicity; (*propaganda*) advertising: – *radio-televisiva*, commercials.
pubblicitario *agg.* advertising: *annuncio* –, advertisement, ad ♦ *s.m.* adman*.
pubblico *agg.* public | *scuola pubblica*, state school ♦ *s.m.* **1** public **2** (*spettatori*) audience.
pudico *agg.* demure.
pudore *s.m.* decency; (*ritegno*) reserve.
puerile *agg.* childish, puerile.
pugilato *s.m.* boxing.
pugile *s.m.* boxer.
pugnalare *v.tr.* to stab.
pugnale *s.m.* dagger: *colpo di* –, stab.
pugno *s.m.* **1** fist **2** (*colpo*) punch, blow | *essere un – in un occhio*, to be an eyesore **3** (*manciata*) fistful, handful.
pulce *s.f.* flea.
pulcino *s.m.* chick.
puledro *s.m.* colt, foal.
pulire *v.tr.* to clean; (*lavare*) to wash; (*lucidare*) to polish.
pulito *agg.* **1** clean **2** (*onesto*) honest.
pulizia *s.f.* cleaning; (*l'essere pulito*) cleanliness, cleanness.
pullman *s.m.* coach.
pullulare *v.intr.* to swarm (*with*).
pulpito *s.m.* pulpit.
pulsante *s.m.* (push) button.
pulsare *v.intr.* to throb (*anche fig.*).
pulsazione *s.f.* pulsation.
pulviscolo *s.m.* dust.
pungente *agg.* (*fig.*) biting; pungent.
pungere *v.tr.* **1** to prick; (*di insetto*) to sting* **2** (*stuzzicare*) to tease.
pungiglione *s.m.* sting.
pungolo *s.m.* goad; (*fig.*) prick.
punire *v.tr.* to punish.
punizione *s.f.* **1** punishment **2** (*sport*) free kick.
punta[1] *s.f.* **1** point; (*estremità*) tip, end **2** (*da trapano*) drill **3** (*massima intensità*) peak **4** (*promontorio*) point, cape **5** (*un po'*) pinch; (*fig.*) touch.
punta[2] *s.f.* (*ferma del cane*) set: *cane da* –, pointer.
puntare *v.tr.* **1** (*appoggiare con forza*) to push **2** (*dirigere*) to point; (*mirare*) to aim **3** (*scommettere*) to bet* ♦ *v.intr.* **1** to aim (*at*) **2** (*dirigersi*) to head.
puntata[1] *s.f.* **1** (*al gioco*) bet **2** (*breve visita*) flying visit.
puntata[2] *s.f.* (*di romanzo*) instalment; (*rad.*, *tv*) episode.
punteggio *s.m.* score.
puntellare *v.tr.* to prop (up).
punteruolo *s.m.* punch.
puntiglio *s.m.* obstinacy.
puntina *s.f.* drawing pin.
puntino *s.m.* dot.
punto *s.m.* **1** point | – *morto*, (*fig.*) deadlock **2** (*segno d'interpunzione*) mark: – *interrogativo*, *esclamativo*, question, exclamation mark; – *e virgola*, semicolon; *due punti*, colon; – *fermo*, full stop **3** (*macchiolina*) dot, speck | – *nero*, (*comedone*) blackhead **4** (*luogo*) point; spot | – *di vendita*, sales point **5** (*momento*) moment, point | *fino a un certo* –, to a certain extent **6** (*cucito*) stitch.

puntuale *agg.* punctual, on time.
puntura *s.f.* **1** prick; (*di insetto*) sting; (*morsicatura*) bite **2** (*iniezione*) injection; (*fam.*) jab; (*amer.*) shot.
punzecchiare *v.tr.* (*fig.*) to tease.
pupazzo *s.m.* puppet.
pupilla *s.f.* pupil.
purché *cong.* provided.
pure *avv.* also; (*in fine di frase*) too, as well | *fai – con comodo*, take your time ♦ *cong.* **1** even though, even if **2** (*tuttavia*) but, yet **3** *pur di*, (just) to.
purè *s.m.* (*cuc.*) mash, puree.
purga *s.f.* laxative, purgative.
purgare *v.tr.* to purge.
purgatorio *s.m.* purgatory.
purificare *v.tr.* to purify.
puritano *agg.*, *s.m.* (*st.*) Puritan ♦ *agg.* (*estens.*) puritanical.
puro *agg.* **1** pure **2** (*semplice*) sheer.
purosangue *agg.*, *s.m./f.* thoroughbred.
purtroppo *avv.* unfortunately.
putiferio *s.m.* row.
putrido *agg.* putrid, rotten.
puttana *s.f.* (*volg.*) whore.
puzza *s.f.* stink, stench.
puzzare *v.intr.* to smell* (bad); to stink*, to reek.
puzzola *s.f.* polecat.

Q

qua *avv.* here | *al di – di*, on this side of.
quaderno *s.m.* exercise book, copybook.
quadrato *agg.*, *s.m.* square.
quadrettato *agg.* squared; (*di tessuto*) checked, chequered.
quadrifoglio *s.m.* four-leaved clover.
quadro *s.m.* **1** picture (*anche fig.*), painting **2** (*tabella*) table | *– riassuntivo*, summary **3** (*aziendale*) cadre; upper echelons **4** (*pannello*) board, panel **5** *pl.* (*a carte*) diamonds.
quaggiù *avv.* down here.
quaglia *s.f.* quail*.
qualche *agg.* some; any; (*alcuni*) a few.
qualcheduno → *qualcuno*.
qualcosa *pron.* something; (*con interr.o neg.*) anything.
qualcuno *pron.* **1** someone, somebody; (*con interr.*) anybody, anyone | *– di loro*, some of them | *qualcun altro*, somebody else, someone else; anybody else, anyone else.
quale *agg.* **1** (*interr.*) what; (*in un numero ristretto*) which **2** (*escl.*) what (a); *pl.* what **3** (*come*) as **4** (*qualunque*) whatever.
quale *pron.* → *che, cui.*
qualifica *s.f.* qualification; (*titolo*) title.
qualificare *v.tr.* to qualify.
qualità *s.f.* **1** quality; (*proprietà*) property **2** (*varietà, specie*) kind, sort.
qualitativo *agg.* qualitative.
qualora *cong.* if, in case.
qualsiasi, **qualunque** *agg.* **1** (*ogni*) any | *– cosa*, anything | *– altro*, any other **2** (*comune*) ordinary, common **3** (*quale che*) whatever; (*in un numero ristretto*) whichever | *– cosa*, whatever.
quando *avv.* when | *da –?*, since when?; (*da quanto tempo*) how long? ♦ *cong.* **1** (*di tempo*) when | *fino a –*, till, until; (*per tutto il tempo che*) as long as **2** (*ogni volta che*) whenever **3** (*mentre*) while **4** (*condizionale*) if | *quand'anche*, even if.
quantificare *v.tr.* to quantify.

quantità *s.f.* quantity | *una – di*, a great deal of, a lot of; (*con s. al pl.*) a great many.
quanto *avv.* (*interr., escl.*) (*con agg.*) how; (*con v.*) how much | *tanto... –...*, as (much)... as... | *– meno*, at least | *– a*, as for; (*circa*) as to | *per –*, (*con agg., avv.*) however; (*con v.*) although.
quanto *agg.* **1** how much?; *pl.* how many?; (*tempo*) how long? **2** (*tutto quello che*) as much as; *pl.* as many as ♦ *pron.* **1** how much?; *pl.* how many? **2** (*quello che*) what; (*tutto quello che*) all (that) | *tanto –*, as much as **3** *pl.* (*tutti quelli che*) all those (who), (*chiunque*) whoever.
quantomeno *avv.* at least.
quantunque *cong.* (al)though.
quaranta *agg., s.m.* forty.
quaresima *s.f.* Lent.
quartiere *s.m.* district.
quarto *agg.* fourth ♦ *s.m.* quarter, fourth.
quarzo *s.m.* quartz.
quasi *avv.* almost, nearly | *– (che)*, almost as if | *– mai, niente*, hardly ever, anything.
quassù *avv.* up here.
quattordici *agg., s.m.* fourteen.
quattrino *s.m.* farthing, penny; *pl.* money ▭.
quattro *agg., s.m.* four.
quello *agg.* **1** that; *pl.* those ♦ *pron.* **1** that (one); *pl.* those; (*se determinato*) the one: *– verde*, the green one | *–...questo*, the former... the latter | *questo... –*, (*l'uno... l'altro*) one... the other; *pl.* some... others **2** (*colui*) the one, the man; *pl.* those, the people; (*ciò*) what.
quercia *s.f.* oak (tree).
querela *s.f.* action, lawsuit.
querelante *s.m./f.* plaintiff.
querelare *v.tr.* to bring* an action against, to proceed against.
querelato *s.m.* defendant.
quesito *s.m.* question.
questionario *s.m.* questionnaire.
questione *s.f.* question; (*problema*) problem.
questo *agg.* this; *pl.* these ♦ *pron.* **1** this (one); *pl.* these **2** (*ciò*) that, this | *quest'oggi*, today.
questore *s.m.* head of police administration.
questura *s.f.* police headquarters (*pl.*).
qui *avv.* here.
quiete *s.f.* quiet, calm.
quieto *agg.* quiet, calm.
quindi *cong.* so, therefore ♦ *avv.* (*poi*) then, afterwards.
quindici *agg., s.m.* fifteen | *– giorni*, a fortnight.
quintale *s.m.* quintal.
quinto *agg., s.m.* fifth.
quota *s.f.* **1** quota, share **2** (*altitudine*) altitude, height.
quotato *agg.* **1** (*Borsa*) quoted, listed **2** (*apprezzato*) rated.
quotazione *s.f.* (*di titolo*) quotation; (*di moneta*) rate of exchange, exchange rate.
quotidianamente *avv.* daily.
quotidiano *agg., s.m.* daily.
quoziente *s.m.* quotient.

R

rabarbaro *s.m.* rhubarb.
rabbia *s.f.* **1** rage, anger **2** (*med.*) rabies.
rabbino *s.m.* rabbi.

rabbioso *agg.* **1** angry **2** (*med.*) rabid.
rabbrividire *v.intr.* to shiver; (*di paura ecc.*) to shudder.
raccapricciante *agg.* horrific.
raccapriccio *s.m.* horror.
racchetta *s.f.* racket; (*da ping-pong*) bat; (*da sci*) stick.
racchiudere *v.tr.* to contain.
raccogliere *v.tr.* **1** to pick up; (*fiori ecc.*) to pick **2** (*radunare*) to gather | – *i capelli*, to put one's hair in a chignon **3** (*collezionare*) to collect | – *fondi*, to raise funds **4** (*ottenere*) to get* **5** (*prendere come raccolto*) to reap, to harvest **6** (*accettare*) to accept.
raccoglimento *s.m.* concentration.
raccoglitore *s.m.* (*per documenti*) binder.
raccolta *s.f.* **1** (*di prodotti agricoli*) harvesting; (*a mano*) picking **2** (*collezione*) collection | *chiamare a* –, to gather.
raccolto *agg.* **1** (*tenuto insieme*) gathered up **2** (*concentrato*) absorbed **3** (*intimo*) cosy ♦ *s.m.* crop, harvest.
raccomandabile *agg.* (*di persona*) reliable; (*di cosa*) recommendable: *un tipo poco* –, a shady character.
raccomandare *v.tr.* **1** to recommend **2** (*esortare a*) to urge; (*consigliare*) to warn ♦ **~rsi** *v.pron.* (*appellarsi*) to appeal | *mi raccomando, torna presto*, please, be back early.
raccomandata *s.f.* registered letter.
raccontare *v.tr.* to tell*, to narrate.
racconto *s.m.* story, tale.
raccordo *s.m.* **1** (*mecc.*) connection, union **2** (*di strada*) link (road): – *anulare*, ring road, (*amer.*) beltway.
racimolare *v.tr.* to scrape together.
raddoppiare *v.tr.* to double; (*fig.*) to redouble.
raddrizzare *v.tr.* to straighten (up) | *adesso lo raddrizzo io!*, (*fig.*) now I'll straighten him out!
radente *agg.* grazing, skimming.
radere *v.tr.* **1** to shave **2** (*abbattere*) to raze.
radiante *agg.* radiant.
radiare *v.tr.* to strike* off.
radiatore *s.m.* radiator.
radica *s.f.* briar (wood).
radicale *agg.*, *s.m.* radical.
radicato *agg.* (*fig.*) deeply rooted.
radicchio *s.m.* (*bot.*) chicory.
radice *s.f.* root.
radio *s.f.* radio.
radioamatore *s.m.* radio amateur.
radioattivo *agg.* (*fis.*) radioactive.
radiocomandato *agg.* radio-controlled.
radiocronaca *s.f.* radio commentary.
radiofonico *agg.* radio (*attr.*).
radiografia *s.f.* X-ray.
radiologo *s.m.* radiologist.
radioricevitore *s.m.* (radio) receiver.
radioso *agg.* shining, bright.
radiospia *s.f.* bug, microphone.
radiosveglia *s.f.* radio alarm.
rado *agg.* **1** thin **2** (*non frequente*) infrequent | *di* –, rarely.
radunare *v.tr.*, **radunarsi** *v.pron.* to assemble, to gather.
raduno *s.m.* meeting, gathering.
raffermo *agg.* stale.
raffica *s.f.* **1** gust **2** (*di armi da fuoco*) burst **3** (*fig.*) volley, hail.
raffigurare *v.tr.* **1** to depict; (*immaginare*) to imagine **2** (*simboleggiare*) to symbolize.

raffinatezza *s.f.* refinement.
raffinato *agg.* refined.
raffineria *s.f.* refinery.
rafforzare *v.tr.* to reinforce ♦ **~rsi** *v.pron.* to become* stronger.
raffreddare *v.tr.*, **raffreddarsi** *v.pron.* to cool (down).
raffreddore *s.m.* cold: *avere il* –, to have a cold.
ragazza *s.f.* **1** girl | *nome da* –, maiden name **2** (*innamorata*) girlfriend.
ragazzata *s.f.* childish trick.
ragazzo *s.m.* **1** boy, lad; (*giovane uomo*) youth | *i ragazzi*, (*fam.*) the children, the kids **2** (*innamorato*) boyfriend.
raggiante *agg.* radiant (*anche fig.*).
raggiera *s.f.* rays (*pl.*) | *a* –, radial.
raggio *s.m.* **1** ray, beam **2** (*geom.*) radius* **3** (*di ruota*) spoke **4** (*distanza*) range.
raggirare *v.tr.* to trick.
raggiungere *v.tr.* **1** to reach; (*unirsi a*) to catch* up **2** (*conseguire*) to achieve.
raggomitolato *agg.* curled up.
raggrinzito *agg.* wrinkled; (*di tessuti*) crumpled.
raggruppare *v.tr.*, **raggrupparsi** *v. pron.* to gather, to group (together).
ragguaglio *s.m.* information [U], details (*pl.*).
ragguardevole *agg.* considerable.
ragionamento *s.m.* (line of) reasoning, argument.
ragionare *v.intr.* **1** to reason **2** (*discutere*) to discuss (*sthg.*).
ragione *s.f.* **1** reason; mind **2** (*motivo*) reason | *a ragion veduta*, after due consideration | – *di più per*, all the more reason why | *farsi una* –, to resign oneself | *far valere le proprie ragioni*, to assert oneself | *prenderle di santa* –, to get a good thrashing **3** (*il giusto*) right: *aver* –, to be right **4** (*rapporto*) ratio; (*tasso*) rate.
ragionevole *agg.* reasonable.
ragioniere *s.m.* accountant.
ragliare *v.intr.* to bray.
ragnatela *s.f.* web, cobweb.
ragno *s.m.* spider.
ragù *s.m.* (*cuc.*) meat sauce.
rallegrare *v.tr.* to cheer (up) ♦ **~rsi** *v.pron.* **1** to rejoice (*at*) **2** (*congratularsi*) to congratulate (*s.o.*).
rallentare *v.tr./intr.* to slow down.
rallentatore *s.m.*: (*cinem.*) *al* –, in slow-motion.
ramarro *s.m.* green lizard.
rame *s.m.* **1** copper **2** *pl.* (*oggetti in rame*) copperware [U].
ramificarsi *v.pron.* to branch out.
ramino *s.m.* (*gioco di carte*) (*gin.*) rummy.
rammaricarsi *v.pron.* to regret (*sthg.*).
rammendare *v.tr.* to darn.
ramo *s.m.* branch.
rampa *s.f.* (*di scale*) flight | – *di lancio*, launching pad.
rampante *agg.* (*fig.*) go-getting.
rampicante *agg.* creeping ♦ *s.m.* creeper.
rana *s.f.* frog.
rancido *agg.* rancid.
rancore *s.m.* grudge.
randagio *agg.* stray.
rango *s.m.* rank.
rannicchiarsi *v.pron.* to squat down; to cuddle up.
rannuvolarsi *v.pron.* to grow* cloudy.
rantolare *v.intr.* to have the death rattle.
rapa *s.f.* turnip.

rapace *agg.* predatory: *uccello* –, bird of prey.
rapido *agg.* swift, rapid, quick.
rapimento *s.m.* kidnapping, abduction.
rapina *s.f.* robbery.
rapinare *v.tr.* to rob.
rapire *v.tr.* to kidnap, to abduct.
rappezzare *v.tr.* to patch.
rapportare *v.tr.*, **rapportarsi** *v.pron.* to relate.
rapporto *s.m.* **1** (*resoconto*) report **2** (*legame*) relation; relationship: – *di lavoro*, employer-employee relationship; *essere in buoni rapporti con qlcu.*, to be on good terms with s.o. **3** – (*sessuale*), (sexual) intercourse [U] **4** (*mat.*) ratio*.
rappresaglia *s.f.* retaliation; (*spec. mil.*) reprisal.
rappresentante *s.m./f.* representative; (*comm.*) agent.
rappresentanza *s.f.* **1** representation; (*delegazione*) delegation | *spese di* –, entertainment expenses **2** (*comm.*) agency.
rappresentare *v.tr.* **1** to represent **2** (*agire per conto di*) to act for; (*comm.*) to be the agent for **3** (*teatr.*) to perform, to stage **4** (*significare*) to mean*; (*essere*) to be.
rappresentativo *agg.* representative.
rappresentazione *s.f.* **1** representation **2** (*teatr.*) performance.
raptus *s.m.* fit.
raramente *avv.* rarely, seldom.
rarefatto *agg.* (*fig.*) subtle.
rarità *s.f.* rarity.
raro *agg.* rare; uncommon | *più unico che* –, exceptional.
rasare *v.tr.* **1** to shave **2** (*l'erba*) to mow*.
raschiamento *s.m.* (*chir.*) curettage.
raschiare *v.tr.* to scratch (out).
rasentare *v.tr.* **1** to hug **2** (*fig.*) to border (*on*).
rasente *prep.* very close (*to*).
raso *agg.* **1** short-haired | *far tabula rasa*, (*fig.*) to make a clean sweep | – *terra*, close to the ground **2** (*pienissimo*) full to the brim ♦ *s.m.* satin.
rasoio *s.m.* razor.
rassegna *s.f.* **1** (*mil.*) review | *passare in* –, to inspect **2** (*resoconto*) survey; (*periodico*) review **3** (*mostra*) exhibition.
rassegnare *v.tr.* (*presentare*) to hand in: – *le dimissioni*, to resign ♦ **~rsi** *v.pron.* to resign oneself.
rasserenare *v.tr.*, **rasserenarsi** *v.pron.* to clear (up); (*fig.*) to cheer up.
rassicurante *agg.* reassuring.
rassodante *agg.* (*di crema*) toning (-up).
rastrellare *v.tr.* **1** to rake **2** (*mil.*) to mop up **3** (*titoli, azioni*) to buy* up.
rastrelliera *s.f.* rack.
rastrello *s.m.* rake.
rata *s.f.* instalment.
rateale *agg.* by instalments.
rateo *s.m.* **1** (*rateizzazione*) division into instalments **2** (*di interessi*) accrual.
ratificare *v.tr.* (*dir.*) to ratify.
rattoppare *v.tr.* to patch (up).
rattrappito *agg.* numb.
rattristare *v.tr.* to sadden.
rauco *agg.* hoarse.
ravvedersi *v.pron.* to mend one's ways.
ravvisare *v.tr.* to recognize.
ravvivare *v.tr.* to revive.
razionale *agg.* rational.
razionare *v.tr.* to ration.

razione *s.f.* ration.

razza *s.f.* **1** race; (*di animali*) breed **2** (*genere*) kind.

razzia *s.f.* raid, foray.

razziale *agg.* racial.

razzismo *s.m.* racism.

razzo *s.m.* rocket.

re[1] *s.m.* king.

re[2] *s.m.* (*mus.*) D, re.

reagire *v.intr.* to react.

reale[1] *agg.*, *s.m.* real.

reale[2] *agg.* (*di re*) royal.

realismo *s.m.* realism.

realistico *agg.* realistic.

realizzare *v.tr.* **1** to carry out; (*sogno*) to realize **2** (*convertire in denaro*) to realize ♦ **~rsi** *v.pron.* **1** to be realized **2** (*esprimersi*) to fulfil oneself.

realtà *s.f.* reality | *in* –, actually.

reato *s.m.* crime, offence.

reattore *s.m.* **1** (*fis.*) reactor **2** (*aereo a reazione*) jet (plane).

reazionario *agg.*, *s.m.* reactionary.

reazione *s.f.* reaction.

recapitare *v.tr.* to deliver.

recapito *s.m.* **1** address **2** (*consegna*) delivery.

recare *v.tr.* **1** to bear* **2** (*causare*) to cause; (*dare*) to give* ♦ **~rsi** *v.pron.* to go*.

recensione *s.f.* review.

recente *agg.* recent | *di* –, recently.

recidere *v.tr.* to cut* (off).

recidivo *agg.* (*dir.*) recidivous ♦ *s.m.* (*dir.*) recidivist.

recinto *s.m.* enclosure; (*per cavalli*) paddock.

recipiente *s.m.* container.

reciproco *agg.* reciprocal, mutual.

reciso *agg.* **1** cut (off); (*med.*) excised **2** (*fig.*) (*netto*) firm.

recita *s.f.* performance.

recitare *v.tr.* **1** to recite **2** (*teatr.*) to act, to play **3** (*di legge*) to state.

reclamare *v.tr.* to claim ♦ *v.intr.* to complain.

reclamo *s.m.* complaint.

reclinabile *agg.* reclining.

reclusione *s.f.* imprisonment.

recluta *s.f.* recruit.

reclutare *v.tr.* to recruit.

recriminare *v.intr.* to complain.

recuperare e *deriv.* → *ricuperare* e *deriv.*

redattore *s.m.* (*di giornale*) subeditor; (*di casa editrice*) member of the editorial staff | – *capo*, editor (in chief).

redazionale *agg.* editorial.

redazione *s.f.* **1** compiling **2** (*di giornale*) editing **3** (*insieme dei redattori*) editorial staff; (*ufficio*) editorial office.

redditizio *agg.* profitable.

reddito *s.m.* income; (*spec. dello stato*) revenue.

redigere *v.tr.* to compile, to draw* up; (*scrivere*) to write*.

redimere *v.tr.* to redeem.

redini *s.f.pl.* reins (*anche fig.*).

reduce *s.m.* (*di guerra*) veteran.

referenza *s.f.* reference.

referto *s.m.* report.

refrattario *agg.* refractory, fireproof.

refrigerare *v.tr.* to refrigerate.

refurtiva *s.f.* loot.

refuso *s.m.* (*tip.*) misprint.

regalare *v.tr.* to present, to give*.

regale *agg.* royal; (*da re*) regal.

regalo *s.m.* **1** present, gift **2** (*favore*) great favour.

regata *s.f.* regatta.

reggente *s.m./f.* regent.

reggere *v.tr.* **1** to bear*; (*sostenere*) to

hold* **2** (*fig.*) (*sopportare*) to stand* **3** (*tenere in mano*) to hold* **4** (*dirigere*) to run* ♦ *v.intr.* to hold* (out) ♦ **~rsi** *v.pron.* to stand*.
reggia *s.f.* (royal) palace.
reggimento *s.m.* (*mil.*) regiment.
reggipetto, reggiseno *s.m.* bra.
regia *s.f.* (*cinem., teatr.*) direction.
regime *s.m.* **1** (*pol.*) regime **2** (*dieta*) diet **3** (*econ.*) system.
regina *s.f.* queen.
regione *s.f.* region; area; district.
regista *s.m./f.* director.
registrare *v.tr.* **1** to register **2** (*tecn.*) to record; (*su nastro*) to tape **3** (*mecc.*) (*mettere a punto*) to adjust.
registratore *s.m.* recorder | – *di cassa*, cash register.
registrazione *s.f.* **1** registration; (*amm.*) record **2** (*tecn.*) recording **3** (*mecc.*) (*messa a punto*) adjusting.
registro *s.m.* register.
regnare *v.intr.* to reign; (*estens.*) to rule.
regno *s.m.* **1** kingdom **2** (*periodo di regno*) reign.
regola *s.f.* **1** rule | *di* –, as a rule | *in* –, in order **2** (*moderazione*) moderation.
regolabile *agg.* adjustable.
regolamentare[1] *agg.* prescribed.
regolamentare[2] *v.tr.* to regulate.
regolamento *s.m.* regulations (*pl.*) | – *di conti*, (*fig.*) showdown, settling of scores.
regolare[1] *v.tr.* **1** to regulate **2** (*mettere a posto*) to set*; (*con dispositivi ecc.*) to adjust **3** (*pareggiare*) to trim **4** (*sistemare*) to settle ♦ **~rsi** *v.pron.* to act.
regolare[2] *agg.* regular.
regolata *s.f.* **1** correction, adjustment **2** (*fam.*) check: *darsi una* –, to keep a check.
regredire *v.intr.* to regress.
reietto *agg.* rejected ♦ *s.m.* outcast.
reintegrare *v.tr.* to reinstate.
relatività *s.f.* relativity.
relativo *agg.* relative; (*attinente*) relevant, pertinent.
relatore *s.m.* speaker; (*se unico*) lecturer.
relax *s.m.* relaxation.
relazione *s.f.* **1** relationship; (*nesso*) connection **2** (*amorosa*) (love) affair **3** (*resoconto*) report.
religione *s.f.* religion.
religioso *agg.* religious | *in – silenzio*, in reverent silence.
reliquia *s.f.* relic.
relitto *s.m.* (*mar.*) wreck.
remare *v.intr.* to row.
remissivo *agg.* submissive.
remo *s.m.* oar.
remora *s.f.* hesitation.
remoto *agg.* **1** remote, distant **2** (*appartato*) secluded.
rendere *v.tr.* **1** to give* back **2** (*contraccambiare*) to return, to repay* | *a buon* –, my turn next time **3** (*fruttare*) to yield, to produce **4** (*dare*) to give*; (*fare*) to do* | *rendersi conto*, to realize **5** (*far diventare*) to make* **6** (*esprimere*) to express ♦ **~rsi** *v.pron.* to become*, to make* oneself.
rendiconto *s.m.* statement; report.
rendimento *s.m.* **1** (*produzione*) yield; (*resa*) performance; (*mecc.*) efficiency **2** (*resa finanziaria*) yield, return.
rendita *s.f.* income; (*di titoli*) interest; (*da affitto*) rent.
rene *s.m.* kidney.
reni *s.f.pl.* (lower) back (*sing.*).
renna *s.f.* **1** reindeer **2** (*la pelle conciata*) suede.

reo *agg.* guilty ♦ *s.m.* offender.
reparto *s.m.* **1** department; (*di ospedale*) ward **2** (*mil.*) unit, detachment.
repellente *agg.*, *s.m.* repellent.
repentaglio *s.m.* risk, jeopardy.
repentino *agg.* sudden, unexpected.
reperibile *agg.* available, locatable.
reperire *v.tr.* to find*.
reperto *s.m.* find.
repertorio *s.m.* **1** inventory, list | (*tv, cinem.*) *immagini di –*, archive footage **2** (*teatr.*) repertory, repertoire.
replica *s.f.* **1** reply, retort **2** (*obiezione*) objection **3** (*teatr.*) performance.
replicare *v.tr.* **1** to reply; (*obiettare*) to object **2** (*ripetere*) to repeat.
reprimere *v.tr.* to repress.
repubblica *s.f.* republic.
repubblicano *agg.*, *s.m.* republican.
repulsione *s.f.* repulsion.
reputare *v.tr.* to consider, to think*.
reputazione *s.f.* reputation.
requisire *v.tr.* to requisition.
requisito *s.m.* requirement; qualification.
resa *s.f.* **1** (*capitolazione*) surrender **2** (*restituzione*) return.
residence *s.m.* service flats (*pl.*), (*amer.*) apartment hotel.
residente *agg.*, *s.m./f.* resident.
residenza *s.f.* residence; (*amm.*) (permanent) address.
residenziale *agg.* residential.
resina *s.f.* resin.
resistente *agg.* strong, tough.
resistenza *s.f.* resistance; (*sopportazione*) endurance.
resistere *v.intr.* **1** to resist (*s.o., sthg.*) **2** (*sopportare*) to bear* (*sthg.*).
resoconto *s.m.* (*relazione*) account.
respingere *v.tr.* **1** to repel **2** (*rifiutare*) to reject **3** (*bocciare*) to fail.
respirare *v.tr.*, *intr.* to breathe.
respirazione *s.f.* breathing; (*artificiale*) respiration.
respiro *s.m.* **1** breath; (*il respirare*) breathing **2** (*fig.*) rest.
responsabile *agg.* **1** responsible; (*per danni*) liable **2** (*affidabile*) reliable ♦ *s.m./f.* person in charge.
responsabilità *s.f.* responsibility; (*dir.*) liability.
responsabilizzare *v.tr.* to give* responsibility.
responso *s.m.* response; verdict.
ressa *s.f.* crowd, throng.
restare → *rimanere*.
restaurare *v.tr.* to restore.
restauro *s.m.* restoration; repair.
restio *agg.* unwilling, reluctant.
restituire *v.tr.* to return.
resto *s.m.* **1** rest **2** (*mat.*) remainder **3** (*di denaro*) change.
restringere *v.tr.* **1** to narrow **2** (*limitare*) to limit, to restrict ♦ **~rsi** *v.pron.* to narrow; (*di tessuti*) to shrink*.
restrizione *s.f.* restriction.
resurrezione *s.f.* resurrection.
retata *s.f.* catch; (*di polizia*) roundup.
rete *s.f.* **1** net | *– del letto*, bed base **2** (*sistema*) network **3** (*calcio*) goal.
reticente *agg.* reticent.
reticolato *s.m.* barbed-wire (fence).
retorico *agg.* rhetorical.
retribuzione *s.f.* payment.
retro *s.m.* back.
retroattivo *agg.* retroactive.
retrocedere *v.tr.* to relegate; (*mil.*) to demote ♦ *v.intr.* to retreat.
retrocessione *s.f.* **1** retrocession **2** (*sport*) relegation.
retroguardia *s.f.* rearguard.

retromarcia *s.f.* reverse (motion); (*mecc.*) reverse gear.
retroscena *s.m.* background.
retrospettivo *agg.* retrospective.
retrovisore *s.m.* rear-view mirror.
retta[1] *s.f.*: *dar* –, to listen.
retta[2] *s.f.* (*somma*) (boarding) fee, charge.
retta[3] *s.f.* (*geom.*) straight line.
rettangolo *s.m.* rectangle.
rettifica *s.f.* rectification.
rettificare *v.tr.* to rectify.
rettile *agg.*, *s.m.* reptile.
rettilineo *agg.*, *s.m.* straight (stretch).
rettitudine *s.f.* rectitude, uprightness.
retto *agg.* **1** straight **2** (*onesto*) honest, upright **3** (*geom.*) right.
rettore *s.m.* (*di università*) chancellor, (*spec. amer.*) president.
reumatico *agg.* rheumatic.
reumatismo *s.m.* (*med.*) rheumatism; (*fam.*) rheumatics (*pl.*).
reverendo *agg.*, *s.m.* reverend.
reversibile *agg.* reversible.
revisione *s.f.* revision, review | – *contabile*, audit.
revisore *s.m.* reviser | (*comm.*) – *dei conti*, auditor.
revoca *s.f.* revocation.
revocare *v.tr.* to revoke.
ri- *pref.* re-; again.
riabilitare *v.tr.* **1** (*rieducare*) to rehabilitate **2** (*dir.*) to reinstate; (*fig.*) to redeem.
riaccompagnare *v.tr.* to take* back.
riacquistare *v.tr.* to recover.
rialzare *v.tr.* to raise ♦ **~rsi** *v.pron.* to rise*.
rialzo *s.m.* rise.
rianimare *v.tr.* to reanimate, to revive ♦ **~rsi** *v.pron.* to recover one's senses.
rianimazione *s.f.* reanimation: *reparto* –, intensive care unit.
riaprire *v.tr.*, *intr.*, **riaprirsi** *v.pron.* to reopen.
riarmo *s.m.* rearmament.
riarso *agg.* dry, parched.
riassumere *v.tr.* to summarize.
riassunto *s.m.* summary.
riaversi *v.pron.* to recover; (*tornare in sé*) to recover one's senses.
ribadire *v.tr.* to reaffirm.
ribalta *s.f.* (*teatr.*) front of the stage.
ribaltabile *agg.*: *sedile* –, reclining seat; *autocarro* –, dumper (truck).
ribaltarsi *v.pron.* to overturn.
ribassare *v.tr.* to lower, to reduce.
ribasso *s.m.* fall, drop.
ribattere *v.tr.* (*confutare*) to refute ♦ *v.intr.* (*replicare*) to answer back.
ribellarsi *v.pron.* to rebel (*against*).
ribelle *agg.* rebellious ♦ *s.m./f.* rebel.
ribellione *s.f.* rebellion.
ribes *s.m.* currant.
ribollire *v.intr.* to boil; (*fig.*) to seethe.
ribrezzo *s.m.* disgust.
ricadere *v.intr.* **1** (*scendere*) to hang* (down) **2** (*gravare*) to fall*.
ricaduta *s.f.* relapse.
ricalcare *v.tr.* (*un disegno*) to trace.
ricalcitrante *agg.* **1** (*di animale*) kicking **2** (*fig.*) reluctant.
ricamare *v.tr.* to embroider.
ricambiare *v.tr.* to return, to repay*.
ricambio *s.m.* replacement | (*pezzo di*) –, spare part.
ricamo *s.m.* embroidery.
ricattare *v.tr.* to blackmail.
ricatto *s.m.* blackmail ▭.
ricavare *v.tr.* **1** to obtain **2** (*trarre*) to draw* **3** (*guadagnare*) to earn.
ricavato, **ricavo** *s.m.* proceeds (*pl.*).

ricchezza *s.f.* wealth [U]; richness [U].
riccio[1] *agg.* curly ♦ *s.m.* curl.
riccio[2] *s.m.* 1 (*zool.*) hedgehog 2 (*bot.*) (chestnut) husk.
ricciolo *s.m.* curl.
ricco *agg.* wealthy; rich (*in*) | *i ricchi*, the rich.
ricerca *s.f.* 1 search (*solo sing.*) 2 (*scientifica*) research [U] 3 (*indagine*) investigation, inquiry.
ricercare *v.tr.* to seek*, to search (*for*).
ricercato *agg.* 1 (*richiesto*) sought -after 2 (*raffinato*) refined ♦ *s.m.* wanted person.
ricercatore *s.m.* 1 seeker, searcher 2 (*scientifico*) researcher.
ricetrasmittente *agg.*, *s.f.* two-way (radio).
ricetta *s.f.* 1 (*med.*) prescription 2 (*cuc.*) recipe.
ricettatore *s.m.* receiver (of stolen goods); (*fam.*) fence.
ricevere *v.tr.* 1 to receive 2 (*accogliere*) to meet*, to welcome.
ricevimento *s.m.* 1 (*il ricevere*) receiving; (*comm.*) receipt 2 (*trattenimento*) reception.
ricevitore *s.m.* receiver.
ricevuta *s.f.* (*comm.*) receipt.
richiamare *v.tr.* 1 to call again 2 (*far tornare*) to call back, to recall 3 (*attirare*) to draw* 4 (*rimproverare*) to rebuke.
richiamo *s.m.* 1 recall 2 (*voce, gesto con cui si richiama*) call.
richiedere *v.tr.* 1 to ask (*for*) 2 (*fare domanda per*) to apply (*for*), to request 3 (*esigere*) to require, to call (*for*).
richiesta *s.f.* demand, request.
riciclare *v.tr.* to recycle.
ricino *s.m.* (*bot.*) ricinus: *olio di –*, castor oil.
ricognizione *s.f.* reconnaissance.
ricollegare *v.tr.* (*fatti ecc.*) to connect ♦ **~rsi** *v.pron.* to be related.
ricompensa *s.f.* reward.
riconciliare *v.tr.* to reconcile ♦ **~rsi** *v.pron.* to be reconciled.
ricongiungere *v.tr.*, **ricongiungersi** *v.pron.* to rejoin (*s.o.*, *sthg.*).
riconoscente *agg.* grateful, thankful.
riconoscere *v.tr.* 1 to recognize; (*identificare*) to identify 2 (*ammettere*) to acknowledge, to admit.
riconoscimento *s.m.* 1 recognition; (*identificazione*) identification 2 (*ammissione*) admission.
ricoprire *v.tr.* 1 (*coprire*) to cover; (*rivestire*) to coat 2 (*colmare*) to load 3 (*occupare*) to fill.
ricordare *v.tr.* 1 to remember 2 (*far ricordare*) to remind ♦ **~rsi** *v.pron.* to remember (*s.o.*, *sthg.*).
ricordo *s.m.* 1 memory 2 (*oggetto*) souvenir.
ricorrenza *s.f.* (*anniversario*) anniversary; (*festa*) festivity, holiday.
ricorrere *v.intr.* 1 to resort; (*rivolgersi*) to apply 2 (*ripetersi*) to recur.
ricorso *s.m.* 1 resort, recourse 2 (*dir.*) petition | *– in appello*, appeal.
ricostituente *agg.*, *s.m.* tonic.
ricostruire *v.tr.* to reconstruct.
ricotta *s.f.* cottage cheese.
ricoverare *v.tr.* 1 (*dare asilo*) to shelter 2 (*in ospedale*) to admit to hospital.
ricovero *s.m.* 1 (*in ospedale*) admission (to hospital) 2 (*rifugio*) shelter 3 (*ospizio*) home.
ricreazione *s.f.* recreation.
ricredersi *v.pron.* to change one's mind.

ricuperare *v.tr.* **1** to recover **2** (*riabilitare*) to rehabilitate.
ricupero *s.m.* **1** recovery; (*salvataggio*) rescue **2** (*riabilitazione*) rehabilitation.
ridente *agg.* pleasant.
ridere *v.intr.* to laugh (*at*).
ridicolo *agg.* ridiculous ♦ *s.m.* **1** ridicule **2** (*lato comico*) ridiculousness.
ridimensionare *v.tr.* (*ridurre*) to reduce, to scale down.
ridire *v.tr.* (*obiettare*) to find* fault (*with*).
ridotto *agg.* reduced | *edizione ridotta*, abridged edition ♦ *s.m.* (*teatr.*) foyer, (*amer.*) lobby.
ridurre *v.tr.* **1** to reduce **2** (*adattare*) to adapt ♦ **~rsi** *v.pron.* to be reduced.
riduzione *s.f.* **1** reduction, cut (*in*) **2** (*sconto*) discount.
riedizione *s.f.* new edition; (*teatr.*) revival; (*rifacimento*) remake.
rieducazione *s.f.* re-education.
rielaborare *v.tr.* to revise.
riempire *v.tr.* **1** to fill (up); (*imbottire*) to stuff | *– qlcu. di botte*, to beat s.o. up **2** (*compilare*) to fill in; (*assegni*) to make* out ♦ **~rsi** *v.pron.* to fill (up) (*with*).
rientranza *s.f.* recess.
rientrare *v.intr.* **1** (*ritornare*) to return (*to*), to be back (*to*) | *– in possesso*, to regain possession **2** (*far parte*) to be part (*of*) **3** (*essere annullato*) to be called off.
rientro *s.m.* (*ritorno*) return.
rievocare *v.tr.* to recall, to evoke.
rifare *v.tr.* **1** to do* again; to remake* | *– i letti*, to make the beds **2** (*risistemare*) to do* up ♦ **~rsi** *v.pron.* (*recuperare*) to make* up (*for*); (*rivalersi*) to get* even (*with*).
riferimento *s.m.* reference.
riferire *v.tr.* to report; (*fam.*) to tell* ♦ **~rsi** *v.pron.* to refer.
rifilare *v.tr.* (*fam.*) to palm (*s.o.*) off (*with sthg.*).
rifinitura *s.f.* final touches (*pl.*).
rifiutare *v.tr.*, **rifiutarsi** *v.pron.* to refuse.
rifiuto *s.m.* **1** refusal **2** *pl.* (*immondizie*) waste [U], rubbish [U].
riflessione *s.f.* reflection.
riflessivo *agg.* thoughtful.
riflesso *s.m.* **1** (*di luce*) reflection **2** (*ripercussione*) effect, consequence **3** (*med.*) reflex.
riflettere *v.tr.* to reflect ♦ *v.intr.* to think* over, to reflect ♦ **~rsi** *v.pron.* **1** to be reflected **2** (*ripercuotersi*) to have repercussions.
riflettore *s.m.* searchlight; (*cinem.*, *teatr.*) floodlight.
riflusso *s.m.* **1** (*il rifluire*) reflux **2** (*di acque*) ebb.
rifocillare *v.tr.* to refresh.
riforma *s.f.* reform.
riformare *v.tr.* to reform.
rifornimento *s.m.* (*aer.*, *aut.*) refuelling.
rifornire *v.tr.* to supply (*with*).
rifugiarsi *v.pron.* to take* refuge.
rifugiato *s.m.* refugee.
rifugio *s.m.* shelter, refuge.
riga *s.f.* **1** line **2** (*righello*) ruler **3** (*striscia*) stripe: *a righe*, striped.
rigare *v.tr.* to rule; (*graffiare*) to score | *– diritto*, to toe the line.
rigetto *s.m.* rejection (*anche med.*).
rigido *agg.* **1** rigid (*anche fig*), stiff **2** (*di clima*) harsh, severe.
rigoglioso *agg.* blooming.
rigonfio *agg.* swollen (*with*), bulging.
rigore *s.m.* **1** (*freddo intenso*) rigours

(*pl.*) **2** (*rigorosità*) rigour; (*severità*) strictness, severity | *a – di termini*, in the strict sense **3** (*sport*) penalty (kick).
riguardare *v.tr.* (*concernere*) to regard, to concern: *per quel che mi riguarda*, as far as I'm concerned (*o* as for me) ♦ **~rsi** *v.pron.* to look after oneself.
riguardo *s.m.* **1** (*cura*) care **2** (*rispetto*) regard, respect.
rilanciare *v.tr.* **1** (*fig.*) to relaunch **2** (*a un'asta, a poker*) to raise.
rilasciare *v.tr.* **1** (*liberare*) to release **2** (*dare*) to issue | *– un'intervista*, to give an interview.
rilassarsi *v.pron.* to relax.
rilegare *v.tr.* (*libri*) to bind*.
rilevante *agg.* important; (*considerevole*) considerable.
rilevare *v.tr.* **1** (*notare*) to notice; (*evidenziare*) to point out **2** (*topografia*) to survey **3** (*econ.*) to take* over; (*acquistare*) to buy*.
rilievo *s.m.* **1** relief **2** (*importanza*) importance, stress **3** (*osservazione*) remark.
riluttante *agg.* reluctant.
rima *s.f.* rhyme.
rimandare *v.tr.* **1** (*mandare indietro*) to return, to send* back **2** (*posporre*) to postpone; (*rinviare*) to delay.
rimando *s.m.* (*tip.*) cross-reference.
rimaneggiare *v.tr.* to adapt.
rimanere *v.intr.* **1** to remain **2** (*ritrovarsi*) to be (left) | *– male*, to be put out **3** (*mantenersi*) to keep* **4** *rimanerci*, (*essere sorpreso*) to be surprised; (*fam.*) (*morire*) to cop it.
rimarginare *v.tr.*, **rimarginarsi** *v.pron.* to heal.
rimasugli *s.m.pl.* (*di cibo*) leftovers, scraps.
rimbalzare *v.intr.* **1** to bounce, to rebound (*sthg.*) **2** (*fig.*) to spread*.
rimbambito *agg.* dotty, dopey.
rimbecillito *agg.* dotty.
rimboccare *v.tr.* (*coperte*) to tuck in.
rimbombare *v.intr.* to boom; (*risonare*) to resound.
rimbombo *s.m.* boom, roar.
rimborsare *v.tr.* to repay*, to refund.
rimborso *s.m.* refund.
rimboschimento *s.m.* reafforestation.
rimediare *v.tr.*, *intr.* to remedy (*sthg.*).
rimedio *s.m.* remedy | *porre – a*, to make up for.
rimessa *s.f.* **1** garage; (*di tram, autobus*) depot; (*per aeroplani*) hangar **2** (*invio di denaro*) remittance.
rimettere *v.tr.* **1** to put* back, to replace **2** (*rimetterci*) to lose* **3** (*affidare*) to leave* **4** (*perdonare*) to forgive* **5** (*vomitare*) to vomit; (*fam.*) to throw* up ♦ **~rsi** *v.pron.* **1** (*di tempo*) to clear up **2** (*ristabilirsi*) to recover (one's health).
rimonta *s.f.* (*sport*) comeback.
rimontare *v.intr.* (*recuperare*) to catch* up, to make* a comeback.
rimorchiare *v.tr.* **1** to tow **2** (*fam.*) to pick up.
rimorchiatore *s.m.* towboat, tug.
rimorchio *s.m.* (*veicolo*) trailer.
rimordere *v.tr.* (*tormentare*) to prick.
rimorso *s.m.* remorse[U].
rimozione *s.f.* removal | (*zona a*) *– forzata*, towaway zone.
rimpasto *s.m.* (*pol.*) reshuffle.
rimpatriare *v.tr.* to repatriate ♦ *v.intr.* to return home.
rimpiangere *v.tr.* to regret.

rimpianto *s.m.* regret.
rimproverare *v.tr.* **1** to reproach **2** (*rinfacciare*) to grudge.
rimprovero *s.m.* reproach, reproof.
rimuginare *v.tr.* to brood (*over*).
rimuovere *v.tr.* to remove.
rinascere *v.intr.* to revive.
rinascimento *s.m.* Renaissance.
rincarare *v.tr.* to put* up ♦ *v.intr.* to go* up (in price).
rincaro *s.m.* rise in prices.
rincasare *v.intr.* to get* (back) home.
rinchiudere *v.tr.* to shut* up.
rincorrere *v.tr.* to run* (*after*).
rincorsa *s.f.* run-up, run.
rincrescere → *dispiacere*.
rincuorare *v.tr.* to comfort.
rinfacciare *v.tr.* to throw* (*sthg.*) in s.o.'s face.
rinforzare *v.tr.* to strengthen; (*in stabilità*) to reinforce.
rinforzo *s.m.* reinforcement.
rinfrancare *v.tr.* to reassure.
rinfrescare *v.tr.* **1** to cool, to refresh **2** (*mettere a nuovo*) to freshen up ♦ *v.intr.* to cool.
rinfresco *s.m.* **1** (*festa*) party **2** *pl.* (*cibi e bevande*) refreshments.
rinfusa, alla *avv.* higgledy-piggledy.
ringhiare *v.intr.* to growl, to snarl.
ringhiera *s.f.* railing; (*di scala*) banister.
ringraziamento *s.m.* thanks (*pl.*).
ringraziare *v.tr.* to thank.
rinnovare *v.tr.* to renew.
rinnovo *s.m.* renewal.
rinoceronte *s.m.* rhinoceros.
rinsaldare *v.tr.* to strengthen.
rinsecchito *agg.* dried (up).
rintanarsi *v.pron.* to hole up.
rintocco *s.m.* (*di campana*) tolling.
rintracciare *v.tr.* to trace.
rintronato *agg.* (*fam.*) stunned, dazed.
rinuncia *s.f.* **1** renunciation (*of*) **2** (*sacrificio*) sacrifice.
rinunciare *v.intr.* to renounce (*sthg.*).
rinvenire *v.intr.* **1** (*riprendere i sensi*) to recover consciousness **2** (*riprendere freschezza*) to revive.
rinviare *v.tr.* to postpone, to defer; (*rimandare*) to delay.
rinvigorire *v.tr.* to reinvigorate.
rinvio *s.m.* postponement, deferment.
rione *s.m.* district, quarter.
riordinare *v.tr.* **1** to tidy (up), to clear up **2** (*riorganizzare*) to reorganize.
ripagare *v.tr.*(*ricompensare*) to repay*.
riparare[1] *v.tr.* **1** to shelter **2** (*aggiustare*) to repair, to mend **3** (*anche intr.*) (*rimediare*) to remedy (*sthg.*); (*risarcire*) to pay* ♦ **~rsi** *v.pron.* to shelter.
riparare[2] *v.intr.* (*rifugiarsi*) to shelter.
riparato *agg.* sheltered.
riparazione *s.f.* **1** repairing; repair **2** (*fig.*) reparation, amends (*pl.*).
riparo *s.m.* shelter, cover | *correre ai ripari*, to find a remedy.
ripassare *v.tr.* (*una lezione*) to revise, to brush up.
ripensamento *s.m.* second thoughts (*pl.*).
ripensarci *v.intr.* to change one's mind.
ripercuotersi *v.pron.* to have repercussions (*on*).
ripetere *v.tr.* to repeat ♦ **~rsi** *v.pron.* (*avvenire più volte*) to be repeated.
ripetizione *s.f.* **1** repetition **2** (*lezione privata*) private lesson.
ripiano *s.m.* (*di scaffale*) shelf*.
ripicca *s.f.* spite.
ripido *agg.* steep.
ripiego *s.m.* makeshift (solution).

ripieno *agg.* stuffed (*with*) ♦ *s.m.* (*cuc.*) stuffing.
riporre *v.tr.* to put* away; (*fig.*) to place.
riportare *v.tr.* **1** (*riferire*) to report; (*citare*) to quote **2** (*conseguire*) to get*; to carry off; (*subire*) to suffer.
riposare *v.intr.* to rest; (*dormire*) to sleep* ♦ **~rsi** *v.pron.* to take* a rest.
riposo *s.m.* rest | *buon –!*, sleep well! | *a –*, retired.
ripostiglio *s.m.* boxroom.
riprendere *v.tr.* **1** (*ricuperare*) to recover | *– fiato*, to get one's breath back **2** (*ripetere*) to take* up **3** (*rimproverare*) to tell* (*s.o.*) off **4** (*cinem.*) to shoot* ♦ **~rsi** *v.pron.* to recover, to get* over (*sthg.*).
ripresa *s.f.* **1** (*recupero*) recovery **2** (*cinem.*) shot; shooting **3** (*aut.*) acceleration **4** (*pugilato, lotta*) round.
ripristinare *v.tr.* to restore.
riprodurre *v.tr.*, **riprodursi** *v.pron.* to reproduce.
ripromettersi *v.pron.* to propose.
riprova *s.f.* (*conferma*) confirmation.
ripudiare *v.tr.* to repudiate.
ripugnante *agg.* repulsive.
ripugnare *v.intr.* to disgust (*s.o.*).
ripulire *v.tr.* (*svuotare*) to ransack.
risaia *s.f.* rice field.
risalire *v.tr.* (*salire*) to go* up ♦ *v.intr.* (*nel tempo*) to date (*from*).
risalita *s.f.* going up | *impianti di –*, ski lifts.
risaltare *v.intr.* to stand* out.
risalto *s.m.* prominence: *mettere in –*, to bring out.
risanare *v.tr.* to heal | (*econ.*) *– il bilancio*, to balance the books.
risarcimento *s.m.* compensation: *– dei danni*, damages.
risarcire *v.tr.* to compensate.
risata *s.f.* laugh.
riscaldamento *s.m.* heating.
riscaldare *v.tr.* to warm (up), to heat ♦ **~rsi** *v.pron.* to get* warm.
riscattare *v.tr.* **1** to ransom **2** (*ipoteca, polizza*) to redeem.
riscatto *s.m.* **1** redemption **2** (*prezzo richiesto*) ransom.
rischiarare *v.tr.* to light* (up) ♦ **~rsi** *v.pron.* to clear up.
rischiare *v.tr., intr.* to risk.
rischio *s.m.* risk.
rischioso *agg.* risky.
risciacquare *v.tr.* to rinse.
riscontrare *v.tr.* (*trovare*) to find*.
riscossa *s.f.* recovery, reconquest.
riscossione *s.f.* collection.
riscuotere *v.tr.* **1** to collect, to draw*; (*incassare*) to cash **2** (*ottenere*) to earn, to win* ♦ **~rsi** *v.pron.* to start.
risentimento *s.m.* resentment.
risentire *v.tr.* (*provare*) to feel* ♦ *v.intr.* to feel* the effects ♦ **~rsi** *v.pron.* (*offendersi*) to resent (*sthg.*).
risentito *agg.* resentful; angry.
riserbo *s.m.* reserve; (*discrezione*) discretion; (*ritegno*) self-restraint.
riserva *s.f.* **1** reserve, supply | (*aut.*) *essere in –*, to be (very) low on petrol **2** (*restrizione*) reservation **3** (*terreno*) reserve; (*di caccia*) (game) preserve.
riservare *v.tr.* **1** (*prenotare*) to book **2** (*serbare*) to keep* aside, to save.
riservato *agg.* **1** reserved; (*discreto*) discreet **2** (*segreto*) confidential.
risiedere *v.intr.* to reside.
riso[1] *s.m.* (*bot.*) rice.
riso[2] *s.m.* laugh, laughter ☺.
risolino *s.m.* (*di scherno*) snigger.

risoluto *agg.* resolute, determined.
risoluzione *s.f.* 1 resolution 2 (*soluzione*) solution 3 (*dir.*) cancellation.
risolvere *v.tr.* 1 to solve 2 (*comporre*) to settle 3 (*decidere*) to resolve 4 (*rescindere*) to rescind ♦ **~rsi** *v.pron.* 1 (*decidersi*) to decide, to make* up one's mind 2 (*di malattia*) to clear up.
risonanza *s.f.* 1 (*fis.*) resonance 2 (*fig.*) interest.
risorgere *v.intr.* to rise* again.
risorsa *s.f.* resource.
risparmiare *v.tr.* 1 to save 2 (*perdonare*; *avere riguardo di*) to spare.
risparmio *s.m.* saving.
rispecchiare *v.tr.* to reflect.
rispettare *v.tr.* to respect.
rispetto *s.m.* respect; (*osservanza*) observance | – *a*, with respect to; (*in confronto a*) compared with.
rispettoso *agg.* respectful.
risplendere *v.intr.* to shine*; (*scintillare*) to sparkle.
rispondere *v.intr.* 1 (*anche tr.*) to answer (*s.o.*, *sthg.*), to reply 2 (*rimbeccare*) to answer back 3 (*essere responsabile*) to be responsible (*for*), to answer (*for*) 4 (*obbedire*) to respond.
risposta *s.f.* answer, reply.
rissa *s.f.* brawl, fight.
ristabilito *agg.* restored to health.
ristagnare *v.intr.* to be stagnant.
ristampa *s.f.* reprint; reprinting.
ristorante *s.m.* restaurant.
ristorare *v.tr.* to refresh, to restore.
ristorazione *s.f.* catering.
ristoro *s.m.* refreshment.
ristrettezza *s.f.* 1 narrowness 2 (*insufficienza*) shortage, scarcity.
ristretto *agg.* 1 narrow 2 (*concentrato*) concentrated.
ristrutturare *v.tr.* 1 to restructure 2 (*edil.*) to renovate.
risucchio *s.m.* eddy, whirlpool.
risultare *v.intr.* 1 (*derivare*) to ensue; (*apparire*) to emerge, to appear | *non mi risulta*, not as far as I know 2 (*rivelarsi*) to prove, to turn out.
risultato *s.m.* result.
risuolare *v.tr.* to resole.
risuonare *v.intr.* to resound.
risvolto *s.m.* (*dei pantaloni*) turn-up, (*amer.*) cuff.
ritagliare *v.tr.* to cut* out.
ritardare *v.tr.* to delay; (*differire*) to put* off ♦ *v.intr.* to be late.
ritardo *s.m.* delay | *in* –, late | – *mentale*, mental retardation.
ritegno *s.m.* restraint.
ritenere *v.tr.* to think*; (*considerare*) to consider.
ritenuta *s.f.* deduction.
ritirare *v.tr.* 1 (*riprendere*) to withdraw* 2 (*farsi consegnare*) to collect; (*riscuotere*) to draw* ♦ **~rsi** *v.pron.* 1 to retreat, to withdraw* | – *a vita privata*, to retire from public life 2 (*di acque*) to subside.
ritirata *s.f.* retreat.
ritiro *s.m.* 1 withdrawal 2 (*prelievo*) collection 3 (*spirituale*) retreat.
ritmico *agg.* rhythmic(al).
ritmo *s.m.* 1 rhythm 2 (*andamento*) rate, pace.
rito *s.m.* 1 rite 2 (*usanza*) custom.
ritoccare *v.tr.* to retouch.
ritorcere *v.tr.* (*fig.*) to throw* back ♦ **~rsi** *v.pron.* to turn (*against*).
ritornare *v.intr.* 1 to return; to go* back; to come* back 2 – *a*, (*ricominciare*) to start (*doing*) again ♦ *v.tr.* (*restituire*) to give* back.

ritornello *s.m.* refrain.
ritorno *s.m.* return.
ritorsione *s.f.* retaliation ⌨.
ritorto *agg.* twisted.
ritrattare *v.tr.* to retract.
ritratto *s.m.* portrait; (*fig.*) picture, image.
ritrovare *v.tr.* **1** to find* (again) **2** (*recuperare*) to recover ♦ **~rsi** *v.pron.* (*incontrarsi*) to meet*.
ritrovo *s.m.* meeting place.
ritto *agg.* upright, erect.
rituale *agg., s.m.* ritual.
riunione *s.f.* meeting, reunion.
riunire *v.tr.* **1** to put* together **2** (*radunare*) to gather ♦ **~rsi** *v.pron.* (*radunarsi*) to gather, to meet*.
riuscire *v.intr.* **1** to succeed (*in*); (*avere buon esito*) to be successful | – *negli studi*, to do well at school **2** (*essere capace*) to manage, to be able.
riuscita *s.f.* (*esito*) outcome, result; (*successo*) success.
riuscito *agg.* successful.
riva *s.f.* (*di mare, lago*) shore; (*di fiume, canale*) bank.
rivale *agg., s.m./f.* rival.
rivalersi *v.pron.* to make* (*s.o.*) pay.
rivalità *s.f.* rivalry.
rivangare *v.tr.* (*fig.*) to drag up.
rivedere *v.tr.* to revise; (*verificare*) to check.
rivelare *v.tr.* to reveal ♦ **~rsi** *v.pron.* to turn out, to prove.
rivendicazione *s.f.* claim.
rivendita *s.f.* shop.
rivenditore *s.m.* shopkeeper.
riverbero *s.m.* reflection.
riverire *v.tr.* to revere.
riversare *v.tr.* to pour, to heap.
riverso *agg.* on one's back (*pred.*).
rivestire *v.tr.* to cover (*with*); (*di legno*) to panel; (*foderare*) to line (*with*).
rivincita *s.f.* return match; (*al gioco*) return game; (*fig.*) revenge.
rivista *s.f.* **1** (*mil.*) review; (*parata*) parade: *passare in* –, to review **2** (*periodico*) magazine; (*letterario*) review **3** (*teatr.*) variety show.
rivolgere *v.tr.* to turn | – *la parola*, to talk, to address (*s.o.*) ♦ **~rsi** *v.pron.* to turn; to apply.
rivolgimento *s.m.* upheaval.
rivolta *s.f.* revolt.
rivoltante *agg.* revolting, disgusting.
rivoltella *s.f.* revolver.
rivoluzionario *agg., s.m.* revolutionary.
rivoluzione *s.f.* revolution.
roba *s.f.* stuff ⌨; things (*pl.*).
robusto *agg.* sturdy, robust, strong.
rocchetto *s.m.* spool, reel.
roccia *s.f.* rock.
rodaggio *s.m.* running-in.
rodere *v.tr.* to gnaw.
roditore *s.m.* rodent.
rododendro *s.m.* rhododendron.
rogito *s.m.* (*dir.*) deed.
rogna *s.f.* **1** scabies; (*di animale*) mange **2** (*fig.*) trouble ⌨.
rognone *s.m.* (*cuc.*) kidney.
rollio *s.m.* (*mar., aer.*) rolling.
Roma *no.pr.f.* Rome.
romanico *agg., s.m.* (*arch.*) Romanesque.
romano *agg., s.m.* Roman | *fare, pagare alla romana*, to go Dutch.
romantico *agg., s.m.* romantic.
romanzesco *agg.* fictional; fantastic.
romanziere *s.m.* novelist.
romanzo *s.m.* novel.
rombare *v.intr.* to roar.
rompere *v.tr.* to break* (*off*) | *rompersi*

la testa su qlco., to rack one's brains over sthg. ♦ *v.intr.* to burst* (*into*) ♦ **~rsi** *v.pron.* **1** to break* **2** (*fig. fam.*) to be fed up.
rompicapo *s.m.* puzzle.
rompiscatole *s.m./f.* (*fam.*) pain in the arse.
rondine *s.f.* swallow.
rondò *s.m.* roundabout.
ronzare *v.intr.* to buzz, to hum.
rosa *agg., s.m.* pink | *romanzo –*, love story ♦ *s.f.* **1** rose **2** (*gruppo*) group.
rosaio *s.m.* rosebed.
rosario *s.m.* rosary.
rosmarino *s.m.* rosemary.
rosolare *v.tr.* (*cuc.*) to brown.
rosolia *s.f.* German measles (*pl.*).
rospo *s.m.* toad.
rossetto *s.m.* lipstick.
rosso *agg.* red ♦ *s.m.* **1** red | (*comm.*) *in –*, in the red, overdrawn **2** (*tuorlo*) (egg) yolk **3** (*comunista*) red, communist.
rosticceria *s.f.* rotisserie.
rotaia *s.f.* rail: *– del tram*, tramline.
rotazione *s.f.* **1** rotation **2** (*amm.*) turnover.
rotella *s.f.* cog-wheel; (*orientabile*) castor.
rotocalco *s.m.* magazine.
rotolare *v.tr., intr.* to roll ♦ **~rsi** *v.pron.* to wallow.
rotolo *s.m.* roll | *andare a rotoli*, to go to rack and ruin.
rotondo *agg.* round.
rotta[1] *s.f.* **1** (*sconfitta*) rout **2** *a – di collo*, at breakneck speed.
rotta[2] *s.f.* (*mar., aer.*) course.
rottame *s.m.* wreck; *pl.* scrap ⓤ.
rottura *s.f.* (*atto*) breaking; (*frattura*) break | *che – (di scatole)!*, (*fig. fam.*) what a nuisance!
roulotte *s.f.* caravan, trailer.
rovente *agg.* red-hot; (*fig.*) fiery.
rovesciare *v.tr.* **1** to overturn; (*capovolgere*) to turn upside down; (*fig.*) to reverse **2** (*versare*) to spill* **3** (*fig.*) (*far cadere*) to overthrow*.
rovescio *agg.* upside down; (*con l'interno all'esterno*) inside out ♦ *s.m.* **1** reverse (side) **2** (*di pioggia*) downpour **3** (*tennis*) backhand **4** (*dissesto*) setback, reverse.
rovina *s.f.* ruin.
rovinare *v.tr.* to ruin; (*sciupare*) to spoil*.
rovistare *v.tr., intr.* to rummage.
rovo *s.m.* bramble.
rozzo *agg.* rough, coarse.
rubare *v.tr.* to steal*.
rubinetto *s.m.* tap, (*amer.*) faucet.
rubino *s.m.* ruby.
rubrica *s.f.* **1** address book; (*del telefono*) telephone book **2** (*di giornale*) column.
rude *agg.* rough; (*brusco*) harsh.
rudere *s.m.* ruin; (*fig.*) wreck.
ruga *s.f.* wrinkle.
ruggine *s.f.* **1** rust **2** (*rancore*) bad blood.
ruggire *v.intr.* to roar.
ruggito *s.m.* roar, roaring.
rugiada *s.f.* dew.
rugoso *agg.* wrinkled.
rullare *v.intr.* **1** to roll **2** (*aer.*) to taxi.
rullino *s.m.* roll of film.
rullo *s.m.* **1** (*di tamburo*) roll **2** (*tecn.*) roller, roll.
ruminante *agg., s.m.* ruminant.
ruminare *v.tr.* to ruminate.
rumore *s.m.* noise; (*metallico*) clang.
rumoreggiare *v.intr.* (*tumultuare*) to be in an uproar.

rumoroso *agg.* noisy; (*forte*) loud.
ruolo *s.m.* **1** roll, list **2** (*teatr.*) part, role.
ruota *s.f.* wheel.
ruotare *v.tr., intr.* to rotate; (*astron.*) to revolve.
rupe *s.f.* cliff, rock.
rurale *agg.* rural, country (*attr.*).
ruscello *s.m.* brook, stream.
ruspa *s.f.* (*mecc.*) excavator.
russare *v.intr.* to snore.
russo *agg., s.m.* Russian.
rustico *agg.* **1** country (*attr.*) **2** (*rozzo*) rustic; (*scontroso*) unsociable.
rutto *s.m.* belch.
ruvido *agg.* rough, coarse.
ruzzolare *v.intr.* to tumble down.

S

sabato *s.m.* Saturday.
sabbia *s.f.* sand.
sabbioso *agg.* sandy.
sabotaggio *s.m.* sabotage.
sabotare *v.tr.* to sabotage.
sacca *s.f.* bag.
saccarina *s.f.* saccharin(e).
saccheggiare *v.tr.* to loot, to ransack; (*città*) to sack.
saccheggio *s.m.* looting; (*di città*) sack, pillage.
sacchetto *s.m.* bag.
sacco *s.m.* **1** sack, bag | – *a pelo*, sleeping bag **2** (*mucchio*) a lot, lots, heaps.
sacerdote *s.m.* priest.
sacramento *s.m.* sacrament.
sacrestia → *sagrestia*.
sacrificare *v.tr.* to sacrifice.
sacrificio *s.m.* sacrifice.
sacrilegio *s.m.* sacrilege.
sacrilego *agg.* sacrilegious.
sacro *agg.* sacred, holy; (*consacrato a qlcu.*) consecrated.
sadico *agg.* sadistic ♦ *s.m.* sadist.
sadismo *s.m.* sadism.
saggezza *s.f.* wisdom.
saggiare *v.tr.* **1** (*metalli*) to assay **2** (*fig.*) to test.
saggio[1] *agg.* wise; (*sapiente*) sage; (*di buon senso*) sensible.
saggio[2] *s.m.* **1** test; trial **2** (*dimostrazione*) demonstration, example **3** (*campione*) sample **4** (*scritto*) essay.
saggista *s.m./f.* essayist.
sagoma *s.f.* shape; (*profilo*) outline; (*di bersaglio*) dummy.
sagrato *s.m.* parvis.
sagrestano *s.m.* sacristan.
sagrestia *s.f.* sacristy, vestry.
sala *s.f.* room; (*soggiorno*) living room | – *cinematografica*, cinema, (*amer.*) movie theater; – *per concerti*, concert hall.
salame *s.m.* salami ▭.
salamoia *s.f.* brine, pickle.
salare *v.tr.* to salt.
salario *s.m.* pay, wage(s).
salato *agg.* **1** salty; (*sotto sale*) salted, salt **2** (*caro*) dear.
saldare *v.tr.* **1** (*metall.*) to weld **2** (*conti*) to settle.
saldo[1] *agg.* firm, steady.
saldo[2] *s.m.* **1** (*svendita*) sale **2** (*di pagamento*) settlement; (*bancario*) balance.
sale *s.m.* salt.
salice *s.m.* willow.
saliera *s.f.* saltcellar.
salire *v.intr./tr.* **1** (*andare su*) to go* up; (*venire su*) to come* up; (*su treno*

ecc.) to get* on; (*in auto*) to get* into **2** (*crescere*) to rise*.
salita *s.f.* **1** slope | *in* –, uphill **2** (*aumento*) rise, increase.
saliva *s.f.* saliva.
salma *s.f.* corpse.
salmastro *agg.* brackish.
salmo *s.m.* psalm.
salmone *s.m.* salmon.
salone *s.m.* **1** salon | – *di bellezza*, beauty parlour **2** (*esposizione*) show, exhibition.
salotto *s.m.* **1** drawing room, living room **2** (*mobilio*) living-room suite, living-room furniture.
salpare *v.intr.* to sail.
salsa *s.f.* sauce.
salsiccia *s.f.* sausage.
salsiera *s.f.* sauce boat.
saltare *v.intr./tr.* **1** to jump: – *giù, fuori dal letto*, to spring, to jump out of bed | – *un pasto*, to skip a meal | – *in mente*, to cross one's mind **2** (*esplodere*) to explode; to blow* up **2** (*omettere*) to skip.
saltellare *v.intr.* to skip (about).
salto *s.m.* jump; (*in avanti*) leap | – *di qualità*, improvement.
saltuario *agg.* irregular.
salubre *agg.* healthy.
salumeria *s.f.* delicatessen (shop).
salutare[1] *v.tr.* (*incontrando*) to greet, to say* hallo (*to*); (*congedandosi*) to say* goodbye (*to*) | *salutami tua madre*, give my regards to your mother.
salutare[2] *agg.* healthy.
salute *s.f.* health.
salutista *s.m./f.* hygienist.
saluto *s.m.* **1** greeting, salutation; (*di congedo*) farewell | *saluti affettuosi* (*da*), love (from); *cordiali saluti*, Yours sincerely; *distinti saluti*, Yours faithfully, Yours truly **2** (*discorso*) welcome.
salvacondotto *s.m.* pass, safe-conduct.
salvadanaio *s.m.* moneybox.
salvagente *s.m.* **1** life belt; (*giubbotto*) life jacket **2** (*stradale*) traffic island.
salvaguardare *v.tr.* to safeguard.
salvaguardia *s.f.* safeguard.
salvare *v.tr.* to save; (*trarre in salvo*) to rescue.
salvataggio *s.m.* rescue; (*mar.*) salvage.
salvavita *s.m.* (*elettr.*) circuit breaker.
salve *inter.* hello, hi!
salvezza *s.f.* salvation | *via di* –, escape.
salvia *s.f.* sage.
salvietta *s.f.* (*tovagliolo*) napkin; (*asciugamano*) towel.
salvo[1] *agg.* safe, unhurt; (*al sicuro*) secure.
salvo[2] *prep.* except (for) | – *che*, except that; (*a meno che*) unless.
sambuco *s.m.* elder.
sancire *v.tr.* to sanction; (*ratificare*) to ratify.
sandalo[1] *s.m.* (*bot.*) sandalwood.
sandalo[2] *s.m.* (*calzatura*) sandal.
sangue *s.m.* blood.
sanguinare *v.intr.* to bleed*.
sanguinario *agg.* bloody; bloodthirsty.
sanguinoso *agg.* bloody.
sanità *s.f* health | – *mentale*, sanity.
sanitario *agg.* sanitary; health | *impianti sanitari*, sanitary fixtures.
sano *agg.* healthy; (*integro*) sound | – *di mente*, sane.
santificare *v.tr.* to sanctify.
santità *s.f.* holiness.
santo *agg.* holy; (*col nome*) Saint; (*pio*) pious, godly ♦ *s.m.* saint.

santuario *s.m.* shrine, sanctuary.
sanzione *s.f.* **1** sanction **2** (*ratifica*) ratification.
sapere *v.tr.* to know*; (*essere capace di*) can; to be able; to know* how ♦ *v. intr.* **1** to know*, to be aware; (*venire a conoscenza*) to hear* | *per quel che ne so io*, as far as I know **2** (*aver sapore*) to taste; (*aver odore*) to smell* ♦ *s.m.* knowledge; (*cultura*) learning.
sapiente *agg., s.m.* wise (man).
sapienza *s.f.* learning; (*saggezza*) wisdom.
sapone *s.m.* soap.
saponetta *s.f.* bar of soap, cake of soap.
sapore *s.m.* taste, flavour.
saporito *agg.* savoury, tasty; (*salato*) salty.
saracinesca *s.f.* (rolling) shutter.
sarcasmo *s.m.* sarcasm.
sarcastico *agg.* sarcastic.
sarda, **sardina** *s.f.* sardine*.
Sardegna *no.pr.f.* Sardinia.
sardo *agg., s.m.* Sardinian.
sarta *s.f.* dressmaker.
sarto *s.m.* tailor.
sasso *s.m.* stone; (*ciottolo*) pebble.
sassofono *s.m.* saxophone.
sassone *agg., s.m./f.* Saxon.
sassoso *agg.* stony.
satanico *agg.* satanic.
satellite *s.m.* satellite | *città* –, satellite town.
satira *s.f.* satire.
saturare *v.tr.* to saturate.
saudita *agg.* Saudi ♦ *s.m./f.* Saudi Arabian.
sauna *s.f.* sauna.
savana *s.f.* savanna(h).
saziare *v.tr.* **1** to satiate **2** (*soddisfare*) to satisfy ♦ **~rsi** *v.pron.* to satisfy one's appetite.
sazietà *s.f.* satiety, surfeit | *a* –, more than enough.
sazio *agg.* full up.
sbadato *agg.* careless, thoughtless; (*distratto*) absent-minded.
sbadigliare *v.intr.* to yawn.
sbadiglio *s.m.* yawn.
sbagliare *v.tr.* to get* the wrong..., to mistake*: – *numero*, to get the wrong number | *ho sbagliato tutto*, I've got it all wrong ♦ *v.intr.*, **~rsi** *v.pron.* to make* a mistake, to be wrong.
sbagliato *agg.* wrong, mistaken.
sbaglio *s.m.* mistake, error: *per* –, by mistake.
sbalordire *v.tr.* to astound, to astonish ♦**~rsi** *v.pron.* to be astounded, to be astonished (*at*).
sbandare *v.intr.* to veer, to slide*.
sbandierare *v.tr.* **1** to wave **2** (*ostentare*) to show off, to parade.
sbando *s.m.* chaos, disorder | *allo* –, running wild.
sbaraccare *v.tr.* (*fam.*) to clear (away).
sbaragliare *v.tr.* to rout, to put* to rout.
sbarazzarsi *v.pron.* to get* rid.
sbarcare *v.tr./intr.* **1** to disembark; (*merci*) to unload, to discharge **2** (*mil.*) to land.
sbarco *s.m.* **1** disembarkation; (*di merci*) discharge, unloading **2** (*mil.*) landing.
sbarra *s.f.* bar; (*del timone*) tiller; (*ferr.*) boom, barrier.
sbarrare *v.tr.* to bar; (*ostruire*) to block (up), to obstruct; (*acque*) to dam | – *un assegno*, to cross a cheque.
sbattere *v.tr./intr.* **1** (*picchiare*) to

knock, to bang **2** (*chiudere, chiudersi*) to slam, to bang **3** (*scagliare*) to throw* **4** (*agitare*) to shake*.

sberla *s.f.* slap, cuff.

sbiadire *v.tr.*, **sbiadirsi** *v.pron.* to fade.

sbigottimento *s.m.* bewilderment, astonishment.

sbigottire *v.tr.* to bewilder, to astonish.

sbilanciare *v.tr.* to unbalance, to throw* (*sthg.*) off balance ♦ **~rsi** *v.pron.* (*compromettersi*) to commit oneself.

sbirciare *v.tr.* (*di nascosto*) to peep (*at*); (*di sfuggita*) to glance (*at*).

sbirro *s.m.* cop.

sbloccare *v.tr.* to unblock, to clear; (*prezzi, affitti*) to decontrol.

sboccare *v.intr.* **1** to flow into **2** (*giungere*) to come* out (*at*); to lead* (*to*).

sboccato *agg.* coarse.

sbocciare *v.intr.* to open.

sbocco *s.m.* outlet; (*di strada*) end.

sbocconcellare *v.tr.* to nibble (*at*).

sbornia → *sbronza.*

sborsare *v.tr.* to pay*.

sbottonare *v.tr.*, **sbottonarsi** *v.pron.* unbutton.

sbraitare *v.intr.* to shout, to yell.

sbranare *v.tr.* to tear* to pieces.

sbriciolare *v.tr.*, **sbriciolarsi** *v.pron.* to crumble.

sbrigare *v.tr.* to get* through, to deal* with ♦ **~rsi** *v.pron.* to hurry up.

sbrigativo *agg.* brisk; (*brusco*) abrupt, brusque: *un giudizio* –, a hasty judgement.

sbrinamento *s.m.* defrosting.

sbrinare *v.tr.* to defrost.

sbrindellato *agg.* ragged, tattered.

sbrodolare *v.tr.* to dirty, to stain.

sbrogliare *v.tr.* **1** to untangle **2** (*fig.*) to solve, to sort out.

sbronza *s.f.*: *prendersi una* –, to get sloshed.

sbronzo *agg.* (*fam.*) sloshed, plastered.

sbruffone *s.m.* braggart, boaster.

sbucare *v.intr.* **1** to come* out **2** (*comparire*) to spring*.

sbucciare *v.tr.* **1** to peel; (*piselli*) to shell **2** (*escoriarsi*) to graze.

sbuffare *v.intr.* **1** to puff, to pant; (*per noia*) to snort **2** (*di treno*) to puff away.

scabbia *s.f.* scabies; (*di animali*) mange.

scabro *agg.* rough, rugged.

scabroso *agg.* **1** (*ruvido*) rough, rugged **2** (*fig.*) awkward, delicate.

scacchiera *s.f.* chessboard; (*per dama*) draughtboard.

scacciare *v.tr.* to drive* away, to chase away: – *di casa*, to throw out of the house.

scacco *s.m.* **1** (*di scacchiera*) square | *disegno a scacchi*, check (pattern) **2** *pl.* (*gioco*) chess ▭: *pezzi degli scacchi*, chessmen | (*dare*) – *matto*, (to) checkmate **3** (*insuccesso*) setback.

scadente *agg.* poor, shoddy: *merce* –, poor-quality goods.

scadenza *s.f.* (*ultima data utile*) deadline, time limit; (*termine*) expiry, expiration: *data di* –, due date, expiry date; *a lunga, breve* –, in the long, short term; (*banc.*) *alla* –, on maturity.

scadere *v.intr.* **1** to expire; to fall* due, to be due **2** (*decadere*) to go* down.

scadimento *s.m.* decline, deterioration.

scaduto *agg.* expired; (*di pagamento*) due, overdue.

scafandro *s.m.* diving suit.
scaffalatura *s.f.* shelving.
scaffale *s.m.* shelf*; (*per libri*) bookshelf.
scafo *s.m.* hull.
scagionare *v.tr.* to free from blame.
scaglia *s.f.* **1** (*zool.*) scale **2** (*di sapone*) flake.
scagliare *v.tr.* to fling*, to throw*, to hurl ♦ **~rsi** *v.pron.* (*fig.*) to rail (*against*).
scaglionare *v.tr.* to space out, to spread*: – *le ferie*, to stagger holidays.
scaglione *s.m.* group; (*fascia*) bracket, class: *a scaglioni*, in groups.
scala *s.f.* **1** staircase; stairs (*pl.*); (*trasportabile*) ladder: – *di sicurezza*, fire escape; – *mobile*, escalator; *salire, scendere le scale*, to go upstairs, downstairs **2** (*di colori, valori*) scale | *su vasta, larga* –, on a large scale; – *mobile*, indexed wage scale **3** (*a poker*) straight: – *reale*, straight flush.
scalare[1] *agg.* graduated, scaled.
scalare[2] *v.tr.* **1** to climb (up), to scale **2** (*detrarre*) to deduct.
scalata *s.f.* climb; climbing.
scalatore *s.m.* climber; (*rocciatore*) rock -climber.
scaldabagno *s.m.* water heater: – *a gas*, geyser.
scaldare *v.tr./intr.* to heat; (*moderatamente*) to warm ♦ **~rsi** *v.pron.* **1** (*di persone*) to warm oneself; (*di cose*) to heat (up); to warm (up) **2** (*eccitarsi*) to get* worked up; (*arrabbiarsi*) to get* angry.
scalfire *v.tr.* to scratch.
scalinata *s.f.* flight of steps; steps (*pl.*); (*interna*) staircase.
scalino *s.m.* step.
scalo *s.m.* stop: *senza* –, non-stop; *fare* – *a*, (*aer.*) to make a stopover at, (*mar.*) to call at | (*ferr.*) – *merci*, goods yard, (*amer.*) freight yard.
scaloppa, **scaloppina** *s.f.* (*cuc.*) escalope.
scalpello *s.m.* chisel.
scalpiccio *s.m.* shuffling.
scalpore *s.m.* fuss; sensation: *fare* –, to cause a sensation.
scaltro *agg.* shrewd; (*spreg.*) cunning, crafty.
scalzo *agg.* barefoot, barefooted.
scambiare *v.tr.* **1** to exchange **2** (*confondere*) to mistake*.
scambio *s.m.* **1** exchange **2** (*ferr.*) points (*pl.*); (*amer.*) switch.
scampato *agg.* survived; (*evitato*) escaped, avoided | *uno* – *pericolo*, a narrow escape.
scampo[1] *s.m.* escape, safety: *non c'è* (*via di*) –, there is no way out.
scampo[2] *s.m.* (*zool.*) prawn.
scampolo *s.m.* remnant.
scanalatura *s.f.* groove.
scandagliare *v.tr.* to sound; (*fig.*) to sound out.
scandalistico *agg.* sensational | *stampa scandalistica*, gutter press.
scandalizzare *v.tr.* to scandalize, to shock ♦ **~rsi** *v.pron.* to be scandalized, to be shocked (*at*).
scandalo *s.m.* scandal.
scandaloso *agg.* outrageous, scandalous.
Scandinavia *no.pr.f.* Scandinavia.
scandinavo *agg., s.m.* Scandinavian.
scansafatiche *s.m./f.* lazybones, slacker.
scansare *v.tr.* **1** (*spostare*) to move, to shift **2** (*evitare*) to avoid ♦ **~rsi** *v.pron.* to move out of the way.

scanso: *a – di*, to avoid.
scantinato *s.m.* basement.
scapaccione *s.m.* slap, smack.
scapito: *a – di*, to the detriment of.
scapola *s.f.* shoulder blade.
scapolo *agg.* single, unmarried ♦ *s.m.* bachelor.
scappamento *s.m.* exhaust: *tubo di –*, exhaust pipe.
scappare *v.intr.* **1** to escape, to run* away; (*andare via in fretta*) to rush | *– a gambe levate*, to take to one's heels **2** (*sfuggire*) to slip: *farsi –*, to let slip.
scappata *s.f.* flying visit.
scappatella *s.f.* escapade; (*amorosa*) casual affair.
scappatoia *s.f.* loophole, way out.
scarabeo[1] *s.m.* (*zool.*) beetle.
scarabeo[2] *s.m.* (*gioco*) scrabble.
scarabocchiare *v.tr.* to scribble, to scrawl; (*distrattamente*) to doodle.
scarafaggio *s.m.* cockroach.
scaramanzia: *per –*, for luck.
scaraventare *v.tr.* to hurl, to fling*.
scarcerare *v.tr.* to release (from prison).
scarcerazione *s.f.* release (from prison).
scardinare *v.tr.* to unhinge, to take* off its hinges.
scarica *s.f.* **1** volley, hail **2** (*elettr.*) discharge.
scaricare *v.tr.* **1** (*merci, arma*) to unload: (*passeggeri*) to let* off; (*riversare*) to discharge ♦ **~rsi** *v.pron.* **1** (*rilassarsi*) to unwind* **2** (*di responsabilità ecc.*) to free oneself **3** (*perdere la carica*) to run* down.
scaricatore *s.m.* unloader; (*di porto*) docker.
scarico *agg.* unloaded; (*di batteria*) flat; (*di orologio*) run down ♦ *s.m.* unloading; (*di rifiuti*) dumping | *divieto di –*, no dumping | *acqua di –*, waste water.
scarlattina *s.f.* scarlet fever.
scarlatto *agg.*, *s.m.* scarlet.
scarmigliato *agg.* ruffled, dishevelled.
scarno *agg.* **1** lean, skinny, bony **2** (*fig.*) meagre; (*di stile*) bare.
scarpa *s.f.* shoe: *scarpe basse*, flat shoes; *scarpe col tacco alto*, *basso*, high-heeled, low-heeled shoes; *scarpe da tennis*, tennis shoes, trainers; *scarpe di tela*, plimsolls.
scarpata *s.f.* scarp; (*di ferrovia*) embankment.
scarpiera *s.f.* shoe rack.
scarpone *s.m.* boot.
scarseggiare *v.intr.* **1** (*essere scarso*) to be scarce; (*venire a mancare*) to run* out **2** (*essere a corto di*) to be short of; to be lacking in.
scarsezza, **scarsità** *s.f.* scarcity, shortage; (*mancanza*) lack.
scarso *agg.* **1** scarce; scanty: *luce scarsa*, poor light; *tre chili scarsi*, three kilos short **2** (*mancante di*) lacking in.
scartare[1] *v.tr.* to unwrap; (*respingere*) to reject; (*eliminare*) to discard.
scartare[2] *v.intr.* (*deviare*) to swerve.
scartavetrare *v.tr.* to glasspaper, to sandpaper.
scarto[1] *s.m.* **1** scrap | *roba di –*, inferior quality stuff; *articoli di –*, seconds | *scarti di magazzino*, unsold stock **2** (*a carte*) discard.
scarto[2] *s.m.* **1** (*brusca deviazione*) swerve; (*di cavallo*) shy **2** (*differenza*) difference.
scassinare *v.tr.* to force open | *– una cassaforte*, to crack a safe.
scassinatore *s.m.* burglar, housebreaker.

scasso *s.m.* (*di serratura*) lock-picking; (*di casa*) housebreaking.
scatenare *v.tr.* to stir up; to set* off ♦ **~rsi** *v.pron.* **1** (*temporale*) to break*; (*rivolta ecc.*) to break* out, to burst* out **2** (*darsi alla pazza gioia*) to go* wild.
scatenato *agg.* unrestrained; wild.
scatola *s.f.* box; (*di latta*) tin, can; (*di cartone*) carton | – *nera*, black box.
scatolame *s.m.* canned food.
scattare *v.intr.* **1** (*di congegni*) to go* off | *far* –, to set off **2** (*balzare*) to spring* (up): – *in piedi*, to spring to one's feet **3** (*adirarsi*) to fly* into a rage ♦ *v.tr.* (*fot.*) to take*.
scatto *s.m.* **1** (*di meccanismo*) click; (*congegno a scatto*) release | *serratura a* –, deadlatch **2** (*balzo*) spring, dart | *a scatti*, in jerks, jerkily | *di* –, suddenly **3** (*di grado*) increment, rise **4** (*scoppio*) outburst **5** (*tel.*) unit.
scaturire *v.intr.* to spring*; (*in quantità*) to gush (*out, forth*).
scavalcare *v.tr.* **1** (*passando sopra*) to step over; (*arrampicandosi*) to climb over **2** (*soppiantare*) to supplant; (*sorpassare*) to get* ahead (*of*), to overtake*.
scavare *v.tr.* to dig*; (*in miniera*) to mine: – *un tunnel*, to bore a tunnel.
scavatrice *s.f.* digger, excavator.
scavo *s.m.* excavation.
scegliere *v.tr.* **1** to choose* **2** (*selezionare*) to sort out.
sceicco *s.m.* sheikh.
scellerato *agg., s.m.* wicked (person).
scelta *s.f.* **1** choice: *fare una* –, to make a choice; *fai la tua* –, take your choice; *non ho* –, I have no choice | *di prima* –, choice, first-quality; *di seconda* –, second-rate **2** (*selezione*) selection.
scelto *agg.* selected; (*di qualità superiore*) choice, select (*attr.*) | *tiratore* –, crackshot.
scemo *agg.* stupid, idiotic; (*fam.*) dopey ♦ *s.m.* idiot; (*fam.*) dope // *non fare lo* –*!*, don't play the fool!
scempio *s.m.* ruin, destruction.
scena *s.f.* scene; (*parte del palcoscenico*) stage: *applausi a* – *aperta*, open curtain applause | *mettere in* –, to stage, to put on | *scene e costumi di...*, sets and costumes by... | *fare* – *muta*, not to utter a single word | *è tutta una* –, he's putting it on.
scenario *s.m.* **1** scenery ▭, set **2** (*ambiente*, *sfondo*) background, backdrop **3** (*situazione probabile*) scenario*.
scenata *s.f.* scene, row.
scendere *v.intr.* **1** (*andare giù*) to go* down; (*venire giù*) to come* down: – (*le scale*), to go downstairs; to come downstairs; – *da un albero*, to climb down a tree | – *dal letto*, to get out of bed, to get up | *scendo subito*, I'll be down in a minute **2** (*da veicolo*) to get* off; (*da automobile*) to get* out (*of*) **3** (*calare*, *diminuire*) to fall*, to drop.
sceneggiare *v.tr.* **1** (*scrivere la sceneggiatura*) to script, to write* the script for **2** (*adattare per le scene*) to dramatize.
sceneggiata *s.f.* performance, act, show.
sceneggiato *s.m.* serial.
sceneggiatore *s.m.* scriptwriter; (*solo di film*) screenwriter.
sceneggiatura *s.f.* script; (*solo di film*) screenplay.
scenografia *s.f.* **1** (*la disciplina*) stage

design 2 (*allestimento scenico*) (*teatr.*) scenery; (*cinem.*) sets (*pl.*).
scenografo *s.m.* (*teatr.*) scene-designer; (*cinem.*) set-designer.
sceriffo *s.m.* sheriff.
scervellarsi *v.pron.* to rack one's brains.
scetticismo *s.m.* scepticism.
scettico *agg.* sceptical ♦ *s.m.* sceptic.
scheda *s.f.* 1 card; (*di schedario*) file-card 2 (*elettorale*) ballot paper: – *bianca*, *nulla*, blank, void voting paper.
schedare *v.tr.* 1 to file; (*catalogare*) to catalogue 2 (*di polizia*) to put* down in the police records.
schedario *s.m.* file, card-index; (*il mobile*) filing cabinet | – *della polizia*, police records.
schedina *s.f.* (*del totocalcio ecc.*) (pools) coupon: *giocare la* –, to bet on the pools.
scheggia *s.f.* splinter, sliver.
scheggiare *v.tr.*, **scheggiarsi** *v.pron.* to splinter; (*piatti ecc.*) to chip.
scheletro *s.m.* skeleton.
schema *s.m.* (*abbozzo*) scheme, outline; (*diagramma*) diagram | *schemi mentali*, patterns of thought.
scherma *s.f.* fencing.
schermare *v.tr.* to screen; (*tecn.*) to shield.
schermo *s.m.* 1 protection, defence; (*tecn.*) shield | *farsi – di qlcu.*, to hide behind s.o. 2 (*cinem.*, *tv*) screen.
schernire *v.tr.* to jeer (*at*), to mock.
scherno *s.m.* mockery, derision | *essere oggetto di* –, to be a laughing-stock.
scherzare *v.intr.* to joke (*about*); to make* fun (*of*) | *scherzi!*, you're joking!, (*amer.*) you're kidding! | *c'è poco da* –, it is no joke.
scherzo *s.m.* joke; (*tiro*) trick; (*cosa da nulla*) child's play, (*fam.*) cinch | *stare allo* –, to take a joke | *per* –, for a joke | *niente scherzi!*, no funny business!
scherzoso *agg.* playful; (*faceto*) humorous, jocose.
schettinare *v.intr.* to (roller-)skate.
schettini *s.m.pl.* roller skates.
schiaccianoci *s.m.* nutcrackers (*pl.*).
schiacciapatate *s.m.* potato masher.
schiacciare *v.tr.* 1 to crush; (*spiaccicare*) to squash 2 (*noci*) to crack; (*patate*) to mash; (*pulsanti*) to press, to push.
schiaffeggiare *v.tr.* to slap, to smack.
schiaffo *s.m.* slap, smack.
schiamazzo *s.m.* row, racket.
schiantare *v.tr.*, **schiantarsi** *v.pron.* to break*: *schiantarsi al suolo*, to crash to the ground.
schianto *s.m.* crash | *di* –, suddenly.
schiappa *s.f.* (*fam.*) duffer.
schiarimento *s.m.* explanation; information.
schiarire *v.tr.* to clear; (*capelli*) to bleach ♦ *v.intr.*, **~rsi** *v.pron.* to clear (up); to grow* brighter.
schiarita *s.f.* 1 (*di cielo*) bright spell 2 (*fig.*) improvement.
schiavitù *s.f.* slavery.
schiavo *s.m.*, *agg.* slave.
schiena *s.f.* back | *di* –, from behind.
schienale *s.m.* back.
schiera *s.f.* (*mil.*) rank; (*moltitudine*) crowd, throng; (*fila*) row | *villette a* –, terraced houses.
schierare *v.tr.* to line up; (*mil.*) to draw* up, to marshal ♦ **~rsi** *v.pron.* to draw* up | – *dalla parte di, contro*, to side with, against.
schietto *agg.* 1 pure, genuine 2 (*franco*) frank, sincere.

schifezza *s.f.* (*cosa ripugnante*) filth [U]; (*cosa scadente*) rubbish [U], junk [U].
schifo *s.m.* disgust: *che –!*, how disgusting!
schifoso *agg.* disgusting, revolting; (*pessimo*) dreadful, awful; (*fam.*) lousy.
schioccare *v.tr./intr.* (*dita*) to snap; (*labbra*) to smack; (*frusta*) to crack; (*lingua*) to cluck.
schiudere *v.tr.*, **schiudersi** *v.pron.* to open.
schiuma *s.f.* foam, froth; (*di sapone*) lather; (*di bollitura*) scum.
schiumarola *s.f.* skimmer.
schiuso *agg.* (*di porta*) ajar (*pred.*); (*di labbra*) parted.
schivare *v.tr.* to avoid; (*scansare*) to dodge.
schivo *agg.* reserved.
schizzare *v.tr.* **1** to splash (*with*); (*spruzzar fuori*) to squirt (out) **2** (*abbozzare*) to sketch ♦ *v.intr.* **1** to spurt, to squirt **2** (*balzar via*) to jump, to spring* | *– fuori, via*, to dash out, off.
schizzinoso *agg.* fussy, funicky.
schizzo *s.m.* **1** splash; spurt, squirt **2** (*abbozzo*) sketch; draft.
sci *s.m.* ski; (*lo sport*) skiing: *– di fondo*, cross-country skiing; *– nautico*, water skiing.
scia *s.f.* **1** (*di imbarcazione*) wake **2** (*traccia*) trail.
sciabola *s.f.* sabre.
sciacallaggio *s.m.* looting.
sciacallo *s.m.* **1** jackal **2** (*fig.*) looter.
sciacquare *v.tr.* to rinse.
sciacquo *s.m.* rinsing; (*medicamentoso*) mouthwash.
sciacquone *s.m.* flush.
sciagura *s.f.* misfortune; (*disastro*) disaster: *– aerea, ferroviaria*, plane, train crash.
sciagurato *agg.* **1** (*sfortunato*) unlucky, unfortunate **2** (*malvagio*) wicked.
scialacquare, **scialare** *v.tr./intr.* to squander.
scialbo *agg.* dull.
scialle *s.m.* shawl.
scialuppa *s.f.* dinghy: *– di salvataggio*, lifeboat.
sciamare *v.intr.* to swarm.
sciame *s.m.* swarm.
sciarada *s.f.* charade.
sciare *v.intr.* to ski.
sciarpa *s.f.* scarf*.
sciatore *s.m.* skier.
sciatto *agg.* slovenly; (*fam.*) sloppy.
scientifico *agg.* scientific.
scienza *s.f.* science; (*conoscenza*) knowledge | *uomo di –*, man of learning.
scienziato *s.m.* scientist.
scimmia *s.f.* monkey.
scimmiottare *v.tr.* to ape, to mimic.
scimpanzé *s.m.* chimpanzee.
scindere *v.tr.* to divide, to separate ♦ **~rsi** *v.pron.* to split* (up), to break* up.
scintilla *s.f.* spark.
scintillante *agg.* sparking; (*fig.*) sparkling.
scintillare *v.intr.* to glitter, to sparkle.
scintillio *s.m.* glitter, sparkle.
scioccare *v.tr.* to shock.
sciocchezza *s.f.* **1** foolishness, silliness **2** (*azione*) foolish thing; (*frase*) nonsense*; (*cosa da poco*) trifle.
sciocco *agg.* foolish, silly ♦ *s.m.* fool.
sciogliere *v.tr.* **1** (*slegare*) to untie, to undo* **2** (*fondere*) to melt; to dissolve **3** (*risolvere*) to solve, to re-

solve **4** (*istituzione ecc.*) to dissolve; (*assemblea*) to bring* to an end, to close; (*società*) to wind* up ♦ **~rsi** *v.pron.* **1** (*liberarsi*) to free oneself, to release oneself **2** (*fondere*) to melt; (*di ghiaccio ecc.*) to thaw (out) **3** (*slegarsi*) to come* untied; (*allentarsi*) to loosen **4** (*di assemblea*) to come* to an end; (*di società*) to be wound up.

sciogliligua *s.m.* tongue twister.

scioglimento *s.m.* (*di istituzione, patto ecc.*) dissolution; (*di assemblea*) breaking up; (*di società*) winding-up.

scioltezza *s.f.* **1** nimbleness, agility **2** (*disinvoltura*) ease, smoothness; (*nel parlare*) fluency.

sciolto *agg.* **1** melted **2** (*slegato*) loose, untied **3** (*agile*) nimble, agile.

scioperante *s.m.* striker.

scioperare *v.intr.* to strike*, to go* on strike.

sciopero *s.m.* strike.

scippare *v.tr.* to snatch s.o.'s bag.

scippatore *s.m.* bag-snatcher.

scippo *s.m.* bag-snatching.

scirocco *s.m.* sirocco.

sciroppato *agg.* in syrup.

sciroppo *s.m.* syrup, sirup.

sciropposo *agg.* syrupy (*anche fig.*).

scisma *s.m.* schism.

scissione *s.f.* division, split; (*fis.*) fission.

sciupare *v.tr.* to spoil, to ruin; (*sprecare*) to waste ♦ **~rsi** *v.pron.* to get* spoilt, to get* ruined; (*sgualcirsi*) to crease.

sciupio *s.m.* waste.

scivolare *v.intr.* **1** to slide*; (*involontariamente*) to slip; (*di auto*) to skid **2** (*fig.*) to drift.

scivolata *s.f.* slide; slip.

scivolo *s.m.* (*per bambini*) slide; (*aer., mar.*) slipway.

scivoloso *agg.* slippery.

scocciare *v.tr.* (*fam.*) to annoy ♦ **~rsi** *v.pron.* to be fed up, to get* fed up.

scocciatore *s.m.* pest, pain in the neck.

scocciatura *s.f.* bore.

scodella *s.f.* bowl; (*contenuto*) bowl(ful).

scodinzolare *v.intr.* to wag one's tail.

scogliera *s.f.* cliff; (*in acqua*) reef.

scoglio *s.m.* **1** rock; (*in acqua*) reef **2** (*fig.*) stumbling block.

scoglioso *agg.* rocky.

scoiattolo *s.m.* squirrel.

scolapasta *s.m.* (pasta) colander.

scolapiatti *s.m.* draining board; (*a rastrelliera*) dish rack.

scolara *s.f.* pupil, schoolgirl.

scolare[1] *agg.* school (*attr.*).

scolare[2] *v.tr.,intr.* to drain.

scolaro *s.m.* pupil, schoolboy.

scolastico *agg.* school (*attr.*), scholastic.

scollare *v.tr.* (*staccare*) to unstick*.

scollato *agg.*: *abito* –, low-necked dress; *scarpa scollata*, court shoe.

scollatura *s.f.*, **scollo** *s.m.* neckline: – *a punta, a V*, V-neck.

scolo *s.m.* drainage.

scolorare, **scolorire** *v.tr.* to discolour; (*sbiadire*) to fade ♦ *v.intr.*, **~rsi** *v.pron.* to fade; (*impallidire*) to grow* pale.

scolpire *v.tr.* **1** to sculpture, to sculpt; (*intagliare*) to carve **2** (*fig.*) to engrave.

scombinare *v.tr.* to upset*.

scombinato *agg.* messy, confused.

scombussolare *v.tr.* to upset*.

scommessa *s.f.* bet.

scommettere *v.tr.* to bet*.

scommettitore *s.m.* gambler; (*su cavalli*) punter.

scomodare *v.tr.*, **scomodarsi** *v.pron.*

to trouble, to bother: *non scomodarti*, don't trouble yourself.
scomodità *s.f.* discomfort; (*disagio*) inconvenience.
scomodo *agg.* uncomfortable; (*disagevole*) inconvenient.
scompagnato *agg.* odd; (*di un paio*) unmatched.
scomparire *v.intr.* **1** to disappear, to vanish **2** (*non risaltare*) to be lost; (*di persone*) to be nothing.
scomparsa *s.f.* **1** disappearance | *a* –, fold-away **2** (*morte*) death.
scomparso *agg.* **1** disappeared; (*estinto*) extinct: *persona scomparsa*, missing person **2** (*defunto*) departed.
scompartimento *s.m.* compartment.
scomparto *s.m.* compartment; (*divisorio*) division, partition.
scompigliare *v.tr.* (*sconvolgere*) to upset*, to mess up; (*mettere in disordine*) to throw* into disorder.
scompiglio *s.m.* confusion, disorder, mess.
scomponibile *agg.* decomposable.
scomporre *v.tr.* to break* up, to divide ♦ **~rsi** *v.pron.* **1** to break* up **2** (*turbarsi*) to get* upset.
sconcertare *v.tr.* to disconcert, to bewilder, to baffle; (*turbare*) to upset*.
sconcerto *s.m.* bewilderment.
sconclusionato *agg.* (*di discorso ecc.*) rambling, incoherent; (*di persona*) inconsistent, irrational.
scondito *agg.* plain, unseasoned; (*di insalata*) without dressing.
sconfessare *v.tr.* to disavow, to repudiate.
sconfiggere *v.tr.* to defeat.
sconfinare *v.intr.* **1** to cross the border; (*in proprietà privata*) to trespass **2** (*fig.*) to digress, to stray.
sconfinato *agg.* boundless, endless.
sconfitta *s.f.* defeat.
sconfortante *agg.* discouraging, disheartening.
sconforto *s.m.* discouragement, dejection.
scongelare *v.tr.* to thaw out, to defrost.
scongiurare *v.tr.* **1** to implore, to entreat **2** (*evitare*) to avert, to avoid.
scongiuro *s.m.* exorcism; (*formula*) spell | *fare gli scongiuri*, to touch wood.
sconnesso *agg.* (*di discorso ecc.*) incoherent.
sconosciuto *agg.* unknown ♦ *s.m.* stranger.
sconquasso *s.m.* **1** shattering, smashing; (*rovina*) destruction, damage **2** (*confusione*) havoc, confusion.
sconsacrare *v.tr.* to deconsecrate.
sconsiderato *agg.* thoughtless, rash.
sconsigliare *v.tr.* to advise against.
sconsolato *agg.* disconsolate.
scontare *v.tr.* **1** (*detrarre*) to deduct; (*concedere una riduzione*) to make* a discount (*of*) **2** (*espiare*) to pay* for; (*una pena*) to serve.
scontato *agg.* **1** (*comm.*) discounted **2** (*previsto*) foreseen, expected | *dare per – che...*, to take it for granted that...
scontentare *v.tr.* to displease.
scontentezza *s.f.* discontent, dissatisfaction.
scontento *agg.* displeased, dissatisfied.
sconto *s.m.* discount.
scontrarsi *v.pron.* to clash; (*di veicoli*) to collide; to run* into.
scontrino *s.m.* ticket; (*amer.*) check.
scontro *s.m.* clash; (*di veicoli*) collision, crash.

scontroso *agg.* bad-tempered, surly.
sconveniente *agg.* unbecoming, unseemly.
sconvolgere *v.tr.* to upset*.
scoordinato *agg.* uncoordinated.
scopa *s.f.* broom.
scopare *v.tr.* to sweep*.
scoperta *s.f.* discovery.
scoperto *agg.* uncovered; (*privo di ripari*) exposed; (*di veicolo*) open | *a capo* –, bareheaded, hatless | *conto* –, overdrawn account | *agire allo* –, to act openly.
scopo *s.m.* aim, object, purpose, end | *a – di lucro*, for money | *a che –?*, why?, what for? | *senza* –, aimless (*agg.*), aimlessly (*avv.*).
scoppiare *v.intr.* **1** to burst*, to explode **2** (*verificarsi*) to break* out.
scoppio *s.m.* **1** burst, outburst; (*esplosione*) explosion | *a – ritardato*, delayed -action **2** (*di guerra, rivoluzione*) outbreak **3** (*rumore*) bang, crash, boom.
scoprire *v.tr.* **1** to discover; (*trovare*) to find* out **2** (*rimuovere la copertura*) to uncover; (*monumento ecc.*) to unveil | – *le carte*, to lay one's cards on the table **3** (*manifestare*) to reveal, to disclose, to show* ♦ **~rsi** *v.pron.* **1** to uncover oneself **2** (*esporsi*) to drop one's guard.
scoraggiare *v.tr.* to dishearten, to discourage ♦ **~rsi** *v.pron.* to get* discouraged, to get* disheartened.
scorciatoia *s.f.* short cut.
scorcio *s.m.* **1** (*pitt.*) foreshortening | *di* –, foreshortened **2** (*di periodo*) end.
scordare *v.tr.*, **scordarsi** *v.pron.* to forget*.
scordato *agg.* out of tune.
scorfano *s.m.* scorpion fish, rock fish.
scorgere *v.tr.* to see*; (*notare*) to notice.
scorie *s.f.pl.* dross, slag; (*di fusione*) scum | – *radioattive*, radioactive waste.
scorno *s.m.* humiliation, ridicule; (*vergogna*) shame.
scorpacciata *s.f.* blow-out.
scorpione *s.m.* scorpion.
scorrere *v.intr.* **1** to run*; (*di cassetto, porta ecc.*) to slide*; (*di fluidi*) to flow* **2** (*di tempo*) to pass (by) ♦ *v.tr.* (*scritto, giornale*) to look through.
scorrettezza *s.f.* **1** incorrectness; (*errore*) mistake **2** (*mancanza di educazione*) bad manners (*pl.*) **3** (*azione*) impropriety.
scorretto *agg.* **1** incorrect **2** (*maleducato*) rude, impolite | *gioco* –, foul (*o* dirty) play.
scorrevole *agg.* **1** flowing, fluent | *traffico* –, smooth flowing traffic **2** (*di porta, pannello*) sliding.
scorsa *s.f.* glance.
scorso *agg.* last; past.
scorta *s.f.* **1** escort **2** (*provvista*) supply, provision; (*comm.*) stock in hand | *ruota di* –, spare wheel.
scortare *v.tr.* to escort.
scortese *agg.* rude, impolite.
scorticare *v.tr.* to skin.
scorza *s.f.* (*corteccia*) bark; (*buccia*) skin, peel: – *di limone*, lemon rind.
scosceso *agg.* steep.
scossa *s.f.* **1** shake, shock | *prendere la* –, to get a shock **2** (*di terremoto*) (earth) tremor **3** (*strattone*) jerk, jolta: *a scosse*, jerkily, in jerks.
scosso *agg.* shaken; (*sconvolto*) upset.
scossone *s.m.* **1** shake **2** (*strattone*) jerk, jolt.
scostante *agg.* off-putting.

scostare *v.tr.* to shift, to remove ♦ **-rsi** *v.pron.* 1 to stand* aside, to shift (aside) 2 (*fig.*) to leave* (*sthg.*); to stray (*from*).
scostumato *agg.* dissolute, licentious.
scotch *s.m.* 1 whisky, scotch 2 (*nastro autoadesivo*) sellotape, sticky tape.
scottare *v.tr.* 1 to burn*; (*con un liquido*) to scald 2 (*fig.*) to hurt*; to sting* | *rimanere scottato*, (*fig.*) to burn one's fingers ♦ *v.intr.* to be burning | *denaro, merce che scotta*, hot money, goods.
scottatura *s.f.* burn; (*da liquido*) scald.
scotto[1] *agg.* (*troppo cotto*) overcooked, overdone.
scotto[2] *s.m.*: *pagare lo* –, to pay for it.
scovare *v.tr.* to find*.
Scozia *no.pr.f.* Scotland.
scozzese *agg.* Scottish, Scotch | *stoffa* –, tartan ♦ *s.m.* (*abitante*) Scotsman*, Scot; (*lingua*) Scottish.
screditare *v.tr.* to discredit ♦ **-rsi** *v.pron.* to lose* credit.
screpolare *v.tr.* to crack; (*pelle*) to chap.
screziato *agg.* variegated; speckled.
screzio *s.m.* disagreement, friction.
scribacchiare *v.tr./intr.* to scribble, to scrawl.
scricchiolare *v.intr.* to creak.
scritta *s.f.* inscription: – *pubblicitaria*, (advertising) sign.
scritto *s.m.* writing; (*lettera*) letter.
scrittoio *s.m.* writing desk.
scrittore *s.m.* writer.
scrittura *s.f.* 1 writing; (*a mano*) handwriting | – *contabile*, book entry 2 (*dir.*) deed; (*contratto*) contract.
scritturare *v.tr.* (*un artista*) to engage, to sign on, to sign up.
scrivania *s.f.* writing desk.
scrivere *v.tr.* to write*; (*registrare*) to enter, to record: – *a mano, a matita*, to write by hand, in pencil; – *a macchina*, to type(write); – *due righe*, to drop a line.
scroccare *v.tr.* to scrounge, to cadge (*sthg. off s.o.*).
scrofa *s.f.* sow.
scrollare *v.tr.* to shake*; (*le spalle*) to shrug: *scrollarsi di dosso*, to shake off.
scrosciare *v.intr.* to roar; (*di pioggia*) to pelt (down).
scroscio *s.m.* roar; (*di pioggia*) shower; (*di applausi*) thunder.
scrostare *v.tr.* to scrape; to strip off ♦ **-rsi** *v.pron.* to peel (off).
scrupolo *s.m.* 1 scruple 2 (*impegno*) meticulousness, great care.
scrupoloso *agg.* scrupulous; (*meticoloso*) meticulous.
scrutare *v.tr.* to scan; to scrutinize.
scrutatore *s.m.* (di seggio) scrutineer.
scrutinare *v.tr.* to make* a scrutiny of.
scrutinio *s.m.* scrutiny; (*elettorale*) poll, voting (*scolastico*) assignment of a term's marks.
scucire *v.tr.* to unstitch; to undo ♦ **-rsi** *v.pron.* to come* unstitched.
scuderia *s.f.* stable.
scudetto *s.m.* shield.
scudo *s.m.* shield.
sculacciare *v.tr.* to spank.
sculacciata *s.f.*, **sculaccione** *s.m.* spanking: *prendere a sculacciate*, to give (s.o.) a spanking.
scultore *s.m.* sculptor.
scultura *s.f.* sculpture.
scuola *s.f.* school: – *materna*, nursery school; – *elementare*, primary school; – *guida*, driving school.

scuotere *v.tr.* to shake* | *scuotersi di dosso*, to shake off ♦ **~rsi** *v.pron.* to rouse oneself.
scure *s.f.* axe.
scurire *v.tr.* to darken.
scuro *agg.*, *s.m.* dark.
scusa *s.f.* **1** apology | *chiedere –*, to apologize (*to*); *chiedo –!*, excuse me!, sorry! **2** (*giustificazione*) excuse; (*pretesto*) pretext.
scusabile *agg.* excusable, pardonable; (*giustificabile*) justifiable.
scusante *s.f.* excuse, justification.
scusare *v.tr.* to excuse; (*perdonare*) to forgive* | *scusa!, scusi!, scusate!*, sorry!; *scusi, vuol ripetere?*, I beg your pardon?; *scusa, che ora è?*, excuse me, what time is it? ♦ **~rsi** *v.pron.* **1** to apologize, to make* one's excuses (*to s.o. for sthg., for doing*) **2** (*giustificarsi*) to justify oneself; (*trovare scuse*) to find* excuses.
sdebitarsi *v.pron.* (*disobbligarsi*) to return, to repay s.o.'s kindness.
sdegnato *agg.* indignant (*with s.o., at sthg.*).
sdegno *s.m.* disdain; (*indignazione*) indignation.
sdegnoso *agg.* disdainful; (*sprezzante*) scornful; (*di persona*) haughty.
sdoganare *v.tr.* to clear (through the customs).
sdoppiare *v.tr.*, **sdoppiarsi** *v.pron.* divide, to split*.
sdraiare *v.tr.* to lay* (down) ♦ **~rsi** *v.pron.* to lie* down.
sdraio *s.f.* deckchair.
sdrucciolare *v.intr.* to slip.
sdrucciolevole *agg.* slippery.
se[1] *cong.* **1** (*condizionale, ipotetico, causale, concessivo*) if: *anche –*, *– pure*, even if; *– fossi in te...*, if I were you... | *– tu sapessi!*, if you only knew! **2** (*con dubitative e interr. indirette*) whether: *mi domando – sia vero*, I wonder whether it's true **3** *– mai* → *semmai* **4** *– non che* → *sennonché*.
se[2] *pron.*: *– ne andò*, he, she went away; *– lo portarono via*, they carried him away.
sé *pron.* him(self) (*m.*), her(self) (*f.*), *pl.* them(selves); (*neutro*) it(self), *pl.* them(selves); (*impers.*) oneself | *in –* (*e per –*), *di per –*, in itself; *fra –* (*e –*), to oneself; *dentro di –*, within oneself | *un caso a –*, a separate case.
sebbene *cong.* though, although.
seccante *agg.* annoying, tiresome.
seccare *v.tr.* **1** to dry (up) **2** (*irritare*) to annoy; (*importunare*) to bother ♦ **~rsi** *v.pron.* **1** to dry (up) **2** (*irritarsi*) to get* annoyed (*with s.o., at sthg., at doing*).
seccatore *s.m.* nuisance, pest.
seccatura *s.f.* bother, nuisance, bore.
secchio *s.m.* pail, bucket; (*il contenuto*) bucketful.
secco *agg.* **1** dry; (*disseccato*) dried **2** (*magro*) thin, skinny **3** (*brusco*) sharp | *con un colpo –*, with a single blow.
secessione *s.f.* secession | *guerra di –*, Civil War.
secolare *agg.* **1** age-old, centuries-old **2** (*laico*) secular, lay.
secolo *s.m.* century | *da secoli*, for ages; *è un – che non lo vedo*, I have not seen him for ages.
seconda *s.f.* **1** (*aut.*) second (gear) **2** (*a scuola*) second class, second year **3** (*ferr.*) second class.
secondariamente *avv.* secondly, in the second place.

secondario *agg.* secondary | *questione secondaria*, side issue.
secondino *s.m.* warder.
secondo *agg.* second ♦ *s.m.* 1 (*minuto*) second 2 (*pietanza*) second course 3 (*ufficiale*) second-in-command ♦ *avv.* secondly.
secondo *prep.* 1 according to; (*conformemente a*) in accordance with, in conformity with: – *me*, in my opinion | – *i casi*, depending on the circumstances | – *che*, depending on, according to.
secondogenito *s.m.* second son, second child.
sedano *s.m.* celery.
sedativo *agg., s.m.* sedative.
sede *s.f.* 1 seat | – *elettorale*, polling station | *in – di*, during | *in separata –*, in private 2 (*ufficio*) office; (*ufficio centrale*) head office; (*di organizzazione*) headquarters.
sedentario *agg.* sedentary.
sedere[1] *v.intr.* to be sitting, to be seated ♦ *v.intr.*, **~rsi** *v.pron.* to sit* (down), to take* a seat.
sedere[2] *s.m.* bottom, behind.
sedia *s.f.* chair: – *a dondolo*, rocking chair; – *a rotelle*, wheel chair.
sedicente *agg.* self-styled, would-be.
sedici *agg., s.m.* sixteen.
sedile *s.m.* seat.
seducente *agg.* 1 seductive 2 (*che tenta*) tempting 3 (*affascinante*) fascinating, charming.
sedurre *v.tr.* 1 to seduce 2 (*tentare*) to tempt 3 (*affascinare*) to charm, to fascinate.
seduta *s.f.* sitting; session; (*riunione*) meeting.
seduttore *s.m.* seducer.
seduzione *s.f.* 1 seduction 2 (*attrazione*) attraction; (*fascino*) charm.
sega *s.f.* saw.
segale *s.f.* rye.
segare *v.tr.* to saw.
segatura *s.f.* sawdust.
seggio *s.m.* chair; seat | – *elettorale*, polling station.
seggiola *s.f.* chair.
seggiolone *s.m.* high chair.
seggiovia *s.f.* chair lift.
segheria *s.f.* sawmill.
seghettato *agg.* serrated.
segmentare *v.tr.* to segment; (*suddividere*) to subdivide.
segmento *s.m.* segment.
segnalare *v.tr.* 1 to indicate, to point out; (*con segnali*) to signal ♦ **~rsi** *v.pron.* (*distinguersi*) to distinguish oneself.
segnale *s.m.* signal | – *stradale*, road sign.
segnaletica *s.f.* signals (*pl.*): – *stradale*, road signs.
segnalibro *s.m.* bookmark.
segnalinee *s.m.* (*sport*) linesman*.
segnaposto *s.m.* place card.
segnare *v.tr.* 1 to mark; (*prendere nota*) to write* down 2 (*indicare*) to indicate, to show* 3 (*sport*) to score.
segnato *agg.* marked; (*deciso*) decided, settled.
segno *s.m.* 1 sign; (*traccia*) mark | *segni particolari*, distinguishing marks | *in – di*, in token of | *colpire nel –*, to hit the mark 2 (*cenno*) (*col capo*) nod; (*con la mano*) gesture.
segregare *v.tr.* to segregate.
segretaria *s.f.* secretary.
segreteria *s.f.* (*sede*) secretary's office; (*il personale*) secretarial staff | – *telefonica*, answering machine.

segretezza *s.f.* secrecy.
segreto *agg., s.m.* secret.
seguace *s.m./f.* follower; (*discepolo*) disciple.
seguente *agg.* following; (*prossimo*) next.
seguire *v.tr./intr.* to follow | *segue a pag. 5*, continued on page 5.
seguito *s.m.* **1** retinue, suite **2** (*continuazione*) continuation, sequel: *il – al prossimo numero*, to be continued (in our next issue) | *di –*, on end | *in –*, later on, afterwards; *in – a*, in consequence of, owing to **3** (*conseguenza*) sequel, consequence.
sei *agg., s.m.* six.
selciato *s.m.* pavement, paving.
selettivo *agg.* selective.
selezionare *v.tr.* to select; (*vagliare*) to screen.
selezione *s.f.* selection.
sella *s.f.* saddle.
sellare *v.tr.* to saddle.
sellino *s.m.* saddle.
selvaggina *s.f.* game.
selvaggio *agg.* **1** wild; (*non civilizzato*) savage **2** (*incontrollato*) wildcat, uncontrolled ♦ *s.m.* savage.
selvatico *agg.* **1** wild **2** (*non socievole*) unsociable; (*rude*) rough.
selz *s.m.* soda (water).
semaforo *s.m.* **1** traffic lights (*pl.*) **2** (*ferr.*) semaphore.
sembrare → *parere*.
seme *s.m.* **1** seed; (*di mela, pera*) pip **2** (*di carte da gioco*) suit.
semestrale *agg.* **1** (*che ricorre ogni sei mesi*) half-yearly, six-monthly **2** (*che dura sei mesi*) six month (*attr.*).
semestre *s.m.* six-month period.
semifinale *s.f.* (*sport*) semifinal.
semilibertà *s.f.* (*dir.*) semicustody.
semina *s.f.* sowing.
seminare *v.tr.* **1** to sow **2** (*sparpagliare*) to scatter **3** (*fam. fig.*) to shake* off.
seminario *s.m.* **1** (*eccl.*) seminary **2** (*di università*) seminar.
seminfermità *s.f.* partial infirmity: *– mentale*, partial insanity.
seminfermo *agg., s.m.* semi-invalid: *– di mente*, (person of) unsound mind.
seminterrato *s.m.* basement.
semmai, se mai *cong.* if (ever); (*nel caso che*) in case ♦ *avv.* (*tutt'al più*) if anything.
semolino *s.m.* semolina.
semplice *agg.* simple; (*non ricercato*) plain | *puro e –*, pure and simple; sheer.
semplicistico *agg.* simplistic, over-simplified.
semplicità *s.f.* simplicity.
semplificare *v.tr.* to simplify ♦ **~rsi** *v.pron.* to get* simpler.
sempre *avv.* always; (*ancora*) still | *come –*, as always; *per –*, for ever (and ever), (*fam.*) for good | *– presente*, ever-present | *di –*, (*solito*) usual | *– meno*, less and less; *– più difficile*, more and more difficult | *– che*, provided that, as long as.
sempreverde *agg., s.m.* evergreen.
senape *s.f.* mustard.
senato *s.m.* senate.
senatore *s.m.* senator: *– a vita*, senator for life.
senile *agg.* senile.
senilità *s.f.* senility.
Senna *no.pr.f.* Seine.
senno *s.m.* wisdom | *fuori di –*, out of one's wits.
sennò *cong.* otherwise.

sennonché *cong.* but.
seno *s.m.* breast; (*fig.*) bosom.
sensato *agg.* sensible, judicious.
sensazionale *agg.* sensational.
sensazione *s.f.* sensation: *far –* , to cause a sensation | *avere la – che...*, to have a feeling that...
sensibile *agg.* **1** sensitive (*to*); (*ai sensi*) sensible, perceptible **2** (*notevole*) sensible, notable.
sensibilità *s.f.* sensitivity, sensibility; (*delicatezza*) delicacy.
senso *s.m.* **1** sense **2** (*sensazione*) sensation, feeling **3** (*significato*) sense, meaning | *doppio –*, double meaning | *non ha –*, it doesn't make sense | *in – stretto*, in the strict sense **4** (*direzione*) direction, way | (*strada a*) *– unico*, one-way street; *– vietato*, no entry; *in – orario, antiorario*, clockwise, anticlockwise.
sensuale *agg.* sensual, sensuous.
sensualità *s.f.* sensuality, sensuousness.
sentenza *s.f.* **1** sentence, judg(e)ment **2** (*massima*) saying.
sentenziare *v.tr./intr.* (*dir.*) to judge, to pass sentence.
sentiero *s.m.* path.
sentimentale *agg.* sentimental.
sentimentalismo *s.m.* sentimentalism.
sentimento *s.m.* sentiment; feeling.
sentinella *s.f.* sentry.
sentire *v.tr.* **1** to feel* **2** (*udire*) to hear*; (*ascoltare*) to listen (*to*) | *senti!*, look!; *stammi a –*, listen to me **3** (*odorare*) to smell* ♦ **~rsi** *v.pron.* to feel*; (*aver voglia*) to feel* like (*sthg., doing*): *– bene, male*, to feel well, ill.
sentito *agg.* **1** heartfelt, sincere **2** (*udito*) heard | *per – dire*, by hearsay.
senza *prep.* without; (*tralasciando*) without counting, excluding.
senzatetto *s.m./f.* homeless (person).
separare *v.tr.* **1** to separate, to divide, to part **2** (*distinguere*) to distinguish ♦ **~rsi** *v.pron* to separate; to part: *– amichevolmente*, to part friends.
separazione *s.f.* separation, division; parting.
sepolto *agg.* buried.
sepoltura *s.f.* burial; (*tomba*) tomb.
seppellire *v.tr.* to bury.
seppia *s.f.* cuttlefish.
sequenza *s.f.* sequence.
sequestrare *v.tr.* **1** (*dir.*) to seize, to sequester; (*spec. per debiti*) to distrain (*upon*) **2** (*portar via*) to confiscate, to take* away **3** (*una persona*) to kidnap.
sequestro *s.m.* (*dir.*) sequestration, seizure, confiscation; (*spec. per debiti*) distraint | *– di persona*, kidnapping.
sequoia *s.f.* sequoia.
sera *s.f.* evening; (*tarda*) night: *di –*, in the evening.
serale *agg.* evening (*attr.*), night (*attr.*).
serata *s.f.* **1** evening: *in –*, during the evening **2** (*ricevimento*) party **3** (*rappresentazione*) (evening) performance | *– di gala*, gala evening.
serbare *v.tr.* **1** to put* aside, to lay* aside **2** (*mantenere*) to keep* ♦ **~rsi** *v.pron.* to keep*, to remain.
serbatoio *s.m.* reservoir, tank.
serbo[1] *agg., s.m.* Serb, Serbian.
serbo[2]: *mettere in –*, to put aside, to put by.
serenata *s.f.* serenade.
serenità *s.f.* serenity.
sereno *agg.* serene | *giornata, notte serena*, clear day, night.
sergente *s.m.* sergeant.
serie *s.f.* **1** series*; (*successione*) succession | *prodotto in –*, mass-produced |

modello di –, production model; *numero di* –, serial number **2** (*insieme*) set **3** (*sport*) division: – *A, B*, first, second division; *di* – *B*, (*fig.*) second-rate, second-class.
serio *agg.* serious; (*affidabile*) reliable; (*grave*) grave, serious | *sul* –, seriously, (*davvero*) really!
sermone *s.m.* sermon.
serpeggiare *v.intr.* to wind*.
serpente *s.m.* snake.
serra *s.f.* greenhouse, glasshouse; (*riscaldata*) hothouse.
serramento *s.m.* (*di finestra*) window frame; (*di porta*) door frame.
serranda *s.f.* rolling shutter.
serrare *v.tr.* **1** to lock **2** (*stringere*) to tighten; (*pugni, denti*) to clench.
serrata *s.f.* lockout.
serratura *s.f.* lock: *buco della* –, keyhole.
servile *agg.* servile.
servilismo *s.m.* servility.
servire *v.tr.* **1** to serve; (*solo cibi*) to help (*s.o. to sthg.*): – *da bere*, to give (*s.o.*) something to drink **2** (*di servitori*) to wait (*on*) **3** (*a carte*) to deal* | (*sono*) *servito*, I'm sticking ♦ *v.intr.* **1** to serve **2** (*giovare*) to be useful **3** (*occorrere*) to need (*costr. pers.*) ♦ **~rsi** *v.pron.* **1** (*usare*) to use (*sthg.*) **2** (*a tavola*) to help oneself (*to*) **3** (*rifornirsi da*) to be a customer (*at*).
servitore *s.m.* servant.
servitù *s.f.* servants (*pl.*).
servizievole *agg.* obliging, helpful.
servizio *s.m.* **1** service | *essere di* –, to be on duty; *fare* –, (*di autobus ecc.*) to run | *a mezzo* –, part-time; *porta, scala di* –, back door, stairs; *fuori* –, (*guasto*) out of order | – *pubblico*, public utility **2** (*favore*) favour **3** (*serie completa*) service, set **4** (*giornalistico*) report.
servofreno *s.m.* servobrake.
servosterzo *s.m.* power steering.
sessanta *agg., s.m.* sixty.
sessione *s.f.* session.
sesso *s.m.* sex.
sessuale *agg.* sexual; sex (*attr.*).
sesto *agg., s.m.* sixth.
seta *s.f.* silk.
setacciare *v.tr.* **1** to sift, to sieve **2** (*fig.*) to comb, to search.
setaccio *s.m.* sieve.
sete *s.f.* thirst (*for*) | *avere* –, to be thirsty.
setificio *s.m.* silk factory.
setola *s.f.* bristle.
setta *s.f.* sect.
settanta *agg., s.m.* seventy.
sette *agg., s.m.* seven.
settembre *s.m.* September.
settentrionale *agg.* northern ♦ *s.m./f.* northerner.
settentrione *s.m.* north.
settimana *s.f.* week: *una* – *di vacanza*, a week's holiday; *due settimane*, a fortnight; – *corta*, five-day week; *in* –, during the week, (*entro la fine*) by the end of the week.
settimanale *agg., s.m.* weekly (magazine).
settimanalmente *avv.* weekly, by the week.
settimo *agg., s.m.* seventh.
settore *s.m.* sector.
settoriale *agg.* sectional.
severità *s.f.* severity; (*rigore*) strictness.
severo *agg.* severe; (*rigoroso*) strict.
seviziare *v.tr.* to torture; (*violentare*) to rape.

sezionare *v.tr.* to section; (*un cadavere*) to dissect.
sezione *s.f.* section; (*di tribunale, elettorale*) division; (*di partito*) branch.
sfaccendato *s.m.* loafer, idler.
sfaccettato *agg.* **1** faceted, cut **2** (*fig.*) many-sided.
sfacchinata *s.f.* (*fam.*) sweat.
sfacciataggine *s.f.* impudence, cheek.
sfacciato *agg.* cheeky; shameless; (*di colore*) gaudy.
sfacelo *s.m.* breakup | *in* –, falling apart.
sfaldarsi *v.pron.* to flake (*off, away*).
sfamare *v.tr.* to feed*.
sfarzo *s.m.* pomp, magnificence.
sfarzoso *agg.* sumptuous, magnificent.
sfasciacarrozze *s.m.* car-wrecker, carbreaker.
sfasciare[1] *v.tr.* to unbandage.
sfasciare[2] *v.tr.*, **sfasciarsi** *v.pron.* to shatter, to smash.
sfasciato *agg.* smashed; broken; in pieces (*pred.*).
sfascio *s.m.* (*fig.*) ruin, collapse | *allo* –, about to collapse.
sfavillare *v.intr.* to sparkle.
sfavore *s.m.* disadvantage, detriment.
sfavorevole *agg.* unfavourable.
sfera *s.f.* sphere.
sferico *agg.* spherical.
sferrare *v.tr.* to deal*, to inflict: – *un pugno*, to punch; – *un attacco*, to launch an attack.
sferzante *agg.* lashing, whipping; (*fig.*) cutting, stinging.
sfiancato *agg.* worn-out, exhausted.
sfibrante *agg.* exhausting.
sfibrato *agg.* worn-out, exhausted.
sfida *s.f.* challenge | *in tono di* –, defiantly.
sfidare *v.tr.* to challenge; (*fig.*) to defy.
sfiducia *s.f.* mistrust, distrust.
sfiduciato *agg.* discouraged, disheartened.
sfigurare *v.tr.* to disfigure ♦ *v.intr.* to cut* a poor figure.
sfilare[1] *v.tr.* (*indumento*) to slip off, to take* off.
sfilare[2] *v.intr.* to march past: – *in passerella*, to parade.
sfilata *s.f.* march past, parade | – *di moda*, fashion show.
sfinge *s.f.* sphinx.
sfinito *agg.* exhausted.
sfiorare *v.tr.* **1** to skim (over); (*rasentare*) to graze **2** (*fig.*) to touch on (*sthg.*).
sfiorire *v.intr.* to wither, to fade.
sfitto *agg.* vacant.
sfociare *v.intr.* to flow (*into*); (*fig.*) to lead* (*to*), to result (*in*).
sfoderabile *agg.* with removable covers.
sfoderato *agg.* (*senza fodera*) unlined.
sfogare *v.tr.* to pour out; (*riversare*) to vent ♦ **~rsi** *v.pron.* to give* vent (*to*); (*prendersela con*) to take* it out (*on*).
sfoggiare *v.tr./intr.* to show* off.
sfoggio *s.m.* show, display.
sfogliare *v.tr.* (*libro ecc.*) to leaf through.
sfogo *s.m.* **1** vent, outlet: *dare* – *a*, to give vent to **2** (*eruzione*) rash.
sfollagente *s.m.* truncheon.
sfollare *v.tr./intr.* to evacuate.
sfoltire *v.tr.* **1** to thin (out) **2** (*ridurre*) to reduce, to cut*.
sfondare *v.tr.* (*il fondo di qlco.*) to knock the bottom out of; (*abbattere*) to break* down; (*mil.*) to break* through.
sfondo *s.m.* background; (*ambiente*)

setting | *sullo* –, in the background.
sforbiciata *s.f.* cut, snip.
sformato *agg.* shapeless.
sformato *s.m.* (*cuc.*) timbale.
sfortuna *s.f.* bad luck ◫; (*disgrazia*) misfortune.
sfortunato *agg.* unlucky, unfortunate.
sforzarsi *v.pron.* to make* an effort (*to do*).
sforzo *s.m.* effort; (*mecc.*) stress, strain.
sfrattare *v.tr.* to evict; to send* away.
sfratto *s.m.* eviction: *dare lo* –, to give notice to quit.
sfrecciare *v.intr.* to rush, to race.
sfregare *v.tr.* **1** to rub; (*per pulire*) to scrub **2** (*contro qlco.*) to scrape.
sfrenare *v.tr.* to let* loose ♦ **~rsi** *v.pron.* to run* wild.
sfrenato *agg.* wild; unbridled.
sfrontato *agg.* impudent, cheeky.
sfruttamento *s.m.* exploitation.
sfruttare *v.tr.* to exploit.
sfuggente *agg.* (*di sguardo*) elusive; (*di persona*) shifty.
sfuggire *v.intr.* to escape, to slip ♦ *v.tr.* to avoid.
sfumare *v.intr.* **1** (*svanire*) to vanish **2** (*di colori*) to shade (*into*).
sfumatura *s.f.* shade, tone.
sfuriata *s.f.* outburst (of anger) | *fare una – a qlcu.*, to tell s.o. off.
sfuso *agg.* loose.
sgabello *s.m.* stool.
sgabuzzino *s.m.* boxroom.
sgambetto *s.m.* trip: *fare lo – a qlcu.*, to trip s.o. up; (*fig.*) to oust s.o.
sganciare *v.tr.* **1** to unhook; (*vagoni*) to uncouple **2** (*bombe*) to drop **3** (*fam.*) (*denaro*) to stump up, to fork out ♦ **~rsi** *v.pron.* (*da qlcu.*) to get* away.
sgangherato *agg.* ramshackle, rickety.
sgarbato *agg.* rude (*to*).
sgarbo *s.m.*: *fare uno – a qlcu.*, to be rude to s.o.
sgargiante *agg.* showy, flashy; (*di colori*) gaudy.
sgattaiolare *v.intr.* to slip away.
sghembo *agg.* oblique; (*storto*) slanting.
sghignazzare *v.intr.* to laugh scornfully.
sghignazzata *s.f.* guffaw; sneering.
sgobbare *v.intr.* (*fam.*) to slog (away); (*di studente*) to swot.
sgocciolare *v.intr., tr.* to drip.
sgolarsi *v.pron.* to shout oneself hoarse.
sgomb(e)rare *v.tr.* to clear; (*evacuare*) to evacuate.
sgombro[1] *agg.* **1** clear, free **2** (*vuoto*) empty.
sgombro[2] *s.m.* (*pesce*) mackerel.
sgomentare *v.tr.* to dismay.
sgomento *s.m.* dismay.
sgominare *v.tr.* to defeat, to rout.
sgomitare *v.intr.* to elbow.
sgonfiare *v.tr.* to deflate ♦ **~rsi** *v.pron* **1** to deflate **2** (*med.*) to go* down.
sgonfio *agg.* deflated; (*med.*) gone down.
sgorbio *s.m.* **1** scrawl **2** (*fig.*) fright.
sgorgare *v.intr.* to gush (out).
sgozzare *v.tr.* to slit* s.o.'s throat.
sgradevole *agg.* unpleasant, disagreeable.
sgradito *agg.* unwelcome.
sgrammaticato *agg.* grammatically wrong.
sgranare *v.tr.* (*piselli, fagioli ecc.*) to shell; (*granoturco*) to husk.

sgranchire *v.tr.*, **sgranchirsi** *v.pron.* to stretch.
sgranocchiare *v.tr.* to crunch.
sgravio *s.m.* relief: – *fiscale*, *d'imposta*, tax allowance, tax relief.
sgraziato *agg.* awkward, clumsy.
sgretolare *v.tr.*, **sgretolarsi** *v.pron.* to crumble.
sgridare *v.tr.* to scold; (*fam.*) to tell* off.
sgridata *s.f.* scolding; (*fam.*) telling-off.
sguaiato *agg.* coarse.
sgualcire *v.tr.*, **sgualcirsi** *v.pron.* to crease.
sguardo *s.m.* look, glance; (*prolungato*) gaze; (*fisso*) stare | *al primo* –, at first sight; *distogliere lo* –, to look away; *cercare con lo* –, to look round (*for*).
sguazzare *v.intr.* to wallow.
sguinzagliare *v.tr.* to set* (*s.o. on s.o., sthg.*).
sgusciare[1] *v.intr.* (*sfuggire*) to slip out; (*di persona*) to slip away.
sgusciare[2] *v.tr.* (*levare dal guscio*) to shell.
shampoo *s.m.* shampoo: *farsi uno* –, to shampoo one's hair.
si[1] *s.m.* (*mus.*) B, si; (*nel solfeggio*) ti.
si[2] *pron.* **1** (*rifl.*) himself; herself; itself; themselves; oneself | *si è perso*, he got lost **2** (*rec.*) one another; (*tra due*) each other **3** (*impers.*) you; they; we; one: *si può passare di qui?*, can we go this way? **4** (*passivante*): *da servirsi freddo*, to be served chilled.
sì *avv.*, *s.m.* yes | *se* –, if so; *pare di* –, it seems so | – *certo, certo che* –, certainly, of course.
sia... sia *cong.* **1** (*entrambi*) both... and **2** *sia* (*che*)... *sia* (*che*), whether... or.
sibilare *v.intr.* to hiss; (*di vento, proiettile ecc.*) to whistle.
sibilo *s.m.* hiss; whistle.
sicario *s.m.* hit man, hired killer.
siccità *s.f.* drought.
siccome *cong.* as, since.
Sicilia *no.pr.f.* Sicily.
siciliano *agg.*, *s.m.* Sicilian.
sicura *s.f.* safety catch.
sicurezza *s.f.* **1** safety; security | *per maggior* –, for safety's sake **2** (*certezza*) certainty.
sicuro *agg.* **1** safe **2** (*certo*) sure, certain **3** (*saldo*) steady, firm **4** (*esperto*) skilful, expert **5** (*fidato*) reliable, trustworthy **6** (*di sé*) self-assured, confident: *è* – *del fatto suo*, he knows what he is doing ♦ *avv.* certainly, of course ♦ *s.m.*: *essere al* –, to be safe; *mettere al* –, to put in a safe place; *andare sul* –, to play it safe.
siderurgia *s.f.* steel industry.
siderurgico *agg.* steel (*attr.*): *stabilimento* –, steelworks.
sidro *s.m.* cider.
siepe *s.f.* hedge; (*ippica*) fence.
siero *s.m.* (*del latte*) whey | – *della verità*, truth drug.
sieropositivo *agg.* (*per* AIDS) HIV-positive.
siesta *s.f.* siesta, nap: *fare la* –, to take a nap.
sifone *s.m.* siphon.
sigaretta *s.f.* cigarette.
sigaro *s.m.* cigar.
sigillare *v.tr.* to seal.
sigillo *s.m.* seal.
sigla *s.f.* **1** initials (*pl.*); (*abbreviazione*) abbreviation; (*marchio*) mark **2** (*musicale*) signature tune.
siglare *v.tr.* to initial.

significare *v.tr.* to mean*.
significativo *agg.* **1** significant, meaningful **2** (*importante*) important.
significato *s.m.* **1** meaning, sense **2** (*importanza*) significance, importance.
signora *s.f.* **1** lady **2** (*con cognome o nome*) Mrs; (*vocativo*) Madam, *pl.* ladies | *il signor Rossi e* –, Mr and Mrs Rossi.
signore *s.m.* **1** gentleman*; man; (*uomo ricco*) lord | *vivere da* –, to live like a lord **2** (*con cognome o nome*) Mr; (*vocativo*) Sir, *pl.* gentlemen: *i signori Smith*, (*coniugi*) Mr and Mrs Smith | *Signor Presidente*, Mr President; *caro* –, dear Sir; *egregi signori*, Dear Sirs, (*amer.*) Gentlemen; *signore e signori*, Ladies and Gentlemen **3** (*Dio*) God; Lord.
signorile *agg.* elegant; (*di lusso*) luxury (*attr.*).
signorina *s.f.* **1** young lady; (*ragazza*) girl **2** (*con cognome o nome*) Miss; (*vocativo*) Madam, Miss **3** (*donna nubile*) unmarried woman; single girl | *nome da* –, maiden name.
silenziatore *s.m.* silencer.
silenzio *s.m.* silence; (*mil.*) lights-out | – *stampa*, news blackout | *passare sotto* –, to pass over in silence.
silenzioso *agg.* silent; (*tranquillo*) quiet.
sillaba *s.f.* syllable | *non cambiare una* –, not to change a word.
silurare *v.tr.* **1** (*mil.*) to torpedo **2** (*licenziare*) to oust.
siluro *s.m.* (*mil.*) torpedo*.
simboleggiare *v.tr.* to symbolize.
simbolo *s.m.* symbol.
similare *agg.* similar.
simile *agg.* **1** (*somigliante*) like (*s.o., sthg.*), similar; alike (*pred.*) **2** (*tale*) such ♦ *s.m.* fellow creature, fellow man.
similmente *avv.* (*allo stesso modo*) the same, likewise; (*in modo simile*) in a similar way, similarly.
simmetria *s.f.* symmetry.
simmetrico *agg.* symmetric(al).
simpatia *s.f.* liking; (*attrazione*) attraction | *accattivarsi la* – *di*, to win (*s.o.*) over | *avere una* – *per*, to have a soft spot for | *andare a simpatie*, to be partial.
simpatico *agg.* nice; (*amabile*) likeable; (*piacevole*) pleasant, agreeable; (*di modi*) winning, attractive | *trovare* – *qlcu.*, to take to s.o.; *riuscire* – *a*, to be liked by.
simpatizzante *s.m./f.* sympathizer.
simpatizzare *v.intr.* to take* a liking (*to*).
simulare *v.tr.* to feign, to sham; (*tecn.*) to simulate.
simultaneo *agg.* simultaneous.
sinagoga *s.f.* synagogue.
sincerarsi *v.pron.* to make* sure.
sincerità *s.f.* sincerity.
sincero *agg.* **1** sincere | *a essere* –..., to be honest... **2** (*vero, genuino*) real, true, genuine.
sincronizzare *v.tr.*, **sincronizzarsi** *v. pron.* to synchronize.
sindacalista *s.m./f.* trade unionist.
sindacato *s.m.* **1** trade union; (*amer.*) labor union **2** (*di azionisti*) pool, trust, syndicate, cartel.
sindaco *s.m.* **1** mayor **2** (*di azienda*) auditor.
sinfonia *s.f.* symphony.
sinfonico *agg.* symphonic; symphony.
singhiozzare *v.intr.* to sob.
singhiozzo *s.m.* **1** hiccup(s), hiccough | *a* –, *a singhiozzi*, by fits and

starts **2** (*di pianto*) sob: *scoppiare in singhiozzi*, to burst out sobbing.
singolare *agg.* **1** singular **2** (*strano*) singular, peculiar, strange, unusual; (*bizzarro*) odd, queer; quaint ♦ *s.m.* **1** (*gramm.*) singular **2** (*tennis*) singles (*pl. invar.*).
singolo *agg.* single ♦ *s.m.* **1** (*individuo*) individual **2** (*tennis*) singles (*pl. invar.*).
sinistra *s.f.* left; (*mano*) left (hand) | *uomo di* –, leftist.
sinistrato *agg.* damaged: *area sinistrata*, disaster area.
sinistro *agg.* **1** left: *lato* –, left-hand side **2** (*minaccioso*) sinister ♦ *s.m.* accident; disaster.
sinonimo *s.m.* synonym.
sintassi *s.f.* syntax.
sintesi *s.f.* synthesis | *in* –, in short, in brief, briefly.
sintetico *agg.* **1** synthetic **2** (*fig.*) concise.
sintetizzare *v.tr.* to synthesize.
sintomatico *agg.* symptomatic; (*fig.*) indicative, significant.
sintomo *s.m.* symptom.
sintonia *s.f.* syntony, tuning | *in* –, tuned; *fuori* –, out of tune.
sintonizzatore *s.m.* tuner.
sinuoso *agg.* sinuous, winding.
sionista *s.m./f.* Zionist.
sipario *s.m.* curtain.
sirena *s.f.* (*apparecchiatura*) siren.
Siria *no.pr.f.* Syria.
siriano *agg., s.m.* Syrian.
siringa *s.f.* syringe.
sisma *s.m.* seism, (earth)quake.
sismico *agg.* seismic.
sistema *s.m.* system | – *di lavoro*, work method; – *di vita*, way of life.
sistemare *v.tr.* **1** (*riordinare*) to arrange, to put* in order | *ti sistemo io!*, I'll sort you out! **2** (*risolvere*) to settle **3** (*collocare*) to place, to put* **4** (*alloggiare*) to accommodate, to put* (*s.o.*) up **5** (*trovare un lavoro a*) to find* a job ♦ **~rsi** *v.pron.* **1** to settle (down) **2** (*trovar lavoro*) to find* a job.
sistematico *agg.* systematic; (*metodico*) methodical.
sistemazione *s.f.* **1** (*disposizione*) arrangement; (*collocazione*) placing; installation **2** (*alloggio*) accommodation; (*amer.*) accomodations **3** (*lavoro*) job.
situato *agg.* placed, sited, situated.
situazione *s.f.* situation.
slacciare *v.tr.* to undo*, to untie; (*sbottonare*) to unbutton; (*le scarpe*) to unlace ♦ **~rsi** *v.pron.* to come* undone, untied, unbuttoned.
slanciarsi *v.pron.* to hurl oneself, to throw* oneself.
slanciato *agg.* slim, slender.
slancio *s.m.* leap; rush | *agire di* –, to act on impulse.
slavato *agg.* (*di colore*) washed out, faded; (*di colorito*) pale.
slavina *s.f.* snowslide.
slavo *agg., s.m.* Slav.
sleale *agg.* disloyal; (*scorretto*) unfair.
slegare *v.tr.* to untie, to undo* ♦ **~rsi** *v.pron.* to untie oneself; (*di cosa*) to come* untied.
slip *s.m.* **1** (under)pants, briefs (*pl.*) **2** (*da bagno*) bathing trunks (*pl.*); (*da donna*) bikini bottom.
slitta *s.f.* sleigh, sledge.
slittare *v.intr.* **1** to slide, to slip; (*di veicoli*) to skid **2** (*essere rinviato*) to be postponed, to be put off.

slittino *s.m.* sledge; (*amer.*) sled.
slogare *v.tr.*, **slogarsi** *v.pron.* to dislocate.
sloggiare *v.tr.* to dislodge ♦ *v.intr.* to clear out | *sloggia!*, push off!
smacchiare *v.tr.* to remove stains (*from*).
smacchiatore *s.m.* stain-remover: – *a secco*, dry cleaner.
smacco *s.m.* blow, knock.
smagliante *agg.* dazzling.
smagliarsi *v.pron.* to ladder, to run*.
smagliatura *s.f.* ladder, run; (*della cute*) stretch mark.
smaliziato *agg.* shrewd, astute.
smaltato *agg.* enamelled; (*di ceramica*) glazed.
smaltire *v.tr.* **1** (*digerire*) to digest | – *la sbornia*, to get over a hangover **2** (*rifiuti*) to dispose (*of*) **3** (*merce*) to sell* off **4** (*sbrigare*) to deal* with.
smalto *s.m.* **1** enamel; (*per unghie*) nail polish, nail varnish **2** (*di ceramica*) glaze.
smanioso *agg.* eager, longing (*for*).
smantellare *v.tr.* to dismantle; to demolish.
smarrimento *s.m.* **1** loss **2** (*fig.*) bewilderment; confusion.
smarrire *v.tr.* to lose*; (*spec. temporaneamente*) to mislay* ♦ **~rsi** *v.pron.* to get* lost; to lose* one's way.
smarrito *agg.* (*fig.*) bewildered; confused.
smascherare *v.tr.* to unmask.
smembrare *v.tr.* to dismember; (*dividere*) to split.
smemorato *agg.* forgetful, absent-minded.
smentire *v.tr.* **1** to give* the lie to, to belie; (*ritrattare*) to deny; (*una testimonianza*) to refute **2** (*qlcu.*) to prove (*s.o.*) wrong ♦ **~rsi** *v.pron.* to contradict oneself.
smentita *s.f.* denial; (*di testimonianza*) refutation.
smeraldo *s.m.* emerald.
smerciabile *agg.* marketable.
smerciare *v.tr.* to sell*.
smercio *s.m.* sale: *avere molto* –, to sell well.
smerigliato *agg.* emery | *vetro* –, frosted glass.
smesso *agg.* (*di indumento*) cast-off.
smettere *v.tr./intr.* to stop (*sthg.*, *doing*); (*rinunciare*) to give* up (*sthg.*, *doing*).
smidollato *agg.* spineless.
smilitarizzare *v.tr.* to demilitarize.
sminuire *v.tr.* to diminish, to belittle.
sminuzzare *v.tr.*, **sminuzzarsi** *v.pron.* to crumble.
smisurato *agg.* unbounded.
smodato *agg.* excessive.
smoking *s.m.* dinner jacket; (*amer.*) tuxedo.
smontare *v.tr.* **1** to disassemble, to dismantle; (*un pezzo da un tutto*) to remove **2** (*fig.*) (*scoraggiare*) to discourage; (*demolire*) to demolish ♦ *v.intr.* **1** → *scendere* 2 **2** (*dal servizio*) to go off ♦ **~rsi** *v.pron.* (*scoraggiarsi*) to lose* heart.
smorfia *s.f.* grimace.
smorto *agg.* (*pallido*) pale, wan; (*di colore*) dull.
smorzare *v.tr.* (*luce*) to dim; (*colori*) to tone down; (*suoni*) to deaden, to muffle; (*entusiasmo*) to damp(en) ♦ **~rsi** *v.pron.* (*di passioni ecc.*) to be appeased, to fade.
smottamento *s.m.* landslide, landslip.

smunto → *smorto*.
smuovere *v.tr.* 1 to shift, to move 2 (*scuotere*) to stir 3 (*dissuadere*) to deter, to dissuade ♦ **-rsi** *v.pron.* to shift, to move.
smussare *v.tr.* to round off, to smooth down; (*lama*) to blunt; (*fig.*) to soften, to smooth.
snellire *v.tr.* 1 to make* slim 2 (*fig.*) to simplify; (*accelerare*) to speed up ♦ **-rsi** *v.pron.* to get* slim.
snello *agg.* slender, slim.
snervante *agg.* enervating; (*estenuante*) exhausting.
snervato *agg.* worn out.
snobbare *v.tr.* to snob.
snobismo *s.m.* snobbery.
snobistico *agg.* snobbish, snobby.
snodato *agg.* 1 supple 2 (*articolato*) jointed.
snodo *s.m.* 1 (*mecc.*) joint 2 (*svincolo*) junction.
sobbalzare *v.intr.* 1 to jolt, to bump 2 (*trasalire*) to start, to jump.
sobbalzo *s.m.* 1 jolt, bump 2 (*sussulto*) start, jump.
sobborgo *s.m.* suburb.
sobillare *v.tr.* to stir up.
sobrio *agg.* sober; moderate.
socchiuso *agg.* half-closed; half-open; (*di porta ecc.*) ajar.
soccorrere *v.tr.* to help.
soccorritore *s.m.* rescuer.
soccorso *s.m.* help, assistance; (*salvataggio*) rescue | – *stradale*, breakdown service | *pronto* –, first aid, (*di ospedale*) casualty (ward).
sociale *agg.* 1 social 2 (*comm.*) company | *sede* –, head office.
socialismo *s.m.* Socialism.
socialista *agg., s.m./f.* Socialist.
socializzare *v.intr.* to socialize.
società *s.f.* 1 society 2 (*comm.*) company; (*amer.*) corporation.
socievole *agg.* sociable.
socio *s.m.* 1 member 2 (*comm.*) partner, associate | *assemblea dei soci*, company meeting.
soda *s.f* (*bevanda*) soda (water).
soddisfacente *agg.* satisfactory.
soddisfare *v.tr.* 1 to satisfy 2 (*adempiere*) to fulfil, to meet*.
soddisfatto *agg.* satisfied (*with*).
soddisfazione *s.f.* satisfaction; (*contentezza*) happyness.
sodio *s.m.* sodium.
sodo *agg.* firm; (*duro*) hard | *venire al* –, to come to the point ♦ *avv.* hard.
sofferente *agg.* suffering (*from*); (*che esprime sofferenza*) painstricken.
sofferenza *s.f.* suffering, pain.
sofferto *agg.* hard-fought; difficult.
soffiare *v.intr./tr.* to blow* (*sthg.*) 2 (*fam., portar via*) to steal*; to pinch 3 (*a dama, scacchi*) to huff.
soffiata *s.f.* (*fam., spiata*) tip-off.
soffice *agg.* soft.
soffio *s.m.* (*di aria*) breath, (*violento*) blast, gust; (*di fumo*) puff | *d'un* –, by a hair's breadth | *in un* – , in an instant; (*sottovoce*) in a whisper
soffitta *s.f.* attic, loft.
soffitto *s.m.* ceiling.
soffocamento *s.m.* suffocation.
soffocare *v.tr./intr.* 1 to choke, to suffocate 2 (*fig.*) to stifle ♦ **-rsi** *v.pron.* to choke (*on*).
soffriggere *v.tr./intr.* to sauté, to brown.
soffrire *v.tr./intr.* 1 to suffer (*from*) 2 (*sopportare*) to bear*, to stand* 3 (*essere sensibile a*) to be sensitive to, to suffer from.

soffuso *agg.* suffused (*with*).
sofisticato *agg.* **1** (*adulterato*) adulterated **2** (*raffinato*) sophisticated.
sofisticazione *s.f.* (*di cibi ecc.*) adulteration.
soggettista *s.m./f.* scriptwriter.
soggettivo *agg.* subjective.
soggetto *agg.*, *s.m.* subject.
soggezione *s.f.* **1** (*sottomissione*) subjection **2** (*timore*) awe, respect.
sogghignare *v.intr.* to sneer.
sogghigno *s.m.* sneer.
soggiornare *v.intr.* to stay.
soggiorno *s.m.* **1** stay | *permesso di* –, residence permit **2** (*stanza*) living room.
soglia *s.f.* threshold.
sogliola *s.f.* sole.
sognante *agg.* dreamy.
sognare *v.tr./intr.* to dream*.
sogno *s.m.* dream | *neanche per –!*, not on your life!
soia *s.f.* soya: *germogli di* –, soya shoots; *salsa di* –, soy sauce.
sol *s.m.* (*mus.*) G, sol.
solaio *s.m.* **1** (*soffitta*) attic, loft **2** (*soletta*) floor.
solamente → *solo.*
solare *agg.* solar; sun; (*fig.*) sunny.
solco *s.m.* furrow; (*di ruota*) rut.
soldato *s.m.* soldier: – *semplice*, private.
soldo *s.m.* **1** penny*, (*amer.*) cent: *non ho un* –, I haven't got a penny **2** *pl.* (*denaro*) money [U]: *far soldi*, to make money.
sole *s.m.* **1** sun: *in pieno* – , in bright sunshine; *al* –, in the sun | *occhiali da* –, sunglasses | *prendere il* –, to sunbathe.
soleggiato *agg.* sunny.
solenne *agg.* solemn.
solennità *s.f.* **1** solemnity **2** (*festività*) holiday, feast day.
soletta *s.f.* **1** (*di calza*) (stocking) sole **2** (*di scarpa*) insole.
solidarietà *s.f.* solidarity.
solidificare *v.tr.*, **solidificarsi** *v.pron.* to solidify.
solido *agg.* **1** solid; (*stabile*) stable; (*di colori*) fast **2** (*fig.*) sound; (*degno di fiducia*) reliable.
solista *s.m./f.* soloist ♦ *agg.* solo.
solitamente *avv.* usually, generally.
solitario *agg.* solitary; lonely ♦ *s.m.* **1** (*brillante*) solitaire **2** (*gioco*) patience.
solito *agg.* usual | *come al* –, as usual | *di* –, usually.
solitudine *s.f.* loneliness; (*tranquillità*) solitude | *in* –, in solitude.
sollecitare *v.tr.* to press (*for*).
sollecito[1] *agg.* **1** (*pronto*) prompt **2** (*premuroso*) solicitous (*about*).
sollecito[2] *s.m.* (*comm.*) reminder: *lettera di* –, reminder, (*per pagamento*) dunning letter | – *di pagamento*, request for payment | *inviare un* –, to solicit.
sollecitudine *s.f.* **1** promptness **2** (*interessamento*) concern; (*premura*) attention.
solleone *s.m.* blistering sun.
solletico *s.m.* tickle: *fare il* –, to tickle; *soffrire il* –, to be ticklish.
sollevare *v.tr.* **1** to raise; to lift **2** (*recare sollievo*) to relieve; (*confortare*) to comfort | – *dubbi*, to raise doubts ♦ **~rsi** *v.pron.* to rise* (*anche fig.*).
sollevazione *s.f.* rising, revolt.
sollievo *s.m.* relief; (*conforto*) comfort.
solo *agg.* **1** alone (*pred.*); (*solitario*) lonely | *al* – *pensarci*, *al* – *pensiero*, just to think of it **2** (*unico*) only | *una sola volta*, just once **3** (*esclusivo*) sole ♦ *avv.*

only | *non* –... , *ma*..., not only..., but...
solo che *cong.* **1** (*ma*) only, but **2** (*purché*) if only.
soltanto → *solo.*
solubile *agg.* soluble.
soluzione *s.f.* solution.
solvente *agg., s.m.* solvent.
solvibilità *s.f.* (*comm.*) solvency.
somaro *s.m.* donkey, ass.
somigliante *agg.* alike (*pred.*), like (*s.o., sthg.*).
somiglianza *s.f.* likeness, resemblance: *stretta, vaga* –, close, vague resemblance.
somigliare *v.intr.* to be like (*s.o., sthg.*), to resemble (*s.o., sthg.*).
somma *s.f.* **1** (*totale di un'addizione*) sum, total; (*l'operazione*) addition **2** (*di denaro*) sum of money, amount of money.
sommare *v.tr.* to add; (*totalizzare*) to add up ♦ *v.intr.* to amount (*to*).
sommario *s.m.* summary.
sommergere *v.tr.* to submerge.
sommergibile *s.m.* submarine.
sommerso *agg.* submerged | *economia sommersa*, black (*o* shadow) economy; *lavoro* –, black labour force.
sommesso *agg.* (*di suoni*) soft, low.
somministrare *v.tr.* to administer, to give*.
sommità *s.f.* top, summit.
sommo *agg.* highest; supreme; very great ♦ *s.m.* peak, height.
sommossa *s.f.* rising, revolt.
sommozzatore *s.m.* **1** (*con autorespiratore*) scuba diver; (*uomo rana*) frogman* **2** (*senza autorespiratore*) skin diver, free diver.
sonda *s.f.* probe; (*tecn.*) drill; (*scandaglio*) sounding line | – *spaziale*, space probe; *pallone* –, sounding balloon.
sondaggio *s.m.* survey, poll: – *d'opinione*, opinion poll.
sondare *v.tr.* to sound.
sonnambulo *s.m.* sleepwalker.
sonnecchiare *v.intr.* to doze.
sonnellino *s.m.* nap, doze.
sonnifero *s.m.* sleeping draught; (*pillola*) sleeping pill.
sonno *s.m.* sleep | *morire, cascare dal* –, to be ready to drop with sleep.
sonnolenza *s.f.* drowsiness, sleepiness.
sonoro *agg.* **1** resonant, sonorous **2** (*relativo al suono*) sound: *effetti sonori*, sound effects; *colonna sonora*, soundtrack ♦ *s.m.* **1** (*audio*) sound **2** (*cinema sonoro*) talking picture, talkie.
sontuoso *agg.* sumptuous, luxurious.
soppesare *v.tr.* **1** to weigh in one's hand **2** (*fig.*) to weigh up.
soppiantare *v.tr.* to supplant, to oust.
soppiatto, di *avv.* stealthily.
sopportabile *agg.* bearable, tolerable.
sopportare *v.tr.* **1** (*sorreggere*) to support **2** (*tollerare*) to bear*, to stand* (*sthg., doing*).
sopportazione *s.f.* endurance; (*pazienza*) patience; (*tolleranza*) tolerance.
sopprimere *v.tr.* **1** (*rivolta ecc.*) to suppress **2** (*abolire*) to cancel **3** (*uccidere*) to kill; (*un animale*) to put* down.
sopra *prep.* (*con contatto*) on, upon; (*senza contatto*) over; (*al di sopra di*) above; (*a nord di*) north (of) | – *i cinque anni*, over five ♦ *avv.* **1** on: *lì* –, over there, (*in alto*) up there **2** (*in precedenza*) above: *vedi* –, see above; *come* –, as above; *quanto* –, the above | *la riga* –, the line above **3** (*al piano di sopra*) upstairs ♦ *s.m.* top.
soprabito *s.m.* overcoat.

sopracciglio *s.m.* eyebrow.
sopraddetto *agg.* above-mentioned.
sopraffare *v.tr.* to overwhelm, to overcome*.
sopraffazione *s.f.* overwhelming; (*sopruso*) abuse.
sopraggiungere *v.intr.* to come* unexpectedly, to turn up.
sopralluogo *s.m.* inspection, survey; (*dir.*) on-the-spot investigation.
soprannaturale *agg., s.m.* supernatural.
soprannome *s.m.* nickname.
soprannominare *v.tr.* to nickname.
soprannumero *s.m.* excess, surplus.
soprappensiero *avv.* **1** lost in thought **2** (*distrattamente*) absent -mindedly.
soprassalto *s.m.* start, jump | *di* –, with a start.
soprassedere *v.intr.* to put* off (*sthg.*), to postpone (*sthg.*).
soprattassa *s.f.* surtax; (*per lettere*) surcharge.
soprattutto *avv.* above all; (*particolarmente*) particularly, especially.
sopravvalutare *v.tr.* to overrate, to overestimate.
sopravvenire *v.intr.* to come* up, to turn up; (*fam.*) to crop up.
sopravvento *s.m.*: *avere, prendere il – su qlcu.*, to get the upper hand of s.o.
sopravvissuto *agg.* surviving ♦ *s.m.* survivor.
sopravvivenza *s.f.* survival.
sopravvivere *v.intr.* to survive (*s.o., sthg.*); (*vivere più a lungo*) to outlive (*s.o.*).
soprintendente *s.m.* superintendent; (*di musei ecc.*) curator.
sopruso *s.m.* abuse of power.
soqquadro *s.m.*: *mettere a – qlco.*, to make a shambles of sthg.
sorbetto *s.m.* sorbet; (*amer.*) sherbet.
sorbire *v.tr.* **1** to sip **2** (*sopportare*) to put* up with (*s.o., sthg.*).
sordido *agg.* sordid.
sordità *s.f.* deafness.
sordo *agg.* deaf | *dolore* –, dull pain ♦ *s.m.* deaf person.
sordomuto *agg.* deaf-and-dumb ♦ *s.m.* deaf-mute.
sorella *s.f.* sister.
sorgente *s.f.* spring; (*punto di origine*) source.
sorgere *v.intr.* **1** (*di astro*) to rise* **2** (*levarsi*) to stand*, to rise* **3** (*scaturire*) to arise*.
sorpassare *v.tr.* to go* beyond; to exceed; (*un veicolo*) to overtake*, to pass.
sorpassato *agg.* old-fashioned, out-of-date.
sorpasso *s.m.* (*di veicolo*) overtaking, passing: *divieto di* –, no overtaking.
sorprendente *agg.* astonishing.
sorprendere *v.tr.* **1** (*cogliere*) to catch* **2** (*meravigliare*) to surprise.
sorpresa *s.f.* surprise: *con mia grande* –, to my great surprise | *di* –, by surprise.
sorreggere *v.tr.* to support.
sorridere *v.intr.* **1** to smile **2** (*riuscire gradito*) to appeal.
sorriso *s.m.* smile: *fare un – a qlcu.*, to give s.o. a smile.
sorsata *s.f.* draught.
sorseggiare *v.tr.* to sip.
sorso *s.m.* sip; (*sorsata*) draught.
sorta *s.f.* kind, sort.
sorte *s.f.* destiny, fate, fortune | *estrarre, tirare a – qlco.*, to draw, to cast lots for sthg.

sorteggiare *v.tr.* to draw* lots for (*sthg.*), to draw* (*sthg.*) by lot.
sorteggio *s.m.* draw.
sortilegio *s.m.* (*incantesimo*) spell.
sorvegliante *s.m./ f.* overseer; (*guardiano*) caretaker, watchman*.
sorveglianza *s.f.* supervision, surveillance; (*vigilanza*) watch.
sorvegliare *v.tr.* **1** (*sovrintendere*) to oversee* **2** (*tener d'occhio*) to watch, to look after.
sorvolare *v.tr./intr.* **1** to fly* (*over*) **2** (*fig.*) to skip, to omit, to pass over | *sorvoliamo!*, let's drop it!
sosia *s.m./f.* double.
sospendere *v.tr.* to suspend.
sospensione *s.f.* suspension | – *della patente*, confiscation of the driving licence | – *del servizio*, interruption of service.
sospeso *s.m.* (*conto*) outstanding payment, unpaid bill; (*pratica*) outstanding business.
sospeso, in *agg.* outstanding; pending.
sospettare *v.tr., intr.* to suspect.
sospetto[1] *agg.* **1** (*poco rassicurante*) suspicious **2** (*discutibile*) suspect **3** (*di cui si teme l'esistenza*) suspected ♦ *s.m.* (*persona*) suspect.
sospetto[2] *s.m.* suspicion: *avere il – che...*, to have a suspicion that...
sospettoso *agg.* suspicious, distrustful.
sospirare *v.intr.* to sigh (*with*) ♦ *v.tr.* to long (*for*).
sospiro *s.m.* sigh.
sosta *s.f.* (*fermata*) stop, halt; (*pausa*) pause; (*intervallo*) break, interval | *senza* –, nonstop, incessantly.
sostantivo *s.m.* noun.
sostanza *s.f.* **1** substance **2** (*spec. pl.*) property, substance, wealth.
sostanzialmente *avv.* substantially, essentially.
sostanzioso *agg.* substantial, nourishing.
sostare *v.intr.* to stop; (*fare una pausa*) to pause.
sostegno *s.m.* support.
sostenere *v.tr.* **1** (*sorreggere*) to support, to hold* up **2** (*dare appoggio*) to support, to uphold*; to back (up) **3** (*asserire*) to maintain, to assert **4** (*resistere*) to resist; to withstand* **5** (*sopportare*) to bear*, to stand*.
sostenibile *agg.* (*di idea*) tenable.
sostenitore *s.m.* supporter, backer.
sostentamento *s.m.* maintenance | *mezzi di* –, means of support.
sostenuto *agg.* **1** (*di persona*) standoffish, stiff **2** (*elevato*) high; fast | *prezzi sostenuti*, steady prices.
sostituire *v.tr.* to replace ♦ **~rsi** *v.pron.* to take* s.o.'s place.
sostitutivo *agg.* substitute.
sostituto *s.m.* substitute, deputy.
sostituzione *s.f.* substitution, replacement: *in – di*, in place of, as a substitute for.
sottaceti *s.m.pl.* pickle.
sottaceto *agg.* pickled.
sottana *s.f.* skirt.
sotterfugio *s.m.* subterfuge.
sotterraneo *agg.* underground.
sotterrare *v.tr.* to bury.
sottile *agg.* **1** thin; fine; (*magro*) slender, slim **2** (*fig.*) subtle | *guardare per il* –, to split hairs.
sottintendere *v.tr.* to imply: *lasciar* –, to let* understand.
sottinteso *agg.* understood; (*implicito*) implied ♦ *s.m.* allusion.
sotto *prep.* **1** under (*anche fig.*), be-

neath; (*più in basso di*) below **2** *al di – di*, under; below **3** (*vicino*) near; close to: – *Pasqua*, near Easter ♦ *avv.* down; under; below; (*al piano di sotto*) downstairs: *qui, lì* –, under here, there | *sono – di 100 milioni*, I am 100 million short | *la riga* –, the line below ♦ *s.m.* bottom.
sotto- *pref.* under-, sub-.
sottobanco *avv.* under-the-counter.
sottobraccio *avv.* arm in arm.
sottoccupazione *s.f.* (*econ.*) underemployment.
sottocosto *avv., agg.* below cost.
sottofondo *s.m.* background: – *musicale*, background music.
sottolineare *v.tr.* to underline.
sottomano *avv.* at hand, to hand.
sottomarino *agg.* underwater ♦ *s.m.* submarine.
sottomettere *v.tr.* to subdue, to subjugate ♦ **~rsi** *v.pron.* to submit.
sottopassaggio *s.m.* subway, underpass.
sottoporre *v.tr.* **1** (*costringere*) to subject **2** (*presentare*) to submit ♦ **~rsi** *v.pron.* to submit; (*a qlco.*) to undergo*.
sottoprodotto *s.m.* by-product.
sottoscritto *s.m.* undersigned.
sottoscrivere *v.tr.* (*firmare*) to sign; (*approvare*) to agree with, to approve of: – *un abbonamento a una rivista*, to subscribe to a magazine.
sottoscrizione *s.f.* **1** (*firma*) signing **2** (*raccolta*) subscription.
sottosegretario *s.m.* undersecretary.
sottosopra *avv.* **1** upside down **2** (*sconvolto*) upset.
sottostante *agg.* below (*pred.*).
sottosuolo *s.m.* subsoil.
sottosviluppato *agg.* underdeveloped.
sottoterra *avv.* underground.
sottotitolo *s.m.* subtitle.
sottovalutare *v.tr.* to underestimate.
sottoveste *s.f.* petticoat, slip; (*a vita*) half-slip.
sottovoce *avv.* in a low voice.
sottovuoto *agg., avv.* vacuum-packed.
sottrarre *v.tr.* **1** (*mat.*) to subtract **2** (*portar via*) to take* away, to remove; (*rubare*) to steal* **3** (*salvare*) to rescue ♦ **~rsi** *v.pron.* to escape (*from*); (*a dovere ecc.*) to shirk (*sthg.*).
sottrazione *s.f.* **1** removal; (*furto*) theft **2** (*mat.*) subtraction.
sottufficiale *s.m.* non-commissioned officer; (*mar.*) petty officer.
sovra- *pref.* over-, super-.
sovrabbondante *agg.* overabundant.
sovraccarico *agg.* overloaded (*with*); overburdened (*with*) ♦ *s.m.* overload.
sovraffollamento *s.m.* overcrowding.
sovraffollato *agg.* overcrowded; packed (*with*).
sovranità *s.f.* sovereignty.
sovrano *agg., s.m.* sovereign.
sovrapporre *v.tr.* to place one on top of the another.
sovrapprezzo *s.m.* surcharge, extra charge.
sovrastante *agg.* overhanging.
sovrastruttura *s.f.* superstructure.
sovreccitato *agg.* overexcited.
sovrumano *agg.* superhuman.
sovvenzionare *v.tr.* to subsidize; (*finanziare*) to finance.
sovvenzione *s.f.* subsidy.
sovversivo *agg., s.m.* subversive.
sovvertire *v.tr.* to subvert; to overturn.
spaccare *v.tr.*, **spaccarsi** *v.pron.* to split*; (*rompere*) to break*.
spaccatura *s.f.* split; (*fessura*) crack.
spacciare *v.tr.* **1** to traffic (*in*) | – *dro-*

ga, to push drugs **2** (*notizie*) to spread* **3** (*far credere*) to pass (*sthg.*) off (*as*) ♦ **-rsi** *v.pron.* to pretend to be, to pass oneself off as.
spacciato *agg.* done for.
spacciatore *s.m.*(*di droga*) pusher, peddler.
spaccio *s.m.* **1** trafficking **2** (*negozio*) shop; (*aziendale*) company store.
spacco *s.m.* split, crack; (*strappo*) tear; (*di gonna*) slit.
spaccone *s.m.* boaster, braggart.
spada *s.f.* sword.
spaesato *agg.* disorientated, lost.
Spagna *no.pr.f.* Spain.
spagnolo *agg.* Spanish ♦ *s.m.* **1** (*abitante*) Spaniard **2** (*lingua*) Spanish.
spago *s.m.* string, twine.
spaiato *agg.* odd, unmatched.
spalancare *v.tr.* to open wide, to throw* open ♦ **-rsi** *v.pron.* to burst* open.
spalancato *agg.* wide open.
spalla *s.f.* **1** shoulder **2** (*teatr.*, *cinem.*) stooge.
spalleggiare *v.tr.* to back (up), to support.
spalliera *s.f.* **1** (*di sedia ecc.*) back **2** (*del letto*) head(board); (*ai piedi*) foot(board).
spallina *s.f.* **1** (*mil.*) epaulet(te) **2** (*di indumento*) (shoulder) strap; (*imbottitura*) shoulder pad.
spalmare *v.tr.* to spread*.
spandere *v.tr.* to spread*; (*versare*) to shed*.
sparare *v.tr.,intr.* to shoot*, to fire.
sparatoria *s.f.* gunfight, shoot-out.
sparecchiare *v.tr.* to clear (the table).
spareggio *s.m.* **1** play-off; (*tennis*) deciding set; (*a carte*) rubber game **2** (*econ.*) unbalance; deficit.
spargere *v.tr.* **1** to scatter; (*sale ecc.*) to sprinkle | – *lacrime*, to shed tears **2** (*notizie ecc.*) to spread*.
sparire *v.intr.* to disappear.
sparizione *s.f.* disappearance.
sparo *s.m.* shot.
sparpagliare *v.tr.*, **sparpagliarsi** *v. pron.* to scatter.
sparso *agg.* **1** scattered **2** (*versato*) shed **3** (*sciolto*) loose.
spartire *v.tr.* to share out.
spartito *s.m.* (*mus.*) score.
spartitraffico *s.m.* central reservation; (*amer.*) median strip.
spartizione *s.f.* sharing out.
sparuto *agg.* (*esiguo*) small.
spasimo, **spasmo** *s.m.* spasm, pang.
spassionato *agg.* dispassionate.
spasso *s.m.* amusement, fun | *andare a* –, to go for a walk | *essere a* –, (*disoccupato*) to be out of work.
spassoso *agg.* funny, amusing.
spaurito *agg.* frightened.
spavaldo *agg.* bold, arrogant.
spaventapasseri *s.m.* scarecrow.
spaventare *v.tr.* to frighten, to scare ♦ **-rsi** *v.pron.* to get* frightened, to get* scared.
spavento *s.m.* fright, fear.
spaventoso *agg.* dreadful, frightful.
spazientirsi *v.pron.* to lose* one's patience.
spazientito *agg.* irritated.
spazio *s.m.* space; (*posto*) room | – *di frenata*, braking-distance.
spazioso *agg.* spacious, roomy; (*ampio*) wide, broad.
spazzaneve *s.m.* snowplough; (*amer.*) snowplow.
spazzare *v.tr.* to sweep*.

spazzatura *s.f.* rubbish, (*amer.*) garbage.
spazzino *s.m.* road sweeper; dustman*.
spazzola *s.f.* **1** brush | *capelli a –*, crew cut **2** (*di tergicristallo*) blade.
spazzolare *v.tr.* to brush.
spazzolata *s.f.* brush.
spazzolino *s.m.* brush: – *da denti*, toothbrush; – *da unghie*, nailbrush.
speaker *s.m./f.* (*rad.*, *tv*) announcer; (*di sport*) commentator.
specchiarsi *v.pron.* **1** to look at oneself in the mirror **2** (*riflettersi*) to be reflected, to be mirrored.
specchio *s.m.* mirror.
speciale *agg.* special; (*particolare*) particular.
specialista *s.m./f.* specialist.
specialità *s.f.* speciality, (*amer.*) specialty.
specializzare *v.tr.*, **specializzarsi** *v. pron.* to specialize.
specialmente *avv.* especially.
specie *s.f.* kind, sort.
specificare *v.tr.* to specify, to state.
specifico *agg.* specific.
speculare *v.intr.* to speculate.
speculatore *s.m.* speculator.
speculazione *s.f.* speculation.
spedire *v.tr.* to send*: – *per posta*, to post, to mail.
spedizione *s.f.* **1** sending | *casa di spedizioni*, forwarding agency | *ricevuta di –*, consignment receipt | *spese di –*, forwarding charges **2** (*scientifica, militare*) expedition.
spedizioniere *s.m.* (*via terra*) forwarding agent; (*mar.*, *aer.*) shipping agent, freight agent.
spegnere *v.tr.* **1** to put* out, to extinguish **2** (*luce, radio ecc.*) to turn off, to switch off **3** (*fig.*) to stifle ♦ **~rsi** *v.pron.* **1** (*di luce, fuoco*) to go* out; (*di motore*) to cut* out **2** (*fig.*) to die down, to fade away **3** (*morire*) to pass away.
spellare *v.tr.* to skin ♦ **~rsi** *v.pron.* to peel.
spendere *v.tr.* to spend*.
spensierato *agg.* carefree, lighthearted.
spento *agg.* **1** out (*pred.*); (*di apparecchi*) off (*pred.*) **2** (*fig.*) dull, lifeless.
speranza *s.f.* hope.
speranzoso *agg.* hopeful, full of hope.
sperare *v.tr./intr.* **1** to hope (*for*) **2** (*aspettarsi*) to expect.
sperduto *agg.* (*di luogo*) secluded, out-of-the-way; (*di persona*) lost.
spergiuro *s.m.* perjury.
spericolato *agg.* daring, reckless.
sperimentale *agg.* experimental.
sperimentare *v.tr.* to test.
sperimentazione *s.f.* experimentation, testing.
sperperare *v.tr.* to squander.
sperpero *s.m.* squandering, waste.
spesa *s.f.* **1** expense, expenditure; (*costo*) cost: – *pubblica*, public expenditure | *a proprie spese*, at one's own expense, (*fig.*) to one's cost | *ne ho fatto io le spese*, I paid for it **2** (*compera*) shopping: *andare a fare spese*, to go shopping **3** (*acquisto*) buy.
spesso *agg.* thick ♦ *avv.* often.
spessore *s.m.* **1** thickness **2** (*fig.*) weight, importance.
spettabile *agg.* (*comm.*): – *ditta Wilson & C.*, Messrs Wilson & Co.
spettacolare *agg.* spectacular.
spettacolo *s.m.* **1** show; (*fig.*) spec-

tacle, sight **2** (*teatr.*) performance; (*cinem.*) showing.
spettacoloso *agg.* spectacular.
spettare *v.intr.* (*per dovere*) to be (*for*), to be up (*to*); (*per diritto*) to be due.
spettatore *s.m.* **1** spectator; *pl.* (*cinem.*, *tv.*) audience (*v. al pl.*) **2** (*testimone*) onlooker, bystander.
spettegolare *v.intr.* to gossip.
spettinato *agg.* uncombed; with one's hair in a mess.
spettro *s.m.* ghost.
spezie *s.f.pl.* spices.
spezzare *v.tr.*, **spezzarsi** *v.pron.* to break*.
spezzettare *v.tr.* to break* up (into pieces).
spia *s.f.* spy | – *luminosa*, warning light.
spiacente *agg.* sorry.
spiacevole *agg.* unpleasant, disagreeable; (*increscioso*) unfortunate, regrettable.
spiaggia *s.f.* beach: – *libera*, public beach.
spianare *v.tr.* **1** (*terreno*) to level; (*edificio*) to raze (to the ground) **2** (*rendere liscio*) to smooth (*anche fig.*).
spiantato *agg.* penniless.
spiare *v.tr.* to spy (*on*).
spiata *s.f.* tip-off.
spiccare *v.tr.* (*emettere*) to issue ♦ *v. intr.* to stand* out.
spiccato *agg.* strong, striking; clear.
spicchio *s.m.* slice; (*di agrumi*) segment; (*di aglio*) clove (of garlic) | *a spicchi*, sliced.
spicciarsi *v.pron.* to hurry up.
spicciolata, alla *avv.* a few at a time.
spiccioli *s.m.pl.* change ⌨: *hai spiccioli?*, have you got any change?
spicco *s.m.*: *fare* –, to stand out | *di* –, prominent, leading.
spider *s.m./f.* (*aut.*) roadster.
spiedino *s.m.* skewer.
spiedo *s.m.* spit.
spiegamento *s.m.* deployment.
spiegare *v.tr.* **1** to explain **2** (*distendere*) to unfold, to spread* out ♦ **~rsi** *v.pron.* (*farsi capire*) to make* oneself understood | *mi sono spiegato?*, did you see what I mean?
spiegazione *s.f.* explanation.
spiegazzare *v.tr.* to crease, to wrinkle; (*carta*) to crumple (up).
spietato *agg.* pitiless, merciless.
spifferare *v.tr.* (*fam.*) to blab out.
spiga *s.f.* spike; (*di cereali*) ear.
spigato *agg.* (*tess.*) herringbone.
spigliato *agg.* confident, assured.
spigolo *s.m.* edge; (*angolo*) corner.
spilla *s.f.* pin; (*gioiello*) brooch: – *di sicurezza*, *da balia*, safety pin | – *da cravatta*, tiepin.
spillo *s.m.* pin.
spilorcio *agg.* stingy, mean ♦ *s.m.* scrooge, skinflint.
spina *s.f.* **1** thorn **2** (*lisca*) (fish)bone | *a – di pesce*, herringbone **3** (*elettr.*) plug **4** (*di botte*) spigot | *birra alla* –, draught beer **5** (*anat.*) – *dorsale*, backbone, spine.
spinaci *s.m.pl.* spinach ⌨.
spinello *s.m.*(*fam.*) joint.
spingere *v.tr.* **1** to push **2** (*condurre*) to drive*; (*indurre*) to induce; (*istigare*) to incite; (*stimolare*) to urge ♦ **~rsi** *v.pron.* to go* | *si spinse fino a fare...*, he went so far as to do...
spinoso *agg.* thorny.
spinotto *s.m.* (*mecc.*) gudgeon, piston pin; (*elettr.*) plug.
spinta *s.f.* **1** push; (*violenta*) shove,

thrust **2** (*fig.*) push, helping hand; boost.
spinterogeno *s.m.* (*aut.*) distributor.
spinto *agg.* risky, risqué.
spintonare *v.tr.* (*fam.*) to push, to shove.
spintone *s.m.* push, shove.
spionaggio *s.m.* espionage, spying | *romanzo di* –, spy novel.
spioncino *s.m.* peephole.
spiovere *v.intr.* to stop raining.
spira *s.f.* coil.
spiraglio *s.m.* **1** small opening **2** (*fig.*) gleam.
spirale *agg.*, *s.f.* **1** spiral **2** (*contraccettivo*) IUD.
spirare *v.intr.* to pass away.
spirito *s.m.* **1** spirit | *presenza di* –, presence of mind | – *di corpo*, esprit de corps **2** (*fantasma*) ghost **3** (*arguzia*) wit; (*umorismo*) humour **4** (*alcool*) alcohol, spirit.
spiritoso *agg.* witty.
spirituale *agg.* spiritual.
spiritualmente *avv.* in spirit.
splendente *agg.* bright, shining.
splendere *v.intr.* to shine*; (*scintillare*) to glitter, to sparkle.
splendido *agg.* splendid.
splendore *s.m.* splendour; (*bellezza*) beauty.
spodestare *v.tr.* (*da proprietà*) to dispossess; (*da posizione*) to oust; (*spec. pol.*) to depose.
spogliare *v.tr.* **1** (*svestire*) to undress **2** (*privare*) to strip, to deprive ♦ **~rsi** *v.pron.* **1** (*svestirsi*) to undress **2** (*privarsi*) to strip oneself; to give* up (*sthg.*).
spogliarellista *s.f.* stripper.
spogliarello *s.m.* striptease.
spogliatoio *s.m.* changing room, locker room.
spoglio[1] *agg.* (*nudo*) bare.
spoglio[2] *s.m.* (*conteggio*) counting; (*esame*) scrutiny, examination.
spola *s.f.* (*tess.*) (*navetta*) shuttle; (*rocchetto*) spool | *fare la* –, to go backward and forward; (*per lavoro*) to commute.
spoliticizzare *v.tr.* to depoliticize.
spolverare *v.tr.* to dust.
sponda *s.f.* **1** shore; (*di fiume*) bank **2** (*bordo*) edge.
sponsorizzare *v.tr.* to sponsor.
sponsorizzazione *s.f.* sponsorship.
spontaneo *agg.* spontaneous | *di mia spontanea volontà*, of my own free will.
spopolare *v.tr.* to empty, to leave* deserted; (*form.*) to depopulate ♦ *v.intr.* (*fig. fam.*) to be a big success.
sporcare *v.tr.* to dirty, to soil ♦ **~rsi** *v.pron.* to get* dirty.
sporcizia *s.f.* dirt, filth.
sporco *agg.* dirty (*with*) ♦ *s.m.* dirt, filth.
sporgente *agg.* jutting (out), protruding, projecting; (*di occhi*) bulging.
sporgenza *s.f.* protrusion, protuberance.
sporgere *v.intr.* to jut out, to stick* out, to project ♦ *v.tr.* to put* out, to stick* out; (*allungare in fuori*) to stretch out ♦ **~rsi** *v.pron.* to lean* out (*of*)
sport *s.m.* sport.
sportello *s.m.* **1** door; (*di portone*) wicket **2** (*di ufficio pubblico*) window; counter.
sportivamente *avv.* sportingly.
sportivo *agg.* sports (*attr.*); (*di persona*) keen on sport (*pred.*) ♦ *s.m.* sportsman*.
sposa *s.f.* bride.

sposalizio *s.m.* wedding.
sposare *v.tr.* **1** to marry **2** (*fig.*) to embrace, to espouse ♦ **~rsi** *v.pron.* to get* married (*to*), to marry (*s.o.*).
sposo *s.m.* bridegroom; (*marito*) husband.
spossante *agg.* exhausting.
spossatezza *s.f.* exhaustion; weakness.
spossato *agg.* worn-out; (*sfinito*) exhausted (*with*).
spostamento *s.m.* shift (*in*), shifting (*of*); (*trasferimento*) transfer.
spostare *v.tr.* **1** to shift, to move; (*trasferire*) to transfer **2** (*differire*) to postpone, to put off ♦ **~rsi** *v.pron.* to move.
spostato *agg.* (*disadattato*) ill-adjusted ♦ *s.m.* misfit.
spot *s.m.* (*rad., tv*) commercial.
spranga *s.f.* bar.
sprangare *v.tr.* to bar.
sprazzo *s.m.* flash | *a sprazzi*, off and on.
sprecare *v.tr.* to waste.
spreco *s.m.* waste ▭.
spregevole *agg.* despicable.
spregiudicato *agg.* unscrupulous.
spremere *v.tr.* to squeeze.
spremuta *s.f.* juice: – *d'arancia*, fresh orange juice.
sprezzante *agg.* scornful, contemptuous.
sprigionare *v.tr.* to emit, to give* off ♦ **~rsi** *v.pron.* to emanate.
sprofondare *v.intr.* **1** to collapse; (*di terreno*) to subside, to give* way **2** (*affondare*) to sink*.
spronare *v.tr.* to spur.
sproporzionato *agg.* disproportionate; out of proportion (*pred.*).
sproporzione *s.f.* disproportion.
spropositato *agg.* huge; excessive.
sproposito, a *avv.* inopportunely.
sprovveduto *agg.* inexperienced.
sprovvisto *agg.* lacking (*in*) | *alla sprovvista*, unawares.
spruzzare *v.tr.* to sprinkle.
spruzzata *s.f.* **1** sprinkling **2** (*di pioggia*) light shower.
spruzzatore *s.m.* sprinkler.
spruzzo *s.m.* sprinkle; (*vaporizzato*) spray | *verniciatura a* –, spray painting.
spudorato *agg.* shameless; cheeky.
spugna *s.f.* **1** sponge **2** (*tessuto*) sponge cloth, terry towelling.
spugnoso *agg.* spongy.
spumante *agg., s.m.*: (*vino*) –, sparkling wine.
spumeggiare *v.intr.* to foam, to froth.
spuntare[1] *v.tr.* **1** (*smussare*) to blunt **2** (*tagliare la punta*) to trim; to cut* the tip off **3** (*ottenere*) to get* | *spuntarla*, to get one's own way ♦ *v.intr.* **1** (*di piante*) to sprout **2** (*apparire*) to appear; (*di astri*) to come* out; (*sporgere*) to stick* out, to peep out.
spuntare[2] *v.tr.* (*verificare*) to check (off), to tick (off).
spuntino *s.m.* snack.
spunto *s.m.* **1** (*teatr.*) cue **2** (*fig.*) starting point.
sputare *v.tr./intr.* to spit*.
sputo *s.m.* spit, spittle.
squadra *s.f.* **1** squad; team; (*di operai*) gang: – *mobile*, flying squad **2** (*sport*) team **3** (*da disegno*) set square.
squadrare *v.tr.* **1** to square **2** (*osservare*) to look (*s.o.*) up and down.
squalifica *s.f.* disqualification.
squalificare *v.tr.* to disqualify ♦ **~rsi** *v.pron.* to discredit oneself.
squallido *agg.* dreary, bleak.
squalo *s.m.* shark.

squama *s.f.* scale.
squarciagola, a *avv.* at the top of one's voice.
squarciare *v.tr.* to tear* open.
squattrinato *agg.* penniless, hard up (*pred.*).
squilibrato *agg.* unbalanced; (*di mente*) mentally deranged.
squilibrio *s.m.* (*mentale*) derangement.
squillante *agg.* shrill; (*di colore*) bright.
squillare *v.intr.* to ring*; (*di tromba*) to blare.
squillo *s.m.* ring; (*di tromba*) blare.
squisito *agg.* exquisite.
sradicare *v.tr.* to uproot, to root out (*anche fig.*).
srotolare *v.tr.* to unroll.
stabile *agg.* **1** stable, steady; (*di colore*) fast **2** (*non provvisorio*) permanent.
stabilimento *s.m.* factory, plant; works | – *termale*, (thermal) spa.
stabilire *v.tr.* to establish; (*fissare*) to fix; (*accertare*) to ascertain; (*decidere*) to decide ♦ **~rsi** *v.pron.* to settle.
stabilità *s.f.* stability.
staccare *v.tr.* **1** to separate, to divide; (*rimuovere*) to take* off; (*slegare*) to untie; (*sganciare*) to unhook | – *la corrente*, to turn the current off; – *una spina*, to unplug | – *un assegno*, to issue a cheque **2** (*scostare*) to move away **3** (*distanziare*) to outdistance, to leave* behind ♦ **~rsi** *v.pron.* **1** to come* off; to break* off; to fall* off **2** (*separarsi*) to leave* (*s.o., sthg.*), to part (*from*).
staccionata *s.f.* (wooden) fence.
stadio *s.m.* **1** stadium*, football ground **2** (*fase*) stage, phase.
staffetta *s.f.* (*sport*) relay.
stagionale *agg.* seasonal.
stagione *s.f.* season | *alta* –, high (*o* peak) season; *bassa* –, low (*o* off) season.
stagliarsi *v.pron.* to stand* out.
stagno[1] *s.m.* (*metallo*) tin.
stagno[2] *s.m.* (*d'acqua*) pond, pool.
stagno[3] *agg.* watertight; airtight.
stagnola *s.f.* tinfoil.
stalla *s.f.* cattleshed, cowshed; (*per cavalli*) stable.
stamattina *avv.* this morning.
stambecco *s.m.* ibex*.
stampa *s.f.* **1** printing **2** press | *ufficio* –, press office; *sala* –, pressroom **3** (*riproduzione*) print **4** *pl.* printed matter ✉.
stampante *s.f.* printer.
stampare *v.tr.* **1** to print **2** (*pubblicare*) to publish; to print **3** (*imprimere*) to impress.
stampatello *agg., s.m.*: (*carattere*) –, block letters (*pl.*).
stampella *s.f.* crutch.
stampo *s.m.* mould.
stanare *v.tr.* to drive* out.
stancare *v.tr.* to tire, to weary; (*infastidire*) to bore ♦ **~rsi** *v.pron.* to get* tired.
stanchezza *s.f.* tiredness.
stanco *agg.* tired: – *morto*, dead tired.
stanga *s.f.* bar.
stangata *s.f.* knock, blow: – *fiscale*, tax squeeze.
stanotte *avv.* tonight; (*la notte scorsa*) last night.
stanza *s.f.* room.
stanziamento *s.m.* **1** allocation **2** (*insediamento*) settlement.
stanzino *s.m.* box-room.
stappare *v.tr.* to uncork, to open.
stare *v.intr.* **1** to stay; (*rimanere*) to remain: – *in piedi*, to stand | – *a vedere*,

guardare, to wait and see | – *su* (*con lo spirito*), to cheer up **2** (*essere*) to be: *sta' tranquillo*, be quiet **3** (*abitare*) to live **4** (*essere andato*) to go*; to be **5** (*di salute*) to be: – *male*, to be not well; *sta un po' meglio*, he is feeling better | *stammi bene!*, take care of yourself! **6** (*di abito*) to suit **7** (*spettare*) to be up (*to*) **8** (*forma progressiva*) to be (*doing*): *sta dormendo*, he's sleeping **9** – *per*, to be going, to be about **10** *starci*, (*essere contenuto*) to go*; *ci sta anche questo*, there is room for this one too; *ci stai?*, (*accetti*) is it all right with you? **11** *starsene*, to be.

starnutire *v.intr.* to sneeze.

starnuto *s.m.* sneeze.

stasera *avv.* this evening, tonight.

statale *agg.* state (*attr.*) ♦ *s.m./f.* civil servant.

station-wagon *s.f.* estate car; (*amer.*) station wagon.

statista *s.m.* statesman*.

statistica *s.f.* statistics ▭.

statistico *agg.* statistical.

Stati Uniti *no.pr.m.pl.* United States.

stato *s.m.* **1** (*pol.*) state: – *assistenziale*, welfare state **2** (*condizione*) state, condition: (*amm., dir.*) status | – *di servizio*, record of service **3** (*mil.*) – *maggiore*, staff.

statua *s.f.* statue.

statunitense *agg.* United States (*attr.*).

statura *s.f.* height.

stavolta *avv.* (*fam.*) this time.

stazionare *v.intr.* to stand*; (*di veicoli*) to be parked.

stazionario *agg.* stable; unchanged.

stazione *s.f.* **1** station | – *di servizio*, filling station **2** (*di villeggiatura*) resort.

stecca *s.f.* (*di sigarette*) carton.

steccato *s.m.* **1** fence **2** (*ippica*) rails (*pl.*).

stecchino → *stuzzicadenti*.

stella *s.f.* star: – *cadente*, shooting star | – *alpina*, edelweiss ; – *di Natale*, poinsettia, Christmas flower | – *filante*, streamer | – *marina*, *di mare*, starfish.

stelo *s.m.* stalk, stem; (*d'erba*) blade | *lampada a* –, standard lamp, (*amer.*) floor lamp.

stemma *s.m.* coat of arms.

stendardo *s.m.* standard, banner.

stendere *v.tr.* **1** to spread* (out) **2** (*allungare*) to stretch (out); (*sdraiare*) to lay* (down); (*abbattere*) to knock down **3** (*redigere*) to draw* up ♦ **~rsi** *v.pron.* **1** (*allungarsi*) to stretch out; (*sdraiarsi*) to lie* down **2** (*estendersi*) to stretch.

stendibiancheria, **stenditoio** *s.m.* clothes horse; (*esterno*) washing line, clothes line.

stenodattilografa *s.f.* shorthand typist.

stenografia *s.f.* shorthand.

stenografo *s.m.* stenographer.

stentare *v.intr.* to find* it hard (*to do*).

stento *s.m.* privation, hardship | *a* –, hardly, with difficulty.

stereo *agg., s.m.* stereo*.

sterile *agg.* **1** sterile; (*terreno*) barren **2** (*fig.*) fruitless **3** (*sterilizzato*) sterilized.

sterilità *s.f.* sterility.

sterilizzare *v.tr.* to sterilize.

sterlina *s.f.* pound: *area della* –, sterling area.

sterminare *v.tr.* to exterminate.

sterminato *agg.* immense, endless.

sterminio *s.m.* extermination; slaughter | *campo di* –, death camp.

sterno *s.m.* breastbone.
sterpo *s.m.* dry twig; *pl.* scrubs.
sterzare *v.tr.* to steer.
sterzo *s.m.* steering wheel.
stesso *agg.* **1** same | *io, tu* –, I (...) myself, you (...) yourself **2** (*con pron. rifl.*) -self (*pl.* -selves): *lui* –, himself; *voi stessi*, yourselves **3** (*proprio, esattamente*) very: *oggi* –, this very day ♦ *pron.* the same ♦ *avv.*: *lo* –, (*ugualmente*) all the same; anyway.
stesura *s.f.* drawing up; (*redazione*) draft.
stile *s.m.* style.
stilista *s.m./f.* designer.
stilizzare *v.tr.* to stylize.
stilografica *s.f.* fountain pen.
stima *s.f.* **1** (*valutazione*) estimate, assessment **2** (*buona opinione*) esteem.
stimabile *agg.* **1** (*valutabile*) assessable **2** (*degno di stima*) estimable.
stimare *v.tr.* **1** (*valutare*) to value; (*approssimativamente*) to estimate, to assess **2** (*apprezzare*) to respect, to esteem: – *molto*, to hold in great esteem **3** (*ritenere*) to consider, to think*.
stimato *agg.* respected, esteemed.
stimolare *v.tr.* to stimulate.
stinco *s.m.* shin.
stinto *agg.* faded.
stipare *v.tr.*, **stiparsi** *v.pron.* to cram, to pack.
stipendio *s.m.* salary; pay.
stipite *s.m.* jamb.
stipulare *v.tr.* to draw* up.
stiracchiato *agg.* (*fig.*) forced | *prendere un voto* –, to scrape a mark.
stiramento *s.m.* (*med.*) strain.
stirare *v.tr.* **1** to iron, to press **2** (*braccia, gambe*) to stretch **3** (*muscoli*) to pull, to strain.
stireria *s.f.* laundry.
stirpe *s.f.* birth, descent; (*progenie*) descendants.
stitichezza *s.f.* constipation.
stiva *s.f.* hold.
stivale *s.m.* boot.
stivare *v.tr.* to stow.
stizzito *agg.* cross, angry.
stizzoso *agg.* **1** short-tempered, prickly **2** (*che rivela stizza*) angry.
stoccafisso *s.m.* stockfish, dried cod.
Stoccolma *no.pr.f.* Stockholm.
stoccata *s.f.* thrust; (*fig.*) gibe.
stoffa *s.f.* material, cloth, fabric.
stoino *s.m.* (door) mat.
stola *s.f.* stole.
stolto *agg.* foolish, stupid ♦ *s.m.* fool.
stomaco *s.m.* stomach.
stonare *v.intr./tr.* **1** to sing* (*sthg.*) out of tune; to play (*sthg.*) out of tune **2** (*fig.*) to clash.
stonato *agg.* off-key, out of tune (*pred.*); (*di persona*) tone-deaf | *nota stonata*, false note.
stonatura *s.f.* wrong note, false note.
stop *s.m.* stop (sign); (*luce*) brake light.
storcere *v.tr.* to twist; (*piegare*) to bend* | – *il naso*, to turn up one's nose.
stordire *v.tr.* to stun, to daze ♦ **~rsi** *v.pron.* to dull one's senses.
storia *s.f.* **1** history **2** (*racconto, bugia*) story | *storie!*, nonsense! **3** (*faccenda*) business **4** *far storie*, to make (a) fuss.
storico *agg.* **1** historical **2** (*memorabile*) historic ♦ *s.m.* historian.
storione *s.m.* sturgeon.
stormire *v.intr.* to rustle.
stormo *s.m.* flock; (*di aerei*) flight.
stornare *v.tr.* (*amm.*) to transfer.

storno[1] *s.m.* (*zool.*) starling.
storno[2] *s.m.* (*trasferimento*) transfer.
storpiare *v.tr.* **1** to cripple, to maim **2** (*parole*) to mangle.
storpio *agg.* crippled ♦ *s.m.* cripple.
storta *s.f.* (*distorsione*) sprain.
storto *agg.* crooked, twisted.
stoviglie *s.f.pl.* crockery [U], dishes.
strabico *agg.* squint(-eyed), cross-eyed.
strabiliante *agg.* amazing, astonishing.
stracarico *agg.* overloaded (*with*).
stracciare *v.tr.*, **stracciarsi** *v.pron.* to tear*.
straccio *s.m.* rag; (*strofinaccio*) cloth: – *per i pavimenti*, floorcloth; – *per la polvere*, duster.
straccione *s.m.* ragamuffin.
straccivendolo *s.m.* ragman*.
stracotto *agg.* overdone, overcooked ♦ *s.m.* (*cuc.*) beef stew.
strada *s.f.* **1** road; (*di città*) street: – *secondaria*, byroad; – *senza uscita*, cul-de-sac, blind alley **2** (*percorso*, *cammino*) way.
stradale *agg.* road (*attr.*); of the road (*pred.*) ♦ *s.f.* traffic police.
stradino *s.m.* road-worker.
strafare *v.intr.* to overdo* things.
strage *s.f.* slaughter, massacre.
stralunato *agg.* **1** (*di occhi*) wide open; (*di persona*) very upset.
stramazzare *v.intr.* to slump.
strambo, **strampalato** *agg.* odd, queer.
strangolare *v.tr.* to strangle, to throttle.
straniero *agg.* foreign ♦ *s.m.* foreigner.
strano *agg.* strange, odd, queer.
straordinario *agg.* extraordinary ♦ *s.m.* overtime [U].
strapagare *v.tr.* to overpay*.
strapazzare *v.tr.* to ill-treat, to mistreat; (*sgridare*) to scold ♦ **~rsi** *v.pron.* to tire oneself out, to overwork.
strapazzata *s.f.* **1** scolding, telling-off **2** (*fatica*) strain.
strapazzo *s.m.* overwork; strain | *da* –, third-rate; *scrittore da* –, hack.
strapieno *agg.* crammed, packed (*with*); full to the brim (*with*).
strapotere *s.m.* excessive power.
strappare *v.tr.* **1** (*lacerare*) to tear*, to rip **2** (*tirar via*) to pull away; (*estrarre*) to pull out **3** (*portar via*) to snatch **4** (*confessione ecc.*) to wring*, to extort ♦ **~rsi** *v.pron.* to tear*, to get* torn.
strappo *s.m.* **1** tear, rip **2** (*tirata*) pull, tug; jerk | *a strappi*, in jerks **3** (*eccezione*) breach **4** (*muscolare*) sprain **5** (*fig. fam.*) lift.
straripare *v.intr.* to overflow (its banks).
Strasburgo *no.pr.f.* Strasbourg.
strascicare *v.tr.* to drag, to trail; (*piedi*) to shuffle; (*parole*) to drawl.
strascico *s.m.* aftermath; consequence.
stratagemma *s.m.* stratagem, trick.
strategia *s.f.* strategy.
strategico *agg.* **1** strategic **2** (*abile*) astute, clever.
strato *s.m.* layer; (*di rivestimento*) coat.
strattone *s.m.* tug, jerk.
stravagante *agg.* odd; eccentric.
stravedere *v.intr.* to be crazy (*about*).
stravolgere *v.tr.* **1** (*distorcere*) to distort **2** (*turbare*) to upset*.
straziante *agg.* heartrending.
strazio *s.m.* torment, torture, agony.
strega *s.f.* witch.
stregare *v.tr.* to bewitch.
stremato *agg.* exhausted, worn-out.
strenna *s.f.* gift, present.
strepito *s.m.* din, uproar; (*clamore*) clamour.

strepitoso *agg.* resounding.
stressante *agg.* stressful.
stressare *v.tr.* to put* under stress.
stretta *s.f.* **1** grasp, hold, grip | *– di mano*, handshake | *una – al cuore*, a pang in one's heart **2** *pl.* dire straits, (*fam.*) tight spot, fix.
stretto[1] *agg.* **1** narrow; (*di vestiario*) tight **2** (*serrato*) tight, fast **3** (*pigiato*) packed **4** (*rigoroso*) strict **5** (*pronuncia, parentela*) close.
stretto[2] *s.m.* (*geogr.*) strait(s).
strettoia *s.f.* **1** bottleneck **2** (*fig.*) difficulty; (*fam.*) tight spot.
striato *agg.* streaked.
stridere *v.intr.* **1** to screech; (*cigolare*) to creak; (*di animali*) to squeak **2** (*fig.*) to clash.
stridulo *agg.* shrill, piercing.
strillare *v.tr./intr.* to scream, to shout.
strillo *s.m.* scream, cry, shout.
strillone *s.m.* newspaper seller.
striminzito *agg.* **1** (*misero*) skimpy **2** (*molto magro*) skinny.
stringa *s.f.* lace.
stringatezza *s.f.* concision, terseness.
stringere *v.tr.* **1** (*tenere saldamente*) to grip; (*fra le braccia*) to hug, to clasp; (*serrare*) to clench, to squeeze **2** (*abito*) to take* in **3** (*stipulare*) to conclude ♦ *v.intr.* (*essere stretto*) to be tight ♦ **~rsi** *v.pron.* **1** (*per far spazio*) to squeeze **2** (*a qlcu.*) to press close (*to*).
striscia *s.f.* **1** strip; (*riga*) stripe | *a strisce*, striped **2** (*scia*) streak, trail **3** (*di fumetti*) strip.
strisciare *v.intr.* **1** to creep*, to crawl; (*di serpenti*) to slither ♦ *v.tr.* to scrape; (*sfiorare*) to brush.
striscio *s.m.* graze: *colpire di –*, to graze.
stritolare *v.tr.* to crush.
strizzare *v.tr.* to squeeze; (*panni*) to wring* (out).
strofinaccio *s.m.* cloth; (*per spolverare*) duster.
strofinare *v.tr.* to rub; (*lucidare*) to polish.
stroncare *v.tr.* **1** to break* off **2** (*porre termine*) to cut* short; (*rivolta*) to put* down **3** (*di malattia*) to stike* down **4** (*criticare*) to slate, to pan.
stroncatura *s.f.* (*critica*) harsh criticism, savage attack.
strozzare *v.tr.* to strangle ♦ **~rsi** *v.pron.* to choke, to be choked.
strozzatura *s.f.* narrowing.
strozzino *s.m.* usurer; (*fam.*) loan-shark.
strumentalizzare *v.tr.* to exploit.
strumento *s.m.* **1** tool, implement **2** (*tecn., mus.*) instrument **3** (*mezzo*) instrument, means (*pl.*).
strutto *s.m.* (*cuc.*) lard.
struttura *s.f.* structure | *strutture sanitarie*, medical facilities.
strutturare *v.tr.* to structure.
struzzo *s.m.* ostrich.
stuccare *v.tr.* **1** (*riempire*) to putty | *– un dente* , to fill a tooth **2** (*decorare*) to stucco.
stuccatura *s.f.* (*di dente*) filling.
stucchevole *agg.* nauseating; (*fig.*) boring, tedious.
stucco *s.m.* **1** plaster; (*da vetri, mobili*) putty | *rimanere di –*, to be dumbfounded **2** (*decorativo*) stucco.
studente *s.m.* student.
studentesco *agg.* student, school (*attr.*).
studiare *v.tr.* to study.
studio *s.m.* **1** study **2** (*progetto*)

project **3** (*ufficio*) office | – *medico*, surgery **4** (*cinem., tv, di artista*) studio*.
stufa *s.f.* stove: – *elettrica*, heater.
stufare *v.tr.* **1** (*cuc.*) to stew **2** (*fam., stancare*) to bore ♦ **~rsi** *v.pron.* (*fam.*) to get* fed up.
stufato *s.m.* (*cuc.*) stew.
stufo *agg.* fed up (*with*), sick (*of*).
stuoia *s.f.* mat.
stupefacente *agg.* amazing, astounding ♦ *s.m.* drug, narcotic.
stupefatto *agg.* amazed, astounded.
stupendo *agg.* wonderful, marvellous.
stupidaggine *s.f.* **1** piece of nonsense: *dire delle stupidaggini*, to talk nonsense **2** (*cosa da poco*) nothing.
stupidata *s.f.* stupid thing.
stupidità *s.f.* stupidity.
stupido *agg.* silly, stupid ♦ *s.m.* idiot, fool.
stupire *v.tr.* to amaze, to stun ♦ **~rsi** *v.pron.* to be amazed (*at, by*).
stupore *s.m.* amazement, astonishment.
stupro *s.m.* rape.
sturare *v.tr.* (*tubazioni*) to clear.
stuzzicadenti *s.m.* toothpick.
stuzzicare *v.tr.* **1** (*punzecchiare*) to prod, to poke; (*fig.*) to tease **3** (*stimolare*) to stimulate; (*appetito*) to whet.
su *prep.* **1** → *sopra* **2** (*circa*) about **3** (*moto*) on to, onto; (*verso*) towards | – *per*, up ♦ *avv.* **1** up | – *e giù*, up and down, (*s.m.*) coming and going **2** (*al piano di sopra*) upstairs **3** (*indosso*) on **4** (*esortativo*) come on! | *di' –!*, spit it out!
sub, **subacqueo** *s.m.* skin diver.
subacqueo *agg.* underwater (*attr.*).
subaffittare *v.tr.* to sublet*.
subalterno *agg., s.m.* subordinate.
subappaltare *v.tr.* to subcontract.
subbuglio *s.m.* confusion, turmoil.
subconscio, **subcosciente** *agg., s.m.* subconscious.
subdolo *agg.* underhand, sly.
subentrante *agg.* incoming.
subentrare *v.intr.* to succeed (*s.o. in, to sthg.*).
subire *v.tr.* **1** to suffer; to endure **2** (*sottoporsi*) to undergo*.
subitaneo *agg.* sudden.
subito *avv.* at once, immediately, straight away; (*ben presto*) very soon | – *prima*, just before.
sublime *agg., s.m.* sublime.
subnormale *agg., s.m./f.* subnormal.
subordinato *agg.* subordinate; (*soggetto*) subject (*to*).
succedere *v.intr.* **1** (*subentrare*) to succeed (*s.o., to sthg.*); (*venir dopo*) to follow (*sthg.*) **2** (*accadere*) to happen.
successione *s.f.* succession | *tassa, imposta di* –, death duty.
successivamente *avv.* afterwards.
successivo *agg.* following.
successo *s.m.* success.
successore *s.m.* successor.
succhiare *v.tr.* to suck.
succhiotto *s.m.* dummy; (*amer.*) pacifier.
succinto *agg.* **1** (*di abito*) scanty **2** (*conciso*) succinct, concise.
succo *s.m.* juice.
succoso *agg.* juicy.
succursale *s.f.* branch.
sud *s.m.* south.
Sudafrica *no.pr.m.* South Africa.
sudafricano *agg., s.m.* South African.
Sudamerica *no.pr.m.* South America.
sudamericano *agg., s.m.* South American.

sudare *v.intr.* to sweat.
sudata *s.f.* sweat.
sudato *agg.* **1** sweaty **2** (*fig.*) hard-earned.
suddetto *agg.* above-mentioned.
suddito *s.m.* subject.
suddividere *v.tr.* to subdivide; (*ripartire*) to divide, to share (out).
sudicio *agg.* dirty, filthy.
sudiciume *s.m.* dirt, filth.
sudista *agg., s.m./f.* Confederate.
sudorazione *s.f.* perspiration.
sudore *s.m.* sweat, perspiration.
sufficiente *agg.* enough, sufficient: *abbiamo denaro* –, we have enough money (*o* money enough).
sufficienza, a *avv.* sufficiently, enough.
suffisso *s.m.* suffix.
suffragio *s.m.* suffrage; (*voto*) vote: – *universale*, universal suffrage.
suggerimento *s.m.* suggestion, hint.
suggerire *v.tr.* **1** to suggest (*doing*); (*consigliare*) to advise **2** (*teatr.*) to prompt.
suggeritore *s.m.* prompter.
suggestionabile *agg.* easily influenced, impressionable.
suggestione *s.f.* **1** suggestion **2** (*fascino*) charm.
suggestivo *agg.* **1** evocative **2** (*attraente*) fascinating, attractive.
sughero *s.m.* cork.
sugo *s.m.* **1** (*succo*) juice **2** (*salsa*) sauce; (*di carne*) gravy **3** (*fig.*) gist, essence.
sugoso *agg.* juicy.
suicida *agg.* suicidal ♦ *s.m./f.* suicide.
suicidarsi *v.pron.* to commit suicide.
suicidio *s.m.* suicide.
sultanina *agg., s.f.*: (*uva*) –, sultana.
suo *agg.* **1** (*di lui*) his; (*di lei*) her; (*di cosa, animale*) its **2** (*pred.*) his; hers **3** (*formula di cortesia*) your ♦ *pron.* his; hers; its.
suocera *s.f.* mother-in-law*.
suocero *s.m.* father-in-law* | *i suoceri*, the parents-in-law.
suola *s.f.* sole.
suolo *s.m.* soil; ground.
suonare *v.tr./intr.* **1** (*mus.*) to play **2** (*dare un segnale*) to sound; (*campanello, telefono*) to ring* **3** (*ore*) to strike*.
suonatore *s.m.* player: – *ambulante*, street musician.
suoneria *s.f.* bell; (*di sveglia*) alarm.
suono *s.m.* sound.
suora *s.f.* nun; (*titolo*) sister.
super *agg.* super, wonderful ♦ *s.f.* four-star (petrol), premium petrol.
superalcolici *s.m.pl.* spirits.
superare *v.tr.* **1** (*eccedere*) to go* beyond; to exceed **2** (*passare al di là*) to get* over; (*attraversare*) to cross **3** (*un veicolo*) to overtake*, to pass **4** (*vincere*) to overcome*; (*malattie, contrarietà ecc.*) to get* over (*sthg.*) **5** (*esami*) to get* through, to pass.
superato *agg.* (*non attuale*) out-of -date, old-fashioned.
superbia *s.f.* pride; haughtiness.
superbo *agg.* **1** haughty **2** (*magnifico*) magnificent, splendid, superb.
superficiale *agg.* superficial.
superficie *s.f.* surface.
superfluo *agg., s.m.* superfluous; (*inutile*) unnecessary.
superiore *agg.* **1** (*migliore*) superior (*to*) **2** (*più in alto*) upper **3** (*più elevato*) higher **4** (*al di sopra di*) above **5** (*di grado*) senior **6** (*più avanzato*) advanced ♦ *s.m.* superior.
superiorità *s.f.* superiority.

superlativo *agg., s.m.* superlative.
supermercato *s.m.* supermarket.
superstite *agg.* surviving ♦ *s.m./f.* survivor.
superstizioso *agg.* superstitious.
superteste, **supertestimone** *s.m.* key witness.
supervisione *s.f.* supervision.
supino *agg.* supine; on one's back.
suppellettili *s.f.pl.* furnishings.
suppergiù *avv.* (*circa*) about, approximately; (*quasi*) almost, nearly.
supplementare *agg.* extra.
supplemento *s.m.* supplement; (*di spesa*) extra (charge).
supplicare *v.tr.* to beg, to implore.
supplire *v.intr.* to make* up (*for*) ♦ *v.tr.* to fill in (*for*), to substitute (*for*).
supplizio *s.m.* torture, torment.
supporre *v.tr.* to suppose; to imagine.
supporto *s.m.* support.
supposizione *s.f.* supposition.
supposta *s.f.* (*farm.*) suppository.
supremazia *s.f.* supremacy.
supremo *agg.* supreme; (*massimo*) greatest, utmost.
surclassare *v.tr.* to outclass.
surf *s.m.* surfing; (*tavola*) surfboard.
surgelare *v.tr.* to deep-freeze*.
surrogato *s.m.* substitute, surrogate.
suscettibile *agg.* susceptible (*to*); (*permaloso*) touchy.
suscitare *v.tr.* to provoke, to cause.
susseguirsi *v.pron.* to follow one another.
sussidio *s.m.* help, aid; subsidy.
sussistere *v.intr.* to exist.
sussultare *v.intr.* to (give* a) start.
sussulto *s.m.* start, jump.
sussurrare *v.tr./intr.* to whisper.
sussurro *s.m.* whisper.
svagarsi → *distrarsi 2.*
svago *s.m.* relaxation; (*divertimento*) amusement; (*passatempo*) pastime.
svaligiare *v.tr.* to rob; (*casa*) to burgle.
svalutare *v.tr.* to devalue ♦ **~rsi** *v.pron.* to depreciate.
svalutazione *s.f.* devaluation, depreciation.
svanire *v.intr.* to vanish; to disappear; (*poco a poco*) to fade.
svantaggio *s.m.* disadvantage.
svariato *agg.* various.
svasato *agg.* (*di abito*) flared.
svedese *agg.* Swedish ♦ *s.m.* **1** Swede **2** (*lingua*) Swedish.
sveglia *s.f.* (*orologio*) alarm clock | *– telefonica*, alarm call.
svegliare *v.tr.*, **svegliarsi** *v.pron.* to wake* (up).
sveglio *agg.* **1** awake (*pred.*): *del tutto –*, wide-awake **2** (*fig.*) smart, quick-witted.
svelare *v.tr.* to reveal, to disclose.
sveltire *v.tr.* to quicken, to speed* up.
svelto *agg.* **1** quick | *alla svelta*, quickly **2** (*intelligente*) smart, quick-witted ♦ *avv.* fast, quick, quickly.
svendere *v.tr.* to sell* off.
svendita *s.f.* sale, clearance sale.
svenire *v.intr.* to faint, to swoon.
sventato *agg.* thoughtless, heedless.
sventolare *v.tr./intr.* to wave, to flutter.
sventura *s.f.* misfortune.
sventurato *agg.* unlucky, unfortunate.
svenuto *agg.* in a faint (*pred.*); (*senza conoscenza*) unconscious.
svergognato *agg.* shameless.
svestire *v.tr.*, **svestirsi** *v.pron.* to undress.
Svezia *no.pr.f.* Sweden.
svezzare *v.tr.* to wean.

sviare *v.tr.* **1** to divert **2** (*fig.*) to lead* astray.
svignarsela *v.pron.* to slip away, to sneak away.
sviluppare *v.tr.*, **svilupparsi** *v.pron.* to develop; (*produrre*) to generate.
sviluppo *s.m.* development.
svincolo → *snodo 2.*
svista *s.f.* oversight.
svitare *v.tr.* to unscrew.
svizzera *s.f.* (*cuc.*) hamburger.
Svizzera *no.pr.f.* Switzerland.
svizzero *agg., s.m.* Swiss.
svolgere *v.tr.* **1** (*filo*) to unwind*; (*srotolare*) to unroll **2** (*eseguire*) to do*; to carry out ♦ **~rsi** *v.pron.* to develop, to go* on; (*aver luogo*) to take* place.
svolgimento *s.m.* development; (*esecuzione*) execution, carrying out; (*andamento*) course.
svolta *s.f.* **1** turn, bend **2** (*fig.*) turning point.
svoltare *v.intr.* to turn.
svuotare *v.tr.* to empty.

T

tabaccheria *s.f.* tobacconist's (shop).
tabacco *s.m.* tobacco*.
tabella *s.f.* table: – *di marcia*, schedule.
tabellone *s.m.* (notice) board; (*pubblicitario*) hoarding, (*amer.*) billboard.
tabulato *s.m.* (*inform.*) print-out.
tacca *s.f.* notch, nick.
taccheggio *s.m.* shoplifting.
tacchino *s.m.* turkey.
tacco *s.m.* heel.
taccuino *s.m.* notebook.
tacere *v.intr.* to be silent, to keep* quiet; (*smettere di parlare*) to fall* silent: *far* –, to silence; *mettere a* –, to hush up.
tachimetro *s.m.* speedometer, tachometer.
taglia *s.f.* **1** (*ricompensa*) reward **2** (*misura*) size; (*corporatura*) build.
tagliaerba *s.f.* lawn mower.
tagliando *s.m.* coupon, voucher.
tagliare *v.tr./intr.* **1** to cut* | – *via, fuori*, to cut off **2** (*attraversare*) to cut* across, to cross **3** (*ridurre*) to cut* down (*on*).
taglieggiare *v.tr.* to extort money (*from*).
tagliere *s.m.* chopping board.
taglio *s.m.* **1** cut **2** (*di banconota ecc.*) denomination **3** (*di lama*) edge.
tagliola *s.f.* trap, snare.
tagliuzzare *v.tr.* to cut* up.
tailleur *s.m.* suit.
talco *s.m.* talc | – *borato*, talcum powder.
tale *pron.* **1** he, she; the person, the one: *quel – che cercavi*, the man you were looking for | *un* –, someone | *il tal dei tali*, whats-his-name.
tale *agg.* **1** (*simile, siffatto*) such (a); like that (*pred.*) | – (*e*) *quale...*, exactly as... | – *che, da*, such as | *era in – stato!*, he was in such a bad way! **2** (*un certo*) a **3** *il tal, la tal...*, such-and-such **4** (*questo, quello*) this*, that*: *in tal caso*, in that case.
talea *s.f.* cutting.
talento *s.m.* talent.
talismano *s.m.* talisman, charm.
tallone *s.m.* heel.
talmente *avv.* **1** (*con agg., avv.*) so; (*con v.*) so much, in such a way | –... *che*,

da, so much, to such an extent that.
talpa *s.f.* mole (*anche fig.*).
talvolta *avv.* sometimes, at times.
tamarindo *s.m.* tamarind.
tamburo *s.m.* (*mus.*) drum.
Tamigi *no.pr.m.* the Thames.
tamponamento *s.m.* (*incidente*) collision, crash: – *a catena*, pileup.
tana *s.f.* lair, den; burrow.
tanfo *s.m.* stench, stink; (*odore di chiuso*) musty smell.
tangente *s.f.* **1** (*geom.*) tangent **2** (*bustarella*) kickback.
tangenziale *s.f.* bypass.
tanica *s.f.* (jerry) can.
tanto *agg.* **1** (*così grande, tale*) so much; such; *pl.* so many | *ogni tanti, ogni tante*, every so many **2** → *molto* ♦ *pron.* → *molto* | – *quanto*, as much as, as many as; – *per*... – *per*..., so much on... so much on... | – *così*, this much | *un* – *all'ora*, so much an hour | *due volte* –, two times as much | *a dir* –, at the most | *di* – *in* –, every now and then, from time to time.
tanto *avv.* **1** (*così, talmente*) (*con agg., avv.*) so; (*con v.*) such a lot; so (*much*) **2** (*correl. di* quanto) (*con agg., avv.*) as; (*con v.*) as much **3** → *molto* **4** (*soltanto*) just: – *per cambiare*, just for a change.
tappa *s.f.* **1** halt, stop **2** (*parte di percorso*) stage, leg **3** (*momento fondamentale*) stage **4** (*sport*) lap.
tappare *v.tr.* to plug; (*con sughero*) to cork.
tapparella *s.f.* rolling shutter.
tappeto *s.m.* carpet, rug.
tappezzeria *s.f.* (wall)paper.
tappo *s.m.* plug; (*capsula*) cap; (*di sughero*) cork.
tardare *v.intr.* to be late.
tardi *avv.* late | *più* –, later (on); *al più* –, at the latest.
tardo *agg.* slow (*anche fig.*); (*avanzato*) late.
targa *s.f.* plate; (*aut.*) numberplate, (*amer.*) license plate.
tariffa *s.f.* tariff, rate; (*prezzo*) fare.
tarlato *agg.* worm-eaten.
tarlo *s.m.* woodworm.
tarma *s.f.* moth.
tarmato *agg.* moth-eaten.
tarmicida *agg., s.m.* moth-killer.
tartagliare *v.intr.* to stammer.
tartaro *s.m.* tartar.
tartaruga *s.f.* tortoise; (*di mare*) turtle.
tartina *s.f.* canapé.
tartufo *s.m.* truffle.
tasca *s.f.* pocket.
tascabile *agg.* pocket (*attr.*) ♦ *s.m.* (*libro*) paperback.
tassa *s.f.* tax | *tasse scolastiche*, school fees.
tassametro *s.m.* taximeter.
tassare *v.tr.* to tax; to levy a duty (*on*).
tassativo *agg.* peremptory.
tassì *s.m.* taxi, cab.
tassista *s.m./f.* taxi driver, cabdriver.
tasso[1] *s.m.* (*zool.*) badger.
tasso[2] *s.m.* (*bot.*) yew (tree).
tasso[3] *s.m.* (*percentuale*) rate.
tastare *v.tr.* to feel*.
tastiera *s.f.* keyboard.
tasto *s.m.* key.
tattica *s.f.* tactics.
tatto *s.m.* touch; (*fig.*) tact.
tatuaggio *s.m.* tattoo.
tatuato *agg.* tattooed.
taverna *s.f.* tavern, inn.
tavola *s.f.* **1** table | – *calda*, snack bar | – *fredda*, buffet **2** (*asse*) board,

plank **3** (*illustrazione*) plate **4** (*tabella*) table.
tavolo *s.m.* table.
tavolozza *s.f.* palette.
tazza, **tazzina** *s.f.* cup.
te *pron.* (to) you.
tè *s.m.* tea.
teatrale *agg.* theatrical.
teatro *s.m.* theatre.
tecnica *s.f.* **1** technique **2** (*tecnologia*) technology.
tecnico *agg.* technical ♦ *s.m.* technician.
tecnologia *s.f.* technology.
tecnologico *agg.* technological.
tedesco *agg.*, *s.m.* German.
tegame *s.m.* pan, saucepan.
teglia *s.f.* baking tin.
tegola *s.f.* (roofing) tile.
teiera *s.f.* teapot.
tela *s.f.* cloth.
telaio *s.m.* **1** loom **2** (*armatura*) frame **3** (*aut.*) chassis*.
teleabbonato *s.m.* television licence holder.
telecamera *s.f.* television camera.
telecomando *s.m.* remote control.
telecronaca *s.f.* television coverage.
telecronista *s.m./f.* (television) commentator.
teleferica *s.f.* cableway.
telefonare *v.tr./intr.* to (tele)phone, to ring* (up), to call.
telefonata *s.f.* (telephone) call: – *urbana*, *interurbana*, local, long-distance call; – *a carico*, reverse charge call, (*amer.*) collect call.
telefonino *s.m.* cell-phone.
telefonista *s.m./f.* switchboard operator, telephonist.
telefono *s.m.* (tele)phone: *elenco del* –, directory.
telegiornale *s.m.* (television) news ◻.
telegrafare *v.tr.*, *intr.* to telegraph, to wire.
telegrafo *s.m.* **1** telegraph **2** (*ufficio*) telegraph office.
telegramma *s.m.* telegram; (*amer.*) wire.
telematica *s.f.* data transmission.
telenovela *s.f.* soap (opera).
teleobbiettivo *s.m.* (*fot.*) telephoto lens.
teleromanzo *s.m.* TV serial.
teleschermo *s.m.* television screen.
telescopio *s.m.* telescope.
telescrivente *s.f.* teleprinter, telex.
teleselezione *s.f.* subscriber trunk dialling (*abbr.* STD).
telespettatore *s.m.* (television) viewer.
teletrasmettere *v.tr.* (*per tv*) to televise.
televisione *s.f.* television: – *privata*, commercial television.
televisore *s.m.* television (set).
tema *s.m.* **1** theme, subject, topic | *fuori* –, off the subject **2** (*scolastico*) essay, composition.
temerario *agg.* rash, reckless.
temere *v.tr.* to fear, to be afraid (*of*).
temperamatite *s.m.* pencil sharpener.
temperamento *s.m.* temperament.
temperare *v.tr.* **1** (*mitigare*) to temper, to mitigate **2** (*una matita*) to sharpen.
temperatura *s.f.* temperature: *abbassamento*, *rialzo di* –, fall, rise in temperature.
tempesta *s.f.* storm.
tempestare *v.tr.*: – *di colpi*, to rain blows on; – *di domande*, to bombard (*s.o.*) with questions ♦ *v.intr.* to be stormy; (*grandinare*) to hail.

tempestato *agg.* studded (*with*).

tempestivamente *avv.* at the right moment; (*per tempo*) in good time.

tempestivo *agg.* timely.

tempestoso *agg.* stormy.

tempia *s.f.* temple.

tempio *s.m.* temple.

tempo *s.m.* **1** time: *molto, poco* –, a long, a short time | – *libero*, time off; *a – perso*, in one's spare time | (*a*) – *pieno, parziale*, full time, part time | – *reale*, real time | *un* –, once | – *fa*, some time ago | *in, per* –, in time | *in un primo* –, at first; *in un secondo* –, later on | *prima del* –, before time | *tempi morti*, downtime | *tempi tecnici*, time requirement **2** (*atmosferico*) weather: *che – fa, com'è il –?*, what's the weather like? **3** (*gramm.*) tense **4** (*di film*) part; (*di partita*) half.

temporale *s.m.* thunderstorm, storm.

temporaneo *agg.* temporary.

temporeggiare *v.intr.* to play for time.

tenace *agg.* tenacious.

tenaglie *s.f.pl.* pincers.

tenda *s.f.* **1** curtain; (*da sole*) awning **2** (*da campo*) tent.

tendenza *s.f.* tendency, trend.

tendere *v.tr.* **1** to stretch (out) **2** (*porgere*) to hold* (out) **3** (*fig.*) to lay*.

tendine *s.m.* tendon, sinew.

tenebre *s.f.pl.* dark, darkness [U].

tenebroso *agg.* dark, gloomy.

tenente *s.m.* lieutenant.

tenere *v.tr.* **1** to keep*; (*reggere; contenere*) to hold* | – *la destra, la sinistra*, to keep to the right, the left **2** (*prendere*) to take*; (*spazio*) to take* up ♦ *v. intr.* **1** (*resistere*) to hold*; (*non perdere*) not to leak **2** (*a qlcu., qlco.*) to care (*about*) **3** (*parteggiare*) to support (*s.o.*) ♦ **~rsi** *v.pron.* **1** to keep* oneself; (*reggersi*) to hold* oneself **2** (*trattenersi*) to help (*doing*) **3** (*attenersi*) to stick*, to follow (*sthg.*).

tenero *agg.* tender; (*molle*) soft.

tennis *s.m.* tennis.

tenore *s.m.* **1** (*tono*) tone | – *di vita*, standard of living **2** (*mus.*) tenor.

tensione *s.f.* tension.

tentare *v.tr.* **1** to try **2** (*indurre in tentazione*) to tempt.

tentativo *s.m.* try, attempt.

tentazione *s.f.* temptation.

tenue *agg.* **1** thin, slender; (*debole*) weak; faint; (*lieve*) slight **2** (*di colori*) soft.

tenuta *s.f.* **1** (*podere*) estate, farm **2** (*divisa*) uniform; (*abiti*) clothes **3** (*capienza*) capacity **4** (*di strada*) roadability.

tenuto *agg.* obliged, bound.

teologo *s.m.* theologian.

teorema *s.m.* theorem.

teoretico *agg.* theoretic(al).

teoria *s.f.* theory.

teorico *agg.* theoretic(al) ♦ *s.m.* theorist, theoretician.

teorizzare *v.tr., intr.* to theorize (*about*).

teppista *s.m.* hooligan; (*amer.*) hoodlum.

terapeutico *agg.* therapeutic(al).

terapia *s.f.* therapy.

tergicristallo *s.m.* (*aut.*) wiper.

tergiversare *v.intr.* (*fam.*) to beat* about the bush.

termale *agg.* thermal: *località* –, spa.

terme *s.f.pl.* **1** thermal baths; spa (*sing.*) **2** (*archeol.*) thermae.

termico *agg.* thermic.

terminale *agg., s.m.* terminal | *malato* –, terminally ill patient.
terminare *v.tr./intr.* to end, to finish (*doing*).
termine *s.m.* **1** end; limit: *avere* –, to end; *volgere al* –, to come to an end **2** (*scadenza*) expiry date, (*per un lavoro*) deadline | *contratto a* –, time contract | (*banc.*) *a lungo, breve* –, long-term, short-term **3** (*condizione*) term **4** (*parola*) term, word: *in altri termini*, in other words.
termite *s.f.* termite.
termo- *pref.* thermo-.
termoforo *s.m.* heating pad.
termometro *s.m.* thermometer.
termonucleare *agg.* thermonuclear.
termos *s.m.* thermos (flask).
termosifone *s.m.* radiator.
terra *s.f.* (*globo; opposto di cielo*) earth; (*opposto di acqua; proprietà terriera; paese*) land; (*mondo*) world; (*terreno*) ground; (*suolo coltivabile*) soil | – *ferma*, mainland | *sotto* –, underground; *per* –, on the ground, (*moto*) to the ground | *a* –, (*moralmente*) in low spirits, (*fisicamente*) off colour, (*senza soldi*) broke, (*di pneumatico*) flat | *terra terra*, (*scadente*) very ordinary, (*semplice*) matter-of-fact, down-to-earth.
terracotta *s.f.* terracotta [U]; (*vasellame*) earthenware [U].
terraglia *s.f.* pottery [U]; earthenware [U].
Terranova *no.pr.f.* Newfoundland.
Terrasanta *no.pr.f.* Holy Land.
terrazza *s.f.*, **terrazzo** *s.m.* terrace.
terremoto *s.m.* earthquake.
terreno[1] *agg.* earthly, worldly.
terreno[2] *s.m.* ground; (*suolo coltivabile*) soil; *pl.* land: – *fabbricabile*, building site | – *di gioco*, field.
terrestre *agg.* terrestrial, earth (*attr.*); (*fig.*) earthly; (*mil.*) land (*attr.*).
terribile *agg.* terrible, awful.
terriero *agg.* land (*attr.*), landed.
terrificante *agg.* terrifying, appalling.
territorio *s.m.* territory.
terrore *s.m.* terror, dread: *avere* – *di*, to be terrified of; *vivere nel* –, to live in dread (*of*).
terrorismo *s.m.* terrorism.
terrorista *agg., s.m./f.* terrorist.
terziario *s.m.* tertiary sector; service industries (*pl.*): – *avanzato*, high value-added service industry.
terzino *s.m.* (full)back.
terzo *agg., avv.* third | *di* – *ordine*, third-rate ♦ *s.m.* third; *pl.* (*dir.*) third party.
teschio *s.m.* skull.
tesi *s.f.* thesis*.
teso *agg.* **1** tight, taut; (*fig.*) strained **2** (*proteso*) stretched out, outstretched **3** (*mirante*) aimed (*at*).
tesoreria *s.f.* treasury.
tesoriere *s.m.* treasurer.
tesoro *s.m.* treasure | *il Tesoro*, the Treasury.
tessera *s.f.* card | *foto formato* –, passport (size) photo.
tessere *v.tr.* to weave*.
tesserino *s.m.* → *tessera*.
tessile *agg.* textile ♦ *s.m.pl.* (*prodotti*) textiles.
tessuto *s.m.* cloth, fabric, material; (*biol.*) tissue: *negozio di tessuti*, draper's shop | – *sociale*, social structure.
testa *s.f.* head | *a* –, per head, a head, each | – *a* –, neck and neck | – *di serie*, seed, seeded player | – *dura*, stubborn person | – *vuota*, empty-headed person.
testa-coda *s.m.* spin.

testamento *s.m.* will.
testardo *agg.* stubborn, obstinate.
testare *v.tr.* to test.
testata *s.f.* **1** head **2** (*di missile*) warhead **3** (*di giornale*) masthead, name **4** (*colpo*) butt.
teste *s.m./f.* (*dir.*) witness.
testimone *s.m./f.* witness.
testimonianza *s.f.* **1** testimony: *falsa –*, perjury **2** (*prova*) proof.
testimoniare *v.tr./intr.* to testify (*against, for, to*); (*assol.*) to give* evidence.
testo *s.m.* text | *– a fronte*, parallel text.
tetro *agg.* gloomy.
tetto *s.m.* **1** roof **2** (*econ.*) ceiling.
thailandese *agg.*, *s.m./f.* Thai (*pl. invar.*).
the → *tè*.
thermos *s.m.* thermos (flask).
ti *pron.* (*a te*) to you; (*te*) you.
tibia *s.f.* shinbone.
ticchettare *v.intr.* to tick.
ticket *s.m.* **1** (*sui medicinali*) prescription charge **2** (*buono mensa*) luncheon voucher.
tiepido *agg.* lukewarm; (*fig.*) tepid.
tifare *v.intr.* to support (*s.o.*, *sthg.*), to be a fan (*of*).
tifo *s.m.* (*med.*) typhus.
tifone *s.m.* typhoon.
tifoso *s.m.* (*sport*) supporter, fan.
tight *s.m.* morning suit.
tiglio *s.m.* lime (tree).
tigre *s.f.* tiger; (*femmina*) tigress.
timballo *s.m.* (*cuc.*) timbale.
timbrare *v.tr.* to stamp; (*con timbro postale*) to postmark.
timbro *s.m.* **1** stamp: *– postale*, postmark **2** (*di suono*) timbre, tone.
timidezza *s.f.* shyness, timidity.
timido *agg.* shy, timid.
timo *s.m.* (*bot.*) thyme.
timone *s.m.* rudder.
timoniere *s.m.* helmsman*, steersman*; (*nel canottaggio*) cox(swain).
timore *s.m.* fear, dread; (*soggezione*) awe.
timpano *s.m.* **1** (*anat.*) eardrum **2** (*mus.*) kettledrum **3** (*arch.*) gable.
tinca *s.f.* tench.
tingere *v.tr.* to dye.
tino *s.m.* vat.
tinozza *s.f.* tub.
tinta *s.f.* **1** (*sostanza colorante*) dye **2** (*colore*) colour, hue | *tessuto a – unita*, plain cloth.
tintarella *s.f.* (sun-)tan.
tinteggiare *v.tr.* to paint.
tintinnare *v.intr.* to clink.
tintoria *s.f.* dry cleaner's.
tintura *s.f.* dye: *– per capelli*, hair dye.
tipico *agg.* typical.
tipo *s.m.* **1** type; (*genere*) kind, sort **2** (*fam.*) character, guy.
tipografia *s.f.* printing works.
tipografo *s.m.* printer.
tipologia *s.f.* typology.
tiranneggiare *v.tr.* to tyrannize.
tirannia *s.f.* tyranny.
tiranno *s.m.* tyrant.
tirare *v.tr.* **1** to pull; to draw*; (*trascinare*) to drag | *– giù*, to take down, to pull down; (*abbassare*) to let down, to lower | *– su*, to pull up, (*raccogliere*) to pick up, (*allevare*) to bring up | *– dentro*, to bring in, (*coinvolgere*) to drag in | *– fuori*, to take* out; to get* out **2** (*lanciare*) to throw*; (*sparare*) to shoot*; to fire ♦ *v.intr.* **1** (*avanti*) to go* on, to carry on | *– diritto*, to keep going **2** (*di vento*) to blow* | *che aria tira?* what are things like? **3** (*di abito*) to be tight **4**

(*di camino*) to draw* **5** (*di attività*) to thrive*, to do* well **6** (*sul prezzo*) to bargain ♦ **~rsi** *v.pron.* (*farsi*) to draw* | – *su*, (*alzarsi*) to draw oneself up, (*riprendersi*) to feel better.

tiratore *s.m.* shot.

tiratura *s.f.* (*di giornali*) circulation; (*di libri*) run, edition.

tirchio *agg.* mean, stingy ♦ *s.m.* cheapskate, miser.

tiro *s.m.* **1** (*lancio*) throw; (*sparo*) shot | – *a segno*, shooting gallery; (*all'aperto*) shooting range | *essere a* –, *fuori* –, (*fig.*) to be within, out of reach **2** (*scherzo*) trick **3** (*di sigaretta ecc.*) drag.

tirocinio *s.m.* apprenticeship, training.

tiroide *s.f.* thyroid.

tirrenico *agg.* Tyrrhenian.

Tirreno *no.pr.m.* the Tyrrhenian Sea.

tisana *s.f.* infusion, (herb) tea.

titolare *s.m./f.* (*detentore*) holder; (*proprietario*) owner, proprietor.

titolo *s.m.* **1** title; (*di giornale*) headline: (*cinem.*, *tv*) *titoli di testa*, *di coda*, opening, closing credits **2** (*onorifico*) title; (*di studio*) qualification **3** (*dir.*) legal right | *a* – *di*, as **4** (*fin.*) bond, security; (*azione*) stock, share.

titubante *agg.* hesitant, wavering.

tizio *s.m.* fellow, chap.

toast *s.m.* toasted sandwich.

toccante *agg.* touching.

toccare *v.tr.* to touch ♦ *v.intr.* (*spettare*) to fall* (*to*); (*capitare*) to happen; (*dovere*) to have* (*to do*) | *a chi tocca?*, whose turn is it?

tocco *s.m.* touch.

toga *s.f.* gown.

togliere *v.tr.* **1** to take* away; to remove; (*fuori*) to take* out; (*indumenti*) to take* off | – *di mezzo qlcu.*, to get rid of s.o. ♦ **~rsi** *v.pron.* to go* away, to get* out: – *di mezzo*, to get out of the way.

toilette *s.f.* toilet.

tollerabile *agg.* tolerable, bearable.

tollerante *agg.* tolerant.

tolleranza *s.f.* tolerance; (*indulgenza*) indulgence.

tollerare *v.tr.* to tolerate, to bear*, to stand*, to put* up (*with*).

tolto *agg.* except for, apart from.

tomba *s.f.* grave.

tombino *s.m.* manhole (cover).

tombola[1] *s.f.* (*gioco*) bingo.

tombola[2] *s.f.* (*fam.*) tumble, fall.

tondeggiante *agg.* roundish.

tondo *agg.* **1** round | *in* –, in a ring, in a circle **2** (*tip.*) Roman.

tonfo *s.m.* **1** thud, bump; (*in acqua*) splash, plop **2** (*fig.*) flop, failure.

tonico *agg.* tonic ♦ *s.m.* (*cosmetico*) toning lotion.

tonificare *v.tr.* to tone (up).

tonnellaggio *s.m.* tonnage.

tonnellata *s.f.* tonne, metric ton.

tonno *s.m.* tuna, tunny; (*in scatola*) tuna fish.

tono *s.m.* tone.

tonto *agg.* dull, slow, stupid.

topazio *s.m.* topaz.

topo *s.m.* mouse*: – *di fogna*, water rat.

torace *s.m.* chest.

torba *s.f.* peat.

torbido *agg.* turbid, muddy.

torcere *v.tr.* to wring*; (*curvare*) to bend* ♦ **~rsi** *v.pron.* to twist, to writhe.

torchio *s.m.* press.

torcia *s.f.* torch.

torcicollo *s.m.* stiff neck.

tordo *s.m.* thrush.

Torino *no.pr.f.* Turin.

tormenta *s.f.* snowstorm, blizzard.
tormentare *v.tr.* to torment; (*molestare*) to pester ♦ **~rsi** *v.pron.* to worry.
tormento *s.m.* torment, agony; (*seccatura*) pest, nuisance.
tornaconto *s.m.* profit, advantage.
tornare *v.intr.* **1** → *ritornare* 1,2 **2** (*risultare*) to prove, to turn out **3** (*di conti*) to balance.
torneo *s.m.* tournament.
toro *s.m.* bull.
torpedone *s.m.* (motor)coach.
torpore *s.m.* torpor.
torre *s.f.* **1** tower **2** (*scacchi*) castle, rook.
torrente *s.m.* torrent; (*fig.*) flood.
torrido *agg.* torrid.
torrone *s.m.* nougat.
torsione *s.f.* torsion; twisting.
torso *s.m.* trunk.
torsolo *s.m.* core.
torta *s.f.* cake; pie; (*crostata*) tart.
tortiera *s.f.* cake tin; (*teglia*) baking -dish, baking-tin.
tortino *s.m.* pie.
torto *s.m.* wrong; (*colpa*) fault | *a* –, wrongly.
tortora *s.f.* turtledove.
tortuoso *agg.* tortuous.
tortura *s.f.* torture; (*fig.*) agony.
torturare *v.tr.* to torture.
torvo *agg.* grim, surly; (*minaccioso*) threatening.
tosare *v.tr.* to clip; (*pecore*) to shear*.
tosse *s.f.* cough.
tossico *agg.* toxic, poisonous.
tossicodipendente *s.m./f.* (drug) addict.
tossicomane *s.m./f.* (drug) addict.
tossire *v.intr.* to cough.
tostapane *s.m.* toaster.
tostare *v.tr.* to toast; (*caffè*) to roast.
totale *agg.,s.m.* total | *in* –, in all.
totalità *s.f.* mass, whole (body).
totalitario *agg.* totalitarian.
totalizzare *v.tr.* to total; (*punti*) to score.
totano *s.m.* tattler.
totocalcio *s.m.* pools (*pl.*).
tournée *s.f.* tour.
tovaglia *s.f.* tablecloth.
tovagliolo *s.m.* napkin.
tozzo *agg.* squat.
tra → ***fra***.
traballare *v.intr.* to stagger, to totter; (*di cosa*) to wobble.
traboccare *v.intr.* to overflow (*with*), to flow over (*with*).
trabocchetto *s.m.* trap, pitfall.
traccia *s.f.* trace; (*di animale*) spoor.
tracciare *v.tr.* to draw* (up); (*abbozzare*) to sketch out; to outline.
trachea *s.f.* windpipe.
tracolla *s.f.*: *borsa a* –, shoulder bag.
tracollo *s.m.* collapse, breakdown; (*fin.*) crash, slump.
tradimento *s.m.* **1** treason; (*inganno*) betrayal: *alto* –, high treason **2** (*coniugale*) infidelity.
tradire *v.tr.* to betray; (*coniuge*) to be unfaithful (to one's wife, husband).
tradizionale *agg.* traditional.
tradizione *s.f.* tradition ▭.
tradurre *v.tr.* **1** to translate **2** (*esprimere*) to express.
traduttore *s.m.* translator.
traduzione *s.f.* translation.
trafelato *agg.* breathless, panting.
trafficante *s.m./f.* trafficker.
trafficare *v.intr.* **1** to deal*, to trade; (*spreg.*) to traffic **2** (*affaccendarsi*) to mess about; to bustle about.

traffico *s.m.* traffic.
trafiggere *v.tr.* to pierce through, to run* through.
traforo *s.m.* (*galleria*) tunnel.
tragedia *s.f.* tragedy.
traghettare *v.tr.* to ferry.
traghetto *s.m.* ferry(boat).
tragicamente *avv.* tragically.
tragico *agg.* tragic.
tragitto *s.m.* way; (*viaggio*) journey: *lungo il* –, on the way.
traguardo *s.m.* 1 finish, finishing line 2 (*meta*) goal.
trainare *v.tr.* to draw*; (*un veicolo*) to tow.
tralasciare *v.tr.* to omit; to leave* out.
tralcio *s.m.* shoot.
traliccio *s.m.* pylon.
tram *s.m.* tram; (*amer.*) streetcar, trolley (car).
trama *s.f.* 1 (*tess.*) weft, woof 2 (*congiura*) plot 3 (*intreccio*) plot.
tramandare *v.tr.* to hand down, to hand on.
tramare *v.tr.* to plot.
tramezzino *s.m.* sandwich.
tramite *prep.* through.
tramontare *v.intr.* 1 to set* 2 (*fig.*) to die out; (*svanire*) to wane.
tramonto *s.m.* setting; (*del sole*) sunset: *al* –, at sunset.
tramortire *v.tr.* to stun.
trampolino *s.m.* divingboard; (*elastico*) springboard; (*per sci*) (ski) jump.
tramutare *v.tr.*, **tramutarsi** *v.pron.* to change (*into*).
trancio *s.m.* slice.
tranello *s.m.* trap; (*inganno*) snare.
trangugiare *v.tr.* to swallow.
tranne *prep.* except, but | – *che*, (*a meno che*) unless.
tranquillante *s.m.* (*farm.*) tranquillizer.
tranquillità *s.f.* quiet, calm; (*di spirito*) tranquillity.
tranquillizzare *v.tr.* to calm (down); (*rassicurare*) to reassure.
tranquillo *agg.* quiet, calm; peaceful.
transazione *s.f.* 1 (*dir.*) settlement 2 (*comm.*) transaction.
transennare *v.tr.* to cordon off.
transitabilità *s.f.* practicability.
transitare *v.intr.* (*per luogo*) to pass (*through*); (*per strada*) to go* (*along*).
transito *s.m.* transit: *divieto di* –, no thoroughfare.
transitorio *agg.* transitory, temporary.
trapanare *v.tr.* to drill.
trapano *s.m.* drill.
trapassare *v.tr.* to pass through, to pierce ♦ *v.intr.* (*morire*) to pass away, to die.
trapelare *v.intr.* to leak out; (*di luce*) to filter out.
trapiantare *v.tr.* to transplant.
trapianto *s.m.* (*di tessuti*) grafting; (*di organi*) transplant.
trappola *s.f.* trap, snare.
trapunta *s.f.* quilt.
trarre *v.tr.*, **trarsi** *v.pron.* to draw* (*anche fig.*) | – *d'impaccio*, to get (s.o.) out of trouble | – *vantaggio da*, to take advantage of.
trasalire *v.intr.* to start.
trasandato *agg.* untidy.
trascinare *v.tr.* 1 to drag 2 (*avvincere*) to enthrall.
trascorrere *v.tr.* to spend*, to pass ♦ *v.intr.* to pass, to elapse.
trascrivere *v.tr.* to copy (out).
trascurare *v.tr.* to neglect.
trasferimento *s.m.* transfer.
trasferire *v.tr.* to transfer ♦ **~rsi** *v.pron.* to move.

trasformabile *agg.* convertible.
trasformare *v.tr.* to transform.
trasformatore *s.m.* (*elettr.*) transformer.
trasfusione *s.f.* transfusion.
trasgredire *v.tr., intr.* to disobey (*sthg.*).
traslocare *v.tr., intr.* to move.
trasloco *s.m.* removal.
trasmettere *v.tr.* **1** to pass (on), to transfer **2** (*tv, rad.*) to broadcast*.
trasmissione *s.f.* **1** transmission **2** (*tv, rad.*) programme.
trasmittente *s.f.* transmitter.
trasparente *agg.* transparent.
trasparire *v.intr.* to show* through.
trasportare *v.tr.* to transport.
trasportatore *s.m.* conveyor, carrier.
trasporto *s.m.* transport | *trasporti urbani*, urban transport services.
trasudare *v.intr.* to ooze.
trasversale *agg.* **1** transverse, transversal **2** (*fig.*) indirect.
tratta *s.f* (*comm.*) draft, bill of exchange.
trattabile *agg.* (*comm.*) negotiable.
trattamento *s.m.* **1** treatment ▭; (*inform.*) processing **2** (*servizio*) service.
trattare *v.tr.* **1** to treat **2** (*argomento*) to deal* (*with*) **3** (*negoziare*) to negotiate **4** (*commerciare*) to deal* (*in*) ♦ *v.intr.* to deal* (*with*) | *si tratta di...*, it's about...
trattativa *s.f.* negotiation.
trattato *s.m.* **1** treaty, agreement **2** (*volume*) treatise.
trattazione *s.f.* treatment.
tratteggiare *v.tr.* **1** to hatch **2** (*abbozzare*) to sketch, to outline.
tratteggio *s.m.* hatching.
trattenere *v.tr.* **1** (*far restare*) to keep*, to detain **2** (*frenare*) to hold* back, to keep* back **3** (*sottrarre*) to deduct, to withhold* **4** (*intrattenere*) to entertain ♦ **~rsi** *v.pron.* **1** (*restare*) to stay (*on*), to remain **2** (*frenarsi*) to hold back | *non potei trattenermi da*, I couldn't help (+ *-ing*).
trattenimento *s.m.* party.
tratto *s.m.* **1** (*linea*) line **2** (*parte*) stretch, part | *a tratti*, at times | *a un –, d'un –*, all of a sudden, suddenly **3** (*caratteristica*) trait, feature; *pl.* (*lineamenti*) features.
trattore *s.m.* tractor: *– a cingoli*, caterpillar.
trauma *s.m.* trauma; (*fig.*) shock | *– cranico*, concussion.
traumatizzare *v.tr.* (*fig.*) to shock.
trave *s.f.* beam; (*di tetto*) rafter.
traversata *s.f.* crossing.
traverso, di, per *avv.* sideways | *guardare di –*, to look askance at.
travestire *v.tr.* to disguise; (*mascherare*) to dress up.
travestito *s.m.* transvestite.
travisare *v.tr.* to distort; (*parole*) to misinterpret.
travolgente *agg.* overwhelming, overpowering.
travolgere *v.tr.* **1** to sweep* away, to carry away **2** (*sopraffare*) to overwhelm, to overpower **3** (*investire*) to run* over.
trazione *s.f.* traction.
tre *agg., s.m.* three.
trebbiatrice *s.f.* threshing machine.
treccia *s.f.* plait, braid.
tredicesima *s.f.* year-end bonus, Christmas bonus.
tredici *agg., s.m.* thirteen.
tregua *s.f.* truce | *senza –*, non-stop.
tremare *v.intr.* to tremble, to shake* (*with*); (*di freddo, febbre*) to shiver (*with*).

tremendo *agg.* awful, dreadful.
tremolare *v.intr.* to tremble; (*di luce*) to flicker; (*di stelle*) to twinkle.
treno *s.m.* train: – *merci*, goods train, (*amer.*) freight train.
trenta *agg., s.m.* thirty.
trepidante *agg.* anxious.
triangolare *agg.* triangular.
triangolo *s.m.* triangle.
tribù *s.f.* tribe.
tribuna *s.f.* **1** (*per oratori*) platform **2** (*per spettatori*) stand: – *centrale*, grandstand.
tribunale *s.m.* (law) court.
tricheco *s.m.* walrus*.
trifoglio *s.m.* clover.
triglia *s.f.* (red) mullet.
trionfante *agg.* triumphant, exultant.
trionfare *v.intr.* to triumph (*over*); (*essere trionfante*) to be triumphant.
trionfo *s.m.* triumph, success.
triplo *agg.* triple, treble ♦ *s.m.* three times (as much).
triste *agg.* sad, unhappy (*about*); (*cupo*) gloomy.
tritacarne *s.m.* mincer.
tritare *v.tr.* to mince; (*verdura*) to chop, to cut* up.
tritatutto *s.m.* mincer.
triturare *v.tr.* to grind*.
trivellare *v.tr.* to drill.
triviale *agg.* vulgar, coarse.
trofeo *s.m.* trophy.
tromba *s.f.* trumpet; (*suonatore*) trumpeter | – *d'aria*, whirlwind.
troncare *v.tr.* to cut* off; (*fig.*) to break* off.
tronco *s.m.* **1** (*d'albero*) trunk; (*abbattuto*) log **2** (*anat.*) trunk **3** (*tratto*) section.
trono *s.m.* throne.
tropicale *agg.* tropical.
tropico *s.m.* tropic.
troppo *agg., pron.* **1** too much; *pl.* too many: *troppa gente*, too many people **2** (*tempo*) too long ♦ *avv.* **1** (*con agg., avv.*) too; (*con v.*) too much | *fin* –, *anche* –, far too, much too | *dieci di* –, ten too much.
trota *s.f.* trout.
trottare *v.intr.* to trot.
trotto *s.m.* trot.
trottola *s.f.* top.
troupe *s.f.* troupe; (*tv*) crew.
trovare *v.tr.* **1** to find*; (*scoprire*) to find* (out), to discover **2** (*incontrare*) to meet* | *andare a* –, to go and see **3** (*giudicare*) to find*; (*pensare*) to think* ♦ **~rsi** *v.pron.* **1** (*essere*) to be; (*situato*) to be situated, to lie* | – *bene, male con qlcu.*, to get on well, badly with s.o. **2** (*sentirsi*) to feel* **3** (*incontrarsi*) to meet*.
trovarobe *s.m./f.* propman*, property man (*m*); property mistress (*f.*).
trovata *s.f.* trick; (*espediente*) expedient; (*buona idea*) good idea, brainwave.
truccare *v.tr.* to make* up; (*fig.*) to fix; to rig | – *un motore*, to soup up a car ♦ **~rsi** *v.pron.* to make* (oneself) up, to put* on make-up.
truccatore *s.m.* make-up artist.
trucco *s.m.* **1** trick **2** (*cosmetico*) make-up ▭.
truffa *s.f.* fraud, swindle; (*fam.*) con.
truffare *v.tr.* to cheat, to swindle (*s.o. out of sthg.*).
truffatore *s.m.* cheat, swindler.
truppa *s.f.* (*mil.*) troop.
tu *pron.* you | *a – per* –, face to face; (*in privato*) in private.

tubare *v.intr.* **1** to coo **2** (*fig.*) to bill and coo.
tubatura, **tubazione** *s.f.* piping ▭, pipes (*pl.*).
tubero *s.m.* tuber.
tubetto *s.m.* tube.
tubo *s.m.* pipe, tube.
tubolare *agg.* tubular.
tuffare *v.tr.* to plunge ♦ **~rsi** *v.pron.* to dive.
tuffo *s.m.* dive, plunge; (*bagno*) dip.
tulipano *s.m.* tulip.
tumefazione *s.f.* swelling.
tumore *s.m.* tumour.
tumulto *s.m.* **1** uproar; (*sommossa*) riot **2** (*fig.*) tumult, turmoil.
tumultuoso *agg.* turbulent.
tunisino *agg.*, *s.m.* Tunisian.
tuo *agg.* **1** your; (*pred.*) yours **2** (*nelle lettere*) Your(s) ♦ *pron.* yours | *la tua del*, your letter of.
tuonare *v.intr.* to thunder.
tuono *s.m.* thunder ▭.
tuorlo *s.m.* (egg) yolk.
turacciolo *s.m.* stopper; (*di sughero*) cork.
turare *v.tr.* to stop, to plug.
turbante *s.m.* turban.
turbare *v.tr.* to upset* ♦ **~rsi** *v.pron.* to get* upset, to become* uneasy.
turbinare *v.intr.* to whirl, to swirl.
turbine *s.m.* whirl, swirl.
turbo *agg.* (*mecc.*) turbocharged.
turchese *agg.*, *s.m./f.* turquoise.
Turchia *no.pr.f.* Turkey.
turchino *agg.*, *s.m.* deep blue.
turco *agg.* Turkish ♦ *s.m.* **1** Turk **2** (*lingua*) Turkish.
turismo *s.m.* tourism.
turista *s.m./f.* tourist.
turistico *agg.* tourist (*attr.*).
turnista *s.m./f.* shift worker.
turno *s.m.* **1** turn: *a –*, in turn; *fare a –*, to take turns **2** (*di lavoro*) shift **3** (*servizio*) duty.
turpe *agg.* base, vile; (*osceno*) filthy.
tuta *s.f.* overalls (*pl.*); (*da ginnastica*) tracksuit.
tutela *s.f.* **1** (*dir.*) guardianship **2** (*protezione*) protection, safeguarding: *– ambientale*, conservation, environmental protection.
tutelare *v.tr.* to protect, to defend.
tutina *s.f.* (*da bambino*) rompers (*pl.*).
tutore *s.m.* (*dir.*) guardian.
tuttalpiù , **tutt'al più** *avv.* **1** (*al massimo*) at (the) most **2** (*male che vada*) at (the) worst.
tuttavia *cong.* all the same, nevertheless.
tutto *agg.* **1** all; (*intero*) the whole (of) | *per – il giorno*, all day long; *per tutta la notte*, all through the night **2** *pl.* all; (*ogni*) every (+ *s.sing.*); (*ciascuno*) each (+ *s.sing.*) | *voi tutti*, you all, all of you **3** *del –*, *in – e per –*, all, completely ♦ *pron.* **1** all; everything | *capace di –*, capable of anything **2** *pl.* all; (*ognuno*) everybody, everyone (*sing.*); (*ciascuno*) each (one): *tutti lo dicono*, everyone says so | *tutti e tre*, all three ♦ *s.m.* whole; (*ogni cosa*) everything | *– sommato*, all in all | *in –*, in all, all together.
tuttora *avv.* still.

U

ubbidire *v.intr.* to obey (*s.o.*).
ubicato *agg.* located, situated.
ubiquità *s.f.* ubiquity.

ubriacare *v.tr.* to make* drunk; to intoxicate ♦ **~rsi** *v.pron.* to get* drunk (*with*); (*fig.*) to become* inebriated (*with*).
ubriachezza *s.f.* drunkenness.
ubriaco *agg.* drunk (*with*).
ubriacone *s.m.* drunkard.
uccello *s.m.* bird.
uccidere *v.tr.* to kill ♦ **~rsi** *v. pron.* to kill oneself; (*suicidarsi*) to commit suicide.
uccisione *s.f.* killing.
udienza *s.f.* audience; (*dir.*) hearing.
udire *v.tr.* to hear*.
udito *s.m.* (sense of) hearing.
uditorio *s.m.* audience, listeners (*pl.*).
ufficiale[1] *agg.* official; (*formale*) formal.
ufficiale[2] *s.m.* officer (*anche mil.*), official.
ufficializzare *v.tr.* to make* official.
ufficio *s.m.* **1** office; (*reparto*) department; (*locali*) (office) premises **2** (*carica*) office, position **3** (*dovere*) duty; (*funzione*) function.
ufficio, d' *avv.* officially.
ufficioso *agg.* unofficial, off-the-record (*attr.*).
ufo *s.m.* UFO*.
ugello *s.m.* (*mecc.*) nozzle.
uguaglianza *s.f.* equality.
uguagliare *v.tr.* **1** to equal; (*essere pari*) to be equal **2** (*rendere uniforme*) to even out; (*livellare*) to level.
uguale *agg.* **1** equal; (*identico*) identical; (*stesso*) same **2** (*uniforme*) even ♦ *s.m.* **1** equal; (*stessa cosa*) the same **2** (*mat.*) equal sign.
ulcera *s.f.* ulcer.
ulivo → ***olivo***.
ulteriore *agg.* further.
ultimamente *avv.* lately, recently.
ultimare *v.tr.* to complete.
ultimatum *s.m.* ultimatum.
ultimissime *s.f.pl.* the latest news.
ultimo *agg.* **1** last, (*di due*) latter **2** (*più recente*) latest **3** (*più lontano*) last, farthest **4** (*meno importante*) last; least | *non* –, not least ♦ *s.m.* the last | *all'*–, at the last minute; *fino all'*–, to the end; *in* –, in the end; *da* –, finally, lastly.
ultimogenito *agg., s.m.* lastborn (child).
ultrà *agg., s.m./f.* extremist.
umanità *s.f.* **1** humanity **2** (*genere umano*) mankind.
umanitario *agg.* humanitarian.
umano *agg.* human; (*comprensivo*) humane.
umidificatore *s.m.* humidifier.
umidità *s.f.* dampness; moistness; humidity.
umido *agg.* damp; (*mani, occhi*) moist; (*clima*) humid | (*cuc.*) *in* –, stewed.
umile *agg.* humble.
umiliare *v.tr.* to humiliate.
umiliazione *s.f.* humiliation.
umiltà *s.f.* **1** humility.
umore *s.m.* humour, mood: *di cattivo, buon* –, in a bad, good mood.
umorismo *s.m.* humour.
umoristico *agg.* humorous.
unanime *agg.* unanimous.
una tantum *s.f.* (*premio*) bonus; (*imposta*) one-off tax.
uncinetto *s.m.* crochet hook.
uncino *s.m.* hook | *a* –, hooked.
undici *agg., s.m.* eleven.
ungere *v.tr.* to grease, to oil ♦ **~rsi** *v.pron.* to get* grease-stained
ungherese *agg., s.m./f.* Hungarian.
Ungheria *no.pr.f.* Hungary.
unghia *s.f.* **1** nail **2** (*di animale*) claw;

(*di rapace*) talon; (*zoccolo*) hoof.
unghiata *s.f.* scratch.
unguento *s.m.* ointment.
unicamerale *agg.* unicameral.
unificare *v.tr.* to unify; to unite; (*standardizzare*) to standardize.
unificazione *s.f.* unification, union; standardization.
uniforme *agg.* uniform; (*di superficie*) even; (*di colore*) plain ♦ *s.f.* uniform.
unilaterale *agg.* unilateral; (*fig.*) one-sided.
unione *s.f.* **1** union **2** (*concordia*) agreement; (*armonia*) harmony.
unire *v.tr.* **1** to join (together); to unite; (*collegare*) to link **2** (*aggiungere*) to add **3** (*combinare*) to combine **4** (*accludere*) to enclose ♦ **~rsi** *v.pron.* (*a qlcu., qlco.*) to join (*s.o., sthg.*); (*mettersi insieme*) to unite | *– in matrimonio*, to get married.
unità *s.f.* **1** unit **2** (*organicità, convergenza*) unity.
unitario *agg.* unitary; (*prezzo*) unit.
unito *agg.* united; (*di famiglia ecc.*) close(-knit); (*di tinta*) plain.
universale *agg.* universal.
università *s.f.* university.
universitario *agg.* university (*attr.*) ♦ *s.m.* university student.
universo *s.m.* universe; world.
uno *art.* a, an ♦ *agg., s.m.* one ♦ *pron.* **1** one; (*qualcuno*) someone, somebody | *– di noi*, one of us **2** (*un tale*) a man; (*f.*) a woman **3** (*impers.*) one, you **4** (*ciascuno*) each.
unto *agg.* greasy, oily ♦ *s.m.* grease.
uomo *s.m.* man*.
uovo *s.m.* egg: *uova al burro*, fried eggs; *uova alla coque*, soft-boiled eggs; *uova sode*, hard-boiled eggs; *uova strapazzate*, scrambled eggs.
uragano *s.m.* hurricane.
urbanistica *s.f.* town planning.
urbano *agg.* **1** urban | *telefonata urbana*, local call **2** (*cortese*) courteous.
urgente *agg.* urgent; (*pressante*) pressing.
urgenza *s.f.* **1** urgency; (*fretta*) hurry **2** (*emergenza*) emergency.
urina *s.f.* urine.
urinare *v.intr., tr.* to urinate.
urlare *v.intr.* to shout; to cry; (*strillare*) to scream ♦ *v.tr.* to shout.
urlo *s.m.* cry, shout; (*strillo*) shriek, scream.
urna *s.f.* urn; (*elettorale*) ballot box.
urtare *v.tr.,intr.* **1** to knock, to bump, (*di veicolo*) to crash (*into, against*) **2** (*infastidire*) to irritate, to annoy; (*offendere*) to hurt* ♦ **~rsi** *v.pron.* (*scontrarsi*) to collide; (*fig.*) to clash.
urto *s.m.* **1** impact; (*scontro*) collision **2** (*assalto*) attack **3** (*contrasto*) conflict **4** *– di vomito*, retch.
usa e getta *agg.* disposable.
usanza *s.f.* custom; (*abitudine*) habit.
usare *v.tr.* to use, to make* use (*of*) ♦ *v.intr.* **1** (*essere solito*) to be used (*to doing*); (*solo al pass.*) used (*to do*) **2** (*essere di moda*) to be fashionable, to be in fashion.
usato *agg.* **1** (*non nuovo*) second-hand; (*logoro*) worn-out **2** (*in uso*) in use ♦ *s.m.* second-hand articles, (*pl.*) second-hand goods (*pl.*).
usciere *s.m.* **1** (*ufficiale giudiziario*) bailiff **2** (*di tribunale*) usher.
uscire *v.intr.* **1** to get* out; to go* out; to come* out | *far –*, to let out **2** (*di libro*) to come* out, to be published **3** (*essere prodotto*) to be produced **4** (*es-

sere estratto) to be drawn.
uscita *s.f.* **1** exit, way out | *via d'–*, (*fig.*) way out, escape **2** (*spesa*) expense, expenditure.
usignolo *s.m.* nightingale.
uso *s.m.* **1** use | *in –, fuori –*, in use, out of use **2** (*usanza*) usage, custom.
ustionare *v.tr.* to burn*; (*con liquidi, vapore*) to scald.
ustione *s.f.* burn; scald.
usuale *agg.* usual, customary.
usufrutto *s.m.* (*dir.*) usufruct.
usura[1] *s.f.* usury.
usura[2] *s.f.* (*logorio*) wear (and tear).
utensile *s.m.* utensil; (*tecn.*) tool.
utente *s.m./f.* user; (*abbonato*) subscriber; (*consumatore*) consumer.
utile *agg.* **1** useful; (*d'aiuto*) helpful; (*fam.*) handy **2** (*utilizzabile*) usable ♦ *s.m.* (*econ.*) profit, benefit; *pl.* (*guadagni*) gains, earnings.
utilità *s.f.* **1** usefulness, utility **2** (*vantaggio*) profit, benefit.
utilitaria *s.f.* small car; (*fam.*) runabout.
utilizzare *v.tr.* to use, to make* use (*of*).
utilizzazione *s.f.*, **utilizzo** *s.m.* use, utilization.
uva *s.f.* grapes (*pl.*).
uvetta *s.f.* raisins (*pl.*); currants (*pl.*).

V

vacante *agg.* vacant.
vacanza *s.f.* holiday, (*amer.*) vacation.
vacca *s.f.* cow.
vaccinare *v.tr.* to vaccinate.
vaccino *agg.*, *s.m.* vaccine.
vacillare *v.intr.* **1** to totter **2** (*essere incerto*) to vacillate, to waver.
vacuo *agg.* vacuous, inane.
vagabondo *s.m.* vagabond, tramp.
vagare *v.intr.* to wander, to roam.
vagito *s.m.* cry(ing), wail(ing).
vaglia *s.m.* (money) order.
vagliare *v.tr.* to weigh (up).
vaglio *s.m.* weighing up.
vago *agg.* vague, hazy.
vagone *s.m.* carriage, coach | *– merci*, wag(g)on, car, (*amer.*) freight car.
valanga *s.f.* avalanche.
valere *v.intr.* **1** to be worth | *tanto vale che io...*, I might as well | *farsi –*, to assert oneself **2** (*aver peso*) to count **3** (*giovare*) to be of use **4** (*essere valido*) to be valid **5** (*equivalere*) to be equal ♦ **~rsi** *v.pron.* to make* use.
valeriana *s.f.* valerian.
valevole *agg.* valid.
valicare *v.tr.* to cross.
valico *s.m.* (mountain) pass.
valido *agg.* **1** valid; good **2** (*efficace*) efficacious **3** (*forte*) strong.
valigia *s.f.* (suit)case: *fare, disfare le valigie*, to pack, to unpack.
valle *s.f.* valley.
valletta *s.f.* (*tv*) assistant.
valore *s.m.* **1** value (*anche fig.*) | *senza –*, worthless **2** (*validità*) validity **3** (*coraggio*) valour, bravery **4** *pl.* (*oggetti preziosi*) valuables; (*titoli*) securities, stock (*sing.*).
valorizzare *v.tr.* **1** (*mettere in risalto*) to enhance, to set* off **2** (*aumentare il valore*) to increase the value (*of*).
valoroso *agg.* brave, valiant.
valuta *s.f.* **1** currency **2** (*banc.*) (*data di accredito*) value.
valutare *v.tr.* **1** to value, to estimate;

(*danni*) to assess; (*calcolare*) to calculate 2 (*vagliare*) to weigh (up) 3 (*a scuola*) to give (*s.o.*) a mark.
valutazione *s.f.* 1 (e)valuation, estimation; (*stima*) estimate; (*calcolo*) calculation 2 (*vaglio*) weighing (up) 3 (*a scuola*) marking.
valvola *s.f.* 1 valve 2 (*elettr.*) fuse.
valzer *s.m.* waltz.
vampata *s.f.* burst of heat, blast; (*al viso*) (hot) flush.
vandalico *agg.* vandalic, vandalistic.
vanga *s.f.* spade.
vangelo *s.m.* Gospel.
vaniglia *s.f.* vanilla.
vanità *s.f.* vanity.
vanitoso *agg.* vain, conceited.
vano *agg.* 1 vain, useless 2 (*inconsistente*) vain, empty ♦ *s.m.* 1 (*apertura*) space, opening 2 (*stanza*) room.
vantaggio *s.m.* 1 advantage 2 (*sport*) lead; (*di partenza*) start.
vantaggioso *agg.* advantageous, profitable; (*favorevole*) favourable.
vantare *v.tr.*, **vantarsi** *v.pron.* to boast (*about*) | – *un credito*, to claim a credit.
vanto *s.m.* 1 boast(ing) 2 (*orgoglio*) pride.
vapore *s.m.* vapour; (*acqueo*) steam.
vaporetto *s.m.* steamer, steamboat.
vaporizzare *v.tr.* to vaporize.
vaporoso *agg.* (*di tessuto*) gauzy; (*di capelli*) fluffy.
varare *v.tr.* to launch.
varcare *v.tr.* to cross.
varco *s.m.* opening, way | *aspettare qlcu. al* –, to lie in wait for s.o.
variabile *agg.*, *s.f.* variable.
variante *s.f.* change, variation.
variare *v.tr.*, *intr.* to vary.
variazione *s.f.* variation, change.
varicella *s.f.* (*med.*) chicken pox.
variegato *agg.* variegated; (*screziato*) streaked.
varietà *s.f.* variety.
vario *agg.* 1 (*variato*) varied 2 *pl.* (*diversi*) various; (*parecchi*) several.
variopinto *agg.* colourful.
varo *s.m.* launching.
Varsavia *no.pr.f.* Warsaw.
vasca *s.f.* 1 basin, pond; tank 2 (*da bagno*) bath, (*amer.*) (bath)tub.
vaselina *s.f.* vaseline.
vaso *s.m.* 1 pot; (*decorativo*) vase; (*con coperchio*) jar 2 (*biol.*) vessel.
vassoio *s.m.* tray.
vasto *agg.* wide, vast, extensive.
Vaticano *no.pr.m.* Vatican.
ve *pron.* (to) you ♦ *avv.* there.
vecchiaia *s.f.* old age.
vecchio *agg.* 1 old 2 (*stantio*) stale ♦ *s.m.* old man | *i vecchi*, the old.
vece *s.f.* place, stead: *fare le veci di qlcu.*, to take s.o.'s place.
vedere *v.tr.* 1 to see* | *non ci vedo da quest'occhio*, I can't see with this eye | *far* –, to show | *visto che*, considering (that) | *non lo posso* –, I cannot stand him 2 (*film*, *televisione*) to watch 3 (*esaminare*) to have a look (*at*); (*controllare*) to check 4 (*capire*) to see*, to understand* ♦ **~rsi** *v.pron.* (*incontrarsi*) to meet*.
vedova *s.f.* widow.
vedovo *s.m.* widower.
veduta *s.f.* 1 sight, view 2 (*fotografia*) photograph; (*quadro*) picture 3 *pl.* (*idea*) view, idea, opinion | *di larghe vedute*, broad-minded.
veemente *agg.* vehement.
vegetale *agg.*, *s.m.* vegetable.
vegetariano *agg.*, *s.m.* vegetarian.

vegetazione *s.f.* vegetation.
vegliare *v.intr.* **1** to stay up **2** (*vigilare*) to watch (*over*) ♦ *v.tr.* to watch.
veglione *s.m.* party.
veicolare *agg.* vehicular.
veicolo *s.m.* vehicle | – *di infezione*, carrier (of infection).
vela *s.f.* sail.
velato *agg.* veiled (*anche fig.*).
veleno *s.m.* poison; (*di animali*) venom.
velenoso *agg.* poisonous, venomous.
velico *agg.* sail (*attr.*), sailing.
veliero *s.m.* sailing ship.
velina *s.f.* **1** tissue paper **2** (*copia su velina*) (carbon) copy, flimsy.
velista *s.m.* yachtsman*.
velivolo *s.m.* aircraft*.
velleità *s.f.* foolish ambition.
velleitario *agg.* unrealistic.
velluto *s.m.* velvet; (*a coste*) corduroy.
velo *s.m.* **1** veil **2** (*strato sottile*) film, (thin) layer.
veloce *agg.* quick; (*di veicolo*) fast.
velocista *s.m./f.* (*sport*) sprinter.
velocità *s.f.* speed | *a tutta* –, at full speed.
vena *s.f.* **1** vein **2** (*umore*) mood: *essere in – di fare qlco.*, to be in the mood for (*o* to feel like) doing sthg.
venale *agg.* venal, mercenary.
venatorio *agg.* hunting (*attr.*).
venatura *s.f.* vein; (*di legno*) grain.
vendemmia *s.f.* grape harvest; (*l'uva raccolta*) vintage.
vendemmiare *v.tr.*, *intr.* to harvest (grapes).
vendere *v.tr.* to sell* | *questo prodotto si vende bene*, this product sells well | *vendesi*, for sale.
vendetta *s.f.* revenge, vengeance.
vendicare *v.tr.* to avenge ♦ **~rsi** *v.pron.* to revenge oneself (*on s.o.*, *for sthg.*).
vendicativo *agg.* vindictive.
vendita *s.f.* sale; selling: – *a rate*, hire purchase; – *per corrispondenza*, mail-order selling | *in* –, (*negli annunci*) for sale; (*nei negozi*) on sale.
venditore *s.m.* seller, vendor; (*commesso*) shop assistant; (*rappresentante*) salesman* | – *di fumo*, charlatan.
venduto *agg.* (*spreg.*) corrupt ♦ *s.m.* goods sold (*pl.*).
venerare *v.tr.* to worship.
venerdì *s.m.* Friday | *Venerdì Santo*, Good Friday.
Venezia *no.pr.f.* Venice.
veneziana *s.f.* (*serramento*) venetian blind.
venire *v.intr.* **1** to come* | *mi vien da ridere*, I feel like laughing | *quanto viene?*, how much is it? | – *a conoscenza di qlco.*, to hear (of) sthg. | – *buono*, to come in handy | – *meno*, (*venire a mancare*) to fail; (*svenire*) to faint **2** (*riuscire*) to turn out; to come* out **3** (*ausiliare nella forma passiva*) to be.
ventaglio *s.m.* **1** fan **2** (*gamma*) range.
ventata *s.f.* **1** gust (of wind) **2** (*fig.*) wave.
venti *agg.*, *s.m.* twenty.
ventilare *v.tr.* to ventilate; (*fig.*) to air.
ventilato *agg.* windy.
ventilatore *s.m.* fan.
ventiquattrore *s.f.* (*valigetta*) overnight bag; (*da uomo d'affari*) briefcase.
vento *s.m.* wind.
ventola *s.f.* (*mecc.*) fan.
ventosa *s.f.* suction cap, suction pad.
ventoso *agg.* windy.
ventre *s.m.* stomach.

ventriloquo *s.m.* ventriloquist.
venturo *agg.* next, coming.
venuto *s.m.* comer | *un nuovo* –, a newcomer.
vera *s.f.* **1** wedding ring **2** (*di pozzo*) well-curb.
veranda *s.f.* veranda(h), (*amer.*) porch.
verbale[1] *agg.* (*orale*) oral, verbal.
verbale[2] *s.m.* (*documento*) minutes (*pl.*); record.
verbo *s.m.* **1** verb **2** (*parola*) word.
verde *agg.*, *s.m.* green | *essere al* –, to be broke | *attraversare col* –, to cross when the lights are green | *il* – *pubblico*, public parks and gardens.
verdetto *s.m.* verdict.
verdura *s.f.* vegetables (*pl.*).
verga *s.f.* rod; (*di metallo*) bar.
vergine *agg.*, *s.f.* virgin.
vergogna *s.f.* **1** shame: *avere* –, to be ashamed **2** (*timidezza*) shyness.
vergognarsi *v.pron.* **1** to be ashamed, to feel* ashamed **2** (*per timidezza*) to be shy.
vergognoso *agg.* **1** (*che reca vergogna*) shameful **2** (*pieno di vergogna*) ashamed (*pred.*); (*timido*) shy, bashful.
veridico *agg.* veracious, truthful.
verifica *s.f.* verification, check; (*contabile*) audit.
verificare *v.tr.* to verify, to check; (*comm.*) to audit ♦ **~rsi** *v.pron.* (*accadere*) to happen.
verità *s.f.* truth | *macchina della* –, lie detector.
veritiero *agg.* truthful.
verme *s.m.* worm.
vernice[1] *s.f.* **1** paint; (*trasparente*) varnish **2** (*tipo di pelle*) patent leather.
vernice[2] *s.f.* (*di mostra*) varnishing-day.
verniciare *v.tr.* to paint; to varnish; (*a smalto*) to enamel.
vero *agg.* true; (*autentico*) real | *è* –?, is that so? ♦ *s.m.* (*verità*) truth | *dipingere dal* –, to paint from life.
verosimile *agg.* likely, plausible.
versamento *s.m.* **1** (*comm.*) deposit **2** (*med.*) effusion.
versante *s.m.* (*di monte*) side.
versare *v.tr.* **1** to pour (out); (*rovesciare*) to spill* **2** (*comm.*) to deposit.
versatile *agg.* versatile.
versione *s.f.* **1** version **2** (*traduzione*) translation.
verso[1] *prep.* **1** (*direzione*) toward(s) **2** (*dalle parti di*) near **3** (*nei riguardi di*) to; (*contro*) against.
verso[2] *s.m.* **1** (*di poesia*) verse, line; *pl.* (*poesia*) poetry ▭ **2** (*di animale*) noise, cry; (*di uccello*) song **3** (*suono sgradevole*) silly noise; (*smorfia*) face **4** (*direzione*; *modo*) way | *lascia andare le cose per il loro* –, let things take their course | *per un* – *o per l'altro*, for one reason or another.
vertenza *s.f.* dispute, controversy.
vertere *v.intr.* to be (*about*).
verticale *agg.*, *s.f.* vertical.
vertice *s.m.* top, summit | *i vertici dell'azienda*, the top management; *i vertici dello stato*, the government leaders | (*incontro al*) –, summit.
vertigine *s.f.* dizziness ▭.
vertiginoso *agg.* dizzy, giddy.
verza *s.f.* (Savoy) cabbage.
vescica *s.f.* **1** bladder **2** (*della pelle*) blister.
vescovo *s.m.* bishop.
vespa *s.f.* wasp.
vespaio *s.m.* wasps' nest; (*fig.*) hornets' nest.
vessillo *s.m.* standard; (*bandiera*) flag.

vestaglia *s.f.* dressing gown.
veste *s.f.* 1 garment; (*da donna*) dress; *pl.* clothes 2 (*qualità, funzione*) capacity | *in – di*, as a.
vestire *v.tr.* 1 to dress 2 (*fare vestiti*) to make* clothes (*for*) 3 (*indossare*) to wear* ♦ **~rsi** *v.pron.* 1 to dress (oneself); (*fam.*) to get* dressed 2 (*farsi fare i vestiti*) to have one's clothes made.
vestito *s.m.* dress; (*da uomo*) suit; *pl.* clothes.
veterano *s.m.* veteran (*anche fig.*).
veterinario *agg., s.m.* veterinary (surgeon); (*fam.*) vet.
vetraio *s.m.* glazier.
vetrata *s.f.* (*porta a vetri*) glass door; (*finestra*) window.
vetreria *s.f.* 1 (*fabbrica*) glassworks (*pl.*) 2 *pl.* (*oggetti*) glassware ▭.
vetrina *s.f.* 1 (*di negozio*) shop window 2 (*mobile a vetri*) cabinet.
vetrinista *s.m./f.* window dresser.
vetro *s.m.* glass ▭ | *doppi vetri*, double glazing | (*lastra di*) –, pane | *pulire i vetri*, to clean the windows.
vetta *s.f.* top, summit, peak.
vettovaglie *s.f.pl.* food supplies.
vettura *s.f.* 1 (*automobile*) car 2 (*ferr.*) carriage, coach; (*del tram*) tram.
vi *pron.* 1 (to) you 2 (*coi v.pron.*) yourselves; (*l'un l'altro*) one another; (*spec. tra due*) each other ♦ *avv.* there.
via[1] *s.f.* 1 (*di città*) street; (*strada*) road 2 (*cammino*) way; (*sentiero*) path | – *mare*, by sea; – *satellite*, via satellite 3 (*modo*) way; (*mezzo*) means | *la – di mezzo*, the middle course.
via[2] *avv.* away, off | *e così –*, and so on | (*va'*) *–!*, go away!, (*fam.*) scram!; *– di lì!*, get away from there! | *– – che*, as | *uno, due, tre –!*, ready, steady, go! ♦ *s.m.* start, starting signal.
viadotto *s.m.* viaduct.
viaggiare *v.intr.* to travel.
viaggiatore *s.m.* traveller; (*passeggero*) passenger.
viaggio *s.m.* journey; (*breve*) trip; (*in nave, nello spazio*) voyage; (*in aereo*) flight; *pl.* travels | – *organizzato*, package tour | *buon –!*, have a nice journey! | *ci vollero due viaggi per portare tutto*, we had to make two trips to carry all.
viale *s.m.* avenue, boulevard; (*di parco*) path; (*d'accesso*) drive.
viavai *s.m.* coming and going.
vibrante *agg.* vibrant.
vibrare *v.tr.* to strike*, to deal* ♦ *v.intr.* to vibrate (*with*).
vice *s.m.* deputy, assistant.
vicenda *s.f.* event, vicissitude | *a –*, each other; one another; (*alternatamente*) in turn.
viceversa *avv.* 1 vice versa 2 (*invece*) on the contrary.
vicinanza *s.f.* 1 closeness, nearness 2 *pl.* (*adiacenze*) neighbourhood (*sing.*).
vicinato *s.m.* neighbours (*pl.*).
vicino *agg.* 1 near(by), close; near at hand (*pred.*) | *vicinissimo*, close by 2 (*confinante*) neighbouring (*attr.*); (*adiacente*) next ♦ *s.m.* neighbour: *vicini di casa*, next-door neighbours.
vicino *avv.* near, close, nearby | *– a*, near, close to; (*a lato*) next to | *da –*, from close up.
vicolo *s.m.* alley, lane.
video *s.m.* 1 (*tv*) video; (*schermo*) screen 2 (*inform.*) display (unit).
videoregistratore *s.m.* video recorder.
videoscrittura *s.f.* word processing.
vidimare *v.tr.* to visa.
viennese *agg., s.m.* Viennese.

vietare *v.tr.* to forbid* (*s.o. to do*), to prohibit (*s.o. from doing*); (*impedire*) to prevent (*s.o. from doing*).
vietato *agg.* forbidden, prohibited | – *fumare*, no smoking | *sosta vietata*, no parking.
vietnamita *agg.*, *s.m./f.* Vietnamese | *i vietnamiti*, the Vietnamese.
vigente *agg.* in force (*pred.*).
vigilante *s.m.* (security) guard.
vigilanza *s.f.* surveillance | – *notturna*, night-watchman service.
vigilare *v.intr.* to keep* watch.
vigile *agg.* watchful ♦ *s.m.* **1** (*di polizia urbana*) policeman* **2** (*del fuoco*) fireman*.
vigilia *s.f.* eve.
vigliacco *agg.* cowardly ♦ *s.m.* coward.
vigna *s.f.*, **vigneto** *s.m.* vineyard.
vignetta *s.f.* (*umoristica*) cartoon.
vigogna *s.f.* vicuña.
vigore *s.m.* **1** vigour; (*forza*) force **2** (*dir.*) *in* –, in force.
vigoroso *agg.* vigorous.
vile *agg.* **1** cowardly **2** (*meschino*) vile, base ♦ *s.m./f.* coward.
vilipendio *s.m.* contempt.
villa *s.f.* (country) house, villa.
villaggio *s.m.* village.
villania *s.f.* rudeness ⊡.
villano *agg.* rude ♦ *s.m.* lout.
villeggiante *s.m./f.* holidaymaker.
villeggiatura *s.f.* holiday, vacation.
villetta *s.f.* (*in campagna*) cottage; (*in città*) detached house.
villoso *agg.* hairy.
vimine *s.m.* (*spec. pl.*) wicker ⊡.
vinaccia *s.f.* marc.
vincere *v.tr.* **1** (*anche intr.*) to win* **2** (*battere*) to beat*; (*superare*) to outdo* **3** (*sopraffare*) to overcome*; (*dominare*) to master.
vincita *s.f.* win; (*denaro vinto*) winnings (*pl.*).
vincitore *agg.* winning, victorious ♦ *s.m.* winner.
vincolare *v.tr.* **1** to bind* **2** (*fin.*) to lock up, to tie up.
vincolo *s.m.* **1** tie, bond **2** (*limitazione*) restriction.
vino *s.m.* wine.
vinto *agg.* **1** won | *averla vinta*, to get one's way **2** (*sconfitto*) beaten; (*sopraffatto*) overcome | *darsi per* –, to give in ♦ *s.m.* vanquished man | *guai ai vinti!*, woe to the vanquished!
viola *agg.*, *s.f./m.* violet.
violaceo *agg.* violet, purple.
violare *v.tr.* to violate.
violentare *v.tr.* **1** to rape **2** (*fig.*) to do* violence (*to*).
violento *agg.* violent.
violenza *s.f.* violence.
violinista *s.m./f.* violinist.
violino *s.m.* violin
violoncello *s.m.* cello*, violoncello*.
viottolo *s.m.* path; lane.
vipera *s.f.* viper.
virale *agg.* viral.
virare *v.intr.* **1** (*mar.*) to tack **2** (*aer.*, *nuoto*) to turn.
virgola *s.f.* comma; (*mat.*) point.
virgolette *s.f.pl.* inverted commas, quotation marks.
virile *agg.* manly, virile.
virtù *s.f.* **1** virtue **2** *pl.* (*proprietà*) properties, powers.
virtuale *agg.* virtual: *immagine* –, virtual image | (*inform.*) *memoria* –, virtual memory.
virtuale *agg.* virtual.
virtuosismo *s.m.* virtuosity.

virtuoso *agg.* virtuous ♦ *s.m.*(*mus.*) virtuoso*.
virulento *agg.* virulent.
virus *s.m.* virus.
viscere *s.m.* (*spec. pl.*) **1** (*anat.*) viscera* **2** (*di animale*) entrails | *le – della terra*, the bowels of the earth.
vischio *s.m.* mistletoe.
vischioso *agg.* viscous, sticky.
viscido *agg.* slimy; slippery.
visibile *agg.* visible.
visiera *s.f.* **1** (*di casco*) visor **2** (*di berretto*) peak.
visionario *agg.*, *s.m.* visionary.
visione *s.f.* vision | *un film in prima –*, a film on first release.
visita *s.f.* **1** visit; (*breve*) call **2** (*visitatore*) visitor, caller **3** (*ispezione*) inspection, control **4** (*med.*) examination.
visitare *v.tr.* to visit.
visitatore *s.m.* visitor.
visivo *agg.* visual.
viso *s.m.* face.
visone *s.m.* mink.
visore *s.m.* (*per diapositive*) viewer.
vissuto *agg.* experienced ♦ *s.m.* background, experience.
vista *s.f.* **1** sight | *a – d'occhio*, before one's sight, by the minute | *essere in –*, to be in the public eye | *avere in –*, to have in view **2** (*panorama*) view.
visto *s.m.* visa.
vistoso *agg.* flashy, showy.
visuale *s.f.* view.
vita[1] *s.f.* **1** life* | *in –*, (*vivo*) alive; (*durante la propria vita*) during one's lifetime **2** (*durata della vita*) lifetime **3** (*vitalità*) vitality, life.
vita[2] *s.f.* (*parte del corpo*) waist.
vitale *agg.* **1** vital **2** (*che ha vitalità*) lively.
vitalità *s.f.* vitality.
vitalizio *s.m.* (life) annuity.
vitamina *s.f.* vitamin.
vite[1] *s.f.* (*bot.*) vine.
vite[2] *s.f.* (*mecc.*) screw.
vitello *s.m.* **1** calf* **2** (*cuc.*) veal.
vitigno *s.m.* (species of) grapevine.
vitreo *agg.* glassy.
vittima *s.f.* victim.
vitto *s.m.* **1** (*cibo*) food **2** (*in albergo*) board.
vittoria *s.f.* victory; (*sport*) win.
vittorioso *agg.* victorious.
viva *inter.* hurray (*for*), long live.
vivace *agg.* lively; (*di colore*) vivid.
vivaio *s.m.* **1** (*di pesci*) fish-farm **2** (*di piante*) nursery.
vivanda *s.f.* food [U].
vivere *v.intr.*, *intr.* to live; (*campare*) to live (*on*).
viveri *s.m.pl.* supplies, provisions.
vivido *agg.* vivid.
vivisezione *s.f.* vivisection.
vivo *agg.* **1** alive (*pred.*); living; (*fig.*) live (*attr.*) | *dal –*, live **2** (*vivace*) lively; (*di colore*) bright **3** (*profondo*) deep; (*acuto*) keen, sharp **4** (*vivido*) vivid ♦ *s.m.* **1** living person **2** (*fig.*) (*nocciolo*) heart.
viziare *v.tr.* to spoil*.
vizio *s.m.* **1** vice **2** (*cattiva abitudine*) bad habit **3** (*difetto*) flaw, defect.
vizioso *agg.* depraved ♦ *s.m.* pervert.
vocabolario *s.m.* **1** dictionary **2** (*lessico*) vocabulary.
vocabolo *s.m.* word; (*termine*) term.
vocale[1] *agg.* vocal.
vocale[2] *s.f.* (*gramm.*) vowel.
vocazione *s.f.* vocatio; calling.
voce *s.f.* **1** voice **2** (*diceria*) rumour **3** (*di elenco*) item; (*di diziona-*

rio) entry; (*di bilancio*) item, entry.
vocio *s.m.* shouting, yelling.
voga *s.f.* 1 (*il vogare*) rowing 2 (*moda*) fashion, vogue.
vogare *v.intr.* to row.
vogatore *s.m.* rowing machine.
voglia *s.f.* wish, desire: *avere – di* (*fare*) *qlco.*, to feel like (doing) sthg.
voi *pron.* you.
volante *s.m.* (*aut.*) (steering) wheel.
volantino *s.m.* leaflet.
volare *v.intr.* 1 to fly* 2 (*precipitare*) to fall* (off).
volata *s.f.* 1 (*corsa*) rush 2 (*sport*) final spurt.
volatilizzarsi *v.pron.* to disappear, to vanish (into thin air).
volenteroso *agg.* eager, keen.
volentieri *avv.* willingly.
volere *v.tr.* 1 to want; (*desiderare*) to wish; (*gradire*) to like (*costr. pers.*) | *vorrei sapere*, I wish I knew | *non vorrei che tu...*, I'm afraid you... | *senza –*, without meaning to 2 (*per esprimere determinazione*) will* 3 (*in formule di cortesia*) (*nelle richieste*) will*; (*nelle offerte*) will have 4 (*disporre, stabilire*) to will 5 (*far pagare*) to charge 6 *voler dire*, to mean* 6 *volerci*, to take* (*costr. impers.*): *ci vuole molto tempo*, it takes a long time | *ci vuol altro!*, it takes more than that! ♦ *s.m.* (*volontà*) will.
volgare *agg.* vulgar; (*triviale*) coarse.
volgere *v.tr., intr.* to turn.
volo *s.m.* flight | *in –*, on the wing; (*aer.*) in flight | *spiccare il –*, to fly away (*o* off) | *prendere il –*, to take wing; (*scappare*) to take (to) flight | *cogliere al –*, (*afferrare*) to grasp.
volontà *s.f.* will.
volontariato *s.m.* voluntary service.
volontario *agg.* voluntary ♦ *s.m.* volunteer.
volpe *s.f.* fox.
volta[1] *s.f.* 1 time: *una –*, once; *due volte*, twice; *a volte*, sometimes; *una – (ogni) tanto*, once in a while; *ogni –, tutte le volte che*, every time (*o* whenever); *un po' per –*, little by little | *una – per tutte*, once and for all | *c'era una –...*, once upon a time there was... 2 (*turno*) turn.
volta[2] *s.f.* (*arch.*) vault | *chiave di –*, keystone.
voltafaccia *s.m.* volte-face.
voltare *v.tr., intr.*, **voltarsi** *v.pron.* to turn.
volteggiare *v.intr.* to whirl, to swirl; (*di uccelli, aerei*) to circle.
volteggio *s.m.* (*ginnastica*) vault.
volto *s.m.* 1 face; (*espressione*) countenance 2 (*aspetto*) aspect, facet.
volubile *agg.* fickle, changeable.
volume *s.m.* volume.
voluminoso *agg.* voluminous, bulky.
voluttuario *agg.* unnecessary, luxury (*attr.*).
vomitare *v.tr.* to vomit; (*fam.*) to throw* up.
vomito *s.m.* vomit; vomiting.
vongola *s.f.* clam.
vorace *agg.* greedy.
voragine *s.f.* chasm, abyss.
vortice *s.m.* whirl.
vostro *agg.* your; (*di vostra proprietà*) your own; (*nelle lettere*) Your(s) ♦ *pron.* yours.
votare *v.tr.* 1 (*anche intr.*) to vote 2 (*consacrare*) to consecrate, to dedicate.
votazione *s.f.* 1 voting, vote, poll 2 (*scolastica*) marks (*pl.*), (*amer.*) grades (*pl.*).
voto *s.m.* 1 (*promessa solenne*)

vow **2** (*elettorale*) vote: – *di sfiducia*, vote of no confidence **3** (*scolastico*) mark, (*amer.*) grade.
vulcanico *agg.* **1** volcanic **2** (*fig.*) creative.
vulcanizzare *v.tr.* to vulcanize.
vulcano *s.m.* volcano*.
vulnerabile *agg.* vulnerable.
vuotare *v.tr.*, **vuotarsi** *v.pron.* to empty; (*sgomberare*) to clear out.
vuoto *agg.* **1** empty; (*libero*) free; (*non occupato*) vacant **2** (*privo*) devoid ♦ *s.m.* **1** empty space; gap; void | *fare il – intorno a sé*, to leave everyone behind **2** (*recipiente*) empty: – *a rendere*, returnable bottle; – *a perdere*, nonreturnable bottle **3** (*fis.*) vacuum: *confezione sotto* –, vacuum-sealed pack.

W

water *s.m.* toilet bowl.
würstel *s.m.* frankfurter.

X

xenofobo *agg.* xenophobic ♦ *s.m.* xenophobe.
xilofono *s.m.* (*mus.*) xylophone.

Z

zaffata *s.f.* (*di cattivo odore*) stench.
zafferano *s.m.* saffron.
zaffiro *s.m.* sapphire.
zaino *s.m.* backpack, rucksack.
zampa *s.f.* paw; (*gamba*) leg | *a quattro zampe*, on all fours.
zampillo *s.m.* gush, jet.
zampirone *s.m.* (mosquito) fumigator.
zampogna *s.f.* bagpipe.
zanna *s.f.* tusk; (*di lupo ecc.*) fang.
zanzara *s.f.* mosquito.
zappa *s.f.* hoe.
zattera *s.f.* raft.
zavorra *s.f.* ballast.
zazzera *s.f.* mop (of hair).
zebra *s.f.* **1** zebra **2** *pl.* (*passaggio pedonale*) zebra crossing (*sing.*).
zecca[1] *s.f.* mint.
zecca[2] *s.f.* (*zool.*) tick.
zelante *agg.* zealous.
zeppo *agg.* packed, crammed (*with*).
zerbino *s.m.* doormat.
zero *s.m.* zero, nought; (*sport*) nil, (*amer.*) zero; (*tennis*) love; (*tel.*) o.
zia *s.f.* aunt.
zibellino *s.m.* sable.
zigomo *s.m.* cheekbone.
zinco *s.m.* zinc.
zingaro *s.m.* gypsy.
zio *s.m.* uncle.
zircone *s.m.* zircon.
zittire *v.intr.* to hiss ♦ *v.tr.* to silence.
zitto *agg.* silent; quiet.
zoccolino *s.m.* (*edil.*) baseboard.
zoccolo *s.m.* **1** clog **2** (*di equini*) hoof*.
zodiaco *s.m.* zodiac.
zolfo *s.m.* sulphur.
zolla *s.f.* clod.
zolletta *s.f.* lump.
zona *s.f.* zone; (*area*) area | – *pedonale*, pedestrian precinct.
zoo *s.m.* zoo.
zoologo *s.m.* zoologist.

zootecnico *agg.* zootechnic(al) | *patrimonio* –, livestock.
zoppicare *v.intr.* **1** to limp **2** (*essere incerto*) to be weak.
zoppo *agg., s.m.* lame (person).
zucca *s.f.* pumpkin, (*amer.*) squash.
zuccherare *v.tr.* to sugar, to sweeten.
zuccheriera *s.f.* sugar bowl.
zuccherificio *s.m.* sugar refinery.
zucchero *s.m.* sugar.
zuffa *s.f.* scuffle.
zufolo *s.m.* flageolet.
zulù *s.m./f.* boor, lout.
zumare *v.intr., tr.* (*cinem., tv*) to zoom.
zuppa *s.f.* soup | – *inglese*, trifle.
zuppiera *s.f.* (soup) tureen.
zuppo *agg.* soaked (*with*).

INGLESE-ITALIANO

Alfabeto inglese: fonetica

A	*ei*	**N**	*en*
B	*bi:*	**O**	*əʊ*
C	*si:*	**P**	*pi:*
D	*di:*	**Q**	*kju:*
E	*i:*	**R**	*a:**
F	*ef*	**S**	*es*
G	*dʒi:*	**T**	*ti:*
H	*eɪtʃ*	**U**	*ju:*
I	*aɪ*	**V**	*vi:*
J	*dʒeɪ*	**W**	*ˈdʌblju:*
K	*keɪ*	**X**	*eks*
L	*el*	**Y**	*waɪ*
M	*em*	**Z**	*zed/zi:*

A

a, an [eɪ, æn (*ff*), ə ən n (*fd*)] *art.* **1** un(o), una **2** ciascuno, a, al.
A [eɪ] *s.* (*mus.*)
A-1 ['eɪ 'wʌn] *agg.* eccellente.
aback [ə'bæk] *avv.*: *to be taken* –, essere preso alla sprovvista.
aban·don [ə'bændən] *s.* abbandono ♦ *v.tr.* abbandonare.
aban·doned [ə'bændənd] *agg.* sfrenato, irrefrenabile.
abashed [ə'bæʃt] *agg.* imbarazzato, vergognoso.
ab·bey ['æbɪ] *s.* abbazia.
ab·bot ['æbət] *s.* abate.
ab·bre·vi·ation [ə'bri:vɪ'eɪʃn] *s.* abbreviazione.
ab·dic·ate ['æbdɪkeɪt] *v.tr.* abdicare (a).
ab·duct [æb'dʌkt] *v.tr.* rapire.
ab·duc·tion [æb'dʌkʃn] *s.* rapimento.
ab·er·ra·tion [,æbə'reɪʃn] *s.* aberrazione.
abet·ment [ə'betmənt] *s.* (*dir.*) favoreggiamento, complicità.
abey·ance [ə'beɪəns] *s.*: *in* –, in sospeso, (*di legge*) non più in vigore, (*di eredità*) vacante.
abide [ə'baɪd] *v.tr.* sopportare, tollerare | *to – by*, rispettare.
abil·ity [ə'bɪlətɪ] *s.* abilità.
ab·ject ['æbdʒekt] *agg.* abietto; misero.
ablaze [ə'bleɪz] *agg.* in fiamme.
able ['eɪbl] *agg.* capace; esperto. | *to be* –, potere; sapere.
able-bodied [,eɪbl'bɒdid] *agg.* robusto.
ab·nor·mal [æb'nɔ:ml] *agg.* anormale.
aboard [ə'bɔ:d] *avv., prep.* a bordo.
abode [ə'bəʊd] *s.*: *of, with no fixed* –, senza fissa dimora.
ab·ol·ish [ə'bɒlɪʃ] *v.tr.* abolire.
ab·om·in·able [ə'bɒmɪnəbl] *agg.* abominevole.
ab·ori·ginal [,æbə'rɪdʒnl] *agg., s.* aborigeno.
ab·ori·gine [,æbə'rɪdʒəni:] *s.* aborigeno.
abort [ə'bɔ:t] *v.intr.* abortire.
abor·tion [ə'bɔ:ʃn] *s.* aborto.
abound [ə'baʊnd] *v.intr.* (*in, with*) abbondare, essere ricco (di).
about [ə'baʊt] *avv.* **1** circa, pressappoco **2** intorno; qua e là ♦ *prep.* **1** intorno a, attorno a; in giro per **2** di, riguardo a **3** *to be* –: (*sthg.*) essere occupato in; (+ *inf.*) stare per.
about-face [·'··] *s.* voltafaccia.
about-turn [·'··] *s.* dietrofront; (*fig.*) voltafaccia.
above [ə'bʌv] *avv.* (di) sopra; lassù; in alto ♦ *prep.* sopra, al di sopra di; oltre | – *all*, soprattutto.
above·board [ə'bʌv'bɔ:d] *agg.* aperto, leale.

above-mentioned [ˌ·-ˈ··] **above-named** [· ··ˈ·] *agg.* suddetto.
ab·ras·ive [əˈbreɪsɪv] *agg., s.* abrasivo.
abreast [əˈbrest] *avv.* fianco a fianco | *to keep – of*, stare al passo con.
abridge [əˈbrɪdʒ] *v.tr.* accorciare | *abridged edition*, edizione ridotta.
abroad [əˈbrɔ:d] *avv.* **1** all'estero **2** in giro.
ab·rupt [əˈbrʌpt] *agg.* **1** inaspettato, repentino **2** brusco (di modi).
ab·scond [əbˈskɒnd] *v.intr.* fuggire.
ab·sence [ˈæbsəns] *s.* assenza; mancanza | *– of mind*, distrazione.
ab·sent [ˈæbsənt] *agg.* assente ♦ *v.tr.: to – o.s. from*, assentarsi da.
ab·sentee [ˌæbsənˈti:] *s.* assente.
absent-minded [ˌ·ˈ··] *agg.* distratto.
ab·so·lute [ˈæbsəlu:t] *agg.* assoluto.
ab·so·lu·tion [ˌæbsəˈlu:ʃn] *s.* assoluzione.
ab·sorb [əbˈsɔ:b] *v.tr.* assorbire.
ab·sorp·tion [əbˈsɔ:pʃn] *s.* assorbimento.
ab·stain [əbˈsteɪn] *v.intr.* astenersi.
ab·ste·mi·ous [æbˈsti:mjəs] *agg.* sobrio.
ab·stract [ˈæbstrækt] *agg.* astratto ♦ *s.* sommario.
ab·strac·ted [æbˈstræktɪd] *agg.* distratto.
ab·struse [æbˈstru:s] *agg.* astruso.
ab·surd [əbˈsɜ:d] *agg.* assurdo.
abund·ant [əˈbʌndənt] *agg.* abbondante.
ab·use [əˈbju:s] *s.* **1** insulti; maltrattamenti **2** abuso.
abuse [əˈbju:z] *v.tr.* **1** fare cattivo uso di; approfittare di **2** insultare **3** maltrattare.
ab·us·ive [əˈbju:sɪv] *agg.* ingiurioso.
abys·mal [əˈbɪzml] *agg.* (*fam.*) pessimo.
abyss [əˈbɪs] *s.* abisso.
aca·demic [ˌækəˈdemɪk] *agg., s.* accademico.
acad·emy [əˈkædəmɪ] *s.* accademia.
ac·cel·er·ate [əkˈseləreɪt] *v.tr.* ,*intr.* accelerare.
ac·cel·er·ator [·ˈ···ə*] *s.* acceleratore.
ac·cent [ˈæksənt] *s.* accento.
ac·cept [əkˈsept] *v.tr.* accettare.
ac·cept·ance [əkˈseptəns] *s.* **1** consenso; approvazione **2** (*comm.*) accettazione.
ac·cess [ˈækses] *s.* accesso.
ac·cess·ory [əkˈsesərɪ] *s.* **1** accessorio **2** (*dir.*) complice.
ac·ci·dent [ˈæksɪdənt] *s.* **1** incidente, infortunio | *–prone*, soggetto a frequenti incidenti **2** caso.
ac·claim [əˈkleɪm] *s.* plauso ♦ *v.tr.* acclamare.
ac·com·mod·ate [əˈkɒmədeɪt] *v.tr.* ospitare.
ac·com·mod·at·ing [·ˈ···ɪŋ] *agg.* compiacente.
ac·com·moda·tion [···ˈ·ʃn] *s.* **1** alloggio, sistemazione **2** *pl.* (*amer.*) vitto e alloggio.
ac·com·pany [əˈkʌmpənɪ] *v.tr.* accompagnare.
ac·com·plice [əˈkʌmplɪs] *s.* complice.
ac·com·plish [əˈkʌmplɪʃ] *v.tr.* compiere, ultimare; realizzare.
ac·comp·lished [·ˈ··t] *agg.* abile, esperto.
ac·com·plish·ment [·ˈ··mənt] *s.* **1** realizzazione, compimento **2** talento.
ac·cord [əˈkɔ:d] *s.* accordo.
ac·cord·ance [əˈkɔ:dəns] *s.* conformità.

ac·cord·ing to [·'·· ·] *prep.* conformemente a.
ac·cor·dion [ə'kɔ:djən] *s.* fisarmonica.
ac·cost [ə'kɒst] *v.tr.* avvicinare.
ac·count [ə'kaʊnt] *s.* conto: *current* –, *checking* –, conto corrente; *deposit* –, deposito a risparmio | *of no* –, senza importanza | *on* – *of*, a causa di | *on no* –, per nessuna ragione | *on that* –, perciò | *on all accounts*, sotto tutti i riguardi.
account for [ə'kaʊntfɔ:*] *v.intr.* rispondere di; giustificare, spiegare.
ac·count·able [ə'kaʊntəbl] *agg.* responsabile.
ac·count·ant [ə'kaʊntənt] *s.* contabile.
ac·count·ing [·'·ɪŋ] *s.* contabilità.
ac·crued [ə'krud] *agg.* (*di interesse*) accumulato; maturato.
ac·cu·mu·late [ə'kju:mjʊleɪt] *v.tr., intr.* accumulare, accumularsi.
ac·cur·ate ['ækjʊrət] *agg.* accurato.
ac·cuse [ə'kju:z] *v.tr.* accusare.
ac·cus·tomed [ə'kʌstəmd] *agg.* abituato.
ace [eɪs] *s.* asso.
ache [eɪk] *s.* dolore ♦ *v.intr.* fare male, dolere.
achieve [ə'tʃi:v] *v.tr.* conseguire.
achieve·ment [·'·mənt] *s.* conseguimento; successo.
acid ['æsɪd] *agg.,s.m.* acido | – *test*, (*fig.*) prova del nove.
ac·know·ledge [ək'nɒlɪdʒ] *v.tr.* riconoscere | *to* – *receipt of*, accusare ricevuta di.
ac·know·ledg(e)·ment [·'··mənt] *s.* **1** riconoscimento **2** *pl.* ringraziamenti (nei libri).
acorn ['eɪkɔ:n] *s.* ghianda.
acous·tic [ə'ku:stɪk] *agg.* acustico.
ac·quaint [ə'kweɪnt] *v.tr.*: *to* – *s.o. with sthg.*, informare qlcu. di qlco. | *to be acquainted with s.o., sthg.*, conoscere (superficialmente) qlcu., essere al corrente di qlco. | *to get, to become acquainted with s.o.*, fare la conoscenza di qlcu.
ac·quaint·ance [ə'kweɪntəns] *s.* conoscenza.
ac·quire [ə'kwaɪə*] *v.tr.* acquisire.
ac·quit [ə'kwɪt] (*-tted*) *v.tr.* (*dir.*) assolvere.
ac·quit·tal [ə'kwɪtl] *s.* (*dir.*) assoluzione.
acre ['eɪkə*] *s.* acro.
ac·ri·mo·ni·ous [,ækrɪ'məʊnjəs] *agg.* astioso.
ac·ro·bat ['ækrəbæt] *s.* acrobata.
across [ə'krɒs] *avv.* **1** attraverso | – *from*, (*amer.*) di fronte a **2** in larghezza ♦ *prep.* attraverso; dall'altra parte di.
ac·rylic [ə'krɪlɪk] *agg., s.* acrilico.
act [ækt] *s.* **1** atto **2** (*dir.*) legge; decreto **3** (*teatr.*) numero | *to put on an* –, far finta ♦ *v.intr.* **1** agire | *to* – *as*, fungere da **2** fingere, far finta di **3** recitare ♦ *v.tr.* recitare (*una parte*).
act·ing ['·ɪŋ] *s.* recitazione, interpretazione ♦ *agg.* facente funzione.
ac·tion ['ækʃn] *s.* **1** azione **2** (*dir.*) azione legale, processo.
ac·tion·able ['·əbl] *agg.* (*dir.*) perseguibile.
ac·tiv·ate ['æktɪveɪt] *v.tr.* attivare.
act·ive ['æktɪv] *agg.* attivo.
actor ['æktə*] *s.* attore.
act·ress ['æktrɪs] *s.* attrice.
ac·tual ['æktʃʊəl] *agg.* reale, effettivo.
ac·tu·ally ['··lɪ] *avv.* **1** effettivamente; in effetti **2** addirittura, perfino.
ac·tu·ate ['æktjʊeɪt] *v.tr.* azionare.
acu·punc·ture ['ækju:pʌŋktʃə*] *s.* agopuntura.

acute [ə'kju:t] *agg.* acuto.
ad [æd] *s.* (*fam.*) annuncio.
ad·apt [ə'dæpt] *v.tr., intr.* adattare, adattarsi.
ad·apt·able [·'·əbl] *agg.* adattabile.
ad·apta·tion [··'teɪʃn] *s.* adattamento.
ad·apter [·'·ə*] **ad·aptor** *s.* spina differenziale, adattatore.
add [æd] *v.tr.* aggiungere; (*mat.*) sommare | *to – in*, includere | *to – up*, ammontare; tornare, aver senso.
ad·der ['ædə*] *s.* vipera.
ad·dict ['ædɪkt] *s.* **1** tossicomane **2** fanatico.
ad·dicted [·'·ɪd] *agg.* **1** dedito **2** fanatico, patito.
ad·dict·ive [ə'dɪktɪv] *agg.* che dà assuefazione.
ad·di·tion [ə'dɪʃn] *s.* **1** aggiunta: *in –*, inoltre; *in – to*, oltre a **2** (*mat.*) addizione, somma.
ad·di·tional [ə'dɪʃənl] *agg.* supplementare.
ad·dit·ive ['ædɪtɪv] *s.* additivo.
ad·dress [ə'dres *amer.* 'ædres] *s.* indirizzo ♦ *v.tr.* indirizzare; indirizzarsi.
ad·dressee [,ædre'si:] *s.* destinatario.
adept ['ædept] *agg., s.* esperto.
ad·equate ['ædɪkwət] *agg.* adeguato.
ad·here [əd'hɪə*] *v.intr.* aderire.
ad·he·sion [əd'hi:ʒn] *s.* adesione.
ad·hes·ive [əd'hi:sɪv] *agg., s.* adesivo.
ad·ja·cent [ə'dʒeɪsənt] *agg.* adiacente.
ad·ject·ive ['ædʒɪktɪv] *s.* aggettivo.
ad·join [ə'dʒɔɪn] *v.tr.* confinare con.
ad·journ [ə'dʒɔ:n] *v.tr.,intr.* aggiornare, aggiornarsi.
ad·ju·dic·ate [ə'dʒu:dɪkeɪt] *v.tr.* aggiudicare ♦ *v.intr.* (*dir.*) giudicare; decidere.
ad·just [ə'dʒʌst] *v.tr.* **1** aggiustare **2** adattare **3** regolare ♦ *v.intr.* adattarsi.
ad·just·able [·'·əbl] *agg.* regolabile.
ad·just·ment [·'·mənt] *s.* adattamento; regolazione; modifica.
ad lib [,æd'lɪb] *avv.* **1** a volontà **2** a ruota libera.
ad-lib (*-bbed*) *v.tr., intr.* improvvisare ♦ *agg.* improvvisato.
ad·man ['ædmæn] (*-men*) *s.* (*fam.*) pubblicitario.
ad·min ['ædmɪn] abbr. di → *administrative, administration.*
ad·min·is·ter [əd'mɪnɪstə*] *v.tr.* amministrare; somministrare.
ad·min·is·tra·tion [əd,mɪnɪ'streɪʃn] *s.* amministrazione; somministrazione.
ad·miral ['ædmərəl] *s.* ammiraglio.
ad·mire [əd'maɪə*] *v.tr.* ammirare.
ad·mis·sion [əd'mɪʃn] *s.* ammissione | *free –*, entrata libera | *– (fee)*, prezzo di ingresso.
ad·mit [əd'mɪt] (*-tted*) *v.tr.* ammettere.
ad·mit·tance [əd'mɪtəns] *s.* ammissione; entrata | *no –*, vietato l'ingresso.
ad·mit·tedly [əd'mɪtɪdlɪ] *avv.* dichiaratamente; effettivamente.
ad·mon·ish [əd'mɒnɪʃ] *v.tr.* ammonire.
ado·les·cent [,ædəʊ'lesnt] *agg., s.* adolescente.
ad·opt [ə'dɒpt] *v.tr.* adottare.
ad·op·tion [·'·ʃn] *s.* adozione.
ad·ore [ə'dɔ:*] *v.tr.* adorare.
Adri·atic [,eɪdrɪ'ætɪk] *agg., s.m.* adriatico.
adrift [ə'drɪft] *avv., agg.* alla deriva.
ad·ult ['ædʌlt] *agg., s.* adulto | *– education*, corsi di recupero per adulti.
adul·ter·ate [ə'dʌltəreɪt] *v.tr.* adulterare.
adul·tery [ə'dʌltərɪ] *s.* adulterio.
ad·vance [əd'vɑ:ns *amer.* əd'væns] *s.* **1** avanzamento **2** anticipo, acconto | *to arrive in –*, arrivare in anticipo ♦ *v.tr. intr.* **1** avanzare **2** anticipare.

ad·vanced [əd'vɑ:nst] *agg.* avanzato, progredito; sviluppato.
ad·vant·age [əd'vɑ:ntɪdʒ *amer.* əd'væntɪdʒ] *s.* vantaggio | *to take – of*, avvantaggiarsi di; approfittare di ♦ *v.tr.* avvantaggiare.
ad·vent ['ædvənt] *s.* avvento.
ad·ven·ti·tious [,ædven'tɪʃəs] *agg.* casuale.
ad·ven·ture [əd'ventʃə*] *s.* avventura.
ad·ven·tur·ous [əd'ventʃərəs] *agg.* avventuroso.
ad·verb ['ædvɜ:b] *s.* avverbio.
ad·vers·ary ['ædvəsərɪ] *s.* avversario.
ad·verse ['ædvɜ:s] *agg.* avverso, sfavorevole.
ad·vers·ity [əd'vɜ:sɪtɪ] *s.* avversità.
ad·vert [əd'vɜ:t] *s.* (*fam.*) annuncio.
ad·vert·ise ['ædvətaɪz] *v.tr.* reclamizzare ♦ *v.intr.* fare della pubblicità; mettere un annuncio, un'inserzione.
ad·vert·ise·ment [əd'vɜ:tɪsmənt *amer.* ædvər'taɪsmənt] *s.* annuncio pubblicitario, pubblicità; annuncio (economico).
ad·vert·iser [···ə*] *s.* inserzionista.
ad·vert·ising [···ɪŋ] *s.* pubblicità.
ad·vice [əd'vaɪs] *s.* **1** consiglio, consigli: *a piece of –*, un consiglio | *to take s.o.'s –*, seguire il consiglio di qlcu. | *to take medical –*, consultare un medico.
ad·vis·able [əd'vaɪzəbl] *agg.* consigliabile, opportuno.
ad·vise [əd'vaɪz] *v.tr.* consigliare: *to – against*, sconsigliare.
ad·visedly [əd'vaɪzɪdlɪ] *avv.* volutamente.
ad·viser [əd'vaɪzə*] **ad·visor** *s.* consigliere; consulente.
advocate ['ædvəkeɪt] *v.tr.* sostenere, propugnare (una causa).
adze [ædz] amer. **adz** *s.* ascia.
Ae·gean [i:'dʒi:ən] *agg., s.m.* egeo.
aer·ial ['eərɪəl] *s.* antenna.
aer·obics ['eərəʊbɪks] *s.* aerobica.
aero·plane ['eərəpleɪn] *s.* aeroplano.
afar [ə'fɑ:*] *avv.* lontano, in lontananza.
af·fair [ə'feə*] *s.* affare | (*love*) –, relazione amorosa.
af·fect[1] [ə'fekt] *v.tr.* **1** affettare, ostentare **2** preferire.
affect[2] *v.tr.* **1** influenzare **2** toccare.
af·fec·tion [ə'fekʃn] *s.* **1** affetto **2** impressione, emozione.
af·fec·tion·ate [ə'fekʃənət] *agg.* affettuoso; affezionato.
af·firm [ə'fɜ:m] *v.tr., intr.* affermare.
af·firm·at·ive [ə'fɜ:mətɪv] *agg.* affermativo; positivo ♦ *s.* affermazione | *in the –*, affermativamente.
af·flict [ə'flɪkt] *v.tr.* affliggere.
af·flu·ence ['æfluəns] *s.* benessere, abbondanza.
af·ford [ə'fɔ:d] *v.tr.* (con *can*, *could*, *to be able to*) permettersi.
af·for·est [æ'fɒrɪst] *v.tr.* rimboschire.
af·fray [ə'freɪ] *s.* rissa.
affront [ə'frʌnt] *v.tr.* insultare ♦ *s.* insulto.
afield [ə'fi:ld] *avv.*: *far –*, lontano.
aflame [ə'fleɪm] *avv., agg.* in fiamme.
afloat [ə'fləʊt] *avv.* a galla.
afoot [ə'fʊt] *agg.* in atto.
afore·said [ə'fɔ:sed] *agg.* suddetto.
afraid [ə'freɪd] *agg.* impaurito; timoroso: *I'm – so, I'm – not*, temo di sì, temo di no.
afresh [ə'freʃ] *avv.* di nuovo.
Af·rican ['æfrɪkən] *agg., s.* africano.
aft [ɑ:ft *amer.* æft] *avv.* a poppa.
after ['ɑ:ftə* *amer.* 'æftə*] *prep.,avv.*

dopo | *the police are – him*, è ricercato dalla polizia ♦ *cong.* dopo che ♦ *agg.* seguente, successivo.
after·care [ˈɑ:ftəkeə*] *s.* assistenza (postospedaliera, a ex carcerati ecc.).
af·ter·effect [ˌ···ˈ·] *s.* conseguenze; postumi.
af·ter·math [ˈɑ:ftəmæθ] *s.* conseguenza, risultato.
af·ter·noon [ˌɑ:ftəˈnu:n *attr.* ˈɑ:ftənu:n] *s.* pomeriggio.
af·ters [ˈɑ:ftəz] *s.pl.* (*fam.*) dessert.
af·ter·shave [ˈɑ:ftəʃeɪv] *agg.*, *s.* dopobarba.
af·ter·thought [ˈɑ:ftəθɔ:t] *s.* ripensamento.
af·ter·ward(s) [ˈɑ:ftəwɔ:d(z)] *avv.* dopo, poi.
again [əˈge(ɪ)n] *avv.* ancora, di nuovo | *now and –*, ogni tanto | *never –*, mai più.
against [əˈge(ɪ)nst] *prep.* contro.
agape [əˈgeɪp] *avv.* a bocca aperta.
age [eɪdʒ] *s.* età | *to be of –, under –*, essere maggiorenne, minorenne | *it's ages since...*, sono secoli che... ♦ *v.intr.* invecchiare.
aged [ˈeɪdʒɪd] *agg.* **1** vecchio **2** [eidʒd] dell'età di.
agency [ˈeɪdʒənsɪ] *s.* **1** agenzia **2** (*comm.*, *dir.*) rappresentanza, mandato commerciale **3** ente; (*amer.*) ente governativo, agenzia **4** intervento.
agenda [əˈdʒendə] *s.* ordine del giorno.
agent [ˈeɪdʒənt] *s.* agente.
ag·grav·ate [ˈægrəveɪt] *v.tr.* **1** aggravare **2** (*fam.*) innervosire.
ag·greg·ate [ˈægrɪgət] *agg.* totale ♦ *s.* insieme; (*econ.*) aggregato ♦ *v.tr.*, *intr.* aggregare, aggregarsi.
ag·gres·sion [əˈgreʃn] *s.* aggressione; aggressività.
ag·gress·ive [əˈgresɪv] *agg.* aggressivo; (*fam.*) grintoso.
ag·grieved [əˈgri:vd] *agg.* dispiaciuto.
ag·gro [ˈægrəʊ] *s.*(*fam.*) aggressività; lotta (spec. fra bande).
aghast [əˈgɑ:st *amer.* əˈgæst] *agg.* atterrito; (*fam.*) inorridito.
agile [ˈædʒaɪl *amer.* ˈædʒɪl] *agg.* agile.
agil·ity [əˈdʒɪlɪtɪ] *s.* agilità.
agit·ate [ˈædʒɪteɪt] *v.tr.* agitare, scuotere ♦ *v.intr.* mobilitarsi.
agita·tion [ˌ··ˈteiʃn] *s.* agitazione.
ago [əˈgəʊ] *avv.* fa.
agog [əˈgɒg] *agg.* smanioso.
ag·on·ize [ˈægənaɪz] *v.intr.* (*fam.*) tormentarsi.
ag·ony [ˈægənɪ] *s.* angoscia; tormento | *– column*, rubrica di posta (sui giornali).
agree [əˈgri:] *v.intr.*, *tr.* essere d'accordo, convenire; (*di cifre*) concordare.
agree·able [əˈgrɪəbl] *agg.* **1** gradevole **2** disposto, favorevole.
agreed [əˈgri:d] *agg.* concordato.
agree·ment [aˈgri:mənt] *s.* accordo; (*dir.*) contratto.
ag·ri·cul·ture [ˈægrɪkʌltʃə*] *s.* **1** agricoltura **2** agraria.
aground [əˈgraʊnd] *avv.*: *to run –*, arenarsi (di nave).
ahead [əˈhed] *avv.* avanti.
aid [eɪd] *s.* aiuto | *first –*, pronto soccorso ♦ *v.tr.* aiutare | *to – and abet*, rendersi complice di.
aide [eɪd] *s.* assistente, vice.
ail [eɪl] *v.intr.* essere sofferente.
ail·eron [ˈeɪlərɒn] *s.* (*aer.*) alettone.
aim [eɪm] *v.tr.* puntare; (*fig.*) indirizzare ♦ *v.intr.* mirare ♦ *s.* mira; (*fig.*) scopo.
air [eə*] *s.* aria ♦ *v.tr.* **1** aerare **2** (*fig.*) sbandierare.
air- *pref.* aero-.

air·bed ['eəbed] *s.* materassino pneumatico.
air·brick ['eəbrɪk] *s.* mattone forato.
air-conditioning ['eəkən,dɪʃənɪŋ] *s.* condizionamento d'aria.
air·craft ['eəkrɑ:ft *amer.* 'eəkræft] *s.* velivolo | – *carrier*, portaerei.
air·crew ['eəkru:] *s.* equipaggio (di aereo).
air·field ['eəfi:ld] *s.* campo d'aviazione.
air·lane ['eəleɪn] *s.* corridoio aereo.
air·lift ['eəlɪft] *s.* ponte aereo.
air·line ['eəlaɪn] *s.* compagnia aerea.
air·liner ['eəlaɪnə] *s.* aereo di linea.
air·mail ['eəmeɪl] *s.* posta aerea.
air·man ['eəmən] (*-men*) *s.* aviatore.
air·plane ['eəpleɪn] *s.* (*amer.*) aeroplano.
air·port ['eəpɔ:t] *s.* aeroporto.
air·sick·ness ['eəsɪknɪs] *s.* mal d'aria.
air·strip ['eəstrɪp] *s.* pista di atterraggio.
air·tight ['eətaɪt] *agg.* ermetico; (*fig.*) inattaccabile.
airy ['eərɪ] *agg.* **1** arioso, arieggiato **2** noncurante; spensierato.
aisle [aɪl] *s.* **1** corridoio **2** (*arch.*) navata.
ajar [ə'dʒɑ:*] *avv., agg.* socchiuso.
akin [ə'kɪn] *agg.* affine.
alac·rity [ə'lækriti] *s.* alacrità.
alarm [ə'lɑ:m] *s.* allarme | – *clock*, sveglia ♦ *v.tr.* allarmare.
Al·ba·nian [æl'beɪnjən] *agg., s.* albanese.
al·co·hol ['ælkəhɒl] *s.* alcol.
al·co·holic [,ælkə'hɒlɪk] *agg.* alcolico ♦ *s.* alcolizzato, alcolista.
al·der ['ɔ:ldə*] *s.* ontano.
ale [eɪl] *s.* birra.
alert [ə'lɜ:t] *agg.* vigile; (*fig.*) svelto ♦ *s.* segnale d'allarme ♦ *v.tr.* allertare.
al·ge·bra ['ældʒɪbrə] *s.* algebra.
al·geb·ra(:')ic(al) [,ældʒɪ'breɪk(l)] *agg.* algebrico.
Al·ger·ian [æl'dʒɪərɪən] *agg.,s.* algerino.
Al·giers [æl'dʒɪəz] *no.pr.* Algeri.
alias ['eɪlɪəs] (*-ses*) *s.* pseudonimo, falso nome ♦ *avv.* alias, altrimenti detto.
alibi ['ælɪbaɪ] *s.* alibi.
alien ['eɪljən] *agg., s.* straniero; alieno, extraterrestre; (*fig.*) estraneo | *illegal* –, (*amer.*) immigrato clandestino.
alien·ate ['eɪljəneɪt] *v.tr.* alienare.
alight [ə'laɪt] *agg.* in fiamme; acceso.
align [ə'laɪn] *v.tr.* allineare.
alike [ə'laɪk] *agg.* simile: *to be* –, assomigliarsi ♦ *avv.* allo stesso modo.
ali·mony ['ælɪmənɪ] *s.* alimenti (al coniuge).
alive [ə'laɪv] *agg.* vivo | – *with*, brulicante di | – *to*, sensibile, attento a.
all [ɔ:l] *agg., pron., s., avv.* tutto: – *three*, tutti e tre; – *of you, you* –, voi tutti; – (*of*) *the students*, tutti gli studenti | – *over*, ovunque | – *in* –, tutto sommato | *it's* – *one to me*, per me fa lo stesso | – *told*, in tutto; tutto sommato | – *of a sudden*, all'improvviso | – *but certain*, quasi certo | (*not*) *at* –, affatto | *to go* – *out*, (*fam.*) mettercela tutta.
al·lay [ə'leɪ] *v.tr.* calmare.
all clear ['·'·] *s.* **1** cessato allarme **2** (segnale di) via libera.
al·leged [ə'ledʒd] *agg.* presunto.
al·leg·or·ical [,ælɪ'gɒrɪkl] *agg.* allegorico.
al·leg·ory ['ælɪgərɪ] *s.* allegoria.
al·ler·gic [ə'lɜ:dʒɪk] *agg.* allergico.
al·lergy ['ælədʒɪ] *s.* allergia.
al·le·vi·ate [ə'li:vɪeɪt] *v.tr.* alleviare.
al·ley ['ælɪ] *s.* **1** vialetto (di giardino) **2** vicolo **3** (*bowling*) pista.
all fours [,·'·] *s.*: *on* –, gattoni, a quattro zampe.

al·li·ance [əˈlaɪəns] *s.* alleanza; unione.
allied [ˈəlaɪd] *agg.* alleato.
al·li·ga·tor [ˈælɪgeɪtə*] *s.* alligatore.
all-in [ˌ·ˈ·] *agg.* **1** tutto compreso **2** (*fam.*) esausto.
all-inclusive [ˌɔːlɪnˈkluːsɪv] *agg.* tutto compreso.
al·loc·ate [ˈæləʊkeɪt] *v.tr.* assegnare; stanziare, allocare (fondi).
al·lot [əˈlɒt] (*-tted*) *v.tr.* distribuire; assegnare.
al·lot·ment [·ˈ·mənt] *s.* lotto.
all-out [ˌ·ˈ·] *agg.* completo.
al·low [əˈlaʊ] *v.tr.* **1** permettere, lasciare: *to – s.o. to do*, permettere a qlcu. di fare **2** concedere, accordare; praticare **3** *to – for*, tener conto di.
al·low·ance [əˈlaʊəns] *s.* **1** indennità: *family –*, assegni familiari **2** abbuono, sconto; (*trib.*) deduzione **3** *to make allowances for*, tener presente; prendere in considerazione.
al·loy [ˈælɔɪ] *s.* lega.
all-purpose [ˈ· ··] *agg.* multiuso.
all right [ˈ·ˈ·] *agg.* **1** a posto **2** accettabile ♦ *inter., avv.* bene, okay, sì.
all round [ˌ·ˈ·] *avv.* (*fam.*) tutto considerato.
all-round *agg.* completo; versatile.
all-time [ˈ·ˌ·] *agg.* di tutti i tempi.
al·lude [əˈluːd] *v.intr.* alludere.
al·lure [əˈljʊə*] *s.* fascino ♦ *v.tr.* attrarre, allettare.
al·lu·sion [əˈluːʒn] *s.* allusione.
ally [ˈælaɪ] *s.* alleato ♦ [əˈlaɪ] *v.intr.* allearsi.
al·manac [ˈɔːlmənæk] *s.* almanacco.
al·mighty [ɔːlˈmaɪtɪ] *agg.* onnipotente.
al·mond [ˈɑːmənd] *s.* mandorla; mandorlo.
al·most [ˈɔːlməʊst] *avv.* quasi.
alms [ɑːmz] *s.pl.* elemosina.
alone [əˈləʊn] *agg., avv.* solo, da solo | *to go it –*, fare da sé | *to let, to leave –*, lasciar stare; *let –*, tantomeno.
along [əˈlɒŋ] *prep.* lungo | *– with*, con, con sé | *all –*, (da) sempre.
along·side [əˈlɒŋˈsaɪd] *prep.* a fianco di.
aloof [əˈluːf] *avv.* in disparte ♦ *agg.* riservato; distaccato.
aloud [əˈlaʊd] *avv.* ad alta voce.
al·pha·bet [ˈælfəbɪt] *s.* alfabeto.
al·pha·bet·ical [ˌælfəˈbetɪkl] *agg.* alfabetico.
Alps [ælps] *no.pr.pl.* Alpi.
al·ready [ɔːlˈredɪ] *avv.* (di) già.
alright [ˌɔːlˈraɪt] → *all right.*
also [ˈɔːlsəʊ] *avv.* pure, anche.
al·tar [ˈɔːltə*] *s.* altare: *high –*, altare maggiore | *– boy*, chierichetto.
al·ter [ˈɔːltə*] *v.tr., intr.* modificare, modificarsi.
al·tera·tion [ˌ··ˈreɪʃn] *s.* modifica.
al·tern·ate [ɔːlˈtɜːnɪt] *agg.* **1** alterno; alternato **2** (*spec. amer.*) alternativo.
alternate [ˈɔːltəneɪt] *v.tr., intr.* alternare, alternarsi.
al·tern·at·ive [ɔːlˈtɜːnətɪv] *agg.* alternativo ♦ *s.* alternativa.
al·though [ɔːlˈðəʊ] (fam.) **altho** *cong.* benché, sebbene.
al·ti·tude [ˈæltɪtjuːd] *s.* altitudine.
al·to·gether [ˌɔːltəˈgeðə*] *avv.* **1** completamente, del tutto **2** in tutto.
al·tru·ism [ˈæltruɪzəm] *s.* altruismo.
alu·mi·n(i)um [ˌæljʊˈmɪn(ɪ)əm] *s.* alluminio.
alum·nus [əˈlʌmnəs] (*-ni* [naɪ]) *s.* (*amer.*) ex allievo.
al·ways [ˈɔːlweɪz] *avv.* sempre.
a.m. [ˈeɪ ˈem] *abbr.* antimeridiano.

am·al·gam·ate [ə'mælgəmeɪt] *v.tr.* amalgamare ♦ *v.intr.* (*econ.*) amalgamarsi.
amass [ə'mæs] *v.tr.* ammassare.
ama·teur ['æmətə*] *agg., s.* dilettante.
ama·teur·ish [,æmə'tɜ:rɪʃ] *agg.* (*spreg.*) da dilettante.
am·aze [ə'meɪz] *v.tr.* stupire.
amaze·ment [·'·mənt] *s.* stupore.
amaz·ing [·'·ɪŋ] *agg.* sorprendente; stupefacente.
am·bas·sador [æm'bæsədə*] *s.* ambasciatore.
am·ber ['æmbə*] *s.* ambra.
am·bi·gu·ity [,æmbɪ'gju:ɪtɪ] *s.* ambiguità.
am·bigu·ous [æm'bɪgjuəs] *agg.* ambiguo.
am·bi·tion [æm'bɪʃn] *s.* ambizione.
am·bi·tious [æm'bɪʃəs] *agg.* ambizioso.
am·bu·lance ['æmbjʊləns] *s.* ambulanza.
am·bush ['æmbʊʃ] *s.* imboscata.
amen·able [a'mi:nəbl] *agg.* ben disposto.
amend·ment [ə'men*d*mənt] *s.* (*dir.*) emendamento.
amends [ə'mendz] *s.pl.*: *to make – for sthg.*, fare ammenda per qlco.
amen·ities [ə'mi:nətɪz] *s.pl.* comodità, comfort | *sports amenities*, strutture sportive.
Am·er·ican [ə'merɪkən] *agg., s.* americano.
ameth·yst ['æmɪθɪst] *s.* ametista.
ami·able ['eɪmjəbl] *agg.* amabile.
am·ic·able ['æmɪkəbl] *agg.* amichevole.
amid(st) [ə'mɪd(st)] *prep.* tra, fra.
amiss [ə'mɪs] *avv., agg.* (in modo) sbagliato: *to take it –*, prendersela.
ammo·nia [ə'məʊnjə] *s.* ammoniaca.
am·mu·ni·tion [,æmjʊ'nɪʃn] *s.* munizioni.
am·nesty ['æmnɪstɪ] *s.* amnistia.
among(st) [ə'mʌŋ(kst)] *prep.* tra, fra.
amoral [,eɪ'mɒrəl] *agg.* amorale.
am·or·ous ['æmərəs] *agg.* passionale, appassionato.
amorph·ous [ə'mɔ:fəs] *agg.* amorfo.
amort·ize [ə'mɔ:taɪz *amer.* 'æmərtaiz] *v.tr.* ammortizzare.
amount [ə'maʊnt] *s.* ammontare, importo ♦ *v.intr.* ammontare; equivalere.
am·phi·bian [æm'fɪbɪən] *s.* anfibio.
am·phi·bi·ous [æm'fɪbɪəs] *agg.* anfibio.
ample ['æmpl] *agg.* abbondante; ampio.
amp·lify ['æmplɪfaɪ] *v.tr.* **1** amplificare **2** ampliare, allargare.
am·p(o)ule ['æmpʊl] *s.* fiala.
am·pu·tate ['æmpjʊteɪt] *v.tr.* amputare.
am·pu·ta·tion [,æmpjʊ'teɪʃn] *s.* amputazione.
amuse [ə'mju:z] *v.tr.* divertire.
amuse·ment [·'·mənt] *s.* divertimento; passatempo | *– arcade*, sala giochi; *– park*, (*amer.*) luna park.
ana·chron·ism [ə'nækrənɪzəm] *s.* anacronismo.
an·ae·mia [ə'ni:mjə] *s.* anemia.
an·aes·the·sia [,ænɪs'θi:zjə] *s.* anestesia.
an·aes·thet·ist [æ'ni:sθətɪst] *s.* anestesista.
an·aes·thet·ize [æ'ni:sθətaɪz] *v.tr.* anestetizzare.
ana·gram ['ænəgræm] *s.* anagramma.
an·al·gesic [,ænæl'dʒi:sɪk] *agg.,s.* analgesico.
ana·log·ous [ə'næləgəs] *agg.* analogo.
ana·log(ue) ['ænəlɒg] *agg.* analogico.

ana·logy [əˈnælədʒɪ] *s.* analogia.
ana·lyse [ˈænəlaɪz] *v.tr.* analizzare.
ana·lysis [əˈnælɪsɪs] (*-ses* [si:z]) *s.* analisi.
ana·lyt(·)ic(al) [ˌænəˈlɪtɪk(l)] *agg.* analitico.
an·archic [æˈnɑ:kɪk] *agg.* anarchico.
an·ar·chy [ˈænəkɪ] *s.* anarchia.
ana·tom·ical [ˌænəˈtɒmɪkl] *agg.* anatomico.
ana·tomy [əˈnætəmɪ] *s.* anatomia.
an·cestor [ˈænsestə*] *s.* antenato.
an·ces·tral [ænˈsestrəl] *agg.* ancestrale.
an·ces·try [ˈænsestrɪ] *s.* antenati.
an·chor [ˈæŋkə*] *s.* ancora ♦ *v.tr., intr.* ancorare, ancorarsi.
an·chovy [ˈæntʃəvɪ] *s.* acciuga.
an·cient [ˈeɪnʃənt] *agg.* antico; vecchio.
an·cil·lary [ænˈsɪlərɪ *amer.* ˈænsɪlərɪ] *agg.* ausiliario.
and [ænd (*ff*) ənd ən (*fd*)] *cong.* e, ed | *better – better*, sempre meglio | *go – see him*, vai a trovarlo.
an·ec·dote [ˈænɪkdəʊt] *s.* aneddoto.
an·e·mia (*amer.*) → *anaemia.*
anesthesia (*amer.*) → *anaesthesia.*
anew [əˈnju:] *avv.* di nuovo.
an·gel [ˈeɪndʒəl] *s.* **1** angelo: *guardian –*, angelo custode **2** (*fam.*) finanziatore.
an·ger [ˈæŋgə*] *s.* collera ♦ *v.tr.* irritare, far andare in collera.
angle [ˈæŋgl] *s.* **1** angolo: *at right angles*, ad angolo retto **2** (*fig.*) punto di vista.
ang·ler [ˈæŋglə*] *s.* pescatore (con l'amo).
An·glican [ˈæŋglɪkən] *agg.* e *s.* anglicano.
Anglo-Saxon [ˌæŋgləʊˈsæksən] *agg., s.* anglosassone.
angry [ˈæŋgrɪ] *agg.* in collera.
an·guish [ˈæŋgwɪʃ] *s.* angoscia.
an·imal [ˈænɪml] *s., agg.* animale.
animal husbandry [ˌænɪmlˈhʌsbəndrɪ] *s.* zootecnia.
an·im·ate [ˈænɪmɪt] *agg.* animato ♦ [ˈænɪmeɪt] *v.tr.* animare.
an·im·os·ity [ˌænɪˈmɒsətɪ] **an·imus** [ˈænɪməs] *s.* animosità.
an·ise [ˈænɪs] *s.* anice.
ani·seed [ˈænɪsi:d] *s.* (seme di) anice.
ankle [ˈæŋkl] *s.* caviglia | *– bone*, malleolo.
ank·let [ˈæŋklɪt] *s.* catenella ornamentale per caviglia.
an·nex [əˈneks] *v.tr.* annettere.
an·nex(e) [ˈæneks] *s.* annesso.
an·ni·hil·ate [əˈnaɪəleɪt] *v.tr.* annientare.
an·ni·vers·ary [ˌænɪˈvɜ:sərɪ] *s.* anniversario.
an·not·ate [ˈænəʊteɪt] *v.tr.* annotare.
an·nota·tion [ˌ··ˈteɪʃn] *s.* annotazione.
an·nounce [əˈnaʊns] *v.tr.* annunciare.
an·nounce·ment [·ˈ·mənt] *s.* annuncio.
an·noun·cer [·ˈ·sə*] *s.* annunciatore.
an·noy [əˈnɔɪ] *v.tr.* infastidire.
an·noy·ance [əˈnɔɪəns] *s.* seccatura.
an·nual [ˈænjʊəl] *agg.* annuale, annuo ♦ *s.* annuario.
an·nu·ity [əˈnju:ɪtɪ] *s.* rendita annuale | *life –*, vitalizio.
an·nul [əˈnʌl] (*-lled*) *v.tr.* annullare; abolire.
an·nul·ment [·ˈ·mənt] *s.* annullamento.
an·om·al·ous [əˈnɒmələs] *agg.* anomalo.
an·onym·ous [əˈnɒnɪməs] *agg.* anonimo.
an·orak [ˈænəˌræk] *s.* giacca a vento.
an·other [əˈnʌðə*] *agg., pron.* un altro | *one –, each –*, l'un l'altro.

an·swer ['ɑ:nsə* *amer.* 'ænsə*] *s.* risposta ♦ *v.tr., intr.* rispondere | *to – back*, ribattere | *answering machine*, segreteria telefonica.
an·swer·able ['ɑ:nsərəbl] *agg.* **1** responsabile **2** che non ammette risposta.
ant [ænt] *s.* formica.
ant·ag·on·ism [æn'tægənɪzəm] *s.* antagonismo, ostilità.
ant·ag·on·ize [æn'tægənaɪz] *v.tr.* provocare l'ostilità (di), inimicarsi.
Ant·arc·tic [ænt'ɑ:ktɪk] *agg.* antartico.
ante·lope ['æntɪləʊp] *s.* antilope.
ante·natal [,æntɪ'neɪtl] *agg.* prenatale.
an·tenna [æn'tenə] *s.* antenna.
ant·hill ['ænt,hɪl] *s.* formicaio.
an·tho·logy [æn'θɒlədʒɪ] *s.* antologia.
anthropo- ['ænθrəpə, 'ænθrəpəʊ] *pref.* antropo-.
anti·air·craft [,æntɪ'eə,krɑ:ft] *agg.* contraereo.
an·ti·bi·otic [,æntɪbaɪ'ɒtɪk] *agg., s.* antibiotico.
an·ti·body ['æntɪ,bɒdɪ] *s.* anticorpo.
an·ti·cip·ate [æn'tɪsɪpeɪt] *v.tr.* **1** prevedere; aspettarsi **2** pregustare.
an·ti·clock·wise [,æntɪ'klɒkwaɪz] *agg., avv.* (in senso) antiorario.
an·tics ['æntɪks] *s.pl.* buffonate.
an·ti·dote ['æntɪdəʊt] *s.* antidoto.
an·ti·freeze ['æntɪ'fri:z] *s.* antigelo.
anti-mist ['æntɪ'mɪst] *agg.* antiappannante.
an·ti·pathy [æn'tɪpəθɪ] *s.* antipatia.
an·ti·quar·ian [,æntɪ'kweərɪən] *agg., s.* antiquario.
an·ti·quary ['æntɪ'kwərɪ] *s.* antiquario.
an·ti·quated ['æntɪ'kweɪtɪd] *agg.* antiquato.
an·tique [æn'ti:k] *agg.* **1** antico **2** antiquato ♦ *s.* pezzo d'antiquariato: *– dealer*, antiquario.
an·tiquity [æn'tɪkwɪtɪ] *s.* antichità.
an·ti·sep·tic [,æntɪ'septɪk] *agg., s.* antisettico.
an·vil ['ænvɪl] *s.* incudine.
an·xi·ety [æŋ'zaɪətɪ] *s.* **1** ansietà **2** forte desiderio, impazienza.
anxious ['æŋkʃəs] *agg.* **1** ansioso **2** preoccupante **3** desideroso, impaziente.
any ['enɪ] *agg.* **1** alcuno, nessuno: *without – reason*, senza nessuna ragione **2** qualche, del: *are there – letters for me?*, ci sono lettere per me? **3** qualsiasi, qualunque: *come at – time*, vieni a qualunque ora ♦ *pron.* **1** nessuno **2** qualcuno: *have you –?*, ne hai? **3** uno qualunque ♦ *avv.* **1** affatto **2** un po': *are you – better?*, stai meglio?
any·body ['enɪ,bɒdɪ] *pron.* **1** nessuno; qualcuno **2** chiunque: *– else*, chiunque altro ♦ *s.* qualcuno, una persona importante.
any·how ['enɪhaʊ] *avv.* **1** comunque, in ogni caso **2** in qualche modo.
any·one ['enɪwʌn] → *anybody.*
any·place ['enɪ,pleɪs] (*amer.*) → *anywhere.*
any·thing ['enɪθɪŋ] *pron.* **1** niente **2** qualche cosa: *– wrong?*, qualcosa non va? **3** qualsiasi cosa, qualunque cosa.
any·way ['enɪweɪ] → *anyhow.*
any·where ['enɪweə*] *avv.* **1** da nessuna parte; da qualche parte **2** dovunque | *– else*, in qualunque altro posto.
apart [ə'pɑ:t] *avv.* **1** a parte, da parte | *– from...*, a parte ... **2** a pezzi.
apart·ment [ə'pɑ:tmənt] *s.* (*spec. amer.*) appartamento.
apa·thetic [,æpə'θetɪk] *agg.* apatico.

ap·athy [ˈæpəθɪ] *s.* apatia.
ape [eɪp] *s.* scimmia ♦ *v.tr.* scimmiottare.
aper·itif [ˈɑːpeɪriːˈtɪf] *s.* aperitivo.
apex [ˈeɪpeks] *s.* apice.
api·ary [ˈeɪpjərɪ] *s.* alveare.
apiece [əˈpiːs] *avv.* a testa, ciascuno; al pezzo, l'uno.
apo·gee [ˈæpəʊdʒiː] *s.* apogeo.
apo·lo·getic [əˈpɒləˈdʒetɪk] *agg.* di scusa | *to feel* –, sentire di dovere delle scuse.
apo·lo·gize [əˈpɒlədʒaɪz] *v.intr.* scusarsi.
apo·logy [əˈpɒlədʒɪ] *s.* **1** scusa, giustificazione **2** brutta copia; surrogato.
apostle [əˈpɒsl] *s.* apostolo.
apostrophe [əˈpɒstrəfɪ] *s.* apostrofo.
ap·pal(l) [əˈpɔːl] (*-lled*) *v.tr.* riempire di sgomento.
ap·par·at·chik [ˌæpəˈrætʃɪk] *s.* burocrate.
ap·par·atus [ˌæpəˈreɪtəs] *s.* apparato; apparecchiatura.
ap·par·ent [əˈpærənt] *agg.* evidente | (*dir.*) *heir* –, erede legittimo.
ap·pari·tion [ˌæpəˈrɪʃn] *s.* apparizione.
ap·peal [əˈpiːl] *v.intr.* **1** apparire; presentarsi **2** se*v.intr.* **1** appellarsi, fare appello **2** attrarre ♦ *s.* appello | *to loose* –, perdere d'attrattiva.
ap·peal·ing [·ˈ·ɪɪŋ] *agg.* attraente.
ap·pear [əˈpɪə*] *v.intr.* **1** apparire; presentarsi **2** sembrare, parere.
ap·pear·ance [əˈpɪərəns] *s.* **1** apparenza **2** apparizione, comparsa.
ap·pease [əˈpiːz] *v.tr.* calmare.
ap·pendix [əˈpendɪks] *s.* appendice.
ap·pet·ite [ˈæpɪtaɪt] *s.* appetito.
ap·pet·izer [ˈæpɪtaɪzə*] *s.* stuzzichino; aperitivo.
ap·pet·iz·ing [ˈæpɪtaɪzɪŋ] *agg.* appetitoso, invitante.
ap·plaud [əˈplɔːd] *v.tr., intr.* applaudire; approvare.
ap·plause [əˈplɔːz] *s.* applauso; approvazione.
apple [ˈæpl] *s.* mela: – *tree*, melo | *Big Apple*, la Grande Mela, New York.
ap·pli·ance [əˈplaɪəns] *s.* apparecchio; dispositivo: *electrical, household appliances*, elettrodomestici.
ap·plic·able [ˈæplɪkəbl] *agg.* **1** applicabile **2** adatto.
ap·plic·ant [ˈæplɪkənt] *s.* candidato.
ap·plica·tion [ˌæplɪˈkeɪʃn] *s.* **1** domanda, richiesta **2** applicazione.
ap·ply [əˈplaɪ] *v.tr.* **1** applicare ♦ *v.intr.* **1** rivolgersi; inoltrare domanda (a) **2** riguardare, concernere.
ap·point [əˈpɔɪnt] *v.tr.* **1** nominare **2** fissare, stabilire.
ap·point·ment [·ˈ·mənt] *s.* **1** appuntamento **2** nomina; carica.
ap·por·tion [əˈpɔːʃn] *v.tr.* distribuire.
ap·praisal [əˈpreɪzl] *s.* valutazione.
ap·praise [əˈpreɪz] *v.tr.* valutare.
ap·pre·ciable [əˈpriːʃəbl] *agg.* apprezzabile.
ap·preci·ate [əˈpriːʃɪeɪt] *v.tr.* **1** apprezzare, stimare **2** rendersi conto di ♦ *v.intr.* aumentare di valore.
ap·pre·ci·ation [·ˌ··ˈeɪʃn] *s.* apprezzamento.
ap·pre·ci·at·ive [əˈpriːʃjətɪv] *agg.* di apprezzamento, di stima.
ap·pre·hen·sion [ˌæprɪˈhenʃn] *s.* apprensione.
ap·pre·hen·sive [ˌæprɪˈhensɪv] *agg.* apprensivo, timoroso.
ap·pren·tice [əˈprentɪs] *s.* apprendista.

ap·pren·tice·ship [ə'prentɪʃɪp] *s.* tirocinio, apprendistato.
approach [ə'prəʊtʃ] *v.tr., intr.* avvicinare, avvicinarsi ♦ *s.* avvicinamento; approccio.
ap·proach·able [·'·əbl] *agg.* accessibile; (*fig.*) abbordabile.
ap·proach·ing [·'·ɪŋ] *agg.* prossimo.
ap·pro·pri·ate [ə'prəʊprɪət] *agg.* appropriato.
ap·proval [ə'pru:vl] *s.* approvazione | (*comm.*) *on* –, in prova, in visione.
ap·prove [ə'pru:v] *v.tr., intr.* approvare.
ap·prox·im·ate [ə'prɒksɪmət] *agg.* approssimativo ♦ [ə'prɒksɪmeɪt] *v.tr., intr.* avvicinarsi.
ap·prox·ima·tion [·,··'meɪʃn] *s.* approssimazione.
ap·ri·cot ['eɪprɪkɒt] *s.* albicocca | – *tree*, albicocco.
Ap·ril ['eɪprəl] *s.* aprile | – *fool!*, pesce d'aprile!
ap·ron ['eɪprən] *s.* grembiule.
apro·pos ['æprəpəʊ] *agg., avv.* a proposito.
apse [æps] *s.* (*arch.*) abside.
apt [æpt] *agg.* adatto; propenso; sveglio.
ap·ti·tude ['æptɪtju:d] *s.* attitudine.
aqua·lung ['ækwəlʌŋ] *s.* autorespiratore.
aqua·plane ['ækwəpleɪn] *s.* acquaplano.
aquar·ium [ə'kweərɪəm] *s.* acquario.
aque·duct ['ækwɪdʌkt] *s.* acquedotto.
Arab ['ærəb] *agg., s.* arabo.
Ara·bian [ə'reɪbjən] *agg.* arabico.
Ar·abic ['ærəbɪk] *agg.* arabo.
ar·biter ['ɑ:bɪtə*] *s.* arbitro.
ar·bit·rate ['ɑ:bɪtreɪt] *v.tr., intr.* arbitrare.
ar·bit·ra·tion [,··'treɪʃn] *s.* arbitrato; arbitraggio.
ar·bour ['ɑ:bə*] **amer arbor** *s.* pergolato; giardino.
arc [ɑ:k] *s.* arco.
ar·cade [ɑ:'keɪd] *s.* **1** portico **2** galleria.
arch[1] [ɑ:tʃ] *s.* arco; volta; arcata ♦ *v.tr.* arcuare.
arch[2] *agg.* birichino, malizioso.
archae·ology [,ɑ:kɪ'ɒlədʒɪ] *s.* archeologia.
ar·chaic [ɑ:'keɪɪk] *agg.* arcaico.
arch·bishop ['ɑ:tʃ'bɪʃəp] *s.* arcivescovo.
archer ['ɑ:tʃə*] *s.* arciere.
arch·ery ['ɑ:tʃərɪ] *s.* tiro con l'arco.
arche·type ['ɑ:kɪtaɪp] *s.* archetipo.
archi·pe·lago [,ɑ:kɪ'pelɪgəʊ] (*-oes,-os*) *s.* arcipelago.
archi·tect ['ɑ:kɪtekt] *s.* architetto.
archi·tec·ture ['ɑ:kɪitektʃə*] *s.* architettura.
arch·ives ['ɑ:kaɪvz] *s.pl.* archivio, archivi.
arch·way ['ɑ:tʃweɪ] *s.* passaggio ad arco.
arc·tic ['ɑ:ktɪk] *agg.* artico; glaciale.
ar·dour ['ɑ:də*] amer. **ardor** *s.* ardore.
ar·du·ous ['ɑ:djʊəs] *agg.* arduo.
area ['eərɪə] *s.* area.
ar·gue ['ɑ:gju:] *v.intr.* discutere | *to – out*, dibattere; *to – s.o. out of doing*, dissuadere qlcu. dal fare.
ar·gu·ment ['··mənt] *s.* **1** discussione **2** argomento, motivo.
ar·gu·ment·at·ive [ɑ:gjʊ'mentətɪv] *agg.* polemico.
arid ['ærɪd] *agg.* arido.
arise [ə'raɪz] (come *rise*) *v.intr.* presentarsi, insorgere.

ar·is·to·crat [ˈærıstəkræt *amer.* əˈrıstə kræt] *s.* aristocratico.
ar·is·to·cratic [ˌ··ˈ·ik] *agg.* aristocratico.
arith·metic [əˈrıθmetık] *s.* aritmetica.
ar·ith·met·ical [··ˈ·tıkl] *agg.* aritmetico.
arm [ɑ:m] *s.* **1** braccio | – *in* –, a braccetto **2** *pl.* armi ♦ *v.tr., intr.* armare, armarsi.
arm·chair [ˌɑ:mˈtʃeə*] *s.* poltrona.
arm·hole [ˈɑ:mhəʊl] *s.* giromanica.
ar·mis·tice [ˈɑ:mıstıs] *s.* armistizio.
ar·moured [ˈɑ:məd] amer. **armored** *agg.* blindato.
armour-plated [ˈɑ:mə,pleıtıd] *agg.* blindato, corazzato.
arm·pit [ˈɑ:mpıt] *s.* ascella.
army [ˈɑ:mı] *s.* esercito.
arose [əˈrəʊz] *pass.* di to *arise*.
around [əˈraʊnd] *avv., prep.* **1** intorno; qua e là, in giro | *all* –, tutt'intorno **2** circa.
arouse [əˈraʊz] *v.tr.* destare.
ar·range [əˈreındʒ] *v.tr., intr.* disporre; predisporre.
ar·range·ment [·ˈ··mənt] *s.* **1** disposizione **2** accordo, intesa **3** (*mus.*) arrangiamento.
ar·ras [ˈærəs] *s.* arazzo.
ar·ray [əˈreı] *s.* schieramento; assetto ♦ *v.tr.* schierare.
ar·rears [əˈriə*z] *s.pl.* arretrati | *in* –, in arretrato.
ar·rest [əˈrest] *s.* arresto | *under house* –, agli arresti domiciliari ♦ *v.tr.* arrestare.
ar·rival [əˈraıvl] *s.* arrivo.
ar·rive [əˈraıv] *v.intr.* arrivare.
ar·rog·ant [ˈærəgənt] *agg.* arrogante.
ar·row [ˈærəʊ] *s.* freccia.
arse [ˈɑ:s] *s.* (*volg.*) culo.
ar·senal [ˈɑ:sənl] *s.* arsenale.
ar·senic [ˈɑ:snık] *s.* arsenico.
ar·son [ˈɑ:sn] *s.* incendio doloso.
art [ɑ:t] *s.* arte | – *director*, direttore artistico; direttore di scena.
arte·fact [ˈɑ:tıfækt] *s.* manufatto.
ar·tery [ˈɑ:tərı] *s.* arteria.
art·ful [ˈɑ:tfʊl] *agg.* astuto.
arth·ritic [ɑ:ˈθrıtık] *agg.* artritico.
ar·ti·choke [ˈɑ:tıtʃəʊk] *s.* carciofo.
art·icle [ˈɑ:tıkl] *s.* articolo.
articulate [ɑ:tıkjʊleıt] *v.tr.* **1** articolare **2** esprimere chiaramente.
arti·fact [ˈɑ:tıfækt] *s.* (*amer.*) manufatto.
ar·ti·fi·cial [ˌɑ:tıˈfıʃl] *agg.* **1** artificiale **2** insincero.
ar·til·lery [ɑ:ˈtılərı] *s.* artiglieria.
ar·tisan [ˌɑ:tvˈzæn *amer.* ˈɑ:tızn] *s.* artigiano.
art·ist [ˈɑ:tvst] *s.* artista.
ar·tiste [ɑ:ˈti:st] *s.*(*teatr.*) artista.
art·less [ˈɑ:tlıs] *agg.* ingenuo.
arty(-crafty) [ˈɑ:tı(ˈkrɑ:ftı)] *agg.* con pretese artistiche.
as [æz (*ff*) əz (*fd*)] *avv., cong.* **1** come | – ... –, così... come; tanto... quanto; – *soon* –, appena; – *far* –, fino a; per quanto | – *for*, – *regards* , – *to*, quanto a; per quanto, per quanto riguarda **2** poiché, siccome **3** mentre.
as·cend [əˈsend] *v.tr., intr.* (*form.*) salire, ascendere.
as·cend·ancy [əˈsendənsı] *s.* influenza; potere.
as·cend·ant [əˈsendənt] *s.* ascendente.
as·cent [əˈsent] *s.* **1** ascesa **2** salita.
as·cer·tain [ˌæsəˈteın] *v.tr.* accertare.
as·cetic [əˈsetık] *agg.* ascetico ♦ *s.* asceta.
ascribe [əˈskraıb] *v.tr.* attribuire.
aseptic [æˈseptık] *agg.* asettico.
ash[1] [æʃ] *s.* – (*tree*), frassino.
ash[2] *s.* (*spec. pl.*) cenere.
ashamed [əˈʃeımd] *agg.* vergognoso:

to be – of, vergognarsi di.
ash·bin [ˈæʃ,bɪn] **ash·can** [ˈæʃ,kæn] *s.* (*amer.*) pattumiera.
ashore [əˈʃɔ:*] *avv.* a riva.
ash·tray [ˈæʃ,treɪ] *s.* posacenere.
Asian [ˈeɪʃn] **Asi·atic** [eɪʃɪˈætɪk] *agg.*, *s.* asiatico.
aside [əˈsaɪd] *avv.* a parte.
ask [ɑ:sk *amer.* æsk] *v.tr.*, *intr.* **1** domandare, chiedere | *to – about, after*, informarsi su, circa | *you asked for it!*, te la sei voluta! **2** invitare.
askance [əsˈkæns] **askew** [əˈskju:] *avv.* di traverso.
asleep [əˈsli:p] *avv.*, *agg.* addormentato: *fast, sound* –, profondamente addormentato.
as·par·agus [əˈspærəgəs] *s.* asparagi.
as·pect [ˈæspekt] *s.* **1** aspetto **2** esposizione (di un edificio).
as·phalt [ˈæsfælt] *s.* asfalto ♦ *v.tr.* asfaltare.
as·phyxi·ate [əsˈfɪksɪeɪt] *v.tr.* asfissiare.
as·pire [əˈspaɪə*] *v.intr.* ambire.
as·pirin [ˈæspərɪn] *s.* aspirina.
ass[1] [æs] *s.* asino, somaro.
ass[2] *s.* (*sl. amer. volg.*) culo | *my –!*, col cavolo!
as·sail [əˈseɪl] *v.tr.* assalire.
as·sas·sin [əˈsæsɪn] *s.* assassino.
as·sas·sin·ate [əˈsæsɪneɪt] *v.tr.* assassinare.
as·sault [əˈsɔ:lt] *s.* assalto; aggressione ♦ *v.tr.* assalire.
as·sem·blage [əˈsemblɪdʒ] *s.* montaggio.
as·semble [əˈsembl] *v.intr.* riunirsi ♦ *v.tr.* riunire; montare.
as·sem·bly [əˈsemblɪ] *s.* **1** assemblea, riunione **2** montaggio.
as·sent [əˈsent] *s.* consenso, approvazione ♦ *v.intr.* approvare.
as·sert [əˈsɜ:t] *v.tr.* affermare.
as·sert·ive [əˈsɜ:tɪv] *agg.* determinato.
as·sess [əˈses] *v.tr.* accertare; stimare.
as·set [ˈæset] *s.* beni, patrimonio.
as·sidu·ous [əˈsɪdjʊəs] *agg.* assiduo.
as·sign [əˈsaɪn] *v.tr.* assegnare; (*dir.*) delegare.
as·sim·il·ate [əˈsɪmɪleɪt] *v.tr.*, *intr.* assimilare, assimilarsi.
as·sist [əˈsɪst] *v.tr.* assistere.
as·sist·ance [·ˈ·əns] *s.* assistenza.
as·sist·ant [əˈsɪstənt] *s.* assistente, collaboratore; vice.
as·so·ci·ate [əˈsəʊʃɪət] *agg.* associato ♦ *s.* **1** socio **2** collega.
associate [əˈsəʊʃɪeɪt] *v.tr.* associare ♦ *v.intr.* frequentare.
as·so·ci·ation [·,··ˈeɪʃn] *s.* associazione.
as·sor·ted [əˈsɔ:tɪd] *agg.* assortito.
as·sort·ment [əˈsɔ:tmənt] *s.* assortimento.
as·sume [əˈsju:m] *v.tr.* **1** presumere **2** assumere, prendere.
as·sump·tion [əˈsʌmpʃn] *s.* **1** assunzione **2** presupposto.
as·sur·ance [əˈʃʊərəns] *s.* **1** assicurazione **2** fiducia, sicurezza.
as·sure [əˈʃʊə*] *v.tr.* assicurare; rassicurare.
as·sured [əˈʃʊəd] *agg.* certo, sicuro ♦ *s.* assicurato (sulla vita).
as·ter·isk [ˈæstərɪsk] *s.* asterisco.
astern [əˈstɜ:n] *avv.* a poppa.
as·ton·ish [əˈstɒnɪʃ] *v.tr.* stupire.
as·ton·ish·ment [·ˈ··mənt] *s.* stupore.
astound [əˈstaʊnd] *v.tr.* sbalordire.
astray [əˈstreɪ] *avv.*, *agg.* fuori strada: *to lead* –, fuorviare, traviare.
astride [əˈstraɪd] *avv.*, *prep.* a cavalcioni (di).

as·tro·logy [ə'strɒlədʒɪ] *s.* astrologia.
as·tro·naut ['æstrənɔ:t] *s.* astronauta.
as·tro·nomer [ə'strɒnəmə*] *s.* astronomo.
as·tro·nom·ic(al) [,æstrə'nɒmɪk(l)] *agg.* astronomico.
as·tro·nomy [ə'strɒnəmɪ] *s.* astronomia.
as·tute [ə'stju:t] *agg.* astuto.
at [æt *(ff)* ət *(fd)*] *prep.* a; in: – *Capri*, a Capri; – *home*, – *church*, a casa, in chiesa; – *ten o'clock*, alle dieci; – *Christmas*, a Natale; – *ten*, a dieci anni | – *once*, subito.
ate [et] *pass.* di to *eat*.
athe·ist ['eɪθɪɪst] *s.* ateo.
athe·istic [,eɪθɪ'ɪstɪk] *agg.* ateo.
Athe·nian [ə'θi:njən] *agg., s.* ateniese.
Ath·ens ['æθɪnz] *no.pr.* Atene.
ath·lete ['æθli:t] *s.* atleta.
ath·letic [æθ'letɪk] *agg.* atletico.
ath·let·ics [æθ'letɪks] *s.* atletica.
at-home ['·'] *s.* festicciola.
At·lantic [ət'læntɪk] *agg., no.pr.* atlantico.
at·las ['ætləs] *s.* atlante.
at·mo·sphere ['ætmə,sfiə*] *s.* atmosfera.
atom [,ætəm] *s.* atomo; briciolo.
atomic ['·'ɪk] *agg.* atomico.
at·om·ize ['ætəʊmaɪz] *v.tr.* nebulizzare.
atop [ə'tɔp] *avv.* *(amer.)* in cima a.
at·ro·cious [ə'trəʊʃəs] *agg.* atroce.
at·tach [a'tætʃ] *v.tr.* **1** attaccare; unire **2** attribuire.
at·tach·ment ['·mənt] *s.* **1** attaccamento, affetto **2** accessorio.
at·tack [ə'tæk] *s.* attacco ♦ *v.tr.* attaccare.
at·tain [ə'teɪn] *v.tr.* acquisizioni, risultati.
at·tain·ment ['·mənt] *s.* **1** raggiungimento **2** *pl.* acquisizioni, risultati.
at·tempt [ə'tem*p*t] *s.* tentativo; attentato (alla vita) ♦ *v.tr.* tentare.
at·tend [ə'tend] *v.tr.* **1** presenziare; frequentare **2** assistere, prendersi cura.
at·tend·ance ['·əns] *s.* **1** frequenza **2** pubblico.
at·tend·ant ['·ənt] *s.* inserviente; custode.
at·ten·tion [ə'tenʃn] *s.* attenzione | *to pay* –, fare attenzione.
at·tent·ive [ə'tentɪv] *agg.* attento; premuroso.
at·tenu·ate [ə'tenjʊeɪt] *v.tr., intr.* attenuare, attenuarsi.
at·tic ['ætɪk] *s.* **1** soffitta **2** attico.
at·ti·tude ['ætɪtju:d] *s.* atteggiamento.
at·tor·ney [ə'tɜ:nɪ] *s.* *(dir.)* **1** procuratore | *power of* –, procura **2** *(amer.)* – *(-at-law)*, avvocato.
at·tract [ə'trækt] *v.tr.* attrarre.
at·trac·tion ['·ʃn] *s.* attrazione.
at·tract·ive ['·ɪv] *agg.* allettante; attraente.
at·tri·bute ['ætrɪbju:t] *s.* attributo ♦ [ə'··] *v.tr.* attribuire.
at·tri·tion [ə'trɪʃn] *s.* attrito.
au·ber·gine ['əʊbəʒi:n] *s.* melanzana.
auc·tion ['ɔ:kʃn] *s.* asta ♦ *v.tr.* vendere all'asta.
aud·ible ['ɔ:dəbl] *agg.* udibile.
au·di·ence ['ɔ:djəns] *s.* **1** pubblico, spettatori **2** udienza.
audit ['ɔ:dɪt] *s.* revisione (di conti) ♦ *v.tr.* fare una revisione.
au·di·tion [ɔ:'dɪʃn] *s.* audizione ♦ *v.tr., intr.* fare un'audizione.
Au·gust ['ɔ:gəst] *s.* agosto.
aunt [ɑ:nt *amer.* ænt] *s.* zia.
Aus·sie ['ɒzɪ] *s.* *(fam.)* australiano.
aus·tere [ɒ'stɪə*] *agg.* austero.
au·ster·ity [ɒ'sterɪtɪ] *s.* austerità.

Aus·tra·lia [ɒ'streɪljə] *no.pr.* Australia.
Aus·tra·lian [ɒ'streɪljən] *agg., s.* australiano.
Aus·tria ['ɒstrɪə] *no.pr.* Austria.
Aus·trian ['ɒstrɪən] *agg., s.* austriaco.
au·then·tic [ɔ:θentɪk] *agg.* autentico.
au·then·tic·ate [·'··eɪt] *v.tr.* autenticare.
au·thor ['ɔ:θə*] *s.* autore.
au·thor·ess ['ɔ:θərɪs] *s.* autrice.
au·thor·it·ar·ian [ɔ:,θɒrɪ'teərɪən] *agg.* autoritario.
au·thor·it·at·ive [ɔ:'θɒrɪtətɪv] *agg.* autorevole.
au·thor·ity [ɔ:'θɒrɪtɪ] *s.* **1** autorità **2** autorizzazione **3** fonte (di informazioni).
au·thor·iza·tion [,ɔ:θəraɪ'zeɪʃn] *s.* autorizzazione.
au·thor·ize ['ɔ:θəraɪz] *v.tr.* autorizzare.
auto ['ɔ:tə(ʊ)] *s.* (*fam. amer.*) automobile.
auto·bio·graphy [,ɔ:təʊbaɪ'ɒgrəfɪ] *s.* autobiografia.
auto·graph ['ɔ:təgrɑ:f *amer.* 'ɔ:təgræf] *s.* autografo.
auto·ma·ted ['ɔ:tə,meɪtəd] *agg.* automatizzato.
auto·matic [,ɔ:tə'mætɪk] *agg.* automatico.
auto·mo·bile ['ɔ:təməʊbi:l *amer.* ,··'·] *s.* (*amer.*) automobile.
auto·nom·ous [ɔ:'tɒnəməs] *agg.* autonomo.
auto·nomy [ɔ:'tɒnəmɪ] *s.* autonomia.
aut·opsy ['ɔ:təpsɪ] *s.* autopsia.
au·tumn ['ɔ:təm] *s.* autunno.
au·tum·nal [·'·nəl] *agg.* autunnale.
aux·ili·ary [ɔ:g'zɪljərɪ] *agg.* ausiliare, ausiliario ♦ *s.pl.* truppe ausiliarie.
avail [ə'veɪl] *s.* profitto ♦ *v.tr.*: *to – o.s. of*, approfittare di.
avail·able [ə'veɪləbl] *agg.* disponibile.
ava·lanche ['ævəlɑ:nʃ] *s.* valanga.
av·ari·cious [,ævə'rɪʃəs] *agg.* **1** avaro **2** avido.
avenge [ə'vendʒ] *v.tr.* vendicare.
av·enue ['ævənju:] *s.* viale; via.
av·er·age ['ævərɪdʒ] *agg.* medio ♦ *s.* media: *on –*, in media ♦ *v.tr.* fare la media di; avere, produrre in media.
averse [ə'vɜ:s] *agg.* ostile.
aver·sion [ə'vɜ:ʃən] *s.* avversione.
avert [ə'vɜ:t] *v.tr.* allontanare; evitare.
avi·ation [,eɪvɪ'eɪʃn] *s.* aviazione.
avi·ator ['eɪvɪeɪtə*] *s.* aviatore.
avid ['ævɪd] *agg.* avido.
avoid [ə'vɔɪd] *v.tr.* evitare; sfuggire (a): *to – doing*, evitare di fare.
avoid·able [ə'vɔɪdəbl] *agg.* evitabile.
await [ə'weɪt] *v.tr.* attendere.
awake [ə'weɪk] (come *wake*) *v.intr.* svegliarsi ♦ *agg.* sveglio.
award [ə'wɔ:d] *s.* ricompensa; premio ♦ *v.tr.* assegnare, conferire.
aware [ə'weə*] *agg.* consapevole.
awash [ə'wɒʃ] *agg.* inondato.
away [ə'weɪ] *avv.* **1** via; lontano; da parte **2** (*sport*) fuori casa.
awe [ɔ:] *s.* timore, soggezione ♦ *v.tr.* incutere timore.
awe·some ['ɔ:səm] *agg.* imponente.
aw·ful ['ɔ:fʊl] *agg.* orribile | *an – lot*, (*fam.*) molto.
awhile [ə'waɪl] *avv.* un momento.
awk·ward ['ɔ:kwəd] *agg.* **1** goffo; (*fig.*) imbarazzato **2** scomodo.
awn·ing ['ɔ:nɪŋ] *s.* tendone.
awoke [ə'wəʊk] *pass.* di to *awake*.
awoken [ə'wəʊkən] *p.p.* di to *awake*.
awry [ə'raɪ] *avv., agg.* di traverso.

ax(e) [æks] *s.* scure, accetta.
axis ['æksɪs] (*axes* ['æksi:z]) *s.* asse.
axle ['æksl] *s.* (*mecc.*) asse.
azure ['æʒə*] *agg.*, *s.* azzurro, celeste.

B

babble ['bæbl] *v.intr.* **1** farfugliare **2** mormorare (di acque) ♦ *s.* mormorio; balbettio (di bambino).
ba·boon [bə'bu:n] *s.* babbuino.
baby ['beɪbɪ] *s.* bimbo: *newborn* –, neonato; – *girl*, bimba | – *buggy*, (*amer.*) passeggino; – *carriage*, (*amer.*) carrozzina | – -*grand*, pianoforte a mezza coda.
ba·by·ish ['beɪbɪɪʃ] *agg.* infantile.
baby-sit ['beɪbɪ,sɪt] (come *sit*) *v. intr.* fare da baby-sitter (a).
bach·elor ['bætʃələ*] *s.* **1** scapolo, celibe **2** *Bachelor of Arts, Science*, laureato in lettere, in scienze.
back [bæk] *s.* **1** schiena; spalle **2** schienale; retro (di edificio); dorso (di mano) | (*in*) – *of*, (*amer.*) dietro (a) ♦ *agg.* **1** posteriore | – *streets*, vicoli **2** arretrato ♦ *avv.* **1** indietro, di ritorno **2** fa.
back *v.tr.* **1** appoggiare, spalleggiare **2** scommettere su **3** rinforzare; rivestire **4** fare da sfondo **5** far indietreggiare ♦ *v.intr.* indietreggiare | *to* – *away*, retrocedere; *to* – *down*, *out*, ritirarsi; *to* – *off*, spostarsi indietro; ripensarci; (*aut.*) *to* – *up*, fare marcia indietro.
back·bencher [,bæk'bentʃə*] *s.* (*in GB*) parlamentare senza incarico ministeriale.
back·bit·ing ['bækbaɪtɪŋ] *s.* pettegolezzo, calunnia.
back·bone ['bækbəʊn] *s.* spina dorsale.
back·chat ['bæktʃæt] *s.* (*fam.*) risposta impertinente.
back·date [,bæk'deɪt] *v.tr.* retrodatare.
back·fire [,bæk'faɪə*] *s.* (*mecc.*) ritorno di fiamma.
back·ground ['bækgraʊnd] *s.* **1** sfondo **2** (*fig.*) ambiente; base culturale.
back·hand ['bækhænd] *s.* rovescio.
back·hander ['bækhændə*] *s.* **1** manrovescio **2** (*fam.*) bustarella.
back·lash ['bæklæʃ] *s.* contraccolpo.
back·log ['bæklɒg] *s.* lavoro arretrato.
back·pack ['bækpæk] *s.* zaino.
backroom boy ['bækrʊm,bɔɪ] *s.* chi lavora dietro le quinte.
back·side [,bæk'saɪd] *s.* (*fam.*) sedere.
back·stage [,bæk'steɪdʒ] *agg.*, *avv.* dietro le scene, le quinte.
back·stairs [,bæk'steəz] *s.pl.* scala di servizio ♦ *agg.* segreto, nascosto.
back·stroke ['bækstrəʊk] *s.* (*nuoto*) dorso.
back·up ['bækʌp] *s.* appoggio.
back·ward ['bækwəd] *agg.* **1** all'indietro **2** lento, tardo; arretrato.
back·ward(s) ['bækwəd(z)] *avv.* indietro, all'indietro; a ritroso | – *and forwards*, avanti e indietro | *to know* –, conoscere perfettamente.
back·water ['bæk,wɔ:tə*] *s.* **1** acqua stagnante **2** (*fig.*) palude.
back·yard [,bæk'jɑ:d] *s.* cortile, giardinetto sul retro.
ba·con ['beɪkən] *s.* pancetta affumicata.
bad [bæd] *agg.* **1** cattivo; brutto | – *for*, dannoso a | *to feel* –, sentirsi male; *to feel* – *about*, sentirsi colpevole, spiacente per **2** marcio, guasto ♦ *s.* male.
bade [bæd] *pass.* di to *bid*[2].

badge [bædʒ] *s.* distintivo.
bad·ly [ˈbædlɪ] *avv.* male, malamente; gravemente; moltissimo: *to need* –, aver molto bisogno.
badly-off [ˌ-ˈ-] *agg.* **1** povero, indigente **2** carente.
bad-tempered [ˌbædˈtempəd] *agg.* irascibile, che ha un brutto carattere.
baffle [ˈbæfl] *s.* deflettore ♦ *v.tr.* sconcertare; confondere.
bag [bæg] *s.* sacco, sacchetto; borsa, borsetta; valigia | *bags of,* un sacco di ♦ (*-gged*) *v.tr.* **1** insaccare **2** catturare, inpadronirsi di.
bag·gage [ˈbægɪdʒ] *s.* (*spec. amer.*) bagaglio, bagagli.
baggy [ˈbægɪ] *agg.* sformato, cascante.
bag·pipe(s) [ˈbægpaɪp(s)] *s.* cornamusa.
bail [beɪl] *s.* cauzione: *to go, to stand – for,* rendersi garante per.
bail·iff [ˈbeɪlɪf] *s.* **1** (*dir.*) ufficiale giudiziario, usciere **2** fattore, amministratore di una tenuta.
bail·out [ˌbeɪlˈaʊt] *s.* (*spec. amer.*) (*fig.*) salvataggio (spec. di impresa).
bail out *v.tr.* mettere in libertà provvisoria (dietro cauzione); (*fig.*) tirar fuori dai pasticci.
bait [beɪt] *s.* esca: *to rise to the* –, abboccare (all'amo) ♦ *v.tr.* **1** innescare **2** tormentare, punzecchiare.
bake [beɪk] *v.tr., intr.* cuocere (al forno).
baker [ˈbeɪkə*] *s.* fornaio, panettiere: *–'s* (*shop*), panetteria.
bakery [ˈbeɪkərɪ] *s.* forno, panificio.
baking powder [ˈbeɪkɪŋˌpaʊdə*] *s.* lievito (in polvere).
ba·la·clava [ˌbæləˈklɑːvə] *s.* passamontagna.
bal·ance [ˈbæləns] *s.* **1** equilibrio | *on* –, tutto sommato **2** bilancia **3** (*amm.*) bilancio, saldo | – *sheet,* bilancio (di esercizio) ♦ *v.tr., intr.* bilanciare; bilanciarsi, quadrare; (*fig.*) soppesare.
bal·cony [ˈbælkənɪ] *s.* balcone; (*teatr., cinem.*) balconata, galleria.
bald [bɔːld] *agg.* **1** calvo **2** spoglio; disadorno **3** liscio (di pneumatico) **4** schietto.
bal·der·dash [ˈbɔːldədæʃ] *s.* sciocchezze.
bald·ly [ˈbɔːldlɪ] *avv.* senza mezzi termini.
bale [beɪl] *s.* balla ♦ *v.tr.* imballare | *to – out,* paracadutarsi.
balk [bɔːk] *v.tr.* ostacolare ♦ *v.intr.* recalcitrare.
ball[1] [bɔːl] *s.* palla; pallone; gomitolo | – *bearing,* cuscinetto a sfere | – *game,* (*amer.*) baseball.
ball[2] *s.* (festa da) ballo.
bal·last [ˈbæləst] *s.* **1** zavorra **2** massicciata.
bal·let [ˈbæleɪ] *s.* balletto.
bal·loon [bəˈluːn] *s.* **1** aerostato, pallone **2** palloncino **3** fumetto.
bal·lot [ˈbælət] *s.* voto, votazione; scrutinio | – *paper,* scheda (di votazione); – *box,* urna elettorale ♦ *v.intr.* votare a scrutinio segreto.
ball·point (pen) [ˈbɔːlpɔɪnt(pen)] *s.* penna a sfera, biro.
ball·room [ˈbɔːlrʊm] *s.* sala da ballo.
bal·ly·hoo [ˈbælɪhuː] *s.* strombazzata pubblicitaria.
balm [bɑːm] *s.* balsamo.
balmy [ˈbɑːmɪ] *agg.* balsamico.
bal·sam [ˈbɔːlsəm] *s.* balsamo.
Bal·tic [ˈbɔːltɪk] *agg.* baltico.
bam·boo [bæmˈbuː] *s.* bambù.

ban [bæn] *s.* divieto ♦ (*-nned*) *v.tr.* vietare.
ba·nana [bə'nɑ:nə *amer.* bə'nænə] *s.* banana.
band[1] [bænd] *s.* benda, striscia; fascia.
band[2] *s.* banda; gruppo; complesso.
band *v.tr.* legare.
band·age ['bændɪdʒ] *s.* benda, fascia *v.tr.* bendare, fasciare.
ban·dit ['bændɪt] *s.* bandito | *one-armed* –, slot machine.
band·wagon ['bænd,wægən] *s.*: *to jump, to climb on the* –, saltare sul carro del vincitore.
bandy ['bændɪ] *v.tr.* far circolare.
bandy(legged) ['bændɪlegd] *agg.* dalle, con le gambe storte.
bang[1] [bæŋ] *s.* colpo ♦ *v.tr., intr.* **1** battere, sbattere **2** esplodere.
bang[2] *avv.* proprio, esattamente.
bang[3] *s.* frangia (di capelli).
banger ['bæŋə*] *s.* (*fam.*) **1** salsiccia **2** (*di auto*) vecchio macinino **3** mortaretto.
bang-on ['bæŋ'ɒn] *agg.* (*fam.*) azzeccato.
ban·ish ['bænɪʃ] *v.tr.* bandire.
ban·is·ters ['bænɪstəz] *s.pl.* ringhiera.
bank[1] [bæŋk] *s.* **1** mucchio; banco **2** riva, sponda; terrapieno ♦ *v.tr.* arginare.
bank[2] *s.* banca; banco | – *holiday*, festività civile | – *draft*, assegno circolare; tratta bancaria ♦ *v.tr.* depositare in banca ♦ *v.intr.* avere un conto (presso) | *to – on*, contare su.
banker ['bæŋkə*] *s.* banchiere.
bank·note ['bæŋknəʊt] *s.* banconota.
bank·rupt ['bæŋkrʌpt] *agg., s.* fallito | *to go* –, fallire ♦ *v.tr.* far fallire.
bank·ruptcy ['bæŋkrəp *tsɪ*] *s.* bancarotta, fallimento.
ban·ner ['bænə*] *s.* vessillo; striscione (nei cortei).
banns [bænz] *s.pl.* pubblicazioni matrimoniali.
ban·quet ['bæŋkwɪt] *s.* banchetto ♦ *v.intr.* banchettare.
ban·tam·weight ['bæntəmweɪt] *s.* peso gallo.
ban·ter ['bæntə*] *s.* canzonatura.
bap·tism ['bæptɪzəm] *s.* battesimo.
bap·tize [bæp'taɪz] *v.tr.* battezzare.
bar[1] [bɑ:*] *prep.* eccetto, tranne: – *none*, senza eccezioni.
bar[2] *s.* **1** sbarra | – *of chocolate*, tavoletta di cioccolata; – *of soap*, saponetta **2** bar: – *tender*, barista ♦ (*-rred*) *v.tr.* **1** sprangare, sbarrare **2** ostruire, ostacolare **3** escludere; proibire.
bar·baric [bɑ:'bærɪk] **bar·bar·ous** ['bɑ:bərəs] *agg.* barbaro.
barber ['bɑ:bə*] *s.* barbiere.
bar·bit·ur·ate [bɑ:'bɪtjʊrət] *s.* barbiturico.
bare [beə*] *agg.* nudo, spoglio ♦ *v.tr.* mettere a nudo.
bare·faced ['beəfeɪst] *agg.* sfrontato.
barely ['beəlɪ] *avv.* appena.
bar·gain ['bɑ:gɪn] *s.* **1** patto: (*dir.*) – *plea*, patteggiamento **2** affare ♦ *v.intr.* contrattare | *to – for*, attendersi.
barge [bɑ:dʒ] *s.* chiatta ♦ *v.intr.*: *to – in*, irrompere.
bark[1] [bɑ:k] *s.* scorza, corteccia.
bark[2] *s.* latrato ♦ *v.intr.* abbaiare.
bar·ley ['bɑ:lɪ] *s.* orzo.
bar·maid ['bɑ:meɪd] *s.* barista (*f.*).
bar·man ['bɑ:mən] (*-men*) *s.* barista (*m.*).
barn [bɑ:n] *s.* granaio.
barn owl ['··] *s.* civetta.

barn·storm [ˈbɑ:nstɔ:m] *v.intr.* (*amer.*) spostarsi rapidamente da un luogo all'altro (per tenere comizi ecc.).
ba·ro·meter [bəˈrɒmɪtə*] *s.* barometro.
baron [ˈbærən] *s.* barone; magnate.
bar·onet [ˈbærənɪt] *s.* baronetto.
ba·roque [bəˈrɒk] *agg., s.* barocco.
bar·racks [ˈbærəks] *s.* caserma.
bar·rage [ˈbærɑ:ʒ *amer.* bəˈrɑ:ʒ] *s.* sbarramento; diga.
bar·rel [ˈbærəl] *s.* **1** barile **2** canna (d'arma).
barrel organ [ˈ··,··] *s.* organetto.
bar·ren [ˈbærən] *agg.* sterile; arido.
bar·ri·cade [,bærɪˈkeɪd] *s.* barricata ♦ *v.tr.* barricare.
bar·rier [ˈbærɪə*] *s.* barriera.
bar·ring [ˈbɑ:rɪŋ] *prep.* eccetto.
bar·ris·ter [ˈbærɪstə*] *s.* avvocato.
bar·row [ˈbærəʊ] *s.* carriola.
bar·ter [ˈbɑ:tə*] *s.* baratto ♦ *v.tr.* barattare.
base[1] [beɪs] *agg.* basso; (*fig.*) vile.
base[2] *s.* base ♦ *v.tr.* basare.
base·ment [ˈbeɪsmənt] *s.* seminterrato.
bash [bæʃ] *s.* colpo violento.
bash·ful [ˈbæʃful] *agg.* timido.
ba·sic [ˈbeɪsɪk] *agg.* basilare; di base.
basil [ˈbæzəl] *s.* basilico.
ba·sin [ˈbeɪsn] *s.* **1** bacinella, catino; scodella **2** lavabo **3** (*scient.*) bacino.
ba·sis [ˈbeɪsɪs] (*-ses*) *s.* base.
bask [bɑ:sk *amer.* bæsk] *v.intr.* crogiolarsi.
bas·ket [ˈbɑ:skɪt *amer.* ˈbæskɪt] *s.* canestro, cesto.
bas·ket·ball [ˈbɑ:skɪtbɔ:l] *s.* pallacanestro.
bass[1] [beɪs] *agg., s.* (*mus.*) basso.
bass[2] [bæs] *s.* pesce persico; spigola, branzino.
basset (hound) [ˈbæsɪt(,haʊnd)] *s.* (cane) bassotto.
bas·soon [bəˈsu:n] *s.* (*mus.*) fagotto.
bas·tard [ˈbɑ:stəd *amer.* ˈbæstəd] *s.* bastardo.
bas·tard·ize [ˈbæstədaɪz] *v.tr.* imbastardire.
baste [beɪst] *v.tr.* imbastire.
bat[1] [bæt] *s.* pipistrello.
bat[2] *s.* mazza; racchetta (da ping pong) ♦ (*-tted*) *v.tr., intr.* battere.
batch [bætʃ] *s.* gruppo; mucchio; lotto.
bath [bɑ:θ *amer.* bæθ] bagno; vasca: *to have, take a* –, farsi un bagno ♦ *v.intr.* farsi un bagno.
bathe [beɪð] *s.* bagno (in mare ecc.) ♦ *v.intr.* **1** fare un bagno (in mare ecc.) **2** (*amer.*) farsi un bagno, lavarsi ♦ *v.tr.* bagnare.
bather [ˈbeɪðə*] *s.* bagnante.
bath·ing [ˈbeɪðɪŋ] *s.* balneazione: *no* –, divieto di balneazione | – *cap*, cuffia da bagno; – *suit*, – *costume*, costume da bagno; – *trunks*, calzoncini da bagno.
bath·robe [ˈbɑ:θrəʊb] *s.* accappatoio; (*amer.*) vestaglia (spec. da uomo).
bath·room [ˈbɑ:θrʊm] *s.* stanza da bagno.
bath·tub [ˈbɑ:θtʌb] *s.* (*amer.*) vasca da bagno.
baton [ˈbætən *amer.* bəˈtɒn] *s.* **1** manganello **2** bacchetta (di direttore d'orchestra).
bats [bæts] *agg.* (*fam.*) matto.
bats·man [ˈbætsmən] (*-men*), **bat·ter** [ˈbætə*] *s.* battitore.
batter *v.tr., intr.* colpire ripetutamente.
battered [ˈbætə*d] *agg.* maltrattato | *a – old car*, un'automobile sgangherata.
bat·tery [ˈbætərɪ] *s.* batteria | *a – of tests*, una serie di test.

battle [ˈbætl] *s.* battaglia ♦ *v.intr.* battersi.
bat·tle·ments [ˈbætlmənts] *s.pl.* merli; bastioni.
bat·tle·ship [ˈbætlʃɪp] *s.* corazzata.
batty [ˈbætɪ] *agg.* (*fam.*) tocco, strambo.
baulk [bɔ:k] → to *balk*.
bawdy [ˈbɔ:dɪ] *agg.* osceno.
bawl [bɔ:l] *v.tr., intr.* urlare.
bay[1] [beɪ] *s.* latrato | *to keep, to hold at* –, tenere a bada.
bay[2] *s.* **1** baia **2** (*amer.*) radura.
bay[3] *s.* (*bot.*) alloro, lauro.
bay window [ˌ·ˈ··] *s.* (*arch.*) bovindo.
be* [bi(:)] *v.* **1** essere; stare: *there was nobody*, non c'era nessuno; *what are you doing?*, che cosa stai facendo?; *he was killed in Vietnam*, è rimasto ucciso in Vietnam; *it was midnight*, era mezzanotte; *it is cold*, fa freddo | *to – on, off*, essere acceso, spento | *here, there it is*, eccolo qui, là | *how is she?*, come sta? | *he's ten*, ha dieci anni | *you were right*, avevi ragione | *let it* –, lascia stare | *as it were*, per così dire **2** costare **3** dovere **4** essere, fare (come professione): *he's a dentist*, fa il dentista **5** *to – in*, essere in casa; essere di moda **6** *to – up*, terminare; essere in piedi **7** *to – up to*, essere intento a; toccare, spettare; essere all'altezza.
beach [bi:tʃ] *s.* spiaggia.
beach·chair [ˈbi:tʃtʃeə*] *s.* (*amer.*) sedia a sdraio.
beacon [ˈbi:kən] *s.* **1** luce intermittente | *Belisha* –, luce gialla (di passaggio pedonale) **2** faro.
bead [bi:d] *s.* **1** perlina; goccia (di rugiada, di sudore) **2** *pl.* collana; rosario.
beagle [ˈbi:gl] *s.* bracchetto.
beak [bi:k] *s.* becco.
beam[1] [bi:m] *s.* trave.
beam[2] *s.* raggio ♦ *v.intr.* irradiare.
bean [bi:n] *s.* fagiolo; chicco | *French, green beans*, fagiolini.
bear[1] [beə*] *s.* orso.
bear*[2] *v.tr.* **1** sopportare, tollerare | *to – with*, avere pazienza (con) **2** portare | *to – in mind*, tenere a mente | *to – witness*, deporre, testimoniare | *– right*, svoltare.
beard [bɪəd] *s.* barba.
bear·ing [ˈbeərɪŋ] *s.* **1** portamento **2** relazione, rapporto **3** (*mecc.*) cuscinetto **4** *pl.* orientamento.
beast [bi:st] *s.* bestia.
beat* [bi:t] *v.tr.* battere | *to – up*, picchiare selvaggiamente *to – it*, battersela ♦ *s.* **1** battito; colpo **2** ronda ♦ *agg.* esausto: *dead* –, stanco morto.
beater [ˈbi:tə*] *s.* **1** frullino **2** battitore.
beat·ing [ˈbi:tɪŋ] *s.* bastonata.
be·ati·tude [bi:ˈætɪtju:d] *s.* beatitudine.
beat-up [ˈbi:tʌp] *agg.* malridotto.
beau·ti·cian [bju:ˈtɪʃn] *s.* estetista.
beau·ti·ful [ˈbju:təful] *agg.* magnifico, stupendo.
beau·tify [ˈbju:tɪfaɪ] *v.tr.* abbellire.
beauty [ˈbju:tɪ] *s.* bellezza | *– queen*, reginetta di bellezza.
bea·ver [ˈbi:və*] *s.* castoro.
be·came [bɪˈkeɪm] *pass.* di to *become*.
be·cause [bɪˈkɒz] *cong.* perché, poiché | *just* –, per il fatto che | *– of*, a causa di.
beckon [ˈbekən] *v.tr., intr.* chiamare con un cenno.
be·come [bɪˈkʌm] (come *come*) *v.intr.* diventare, divenire ♦ *v.tr.* essere adatto (a); star bene (a).
bed [bed] *s.* **1** letto **2** aiuola ♦ (*-dded*) *v.intr.*: *to – down*, coricarsi.

bed·bug [ˈbedbʌg] *s.* cimice.
be·devil [bɪˈdevl] (*-lled*) *v.tr.* **1** intralciare **2** assillare.
bed·lam [ˈbedləm] *s.* baraonda.
be·draggled [bɪˈdrægld] *agg.* inzaccherato.
bed·rid·den [ˈbed,rɪdn] *agg.* costretto a letto.
bed·room [ˈbedrum] *s.* camera da letto.
bed·side [ˈbedsaɪd] *s.* capezzale | – *manner*, modi rassicuranti.
bed·sit(·ter) [ˈbed sɪt(ə*)] *s.* monolocale.
bed·spread [ˈbedspred] *s.* copriletto.
bee [bi:] *s.* ape.
beech [bi:tʃ] *s.* faggio.
beech-marten [,bi:tʃˈmɑ:tɪn] *s.* faina.
beef [bi:f] *s.* (carne di) manzo.
beef *v.intr.* (*fam.*) protestare | *to – up*, rimpolpare; rafforzare.
beef·steak [ˈbi:fsteɪk] *s.* bistecca.
beefy [ˈbi:fɪ] *agg.* muscoloso.
bee·hive [ˈbi:haɪv] *s.* alveare.
bee·line [ˈbi:laɪn] *s.*: *to make a – for*, precipitarsi verso.
been [bi:n] *p.p.* di to *be*.
beer [bɪə*] *s.* birra: *draught* –, birra alla spina.
beet [bi:t] *s.* barbabietola.
beetle [ˈbi:tl] *s.* coleottero; scarabeo ♦ *v.intr.* (*fam.*) svignarsela.
beet·root [ˈbi:tru:t] *s.* barbabietola.
be·fit [bɪˈfɪt] (*-tted*) *v.tr.* convenire , addirsi a.
be·fore [bɪˈfɔ:*] *avv.* prima, già ♦ *prep.* **1** prima di: – *leaving*, prima di andar via | *Before Christ* (abbr. *B.C.*), avanti Cristo | – *long*, fra poco **2** davanti a ♦ *cong.* **1** prima di, prima che **2** piuttosto che.
be·fore·hand [bɪˈfɔ:hænd] *avv.* in anticipo.
be·friend [bɪˈfrend] *v.tr.* essere, mostrarsi amico di.
beg [beg] (*-gged*) *v.intr.* chiedere l'elemosina | *to go begging*, avanzare ♦ *v.tr.* chiedere; implorare | *I – your pardon*, come ha detto?, prego?
be·gan [bɪˈgæn] *pass.* di to *begin*.
beg·gar [ˈbegə*] *s.* mendicante.
be·gin* [bɪˈgɪn] *v.tr., intr.* incominciare.
be·gin·ner [·ˈ·ə*] *s.* principiante.
be·gin·ning [·ˈ·ɪŋ] *s.* inizio.
be·gun [bɪˈgʌn] *p.p.* di to *begin*.
be·half [bɪˈhɑ:f *amer.* bɪˈhæf] *s.*: *on – of*, (*amer.*) *in – of*, a favore di; per conto di.
be·have [bɪˈheɪv] *v.intr.* comportarsi.
be·ha·vi·our [bɪˈheɪvjə] amer. **behavior** *s.* comportamento.
be·hind [bɪˈhaɪnd] *avv.* dietro; indietro ♦ *prep.* dietro (a) | – *the times*, fuori moda.
be·ing [ˈbi:ɪŋ] *s.* essere vivente.
be·lated [bɪˈleɪtɪd] *agg.* tardivo.
bel·fry [ˈbelfrɪ] *s.* cella campanaria.
Bel·gian [ˈbeldʒən] *agg., s.* belga.
Bel·gium [ˈbeldʒəm] *no.pr.* Belgio.
be·lie [bɪˈlaɪ] *v.tr.* smentire.
be·lief [bɪˈli:f] *s.* **1** fede | *beyond* –, incredibile **2** convinzione.
be·lieve [bɪˈli:v] *v.tr., intr.* credere.
bell [bel] *s.* campana; campanello.
belle [bel] *s.* bella donna.
bel·li·ger·ent [bɪˈlɪdʒərənt] *agg., s.* belligerante.
bel·low [ˈbeləu] *v.intr.* **1** muggire **2** urlare.
belly [ˈbelɪ] *s.* ventre, pancia.
belly-button [ˈbelɪbʌtn] *s.* (*fam.*) ombelico.
be·long [bɪˈlɒŋ] *v.intr.* appartenere.

be·long·ings [bɪ'lɒŋɪŋz] *s.pl.* proprietà: *personal* –, effetti personali.
be·loved [bɪ'lʌvd] *agg., s.* amato.
be·low [bɪ'ləʊ] *avv., prep.* sotto.
belt [belt] *s.* 1 cintura | *life* –, cintura di salvataggio 2 zona ♦ *v.tr.* 1 cingere 2 battere con la cinghia.
belt·way ['beltweɪ] *s.* (*amer.*) tangenziale.
be·mused [bɪ'mju:zd] *agg.* perplesso.
bench [bentʃ] *s.* panca, panchina; seggio.
bend* [bend] *v.tr.* 1 piegare; chinare 2 volgere, dirigere ♦ *v.intr.* curvare, curvarsi; chinarsi ♦ *s.* curva.
be·neath [bɪ'ni:θ] *avv., prep.* sotto, al di sotto di.
be·ne·fit ['benɪfɪt] *s.* beneficio, vantaggio | – *night, performance*, recita di beneficenza | *sick* –, indennità di malattia ♦ *v.tr.* giovare ♦ *v. intr.* beneficiare.
be·ne·vol·ent [bɪ'nevələnt] *agg.* benevolo.
be·nign [bɪ'naɪn] *agg.* benigno.
bent [bent] *pass., p.p.* di to *bend* ♦ *agg.* corrotto ♦ *s.* inclinazione.
be·queath [bɪ'kwi:ð] *v.tr.* lasciare in eredità.
be·quest [bɪ'kwest] *s.* lascito.
ber·mu·das [bə'mju:dəz] *s.pl.* (*abbigl.*) bermuda.
berry ['berɪ] *s.* 1 bacca 2 chicco.
berth [bɜ:θ] *s.* 1 cuccetta 2 ormeggio, attracco ♦ *v.tr., intr.* ancorare, ormeggiare.
be·seech* [bɪ'si:tʃ] *v.tr.* implorare.
be·set* [bɪ'set] *v.tr.* assalire; (*fig.*) assillare, affliggere.
be·side [bɪ'saɪd] *prep.* accanto a.
be·sides [bɪ'saɪdz] *avv.* inoltre; per di più ♦ *prep.* oltre a.
be·siege [bɪ'si:dʒ] *v.tr.* assediare; (*fig.*) assalire.
be·sought [bɪ'sɔ:t] *pass. p.p.* di to *beseech.*
best [best] *agg.* migliore ♦ *s.* (il) meglio; (il) migliore ♦ *avv.* meglio; di più.
best man [,best'mæn] *s.* testimone dello sposo.
be·stow [bɪ'stəʊ] *v.tr.* concedere.
bet [bet] *s.* scommessa; puntata ♦ (*bet, betted*) *v.tr., intr.* scommettere.
be·tray [bɪ'treɪ] *v.tr.* tradire.
be·trayal [·'·əl] *s.* tradimento.
bet·ter ['betə*] *agg.* migliore ♦ *s.* il meglio | *one's betters*, i propri superiori | *all the, so much the* –, tanto meglio | *the sooner the* –, prima è, meglio è ♦ *avv.* meglio | *had* –, sarebbe meglio che.
better *v.tr.,intr.* migliorare.
betting shop ['···] *s.* sala corse.
be·tween [bɪ'twi:n] *prep.* tra, fra | (*in*) –, in mezzo; nel frattempo.
bev·er·age ['bevərɪdʒ] *s.* bevanda, bibita.
be·wail [bɪ'weɪl] *v.tr.* lamentarsi di.
be·ware [bɪ'weə*] *v.intr.* (*of*) guardarsi (da), stare attento (a).
be·wil·der [bɪ'wɪldə*] *v.tr.* sconcertare, disorientare.
be·wil·der·ment [·'··mənt] *s.* sconcerto, perplessità.
be·witch [bɪ'wɪtʃ] *v.tr.* incantare, stregare.
bey·ond [bɪ'jɒnd] *avv., prep.* al di là, oltre.
bias ['baɪəs] *s.* 1 predisposizione, inclinazione 2 preconcetto, pregiudizio 3 (*abbigl.*) sbieco ♦ *v.tr.* influenzare.
bi·as(s)ed ['baɪəst] *agg.* preconcetto; prevenuto.
bib [bɪb] *s.* bavaglino.

Bible [ˈbaɪbl] *s.* Bibbia.
bib·lical [ˈbɪblɪkl] *agg.* biblico.
bi·cycle [ˈbaɪsɪkl] *s.* bicicletta.
bid [bɪd] *s.* offerta (a un'asta); dichiarazione (al gioco) ♦ (*bid*) *v.tr., intr.* **1** offrire, fare un'offerta **2** dichiarare.
bid*[2] *v.tr.* **1** dire; augurare **2** comandare.
biff [bɪf] *v.tr.* (*fam.*) dare uno scapaccione a.
big [bɪg] (*-gger, -ggest*) *agg.* **1** grosso, grande **2** maggiore (di età) ♦ *avv.* in grande: *to talk –*, vantarsi.
bi·gam·ist [ˈbɪgəmɪst] *s.* bigamo.
bi·gam·ous [ˈbɪgəməs] *agg.* bigamo.
big·gish [ˈbɪgɪʃ] *agg.* piuttosto grande.
big·headed [bɪgˈhedɪd] *agg.* presuntuoso.
bigot(ed) [ˈbɪgət(ɪd)] *agg.* fanatico.
big·shot [ˈbɪgˈʃɒt] **big·wig** [ˈbɪgwɪg] *s.* (*fam.*) pezzo grosso.
bike [baɪk] *s.* (*fam.*) bici; moto ♦ *v.intr.* andare in bici.
bil·berry [ˈbɪlbərɪ] *s.* mirtillo.
bill[1] [bɪl] *s.* **1** conto; bolletta **2** polizza; certificato | *– of lading*, polizza di carico **3** (*fin.*) effetto; cambiale **4** (*pol.*) progetto di legge **5** (*amer.*) banconota **6** lista, elenco: *– of fare*, menù **7** affisso; manifesto, locandina | *stick no bills*, vietata l'affissione ♦ *v.tr.* fatturare.
bill[2] *s.* (*zool.*) becco.
bill·board [ˈbɪlbɔːd] *s.* (*amer.*) cartellone pubblicitario.
bill·fold [ˈbɪlfəʊld] *s.* (*amer.*) portafoglio.
bil·liards [ˈbɪljədz] *s.pl.* biliardo.
bil·lion [ˈbɪljən] *s.* (*amer.*) miliardo; (*brit.*) bilione.
bill·poster [ˈbɪl,pəʊstə*] **bill·sticker** [ˈbɪl,stɪkə*] *s.* attacchino.
billy·goat [ˈbɪlɪgəʊt] *s.* capro.
bin [bɪn] *s.* recipiente | *rubbish –*, pattumiera.
bind* [baɪnd] *v.tr.* **1** legare **2** fasciare, bendare **3** rilegare **4** costringere, vincolare ♦ *s.* (*fam.*) scocciatura.
bingo [ˈbɪŋgəʊ] *s.* (*gioco*) tombola.
bin·ocu·lars [bɪˈnɒkjələz] *s.pl.* binocolo.
bio·graphy [baɪˈɒgrəfɪ] *s.* biografia.
bio·lo·gical [,baɪəˈlɒdʒɪkəl] *agg.* biologico.
bio·logy [baɪˈɒlədʒɪ] *s.* biologia.
birch [bɜːtʃ] *s.* **1** betulla **2** verga.
bird [bɜːd] *s.* **1** uccello **2** (*fam.*) tipo **3** (*scherz.*) pollastra, pollastrella.
biro [ˈbaɪərəʊ] *s.* biro.
birth [bɜːθ] *s.* nascita.
birth·day [ˈbɜːθdeɪ] *s.* compleanno.
birth·place [ˈbɜːθpleɪs] *s.* luogo di nascita.
bis·cuit [ˈbɪskɪt] *s.* biscotto; cracker.
bishop [ˈbɪʃəp] *s.* **1** vescovo **2** alfiere (agli scacchi).
bi·son [ˈbaɪsn] *s.* bisonte.
bit[1] [bɪt] *s.* **1** pezzetto | *a – (of)*, un po' (di) | *not a –*, per niente **2** (*fam.*) monetina **3** (*mecc.*) punta (di trapano) **4** morso (del cavallo) **5** (*inform.*) bit.
bit[2] *pass. p.p.* di to *bite*.
bitch [bɪtʃ] *s.* cagna ♦ *v.intr.* (*fam.*) lagnarsi di; sparlare di.
bitchy [ˈbɪtʃɪ] *agg.* malevolo.
bite* [baɪt] *v.tr.* mordere ♦ *v.intr.* **1** mordere; far presa | *to – back*, trattenere, trattenersi | *to – into*, corrodere **2** abboccare **3** (*fig.*) farsi sentire ♦ *s.* morso ; boccone.
bitt [bɪt] *s.* bitta.
bit·ten [ˈbɪtn] *p.p.* di to *bite*.
bit·ter [ˈbɪtə*] *agg.* amaro; pungente; aspro ♦ *s.* birra amara.

bit·ters ['bɪtəz] *s.pl.* amaro.
biv·ouac ['bɪvʊæk] *s.* bivacco.
black [blæk] *agg., s.* nero ♦ *v.tr.* annerire | *to – out*, cancellare; oscurare.
black·beetle [,blæk'bi:tl] *s.* scarafaggio.
black·berry ['blækbərɪ] *s.* mora selvatica.
black·bird ['blækbɜ:d] *s.* merlo.
black·board ['blækbɔ:d] *s.* lavagna.
black·cur·rant [,blæk'kʌrənt] *s.* ribes nero.
blacken ['blækən] *v.tr., v.intr.* annerire, annerirsi.
black·head ['blækhed] *s.* punto nero.
black ice ['blæk'aɪs] *s.* verglas.
black·ing ['blækɪŋ] *s.* lucido nero.
black·ish ['blækɪʃ] *agg.* nerastro.
black·leg ['blækleg] *s.* crumiro.
black·mail ['blækmeɪl] *s.* ricatto ♦ *v.tr.* ricattare.
black·out ['blækaʊt] *s.* **1** blackout; oscuramento **2** svenimento.
black-tie [,blæk'taɪ] *agg.* (*di ricevimento*) che richiede lo smoking.
blad·der ['blædə*] *s.* vescica; camera d'aria.
blade [bleɪd] *s.* **1** lama **2** filo (d'erba).
blame [bleɪm] *s.* biasimo; colpa ♦ *v.tr.* **1** biasimare **2** incolpare.
bland [blænd] *agg.* scipito.
bland·ish·ments ['blændɪʃmənts] *s.pl.* lusinghe.
blank [blæŋk] *agg.* vuoto, in bianco | *a – refusal*, un rifiuto deciso ♦ *s.* spazio vuoto.
blan·ket ['blæŋkɪt] *s.* coperta; (*fig.*) coltre.
blare [bleə*] *s.* squillo; urlo.
blare (out) *v.tr., intr.* squillare; urlare.
blas·phemy ['blæsfəmɪ] *s.* bestemmia.
blast [blɑ:st *amer.* blæst] *s.* **1** esplosione **2** raffica, colpo di vento | *at full –*, a tutto spiano **3** squillo **4** (*fam. amer.*) esperienza da sballo ♦ *v.tr.* far esplodere.
blas·ted ['·ɪd] *agg.* (*fam.*) maledetto.
blast-off ['··ɒf] *s.* lancio (di missile).
bla·tant ['bleɪtənt] *agg.* sfacciato.
blaze [bleɪz] *s.* fiammata; (*fig.*) esplosione ♦ *v.intr.* ardere; sfavillare.
bleach [bli:tʃ] *s.* candeggina ♦ *v.tr.* candeggiare; decolorare.
bleak [bli:k] *agg.* desolato; squallido.
bleary ['blɪərɪ] *agg.* annebbiato.
bleat [bli:t] *s.* belato ♦ *v.intr.* belare.
bleed* [bli:d] *v.intr.* sanguinare.
bleep [bli:p] *v.tr.* chiamare col cicalino.
bleeper ['bli:pə*] *s.* cicalino.
blem·ish ['blemɪʃ] *s.* difetto, macchia.
blend [blend] *s.* miscela, mistura ♦ *v.tr., intr.* mescolare, mescolarsi.
blender ['·ə*] *s.* (*amer.*) frullatore.
bless [bles] *v.tr.* benedire | *– you!*, salute!
bless·ing ['·ɪŋ] *s.* benedizione.
blew [blu:] *pass.* di to *blow*.
blighter ['blaɪtə*] *s.* (*fam.*) scocciatore.
blind [blaɪnd] *agg.* cieco ♦ *avv.* alla cieca ♦ *s.* cortina; (*fig.*) copertura, pretesto | *venetian –*, veneziana ♦ *v.tr.* accecare.
blind·fold ['blaɪn*d*fəʊld] *agg., avv.* a occhi bendati, chiusi.
blind·ness ['blaɪndnɪs] *s.* cecità.
blink [blɪŋk] *v.intr.* ammiccare ♦ *s.* batter d'occhio.
blinker ['·ə*] *s.* **1** (*amer.*) lampeggiatore **2** *pl.* paraocchi.
bliss [blɪs] *s.* beatitudine.
bliss·ful ['blɪsfʊl] *agg.* beato.
blis·ter ['blɪstə*] *s.* vescica.
blithe [blaɪð] *agg.* gioioso.

bliz·zard [ˈblɪzəd] *s.* tormenta.
bloated [ˈbləʊtɪd] *agg.* gonfio.
blob [blɒb] *s.* goccia; macchia.
bloc [blɒk] *s.* (*pol.*) blocco.
block *s.* blocco | – *letters*, stampatello ♦ *v.tr.* bloccare.
block·ade [blɒˈkeɪd] *s.* blocco, embargo.
block·head [ˈblɒkhed] *s.* (*fam.*) stupido.
bloke [bləʊk] *s.* (*fam.*) tizio.
blond [blɒnd] *agg.*, *s.* biondo.
blonde *s.* bionda | – *hair*, capelli biondi.
blood [blʌd] *s.* sangue.
blood·curd·ling [ˈblʌd,kɜːdlɪŋ] *agg.* raccapricciante.
blood·hound [ˈblʌdhaʊnd] *s.* segugio.
blood·shed [ˈblʌdʃed] *s.* spargimento di sangue; massacro.
bloody [ˈblʌdɪ] *agg.* **1** sanguinante **2** sanguinoso.
bloody-minded [ˈ··ˈ··] *agg.* (*fam.*) caparbio.
bloom [bluːm] *s.* fioritura ♦ *v.intr.* essere in fiore; sbocciare.
blos·som [ˈblɒsəm] *s.* fiore ♦ *v.intr.* fiorire.
blot [blɒt] *s.* macchia ♦ (*-tted*) *v.tr.* macchiare | *to – out*, oscurare.
blotch [blɒtʃ] *s.* macchia, chiazza.
blotchy [ˈblɒtʃɪ] *agg.* macchiato.
blouse [blaʊz *amer.* blaʊs] *s.* blusa, camicetta.
blow* [bləʊ] *v.tr.*, *intr.* **1** soffiare | *to – a trumpet*, suonare la tromba **2** (far) scoppiare; (far) saltare **3** *to – out*, spegnere, spegnersi; *to – over*, esaurirsi, sbollire; *to – up*, ingrandire ♦ *s.* colpo; soffio.
blow-dry [,bləʊdraɪ] *s.* piega a fon.
blown [bləʊn] *p.p.* di to *blow*.
blow·out [ˈbləʊaʊt] *s.* scoppio.
blow-up [ˈbləʊʌp] *s.* (*fot.*) ingrandimento.
blue [bluː] *agg.* **1** azzurro, celeste; blu **2** depresso **3** (*fam.*) porno ♦ *s.* **1** azzurro, celeste; blu | *out of the –*, inaspettatamente **2** *pl.* depressione **3** *pl.* (*mus.*) blues.
blue·bell [ˈbluːbel] *s.* campanula.
blue·berry [ˈbluːbərɪ] *s.* mirtillo.
blue collars [,·ˈ··] *s.* colletti blu, operai.
blue·print [ˈbluːprɪnt] *s.* (*fig.*) progetto dettagliato.
blue·stock·ing [ˈbluː,stɒkɪŋ] *s.* (*spreg.*) donna intellettuale.
bluff[1] [blʌf] *agg.* franco, diretto; brusco ♦ *s.* scogliera ripida.
bluff[2] *s.* bluff ♦ *v.intr.*, *tr.* bluffare (con).
blu·ish [ˈbluːɪʃ] *agg.* bluastro.
blun·der [ˈblʌndə*] *s.* errore grossolano ♦ *v.intr.* prendere un granchio.
blunt [blʌnt] *agg.* **1** smussato **2** netto, deciso ♦ *v.tr.* smussare.
blur [blɜː*] (*-rred*) *v.tr.* rendere indistinto; offuscare.
blurb [blɜːb] *s.* fascetta, scritta pubblicitaria.
blurt out [ˈblɜːtˈaʊt] *v.tr.* lasciarsi sfuggire.
blush [blʌʃ] *s.* rossore ♦ *v.intr.* arrossire.
blus·ter [ˈblʌstə*] *v.intr.* infuriare.
boar [bɔː] *s.* cinghiale.
board [bɔːd] *s.* **1** asse, tavola; tabellone | *across the –*, applicabile a tutti | *on –*, a bordo, (*amer.*) in vettura **2** vitto: *full –*, pensione completa **3** consiglio, comitato; ente ♦ *v.tr.* **1** coprire con assi **2** imbarcarsi ♦ *v.intr.*: *to – with*, essere a pensione da.

boarder ['bɔ:də*] *s.* convittore.
boarding house ['··] *s.* pensione.
boarding school ['··] *s.* collegio, convitto.
board·room ['bɔ:dru:m] *s.* sala di rappresentanza, sala di consiglio.
boast [bəʊst] *s.* vanto ♦ *v.tr., intr.* vantare, vantarsi.
boat [bəʊt] *s.* barca, imbarcazione; (*fam.*) nave.
bobby ['bɒbɪ] *s.* (*fam.*) poliziotto.
bob·sled ['bɒbsled] **bobsleigh** ['bɒbsleɪ] *s.* (*sport*) bob.
bod·ice ['bɒdɪs] *s.* corpetto.
bod·ily ['bɒdɪlɪ] *agg.* corporeo, fisico ♦ *avv.* interamente; di peso.
body ['bɒdɪ] *s.* **1** corpo | – *stocking*, calzamaglia intera **2** organo; ente **3** carrozzeria.
body·guard ['bɒdɪgɑ:d] *s.* guardia del corpo.
body·work ['bɒdɪwɜ:k] *s.* carrozzeria.
bof·fin ['bɒfɪn] *s.* (*fam.*) scienziato.
bog ['bɒg] *s.* **1** palude, acquitrino **2** (*fam.*) cesso ♦ *v.tr.*: *to get bogged down*, impantanarsi.
bo·gey → **bogy**.
boggle ['bɒgl] *v.intr.* trasalire.
bo·gus ['bəʊgəs] *agg.* falso.
bogy ['bəʊgɪ] *s.* spauracchio.
boil[1] [bɔɪl] *s.* foruncolo.
boil[2] *v.tr., intr.* bollire | *to* – *away*, evaporare; *to* – *over*, traboccare bollendo; *to* – *up*, (*fig.*) riscaldarsi.
boiler ['·ə*] *s.* caldaia; scaldabagno.
bois·ter·ous ['bɔɪstərəs] *agg.* turbolento.
bold [bəʊld] *agg.* audace.
bol·lard ['bɒləd] *s.* colonnina.
bolster ['bɒlstə*] *v.tr.* sostenere.
bolt [bəʊlt] *s.* **1** chiavistello **2** bullone | – *hole*, via di fuga **3** fulmine **4** – *upright*, diritto come un fuso ♦ *v.tr.* **1** sprangare **2** trangugiare ♦ *v.intr.* darsela a gambe.
bomb [bɒm] *s.* bomba ♦ *v.tr.* bombardare.
bom·bard [bɒm'bɑ:d] *v.tr.* bombardare.
bom·bastic [bɒm'bæstɪk] *agg.* ampolloso.
bomber ['bɒmə*] *s.* **1** bombardiere **2** dinamitardo.
bomb·shell ['bɒmʃel] *s.* (*fig.*) bomba.
bon·anza [bəʊ'nænzə] *s.* (*fig.*) miniera d'oro.
bond [bɒnd] *s.* **1** vincolo; (*dir.*) cauzione **2** (*fin.*) obbligazione.
bond·age ['bɒndɪdʒ] *s.* schiavitù.
bone [bəʊn] *s.* osso; lisca ♦ *v.tr.* disossare; diliscare.
bone china [,'··] *s.* porcellana fine.
bone-dry ['·'·] *agg.* secco.
bone-idle ['·'·] *agg.* sfaticato.
bon·fire ['bɒn,faɪə*] *s.* falò.
bonk·ers ['bɒŋkəz] *agg.* (*fam.*) matto.
bon·net ['bɒnɪt] *s.* **1** berretto **2** cofano.
bo·nus ['bəʊnəs] *s.* gratifica, premio; extra.
bony ['bəʊnɪ] *agg.* ossuto; pieno di lische.
boo [bu:] *v.tr., intr.* fischiare (attori ecc.).
boob [bu:b] *s.* (*fam.*) gaffe.
booby ['bu:bɪ] *s.* (*fam.*) stupido | – *trap*, trappola esplosiva.
book [bʊk] *s.* libro | *exercise* –, quaderno ♦ *v.tr.* **1** prenotare **2** registrare | *to* – *in*(*to*), registrarsi **3** multare.
book·able ['·əbəl] *agg.* prenotabile.
book·binder ['bʊk,baɪndə*] *s.* rilegatore.

book·case [ˈbukkeıs] *s.* libreria.
booking office [ˈ·· ··] *s.* biglietteria.
book·keep·ing [ˈbuk,ki:pıŋ] *s.* contabilità.
book·let [ˈbuklıt] *s.* opuscolo.
book·maker [ˈbuk,meıkə*] *s.* allibratore.
book·shelf [ˈbukʃelf] (*-ves*[vz]) *s.* scaffale.
book·shop [ˈbukʃɒp] *s.* libreria (negozio).
book·stall [ˈbukstɔ:l] *s.* edicola; bancarella.
boom [bu:m] *s.* **1** rimbombo **2** boom ♦ *v.intr.* **1** rimbombare **2** prosperare.
boon [bu:n] *s.* vantaggio.
boor [buə*] *s.* zotico, cafone.
boost [bu:st] *s.* spinta; lancio ♦ *v.tr.* **1** incrementare **2** lanciare (prodotto).
booster [ˈbu:stə*] *s.* (*med.*) richiamo.
boot [bu:t] *s.* **1** scarpone; stivale | *to get the* –, essere buttato fuori **2** (*aut.*) baule.
booth [bu:ð] *s.* **1** bancarella **2** cabina.
boot·lace [ˈbu:tleıs] *s.* stringa.
booty [ˈbu:tı] *s.* bottino.
booze [bu:z] *v.intr.* sbronzarsi.
boozer [ˈ·ə*] *s.* (*fam.*) **1** ubriacone **2** pub; bar.
booze-up [ˈ· ·] *s.* (*fam.*) bisboccia.
boozy [ˈbu:zı] *agg.* (*fam.*) sbronzo.
bor·der [ˈbɔ:də*] *s.* **1** bordo **2** confine ♦ *v.tr.* bordare ♦ *v.intr.* confinare.
bor·der·line [ˈbɔ:dəlaın] *s.* (linea di) confine.
bore[1] [bɔ:*] *v.tr., intr.* forare.
bore[2] *v.tr.* annoiare ♦ *s.* seccatura, noia.
bore[3] *pass.* di to *bear.*
bore·dom [ˈbɔ:dəm] *s.* noia.
bor·ing [ˈbɔ:rıŋ] *agg.* noioso.
born [bɔ:n] *agg.* nato | *to be* –, nascere.
borne [bɔ:n] *p.p.* di to *bear.*
bor·ough [ˈbʌrə] *s.* circoscrizione amministrativa.
bor·row [ˈbɒrəu] *v.tr.* prendere a prestito.
bor·stal [ˈbɔ:stl] *s.* riformatorio.
bosh [bɒʃ] *inter.* sciocchezze!
bosom [ˈbuzəm] *s.* **1** petto **2** cuore.
boss[1] [bɒs] *s.* capo, boss, padrone ♦ *v.tr.* (*fam.*) (*around, about*) spadroneggiare (su).
bossy [ˈbɒsı] *agg.* (*fam.*) prepotente, autoritario.
bot·an·ist [ˈbɒtənıst] *s.* botanico.
bot·any [ˈbɒtənı] *s.* botanica.
botch [bɒtʃ] *s.* pasticcio ♦ *v.tr.* pasticciare.
both [bəuθ] *agg., pron.* entrambi.
bother [ˈbɒðə*] *s.* seccatura; preoccupazione ♦ *v.tr., intr.* infastidire; preoccupare, preoccuparsi.
bottle [ˈbɒtl] *s.* bottiglia ♦ *v.tr.* imbottigliare.
bottle-feed [ˈ···] (come *feed*) *v.tr.* allattare artificialmente.
bot·tom [ˈbɒtəm] *s.* **1** fondo **2** (*fam.*) sedere ♦ *agg.* ultimo.
bough [bau] *s.* ramo.
bought [bɔ:t] *pass., p.p.* di to *buy.*
boul·der [ˈbəuldə*] *s.* masso, macigno.
bounce [bauns] *v.tr., intr.* **1** (far) rimbalzare **2** (*fam.*) essere respinto (di assegno) ♦ *s.* rimbalzo.
bound[1] [baund] *s.* limite, confine ♦ *v.tr.* confinare con.
bound[2] *s.* balzo ♦ *v.intr.* rimbalzare.
bound[3] *pass. p.p.* di to *bind* ♦ *agg.* **1** legato; rilegato (di libro) **2** obbligato **3** certo **4** diretto.
bound·ary [ˈbaundərı] *s.* limite; frontiera.

bound·less [ˈbaʊndlɪs] *agg.* illimitato.
bout [baʊt] *s.* **1** periodo **2** attacco (di malattia) **3** (*sport*) incontro.
bow [bəʊ] *s.* **1** arco **2** fiocco **3** inchino ♦ *v.intr.* inchinarsi.
bowel [ˈbaʊəl] *s.* viscere.
bowl[1] [bəʊl] *s.* **1** ciotola; piatto fondo; catino **2** cavità.
bowl[2] *s.* boccia.
bowler (hat) [ˌbəʊləˈhæt] *s.* (*abbigl.*) bombetta.
bow tie [ˌ·ˈ·] *s.* farfallino.
bow window [ˌ·ˈ··] *s.* (*arch.*) bovindo.
box[1] [bɒks] *s.* (*bot.*) bosso.
box[2] *s.* **1** cassa, cassetta; scatola | *P.O.* –, casella postale | *telephone* –, cabina telefonica **2** (*teatr.*) palco | – *office*, botteghino **3** (*dir.*) banco, sbarra **4** (*fam.*) televisore ♦ *v.tr.* inscatolare.
box[3] *v.intr.* fare del pugilato.
box·ing [ˈ·ɪŋ] *s.* pugilato.
Boxing-day [ˈ·· ·] *s.* (giorno di) S. Stefano.
boy [bɔi] *s.* ragazzo; (*fam.*) figlio | *blue-yed* –, pupillo.
boy·cott [ˈbɔɪkɒt] *v.tr.* boicottare ♦ *s.* boicottaggio.
boy·friend [ˈbɔɪfrend] *s.* ragazzo, innamorato.
boy·hood [ˈbɔɪhʊd] *s.* fanciullezza.
bra [brɑː] *s.* reggiseno.
brace [breɪs] *s.* **1** sostegno **2** apparecchio (per i denti) **3** *pl.* bretelle **4** paio, coppia ♦ *v.tr.* rinforzare.
brace·let [ˈbreɪslɪt] *s.* braccialetto.
bracken [ˈbrækən] *s.* felce.
bracket [ˈbrækɪt] *s.* **1** parentesi **2** classe, fascia ♦ *v.tr.* **1** mettere fra parentesi **2** raggruppare.
brag [bræg] (*-gged*) *v.tr.*, *intr.* vantarsi (di).
braid [breɪd] *s.* treccia.
brain [breɪn] *s.* cervello.
brain·child [ˈbreɪntʃaɪld] *s.* idea, trovata.
brain·storm [ˈbreɪnstɔːm] *s.* (*fam.*) **1** raptus **2** (*amer.*) lampo di genio.
brain·wash·ing [ˈbreɪnwɒʃɪŋ] *s.* lavaggio del cervello.
brain·wave [ˈbreɪnweɪv] *s.* (*fam.*) lampo di genio.
brainy [ˈbreɪnɪ] *agg.* (*fam.*) intelligente.
braise [breɪz] *v.tr.* brasare, stufare.
brake [breɪk] *s.* freno ♦ *v.tr.*, *intr.* frenare.
bramble [ˈbræmbl] *s.* rovo.
bran [bræn] *s.* crusca.
branch [brɑːntʃ *amer.* bræntʃ] *s.* **1** ramo; diramazione **2** filiale ♦ *v.intr.* ramificare; ramificarsi.
brand [brænd] *s.* marchio; marca ♦ *v.tr.* marchiare.
bran·dish [ˈbrændɪʃ] *v.tr.* brandire.
brand-new [ˌ·ˈ·] *agg.* nuovo di zecca.
brash [bræʃ] *agg.* sfacciato.
brass [brɑːs *amer.* bræs] *s.* **1** ottone **2** sfacciataggine.
brassy [ˈbrɑːsɪ *amer.* ˈbræsɪ] *agg.* **1** color ottone **2** impudente.
brat [bræt] *s.* (*spreg.*) marmocchio.
bra·vado [brəˈvɑːdəʊ] *s.* bravata.
brave [breɪv] *agg.* coraggioso, audace ♦ *v.tr.* affrontare.
bravery [ˈbreɪvərɪ] *s.* audacia.
bravo [ˈbrɑːˌvəʊ] *inter.* bravo!, bene!
brawl [brɔːl] *s.* rissa.
brawny [ˈbrɔːnɪ] *agg.* muscoloso.
bray [breɪ] *v.intr.* ragliare.
brazen [ˈbreɪzn] *agg.* spudorato.
Bra·zil [ˈbrəzɪl] *no.pr.* Brasile.
Bra·zil·ian [brəˈzɪljən] *agg.*, *s.* brasiliano.

breach [bri:tʃ] *s.* **1** breccia **2** violazione | *– of trust*, abuso di fiducia ♦ *v.tr.* aprire una breccia.
bread [bred] *s.* pane.
bread·crumbs [ˈbredkrʌms] *s.pl.* briciole; pan grattato.
breadth [bredθ] *s.* larghezza, ampiezza.
bread·win·ner [ˈbred,wɪnə*] *s.* chi mantiene la famiglia.
break* [breɪk] *v.tr.* **1** rompere, spezzare | *to – a rule*, infrangere una regola | *to – cover*, uscire allo scoperto **2** interrompere **3** venire a capo di **4** stroncare; far fallire ♦ *v.intr.* **1** rompersi, spezzarsi | *to – loose, free*, liberarsi **2** interrompersi **3** cedere, crollare **4** sorgere; scoppiare (di temporale); cambiare (di tempo) ♦ *Verbi frasali*: *to – away*, scappare | *to – down*, abbattere; scomporre; guastarsi; collassare; fallire | *to – into*, irrompere in | *to – out*, esplodere | *to – through*, aprirsi un varco in | *to – up*, fare a pezzi; disperdere, disperdersi ♦ *s.* **1** rottura, frattura; interruzione **2** opportunità **3** cambiamento improvviso (del tempo).
break·age [ˈbreɪkɪdʒ] *s.* rottura.
break·down [ˈbreɪkdaʊn] *s.* **1** (*nervous*) –, esaurimento nervoso **2** dissesto; rottura (di negoziati) **3** guasto, panne | *– van*, carro attrezzi **4** analisi.
breaker [ˈbreɪkə*] *s.* frangente, maroso.
break·fast [ˈbrekfəst] *s.* prima colazione.
break-in [ˈbreɪkɪn] *s.* scasso.
break·out [ˈbreɪkaʊt] *s.* evasione.
break·through [ˈbreɪkˈθru:] *s.* (*fig.*) svolta.
break·up [ˈbreɪkʌp] *s.* rottura; fallimento; smantellamento.
breast [brest] *s.* seno, petto.
breast·bone [ˈbres*t*bəʊn] *s.* sterno.
breast-feed [ˈ· ·] (come *feed*) *v.tr.* allattare al seno.
breast·stroke [ˈbres*t*,strəʊk] *s.* nuoto a rana.
breath [breθ] *s.* respiro; soffio | *out of* –, senza fiato | *with bated* –, col cuore in gola.
breath·alyzer [ˈbreθə,laɪzə*] *s.* palloncino (per determinare il tasso alcolico).
breathe [bri:ð] *v.tr., intr.* respirare.
breather [ˈ·ə*] *s.* (*fam.*) pausa.
breath·tak·ing [ˈbreθ,teɪkɪŋ] *agg.* mozzafiato.
bred [bred] *pass., p.p.* di to *breed*.
breeches [ˈbri:tʃɪz] *s.pl.* calzoni alla zuava.
breed* [bri:d] *v.tr.* allevare; generare ♦ *v.intr.* **1** riprodursi **2** avere origine ♦ *s.* razza; stirpe; (*bot.*) varietà.
breeze [bri:z] *s.* brezza.
breezy [ˈbri:zɪ] *agg.* ventilato.
brew [bru:] *s.* mistura; infuso.
brew·ery [ˈbru:ərɪ] *s.* fabbrica di birra.
bribe [braɪb] *s.* bustarella; tangente ♦ *v.tr.* pagare una tangente.
bribery [ˈbraɪbərɪ] *s.* corruzione.
brick [brɪk] *s.* mattone.
brick·layer [ˈbrɪk,leɪə*] *s.* muratore.
bri·dal [ˈbraɪdl] *agg.* nuziale.
bride [braɪd] *s.* sposa.
bride·groom [ˈbraɪdgrʊm] *s.* sposo.
brides·maid [ˈbraɪdzmeɪd] *s.* damigella (di sposa).
bridge [brɪdʒ] *s.* ponte.
bridle [ˈbraɪdl] *s.* briglia ♦ *v.tr.* imbrigliare.
brief[1] [bri:f] *agg.* breve; succinto.
brief[2] *s.* **1** (*dir.*) memoria, comparsa **2** istruzioni ♦ *v.tr.* impartire istruzioni a.

brief·case [ˈbri:fkeɪs] *s.* (borsa) diplomatica, valigetta.
brief·ing [ˈ·ɪŋ] *s.* **1** riunione informativa **2** istruzioni.
briefs [bri:fs] *s.pl.* mutandine.
brier [ˈbraɪə*] *s.* rovo.
bri·gade [brɪˈgeɪd] *s.* brigata | *the Fire Brigade*, i Vigili del Fuoco.
brig·and [ˈbrɪgənd] *s.* brigante.
bright [braɪt] *agg.* chiaro, brillante; allegro.
brighten [ˈbraɪtn] *v.tr., intr.* **1** illuminare, illuminarsi **2** animare, animarsi.
brights [braɪts] *s.pl.* (*fam. amer.*) abbaglianti.
bril·liant [ˈbrɪljənt] *agg., s.m.* brillante.
brim [brɪm] *s.* **1** orlo, bordo **2** tesa.
brim·ful [ˌbrɪmˈfʊl] *agg.* colmo.
brine [braɪn] *s.* salamoia.
bring* [brɪŋ] *v.tr.* portare | *to – o.s. to do sthg.*, convincersi a fare qlco. | *to – an action*, intentar causa | *to – about*, determinare | *to – along*, portare con sé | *to – off*, conseguire | *to – out*, far uscire; rivelare | *to – up*, tirar su.
brink [brɪŋk] *s.* orlo, bordo.
brisk [brɪsk] *agg.* **1** svelto **2** frizzante.
bristle [ˈbrɪsl] *s.* setola ♦ *v.intr.* rizzarsi (di peli).
bristly [ˈbrɪslɪ] *agg.* ispido.
Brit·ish [ˈbrɪtɪʃ] *agg.* britannico | *the –*, gli inglesi.
Brit·isher [ˈbrɪtɪʃə*] *s.* (*fam. amer.*) inglese.
brittle [brɪtl] *agg.* fragile.
broad [brɔ:d] *agg.* **1** largo, ampio | *in – daylight*, in pieno giorno **2** marcato **3** volgare.
broad bean [ˈ· ·] *s.* fava.
broad·cast* [ˈbrɔ:dkɑ:st *amer.* ˈbrɔ:dkæs] *v.tr.* trasmettere ♦ *s.* trasmissione.
broad·cast·er [ˈ··ə*] *s.* giornalista televisivo, radiofonico.
broad·cast·ing [ˈ··ɪŋ] *s.* radiodiffusione; teletrasmissione.
broaden [ˈbrɔ:dn] *v.tr., intr.* allargare, allargarsi.
broad-minded [ˌbrɔ:dˈmaɪndɪd] *agg.* tollerante.
bro·cade [brəʊˈkeɪd] *s.* broccato.
bro·chure [ˈbrəʊʃə* *amer.* brəʊˈʃʊə*] *s.* opuscolo.
broil [brɔɪl] *v.tr.* grigliare.
broke [brəʊk] *pass.* di to *break* ♦ *agg.* (*fam.*) squattrinato.
broken [ˈbrəʊkən] *p.p.* di to *break* | *– English*, inglese stentato.
broken-down [ˈ··ˌ·] *agg.* guasto.
bron·chitis [brɒŋˈkaɪtɪs] *s.* bronchite.
bronze [brɒnz] *s.* bronzo ♦ *v.tr., intr.* abbronzare, abbronzarsi.
brooch [brəʊtʃ] *s.* spilla.
brood [bru:d] *s.* covata, nidiata ♦ *v.intr.* rimuginare.
broody [ˈbru:dɪ] *agg.* meditabondo.
brook [brʊk] *s.* ruscello.
broom [bru:m] *s.* **1** ginestra **2** scopa.
broth [brɒθ] *s.* brodo.
brothel [ˈbrɒθl] *s.* bordello.
brother [ˈbrʌðə*] *s.* fratello.
brother-in-law [ˈbrʌðərɪnˌlɔ:] (*brothers-in-law*) *s.* cognato.
broth·erly [ˈbrʌðəlɪ] *agg.* fraterno.
brought [brɔ:t] *pass. p.p.* di to *bring.*
brow [braʊ] *s.* fronte.
brow·beat [ˈbraʊbi:t] (come *beat*) *v.tr.* intimidire.
brown [braʊn] *agg.* bruno; marrone.
browned-off [ˈbraʊndɒf] *agg.* stufo.
browse [braʊz] *v.intr.* **1** brucare **2** dare un'occhiata.

bruise [bru:z] *s.* contusione ♦ *v.tr.* ammaccare.
brunch [brʌntʃ] *s.* (contr. di *breakfast* e *lunch*) pasto sostitutivo di prima e seconda colazione.
bru·nette [bru:'net] *s.* bruna, brunetta.
brush[1] [brʌʃ] *s.* spazzola; spazzolata ♦ *v.tr.* spazzolare; sfiorare | *to – aside, away*, cacciar via; *to – off*, ignorare; *to – up*, rispolverare.
brush[2] *s.* boscaglia.
Brus·sels ['brʌslz] *no.pr.* Bruxelles.
brute [bru:t] *s.* bruto; bestia.
bru·tish ['bru:tɪʃ] *agg.* bestiale.
bubble ['bʌbl] *s.* bolla ♦ *v.intr.* far bollicine; gorgogliare.
bubbly ['bʌblɪ] *agg.* frizzante.
buck[1] [bʌk] *s.* maschio di alcuni animali: daino; coniglio ecc.
buck[2] *s.* (*fam. amer.*) dollaro.
buck[3] *s.*: *to pass the –*, passare la patata bollente.
bucket ['bʌkɪt] *s.* secchio ♦ *v.intr.* (*fam.*) piovere a dirotto.
buckle ['bʌkl] *s.* fibbia ♦ *v.tr.* affibbiare ♦ *v.intr.* curvarsi | *to – down*, applicarsi seriamente.
bud [bʌd] *s.* gemma, bocciolo ♦ (*-dded*) *v.intr.* sbocciare.
bud(dy) ['bʌd(ɪ)] *s.* (*fam.*) amico.
budge [bʌdʒ] *v.intr.* muoversi.
budget ['bʌdʒɪt] *s.* budget | *– price*, prezzo ridotto ♦ *v.tr.* programmare, preventivare.
buff [bʌf] *agg.* 1 color camoscio 2 (*fam.*) patito (di) ♦ *v.tr.* lucidare.
buf·falo ['bʌfələʊ] (*-oes*) *s.* bufalo.
buf·fer ['bʌfə*] *s.* paraurti; respingente.
bug [bʌg] *s.* 1 cimice; piccolo insetto 2 disturbo; mania 3 microspia 4 (*inform.*) piccolo errore di programma ♦ *v.tr.* 1 mettere sotto controllo 2 irritare.
bug·bear ['bʌgbeə*] *s.* spauracchio.
buggy ['bʌgɪ] *s.* (*amer.*) passeggino.
bugle ['bju:gl] *s.* tromba.
build* [bɪld] *v.tr., intr.* costruire ♦ *s.* corporatura.
build·ing ['·ɪŋ] *s.* edificio.
buildup ['bɪldʌp] *s.* incremento.
built [bɪlt] *pass., p.p.* di to *build*.
built-in ['bɪl'tɪn] *agg.* incorporato.
built-up ['bɪl,tʌp] *agg.* molto costruito.
bulb [bʌlb] *s.* 1 bulbo 2 lampadina.
bulge [bʌldʒ] *s.* gonfiore ♦ *v.intr.* gonfiarsi.
bulk [bʌlk] *s.* 1 massa, volume 2 la maggior parte.
bulky ['bʌlkɪ] *agg.* voluminoso.
bull [bʊl] *s.* toro.
bul·let ['bʊlɪt] *s.* pallottola.
bul·letin ['bʊlɪtɪn] *s.* bollettino.
bullet-proof ['bʊlətpru:f] *agg.* antiproiettile; (*aut.*) blindato.
bull·fight ['bʊlfaɪt] *s.* corrida.
bull's-eye ['bʊlzaɪ] *s.* centro (di bersaglio).
bull·shit ['bʊlʃɪt] *s.* (*volg.*) cazzate.
bully ['bʊlɪ] *s.* spaccone ♦ *v.tr.* tiranneggiare.
bum [bʌm] *s.* (*volg.*) sedere.
bumble·bee ['bʌmblbi:] *s.* calabrone.
bump [bʌmp] *v.tr., intr.* urtare | *to – into*, imbattersi in ♦ *s.* botta.
bumper ['bʌmpə*] *s.* (*aut.*) paraurti ♦ *agg.* molto abbondante.
bump·tious ['bʌmpʃəs] *agg.* presuntuoso.
bun [bʌn] *s.* 1 ciambella 2 chignon.
bunch [bʌntʃ] *s.* mazzo; grappolo; gruppo ♦ *v.tr.* ammucchiare.

bundle [ˈbʌndl] *s.* fagotto.
bung [bʌŋ] *s.* tappo, turacciolo.
bungle [ˈbʌŋgl] *v.tr.* abborracciare.
bunk [bʌŋk] *s.* cuccetta | – *bed*, letto a castello.
bun(·kum) [ˈbʌŋ(kəm)] *s.* (*fam.*) sciocchezze.
bunny [ˈbʌnɪ] *s.* coniglietto.
buoy [bɔɪ] *s.* boa ♦ *v.tr.* (*up*) sostenere.
buoy·ant [ˈbɔɪənt] *agg.* (*fig.*) ottimista.
burble [ˈbɜ:bl] *v.intr.* gorgogliare.
bur·den [ˈbɜ:dn] *s.* peso ♦ *v.tr.* gravare.
bur·eau·cracy [bjʊəˈrɒkrəsɪ] *s.* burocrazia.
bur·eau·crat [ˈbjʊərəʊkræt] *s.* burocrate.
burg·lar [ˈbɜ:glə*] *s.* scassinatore.
burg·lar·ize [ˈbɜ:gləraɪz] (*spec. amer.*) → to *burgle*.
burg·lary [ˈbɜ:glərɪ] *s.* furto con scasso.
burgle [ˈbɜ:gl] *v.tr.* svaligiare.
burial [ˈberɪəl] *s.* sepoltura.
burn* [bɜ:n] *v.tr.*, *intr.* bruciare | *to – down*, distruggere, distruggersi col fuoco | *to – out*, estinguere, estinguersi ♦ *s.* bruciatura.
burner [ˈbɜ:nə*] *s.* fornello.
burnt [bɜ:nt] *pass. p.p.* di to *burn*.
bur·row [ˈbʌrəʊ] *s.* tana.
bur·sar [ˈbɜ:sə*] *s.* tesoriere; economo.
burs·ary [ˈbɜ:sərɪ] *s.* borsa di studio.
burst [bɜ:st] *v.intr.*, *tr.* (far) scoppiare | *to – into*, irrompere | *to – out*, scoppiare a ♦ *s.* scoppio.
bury [ˈberɪ] *v.tr.* seppellire.
bus [bʌs] *s.* autobus ♦ (*-ssed* [·t]) *v.intr.* andare in autobus.
bush [bʊʃ] *s.* **1** cespuglio **2** macchia.
bushy [ˈbʊʃɪ] *agg.* folto.
busi·ness [ˈbɪznɪs] *s.* **1** affari | – *hours*, orario d'ufficio **2** azienda **3** compito, mansione **4** faccenda.
busi·ness·like [ˈbɪznɪslaɪk] *agg.* efficiente; pratico.
busi·ness·man [ˈbɪznɪsmən] (*-men*) *s.* uomo d'affari.
bust[1] [bʌst] *s.* busto.
bust[2] *agg.* rotto | *to go –*, fallire.
bustle [ˈbʌsl] *s.* trambusto ♦ *v.intr.* agitarsi | *to – about*, affaccendarsi.
bust-up [ˈbʌstʌp] *s.* (*fam.*) lite.
busy [ˈbɪzɪ] *agg.* indaffarato; occupato ♦ *v.tr.*: *to – o.s.*, darsi da fare.
busy·body [ˈbɪzɪ,bɒdɪ] *s.* ficcanaso.
but [bʌt (*ff.*) bət (*fd.*)] *cong.* ma ♦ *prep.* tranne | – *for*, se non fosse per.
but·cher [ˈbʊtʃə*] *s.* macellaio ♦ *v.tr.* macellare.
but·ler [ˈbʌtlə*] *s.* maggiordomo.
butt [bʌt] *s.* **1** calcio (di arma) **2** mozzicone **3** bersaglio.
butt *v.tr.*, *intr.* cozzare | *to – in*, intromettersi.
but·ter [ˈbʌtə*] *s.* burro ♦ *v.tr.* imburrare | *to – up*, adulare.
but·ter·fly [ˈbʌtəflaɪ] *s.* farfalla.
but·tock [ˈbʌtək] *s.* natica.
but·ton [ˈbʌtn] *s.* bottone ♦ *v.tr.*, *intr.* abbottonare, abbottonarsi.
but·ton·hole [ˈbʌtnhəʊl] *s.* asola ♦ *v.tr.* (*fig.*) attaccare un bottone a.
but·tress [ˈbʌtrɪs] *s.* contrafforte.
buy* [baɪ] *v.tr.* comprare, acquistare ♦ *s.* (*fam.*) acquisto.
buy-out [ˈbaɪəʊt] *s.* acquisizione.
buzz [bʌz] *s.* **1** ronzio; brusio **2** (*fam.*) telefonata ♦ *v.intr.* ronzare; bisbigliare | *to – off*, togliersi dai piedi ♦ *v.tr.* chiamare col cicalino; telefonare.
buzzer [ˈ·ə*] *s.* cicalino.
by [baɪ] *prep.* **1** da; per; per mezzo di | – *day*, di giorno | – *bus*, in autobus **2** vi-

cino **3** entro ♦ *avv.* **1** vicino **2** da parte.
bye-bye [ˈ·ˈ·] *inter.* ciao.
by·gone [ˈbaɪgɒn] *agg.* passato.
by·law [ˈbaɪlɔ:] *s.* legge locale.
by·pass [ˈbaɪpɑ:s] *s.* tangenziale ♦ *v.tr.* girare intorno a.
by-product [ˈ·,··] *s.* sottoprodotto.
by·stander [ˈbaɪ,stændə*] *s.* spettatore.
by·way [ˈbaɪweɪ] *s.* stradina.
by·word [ˈbaɪwɜ:d] *s.* simbolo.

C

cab [kæb] *s.* taxi.
cab·bage [ˈkæbɪdʒ] *s.* cavolo.
cab·bie [ˈkæbɪ] amer. **cab·driver** [ˈkæb,draɪvə*] *s.* (*fam.*) tassista.
cabin [ˈkæbɪn] *s.* **1** cabina **2** capanna.
cab·inet [ˈkæbɪnɪt] *s.* **1** armadietto **2** (*pol.*) gabinetto.
cable [ˈkeɪbl] *s.* cavo | – *car*, funivia.
ca·ble·way [ˈkeɪblweɪ] *s.* teleferica.
cab rank [ˈkæbræŋk] **cab·stand** [ˈkæbstænd] *s.* (*spec. amer.*) posteggio di taxi.
cache [kæʃ] *s.* nascondiglio.
cackle [ˈkækl] *s.* schiamazzo; risatina.
cadge [kædʒ] *v.tr., intr.* (*fam.*) scroccare.
cadger [ˈ·ə*] *s.* (*fam.*) scroccone.
cadre [ˈkɑ:də* *amer.* ˈkædrɪ] *s.* (*pol., mil.*) quadro.
café [ˈkæfeɪ *amer.* kæˈfeɪ] *s.* caffè, bar.
caf·et·eria [,kæfɪˈtɪərɪə] *s.* (ristorante) self-service, cafeteria.
cage [keɪdʒ] *s.* gabbia ♦ *v.tr.* mettere in gabbia.
cagey [ˈkeɪdʒɪ] *agg.* (*fam.*) cauto.
ca·goule [kəˈgu:l] *s.* giaccavento leggera.

ca·hoots [kəˈhu:ts] *s.pl.* : *in* –, i[...] butta.
ca·jole [kəˈdʒəʊl] *v.tr.* blandire.
cake [keɪk] *s.* **1** torta; pasticcino **2** tavoletta | *a – of soap*, una saponetta ♦ *v.tr., intr.* indurire.
ca·lam·it·ous [kəˈlæmɪtəs] *agg.* calamitoso.
ca·lam·ity [kəˈlæmɪtɪ] *s.* calamità.
cal·cium [ˈkælsɪəm] *s.* calcio.
cal·cu·late [ˈkælkjʊleɪt] *v.tr., intr.* calcolare.
cal·cu·la·tion [,··ˈleɪʃn] *s.* calcolo.
cal·cu·lator [ˈ···ə*] *s.* calcolatrice.
cal·cu·lus [ˈkælkjʊləs] (*-li* [-laɪ]) *s.* calcolo.
cal·en·dar [ˈkælɪndə*] *s.* calendario.
calf[1] [kɑ:f *amer.* kæf] (*-ves* [-vz] *s.* vitello; piccolo (di grossi mammiferi).
calf[2] *s.* polpaccio.
cal·ibre [ˈkælɪbə*] amer. **cali·ber** *s.* calibro.
cal·if, **ca·liph** [ˈkeɪlɪf] *s.* califfo.
cali·pers → *callipers.*
call [kɔ:l] *v.tr.* chiamare; far venire; convocare | *he called me last night*, mi ha telefonato ieri sera | *to – for*, richiedere | *to – off*, cancellare | *to – up*, richiamare ♦ *v.intr.* **1** fare una fermata; fare scalo | *to – on*, far visita a **2** (*poker*) vedere ♦ *s.* **1** chiamata; grido; richiamo, invito **2** telefonata: *long-distance –*, chiamata interurbana | – *box*, cabina telefonica **3** visita; fermata; scalo **4** dichiarazione (alle carte).
call·er [ˈ·ə*] *s.* **1** visitatore **2** chi telefona.
call-in [ˈ··] (*amer.*) → *phone-in.*
cal·li·pers [ˈkælɪpəz] *s.pl.* calibro.
cal·lous [ˈkæləs] *agg.* duro di cuore.
cal·low [ˈkæləʊ] *agg.* imberbe.

call-up [ˈkɔ:lʌp] *s.* chiamata alle armi.
calm [kɑ:m] *agg.* calmo ♦ *v.tr.* calmare.
cal·orie [ˈkælərɪ] *s.* caloria.
cal·umny [ˈkæləmnɪ] *s.* calunnia.
came [keɪm] *pass.* di to *come*.
camel [ˈkæml] *s.* cammello.
ca·mel·lia [kəˈmɪ:ljə] *s.* camelia.
cam·era [ˈkæmərə] *s.* **1** macchina fotografica; cinepresa; telecamera **2** (*dir.*) *in* –, a porte chiuse.
camo·mile [ˈkæməmaɪl] *s.* camomilla.
camouflage [ˈkæmʊflɑ:ʒ] *v.tr.* camuffare; mimetizzare.
camp[1] [kæmp] *s.* campo; campeggio ♦ *v.intr.* accamparsi.
camp[2] *agg.* (*fam.*) **1** affettato **2** effeminato **3** kitsch.
cam·paign [kæmˈpeɪn] *s.* campagna ♦ *v.intr.* condurre una campagna.
camp·ground [ˈkæmpgraʊnd] *s.* (*spec. amer.*) campeggio, camping.
cam·phor [ˈkæmfə*] *s.* canfora.
camping site [ˈkæmpɪŋ,saɪt] **camp·site** [ˈkæmpsaɪt] *s.* campeggio, camping.
can[1] [kæn] *s.* **1** lattina; scatoletta **2** (*fam. amer.*) prigione; latrina ♦ (*-nned*) *v.tr.* inscatolare.
can[2] *modal verb* potere; sapere.
Ca·na·dian [kəˈneɪdjən] *agg.* e *s.* canadese.
ca·nal [kəˈnæl] *s.* canale.
ca·nary [kəˈneərɪ] *s.* canarino.
cancel [ˈkænsl] (*-lled*) *v.tr.* cancellare; annullare | *to – out*, compensare.
can·cel·la·tion [,··ˈleɪʃn] *s.* cancellazione.
can·cer [ˈkænsə] *s.* cancro.
can·de·lab·ra [,kændɪˈlɑ:brə] **can·de·lab·rum** [,··ˈ·brəm] (*-a, -as*) *s.* candelabro.
can·did [ˈkændɪd] *agg.* franco.
can·did·acy [ˈkændɪdəsɪ] *s.* candidatura.
can·did·ate [ˈkændɪdət] *s.* candidato.
can·di·da·ture [ˈkændɪdətʃə*] *s.* candidatura.
can·died [ˈkændɪd] *agg.* candito.
candle [ˈkændl] *s.* candela.
can·dle·stick [ˈkændlstɪk] *s.* candeliere.
cand·our [ˈkændə*] amer. **candor** *s.* franchezza.
candy [ˈkændɪ] *s.* (*amer.*) **1** caramella **2** dolciumi.
candy·floss [ˈkændɪflɒs] *s.* zucchero filato.
cane [keɪn] *s.* canna.
can·ine [ˈkeɪnaɪn] *agg.*, *s.*: – (*tooth*), (dente) canino.
can·is·ter [ˈkænɪstə*] *s.* scatola di latta, barattolo; bomboletta.
can·na·bis [ˈkænəbɪs] *s.* marijuana.
can·nery [ˈkænərɪ] *s.* conservificio.
can·ni·bal [ˈkænɪbəl] *s.* cannibale.
can·non [ˈkænən] *s.* cannone.
cannot [ˈkænɒt] forma negativa di *can.*
canny [ˈkænɪ] *agg.* astuto; abile.
ca·noe [kəˈnu:] *s.* canoa.
can·opy [ˈkænəpɪ] *s.* baldacchino.
cant [kænt] *s.* **1** gergo **2** ipocrisie.
can't [kɑ:nt *amer.* kænt] → *cannot.*
can·ta·loup(e) [ˈkæntəlu:p] *s.* melone.
can·tan·ker·ous [kənˈtæŋkərəs] *agg.* litigioso.
can·teen [kænˈti:n] *s.* mensa aziendale.
can·vas [ˈkænvəs] *s.* tela.
can·vass *v.tr., intr.* sollecitare (voti); fare un sondaggio.
cap [kæp] *s.* **1** berretto | *shower* –, cuffia da doccia **2** cappuccio; tappo ♦ (*-pped* [pt]) *v.tr.* **1** coprire; tappare **2** (*fig.*) coronare.
cap·ab·il·ity [,keɪpəˈbɪlətɪ] *s.* capacità; potenziale.

cap·able ['keɪpəbl] *agg.* capace.
ca·pa·cious [kə'peɪʃəs] *agg.* ampio, capace.
ca·pa·city [kə'pæsətɪ] *s.* **1** capacità **2** posizione, ruolo.
cape[1] [keɪp] *s.* (*geogr.*) capo.
cape[2] *s.* (*abbigl.*) cappa.
Cape Town ['· ·] *no.pr.* Città del Capo.
ca·per[1] ['keɪpə*] *s.* cappero.
caper[2] *s.* capriola ♦ *v.intr.* saltellare qua e là.
cap·ital[1] ['kæpɪtl] *agg.*, *s.* **1** capitale **2** (carattere) maiuscolo.
capital[2] *s.* (*arch.*) capitello.
cap·it·al·ist ['kæpɪtəlɪst] *s.*, *agg.* capitalista.
ca·pit·ulate [kə'pitjʊleɪt] *v.intr.* capitolare.
ca·price [kə'pri:s] *s.* capriccio.
cap·size [kæp'saɪz] *v.tr.*, *intr.* capovolgere, capovolgersi.
cap·sule ['kæpsju:l] *s.* capsula.
cap·tain ['kæptɪn] *s.* capitano ♦ *v.tr.* comandare.
cap·tion ['kæpʃn] *s.* didascalia.
cap·tiv·ate ['kæptɪveɪt] *v.tr.* sedurre.
cap·tive ['kæptɪv] *agg.* in cattività.
capture [kæptʃə*] *v.tr.* catturare ♦ *s.* cattura.
car [kɑ:*] *s.* **1** automobile, auto **2** (*ferr.*) vettura, carrozza.
ca·rafe [kə'ræf] *s.* caraffa.
carat ['kærət] *s.* carato.
cara·van ['kærəvæn] *s.* **1** roulotte **2** carovana.
car·bo·hyd·rate [,kɑ:bəʊ'haɪdreɪt] *s.* carboidrato.
car·bon ['kɑ:bən] *s.* **1** carbonio | – *dioxide*, anidride carbonica **2** carta carbone.
car·bon·ated ['kɑ:bəneɪtɪd] *agg.* gassato.
car·bur·et·tor [,kɑ:bjʊ'retə*] amer.
car·bur·etor ['kɑ:rbəreɪtə*] *s.* carburatore.
car·case ['ka:kəs] **car·cass** *s.* carcassa.
car·ci·no·genic [,kɑ:sɪnə'dʒenɪk] *agg.* (*med.*) cancerogeno.
card [kɑ:d] *s.* **1** carta, tessera **2** cartolina; biglietto **3** *pl.* carte da gioco.
card·board ['kɑ:dbɔ:d] *s.* cartone.
car·dinal ['kɑ:dɪnl] *agg.*, *s.* cardinale.
car·di·olo·gist [,kɑ:dɪ'ɒlədʒɪst] *s.* cardiologo.
care [keə*] *s.* **1** cura, attenzione | *intensive – unit*, reparto di terapia intensiva **2** preoccupazione: *free from –*, senza pensieri ♦ *v.intr.* importare | *to – about*, avere interesse in; *to – for*, gradire; aver cura di.
ca·reer [kə'rɪə*] *s.* carriera ♦ *agg.* di carriera.
care·ful ['keəfʊl] *agg.* **1** accurato **2** attento, prudente.
care·less ['keəlɪs] *agg.* noncurante; negligente.
caress [kə'res] *s.* carezza ♦ *v.tr.* accarezzare.
care·taker ['keə,teɪkə*] *s.* custode, portiere.
cargo ['kɑ:gəʊ] (*-oes*) *s.* carico.
Ca·rib·bean [,kærɪ'bi:ən] *agg.* caraibico.
ca·ri·ca·ture ['kærɪkə,tjʊə*] *s.* caricatura.
car·ies ['keərii:z] *s.* (*med.*) carie.
carn·age ['kɑ:nɪdʒ] *s.* carneficina.
car·na·tion [kɑ:'neɪʃn] *s.* garofano.
car·ni·val ['kɑ:nɪvl] *s.* carnevale.
carouse [kə'raʊz] *v.intr.* gozzovigliare.
ca·rou·sel [,kæru:'zel] *s.* (*amer.*) **1** na-

stro trasportatore (per la distribuzione dei bagagli in aeroporto) **2** giostra.

carp[1] [kɑ:p] *s.* carpa.

carp[2] *v.intr.* cavillare, criticare.

car·pen·ter ['kɑ:pəntə*] *s.* carpentiere, falegname.

car·pet ['kɑ:pɪt] *s.* tappeto | *wall-to-wall* –, moquette | – *sweeper*, battitappeto ♦ *v.tr.* coprire con un tappeto.

car·pet·ing ['kɑ:pətɪŋ] *s.* moquette.

car·riage ['kærɪdʒ] *s.* **1** carrozza, vettura **2** (*comm.*) (costo di) trasporto.

car·riage·way ['kærɪdgweɪ] *s.* carreggiata.

car·rier ['kærɪə*] *s.* **1** portatore; (*comm.*) corriere, spedizioniere | – *bag*, sacchetto, borsa per la spesa **2** (*amer.*) postino **3** portapacchi.

car·rion ['kærɪən] *s.* carogna.

car·rot ['kærət] *s.* carota.

carry ['kærɪ] (*-rried* [·rɪd]) *v.tr.* **1** portare; trasportare; trasmettere (malattie) | *to – out*, effettuare, compiere; adempiere **2** comportare, implicare **3** riportare (notizie) **4** approvare **5** reggere, sostenere **6** (*mat.*) riportare | *carried amount*, riporto | (*amm.*) *to – forward, to – over*, riportare a nuovo ♦ *v.intr.* andare lontano (di suono) | *to – on*, continuare.

carry·cot ['kærɪ,kɒt] *s.* baby pullman.

carry-on [,··'·] *agg.* a mano.

car·sick·ness ['kɑ:sɪknəs] *s.* mal d'auto.

cart [kɑ:t] *s.* carro; (*spec. amer.*) carrello (per la spesa).

car·tel [kɑ:'tel] *s.* (*econ.*) cartello.

Car·thu·sian [kɑ:'θju:zjən] *agg.*, *s.* certosino.

car·ton ['kɑ:tən] *s.* cartone (di latte, panna); vaschetta (di gelato); stecca (di sigarette).

car·toon [kɑ:'tu:n] *s.* vignetta; (*cinem.*) cartone animato.

car·toon·ist [·'·ɪst] *s.* vignettista; disegnatore (di cartoni animati).

cart·ridge ['kɑ:trɪdʒ] *s.* **1** cartuccia: *blank* –, cartuccia a salve **2** rullino; cassetta.

carve [kɑ:v] *v.tr.* **1** scolpire **2** trinciare, tagliare (carne ecc.).

case[1] [keɪs] *s.* **1** caso; avvenimento, fatto | *in any* –, in ogni caso; *in* –, qualora | – *history*, anamnesi **2** motivo, ragione **3** (*dir.*) processo, causa.

case[2] *s.* **1** custodia, astuccio **2** cassa, cassetta; scatola **3** valigia.

cash [kæʃ] *s.* (denaro) contante: – *down*, pronta cassa, in contanti | – *desk*, cassa | – *card*, carta del bancomat ♦ *v.tr.* incassare | *to – in on*, approfittare di.

cash·ier [kæ'ʃɪə*] *s.* cassiere.

cask [kɑ:sk *amer.* kæsk] *s.* barile.

cas·ket ['kɑ:skɪt *amer.* 'kæskit] *s.* **1** scrigno **2** (*amer.*) bara.

cas·sette [kə'set] *s.* cassetta | – *player*, mangianastri.

cast* [kɑ:st *amer.* kæst] *v.tr.* **1** gettare, lanciare | *to – off*, buttare **2** (*teatr.*, *cinem.*) assegnare la parte **3** (*metall.*) fondere ♦ *s.* **1** tiro, lancio **2** getto; colata; stampo; (*med.*) gesso | – *iron*, ghisa.

cas·ta·nets [,kæstə'nets] *s.pl.* nacchere.

cast·away ['kɑ:stəweɪ] *s.* naufrago.

caster sugar [,kɑ:stə'ʃʊgə*] *s.* zucchero raffinato, semolato.

castle ['kɑ:sl *amer.* 'kæsl] *s.* **1** castello **2** torre (negli scacchi).

cast·offs ['kɑ:stɒfs] *s.pl.* abiti smessi.

castor oil [,··'·] *s.* olio di ricino.

cas·ual ['kæʒjʊəl] *agg.* **1** casuale; occasionale **2** indifferente, noncurante **3** pratico, informale ♦ *s.pl.* abiti pratici.

casu·alty [ˈkæʒjʊəltɪ] *s.* vittima; perdita | – (*ward*), pronto soccorso.
cat [kæt] *s.* gatto.
CAT *s.* (*med.*) TAC.
cata·logue [ˈkætəlɒg] amer. **cata·log** *s.* catalogo ♦ *v.tr.* catalogare.
ca·tarrh [kəˈtɑ:] *s.* catarro.
cata·strophe [kəˈtæstrəfɪ] *s.* catastrofe.
cat·call [ˈkætkɔ:l] *s.* (*teatr.*) fischio.
catch* [kætʃ] *v.tr.* prendere; cogliere | *to – on*, diffondersi, prendere piede | *to – out*, cogliere in fallo | *to – up*, raggiungere; recuperare ♦ *v.intr.* impigliarsi ♦ *s.* **1** presa **2** pesca, retata **3** gancio, fermo **4** trappola.
catch·ing [ˈkætʃɪŋ] *agg.* contagioso.
catch·phrase [ˈkætʃfreɪz], **catch·word** [ˈkætʃ wɜ:d] *s.* slogan, motto.
catchy [ˈkætʃɪ] *agg.* orecchiabile.
cat·egor·ical [ˌkætɪˈgɒrɪkl] *agg.* categorico.
cat·egory [ˈkætɪgərɪ] *s.* categoria.
ca·ter [ˈkeɪtə*] *v.intr.* fare servizio di ristorazione.
cater·ing [ˈkeɪtərɪŋ] *s.* catering, ristorazione.
cat·er·pil·lar [ˈkætəpɪlə*] *s.* **1** bruco **2** caterpillar, cingolo.
cat·fish [ˈkætfɪʃ] *s.* pesce gatto.
ca·thed·ral [kəˈθi:dr əl] *s.* cattedrale.
cath·olic [ˈkæθəlɪk] *agg.* **1** universale; eclettico **2** cattolico.
cat·nap [ˈkætnæp] *s.* (*fam.*) sonnellino.
cat's eye [ˈkætsaɪ] *s.* catarifrangente.
cattle [ˈkætl] *s.pl.* bestiame.
catty [ˈkætɪ] *agg.* (*spreg.*) maligno.
cat·walk [ˈkætwɔ:k] *s.* passerella.
cau·cus [ˈkɔ:kəs] (*-ses* [ɪz]) *s.* congresso, riunione di partito.
caught [kɔ:t] *pass., p.p.* di to *catch*.
cau·li·flower [ˈkɒlɪˌflaʊə*] *s.* cavolfiore.
cause [kɔ:z] *s.* causa ♦ *v.tr.* causare.
cause·way [ˈkɔ:zweɪ] *s.* sopraelevata.
caus·tic [ˈkɔ:stɪk] *agg.* caustico.
cau·tion [ˈkɔ:ʃn] *s.* **1** cautela **2** ammonimento ♦ *v.tr.* mettere in guardia; diffidare.
cau·tion·ary [ˈkɔ:ʃənərɪ] *agg.* di avvertimento.
cau·tious [ˈkɔ:ʃəs] *agg.* cauto.
ca·va·lier [ˌkævəˈlɪə*] *agg.* altezzoso.
cav·alry [ˈkævəlrɪ] *s.* (*mil.*) cavalleria.
cave [keɪv] *s.* grotta, caverna.
cave in [ˈ·ˈɪn] *v.intr.* sprofondare.
cav·ern [ˈkævən] *s.* caverna.
cavi·ar [ˈkævɪɑ:*] *s.* caviale.
cavil [ˈkævɪl] *s.* cavillo.
cav·ity [ˈkævɪtɪ] *s.* cavità | – *wall*, muro a intercapedine.
ca·vort [kəˈvɔ:t] *v.intr.* saltellare.
cay·man [ˈkeɪmən] *s.* caimano.
cease [si:s] *v.intr., tr.* cessare.
cease-fire [ˈ··] *s.* cessate il fuoco, tregua.
cease·less [ˈsi:slɪs] *agg.* incessante.
ce·dar [ˈsi:də*] *s.* cedro.
cede [si:d] *v.tr.* cedere (territori, diritti).
ceil·ing [ˈsi:lɪŋ] *s.* **1** soffitto **2** tetto, limite massimo.
cel·eb·rate [ˈselɪbreɪt] *v.tr.* celebrare ♦ *v.intr.* fare festa.
cel·eb·rated [ˈ···ɪd] *agg.* celebre.
cel·eb·ra·tion [ˌ··ˈ·ʃn] *s.* celebrazione.
cel·eb·rity [sɪˈlebrətɪ] *s.* celebrità.
cel·ery [ˈselərɪ] *s.* sedano.
cell [sel] *s.* **1** cella **2** cellula.
cel·lar [ˈselə*] *s.* cantina.
cello [ˈtʃeləʊ] (*-os*) s. violoncello.
cell-phone [ˈ··] *s.* telefono cellulare.
cel·lu·lar [ˈseljʊlə*] *agg.* cellulare.
cel·lu·lose [ˈseljʊləʊz] *s.* cellulosa.
Celtic [ˈkeltɪk *amer.* ˈseltɪk] *agg.* celtico.

ce·ment [sɪ'ment] *s.* **1** cemento: – *mixer*, betoniera **2** mastice, stucco ♦ *v.tr.* cementare.

cem·et·ery ['semɪtrɪ *amer.* 'semətərɪ] *s.* cimitero.

cen·sor ['sensə*] *s.* censore ♦ *v.tr.* censurare.

cen·sori·ous [sen'sɔ:rɪəs] *agg.* ipercritico.

cen·sor·ship ['sensəʃɪp] *s.* censura.

cen·sure ['senʃə*] *s.* biasimo, critica ♦ *v.tr.* biasimare, censurare.

cen·sus ['sensəs] *s.* censimento.

cent [sent] *s.* centesimo | *per* –, per cento.

cen·ten·ar·ian [,sentɪ'neərɪən] *s.* centenario (persona).

cen·ten·ary [sen'ti:nərɪ *amer.* 'sentənerɪ] amer. **cent·en·nial** [sen'tenjəl] *s.* centenario (anniversario).

center (*amer.*) → *centre.*

cen·ti·grade ['sentɪgreɪd] *agg.* centigrado.

cen·ti·metre ['sentɪ,mi:tə*] amer. **centimeter** *s.* centimetro.

cen·ti·pede ['sentɪpi:d] *s.* millepiedi.

cent·ral ['sentrəl] *agg.* **1** centrale **2** principale.

cent·ral·ize ['sentrəlaɪz] *v.tr.* accentrare, centralizzare.

centre [,sentə*] *s.* centro ♦ *v.tr., intr.* mettere, mettersi al centro.

cen·tri·fu·gal [sen'trɪfjʊgl] *agg.* centrifugo.

cen·tri·fuge ['sentrɪ,fju:dʒ] *s.* centrifuga.

cen·tury ['sentjʊrɪ] *s.* secolo.

ce·ramic [sɪ'ræmɪk] *agg.* di ceramica.

cer·am·ics [sɪ'ræmɪks] *s.* ceramica.

cer·eal ['sɪərɪəl] *s.* cereale.

ce·reb·ral ['serɪbrəl *amer.* sə'ri:brəl] *agg.* cerebrale.

ce·re·mony ['serɪmənɪ] *s.* cerimonia | *to stand on* –, fare complimenti.

cer·tain ['sɜ:tn] *agg.* certo | *for* –, di sicuro, di certo.

cer·tainty ['sɜ:tntɪ] *s.* certezza.

cer·ti·fic·ate [sə'tɪfɪkət] *s.* certificato.

cer·tify ['sɜ:tɪfaɪ] *v.tr.* **1** certificare; (*dir.*) autenticare **2** dichiarare pazzo.

cess·pit ['sespɪt] **cess·pool** ['sespu:l] *s.* pozzo nero; (*fig.*) fogna.

chafe [tʃeɪf] *v.tr., intr.* **1** sfregare, strofinare **2** irritare, irritarsi.

chaf·finch ['tʃæfɪntʃ] *s.* fringuello.

chain [tʃeɪn] *s.* catena | – *store*, negozio a catena ♦ *v.tr.* incatenare.

chain-smoker ['·'··] *s.* fumatore accanito.

chair [tʃeə*] *s.* **1** sedia: *take a* –, siediti | – *lift*, seggiovia **2** cattedra **3** presidente, presidenza ♦ *v.tr.* presiedere.

chair·man ['tʃeəmən] (*-men*) *s.* presidente.

chair·woman ['tʃeəwʊmən] (*-women* ['·wɪmɪn]) *s.* presidentessa, presidente.

chalk [tʃɔ:k] *s.* gesso.

chal·lenge ['tʃælɪndʒ] *s.* sfida ♦ *v.tr.* **1** sfidare **2** contestare **3** (*mil.*) intimare il chi va là a.

chal·len·ging ['··ɪŋ] *agg.* **1** provocatorio **2** stimolante; impegnativo.

Cham·ber ['tʃeɪmbə*] *s.* **1** Camera | *Upper* –, *Lower* –, Camera alta, Camera bassa.

cham·bers ['tʃeɪmbəz] *s.pl.* ufficio d'avvocato.

cham·ber·maid ['tʃeɪmbəmeɪd] *s.* cameriera di piano.

cham·ois ['ʃæmwɑ: *amer.* 'ʃæmɪ] *s.* (*invar.*) camoscio.

cham·pagne [,ʃæm'peɪn] *s.* champagne.

cham·pion [ˈtʃæmpjən] *s.* **1** campione **2** difensore ♦ *v.tr.* difendere, sostenere (una causa).
cham·pi·on·ship [ˈtʃæmpjənʃɪp] *s.* campionato; titolo di campione.
chance [tʃɑːns *amer.* tʃæns] *s.* **1** caso; sorte: *by –*, per caso | *to take a –*, rischiare; *to take one's chances*, tentare la sorte | *game of –*, gioco d'azzardo **2** probabilità; possibilità; occasione: *on the off –*, nell'eventualità | *to stand a –*, avere una probabilità ♦ *agg.* casuale, fortuito ♦ *v.tr.* rischiare ♦ *v.intr.* accadere, capitare | *to – upon*, imbattersi in.
chan·cel·lor [ˈtʃɑːnsələ* *amer.* ˈtʃænsələ*] *s.* **1** cancelliere **2** rettore.
chancy [ˈtʃɑːnsɪ *amer.* ˈtʃænsɪ] *agg.* (*fam.*) incerto, rischioso.
chan·de·lier [ˌʃændəˈlɪə*] *s.* lampadario a bracci.
change [tʃeɪndʒ] *s.* **1** cambiamento | *for a –*, tanto per cambiare **2** moneta spicciola, spiccioli; resto ♦ *v.tr., intr.* cambiare | *to – down*, scalare (una marcia) | *to – over*, passare a.
change·able [ˈ·əbl] *agg.* mutevole; variabile.
change·over [ˈtʃeɪndʒˌəʊvə*] *s.* cambiamento totale.
cha·nnel [ˈtʃænl] *s.* canale | *the* (*English*) *Channel*, la Manica ♦ (*-lled*) *v.tr.* canalizzare.
chaos [ˈkeɪɒs] *s.* caos.
cha·otic [keɪˈɒtɪk] *agg.* caotico.
chap[1] [tʃæp] *s.* screpolatura ♦ (*-pped* [pt]) *v.tr., intr.* screpolare, screpolarsi.
chap[2] *s.* (*fam.*) tipo, individuo | *old –*, vecchio mio.
chapel [ˈtʃæpl] *s.* cappella.
chap·ter [ˈtʃæptə*] *s.* capitolo.
char[1] [tʃɑː*] (*-rred*) *v.tr., intr.* carbonizzare, carbonizzarsi.
char[2] *v.intr.* lavorare a giornata, a ore.
char·ac·ter [ˈkærəktə*] *s.* **1** carattere **2** individuo, soggetto; (*teatr.*) personaggio | *– actor*, caratterista | *– assassination*, diffamazione.
char·ac·ter·istic [ˌkærəktəˈrɪstɪk] *agg.* caratteristico ♦ *s.* caratteristica.
char·ac·ter·ize [ˈkærəktəraɪz] *v.tr.* caratterizzare.
char·coal [ˈtʃɑːkəʊl] *s.* carbonella.
charge [ˈtʃɑːdʒ] *s.* **1** spesa, onere, costo: *free of –*, gratuito | *bank charges*, commissioni bancarie **2** incarico | *person in –*, addetto, responsabile **3** sorveglianza, custodia **4** (*dir.*) accusa: *to bring a – against s.o.*, accusare qlcu. **5** (*mil., elettr.*) carica ♦ *v.tr.* **1** far pagare; addebitare **2** accusare **3** caricare ♦ *v.intr.* **1** lanciarsi, precipitarsi; (*mil.*) caricare.
charge·able [ˈ·əbl] *agg.* **1** a carico (di) **2** (*dir.*) imputabile.
char·it·able [ˈtʃærətəbl] *agg.* **1** caritatevole **2** di carità.
char·ity [ˈtʃærətɪ] *s.* carità; istituzione benefica.
charm [tʃɑːm] *s.* **1** fascino **2** incantesimo **3** amuleto ♦ *v.tr.* affascinare, incantare.
chart [tʃɑːt] *s.* **1** grafico, diagramma | *the charts*, hit parade **2** carta (spec. nautica) ♦ *v.tr.* esporre sotto forma di grafico, di carta.
char·ter [ˈtʃɑːtə*] *s.* statuto, carta; atto costitutivo ♦ *v.tr.* noleggiare.
chary [ˈtʃeərɪ] *agg.* cauto.
chase [tʃeɪs] *s.* caccia ♦ *v.tr.* inseguire | *to – away, off*, scacciare.
chasm [ˈkæzəm] *s.* abisso, baratro.

chaste [tʃeɪst] *agg.* casto.
chast·ity [ˈtʃæstətɪ] *s.* castità.
chat [tʃæt] *s.* chiacchierata ♦ (*-tted*) *v.intr.* chiacchierare.
chat·tel [ˈtʃætl] *s.* (*spec. pl.*) (*dir.*) beni mobili.
chat·ter [ˈtʃætə*] *s.* chiacchiericcio; chiacchiere ♦ *v.intr.* chiacchierare.
chat·ter·box [ˈtʃætəbɒks] *s.* (*fam.*) chiacchierone.
chatty [ˈtʃætɪ] *agg.* chiacchierone.
cheap [tʃi:p] *agg.* **1** a buon mercato, economico | *dirt –*, stracciato **2** mediocre, dozzinale ♦ *avv.* a buon mercato.
cheapen [ˈtʃi:pən] *v.tr.* deprezzare, ribassare; (*fig.*) screditare.
cheap·skate [ˈtʃi:pskeɪt] *s.* (*fam.*) taccagno.
cheat [tʃi:t] *s.* imbroglione; baro ♦ *v.tr.* imbrogliare; barare.
check[1] [tʃek] *v.tr.* **1** controllare, verificare | *to – off*, spuntare | *to – up*, accertare **2** frenare, ostacolare; fermare: *to – o.s.*, trattenersi | *to – out*, (*amer.*) controllare **3** (*scacchi*) dare scacco a **4** (*amer.*) depositare **5** (*amer.*) spuntare, vistare ♦ *v.intr.* fermarsi | *to – in*, registrarsi; *to – out*, lasciare (albergo ecc.) ♦ *s.* **1** controllo, verifica **2** (*scacchi*) scacco **3** tagliando, scontrino **4** (*amer.*) conto **5** (*amer.*) assegno.
check[2] *s.* scacco, quadrettino **2** tessuto a scacchi, a quadretti.
checked [tʃekt] *agg.* a quadretti.
check·ers [ˈtʃekəz] *s.pl.* (*amer.*) (gioco della) dama.
check-in [ˈtʃekɪn] *s.* check-in, registrazione.
check·mate [ˈtʃekˈmeɪt] *s.*, *v.tr.* (dare) scacco matto.
check·out [ˈtʃekaʊt] *s.* **1** cassa **2** (*hotel*) ora in cui una camera deve essere lasciata libera.
cheek [tʃi:k] *s.* **1** guancia **2** (*fam.*) sfacciataggine.
cheek·bone [ˈtʃi:kbəʊn] *s.* zigomo.
cheeky [ˈtʃi:kɪ] *agg.* impertinente.
cheep [ˈtʃi:p] *v.intr.* pigolare.
cheer [tʃɪə*] *s.* applauso; acclamazione; urrà | *cheers*, evviva; cin cin; ciao ♦ *v.intr.* applaudire ♦ *v.tr.*, *intr.*: *to – up*, rallegrare, rallegrarsi.
cheer·ful [ˈtʃɪəfʊl] *agg.* allegro.
cheerio [ˌtʃɪərɪˈəʊ] *inter.* (*fam.*) ciao, arrivederci!
cheer·less [ˈtʃɪəlɪs] *agg.* triste.
cheery [ˈtʃɪərɪ] *agg.* di buon umore.
cheese [tʃi:z] *s.* formaggio.
cheese·paring [ˈtʃi:zˌpeərɪŋ] *agg.* (*fam.*) spilorcio, avaro.
chee·tah [ˈtʃi:tə] *s.* ghepardo.
chem·ical [ˈkemɪkl] *agg.* chimico ♦ *s.* prodotto chimico.
chem·ist [ˈkemɪst] *s.* **1** chimico **2** farmacista: *–'s* (*shop*), farmacia.
chem·istry [ˈkemɪstrɪ] *s.* chimica.
cheque [tʃek] *s.* assegno: *blank –*, assegno in bianco; *crossed –*, assegno sbarrato.
chequered [ˈtʃekəd] *agg.* a quadretti | – *career*, carriera con alti e bassi.
cher·ish [ˈtʃerɪʃ] *v.tr.* **1** amare teneramente **2** (*fig.*) nutrire, serbare (in cuore).
cherry [ˈtʃerɪ] *s.* ciliegia; ciliegio.
chess [tʃes] *s.* (gioco degli) scacchi.
chess·board [ˈtʃesbɔ:d] *s.* scacchiera.
chess·man [ˈtʃesmæn] (*-men* [men]) *s.* pezzo (degli scacchi).
chest [tʃest] *s.* **1** cassa, cassetta; scrigno **2** torace.
chest·nut [ˈtʃesnʌt] *s.* castagna; casta-

gno | *old* –, barzelletta trita e ritrita ♦ *agg.* castano.
chew [tʃu:] *v.tr.* masticare | *chewing gum*, gomma da masticare.
Chi·cago [ʃɪ'kɑ:gəʊ] *no.pr.* Chicago.
chi·cano [tʃɪ'kɑ:nəʊ] (*-os*) *s.* (*fam. amer.*) messicano.
chick [tʃɪk] *s.* pulcino.
chicken ['tʃɪkɪn] *s.* **1** pollo **2** (*fam.*) fifone.
chicken out [,··'·] *v.intr.* (*fam.*) mollare.
chicken pox ['·· ·] *s.* varicella.
chic·ory ['tʃɪkərɪ] *s.* cicoria.
chide* [tʃaɪd] *v.tr.* rimproverare.
chief [tʃi:f] *s.* capo ♦ *agg.* principale | – *town*, capoluogo.
chief·ly ['·lɪ] *avv.* soprattutto.
child [tʃaɪld] (*chil·dren* ['tʃɪldrən]) *s.* bambino; ragazzo.
child·birth ['tʃaɪldbɜ:θ] *s.* parto.
child·hood ['tʃaɪldhʊd] *s.* infanzia.
child·ish ['tʃaɪldɪʃ] *agg.* puerile, infantile.
child·like ['tʃaɪldlaɪk] *agg.* infantile.
children *pl.* di *child.*
Chile ['tʃɪlɪ] *no.pr.* Cile.
Chi·lean ['tʃɪlɪən] *agg.*, *s.* cileno.
chill [tʃɪl] *s.*, *agg.* freddo ♦ *v.tr.*, *intr.* raffreddare, raffreddarsi.
chil(l)i ['tʃɪlɪ] *s.* peperoncino.
chilly ['tʃɪlɪ] *agg.* freddo.
chime [tʃaɪm] *s.* scampanio ♦ *v.intr.* scampanare.
chim·ney ['tʃɪmnɪ] *s.* camino.
chim·ney·pot ['tʃɪmnɪpɒt] *s.* comignolo.
chim·ney·sweep ['tʃɪmnɪ,swi:p] *s.* spazzacamino.
chim·pan·zee [,tʃɪmpən'zi:] (*fam.*) **chimp** [,tʃɪmp] *s.* scimpanzè.
chin [tʃɪn] *s.* mento.
china ['tʃaɪnə] *s.* porcellana.
Chi·na *no.pr.* Cina.
Chi·nese [,tʃaɪ'ni:z] *agg.*, *s.* cinese.
chink[1] [tʃɪŋk] *s.* fessura.
chink[2] *s.* tintinnio ♦ *v.tr.*, *intr.* (far) tintinnare.
chip [tʃɪp] *s.* **1** scheggia, frammento **2** sbeccatura **3** *pl.* patatine fritte **4** gettone, fiche ♦ (*-pped* [pt]) *v.tr.*, *intr.* scheggiare, scheggiarsi | *to – in*, interloquire; contribuire (con denaro).
chi·ro·pod·ist [kɪ'rɒpədɪst] *s.* callista.
chiro·practor ['kaɪrəpræktə*] *s.* chiroterapeuta, chiropratico.
chirp [tʃɜ:p] *s.* cinguettio ♦ *v.intr.* cinguettare.
chirpy ['tʃɜ:pɪ] *agg.* allegro.
chir·rup ['tʃɪrəp] *v.intr.* cinguettare.
chisel ['tʃɪzl] *s.* scalpello; cesello ♦ (*-lled*) *v.tr.* cesellare.
chit [tʃɪt] *s.* (*fam.*) nota.
chit·chat ['tʃɪttʃæt] *s.* (*fam.*) chiacchiere.
chi·val·rous ['ʃɪvlrəs] *agg.* cavalleresco.
chiv·alry ['ʃɪvlrɪ] *s.* cavalleria.
chives [tʃaɪvz] *s.pl.* (*bot.*) erba cipollina.
chlor·ine ['klɔ:ri:n] *s.* cloro.
chloro·phyll ['klɒrəfɪl] *s.* clorofilla.
chock [tʃɒk] *s.* cuneo
chock-a-block [,··'·] **chock-full** [,·'·] *agg.* (*fam.*) pieno zeppo.
choc·olate ['tʃɒkələt] *s.* cioccolato, cioccolata; *pl.* cioccolatini.
choice [tʃɔɪs] *s.* **1** scelta; alternativa **2** assortimento ♦ *agg.* scelto; di qualità.
choir ['kwaɪə*] *s.* coro.
choke [tʃəʊk] *v.tr.*, *intr.* soffocare, soffocarsi | *to – back*, trattenere ♦ *s.* (*aut.*) valvola dell'aria.
chol·era ['kɒlərə] *s.* colera.

chomp [tʃɒmp] *v.intr., tr.* (*fam.*) masticare rumorosamente.
choose* [tʃu:z] *v.tr.* **1** scegliere **2** preferire.
choosy [ˈtʃu:zɪ] *agg.* difficile.
chop [tʃɔp] (*-pped* [pt]) *v.tr.* **1** tagliare, spaccare **2** tritare ♦ *s.* braciola, costata.
chop·per [ˈtʃɒpə*] *s.* **1** (*fam.*) elicottero **2** ascia, accetta.
choppy [ˈtʃɒpɪ] *agg.* increspato (del mare).
chop·sticks [ˈtʃɒpstɪks] *s.pl.* bastoncini (per mangiare).
chord [kɔ:d] *s.* **1** (*scient.*) corda; cordone **2** (*mus.*) accordo.
chore [tʃɔ:*] *s.* lavoro ripetitivo.
cho·reo·grapher [ˌkɒrɪˈɒgrəfə*] *s.* coreografo.
chor·is·ter [ˈkɒrɪstə*] *s.* corista.
chortle [ˈtʃɔ:tl] *v.intr.* ridacchiare (di gusto).
chorus [ˈkɔ:rəs] *s.* coro | *– girl*, ballerina di fila; *– line*, ballerini, ballerine di fila ♦ *v.tr.* cantare, recitare in coro.
chose [ˈtʃəuz] *pass.* di to *choose.*
chosen [ˈtʃəuzn] *p.p.* di to *choose.*
chow·der [ˈtʃaudə*] *s.* zuppa di pesce: *clam –*, zuppa di vongole.
Christ [kraɪst] *s.* Cristo.
chris·ten [ˈkrɪsn] *v.tr.* battezzare.
chris·ten·ing [ˈ·ɪŋ] *s.* battesimo.
Chris·tian [ˈkrɪstjən] *agg., s.* cristiano.
Christ·mas [ˈkrɪsməs] *s.* Natale: *Merry –!*, buon Natale!
chronic [ˈkrɒnɪk] *agg.* cronico.
chron(o)- [krɒn(əu)] *pref.* cron(o)-.
chro·no·lo·gical [ˌkrɒnəˈlɒdʒɪkl] *agg.* cronologico.
chro·no·meter [krəˈnɒmɪtə*] *s.* cronometro.
chubby [ˈtʃʌbɪ] *agg.* paffuto.
chuck [tʃʌk] *v.tr.* **1** gettare **2** (*fam.*) scaricare.
chuckle [ˈtʃʌkl] *s.* risatina ♦ *v.intr.* ridacchiare.
chuffed [tʃʌft] *agg.* (*fam.*) arcicontento.
chum [tʃʌm] *s.* (buon) amico.
chummy [ˈtʃʌmɪ] *agg.* (*fam.*) socievole.
chump [tʃʌmp] *s.* (*fam.*) sciocco.
chunk [tʃʌk] *s.* bel pezzo.
chunky [ˈtʃʌŋkɪ] *agg.* tozzo.
Chun·nel [ˈtʃʌnl] *s.* tunnel sotto la Manica.
church [tʃɜ:tʃ] *s.* chiesa.
church·yard [ˌtʃɜ:tʃˈjɑ:d] *s.* cimitero.
churl·ish [ˈtʃɜ:lɪʃ] *agg.* sgarbato.
churn [tʃɜ:n] *v.tr.* agitare | *to – out*, produrre in grosse quantità.
chute [ʃu:t] *s.* **1** scivolo **2** (*fam.*) paracadute.
ci·cada [sɪˈkɑ:də] *s.* cicala.
cider [ˈsaɪdə*] *s.* sidro.
ci·gar [sɪˈgɑ:*] *s.* sigaro.
ci·gar·ette [ˌsɪgəˈret *amer.* ˈsɪgəret] *s.* sigaretta | *– holder*, bocchino.
ci·ne·cam·era [ˈsɪnɪˌkæmərə] *s.* cinepresa.
cin·ema [ˈsɪnəmə] *s.* cinematografo, cinema.
cin·na·mon [ˈsɪnəmən] *s.* cannella.
ci·pher [ˈsaɪfə*] *s.* **1** cifra, codice **2** (*fig.*) nullità ♦ *v.tr.* cifrare.
circle [ˈsɜ:kl] *s.* **1** cerchio, circolo **2** *pl.* cerchia, ambiente **3** (*teatr.*) galleria ♦ *v.tr.* accerchiare ♦ *v.intr.* muoversi in cerchio.
cir·cuit [ˈsɜ:kɪt] *s.* circuito; giro.
cir·cu·lar [ˈsɜ:kjulə*] *agg., s.* circolare.
cir·cu·late [ˈsɜ:kjuleɪt] *v.tr., intr.* (far) circolare.

cir·cu·la·tion [,··'leɪʃn] *s.* circolazione; diffusione.
cir·cum·stance ['sɜ:kəmstəns] *s.* circostanza.
cir·cus ['sɜ:kəs] (*-ses* [-sɪz]) *s.* **1** circo **2** piazza circolare.
cis·tern ['sɪstən] *s.* cisterna.
cit·adel ['sɪtədəl] *s.* cittadella.
ci·ta·tion [saɪ'teɪʃn] *s.* **1** citazione **2** encomio.
cit·izen ['sɪtɪzn] *s.* cittadino.
cit·izen·ship ['··ʃɪp] *s.* cittadinanza.
cit·ron ['sɪtrən] *s.* cedro.
cit·rus ['sɪtrəs] *agg.*: – *tree*, pianta di agrumi; – *fruit*, agrume.
city ['sɪtɪ] *s.* (grande) città | *the City*, il centro commerciale e finanziario di Londra; – *editor*, caporedattore finanziario.
civic ['sɪvɪk] *agg.* civico.
civil ['sɪvl] *agg.* civile: – *defence*, protezione civile | – *servant*, (*brit.*) funzionario statale.
ci·vil·ian [sɪ'vɪljən] *agg.*, *s.* civile, borghese.
ci·vil·iza·tion [,sɪvɪlaɪ'zeɪʃn] *s.* civiltà.
ci·vil·ize ['sɪvɪlaɪz] *v.tr.* civilizzare.
civ·vies ['sɪvɪz] *s.pl.*: *in* –, in borghese.
claim [kleɪm] *v.tr.* reclamare, rivendicare; pretendere ♦ *s.* richiesta; pretesa.
claim·ant ['·mənt] *s.* (*dir.*) attore, reclamante.
clair·voy·ant [kleə'vɔɪənt] *agg.*, *s.* chiaroveggente.
clam [klæm] *s.* vongola.
clam up (*-mmed*) *v.intr.* (*fam.*) chiudersi in un silenzio ostinato.
clam·ber ['klæmbə*] *v.intr.* arrampicarsi.
clammy ['klæmɪ] *agg.* umidiccio.
clam·our ['klæmə*] amer. **clamor** *s.* clamore ♦ *v.intr.* vociare | *to – for*, chiedere a gran voce.
clamp [klæmp] *s.* morsa ♦ *v.tr.* stringere | *to – down on*, reprimere.
clan·des·tine [klæn'destɪn] *agg.* clandestino.
clang [klæŋ] *s.* clangore.
clanger ['·ə*] *s.* (*fam.*) gaffe.
clan·nish ['klænɪʃ] *agg.* di clan, chiuso.
clap [klæp] (*-pped* [-pt]) *v.tr.* applaudire ♦ *s.* **1** applauso **2** scoppio.
clapped-out [,·'·] *agg.* (*fam.*) stanco morto.
claret ['klærət] *s.* chiaretto.
cla·ri·fica·tion [,klærɪfɪ'keɪʃn] *s.* chiarificazione, chiarimento.
cla·rify ['klærɪfaɪ] *v.tr.* chiarire.
cla·ri·net [,klærɪ'net] *s.* clarinetto.
clar·ity ['klærɪtɪ] *s.* chiarezza.
clash [klæʃ] *s.* **1** urto; scontro **2** fragore ♦ *v.intr.* **1** scontrarsi, urtarsi; essere in contrasto **2** sovrapporsi, coincidere.
clasp [klɑ:sp *amer.* klæsp] *s.* **1** fermaglio, gancio **2** stretta | – *knife*, coltello a serramanico ♦ *v.tr.* **1** agganciare **2** stringere.
class [klɑ:s *amer.* klæs] *s.* classe ♦ *v.tr.* classificare.
clas·sic(al) ['klæsɪk(l)] *agg.* classico.
clas·si·fica·tion [,klæsɪfɪ'keɪʃn] *s.* classificazione.
clas·sify ['klæsɪfaɪ] *v.tr.* classificare.
class·room ['klɑ:s,ru:m] *s.* aula.
classy ['klɑ:sɪ] *agg.* (*fam.*) di classe.
clatter ['klætə*] *v.tr.*, *intr.* (far) tintinnare.
clause [klɔ:z] *s.* **1** (*dir.*) clausola, articolo **2** (*gramm.*) proposizione.
clav·icle ['klævɪkl] *s.* clavicola.
claw [klɔ:] *s.* artiglio; chela.

clay [kleɪ] *s.* argilla, creta.
clayey [ˈkleɪɪ] *agg.* argilloso.
clean [kli:n] *agg.* pulito; netto | *to come* –, vuotare il sacco ♦ *avv.* di netto ♦ *v.tr.* pulire | *to – up*, ripulire (*anche fig.*).
clean-cut [ˌ·ˈ· *attr.* ˈ··] *agg.* netto, ben definito.
cleaner [ˈ·ə*] *s.* **1** donna, uomo delle pulizie **2** smacchiatore **3** (*dry*) *cleaner's*, (*amer.*) *cleaner*, tintoria.
clean·ing [ˈ·ɪŋ] *s.* pulizia.
clean·li·ness [ˈklenlɪnɪs] *s.* pulizia.
cleanser [ˈklenzə*] *s.* detergente.
clean-shaven [ˌkli:nˈʃeɪvn] *agg.* completamente sbarbato.
cleansing-cream [ˈklenzɪŋˌkri:m] *s.* crema detergente.
clean·up [ˈkli:nʌp] *s.* ripulita.
clear [klɪə*] *agg.* **1** chiaro, limpido; evidente **2** certo, sicuro **3** libero; esente; sgombro | *all* –, cessato allarme **4** netto; effettivo | *a – loss*, una perdita secca ♦ *avv.* **1** chiaramente **2** completamente **3** lontano ♦ *v.tr.* **1** chiarire **2** sgomberare, liberare | *to – out*, vuotare **3** dichiarare innocente **4** (*comm.*) liquidare, svendere; guadagnare ♦ *v.intr.* **1** schiarirsi **2** *to – away*, sparecchiare **3** *to – off*, *to – out*, squagliarsela.
clear·ance [ˈklɪərəns] *s.* **1** sgombro | – *sale*, svendita **2** autorizzazione | *customs* –, sdoganamento.
clear-cut [ˌ·ˈ·] *agg.* ben definito.
clear·ing [ˈ·ɪŋ] *s.* radura.
clear·ness [ˈ·nɪs] *s.* chiarezza.
clear·out [ˈklɪəaʊt] *s.* (*fam.*) ripulita.
clear-sighted [ˌ·ˈ··] *agg.* perspicace.
clear·way [ˈklɪəweɪ] *s.* strada con divieto di sosta.
cleave* [kli:v] *v.intr.* fendersi; spaccarsi.
clef [klef] *s.* (*mus.*) chiave.
cleft [kleft] *pass. p.p.* di *to cleave* ♦ *s.* spaccatura, fessura.
clem·ent [ˈklemənt] *agg.* clemente.
clench [klentʃ] *v.tr.* stringere (pugni, denti).
clergy [ˈklɜ:dʒɪ] *s.* clero.
cler·gy·man [ˈklɜ:dʒɪmən] (*-men*) *s.* pastore protestante.
cleric [ˈklerɪk] *s.* ecclesiastico.
cler·ical [ˈklerɪkl] *agg.* **1** clericale **2** impiegatizio.
clerk [klɑ:k *amer.* klɜ:k] *s.* **1** impiegato **2** cancelliere **3** commesso di negozio **4** (*amer.*) receptionist.
clever [ˈklevə*] *agg.* intelligente; abile; furbo; ingegnoso; geniale.
click [klɪk] *v.intr.* **1** scattare **2** (*fam.*) andare d'accordo.
cli·ent [ˈklaɪənt] *s.* cliente.
cliff [klɪf] *s.* scogliera.
cli·mac·tic [klaɪˈmæktɪk] *agg.* arrivato al culmine, cruciale.
cli·mate [ˈklaɪmɪt] *s.* clima.
cli·max [ˈklaɪmæks] *s.* culmine, acme.
climb [klaɪm] *v.tr.*, *intr.* arrampicarsi su; salire | *to – down*, (*fig.*) tirarsi indietro | *to – over*, scavalcare ♦ *s.* rampa, salita; scalata.
climber [ˈ·ə*] *s.* **1** scalatore | *social* –, arrampicatore sociale **2** pianta rampicante.
clinch [klɪntʃ] *v.tr.* concludere (affare, patto).
clincher [ˈ·ə*] *s.* fattore decisivo.
cling* [klɪŋ] *v.intr.* **1** aggrapparsi **2** (*di abiti*) aderire strettamente **3** impregnare.
cling·film [ˈklɪŋfɪlm] *s.* pellicola trasparente (per alimenti).
clinic [ˈklɪnɪk] *s.* **1** ambulatorio **2** clinica privata.

clin·ical [ˈklɪnɪkl] *agg.* clinico.
clink[1] [klɪŋk] *s.* tintinnio ♦ *v.tr., intr.* (far) tintinnare.
clink[2] *s.* (*fam.*) prigione, gattabuia.
clip[1] [klɪp] *s.* molletta; fermaglio, clip: *hair –*, forcina per capelli ♦ (*-pped* [-pt]) *v.tr.* tenere insieme con un fermaglio.
clip[2] *v.tr.* **1** tagliare **2** picchiare ♦ *s.* breve sequenza; (*amer.*) ritaglio (di giornale).
clique [kli:k] *s.* (*spreg.*) cricca.
cloak [kləʊk] *s.* mantello.
cloak·room [ˈkləʊkrʊm] *s.* guardaroba.
clob·ber [ˈklɒbə*] *v.tr.* (*fam.*) darle di santa ragione ♦ *s.* beni, effetti personali.
clock [klɒk] *s.* orologio | *it's ten o' –*, sono le dieci ♦ *v.tr.* cronometrare | *to – in* (o *on*), *out* (o *off*), timbrare (il cartellino) all'entrata, all'uscita | *to – up*, totalizzare.
clock·wise [ˈklɒkwaɪz] *agg., avv.* in senso orario.
clod [klɒd] *s.* **1** zolla **2** stupido.
clog [klɒg] (*-gged*) *v.tr., intr.* ostruire, ostruirsi ♦ *s.* zoccolo.
clois·ter [ˈklɔɪstə*] *s.* chiostro.
close[1] [kləʊs] *agg.* **1** vicino **2** stretto, intimo **3** attento, accurato **4** afoso; viziato (di aria) **5** riservato ♦ *avv.* vicino; da vicino | *– on*, *– to*, quasi.
close[2] [kləʊz] *v.tr., intr.* chiudere; terminare | *to – down*, cessare l'attività | *to – out*, (*amer.*) svendere | *to – up*, chiudere, chiudersi; ravvicinarsi ♦ *s.* fine, termine.
closed shop [ˌ·ˈ·] *s.* ditta che assume solo iscritti al sindacato.
close-knit [ˌ·ˈ·] *agg.* molto unito, compatto.
closet [ˈklɒzɪt] *s.* (*amer.*) armadio a muro; ripostiglio.
close-up [ˈ··] *s.* primo piano.
clos·ure [ˈkləʊʃə*] *s.* chiusura.
clot [klɒt] *s.* grumo ♦ (*-tted*) *v.tr., intr.* raggrumare, raggrumarsi.
cloth [klɒθ *amer.* klɔ:θ] (*-s* [-s *amer.* ðz] *s.* tessuto, stoffa.
clothes [kləʊðz *amer.* kləʊz] *s.pl.* abiti, vestiti.
cloth·ing [ˈ·ɪŋ] *s.* vestiario.
cloud [klaʊd] *s.* nube ♦ *v.tr.* offuscare ♦ *v.intr.* (*up*, *over*) annuvolarsi.
cloud·burst [ˈklaʊdbɜ:st] *s.* acquazzone, rovescio.
cloudy [ˈklaʊdɪ] *agg.* **1** nuvoloso **2** torbido **3** (*fig.*) confuso.
clout [klaʊt] *s.* **1** (*fam.*) colpo ♦ *v.tr.* colpire.
clove[1] [kləʊv] *s.* spicchio (d'aglio ecc.).
clove[2] *s.* chiodo di garofano.
clove[3] *pass.* di to *cleave*.
cloven [ˈkləʊvn] *p.p.* di to *cleave*.
clover [ˈkləʊʌə*] *s.* trifoglio.
cloy [klɔɪ] *v.tr.* nauseare.
club [klʌb] *s.* **1** mazza **2** *pl.* (*a carte*) fiori **3** club, circolo; locale notturno ♦ (*-bbed*) *v.tr.* bastonare | *to – together*, mettersi insieme.
club soda [ˈ· ··] *s.* (*amer.*) acqua di seltz.
clue [klu:] *s.* indizio, traccia; (*nei cruciverba*) definizione.
clump[1] [klʌmp] *s.* blocco, gruppo.
clump[2] *s.* tonfo ♦ *v.intr.* camminare pesantemente.
clumsy [ˈklʌmzɪ] *agg.* goffo.
clung [klʌŋ] *pass. p.p.* di to *cling*.
clus·ter [ˈklʌstə*] *s.* gruppo; grappolo ♦ *v.tr., intr.* raggruppare, raggrupparsi.
clutch[1] [klʌtʃ] *v.tr., intr.* afferrare, afferrarsi ♦ *s.* **1** stretta, presa **2** (*aut.*) frizione.

clutch[2] *s.* covata, nidiata.
clut·ter [ˈklʌtə*] *s.* disordine.
coach [kəʊtʃ] *s.* **1** pullman **2** carrozza **3** insegnante privato **4** allenatore ♦ *v.tr., intr.* **1** allenare, allenarsi **2** dar lezioni a.
co·agu·late [kəʊˈægjʊleɪt] *v.tr., v.intr.* coagulare, coagularsi.
coal [kəʊl] *s.* carbone.
coal·field [ˈkəʊlfi:ld] *s.* bacino carbonifero.
co·ali·tion [ˌkəʊəˈlɪʃn] *s.* coalizione.
coarse [kɔ:s] *agg.* grossolano.
coast [kəʊst] *s.* costa ♦ *v.intr.* andare a ruota libera; andare col motore in folle.
coastal [ˈkəʊstəl] *agg.* costiero.
coaster [ˈ·ə*] *s.* sottobicchiere; sottobottiglia.
coast·guard [ˈkəʊstgɑ:d] *s.* guardia costiera.
coat [kəʊt] *s.* **1** giacca; soprabito, cappotto | *– hanger*, gruccia per abiti **2** manto ♦ *v.tr.* ricoprire.
coat·ing [ˈ·ɪŋ] *s.* mano (di vernice).
coat of arms [ˌ· ·ˈ·] (*coats of arms*) *s.* stemma.
coat-tails [ˈ··] *s.* frac, marsina.
coax [kəʊks] *v.tr.* persuadere con moine.
cob [kɒb] *s.* pannocchia.
cobble [ˈkɒbl] *s.* ciottolo.
cob·bler [ˈ·ə*] *s.* calzolaio.
cob·web [ˈkɒbweb] *s.* ragnatela.
co·caine [kəʊˈkeɪn] *s.* cocaina | *– addict*, cocainomane.
cock [kɒk] *s.* **1** gallo; maschio di uccello **2** cane (di arma) **3** valvola ♦ *v.tr.* **1** drizzare **2** armare.
cock-and-bull story [ˌkɒkənˈbʊlstɔ:ri] *s.* (*fam.*) storia incredibile, panzana.
cock·crow [ˈkɒkkrəʊ] *s.* canto del gallo.
cock·erel [ˈkɒkərəl] *s.* galletto.
cock·eyed [ˈkɒkaɪd] *agg.* **1** storto **2** (*fig.*) assurdo.
cock·ney [ˈkɒknɪ] *s.* **1** 'cockney' (dialetto londinese) **2** londinese purosangue.
cock·pit [ˈkɒkpɪt] *s.* cabina di pilotaggio; (*aut.*) abitacolo.
cock·roach [ˈkɒkrəʊtʃ] *s.* scarafaggio.
cock·sure [ˈkɒkˈʃʊə*] *agg.* arrogante.
cocky [ˈkɒkɪ] *agg.* (*fam.*) impudente.
co·coa [ˈkəʊkəʊ] *s.* **1** cacao **2** cioccolata.
co·co·nut [ˈkəʊkənʌt] *s.* noce di cocco.
co·coon [kəˈku:n] *s.* bozzolo.
cod [kɒd] *s.* merluzzo.
code [kəʊd] *s.* codice | *– book*, cifrario ♦ *v.tr.* mettere in codice.
co·dify [ˈkəʊdɪfaɪ] *v.tr.* codificare.
cod·ing [ˈ·ɪŋ] *s.* codificazione; codifica.
co·edu·ca·tional [ˌkəʊedju:ˈkeɪʃənl] *agg.* mista (di scuola).
co·erce [kəʊˈɜ:s] *v.tr.* costringere.
co·er·cive [kəʊˈɜ:sɪv] *agg.* coercitivo.
cof·fee [ˈkɒfɪ] *s.* caffè | *– mill*, macinacaffè.
cof·fee·pot [ˈkɒfɪpɒt] *s.* caffettiera.
coffee table [ˈ·ˌ·] *s.* tavolino | *– edition*, edizione patinata.
cof·fer [ˈkɒfə*] *s.* forziere.
cof·fin [ˈkɒfɪn] *s.* bara.
cog [kɒg] *s.* dente (di ruota).
co·gent [ˈkəʊdʒənt] *agg.* persuasivo.
cog·wheel [ˈkɒgwi:l] *s.* (*mecc.*) ruota dentata.
co·habit [kəʊˈhæbɪt] *v.intr.* convivere.
co·her·ent [kəʊˈhɪərənt] *agg.* coerente.
coil [kɔɪl] *s.* spirale; spira ♦ *v.tr., intr.* **1** avvolgere, avvolgersi (a spirale); rannicchiarsi **2** serpeggiare.
coin [kɔɪn] *s.* moneta ♦ *v.tr.* coniare.

co·in·cide [ˌkəʊɪn'saɪd] *v.intr.* coincidere.
co·in·cid·ence [kəʊ'ɪnsɪdəns] *s.* coincidenza.
co·in·cid·ental [kəʊˌɪnsɪ'dentl] *agg.* casuale.
coke[1] [kəʊk] *s.* (*fam.*) cocaina.
coke[2] *s.* (*fam.*) Coca-Cola.
col·an·der ['kʌləndə*] *s.* colapasta.
cold [kəʊld] *agg.* freddo | *to be* –, aver freddo; far freddo | – *snap*, ondata di freddo | – *fish*, (*fig.*) pesce lesso | – *feet*, fifa ♦ *s.* **1** freddo **2** raffreddore.
cold-shoulder ['·'··] *v.tr.* snobbare.
cold sore ['· ·] *s.* febbre (sulle labbra).
cold turkey [ˌ'··] *s.* (*fam. amer.*) crisi di astinenza.
colic ['kɒlɪk] *s.* colica.
col·lab·or·ate [kə'læbəreɪt] *v.intr.* collaborare.
col·lab·ora·tion [·ˌ··'·ʃn] *s.* collaborazione.
col·lab·or·at·ive [·'··ˌɪv] *agg.* d'équipe, d'insieme.
col·lab·or·ator [·'···ə*] *s.* collaboratore.
col·lapse [kə'læps] *v.intr.* **1** crollare **2** avere un collasso ♦ *s.* **1** crollo **2** collasso.
col·laps·ible [·'·ɪbl] *agg.* pieghevole.
col·lar ['kɒlə*] *s.* **1** collo, colletto **2** collare ♦ *v.tr.* afferrare.
col·lar·bone ['kɒləbəʊn] *s.* clavicola.
col·league ['kɒli:g] *s.* collega.
collect [kə'lekt] *v.tr.* **1** raccogliere **2** collezionare **3** (*fam.*) passare a prendere ♦ *v.intr.* raccogliersi ♦ *agg.*, *avv.* (*amer.*) a carico del destinatario.
col·lec·tion [·'lekʃn] *s.* **1** collezione **2** ritiro **3** riscossione **4** colletta.
col·lect·ive [·'·ɪv] *agg.*, *s.* collettivo.
col·lector [·'·ə*] *s.* **1** collezionista **2** bigliettaio **3** esattore (fiscale).
col·lege ['kɒlɪdʒ] *s.* collegio universitario; (*amer.*) università.
col·lide [kə'laɪd] *v.intr.* scontrarsi.
col·li·ery ['kɒljərɪ] *s.* miniera di carbone.
col·li·sion [kə'lɪʒən] *s.* collisione.
col·lo·quial [kə'ləʊkwɪəl] *agg.* d'uso corrente, colloquiale.
colon ['kəʊlən] *s.* due punti.
col·on·el ['kɜ:nl] *s.* colonnello.
col·on·ize ['kɒlənaɪz] *v.tr.* colonizzare.
col·ony ['kɒlənɪ] *s.* colonia.
col·our ['kʌlə*] amer. **color** *s.* **1** colore **2** colorito | *off* –, indisposto ♦ *v.tr.* colorare ♦ *v.intr.* arrossire.
colour bar ['·· ·] *s.* discriminazione razziale.
colour-blind ['·· ·] *agg.* daltonico.
col·our·fast ['kʌləfɑ:st] *agg.* che non stinge.
colt [kəʊlt] *s.* puledro.
col·umn ['kɒləm] *s.* **1** colonna **2** rubrica.
comb [kəʊm] *s.* pettine ♦ *v.tr.* **1** pettinare **2** perlustrare.
com·bat ['kɒmbæt] *s.* lotta ♦ (*-ted*) *v.tr.*, *intr.* combattere.
com·bina·tion [ˌkɒmbɪ'neɪʃn] *s.* combinazione.
com·bine ['kɒmbaɪn] *s.* associazione ♦ [kəm'baɪn] *v.tr.* combinare ♦ *intr.* unirsi.
combo ['kɒmbəʊ] (*-s*) *s.* (*fam. amer.*) complessino jazz.
com·bus·tion [kəm'bʌstʃən] *s.* combustione.
come* [kʌm] *v. intr.* **1** venire; arrivare, giungere | *to – true*, realizzarsi | – *on!*, su!, dai! | – *again?*, cosa (hai detto)? **2** accadere ♦ *Verbi frasali*: *to – across*, imbattersi in; dare l'impressione di essere |

to – apart, venir via | *to – back*, ritornare; ritornare di moda; ritornare in mente; ribattere | *to – by*, ottenere; trovare | *to – into*, ereditare | *to – off*, staccarsi; aver successo: *– off it!*, (*fam.*) smettila! | *to – out*, uscire; risultare | *to – round*, cadere (di festività); rinvenire; cambiare opinione | *to – up with*, venir fuori con (idea ecc.)

come·back [ˈkʌmbæk] *s.* **1** ritorno **2** risposta pronta.

co·median [kəˈmi:djən] *s.* attore comico.

come·down [ˈkʌmdaʊn] *s.* **1** caduta (di rango ecc.) **2** delusione.

com·edy [ˈkɒmɪdɪ] *s.* commedia.

comet [ˈkɒmɪt] *s.* cometa.

come-uppance [kʌmˈʌpəns] *s.* (*fam.*) meritato castigo.

com·fort [ˈkʌmfət] *s.* **1** conforto **2** benessere; *pl.* comodità ♦ *v.tr.* confortare.

com·fort·able [ˈ··əbl] *agg.* **1** comodo **2** agiato.

comfy [ˈkʌmfɪ] *agg.* (*fam.*) comodo.

comic [ˈkɒmɪk] *agg.*, *s.* **1** comico **2** (giornale) a fumetti.

com·ical [ˈ··əl] *agg.* divertente.

com·ing [ˈ·ɪŋ] *agg.* prossimo, futuro ♦ *s.* arrivo.

comma [ˈkɒmə] *s.* virgola: *inverted commas*, virgolette.

com·mand [kəˈmɑ:nd *amer.* kəˈmænd] *s.* comando ♦ *v.tr.*, *intr.* comandare.

com·mand·ing [·ˈ·ɪŋ] *agg.* autorevole; imponente.

com·mem·or·ate [kəˈmeməreɪt] *v.tr.* commemorare.

com·mend [kəˈmend] *v.tr.* encomiare.

com·menda·tion [,··ˈ·ʃn] *s.* lode, elogio | *letter of –*, lettera di presentazione.

com·men·sur·ate [kəˈmenʃərɪt] *agg.* (*with*) proporzionato (a).

com·ment [ˈkɒmənt] *s.* commento ♦ *v.intr.* commentare.

com·ment·ary [ˈ··ərɪ] *s.* **1** commento **2** radiocronaca; telecronaca.

com·ment·ate [ˈkɒmenteɪt] *v.intr.* fare la radiocronaca, la telecronaca.

com·merce [ˈkɒmɜ:s] *s.* commercio.

com·mer·cial [·ˈ·ʃl] *agg.* commerciale ♦ *s.pl.* pubblicità.

com·mis·er·ate [kəˈmɪzəreɪt] *v.intr.*: *to – with s.o.*, esprimere il proprio rincrescimento a qlcu.

com·mis·sion [kəˈmɪʃn] *s.* commissione ♦ *v.tr.* commissionare.

com·mis·sioner [·ˈ·ə*] *s.* commissario.

com·mit [kəˈmɪt] (*-tted*) *v.tr.* **1** perpetrare **2** affidare **3** *to – o.s.*, impegnarsi.

com·mit·ment [·ˈ·mənt] *s.* impegno.

com·mit·tee [kəˈmɪtɪ] *s.* commissione.

com·mod·ity [kəˈmɒdɪtɪ] *s.* merce.

com·mon [ˈkɒmən] *agg.* **1** comune, solito **2** ordinario ♦ *s.* prato pubblico.

com·mon·place [ˈkɒmənpleɪs] *agg.* comune, banale ♦ *s.* banalità.

common sense [ˈ·· ˈ·] *s.* buon senso.

com·mo·tion [kəˈməʊʃn] *s.* confusione.

com·munal [ˈkɒmjʊnl] *agg.* della comunità.

com·mun·ic·ate [kəˈmju:nɪkeɪt] *v.tr.*, *intr.* comunicare.

com·mun·ica·tion [·,··ˈ·ʃn] *s.* comunicazione.

com·mu·nion [kəˈmju:njən] *s.* comunione.

Com·mun·ism [ˈkɒmjʊnɪzəm] *s.* comunismo.

Com·mun·ist [ˈkɒmjʊnɪst] *agg.*, *s.* comunista.

com·mun·ity [kə'mju:nɪtɪ] *s.* comunità.
com·mut·ator ['kɒmju:teɪtə*] *s.* commutatore.
com·mute [kə'mju:t] *v.intr.* fare il pendolare.
com·muter [·'·ə*] *s.* pendolare.
com·pact [kəm'pækt *come s.* '··] *agg.* compatto; fisso ♦ *s.* portacipria.
com·pan·ion [kəm'pænjən] *s.* compagno.
com·pany ['kʌmpənɪ] *s.* **1** compagnia | *present – excepted*, esclusi i presenti **2** (*comm.*) società | *joint-stock –*, società per azioni; *limited –*, società per azioni; società a responsabilità limitata.
com·par·at·ive [kəm'pærətɪv] *agg.* **1** comparativo **2** relativo.
com·pare [kəm'peə*] *v.tr.* paragonare.
com·par·ison [kəm'pærɪsn] *s.* paragone.
com·part·ment [kəm'pɑ:tmənt] *s.* scompartimento.
com·pass ['kʌmpəs] *s.* bussola.
com·passes ['··ɪz] *s.pl.* compasso.
com·pas·sion [kəm'pæʃn] *s.* compassione.
com·pas·sion·ate [·'··et] *agg.* compassionevole.
com·pat·ible [kəm'pætəbl] *agg.* compatibile.
com·pel [kəm'pel] (*-lled*) *v.tr.* costringere, obbligare.
com·pel·ling [·'·ɪŋ] *agg.* irresistibile.
com·pens·ate ['kɒmpenseɪt] *v.tr., intr.* compensare; risarcire.
com·pete [kəm'pi:t] *v.intr.* competere.
com·pet·ent ['kɒmpɪtənt] *agg.* competente.
com·peti·tion [,kɒmpɪ'tɪʃn] *s.* **1** gara **2** rivalità **3** concorrenza.
com·pet·itor [·'··ə*] *s.* concorrente.
com·pile [kəm'paɪl] *v.tr.* compilare.
com·pla·cent [kəm'pleɪsnt] *agg.* compiaciuto.
com·plain [kəm'pleɪn] *v.intr.* lagnarsi.
com·plaint [kəm'pleɪnt] *s.* **1** lagnanza **2** disturbo.
com·ple·ment ['kɒmplɪmənt] *s.* complemento ♦ *v.tr.* completare.
com·ple·ment·ary [··'mentərɪ] *agg.* complementare.
com·plete [kəm'pli:t] *agg.* completo ♦ *v.tr.* completare.
com·plex ['kɒmpleks *amer.* kɒm'pleks] *agg., s.* complesso.
com·plex·ion [kəm'plekʃn] *s.* carnagione.
com·plic·ate ['kɒmplɪkeɪt] *v.tr.* complicare.
com·pli·city [kəm'plɪsɪtɪ] *s.* complicità.
com·pli·ment ['kɒmplɪmənt] *s.* complimento ♦ *v.tr.* complimentarsi con.
com·pli·ment·ary [,··'mentərɪ] *agg.* in omaggio.
com·ply [kəm'plaɪ] *v.intr.* (*with*) conformarsi (a).
com·pon·ent [kəm'pəʊnənt] *agg., s.* componente.
com·pose [kəm'pəʊz] *v.tr.* comporre | *to – o.s.*, ricomporsi.
com·posi·tion [,··'ɪʃn] *s.* composizione.
com·post ['kɒmpɒst] *s.* concime.
com·pos·ure [kəm'pəʊʒə*] *s.* calma.
com·pound[1] ['kɒmpaʊnd] *agg., s.* composto ♦ *v.tr.* comporre.
compound[2] *s.* recinto, area cintata.
com·pre·hend [,kɒmprɪ'hend] *v.tr.* comprendere, capire.
com·pre·hens·ible [,kɒmprɪ'hensəbl] *agg.* comprensibile.
com·pre·hens·ive [,kɒmprɪ'hensɪv] *agg.* comprensivo | *– school*, scuola media (superiore) unificata.

compress [kəm'pres] *v.tr.* comprimere.
com·press·or [-'-ə*] *s.* compressore.
com·prom·ise ['kɒmprəmaɪz] *s.* compromesso ♦ *v.intr.* venire a un compromesso ♦ *v.tr.* compromettere.
com·pul·sion [kəm'pʌlʃn] *s.* costrizione.
com·puls·ive [kəm'pʌlsɪv] *agg.* incontrollabile.
com·puls·ory [kəm'pʌlsərɪ] *agg.* obbligatorio.
com·punc·tion [kəm'pʌŋkʃn] *s.* scrupolo.
com·pu·ter·ize [kəm'pju:təraɪz] *v.tr.* computerizzare.
con[1] [kɒn] *s.* (*fam.*): *pros and cons*, i pro e i contro.
con[2] *s.* (*fam.*) prigioniero.
con[3] *s.* (*fam.*) imbroglio, truffa ♦ (*-nned*) *v.tr.* imbrogliare.
con·cave [,kɒn'keɪv] *agg.* concavo.
con·ceal [kən'si:l] *v.tr.* nascondere.
con·ceal·ment [-'·mənt] *s.* occultamento.
con·cede [kən'si:d] *v.tr.* concedere.
con·ceit [kən'si:t] *s.* presunzione.
con·ceive [kən'si:v] *v.tr., intr.* concepire; immaginare.
con·cen·trate ['kɒnsəntreɪt] *s.* concentrato ♦ *v.tr.* concentrare.
con·cept ['kɒnsept] *s.* concetto.
con·cern [kən'sɜ:n] *s.* **1** faccenda **2** preoccupazione **3** ditta ♦ *v.tr.* **1** riguardare **2** preoccupare.
con·cerned [-'·d] *agg.* interessato, implicato; preoccupato.
con·cert ['kɒnsət] *s.* concerto.
con·ces·sion [kən'seʃn] *s.* concessione.
con·ci·li·ation [kən,sɪlɪ'eɪʃn] *s.* conciliazione.
con·cise [kən'saɪs] *agg.* conciso.
con·clude [kən'klu:d] *v.tr., intr.* concludere.
con·clud·ing [-'·ɪŋ] *agg.* conclusivo.
con·clu·sion [-'·ʒn] *s.* conclusione.
con·clus·ive [-'·sɪv] *agg.* conclusivo.
con·coct [kən'kɒkt] *v.tr.* escogitare.
con·coc·tion [-'kɒkʃn] *s.* miscuglio.
con·course ['kɒŋkɔ:s] *s.* atrio.
con·crete ['kɒŋkri:t] *agg.* concreto ♦ *s.* calcestruzzo.
con·cur [kən'kɜ:*] (*-rred*) *v.intr.* concorrere.
con·cus·sion [kən'kʌʃn] *s.* commozione cerebrale.
con·demn [kən'dem] *v.tr.* condannare.
con·dem·na·tion [,··'neɪʃn] *s.* condanna.
con·dense [kən'dens] *v.tr., intr.* condensare, condensarsi.
con·des·cend [,kɒndɪ'send] *v.intr.* accondiscendere.
con·di·tion [kən'dɪʃn] *s.* condizione ♦ *v.tr.* condizionare.
con·di·tional [-'·ənl] *agg.* condizionale; condizionato.
con·di·tioner [-'·ə*] *s.* balsamo (per capelli); ammorbidente (per tessuti).
con·di·tion·ing [-'·ɪŋ] *s.* condizionamento.
con·dol·ence [kən'dəʊləns] *s.* condoglianza.
con·dom ['kɒndəm] *s.* preservativo.
con·do·min·ium [,kɒndə'mɪnɪəm] *s.* (*amer.*) **1** condominio **2** appartamento.
con·done [kən'dəʊn] *v.tr.* passar sopra a.
con·du·cive [kən'dju:sɪv] *agg.* propizio.
con·duct ['kɒndʌkt] *s.* condotta; conduzione ♦ *v.tr.* condurre.

con·ductor [ˈ·ə*] *s.* **1** direttore (d'orchestra) **2** bigliettaio **3** (*amer.*) controllore, capotreno.
cone [kəʊn] *s.* **1** cono **2** (*bot.*) pigna.
con·fabu·la·tion [kən,fæbjʊˈleɪʃn] *s.* chiacchierata.
con·fec·tioner [kənˈfekʃnə*] *s.* pasticciere.
con·fed·er·ate [kənˈfedərət] *s.*, *agg.* **1** confederato **2** complice ♦ *v.tr.*, *intr.* confederare, confederarsi.
con·fer [kənˈfɜ:*] (*-rred*) *v.tr.*, *intr.* conferire.
con·fer·ence [ˈkɒnfərəns] *s.* riunione; convegno | *press* –, conferenza stampa.
con·fess [kənˈfes] *v.tr.*, *intr.* confessare.
con·fes·sion [·ˈ·ʃn] *s.* confessione.
con·fetti [kənˈfetɪ] *s.* coriandoli.
con·fide [kənˈfaɪd] *v.tr.* confidare.
con·fid·ence [ˈkɒnfɪdəns] *s.* **1** fiducia | – *trick*, truffa **2** confidenza **3** sicurezza di sé.
con·fid·ent [kɒnˈfɪdənt] *agg.* fiducioso.
confine [kənˈfaɪn] *v.tr.* **1** relegare **2** limitare.
con·firm [kənˈfɜ:m] *v.tr.* **1** confermare **2** cresimare.
con·firmed [·ˈ·d] *agg.* inveterato.
con·fis·cate [ˈkɒnfɪskeɪt] *v.tr.* confiscare.
con·flict [ˈkɒnflɪkt] *s.* conflitto ♦ *v.intr.* essere in conflitto.
con·form [kənˈfɔ:m] *v.intr.* conformarsi.
con·form·ist [·ˈ·ɪst] *agg.*, *s.* conformista.
con·found [kənˈfaʊnd] *v.tr.* sconcertare | – *it!*, (*fam.*) al diavolo! | *confounded!*, maledetto!
con·front [kənˈfrʌnt] *v.tr.* affrontare; fronteggiare.
con·fronta·tion [··ˈteɪʃn] *s.* scontro.
con·fuse [kənˈfju:z] *v.tr.* confondere.
con·fu·sion [kənˈfju:ʒn] *s.* confusione.
con·gen·ital [kənˈdʒenɪtl] *agg.* congenito.
con·gested [kənˈdʒestɪd] *agg.* congestionato.
con·gratu·late [kənˈgrætjʊleɪt] *v.tr.* congratularsi.
con·greg·ate [ˈkɒŋgrɪgeɪt] *v.intr.* raccogliersi.
con·gress [ˈkɒŋgres] *s.* congresso.
Con·gress·man [ˈkɒŋgresmən] (*-men*) *s.* (*in* USA) membro del Congresso.
con·jec·ture [kənˈdʒektʃə*] *s.* congettura ♦ *v.tr.* ipotizzare ♦ *v.intr.* fare congetture.
con·jur·er [ˈkʌndʒərə*] *s.* prestigiatore.
conk out [kɒŋkˈaʊt] *v.intr.* (*fam.*) incepparsi, bloccarsi.
con·man [ˈkɒn,mæn] (*-men* [ˈ·men]) *s.* (*fam.*) truffatore.
con·nect [kəˈnekt] *v.tr.* collegare.
con·nec·tion [kəˈnekʃn], **con·nex·ion** *s.* **1** collegamento **2** coincidenza **3** *pl.* conoscenze.
con·nive [kəˈnaɪv] *v.intr.* **1** (*at*) essere connivente (con) **2** complottare.
con·nois·seur [,kɒnəˈsɜ:*] *s.* intenditore.
con·quer [ˈkɒŋkə*] *v.tr.* conquistare.
con·quest [ˈkɒŋkwest] *s.* conquista.
con·science [ˈkɒnʃəns] *s.* coscienza.
con·scious [ˈkɒnʃəs] *agg.* **1** consapevole, conscio **2** cosciente.
con·scious·ness [ˈ··nɪs] *s.* coscienza.
con·scrip·tion [kənˈskrɪpʃn] *s.* (*mil.*) leva.
con·sec·rate [ˈkɒnsɪkreɪt] *v.tr.* consacrare.
con·sec·ut·ive [kənˈsekjʊtɪv] *agg.* consecutivo.

con·sent [kən'sent] *s.* consenso ♦ *v.intr.* acconsentire.
con·sequence ['kɒnsɪkwəns] *s.* conseguenza.
con·sequent ['kɒnsɪkwənt] *agg.* conseguente.
con·sequen·tial [,kɒnsɪ'kwenʃl] *agg.* importante.
con·ser·va·tion [,kɒnsə'veɪʃn] *s.* **1** conservazione **2** tutela ambientale.
con·ser·vat·ive [kən'sɜ:vətɪv] *agg.*, *s.* **1** conservatore **2** cauto.
conserve [kən'sɜ:v] *v.tr.* conservare, salvaguardare.
con·sider [kən'sɪdə*] *v.tr.* considerare.
con·sid·er·able [kən'sɪdərəbl] *agg.* considerevole.
con·sid·er·ate [kən'sɪdərət] *agg.* sollecito, premuroso.
con·sid·era·tion [·,··'reɪʃn] *s.* considerazione.
con·sign [kən'saɪn] *v.tr.* consegnare.
con·sist [kən'sɪst] *v.intr.* consistere.
con·sist·ent [kən'sɪstənt] *agg.* **1** coerente; conforme **2** costante, regolare.
con·sole[1] [kɒn'səʊl] *s.* consolle.
console[2] [kən'səʊl] *v.tr.* consolare.
con·sol·id·ate [kən'sɒlɪdeɪt] *v.tr.*, *intr.* consolidare, consolidarsi.
con·sols ['kɒnsəlz] *s.pl.* (*brit.*) titoli del debito pubblico consolidato.
con·son·ant ['kɒnsənənt] *s.* consonante.
consort [kən'sɔ:t] *v.intr.* (*spreg.*) (*with*) frequentare.
con·spicu·ous [kən'spɪkjʊəs] *agg.* cospicuo.
con·spire [kən'spaɪə*] *v.intr.* cospirare.
con·stable ['kʌnstəbl] *s.* (*brit.*) poliziotto, agente.
con·stant ['kɒnstənt] *agg.* costante.
con·stel·la·tion [,kɒnstə'leɪʃn] *s.* costellazione.
con·sti·pa·ted ['kɒnstɪpeɪtɪd] *agg.* stitico.
con·stitu·ency [kən'stɪtjʊənsɪ] *s.* circoscrizione elettorale.
con·sti·tute ['kɒnstɪtju:t] *v.tr.* costituire.
con·sti·tu·tion [,kɒnstɪ'tju:ʃn] *s.* costituzione.
con·strain [kən'streɪn] *v.tr.* **1** costringere, forzare **2** limitare.
con·straint [kən'streɪnt] *s.* costrizione.
con·strict [kən'strɪkt] *v.tr.* restringere.
con·struct [kən'strʌkt] *v.tr.* costruire.
con·strue [kən'stru:] *v.tr.* interpretare.
con·sul ['kɒnsəl] *s.* console.
con·sul·ate ['kɒnsjʊlət] *s.* consolato.
con·sult [kən'sʌlt] *v.tr.*, *intr.* consultare, consultarsi.
con·sult·ant [kən'sʌltənt] *s.* consulente, specialista.
con·sume [kən'sju:m *amer.* kən'su:m] *v.tr.* consumare .
con·sumer [·'·ə*] *s.* consumatore.
con·sump·tion [kən'sʌmpʃən] *s.* consumo.
con·tact ['kɒntækt] *s.* contatto ♦ *v.tr.* contattare.
con·ta·gion [kən'teɪdʒən] *s.* contagio; malattia contagiosa.
con·tain [kən'teɪn] *v.tr.* contenere.
con·tain·ment [·'·mənt] *s.* contenimento.
con·tam·in·ate [kən'tæmɪneɪt] *v.tr.* contaminare.
con·tem·plate ['kɒntempleɪt] *v.tr.*, *intr.* contemplare.
con·tem·por·ary [kən'tempərərɪ] *agg.*, *s.* contemporaneo.
con·tempt [kən'tempt] *s.* disprezzo.

con·tend [kən'tend] *v.intr.* combattere.
con·tent[1] ['kɒn'tent] *s.* contenuto.
content[2] [kən'tent] *agg.* contento ♦ *v.tr.* contentare.
con·test ['kɒntest] *s.* **1** gara, concorso **2** lotta ♦ [kən'test] *v.tr.* **1** contendersi **2** contestare.
con·test·ant [·'·ənt] *s.* concorrente.
con·text ['kɒntekst] *s.* contesto.
con·tin·ent ['kɒntɪnənt] *agg.* continente.
con·tin·gent [kən'tɪndʒənt] *agg.*: – *on*, dipendente da ♦ *s.* contingente.
con·tinua·tion [kən,tɪnjʊ'eɪʃn] *s.* continuazione.
con·tinue [kən'tɪnju:] *v.intr., tr.* continuare.
con·tour ['kɒn,tʊə*] *s.* contorno.
con·tra·band ['kɒntrəbænd] *agg., s.* (di) contrabbando.
con·tra·bass [,kɒntrə'beɪs] *s.* contrabbasso.
con·tra·cept·ive [,kɒntrə'septɪv] *agg., s.* contraccettivo.
con·tract ['kɒntrækt] *s.* contratto ♦ *v.tr., intr.* **1** contrarre, contrarsi **2** stipulare un contratto.
con·tractor [kən'træktə*] *s.* appaltatore | *building* –, imprenditore edile.
con·tra·dict [,kɒntrə'dɪkt] *v.tr.* contraddire.
con·tra·dic·tion [,··'·ʃn] *s.* contraddizione.
con·trap·tion [kən'træpʃn] *s.* (*fam.*) aggeggio.
con·trary ['kɒntrərɪ] *agg., s.* **1** contrario, opposto **2** [kən'treərɪ] ostinato ♦ *avv.* al contrario.
con·trast ['kɒntrɑ:st *amer.* 'kɒntræst] *s.* contrasto ♦ *v.tr., intr.* contrastare; opporre.
con·trib·ute [kən'trɪbju:t] *v.tr., intr.* contribuire | *to* – *to*, scrivere per.
con·tri·bu·tion [,··'·ʃn] *s.* contributo; collaborazione.
con·triv·ance [kən'traɪvns] *s.* congegno; espediente.
con·trive [kən'traɪv] *v.tr.* escogitare.
con·trol [kən'trəʊl] *s.* controllo ♦ (*-lled*) *v.tr.* controllare.
con·tro·versy ['kɒntrəvɜ:sɪ] *s.* controversia.
con·tu·sion [kən'tju:ʒn] *s.* contusione.
con·val·es·cent [,kɒnvə'lesnt] *agg., s.* convalescente.
con·vene [kən'vi:n] *v.tr.* convocare ♦ *v.intr.* riunirsi.
con·veni·ence [kən'vi:njəns] *s.* comodo | *public* –, gabinetto pubblico.
con·veni·ent [kən'vi:njənt] *agg.* comodo; pratico.
con·vent ['kɒnvənt] *s.* convento.
con·ven·tion [kən'venʃn] *s.* **1** convenzione **2** congresso; raduno.
con·ven·tional [·'·ʃənl] *agg.* convenzionale.
con·verge [kən'vɜ:dʒ] *v.intr.* convergere.
con·ver·sa·tion [,kɒnvə'seɪʃn] *s.* conversazione
con·ver·sa·tional [,kɒnvə'seɪʃənl] *agg.* colloquiale; parlato.
convert [kən'vɜ:t] *v.tr., intr.* convertire, convertirsi.
con·vey [kən'veɪ] *v.tr.* portare; trasportare; trasmettere.
con·vey·ance [·'·əns] *s.* trasporto.
convict [kən'vɪkt] *v.tr.* giudicare colpevole.
con·vic·tion [kən'vɪkʃn] *s.* condanna.
con·vince [kən'vɪns] *v.tr.* convincere.
con·voca·tion [,kɒnvəʊ'keɪʃn] *s.* convocazione.

con·vuls·ive [kən'vʌlsɪv] *agg.* convulso.
co·ny ['kəʊnɪ] **co·ney** *s.* (*amer.*) coniglio.
cook [kʊk] *s.* cuoco, cuoca ♦ *v.tr., intr.* cuocere; cucinare | *to – up*, escogitare.
cooker ['·ə*] *s.* fornello, cucina.
cookie ['kʊkɪ] *s.* (*amer.*) biscotto.
cool [ku:l] *agg.* **1** fresco; (*fig.*) freddo **2** (*fam.*) eccezionale ♦ *s.* **1** fresco **2** calma ♦ *v.tr., intr.* rinfrescare; raffreddare | *to – down*, calmare, calmarsi.
co-op ['kəʊɒp] *s.* (*fam.*) cooperativa.
coop up['ku:pʌp] *v.tr.* rinchiudere.
co·op·er·ate [kəʊ'ɒpəreɪt] *v.intr.* cooperare.
coordinate [kəʊ'ɔ:dɪneɪt] *v.tr.* coordinare.
co·own·er [,kəʊ'əʊnə*] *s.* comproprietario.
cop [kɒp] *s.* (*fam.*) poliziotto.
cope [kəʊp] *v.intr.* far fronte.
copier ['kɒpɪə*] *s.* fotocopiatrice.
cop·per[1] ['kɒpə*] *s.* rame.
copper[2] *s.* (*fam.*) poliziotto.
copy ['kɒpɪ] *s.* copia: *rough –*, minuta ♦ *v.tr.* copiare.
copy·cat ['kɒpɪkæt] *s.* (*fam.*) copione.
coral ['kɒrəl] *s.* corallo.
cord [kɔ:d] *s.* **1** corda; spago; cordone **2** velluto a coste.
cor·du·roy ['kɔ:dərɔɪ] *s.* velluto a coste.
core [kɔ:*] *s.* cuore, nucleo.
cork [kɔ:k] *s.* sughero; turacciolo ♦ *v.tr.* tappare.
cork·screw ['kɔ:kskru:] *s.* cavatappi.
corn[1] [kɔ:n] *s.* grano; (*amer.*) granoturco.
corn[2] *s.* callo.
cor·ner ['kɔ:nə*] *s.* angolo ♦ *v.tr.* **1** mettere alle strette **2** accaparrare.
cor·net ['kɔ:nɪt] *s.* cono (di gelato).
corn·flower ['kɔ:nflaʊə*] *s.* fiordaliso.
Corn·wall ['kɔ:nwəl] *no.pr.* Cornovaglia.
corporal ['kɔ:pərəl] *s.* caporale.
cor·por·ate ['kɔ:pərət] *agg.* comunitario; societario.
cor·pora·tion [,kɔ:pə'reɪʃn] *s.* **1** corporazione; ente morale **2** (*spec. amer.*) società, compagnia.
corps [kɔ:*] *s.* corpo.
corpse [kɔ:ps] *s.* cadavere.
cor·rect [kə'rekt] *agg.* corretto ♦ *v.tr.* correggere.
correlate ['kɒrəleɪt] *v.tr., intr.* mettere, essere in correlazione.
cor·rela·tion [,··'leɪʃn] *s.* correlazione.
cor·res·pond [,kɒrɪ'spɒnd] *v.intr.* corrispondere.
cor·res·pond·ence [,··'·əns] *s.* corrispondenza.
cor·ridor ['kɒrɪdɔ:*] *s.* corridoio.
cor·rob·or·at·ive [kə'rɒbərətɪv] *agg.* avvalorante.
cor·rode [kə'rəʊd] *v.tr.; intr.* corrodere, corrodersi.
cor·rupt [kə'rʌpt] *agg.* corrotto ♦ *v.tr.* corrompere.
cosh [kɒʃ] *s.* manganello ♦ *v.tr.* manganellare.
cos·metic [kɒz'metɪk] *agg., s.* cosmetico | *– surgery*, chirurgia estetica.
cos·met·ician [,kɒzmɪ'tɪʃn] *s.* truccatore.
cost* [kɒst] *v.intr., tr.* costare ♦ *s.* costo.
costly ['kɒstlɪ] *agg.* costoso.
cos·tume ['kɒstju:m] *s.* costume.
cosy ['kəʊzɪ] *agg.* intimo; accogliente.
cot [kɒt] *s.* lettino; (*amer.*) branda.
co·terie ['kəʊtərɪ] *s.* cricca.

cot·tage [ˈkɒtɪdʒ] *s.* cottage | – *cheese*, formaggio fresco.
cot·ton [ˈkɒtn] *s.* cotone: – *wool*, ovatta.
couch [kaʊtʃ] *s.* divano.
cough [kɒf] *s.* tosse ♦ *v.intr.* tossire.
could [kʊd] *pass.*, *condiz.* di *can.*
coun·cil [ˈkaʊnsl] *s.* consiglio.
coun·cil·lor [ˈ··ə*] *s.* consigliere.
coun·sel [ˈkaʊnsl] *s.* 1 parere 2 avvocato ♦ (*-lled*) *v.tr.* consigliare.
coun·sel·lor [ˈ··ə*] amer. **coun·selor** *s.* consigliere; (*amer.*) avvocato.
count[1] [kaʊnt] *v.tr.* contare; annoverare ♦ *s.* 1 conto 2 capo d'accusa.
count[2] *s.* conte.
count·down [ˈkaʊntdaʊn] *s.* conto alla rovescia.
coun·ten·ance [ˈkaʊntənəns] *s.* espressione ♦ *v.tr.* approvare; tollerare.
coun·ter[1] [ˈkaʊntə*] *s.* 1 contatore 2 gettone.
counter[2] *s.* banco; sportello | *over the* –, da banco.
counter[3] *agg.*, *avv.* (in senso) contrario ♦ *v.tr.*, *intr.* opporre, opporsi.
counter- *pref.* contr(o)-.
coun·ter·act [ˌkaʊntəˈrækt] *v.tr.* neutralizzare.
coun·ter·feit [ˈkaʊntəfɪt] *agg.* contraffatto.
coun·ter·foil [ˈkaʊntəfɔɪl] *s.* (*comm.*) matrice.
coun·ter·part [ˈkaʊntəpɑ:t] *s.* controparte.
count·less [ˈkaʊntlɪs] *agg.* innumerevole.
coun·try [ˈkʌntrɪ] *s.* 1 paese, nazione 2 campagna.
coun·try·man [ˈkʌntrɪmən] (*-men*) *s.* 1 connazionale 2 campagnolo.
coun·try·side [ˈkʌntrɪsaɪd] *s.* campagna.
county [ˈkaʊntɪ] *s.* contea.
coup [ku:] *s.* colpo, golpe.
couple [ˈkʌpl] *s.* coppia; paio ♦ *v.tr.* unire; agganciare.
cou·pon [ˈku:pɒn] *s.* tagliando.
cour·age [ˈkʌrɪdʒ] *s.* coraggio.
courgette [ˌkʊəˈʒet] *s.* zucchina.
course [kɔ:s] *s.* 1 corso | *off* –, fuori rotta | *golf* –, campo da golf 2 portata.
court [kɔ:t] *s.* corte | *law* –, tribunale ♦ *v.tr.* andare in cerca di.
court card [ˈ· ·] *s.* figura (a carte).
cour·tesy [ˈkɜ:tɪsɪ] *s.*: *by* – *of*, per gentile concessione di.
court·house [ˈkɔ:thaʊs] *s.* palazzo di giustizia.
court·room [ˈkɔ:tru:m] *s.* aula di tribunale.
court·ship [ˈkɔ:tʃɪp] *s.* corte, corteggiamento.
court·yard [ˈkɔ:tˈjɑ:d] *s.* cortile.
cousin [ˈkʌzn] *s.* cugino, cugina.
cover [ˈkʌvə*] *v.tr.* coprire | *to* – *up*, (*fig.*) insabbiare ♦ *s.* 1 copertura 2 copertina 3 coperta; fodera 4 coperto.
cov·er·age [ˈkʌvərɪdʒ] *s.* copertura.
cov·er·let [ˈkʌvəlɪt] *s.* copriletto.
cow [kaʊ] *s.* vacca, mucca.
cow·ard [ˈkaʊəd] *s.* codardo.
cower [ˈkaʊə*] *v.intr.* (*fig.*) farsi piccolo.
co-worker [kəʊˈwɜ:kə*] *s.* collega.
cow·shed [ˈkaʊʃed] *s.* stalla.
cox(·swain) [ˈkɒk(swein)] *s.* timoniere.
coy [kɔɪ] *agg.* ritroso.
cozy (*amer.*) → *cosy.*
crab [kræb] *s.* granchio.
crack [kræk] *s.* 1 fessura 2 scoppio 3 crollo (in Borsa) 4 (*fam.*) tenta-

tivo ♦ *v.tr., intr.* rompere, rompersi | *to – down on*, usare la mano pesante con | *to – up*, crollare.
crack·down ['krækdaʊn] *s.* misure restrittive.
cracker ['krækə*] *s.* petardo.
crackers ['krækəz] *agg.* (*fam.*) pazzo.
crackle ['krækl] *s.* crepitio ♦ *v.intr.* crepitare.
crack·pot ['krækpɒt] *agg., s.* (*fam.*) picchiatello.
crack·up ['krækʌp] *s.* (*fam.*) collasso nervoso.
cradle ['kreɪdl] *s.* culla.
craft [krɑ:ft *amer.* kræft] *s.* **1** abilità; arte; mestiere **2** astuzia, scaltrezza.
crafts·man ['krɑ:ftsmən] (*-men*) *s.* artigiano.
crafty ['krɑ:ftɪ] *agg.* furbo, scaltro.
cram [kræm] (*-mmed*) *v.tr.* stipare.
cramp [kræmp] *s.* crampo.
cram·ped [kræmpt] *agg.* ristretto.
crane [kreɪn] *s.* gru | *– truck*, autogru.
crank [kræŋk] *s.* **1** manovella **2** (*fam.*) persona eccentrica.
cranky ['kræŋkɪ] *agg.* (*fam.*) eccentrico.
crash [kræʃ] *s.* **1** fragore; schianto **2** incidente: *– barrier*, barriera di protezione | *– landing*, atterraggio di fortuna **3** crollo finanziario ♦ *v.intr., tr.* **1** schiantare, schiantarsi; scontrarsi **2** subire un crollo.
crate [kreɪt] *s.* cassa.
crave [kreɪv] *v.intr., tr.* desiderare ardentemente.
crawl [krɔ:l] *v.intr.* **1** andare carponi, strisciare **2** brulicare.
craze [kreɪz] *s.* mania; moda.
crazy ['kreɪzɪ] *agg.* pazzo, matto | *to be – about*, andare pazzo per.
creak [kri:k] *v.intr.* scricchiolare.
cream [kri:m] *s.* crema; panna.
cream off *v.tr.* scremare.
crease [kri:s] *s.* piega; grinza | *– resistant*, ingualcibile ♦ *v.tr.* sgualcire.
cre·ate [kri:'eɪt] *v.tr.* creare.
crea·ture ['kri:tʃə*] *s.* creatura.
crèche [kreɪʃ] *s.* asilo nido.
cred·ible ['kredəbl] *agg.* credibile.
credit ['kredɪt] *s.* **1** credito | *it does him –*, gli fa onore **2** *pl.* titoli di testa o di coda ♦ *v.tr.* **1** accreditare **2** *to – with*, attribuire **3** credere.
cred·it·able ['··əbl] *agg.* lodevole.
cred·itor ['··ə*] *s.* creditore.
credu·lous ['kredjʊləs] *agg.* credulo.
creed [kri:d] *s.* credo.
creep* [kri:p] *v.tr.* strisciare ♦ *s.* **1** *pl.* brividi **2** (*fam.*) leccapiedi.
creeper ['·ə*] *s.* rampicante.
creepy ['kri:pɪ] *agg.* raccapricciante.
cre·ma·tion [krɪ'meɪʃn] *s.* cremazione.
crept [krept] *pass., p.p.* di to *creep*.
cres·cent ['kresnt] *s.* falce di luna; mezzaluna; strada a mezzaluna.
cress [kres] *s.* crescione.
crest [krest] *s.* crest.
crest·fal·len ['krest,fɔ:lən] *agg.* mortificato.
cre·vasse [krɪ'væs] *s.* crepaccio.
crev·ice ['krevɪs] *s.* spaccatura.
crew[1] [kru:] *s.* squadra; equipaggio | *– cut*, capelli a spazzola.
crew[2] *pass.* di to *crow*.
crib [krɪb] *s.* **1** (*amer.*) lettino **2** presepio; mangiatoia **3** (*fam.*) bigino ♦ (*-bbed*) *v.tr.* (*fam.*) copiare.
cricket ['krɪkɪt] *s.* grillo.
crime [kraɪm] *s.* reato, crimine: *– news*, cronaca nera.
crim·inal [krɪmɪnl] *agg., s.* criminale | *– case*, causa penale.

cripple ['krɪpl] *s.* storpio ♦ *v.tr.* 1 storpiare 2 danneggiare.
cri·sis ['kraɪsɪs] (*-ses* ['-si:z]) *s.* crisi.
crisp [crɪsp] *agg.* 1 croccante 2 crespo 3 frizzante ♦ *s.*: *crisps*, patatine fritte.
crispy ['krɪspɪ] *agg.* croccante.
cri·terion [kraɪ'tɪərɪən] (*-ia* [-'·ɪə]) *s.* criterio, principio.
critic ['krɪtɪk] *s.* critico.
crit·ical ['krɪtɪkl] *agg.* critico.
cri·ti·cize ['krɪtɪsaɪz] *v.tr.* criticare.
croak [krəʊk] *v.intr.* gracidare.
crochet-hook ['krəʊʃɪhʊk *amer.* krəʊ'ʃeɪhʊk] *s.* uncinetto.
cro·co·dile ['krɒkədaɪl] *s.* coccodrillo.
crook [krʊk] *s.* (*fam.*) malvivente.
crooked [krʊkt] *agg.* 1 curvo 2 disonesto.
crop [krɒp] *s.* raccolto ♦ (*-pped* [-pt]) *v.tr.* raccogliere ♦ *v.intr.*: *to – up*, capitare.
cross [krɒs] *s.* 1 croce 2 ibrido ♦ *v.tr.* 1 incrociare 2 attraversare 3 sbarrare | *to – off, out*, cancellare ♦ *agg.* 1 trasversale 2 arrabbiato.
cross·bred ['krɒsbred] *agg.*, *s.* ibrido.
cross-examination ['··,··'··] *s.* controinterrogatorio.
cross-eyed ['krɒsaɪd] *agg.* strabico.
cross·ing ['·ɪŋ] *s.* 1 attraversamento; incrocio: *level* (o amer. *grade*) *–*, passaggio a livello 2 traversata.
cross-purposes [,'··] *s.pl.*: *to be, to talk at –*, fraintendersi.
cross·roads ['krɒsrəʊdz] *s.* incrocio, bivio.
cross·walk ['krɒswɔ:k] *s.* (*amer.*) attraversamento pedonale.
cross·wise ['krɒswaɪz] *avv.* di traverso.
crossword ['krɒswɜ:d] *s.* cruciverba.
crouch [kraʊtʃ] *v.intr.* accovacciarsi.
crow[1] [krəʊ] *s.* corvo; cornacchia.
crow*[2] *v.intr.* 1 cantare (del gallo) 2 (*fig.*) vantarsi.
crow·bar [krəʊbɑ:*] *s.* grimaldello.
crowd [kraʊd] *s.* folla ♦ *v.tr.*, *intr.* affollare, affollarsi.
crown [kraʊn] *s.* 1 corona ♦ *v.tr.* incoronare; (*fig.*) coronare.
cru·cial ['kru:ʃl] *agg.* cruciale.
cru·ci·fix ['kru:sɪfɪks] *s.* crocifisso.
crude [kru:d] *agg.*, *s.* grezzo.
cruel [krʊəl] *agg.* crudele; rigido.
cruet ['kru:ɪt] *s.* ampolla.
cruise [kru:z] *s.* crociera.
cruiser ['kru:zə*] *s.* incrociatore.
crumb [krʌm] *s.* briciola ♦ *v.tr.* sbriciolare; (*cuc.*) impanare.
crumble ['krʌmbl] *v.tr.*, *intr.* sbriciolare, sbriciolarsi.
crummy ['krʌmɪ] *agg.* (*fam.*) scadente; squallido.
crumple ['krʌmpl] *v.tr.*, *intr.* 1 spiegazzare, spiegazzarsi | *to – up*, appallottolare 2 accasciarsi.
crunch [krʌntʃ] *v.tr.* sgranocchiare rumorosamente; far scricchiolare.
crunchy ['krʌntʃɪ] *agg.* croccante.
crush [krʌʃ] 1 schiacciare 2 spremere ♦ *s.* 1 calca 2 spremuta 3 (*fam.*) cotta.
crust [krʌst] *s.* crosta ♦ *v.tr.*, *intr.* incrostare, incrostarsi.
crutch [krʌtʃ] *s.* stampella.
crux [krʌks] (*-xes, -ces*) *s.* punto cruciale.
cry [kraɪ] *v.tr.*, *intr.* 1 gridare | *to – for*, invocare 2 piangere 3 *to – off*, tirarsi indietro ♦ *s.* 1 grido 2 pianto.
crys·tal ['krɪstl] *s.* cristallo ♦ *agg.* cristallino.

cub [kʌb] *s.* cucciolo.
cube [kju:b] *s.* cubo.
cuckoo ['kʊku:] *s.* cuculo.
cu·cum·ber ['kju:kəmbə*] *s.* cetriolo | *cool as a –*, imperturbabile.
cuddle ['kʌdl] *v.tr.* coccolare | *to – up*, rannicchiarsi ♦ *s.* abbraccio.
cud·gel ['kʌdʒəl] *s.* randello.
cue [kju:] *s.* battuta; imbeccata.
cuff[1] [kʌf] *s.* **1** polsino; polso; (*amer.*) risvolto | *off the –*, improvviso **2** *pl.* manette.
cuff[2] *s.* schiaffo ♦ *v.tr.* schiaffeggiare.
cuff·links ['kʌflɪŋks] *s.pl.* gemelli.
cul·len·der ['kʌlɪndə*] *s.* colapasta.
cul·min·ate ['kʌlmɪneɪt] *v.intr.* culminare.
cu·lottes [kju:'lɒts] *s.pl.* gonna-pantalone.
cul·prit ['kʌlprɪt] *s.* colpevole; (*dir.*) accusato, imputato.
cult [kʌlt] *s.* culto.
cul·tiv·ate ['kʌltɪveɪt] *v.tr.* coltivare.
cul·tiv·ated ['···ɪd] *agg.* colto.
cul·ture ['kʌltʃə*] *s.* **1** cultura; istruzione **2** coltura.
cul·tured ['··d] *agg.* **1** colto **2** coltivato.
cum·ber·some ['kʌmbəsəm] *agg.* ingombrante.
cun·ning ['kʌnɪŋ] *agg.* astuto, furbo ♦ *s.* astuzia, furberia.
cup [kʌp] *s.* **1** tazza **2** (*sport*) coppa.
cup·board ['kʌbəd] *s.* credenza.
cur·ator [kjʊə'reɪtə*] *s.* direttore (di museo ecc.).
curb [kɜ:b] *s.* **1** (*fig.*) freno **2** (*amer.*) bordo di marciapiede ♦ *v.tr.* frenare.
curdle ['kɜ:dl] *v.tr., intr.* cagliare.
cure [kjʊə*] *s.* cura; rimedio ♦ *v.tr.* **1** curare **2** trattare con sale; affumicare; conciare.
cur·few ['kɜ:fju:] *s.* coprifuoco.
curio ['kjʊərɪəʊ] (*-os*) *s.* curiosità, oggetto da collezione.
curi·ous ['kjʊərɪəs] *agg.* curioso.
curl [kɜ:l] *s.* riccio ♦ *v.tr., intr.* arricciare, arricciarsi | *to – up*, rannicchiarsi.
curler ['·ə*] *s.* bigodino.
curly ['kɜ:lɪ] *agg.* ricciuto.
cur·rant ['kʌrənt] *s.* **1** ribes **2** *pl.* uva sultanina.
cur·rency ['kʌrənsɪ] *s.* valuta.
cur·rent ['kʌrənt] *agg., s.* corrente.
cur·ric·ulum [kə'rɪkjʊləm] (*-lums,-la* [-lə]) *s.* piano di studi.
curse [kɜ:s] *s.* **1** maledizione **2** imprecazione; bestemmia ♦ *v.tr.* maledire ♦ *v.intr.* imprecare.
curs·ory ['kɜ:sərɪ] *agg.* affrettato.
curt [kɜ:t] *agg.* brusco.
cur·tail [kɜ:'teɪl] *v.tr.* ridurre.
cur·tain ['kɜ:tn] *s.* tenda; sipario; cortina.
curve [kɜ:v] *s.* curva ♦ *v.tr., intr.* curvare.
cush·ion ['kʊʃn] *s.* cuscino ♦ *v.tr.* attutire, attenuare.
cushy ['kʊʃɪ] *agg.* (*fam.*) di tutto riposo; comodo.
cus·sed ['kʌsɪd] *agg.* (*fam.*) ostinato.
cus·tard ['kʌstəd] *s.* (*cuc.*) crema.
cus·to·dian [kʌ'stəʊdjən] *s.* custode.
cus·tody ['kʌstədɪ] *s.* (*dir.*) custodia.
cus·tom ['kʌstəm] *s.* **1** costume **2** *pl.* dogana.
cus·tom·ary ['kʌstəmərɪ *amer.*,-·'merɪ] *agg.* abituale.
custom-built ['·· '·] *agg.* fatto su ordinazione; (*aut.*) fuoriserie.
cus·tomer ['··ə*] *s.* **1** cliente **2** (*fam.*) tipo.
custom-made ['·· '·] *agg.* fatto su ordinazione, su misura.

cut* [kʌt] *v.tr., intr.* 1 tagliare, tagliarsi | *to – back*, potare; ridurre | *to – in*, interrompere; tagliare la strada | *to – off*, tagliare; sospendere la fornitura; isolare; bloccare | *to – out*, ritagliare; escludere; smettere; bloccarsi | *to – up*, tagliare a pezzetti 2 (*fam.*) bigiare ♦ *s.* 1 taglio 2 (*cinem.*) montaggio 3 quota.
cut-and-dried [ˈ··ˈ·] *agg.* prestabilito.
cut·back [ˈkʌtbæk] *s.* riduzione.
cute [kju:t] *agg.* 1 carino 2 abile.
cut·lery [ˈkʌtlərɪ] *s.* posateria.
cut·let [ˈkʌtlɪt] *s.* co(s)toletta.
cut·off [ˈkʌtɒ:f] *s.* interruzione.
cut·throat [ˈkʌtθrəʊt] *agg.* accanito.
cut·ting [ˈ·ɪŋ] *s.* 1 ritaglio 2 talea.
cutting table [ˈ·· ·] *s.* tavolo di montaggio.
cuttle·fish [ˈkʌtl,fɪʃ] *s.* seppia.
cyc·la·men [ˈsɪkləmən *amer.* ˈsaɪkləmən] *s.* ciclamino.
cycle [ˈsaɪkl] *s.* 1 ciclo 2 bicicletta ♦ *v.intr.* andare in bicicletta.
cyc·list [ˈsaɪklɪst] *s.* ciclista.
cyc·lone [ˈsaɪkləʊn] *s.* ciclone.
cy·lin·der [ˈsɪlɪndə*] *s.* 1 cilindro 2 bombola.
cynic(al) [ˈsɪnɪk(l)] *agg.* cinico ♦ *s.* cinico.
cypher → *cipher*.
cy·press [ˈsaɪprəs] *s.* cipresso.
Czech [tʃek] *agg., s.* ceco.

D

D [di:] *s.* (*mus.*) re.
dab [dæb] *s.* (*fam.*) 1 macchia 2 velo ♦ (*-bbed*) *v.tr., intr.* tamponare.
dabble [ˈdæbl] *v.tr.* agitare (nell'acqua) ♦ *v.intr.* (*in*) occuparsi a tempo perso (di).
dachs·hund [ˈdækshʊnd] *s.* bassotto.
dad(dy) [(ˈ)dæd(ɪ)] *s.* (*fam.*) papà.
daf·fo·dil [ˈdæfədɪl] *s.* giunchiglia.
daft [dɑ:ft] *agg.* (*fam.*) matto.
dag·ger [ˈdægə*] *s.* pugnale.
daily [ˈdeɪlɪ] *agg.* quotidiano ♦ *s.* 1 (giornale) quotidiano 2 (*fam.*) domestica a giornata ♦ *avv.* ogni giorno.
dainty [ˈdeɪntɪ] *agg.* raffinato.
dairy [ˈdeərɪ] *s.* 1 caseificio: – *products*, latticini 2 latteria (negozio).
dais [ˈdeɪɪs] *s.* pedana.
daisy [ˈdeɪzɪ] *s.* margherita.
daisy wheel [ˈ·· ·] *s.* (*tip.*) margherita.
dally [ˈdælɪ] *v.intr.* gingillarsi.
dam [dæm] *s.* diga, sbarramento ♦ (*-mmed*) *v.tr.* sbarrare.
dam·age [ˈdæmɪdʒ] *s.* 1 danno 2 indennizzo, risarcimento ♦ *v.tr.* danneggiare.
Da·mas·cus [dəˈmæskəs] *no.pr.* Damasco.
dam·ask [ˈdæməsk] *s.* damasco.
damn [dæm] *inter., s.* maledizione | *I don't care a –*, non me ne importa niente ♦ *v.tr.* 1 dannare 2 maledire.
dam·na·tion [·ˈneɪʃn] *s.* dannazione.
damned [dæmd] *agg.* 1 dannato 2 maledetto.
damp [dæmp] *agg., s.* umido ♦ *v.tr.* inumidire.
damp·ness [ˈ·nɪs] *s.* umidità.
damp-proof [ˈ··] *agg.* impermeabile.
dance [dɑ:ns *amer.* dæns] *v.tr., intr.* ballare, danzare ♦ *s.* danza, ballo.
dan·delion [ˈdændɪlaɪən] *s.* tarassaco; (*pop.*) soffione, dente di leone.
dan·druff [ˈdændrʌf] *s.* forfora.
dandy [ˈdændɪ] *s.* elegantone, dandy.

Dane [deɪn] *s.* **1** danese **2** *Great –*, alano.
dan·ger [ˈdeɪndʒə*] *s.* pericolo.
dan·ger·ous [ˈ··əs] *agg.* pericoloso.
dangle [ˈdæŋgl] *v.tr., intr.* (far) ciondolare, (far) penzolare.
Dan·ish [ˈdeɪnɪʃ] *agg., s.* danese.
dank [dæŋk] *agg.* umido.
dare [deə*] *v.intr.* osare | *I – say* (o *I daresay*), molto probabilmente ♦ *s.* sfida.
dare·devil [ˈdeə,devl] *s.* scavezzacollo.
dar·ing [ˈ·rɪŋ] *agg.* audace ♦ *s.* audacia.
dark [dɑ:k] *agg.* scuro, buio; cupo ♦ *s.* buio, oscurità.
darken [ˈdɑ:kən] *v.tr., intr.* oscurare, oscurarsi.
dark horse [·ˈ·] *s.* incognita, mistero.
dark·ness [ˈ·nɪs] *s.* oscurità, tenebre.
darky [ˈdɑ:kɪ] *s.* (*spreg.*) negro.
dar·ling [ˈdɑ:lɪŋ] *agg., s.* **1** prediletto **2** (*fam.*) tesoro.
darn [dɑ:n] *s.* rammendo ♦ *v.tr.* rammendare.
dart [dɑ:t] *s.* dardo, freccetta; *pl.* (gioco) freccette ♦ *v.tr., v.intr.* lanciare, lanciarsi.
dash [dæʃ] *v.tr.* **1** scagliare **2** infrangere ♦ *v.intr.* scagliarsi | *– off*, buttar giù (una lettera); (*fam.*) scappar via ♦ *s.* **1** scatto, slancio | *to cut a –*, (*fam.*) fare un figurone **2** spruzzo **3** lineetta.
dash·board [ˈdæʃbɔ:d] *s.* cruscotto.
dash·ing [ˈ·ɪŋ] *agg.* vivace, brioso.
data [ˈdeɪtə, ˈdɑ:tə] *s.pl.* dati: *– processing*, elaborazione di dati.
date[1] [deɪt] *s.* dattero.
date[2] *s.* **1** data **2** (*fam.*) appuntamento; (*amer.*) persona con cui si ha appuntamento ♦ *v.tr.* **1** datare **2** (*fam. amer.*) uscire regolarmente con ♦ *v.intr.* datare.
dated [·ɪd] *agg.* **1** datato, superato **2** in data.
daub [dɔ:b] *s.* **1** intonaco **2** (*fam.*) quadro mal fatto ♦ *v.tr., intr.* **1** intonacare **2** impiastricciare **3** imbrattare (tele).
daugh·ter [ˈdɔ:tə*] *s.* figlia.
daughter-in-law [ˈdɔ:tərɪnlɔ:] (*daughters-in-law*) *s.* nuora.
daunt [dɔ:nt] *v.tr.* intimidire.
daunt·less [ˈdɔ:ntlɪs] *agg.* intrepido.
dawdler [ˈdɔ:dlə*] *s.* perdigiorno.
dawn [dɔ:n] *s.* alba ♦ *v.intr.* albeggiare | *– (up) on*, venire in mente.
day [deɪ] *s.* giorno; giornata | *by –*, di giorno | *– off*, giorno libero | *early closing –*, giorno di chiusura pomeridiana.
day·break [ˈdeɪbreɪk] *s.* alba.
day·dream [ˈdeɪdri:m] *s.* sogno a occhi aperti.
day·light [ˈdeɪlaɪt] *s.* luce del giorno.
daylight-saving time [ˌdeilaitˈseiviŋˈtaim] *s.* ora legale.
day release [ˌrɪˈli:s] *s.* permesso accordato al lavoratore per seguire corsi di aggiornamento o di studio.
day·time [ˈdeɪtaɪm] *s.* ore diurne.
day-to-day [ˌdeɪtəˈdeɪ] *agg.* quotidiano.
dazzle [ˈdæzl] *v.tr.* abbagliare ♦ *s.* bagliore.
dea·con [ˈdi:kən] *s.* (*eccl.*) diacono.
dea·con·ess [ˈdi:kənɪs] *s.* (*eccl.*) diaconessa.
dead [ded] *agg.* morto: *– beat*, esausto | *– and gone*, morto e sepolto | *– sleep*, sonno profondo | *the Dead Sea*, il Mar Morto | *to be – on time*, essere in perfetto orario | *the –*, i morti ♦ *avv.* completamente.
deaden [ˈdedn] *v.tr.* attutire, affievolire.

dead end [ˈ·ˈ·] *s.* vicolo cieco.
dead·line [ˈdedlaɪn] *s.* scadenza, termine ultimo.
dead·lock [ˈdedlɒk] *s.* punto morto.
deadly [ˈ·lɪ] *agg.* **1** mortale **2** completo.
dead·pan [ˈdedpæn] *agg.* impassibile.
deaf [def] *agg.* sordo.
deaf-aid [ˈ··] *s.* (*fam.*) apparecchio acustico.
deafen [ˈ·n] *v.tr.* assordare.
deaf-mute [ˈ·ˈ·] *s.* sordomuto.
deaf·ness [ˈ·nɪs] *s.* sordità.
deal[1] [di:l] *s.*: *a great –, a good –*, parecchio, un bel po'.
deal[2] *v.tr.* distribuire, dare | *to – in*, commerciare in; *to – with*, affrontare, occuparsi di ♦ *s.* **1** accordo; affare **2** trattamento **3** mano (di carte).
dealer [ˈ·ə*] *s.* commerciante.
dean [di:n] *s.* **1** preside (di facoltà) **2** (*eccl.*) decano.
dear [dɪə*] *agg.* **1** caro **2** costoso ♦ *s.* caro ♦ *inter.*: *– me!*, povero me!
dearth [dɜ:θ] *s.* scarsità, penuria.
death [deθ] *s.* morte.
death·bed [ˈdeθbed] *s.* letto di morte.
death·blow [ˈdeθbləʊ] *s.* colpo mortale, colpo di grazia.
death duty [ˈ·ˈ··] *s.* tassa di successione.
death's-head [ˈ·shed] *s.* teschio.
debar [dɪˈbɑ:*] (*-rred*) *v.tr.* escludere.
de·base [dɪˈbeɪs] *v.tr.* degradare.
de·bate [dɪˈbeɪt] *s.* dibattito, discussione ♦ *v.tr., intr.* discutere.
de·bauched [dɪˈbɔ:tʃt] *agg.* dissoluto, depravato.
de·bauch·ery [dɪˈbɔ:tʃərɪ] *s.* dissolutezza.
de·ben·ture [dɪˈbentʃə*] *s.* obbligazione.
debit [ˈdebɪt] *s.* debito ♦ *v.tr.* addebitare.
de·bon·air [ˌdebəˈneə*] *agg.* disinvolto.
deb·ris [ˈdeɪbri: *amer.* dəˈbri:] *s.* macerie.
debt [det] *s.* debito.
debtor [ˈ·ə*] *s.* debitore.
dec·ade [ˈdekeɪd] *s.* decennio.
deca·logue [ˈdekəlɒg *amer.* ˈdekəlɔ:g] *s.* decalogo.
de·cant [dɪˈkænt] *v.tr.* travasare (vino, liquore).
de·canter [·ˈ·ə*] *s.* caraffa.
de·cay [dɪˈkeɪ] *s.* **1** rovina, declino **2** carie ♦ *v.intr.* **1** decadere, declinare **2** marcire; cariarsi (di denti).
de·ceased [dɪˈsi:st] *agg., s.* defunto.
de·ceit [dɪˈsi:t] *s.* **1** falsità **2** inganno.
de·ceit·ful [·ˈ·fʊl] *agg.* ingannevole; disonesto.
de·ceive [dɪˈsi:v] *v.tr.* ingannare.
De·cem·ber [dɪˈsembə*] *s.* dicembre.
de·cency [ˈdi:snsɪ] *s.* decenza.
de·cent [ˈdi:snt] *agg.* **1** decente; rispettabile **2** adeguato; discreto.
de·cen·tral·iza·tion [di:ˌsentrəlaɪˈzeɪʃn *amer.* di:ˌsentrəlɪˈzeɪʃn] *s.* decentramento.
de·cep·tion [dɪˈsepʃn] *s.* inganno.
de·cept·ive [dɪˈseptɪv] *agg.* ingannevole, illusorio.
de·cide [dɪˈsaɪd] *v.tr., v.intr.* decidere, decidersi.
de·cided [·ˈ·ɪd] *agg.* **1** deciso **2** incontestabile; netto.
decimal [ˈdesɪml] *agg., s.* decimale.
decima·tion [ˌdesɪˈmeɪʃn] *s.* decimazione.
de·cision [dɪˈsɪʒn] *s.* decisione.
deck [dek] *s.* ponte, coperta.
deck·chair [ˈdektʃeə*] *s.* sedia a sdraio.

deck (out) *v.tr.* ornare, adornare.
de·claim [dɪ'kleɪm] *v.tr., intr.* declamare.
de·clam·at·ory [dɪ'klæmətərɪ *amer.* dɪ'klæmətɔ:rɪ] *agg.* declamatorio.
de·clara·tion [,deklə'reɪʃn] *s.* dichiarazione.
de·clare [dɪ'kleə*] *v.tr.* dichiarare.
decline [dɪ'klaɪn] *v.tr., intr.* **1** rifiutare **2** declinare, calare **3** (*gramm.*) declinare ♦ *s.* declino.
dé·col·leté [deɪ'kɒlteɪ *amer.* deɪkɒl'teɪ] *agg.* scollato (d'abito femminile).
de·com·pose [,di:kəm'pəʊz] *v.tr., intr.* decomporre, decomporsi.
de·com·posi·tion [,di:kɒmpə'zɪʃn] *s.* decomposizione.
dé·cor ['deɪkɔ:* *amer.* deɪ'kɔ:*] *s.* arredo.
dec·or·ate ['dekəreɪt] *v.tr.* **1** decorare **2** tappezzare.
dec·ora·tion [,·'·ʃn] *s.* decorazione.
dec·or·ator ['···ə*] *s.* **1** decoratore **2** *interior* –, arredatore.
de·corum [dɪ'kɔ:rəm] *s.* decoro.
de·coy [di:'kɔɪ] *s.* esca ♦ *v.tr.* adescare.
decrease [dɪ'kri:s] *v.tr., intr.* diminuire ♦ *s.* diminuzione.
de·cree [dɪ'kri:] *s.* decreto; sentenza.
ded·ic·ated ['dedɪkeɪtɪd] *agg.* dedito, impegnato.
ded·ica·tion [,dedɪ'keɪʃn] *s.* **1** dedizione **2** dedica (su libro ecc.).
de·duct [dɪ'dʌkt] *v.tr.* detrarre.
de·duc·tion [·'·ʃn] *s.* deduzione.
deed [di:d] *s.* azione, atto.
deep [di:p] *agg.* **1** profondo | *in – water*, in cattive acque **2** immerso **3** cupo, intenso ♦ *avv.* profondamente.
deepen ['di:pən] *v.tr., intr.* approfondire, approfondirsi.
deep freeze [,·'··] *s.* congelatore.
deep·ness ['·nɪs] *s.* profondità.
deep-rooted [·'ru:tɪd *attr.* '·,ru:tɪd] *agg.* radicato.
deep-seated [,·'si:tɪd *attr.* '·,si:tɪd] *agg.* (*fig.*) radicato.
deer [dɪə*] *s.* (*pl. invar.*) cervo.
deer·stalker ['dɪə,stɔ:kə*] *s.* berretto con paraorecchie.
de·face [dɪ'feɪs] *v.tr.* deturpare.
de·fault [dɪ'fɔ:lt] *s.* mancanza, difetto ♦ *v.intr.* venire meno agli obblighi.
de·feat [dɪ'fi:t] *s.* sconfitta ♦ *v.tr.* sconfiggere.
de·fect ['di:fekt] *s.* difetto ♦ *v.intr.* defezionare, disertare.
de·fec·tion [·'·ʃn] *s.* defezione.
de·fect·ive ['di:fektɪv] *agg.* difettoso.
de·fence [dɪ'fens] *s.* difesa.
de·fend [dɪ'fend] *v.tr.* difendere.
de·fend·ant [dɪ'fendənt] *agg., s.* imputato.
de·fer[1] [dɪ'fɜ*:] (*-rred*) *v.tr.* differire.
defer[2] *v.intr.* accondiscendere.
de·fer·ence ['defərəns] *s.* deferenza.
de·fi·ance [dɪ'faɪəns] *s.* sfida.
de·fi·ant [dɪ'faɪənt] *agg.* insolente.
de·fi·ciency [dɪ'fɪʃnsɪ] *s.* insufficienza.
de·fi·cit ['defɪsɪt] *s.* deficit.
def·in·ite ['defɪnɪt] *agg.* **1** definito **2** risoluto.
def·in·ite·ly ['···lɪ] *avv.* **1** certamente **2** in modo preciso.
def·ini·tion [,defɪ'nɪʃn] *s.* definizione.
de·flate [dɪ'fleɪt] *v.tr., intr.* sgonfiare, sgonfiarsi.
de·fla·tion [dɪ'fleɪʃn] *s.* deflazione.
de·flect·ion [dɪ'flekʃn] *s.* deviazione.
de·for·est [,di:'fɒrɪst *amer.*,di:'fɔ:rɪst] *v.tr.* diboscare.
de·forma·tion [,di:fɔ:'meɪʃn] *s.* deformazione.

de·form·ity [dɪ'fɔ:mɪtɪ] *s.* deformità.
de·frost [,di:'frɒst *amer.*,di:'frɔ:st] *v.tr.*, *intr.* scongelare, scongelarsi.
deft [deft] *agg.* abile, destro.
de·fuse [,di:'fju:z] *v.tr.* disinnescare.
defy [dɪ'faɪ] *v.tr.* **1** disobbedire a **2** resistere a.
de·gen·er·ate [dɪ'dʒenərət] *agg.*, *s.* degenerato ♦ *v.intr.* degenerare.
de·grade [dɪ'greɪd] *v.tr.* degradare.
de·gree [dɪ'gri:] *s.* **1** grado **2** laurea.
de·hyd·ra·tion [,di:haɪ'dreɪʃn] *s.* disidratazione.
deify ['di:ɪfaɪ] *v.tr.* deificare.
de·ity ['di:ɪtɪ] *s.* divinità.
de·jec·tion [dɪ'dʒekʃn] *s.* sconforto.
de·lay [dɪ'leɪ] *s.* **1** ritardo **2** dilazione ♦ *v.tr.* ritardare ♦ *v.intr.* indugiare.
del·eg·ate ['delɪgət] *s.* delegato.
del·ega·tion [,delɪ'geɪʃn] *s.* **1** delegazione **2** delega.
de·lete [dɪ'li:t] *v.tr.* cancellare.
de·lib·er·ate [dɪ'lɪbərət] *agg.* **1** deliberato **2** ponderato.
deliberate [dɪ'lɪbəreɪt] *v.tr.*, *intr.* ponderare, riflettere a fondo.
de·lib·era·tion [·,··'reɪʃn] *s.* ponderazione.
del·ic·acy ['delɪkəsɪ] *s.* **1** delicatezza **2** ghiottoneria.
de·li·ca·tes·sen [,delɪkə'tesn] *s.* negozio di gastronomia.
de·li·cious [dɪ'lɪʃəs] *agg.* delizioso.
de·light [dɪ'laɪt] *s.* piacere ♦ *v.tr.* deliziare ♦ *v.intr.* (*in*) dilettarsi (di).
de·lighted [·'·ɪd] *agg.* lieto.
de·lin·quent [dɪ'lɪŋkwənt] *agg.*, *s.* delinquente.
de·li·ri·ous [dɪ'lɪrɪəs] *agg.* delirante.
de·li·rium [dɪ'lɪrɪəm] *s.* delirio.
de·liver [dɪ'lɪvə*] *v.tr.* **1** consegnare, recapitare **2** (*med.*) far partorire **3** pronunciare (un discorso) ♦ *v.intr.* effettuare consegne.
de·liv·ery [dɪ'lɪvərɪ] *s.* **1** consegna | *general* –, (*amer.*) fermo posta **2** (*med.*) parto **3** esposizione (di discorso) **4** erogazione (di elettricità ecc.).
de·liv·ery·man [dɪ'lɪvərɪmən] (*-men*) *s.* fattorino.
de·lude [dɪ'lu:d] *v.tr.* ingannare.
de·luge ['delju:dʒ] *s.* diluvio.
de·lu·sion [dɪ'lu:ʒn] *s.* illusione.
delve [delv] *v.intr.* (*into*) frugare; fare ricerche.
dem·agogue ['deməgɒg] *s.* demagogo.
dem·agogy ['deməgɒgɪ] *s.* demagogia.
de·mand [dɪ'mɑ:nd] *v.tr.* **1** esigere **2** richiedere ♦ *s.* **1** (*for*) richiesta (di) **2** *pl.* esigenze.
de·mand·ing [·'·ɪŋ] *agg.* esigente.
de·mean [dɪ'mi:n] *v.tr.* umiliare.
de·men·tia [dɪ'menʃɪə] *s.* demenza.
dem·er·ara sugar [,demə'rɑ:rə'ʃʊgə*] *s.* zucchero bruno.
demi·john ['demɪdʒɒn] *s.* damigiana.
de·mil·it·ar·ize [,di:'mɪlɪtəraɪz] *v.tr.* smilitarizzare.
de·mo·bil·iza·tion ['di:,məʊbɪlaɪ'zeɪʃn *amer.* 'di:,məʊbɪlɪ'zeɪʃn] fam. **demob** *s.* (*mil.*) smobilitazione.
de·mo·bil·ize [di:'məʊbɪlaɪz] *v.tr.* (*mil.*) smobilitare.
demo·cracy [dɪ'mɒkrəsɪ] *s.* democrazia.
demo·crat ['deməkræt] *s.* democratico.
demo·cratic [,demə'krætɪk] *agg.* democratico.
demo·graphy [di:'mɒgrəfɪ] *s.* demografia.
de·mol·ish [dɪ'mɒlɪʃ] *v.tr.* demolire.
de·moli·tion [,demə'lɪʃn] *s.* demolizione.

de·mon [ˈdi:mən] *s.* demonio.
dem·on·strate [ˈdemənstreɪt] *v.tr.* dimostrare ♦ *v.intr.* fare una dimostrazione.
de·mon·stra·tion [ˌdemənˈstreɪʃn] *s.* dimostrazione.
de·mor·al·iza·tion [dɪˌmɒrəlaɪˈzeɪʃn *amer.* dɪˌmɔ:rəlɪˈzeɪʃn] *s.* demoralizzazione.
de·mor·al·ize [dɪˈmɒrəlaɪz *amer.* dɪˈmɔ:rəlaɪz] *v.tr.* demoralizzare.
de·mote [ˌdi:ˈməʊt] *v.tr.* **1** retrocedere **2** (*mil.*) degradare.
den [den] *s.* **1** tana **2** nascondiglio.
de·na·tion·al·ize [ˌdi:ˈnæʃənəlaɪz] *v.tr.* snazionalizzare.
de·nial [dɪˈnaɪəl] *s.* **1** diniego; smentita **2** rinnegamento.
Den·mark [ˈdenˈmɑ:k] *no.pr.* Danimarca.
de·nom·in·ate [dɪˈnɒmɪneɪt] *v.tr.* denominare.
de·nom·ina·tion [dɪˌnɒmɪˈneɪʃn] *s.* **1** denominazione **2** setta.
de·note [dɪˈnəʊt] *v.tr.* denotare.
de·nounce [dɪˈnaʊns] *v.tr.* denunciare.
dense [dens] *agg.* **1** denso, fitto **2** (*fam.*) ottuso, stupido.
dens·ity [ˈdensətɪ] *s.* densità.
dent [dent] *s.* ammaccatura ♦ *v.tr., intr.* ammaccare, ammaccarsi.
dental [ˈdentl] *agg., s.* dentale.
dent·ist [ˈdentɪst] *s.* dentista.
dent·istry [ˈdentɪstrɪ] *s.* odontoiatria.
den·tures [ˈdentʃəz] *s.pl.* dentiera.
de·nun·ci·ation [dɪˌnʌnsɪˈeɪʃn] *s.* denuncia; condanna.
deny [dɪˈnaɪ] *v.tr.* **1** negare; smentire **2** rinnegare.
de·odor·ant [di:ˈəʊdərənt] *agg., s.* deodorante.
de·part [dɪˈpɑ:t] *v.intr.* **1** partire **2** deviare da, scostarsi da.
de·part·ment [dɪˈpɑ:tmənt] *s.* **1** reparto **2** ministero, dipartimento.
department store [ˈ·...] *s.* grande magazzino.
de·par·ture [dɪˈpɑ:tʃə*] *s.* partenza.
de·pend [dɪˈpend] *v.intr.* (*on*) **1** dipendere (da) **2** contare, fare assegnamento (su).
de·pend·able [dɪˈpendəbl] *agg.* fidato, affidabile.
de·pend·ence [dɪˈpendəns] *s.* dipendenza.
de·pend·ent [dɪˈpendənt] *agg.* dipendente ♦ *s.* persona a carico.
de·pict [dɪˈpɪkt] *v.tr.* raffigurare.
de·pic·tion [dɪˈpɪkʃn] *s.* raffigurazione.
de·pil·ate [ˈdepɪleɪt] *v.tr.* depilare.
de·pil·at·ory [dɪpɪlətərɪ *amer.* dɪˈpɪlətɔ:rɪ] *agg., s.* depilatorio.
de·plete [dɪˈpli:t] *v.tr.* esaurire.
de·ple·tion [dɪˈpli:ʃn] *s.* esaurimento.
de·plore [dɪˈplɔ:*] *v.tr.* deplorare.
de·ploy [dɪˈplɔɪ] *v.tr.* (*mil.*) spiegare.
de·ploy·ment [·ˈ·mənt] *s.* spiegamento.
de·pol·lute [ˌdi:pəˈlu:t] *v.tr.* disinquinare.
de·popu·late [ˌdi:ˈpɒpjʊleɪt] *v.tr.* spopolare.
de·port [dɪˈpɔ:t] *v.tr.* deportare.
de·porta·tion [ˌdi:pɔ:ˈteɪʃn] *s.* deportazione.
de·pose [dɪˈpəʊz] *v.tr., intr.* deporre.
de·posit [dɪˈpɒzɪt] *s.* **1** deposito **2** acconto ♦ *v.tr.* **1** depositare.
de·pos·ition [ˌdepəˈzɪʃn] *s.* deposizione.
de·pos·itor [·ˈ··ə*] *s.* depositante.
de·pot [ˈdepəʊ *amer.* ˈdi:pəʊ] *s.* **1** deposito **2** rimessa (di autobus) **3**

(*amer.*) stazione ferroviaria, degli autobus.
de·praved [dɪ'preɪvd] *agg.* depravato.
de·prav·ity [dɪ'prævətɪ] *s.* depravazione.
de·pre·ci·ate [dɪ'pri:ʃɪeɪt] *v.tr., intr.* deprezzare, deprezzarsi.
de·pre·ci·ation [dɪ,pri:ʃɪ'eɪʃn] *s.* svalutazione; deprezzamento.
de·press [dɪ'pres] *v.tr.* **1** deprimere **2** schiacciare (tasto, pulsante).
de·pres·sion [·'·ʃn] *s.* depressione.
de·prive [dɪ'praɪv] *v.tr.* privare.
de·prived [·'·d] *agg.* indigente.
depth [depθ] *s.* profondità.
dep·uty ['depjʊtɪ] *s.* **1** sostituto **2** (*pol.*) deputato.
de·rail [dɪ'reɪl] *v.tr.* far deragliare.
de·ranged [dɪ'reɪndʒd] *agg.* (*di persona*) squilibrato.
de·reg·ula·tion [dɪ,regjʊ'leɪʃn] *s.* (*econ.*) deregolamentazione.
de·ri·sion [dɪ'rɪʒn] *s.* derisione.
de·ris·ory [dɪ'raɪsərɪ] *agg.* **1** irrisorio **2** derisorio.
de·riva·tion [,derɪ'veɪʃn] *s.* derivazione; origine.
de·rive [dɪ'raɪv] *v.tr., intr.* derivare.
der·ma·to·logist ['dɜ:mə'tɒlədʒɪst] *s.* dermatologo.
de·rog·at·ory [dɪ'rɒgətərɪ *amer.* dɪ'rɒg ətɔ:rɪ] *agg.* sprezzante; spregiativo.
derv [dɜ:v] *s.* gasolio (per autotrazione).
de·sal·in·ate [,di:'sælɪneɪt] *v.tr.* dissalare.
des·cend [dɪ'send] *v.tr., intr.* discendere.
des·cend·ant [dɪ'sendənt] *s.* discendente.
des·cent [dɪ'sent] *s.* **1** discesa **2** origine.
de·scribe [dɪ'skraɪb] *v.tr.* descrivere.
de·scrip·tion [dɪ'skrɪpʃn] *s.* descrizione.
des·ert ['dezət] *agg.* desertico ♦ *s.* deserto.
de·sert [dɪ'zɜ:t] *v.tr., intr.* (*mil.*) disertare.
de·serter [·'·ə*] *s.* disertore.
de·serts [dɪ'zɜ:ts] *s.pl.* meriti.
de·serve [dɪ'zɜ:v] *v.tr.* meritare.
de·sic·ca·tion [,desɪ'keɪʃn] *s.* essiccazione.
de·sign [dɪ'zaɪn] *v.tr.* progettare, ideare ♦ *s.* **1** piano, progetto **2** forma, modello **3** scopo.
de·signer [·'·ə*] *s.* **1** disegnatore **2** stilista **3** costumista.
de·sire [dɪ'zaɪə*] *s.* desiderio ♦ *v.tr.* desiderare.
desk [desk] *s.* **1** scrivania **2** banco.
des·ol·ate ['desələt] *agg.* desolato.
des·pair [dɪ'speə*] *s.* disperazione ♦ *v.intr.* disperare, disperarsi.
des·per·ate ['despərət] *agg.* disperato.
des·pera·tion [,despə'reɪʃn] *s.* disperazione.
des·pise [dɪ'spaɪz] *v.tr.* disprezzare.
des·pite [dɪ'spaɪt] *prep.* malgrado.
des·pond·ent [dɪ'spɒndənt] *agg.* scoraggiato.
des·pot ['despɒt] *s.* despota.
des·pot·ism ['despɒtɪzəm] *s.* dispotismo.
de·sta·bil·ize [di:'steɪbɪlaɪz] *v.tr.* destabilizzare.
des·tina·tion [,destɪ'neɪʃn] *s.* destinazione.
des·tined ['destɪnd] *agg.* destinato.
des·tiny ['destɪnɪ] *s.* destino.
des·troy [dɪ'strɔɪ] *v.tr.* distruggere.
des·troyer [dɪstrɔɪə*] *s.* distruttore.

de·struc·tion [dɪ'strʌkʃn] *s.* distruzione.

des·ul·tory ['desəltərɪ *amer.* 'desəltɔ:rɪ] *agg.* **1** fatto senza entusiasmo **2** irregolare.

de·tach [dɪ'tætʃ] *v.tr.* staccare.

de·tached [·'·t] *agg.* **1** isolato: – *house*, villetta unifamiliare **2** (*fig.*) distaccato.

de·tach·ment [·'·mənt] *s.* **1** distacco **2** (*mil.*) distaccamento.

de·tail ['di:teɪl *amer.* dɪ'teɪl] *s.* dettaglio ♦ *v.tr.* **1** dettagliare **2** (*mil.*) distaccare.

de·tain [dɪ'teɪn] *v.tr.* trattenere.

de·tainee [,di:teɪ'nɪ:] *s.* detenuto politico.

de·tect [dɪ'tekt] *v.tr.* **1** scoprire **2** percepire.

de·tec·tion [dɪ'tekʃn] *s.* scoperta.

de·tector [·'·ə*] *s.* rivelatore.

de·ten·tion [dɪ'tenʃn] *s.* detenzione.

de·ter·gent [dɪ'tɜ:dʒənt] *agg.*, *s.* detersivo.

de·teri·or·ate [dɪ'tɪərɪəreɪt] *v.intr.* deteriorarsi; peggiorare.

de·ter·mine [dɪ'tɜ:mɪn] *v.tr.*, *intr.* determinare; stabilire.

de·ter·mined [dɪ'tɜ:mɪnd] *agg.* determinato, risoluto.

de·ter·rent [dɪ'terənt] *agg.*, *s.* deterrente.

de·test [dɪ'test] *v.tr.* detestare.

det·on·ate ['detəneɪt] *v.tr.*, *intr.* (far) detonare.

det·on·ator ['detəneɪtə*] *s.* detonatore.

de·tour ['di:,tʊə* *amer.* dɪ'tʊə*] *s.* deviazione; (*fam.*) giro.

de·valu·ation [,di:væljʊ'eɪʃn] *s.* svalutazione.

de·value ['di:'vælju:] *v.tr.* **1** svalutare **2** sottovalutare.

dev·ast·ate ['devəsteɪt] *v.tr.* devastare.

de·velop [dɪ'veləp] *v.tr.*, *intr.* sviluppare, svilupparsi.

de·vel·oper [·'··ə*] *s.* **1** (*fot.*) sviluppatore **2** speculatore edilizio.

de·vel·op·ment [·'··mənt] *s.* sviluppo.

de·vi·ate ['di:vɪeɪt] *v.intr.* deviare.

de·vi·ation [,di:vɪ'eɪʃn] *s.* deviazione.

de·vice [dɪ'vaɪs] *s.* **1** mezzo, espediente **2** (*tecn.*) dispositivo.

devil ['devl] *s.* diavolo.

dev·il·ish ['devlɪʃ] *agg.* diabolico.

devil-may-care [,··'·] *agg.* strafottente.

de·vi·ous ['di:vjəs] *agg.* tortuoso.

de·void [dɪ'vɔɪd] *agg.* privo.

de·volu·tion [,di:və'lu:ʃn *amer.*, de və'lu:ʃn] *s.* **1** decentramento amministrativo **2** (*dir.*) devoluzione (di beni).

de·vote [dɪ'vəʊt] *v.tr.* dedicare.

de·voted [·'·ɪd] *agg.* affezionato.

de·votee [,devəʊ'ti:] *s.* **1** devoto **2** (*fam.*) appassionato.

de·vour [dɪ'vaʊə*] *v.tr.* divorare.

de·vout [dɪ'vaʊt] *agg.* devoto, pio.

dew [dju: *amer.* du:] *s.* rugiada.

dewy-eyed ['···] *agg.* **1** con gli occhi languidi **2** ingenuo; sprovveduto.

dex·ter·ity [dek'sterətɪ] *s.* destrezza.

dia·betes [,daɪə'bi:ti:z] *s.* diabete.

dia·gnose ['daɪəgnəʊz *amer.* 'daɪəgnəʊs] *v.tr.* diagnosticare.

dia·gnosis [,daɪəg'nəʊsɪs] (*-ses* [-si:z]) *s.* diagnosi.

di·ag·onal [daɪ'ægənl] *agg.*, *s.* diagonale.

dial ['daɪəl] *s.* **1** quadrante (di orologio) **2** disco combinatore ♦ *v.tr.*, *intr.* (*-lled*) fare il numero telefonico (di) | *dialling tone*, – *tone*, segnale di linea libera; *dialling code*, prefisso telefonico.

dia·lect ['daɪəlekt] *s.* dialetto.

dia·logue [ˈdaɪəlɒg] amer. **dia·log** [ˈdaɪəlɔ:g] *s.* dialogo.
dia·lysis [daɪˈælɪsɪs] (*-ses* [-si:z]) *s.* dialisi.
dia·meter [daɪˈæmɪtə*] *s.* diametro.
dia·mond [ˈdaɪəmənd] *s.* **1** diamante: *cut* –, brillante **2** losanga, rombo **3** *pl.* (*carte*) quadri **4** (*baseball*) diamante.
di·aper [ˈdaɪəpə*] *s.* (*amer.*) pannolino (per neonato).
dia·phan·ous [daɪˈæfənəs] *agg.* semitrasparente.
dia·phragm [ˈdaɪəfræm] *s.* diaframma.
dia·rrhoea [ˌdaɪəˈrɪə] amer. **diarrhea** *s.* (*med.*) diarrea.
di·ary [ˈdaɪərɪ] *s.* **1** agenda **2** diario.
dice [daɪs] *s.* **1** (*pl. invar.*) dado; (*gioco*) dadi **2** dadino, dado ♦ *v.tr.* tagliare a dadini ♦ *v.intr.* giocare a dadi.
dicey [ˈdaɪsɪ] *agg.* (*fam.*) rischioso.
dick [dɪk] *s.* (*sl. spreg.*) **1** stupido **2** pirla, cazzo.
dicky [ˈdɪkɪ] *agg.* (*fam.*) malandato.
dicky·bird [ˈdɪkɪbɜ:d] *s.* **1** (*linguaggio infantile*) uccellino **2** (*sl.*) niente.
dictate [dɪkˈteɪt *amer.* ˈdɪkteɪt] *v.tr.* dettare.
dic·ta·tion [dɪkˈteɪʃn] *s.* dettato.
dic·tator [dɪkˈteɪtə* *amer.* ˈdɪkteɪtə*] *s.* dittatore.
dic·tat·or·ship [dɪkˈteɪtəʃɪp] *s.* dittatura.
dic·tion [ˈdɪkʃn] *s.* dizione.
dic·tion·ary [ˈdɪkʃənrɪ *amer.* ˈdɪkʃənerɪ] *s.* dizionario, vocabolario.
did [dɪd] *pass.* di to *do.*
di·dactic [dɪˈdæktɪk *amer.* daɪˈdæktɪk] *agg.* didattico.
diddle [ˈdɪdl] *v.tr.* (*sl.*) truffare.
die[1] [daɪ] (*dies* [daɪz]) *s.* (*tecn.*) matrice, stampo.
die[2] *v.intr.* **1** morire: *to be dying for sthg.*, morire dalla voglia di qlco. **2** *to – away*, smorzarsi, spegnersi **3** *to – down*, affievolirsi **4** *to – out*, estinguersi, scomparire.
die-hard [ˈdaɪhɑ:d] *s.* conservatore, tradizionalista.
diesel [ˈdi:zl] *s.* **1** veicolo con motore diesel **2** – (*oil*), gasolio.
diet [ˈdaɪət] *s.* alimentazione; dieta ♦ *v.intr.* seguire una dieta.
di·et·et·ics [ˌdaɪəˈtetɪks] *s.* dietetica; dietologia.
di·eti·cian [ˌdaɪəˈtɪʃn] *s.* dietologo.
dif·fer [ˈdɪfə*] *v.intr.* **1** differire **2** non essere d'accordo.
dif·fer·ence [ˈdɪfrəns] *s.* **1** differenza **2** divergenza.
dif·fer·ent [ˈdɪfrənt] *agg.* differente, diverso.
dif·fer·en·tial [ˌdɪfəˈrenʃl] *agg.*, *s.* differenziale.
dif·fer·en·ti·ate [ˌdɪfəˈrenʃɪeɪt] *v.tr.*, *intr.* differenziare, differenziarsi.
dif·fi·cult [ˈdɪfɪkəlt] *agg.* difficile.
dif·fi·culty [ˈdɪfɪkəltɪ] *s.* difficoltà.
dif·fid·ent [ˈdɪfɪdənt] *agg.* timido, insicuro.
dif·fuse [dɪˈfju:s] *agg.* **1** diffuso **2** vago, indefinito.
diffuse [dɪˈfju:z] *v.tr.*, *intr.* diffondere, diffondersi.
dif·fusion [dɪˈfju:ʒn] *s.* diffusione.
dig* [dɪg] *v.tr.*, *intr.* **1** scavare | *to – up*, riportare alla luce **2** conficcare, conficcarsi **3** *to – out*, estrarre; scovare ♦ *s.* **1** scavo archeologico **2** (*fam.*) frecciata **3** *pl.* (*fam.*) camera in affitto.
di·gest[1] [ˈdaɪdʒest] *s.* sommario.
digest[2] [dɪˈdʒest] *v.tr.* digerire.
di·ges·tion [dɪˈdʒestʃən] *s.* digestione.

di·gest·ive [dɪ'dʒestɪv] *agg.* digestivo.
dig·ger ['dɪgə*] *s.* scavatrice.
di·git ['dɪdʒɪt] *s.* **1** cifra **2** dito.
di·gital ['dɪdʒɪtl] *agg.* digitale.
dig·ni·fied ['dɪgnɪfaɪd] *agg.* dignitoso.
dig·nify ['dɪgnɪfaɪ] *v.tr.* nobilitare.
dig·nity ['dɪgnətɪ] *s.* dignità.
di·gres·sion [daɪ'greʃn] *s.* digressione.
dike [daɪk] *s.* **1** argine **2** fosso, canale.
di·late [daɪ'leɪt] *v.tr., intr.* dilatare, dilatarsi.
di·lemma [dɪ'lemə] *s.* dilemma.
di·li·gence[1] ['dɪlɪdʒəns] *s.* diligenza, cura.
diligence[2] ['dɪlɪʒɑ:ns] *s.* (*vettura*) diligenza.
di·li·gent ['dɪlɪdʒənt] *agg.* diligente.
dilly·dally ['dɪlɪdælɪ] *v.intr.* (*fam.*) tentennare, gingillarsi.
dilute [daɪ'lju:t] *v.tr.* diluire.
dim [dɪm] *agg.* **1** pallido; debole **2** indistinto **3** (*fam.*) ottuso ♦ *v.tr., intr.* (*-mmed*) offuscare, offuscarsi.
di·men·sion [dɪ'menʃn] *s.* dimensione.
di·min·ish [dɪ'mɪnɪʃ] *v.tr., intr.* diminuire.
dimple ['dɪmpl] *s.* fossetta (nelle guance o nel mento).
din [dɪn] *s.* baccano, strepito.
dine [daɪn] *v.intr.* pranzare.
diner ['daɪnə*] *s.* **1** commensale **2** (*amer.*) ristorante economico; tavola calda.
ding·dong [ˌdɪŋ'dɒŋ] *s.* **1** scampanio **2** (*fam.*) discussione violenta.
dinghy ['dɪŋgɪ] *s.* barchetta a vela, a remi.
dingy ['dɪndʒɪ] *agg.* squallido.
dining car ['··,·] *s.* vagone ristorante.
din·ner ['dɪnə*] *s.* pranzo.
dinner jacket ['··,·] *s.* (giacca da) smoking.
dinner party ['··,··] *s.* cena con invitati.
di·no·saur ['daɪnəʊsɔ:*] *s.* dinosauro.
dint [dɪnt] *s.*: *by – of*, a forza di.
dio·cese ['daɪəsɪs] *s.* diocesi.
dip [dɪp] (*-pped* [dɪpt]) *v.tr., intr.* **1** immergere, immergersi **2** abbassare, abbassarsi ♦ *s.* **1** bagno; nuotata | *a – into a book*, (*fam.*) un'occhiata a un libro **2** avvallamento **3** flessione.
diph·theria [dɪf'θɪərɪə] *s.* difterite.
dip·loma [dɪ'pləʊmə] *s.* diploma.
dip·lo·macy [·'··sɪ] *s.* diplomazia.
dip·lo·mat ['dɪpləmæt] *s.* diplomatico.
dip·lo·matic [ˌdɪplə'mætɪk] *agg.* diplomatico.
dire ['daɪə*] *agg.* disastroso: *in – straits*, in grande difficoltà.
dir·ect [dɪ'rekt] *agg.* diretto ♦ *avv.* direttamente ♦ *v.tr.* **1** dirigere, rivolgere **2** indirizzare.
dir·ec·tion [dɪ'rekʃn] *s.* **1** direzione **2** regia **3** (*pl.*) istruzione.
dir·ect·ness [·'·nɪs] *s.* franchezza.
dir·ector [·'·ə*] *s.* **1** direttore | *managing –*, amministratore delegato **2** regista.
dir·ect·ory [dɪ'rektərɪ] *s.* annuario, guida.
dirge [dɜ:dʒ] *s.* lamento funebre.
dirt [dɜ:t] *s.* **1** sporcizia **2** terra.
dirty ['dɜ:tɪ] *agg.* sporco; osceno: *– word*, parolaccia ♦ *v.tr.* sporcare.
dis·ab·il·ity [ˌdɪsə'bɪlətɪ] *s.* invalidità; menomazione.
dis·abled [·'·d] *agg.* disabile | *the –*, gli handicappati.
dis·ad·vant·age [ˌdɪsəd'vɑ:ntɪdʒ *amer.* ˌdɪsəd'væntɪdʒ] *s.* svantaggio.
dis·af·fec·ted [ˌdɪsə'fektɪd] *agg.* scontento, insoddisfatto.

dis·ag·ree [ˌdɪsəˈgriː] *v.intr.* **1** essere in disaccordo **2** non essere adatto.
dis·ag·ree·able [ˌdɪsəˈgrɪəbl] *agg.* sgradevole, antipatico.
dis·ag·ree·ment [ˌ··ˈ·mənt] *s.* **1** disaccordo **2** discordanza.
dis·ap·pear [ˌdɪsəˈpɪə*] *v.intr.* scomparire.
dis·ap·point [ˌdɪsəˈpɔɪnt] *v.tr.* deludere.
dis·ap·pointed [··ˈ·ɪd] *agg.* deluso.
dis·ap·point·ment [ˌ··ˈ·mənt] *s.* delusione; disappunto.
dis·ap·proval [ˌdɪsəˈpruːvəl] *s.* disapprovazione.
dis·ap·prove [ˈdɪsəˈpruːv] *v.intr.* (*of*) disapprovare (qlcu., qlco.).
dis·arma·ment [dɪsˈɑːməmənt] *s.* disarmo.
dis·arm·ing [·ˈ·ɪŋ] *agg.* disarmante.
dis·ar·ray [ˌdɪsəˈreɪ] *s.* disordine, scompiglio.
dis·as·ter [dɪˈzɑːstə* *amer.* dɪˈzæstə*] *s.* disastro.
dis·band [dɪsˈbænd] *v.tr.*, *intr.* disperdere, disperdersi.
disc [dɪsk] *s.* disco.
dis·card [ˈdɪskɑːd] *s.* scarto (di carte da gioco).
dis·cern [dɪˈsɜːn] *v.tr.* distinguere, scorgere.
dis·cern·ment [·ˈ·mənt] *s.* discernimento.
dis·charge [dɪsˈtʃɑːdʒ] *v.tr.* **1** rilasciare; dimettere; scarcerare; (*mil.*) congedare **2** pagare (un debito) **3** scaricare ♦ *s.* **1** scarico **2** (*elettr.*) scarica **3** (*med.*) emissione **4** congedo.
dis·ciple [dɪˈsaipl] *s.* discepolo.
dis·cip·line [ˈdɪsɪplɪn] *s.* disciplina.
dis·claim [dɪsˈkleɪm] *v.tr.* non riconoscere.
dis·close [dɪsˈkləʊz] *v.tr.* svelare.
disco [ˈdɪskəʊ] (*-os*) *s.* (*fam.*) discoteca.
dis·col·our [dɪsˈkʌlə*] *v.tr.*, *intr.* scolorire, scolorirsi.
dis·com·fort [dɪsˈkʌmfət] *s.* disagio.
dis·con·cert [ˌdɪskənˈsɜːt] *v.tr.* sconcertare.
dis·con·nect [ˈdɪskəˈnekt] *v.tr.* scollegare; disinserire.
dis·con·nected [ˈ··ˈ·ɪd] *agg.* **1** sconnesso **2** disinserito.
dis·con·tent [ˈdɪskənˈtent] *s.* scontento, malcontento.
dis·con·tinue [ˌdɪskənˈtɪnjuː] *v.tr.* cessare; interrompere.
dis·cord [ˈdɪskɔːd] *s.* discordia.
dis·cord·ant [dɪˈskɔːdənt] *agg.* discorde.
dis·co·theque [ˈdɪskəʊtek] *s.* discoteca.
dis·count [ˈdɪskaʊnt] *s.* sconto.
discount *v.tr.* **1** scontare **2** non dare credito a (notizia ecc.).
dis·cour·age [dɪˈskʌrɪdʒ] *v.tr.* scoraggiare.
dis·cour·tesy [dɪsˈkɜːtɪsɪ] *s.* scortesia.
dis·cover [dɪsˈkʌvə*] *v.tr.* scoprire.
dis·cov·erer [dɪˈskʌvərə*] *s.* scopritore.
dis·cov·ery [dɪˈskʌvərɪ] *s.* scoperta.
dis·credit [dɪsˈkredɪt] *s.* discredito.
dis·creet [dɪsˈkriːt] *agg.* discreto.
dis·cre·tion [dɪˈskreʃn] *s.* discrezione.
dis·crim·in·ate [dɪˈskrɪmɪneɪt] *v.tr.*, *intr.* discriminare.
dis·crim·ina·tion [dɪˌskrɪmɪˈneɪʃn] *s.* discriminazione.
dis·cus [ˈdɪskəs] *s.* (*sport*) disco | – *thrower*, discobolo.
dis·cuss [dɪˈskʌs] *v.tr.* discutere.
dis·cus·sion [dɪˈskʌʃn] *s.* discussione, dibattito.

dis·dain [dɪs'deɪn] *v.tr.* sdegnare ♦ *s.* sdegno.
dis·ease [dɪ'zi:z] *s.* malattia.
dis·em·bark [,dɪsɪm'bɑ:k] *v.tr.*, *intr.* sbarcare.
dis·en·chanted [dɪsɪn'tʃɑ:ntɪd *amer.* dɪsɪn'tʃæntɪd] *agg.* disincantato, disilluso.
dis·en·gage [,dɪsɪn'geɪdʒ] *v.tr.*, *intr.* liberare, disimpegnare, liberarsi.
dis·fig·ure [dɪs'fɪgə*] *v.tr.* deturpare.
dis·gorge [dɪs'gɔ:dʒ] *v.tr.* rigurgitare; riversare.
dis·grace [dɪs'greɪs] *s.* **1** disonore **2** disgrazia.
dis·guise [dɪs'gaɪz] *s.* travestimento ♦ *v.tr.* travestire.
dis·gust [dɪs'gʌst] *s.* disgusto ♦ *v.tr.* disgustare.
dish [dɪʃ] *s.* piatto; pietanza ♦ *v.tr.*: *to – out*, portare in tavola | *to – up*, servire (cibo).
dis·hearten [dɪs'hɑ:tn] *v.tr.* scoraggiare.
dish·ev·elled [dɪ'ʃevld] *agg.* scarmigliato; scompigliato.
dis·hon·est [dɪs'ɒnɪst] *agg.* disonesto, sleale.
dis·hon·our [dɪs'ɒnə*] amer. **dishonor** (*s.*) disonore.
dish·washer ['dɪʃ,wɒʃə*] *s.* lavapiatti, lavastoviglie.
dis·il·lu·sion [,dɪsɪ'lu:ʒn] *v.tr.* disingannare, disilludere.
dis·in·fect [,dɪsɪn'fekt] *v.tr.* disinfettare.
dis·in·fect·ant [,dɪsɪn'fektənt] *s.* disinfettante.
dis·in·herit ['dɪsɪn'herɪt] *v.tr.* diseredare.
dis·in·teg·rate [dɪs'ɪntɪgreɪt] *v.tr.*, *intr.* disintegrare, disintegrarsi.
dis·in·ter·es·ted·ness [dɪs'ɪntrəstɪdnɪs] *s.* disinteresse.
disk [dɪsk] *s.* disco.
disk·ette [dɪs'ket] *s.* (*inform.*) dischetto, floppy disc.
dislike [dɪs'laɪk] *v.tr.* non piacere, provare antipatia (per).
dis·loca·tion [,dɪsləʊ'keɪʃn] *s.* **1** slogatura, lussazione **2** (*fig.*) scompiglio.
dis·loyal [,dɪs'lɔɪəl] *agg.* sleale; infedele.
dis·mal ['dɪzməl] *agg.* tetro.
dis·mantle [dɪs'mæntl] *v.tr.* smantellare, smontare.
dis·may [dɪs'meɪ] *s.* sgomento ♦ *v.tr.* sgomentare, sbigottire.
dis·miss [dɪs'mɪs] *v.tr.* **1** congedare **2** scacciare.
dis·missal [dɪs'mɪsl] *s.* **1** congedo **2** rifiuto.
dis·mount [,dɪs'maʊnt] *v.intr.* smontare, scendere.
dis·obedi·ence [,dɪsə'bi:djəns] *s.* disubbidienza.
dis·obey [,dɪsə'beɪ] *v.tr.*, *intr.* disubbidire (a).
dis·order [dɪs'ɔ:də*] *s.* **1** disordine **2** disturbo.
dis·or·gan·ized [dɪs'ɔ:gənaɪzd] *agg.* disorganizzato.
dis·ori·ent·ate [dɪs'ɔ:rɪenteɪt] amer. **dis·ori·ent** [dɪs'ɔ:rɪent] *v.tr.* disorientare.
dis·own [dɪs'əʊn] *v.tr.* rinnegare, disconoscere.
dis·par·ity [dɪ'spærətɪ] *s.* disparità.
dis·pas·sion·ate [dɪ'spæʃnət] *agg.* spassionato.
dis·patch [dɪ'spætʃ] *s.* **1** spedizione **2** dispaccio ♦ *v.tr.* spedire.
dispatch case [·'··] *s.* valigia diplomatica.

dis·pense [dɪ'spens] *v.tr.* dispensare.
dis·perse [dɪ'spɜ:s] *v.tr., intr.* disperdere, disperdersi.
dis·per·sion [dɪ'spɜ:ʃn] *s.* dispersione.
dis·place [dɪs'pleɪs] *v.tr.* **1** spostare **2** soppiantare, sostituire.
dis·place·ment [-'·mənt] *s.* spostamento; rimozione; dislocamento.
dis·play [dɪ'spleɪ] *v.tr.* mostrare; esporre (merce) ♦ *s.* **1** mostra, esposizione **2** schermo; display.
dis·pos·able [dɪ'spəuzəbl] *agg.* a perdere, usa e getta.
dis·posal [dɪ'spəuzl] *s.* **1** disposizione **2** rimozione.
dis·pose [dɪ'spəuz] *v.tr.* **1** disporre **2** *to – of*, risolvere; disfarsi di.
dis·posi·tion [,dɪspə'zɪʃn] *s.* predisposizione, indole.
dis·pos·sess [,dɪspə'zes] *v.tr.* spogliare, spodestare.
dis·pos·ses·sion [,··'·ʃn] *s.* esproprio.
dis·pro·por·tion [,dɪsprə'pɔ:ʃn] *s.* sproporzione, disparità.
dis·qual·ify [dɪs'kwɒlɪfaɪ] *v.tr.* squalificare.
dis·reg·ard [,dɪsrɪ'gɑ:d] *v.tr.* ignorare.
dis·sat·is·fied [,dɪs'sætɪsfaɪd] *agg.* (*with*) insoddisfatto (di).
dis·sect [dɪs'sekt] *v.tr.* sezionare, dissezionare.
dis·sem·in·ate [dɪ'semɪneɪt] *v.tr.* diffondere, divulgare.
dis·sent [dɪ'sent] *v.intr.* dissentire ♦ *s.* dissenso.
dis·sid·ent ['dɪsɪdənt] *agg., s.* dissidente.
dis·sim·ilar [,dɪ'sɪmɪlə*] *agg.* dissimile, diverso.
dis·simu·late [dɪ'sɪmjuleɪt] *v.tr., intr.* dissimulare.
dis·so·ci·ate [dɪ'səuʃɪeɪt] *v.tr.* dissociare, separare.
dis·sol·ute ['dɪsəlu:t] *agg.* dissoluto.
dis·solve [dɪ'zɒlv] *v.tr., intr.* dissolvere, dissolversi.
dis·suade [dɪ'sweɪd] *v.tr.* dissuadere.
dis·tance ['dɪstəns] *s.* distanza; distacco.
dis·tant ['dɪstənt] *agg.* distante.
dis·taste·ful [dɪs'teɪstfʊl] *agg.* repellente, disgustoso.
dis·til [dɪ'stɪl] amer. **distill** (*-lled* [ld]) *v.tr.* distillare.
dis·til·lery [dɪ'stɪlərɪ] *s.* distilleria.
dis·tinct [dɪ'stɪŋkt] *agg.* **1** distinto **2** netto, chiaro.
dis·tinc·tion [-'·ʃn] *s.* **1** distinzione **2** onorificenza.
dis·tin·guish [dɪ'stɪŋgwɪʃ] *v.tr., intr.* distinguere.
dis·tract [dɪ'strækt] *v.tr.* distrarre.
dis·tress [dɪ'stres] *s.* **1** angoscia **2** dolore **3** miseria **4** pericolo ♦ *v.tr.* angosciare.
distress *v.tr.* **1** angosciare, affliggere; preoccupare | *distressed area*, zona depressa **2** (*dir.*) ritenere, trattenere in garanzia.
dis·tressed [-'·t] *agg.* **1** angosciato **2** sofferente |– *area*, zona depressa.
dis·trib·ute [dɪ'strɪbju:t] *v.tr.* distribuire; ripartire.
dis·tri·bu·tion [,dɪstrɪ'bju:ʃn] *s.* distribuzione.
dis·trib·utor [dɪ'strɪbju:tə*] *s.* **1** distributore **2** spinterogeno.
dis·trict ['dɪstrɪkt] *s.* **1** distretto; circoscrizione: – *attorney,* (*amer.*) procuratore distrettuale **2** zona; regione.
dis·trust [dɪs'trʌst] *v.tr.* diffidare di.
dis·trust·ful [dɪs'trʌstfʊl] *agg.* diffidente, sospettoso.

dis·turb [dɪ'stɜ:b] *v.tr.* **1** disturbare **2** turbare.
dis·turb·ance [dɪ'stɜ:bəns] *s.* **1** disturbo **2** disordini, tumulto.
dis·use [,dɪs'ju:s] *s.* disuso.
dis·used [,·'·zd] *agg.* in disuso.
ditch [dɪtʃ] *s.* fosso, fossato ♦ *v.tr.* (*fam.*) abbandonare.
di·ur·etic [,daɪjuə'retɪk] *agg.*, *s.* diuretico.
dive* [daɪv] *v.intr.* **1** tuffarsi; precipitarsi **2** immergersi; (*aer.*) lanciarsi in picchiata ♦ *s.* **1** tuffo **2** immersione **3** (*aer.*) picchiata.
diver ['·ə*] *s.* tuffatore; palombaro.
di·verge [daɪ'vɜ:dʒ] *v.intr.* divergere.
di·ver·sify [daɪ'vɜ:sɪfaɪ] *v.tr.*, *intr.* diversificare, diversificarsi.
di·ver·sion [daɪ'vɜ:ʃn *amer.* daɪ'vɜ:ʒn] *s.* **1** deviazione **2** diversivo.
di·vers·ity [daɪ'vɜ:sɪtɪ] *s.* diversità.
di·vert [daɪ'vɜ:t] *v.tr.* **1** deviare **2** (*fig.*) sviare; distrarre.
di·vide [dɪ'vaɪd] *v.tr.*, *intr.* dividere, dividersi.
di·vi·dend ['dɪvɪdend] *s.* dividendo.
di·viders [dɪ'vaɪdəz] *s.pl.* compasso a punte fisse.
di·vine [dɪ'vaɪn] *agg.* divino.
di·viner [·'·ə*] *s.*: (*water*) –, rabdomante.
div·ing·board ['daɪvɪŋ,bɔ:d] *s.* trampolino.
diving suit ['···] *s.* scafandro.
di·vin·ity [dɪ'vɪnətɪ] *s.* **1** divinità, dio **2** teologia.
di·vi·sion [dɪ'vɪʒn] *s.* divisione.
di·vorce [dɪ'vɔ:s] *s.* divorzio ♦ *v.tr.*, *intr.* divorziare.
di·vor·cee [dɪ,vɔ:'sɪ:] *s.* divorziato.
diz·zi·ness ['dɪzɪnɪs] *s.* vertigine.
dizzy ['dɪzɪ] *agg.* **1** vertiginoso **2** stordito.
do [du: (*ff*), dʊ, də, d (*fd*)] *v. ausiliare*: *what – you want?*, che cosa vuoi?; *he does not like it*, non gli piace; *he answered better than I did*, ha risposto meglio di me ♦ *v.tr.* **1** fare **2** (*fam.*) sistemare (per le feste) **3** ingannare **4** *to – in*, (*fam.*) uccidere **5** *to – up*, rinnovare; allacciare ♦ *v.intr.* **1** fare, agire | *how do you –?*, (*form.*) lieto di conoscerla **2** andare bene; bastare **3** *to – away with*, abolire **4** *to – with*, (*fam.*) aver bisogno di.
do·cile ['dəʊsaɪl *amer.* 'dɒsl] *agg.* docile.
dock [dɒk] *s.* bacino; *pl.* zona portuale.
docker ['·ə*] *s.* scaricatore.
dock·yard ['·jɑ:d] *s.* cantiere, arsenale.
doc·tor ['dɒktə*] *s.* dottore ♦ *v.tr.* **1** curare **2** castrare **3** adulterare.
doc·trine ['dɒktrɪn] *s.* dottrina.
docu·ment ['dɒkjʊment] *s.* documento ♦ *v.tr.* documentare.
docu·ment·ary [,dɒkjʊ'mentərɪ] *agg.*, *s.* documentario.
dod·der·ing ['dɒdərɪŋ] **dod·dery** ['dɒdərɪ] *agg.* (*fam.*) barcollante.
dod·dle ['dɒdl] *s.* (*fam.*) lavoro facile.
dodge [dɒdʒ] *v.tr.* scansare, evitare ♦ *v.intr.* scansarsi ♦ *s.* **1** stratagemma **2** balzo, scarto.
dodgems ['dɒdʒəmz] *s.pl.* autoscontro.
dog [dɒg *amer.* dɔ:g] *s.* cane ♦ (*-gged*) *v.tr.* **1** pedinare **2** perseguitare.
dog days ['·deɪz] *s.pl.* giorni di canicola.
dog-eared ['·,ɪəd] *agg.* con le orecchie (di foglio, libro ecc.).
dog·ged ['·ɪd] *agg.* ostinato.

dog-tired [,ˈtaɪəd] *agg.* (*fam.*) stanco morto.
do·ing [ˈdu:ɪŋ] *s.* **1** azione, opera **2** *pl.* occupazioni, attività.
do-it-yourself [,du:ɪtjɔ:ˈself] *s.* fai da te, bricolage.
dole [dəʊl] *s.* (*fam.*) sussidio di disoccupazione: *on the –*, disoccupato.
dole·ful [ˈdəʊlfʊl] *agg.* triste.
doll [dɒl] *s.* bambola ♦ *v.tr.*: *to – up*, (*fam.*) agghindare.
dol·lar [ˈdɒlə*] *s.* dollaro.
dol·phin [ˈdɒlfɪn] *s.* delfino.
dome [dəʊm] *s.* cupola, volta.
domed [·d] *agg.* a cupola.
do·mestic [dəʊˈmestɪk] *agg.* **1** domestico **2** nazionale ♦ *s.* domestico.
do·mest·ic·ate [dəʊˈmestɪkeɪt] *v.tr.* addomesticare.
domi·cile [ˈdɒmɪsaɪl] *s.* (*dir.*) domicilio.
dom·in·ance [ˈdɒmɪnəns] *s.* predominio, predominanza.
dom·in·ant [ˈdɒmɪnənt] *agg.* dominante.
dom·in·ate [ˈdɒmɪneɪt] *v.tr.*, *intr.* dominare.
dom·in·eer·ing [,dɒmɪˈnɪərɪŋ] *agg.* prepotente, autoritario.
do·min·ion [dəˈmɪnjən] *s.* **1** dominio **2** dominion.
don [dɒn] *s.* docente universitario.
do·nate [dəʊˈneɪt *amer.* ˈdəʊneɪt] *v.tr.* donare.
done [dʌn] *p.p.* di to *do* ♦ *agg.* **1** fatto, finito **2** giusto **3** cotto.
don·key [ˈdɒŋkɪ] *s.* asino.
donkey jacket [ˈ·· ,·] *s.* giaccone pesante.
don·key·work [ˈdɒŋkɪwɜ:k] *s.* sgobbata.
donor [ˈdəʊnə*] *s.* donatore.
doodle [ˈdu:dl] *v.intr.* scarabocchiare.
doom [du:m] *s.* destino (funesto).
doomed [·d] *agg.* destinato, votato.
Dooms·day [ˈdu:mzdeɪ] *s.* il giorno del Giudizio Universale.
door [dɔ:*] *s.* **1** porta, uscio | *out of doors*, all'aperto **2** portiera.
door·bell [ˈdɔ:bel] *s.* campanello (della porta).
door·keeper [ˈdɔ:,ki:pə*] *s.* portiere.
door·knocker [ˈdɔ:,nɒkə*] *s.* battente, battiporta.
door·man [ˈdɔ:mæn] (*-men*) *s.* portiere.
door·mat [ˈdɔ:mæt] *s.* zerbino.
door·way [ˈdɔ:weɪ] *s.* vano della porta; entrata.
dope [dəʊp] *s.* (*fam.*) **1** stupefacente **2** informazione segreta **3** stupido.
dop(e)y [ˈdəʊpɪ] *agg.* (*fam.*) inebetito (da narcotici, alcolici ecc.).
dorm·ant [ˈdɔ:mənt] *agg.* **1** in letargo; inattivo **2** (*fig.*) latente.
dormer (window) [ˈ·· (ˈ··)] *s.* finestra dell'abbaino.
dorm·it·ory [ˈdɔ:mɪtrɪ *amer.* ˈdɔ:mɪtɔ:rɪ] *s.* dormitorio.
dor·mouse [ˈdɔ:maʊs] (dor·mice [ˈdɔ:maɪs]) *s.* ghiro.
dor·sal [ˈdɔ:sl] *agg.* dorsale.
dose [dəʊs] *s.* dose.
dosser [ˈdɒsə*] *s.* (*fam.*) vagabondo, senzatetto.
doss·house [ˈdɒshaʊs] *s.* (*fam.*) dormitorio pubblico.
dot [dɒt] *s.* puntino: *dots*, puntini puntini | *on the –*, puntuale.
dot·age [ˈdəʊtɪdʒ] *s.* rimbambimento.
dote on [ˈdəʊt,ɒn] *v.intr.* amare ciecamente.
dotty [ˈdɒtɪ] *agg.* (*fam.*) tocco, rimbambito.

double [ˈdʌbl] *agg.* doppio ♦ *s.* **1** doppio **2** sosia; controfigura ♦ *avv.* doppio; in due ♦ *v.tr.* **1** raddoppiare **2** piegare in due **3** (*cinem.*) doppiare ♦ *v.intr.* raddoppiare.
double-barrelled [ˈ·,bærəld] *agg.* **1** a due canne **2** (*fam.*) doppio.
double bass [,·· ˈ·] *s.* contrabbasso.
double-breasted [,·ˈbrestɪd] *agg.* a doppio petto.
double-cross [,··ˈ·] *v.tr.* ingannare.
double-dealing [,··ˈ··] *s.* doppiezza.
double-decker [,··ˈdekə*] *s.* **1** autobus a due piani **2** biplano.
double-dutch [,··ˈ·] *s.* (*fam.*) linguaggio incomprensibile.
double-edged [,··ˈedʒed] *agg.* a doppio taglio.
double-jointed [,··ˈdʒɔɪntɪd] *agg.* snodato.
doubles [ˈdʌblz] *s.* (*sport*) doppio.
double take [,·· ˈ·] *s.* reazione a scoppio ritardato.
doubly [ˈdʌblɪ] *avv.* doppiamente.
doubt [daʊt] *s.* dubbio ♦ *v.tr.*, *intr.* dubitare (di).
doubt·ful [ˈdaʊtfʊl] *agg.* incerto, dubbio.
doubt·less [ˈ·lɪs] *avv.* senza dubbio.
dough [dəʊ] *s.* **1** impasto; pasta **2** (*sl.*) grana.
dough·nut [ˈdəʊnʌt] *s.* ciambella.
dove [dʌv] *s.* colomba.
dove·cot [ˈdʌvkɒt] **dove·cote** [ˈdʌv kəʊt] *s.* colombaia.
dowdy [ˈdaʊdɪ] *agg.* sciatto ♦ *s.* sciattona.
down[1] [daʊn] *s.* colline.
down[2] *s.* **1** piumino, piume **2** lanugine, peluria.
down[3] *avv.* giù, in giù; in basso ♦ *prep.* giù per, lungo ♦ *agg.* **1** verso il basso | – *with...!*, abbasso...! **2** depresso **3** in contanti ♦ *s.* rovescio (di fortuna) ♦ *v.tr.* (*fam.*) buttare giù.
down-and-out [,··ˈ·] *s.* barbone.
down-at-heel [,··ˈ·] *agg.* scalcagnato, scalcinato.
down·cast [ˈdaʊnkɑ:st *amer.* ˈdaʊn kæst] *agg.* **1** scoraggiato **2** (*di sguardo*) abbassato.
down·fall [ˈdaʊnfɔ:l] *s.* caduta; rovina.
down·hearted [,daʊnˈhɑ:tɪd] *agg.* depresso.
down·hill [,daʊnˈhɪl] *agg.*, *avv.* in discesa | – *skiing*, discesa libera.
down·pour [ˈdaʊnpɔ:*] *s.* acquazzone.
down·right [ˈdaʊnraɪt] *agg.* vero e proprio, completo ♦ *avv.* completamente.
down·stairs [ˈdaʊnˈsteəz] *avv.* al piano inferiore, giù ♦ *agg.* di sotto, da basso ♦ *s.* pianterreno.
down·stream [,daʊnˈstri:m] *avv.* seguendo la corrente; a valle.
down·town [,daʊnˈtaʊn] *avv.* (*spec. amer.*) in centro ♦ *agg.* del centro ♦ *s.* centro (di una città).
down·trodden [ˈdaʊn,trɒdn] *agg.* oppresso.
down·ward [ˈdaʊnwəd] *agg.* discendente; verso il basso.
down·ward(s) [ˈdaʊnwəd(z)] *avv.* in giù, verso il basso.
downy [ˈdaʊnɪ] *agg.* lanuginoso.
dowry [ˈdaʊərɪ] *s.* dote.
dowser [ˈdaʊzə*] *s.* rabdomante.
doze [dəʊz] *v.intr.* sonnecchiare | *to – off*, assopirsi ♦ *s.* sonnellino.
dozen [ˈdʌzn] *s.* dozzina.
drab [dræb] *agg.* scialbo; squallido.
draft [drɑ:ft *amer.* dræft] *s.* **1** bozza, abbozzo **2** (*econ.*) tratta **3** (*mil.*

amer.) coscrizione, leva **4** (*amer.*) → *draught* ♦ *v.tr.* **1** abbozzare **2** (*mil.*) distaccare; (*amer.*) arruolare.
drag [dræg] (*-gged*) *v.tr.* **1** trascinare **2** dragare ♦ *v.intr.* trascinarsi ♦ *s.* **1** trascinamento **2** (*fam.*) travestimento (da donna) | *a man in –*, un travestito **3** (*fam.*) noia.
drag-net [ˈdrægnet] *s.* rete a strascico.
dragon [ˈdrægən] *s.* **1** drago **2** (*fam.*) (*di donna*) caporale.
dragon·fly [ˈdrægənflaɪ] *s.* libellula.
drain [dreɪn] *v.tr.* **1** drenare **2** scolare **3** (*fig.*) esaurire **4** svuotare ♦ *v.intr.* defluire; scolare ♦ *s.* scarico, canale di scolo: *the drains*, le fogne.
drain·age [ˈdreɪnɪdʒ] *s.* drenaggio.
draining board [ˈ···] *s.* scolapiatti.
drain·pipe [ˈdreɪnpaɪp] *s.* canale di scolo.
drake [dreɪk] *s.* maschio dell'anatra.
dram [dræm] *s.* (*fam.*) bicchierino, goccio (di liquore).
drama [ˈdrɑːmə] *s.* dramma; arte drammatica.
dra·matic [drəˈmætɪk] *agg.* drammatico.
dram·at·ist [ˈdræmətɪst] *s.* drammaturgo.
drank [dræŋk] *pass.* di to *drink*.
drape [dreɪp] *s.* drappeggio.
draper [ˈdreɪpə*] *s.* (*brit.*) negoziante di tessuti.
dras·tic [ˈdræstɪk] *agg.* drastico.
draught [drɑːft *amer.* dræft] *s.* **1** sorso **2** corrente d'aria; spiffero **3** *beer on –*, *– beer*, birra alla spina **5** *– animals*, animali da tiro.
draught·board [ˈdrɑːftbɔːd] *s.* scacchiera.
draughts [drɑːfts] *s.pl.* (gioco della) dama.
draughts·man [ˈdrɑːftsmən] (*-men*) *s.* **1** disegnatore **2** grafico.
draw* [drɔː] *v.tr.* **1** tirare; attirare **2** estrarre **3** disegnare; tracciare | *to – the line*, porre un limite **4** ritirare (denaro) **5** *to – up*, redigere ♦ *v.intr.* **1** muoversi **2** (*sport*) pareggiare **3** disegnare **4** *to – in*, accorciarsi (di giorno) ♦ *s.* **1** strattone **2** estrazione (di lotteria) **3** (*fig.*) attrazione **4** (*sport*) pareggio.
draw·back [ˈdrɔːbæk] *s.* inconveniente.
draw·bridge [ˈdrɔːbrɪdʒ] *s.* ponte levatoio.
drawer [drɔːə* *nel sign. 2* drɔː*] *s.* **1** disegnatore **2** cassetto.
draw·ing [ˈdrɔːɪŋ] *s.* disegno.
drawing pin [ˈ·· ˈ·] *s.* puntina (da disegno).
drawing room [ˈ·· ˈ·] *s.* salotto.
drawl [drɔːl] *v.intr.*, *tr.* strascicare la voce, le parole.
drawn [drɔːn] *p.p.* di to *draw* ♦ *agg.* **1** tirato **2** (*sport*) pari.
dread [dred] *s.* timore ♦ *v.tr.* temere, aver paura di.
dread·ful [ˈ·fʊl] *agg.* terribile.
dream* [driːm] *v.tr.*, *intr.* sognare, sognarsi | *to – up*, escogitare ♦ *s.* sogno ♦ *agg.* (*fam.*) di sogno, favoloso.
dreamer [ˈ·ə*] *s.* sognatore.
dream·ily [ˈdriːmɪlɪ] *avv.* con aria assente.
dream·like [ˈdriːmlaɪk] *agg.* irreale.
dreamt [dremt] *pass.*, *p.p.* di to *dream*.
dreamy [ˈdriːmɪ] *agg.* **1** sognante, sognatore **2** (*fam.*) di sogno, fantastico.
dreari·ness [ˈdrɪərɪnɪs] *s.* monotonia; desolazione.
dreary [ˈdrɪərɪ] *agg.* monotono.
dredger [dredʒə*] *s.* draga.

dregs [dregz] *s.pl.* scorie; feccia.
drench [drentʃ] *v.tr.* inzuppare.
dress [dres] *s.* **1** vestito **2** abbigliamento ♦ *v.tr.* **1** vestire: *dressed in white*, vestito di bianco **2** decorare **3** medicare **4** guarnire (un piatto); condire ♦ *v.intr.* vestirsi.
dress circle [,ˈ·] *s.* (*teatr.*) prima galleria.
dresser [ˈdresə*] *s.* **1** credenza **2** (*amer.*) cassettone **3** costumista.
dress·ing [ˈ·ɪŋ] *s.* **1** il vestirsi **2** medicazione **3** condimento **4** allestimento.
dressing-down [ˈ··,·] *s.* sgridata, rimprovero.
dressing gown [ˈ·· ˈ·] *s.* vestaglia.
dressing room [ˈ·· ˈ·] *s.* spogliatoio; camerino.
dressing table [ˈ·· ˈ·] *s.* toeletta.
dress·maker [ˈdres,meɪkə*] *s.* sarta.
dress rehearsal [ˈ· ·ˈ··] *s.* prova generale.
drew [druː] *pass.* di to *draw*.
dribble [ˈdrɪbl] *v.intr., tr.* **1** (far) gocciolare **2** sbavare **3** (*sport*) dribblare ♦ *s.* **1** (filo di) bava **2** gocciolio, sbavatura.
drift [drɪft] *v.intr.* **1** andare alla deriva **2** accumularsi ♦ *s.* **1** moto, flusso **2** deriva **3** cumulo.
drifter [ˈ·ə*] *s.* sbandato, vagabondo.
drill [drɪl] *s.* **1** trapano **2** esercitazione ♦ *v.tr., intr.* **1** trapanare, fare perforazioni **2** esercitare, esercitarsi.
drink* [drɪŋk] *v.tr., intr.* bere ♦ *s.* **1** bibita, bevanda | *long* –, bibita leggermente alcolica **2** sorso.
drink·able [ˈdrɪŋkəbl] *agg.* potabile.
drip [drɪp] (*-pped* [-t]) *v.tr., intr.* gocciolare ♦ *s.* **1** gocciolio **2** goccia.
drive* [draɪv] *v.tr.* **1** guidare **2** condurre **3** *to – at*, voler dire ♦ *v.intr.* **1** guidare; andare in auto **2** spingersi ♦ *s.* **1** viaggio, gita (in auto) **2** viale d'accesso **3** impulso **4** (*pol.*) campagna **5** (*sport*) lancio **6** (*mecc.*) trasmissione.
driven [ˈdrɪvn] *p.p.* di to *drive*.
driver [ˈ·ə*] *s.* conducente, autista.
drive·way [ˈdraɪv,weɪ] *s.* passo carraio.
driv·ing [ˈ·ɪŋ] *s.* guida: – *licence*, patente di guida.
drizzle [ˈdrɪzl] *v.intr.* piovigginare.
drom·ed·ary [ˈdrɒmədərɪ *amer.* ˈdrɒm ədərɪ] *s.* dromedario.
drone [drəʊn] *v.intr.* ronzare.
drool [druːl] *v.intr.* sbavare.
droop [druːp] *v.intr.* **1** ricadere; afflosciarsi **2** (*fig.*) abbattersi.
drop [drɒp] (*-pped* [-pt]) *v.tr., intr.* **1** (far) cadere **2** diminuire, calare **3** abbassare (occhi, voce) **4** *to – by, in*, (*fam.*) fare una visita inaspettata **5** *to – off*, addormentarsi **6** *to – out*, abbandonare; ritirarsi ♦ *s.* **1** goccia **2** *pl.* pastiglie **3** discesa, caduta **4** salto.
drop·out [ˈdrɒpaʊt] *s.* emarginato.
drop·per [ˈdrɒpə*] *s.* contagocce.
drop·pings [ˈdrɒpɪŋz] *s.pl.* escrementi.
drought [draʊt] *s.* siccità.
drove[1] [drəʊv] *s.* **1** gregge, mandria **2** folla.
drove[2] *pass. di* to *drive*.
drown [draʊn] *v.tr., intr.* annegare.
drowse [draʊz] *v.intr.* sonnecchiare.
drudge [drʌdʒ] *v.intr.* sgobbare.
drug [drʌg] (*-gged*) *v.tr.* drogare ♦ *s.* **1** farmaco **2** droga; (*fig.*) ossessione.
drug·gist [ˈdrʌgɪst] *s.* (*amer.*) farmacista.
drum [drʌm] (*-mmed*) *v.intr.* **1** suonare il tamburo **2** tamburellare **3** *to – in-*

to, inculcare **4** *to – out*, espellere ♦ *s.* **1** tamburo; *pl.* batteria **2** bidone, cilindro.
drum·mer [ˈdrʌmə*] *s.* batterista.
drum·stick [ˈdrʌmstɪk] *s.* **1** bacchetta di tamburo **2** coscia di pollo.
drunk [drʌŋk] *p.p.* di to *drink* ♦ *agg.*, *s.* ubriaco | *blind –*, ubriaco fradicio.
drunk·ard [ˈdrʌŋkəd] *s.* (*spreg.*) ubriacone.
drunken [ˈdrʌŋkən] *agg.* ubriaco.
dry [draɪ] *agg.* **1** secco, arido **2** monotono **3** caustico ♦ *v.tr.*, *intr.* seccare, seccarsi; (*out*) asciugare, asciugarsi.
dry-clean [ˌ·ˈ·] *v.tr.* lavare a secco.
dry-cleaner('s) [ˌdraɪˈkli:nə*(z)] *s.* tintoria (negozio).
dryer [ˈdraɪə*] *s.* **1** asciugabiancheria **2** asciugacapelli.
dual [ˈdju:əl] *agg.* doppio, duplice.
dub[1] [dʌb] (*-bbed*) *v.tr.* soprannominare, ribattezzare.
dub[2] *v.tr.* (*cinem.*) doppiare.
du·bi·ous [ˈdju:bjəs] *agg.* **1** dubbioso, incerto **2** dubbio.
Dub·lin [ˈdʌblɪn] *no.pr.* Dublino.
duck [dʌk] *s.* anatra | *ducks and drakes*, rimbalzello.
duck *v.tr.*, *intr.* **1** tuffare, tuffarsi **2** abbassare, abbassarsi.
duck·ling [ˈdʌklɪŋ] *s.* anatroccolo.
duct·ile [ˈdʌktaɪl *amer.* ˈdʌktɪl] *agg.* duttile.
dud [dʌd] *s.* cosa da poco; bidone ♦ *agg.* falso.
due [dju: *amer.* du:] *agg.* **1** dovuto **2** *– to*, a causa di ♦ *s.* **1** il dovuto, il giusto **2** *pl.* diritti; tassa.
duel [ˈdju:əl *amer.* ˈdu:əl] (*-lled*) *v.intr.* duellare ♦ *s.* duello.
duffel coat [ˈdʌflkəʊt] *s.* (*abbigl.*) montgomery.
dug [dʌg] *pass.*, *p.p.* di to *dig*.
duke [dju:k *amer.* du:k] *s.* duca.
duke·dom [ˈdju:kdəm] *s.* ducato (il territorio).
dull [dʌl] *agg.* **1** lento (di persona) **2** sordo **3** (*comm.*) fiacco **4** monotono **5** opaco ♦ *v.tr.* **1** intorpidire (i sensi) **2** alleviare (un dolore) ♦ *v.intr.* offuscarsi.
dumb [dʌm] *agg.* **1** muto **2** (*fam.*) stupido.
dumb·found [dʌmˈfaʊnd] *v.tr.* sbalordire, far ammutolire.
dumb·struck [ˈdʌmstrʌk] *agg.* ammutolito, senza parole.
dummy [ˈdʌmɪ] *s.* **1** manichino **2** modellino **3** (*fam.*) scemo **4** (*fam.*) ciuccio (per bambini).
dump [dʌmp] *v.tr.* **1** scaricare **2** liberarsi di ♦ *s.* **1** (*mil.*) deposito **2** discarica **3** *pl.* (*fam.*) umore nero.
dumpy [ˈdʌmpɪ] *agg.* tarchiato.
dunce [dʌns] *s.* (*fam.*) somaro, asino.
dune [dju:n *amer.* du:n] *s.* duna.
dung [dʌŋ] *s.* sterco; letame.
dun·geon [ˈdʌndʒən] *s.* cella, prigione sotterranea.
dunk [dʌŋk] *v.tr.* intingere.
dupe [dju:p *amer.* du:p] *s.* sempliciotto.
du·plic·ate [ˈdju:plɪkət *amer.* ˈdu:plɪkət] *agg.* doppio ♦ *s.* duplicato.
dur·able [ˈdjʊərəbl] *agg.* resistente, duraturo.
dur·ing [ˈdjʊərɪŋ] *prep.* durante, nel corso di.
dusk [dʌsk] *s.* crepuscolo.
dusky [ˈdʌskɪ] *agg.* **1** oscuro; tetro **2** bruno (di carnagione).
dust [dʌst] *s.* polvere ♦ *v.tr.* (*down*) spolverare.

dust·bin [ˈdʌstbɪn] *s.* bidone (della spazzatura).
dust·man [ˈdʌstmən] (*-men*) *s.* spazzino.
dust·pan [ˈdʌstpæn] *s.* paletta per la spazzatura.
Dutch [dʌtʃ] *agg.*, *s.* olandese | *to go –*, fare alla romana.
du·ti·ful [ˈdju:tɪfʊl] *agg.* rispettoso.
duty [ˈdju:tɪ *amer.* ˈdu:tɪ] *s.* **1** dovere | *to be on, off –*, essere, non essere di servizio **2** dazio; tassa.
duty-free [ˌ··ˈ·] *agg.* esente da dazio.
dwarf [dwɔ:f] (*-ves* [-vz]) *agg.*, *s.* nano.
dwell* [dwel] *v.intr.* abitare | *to – up(on)*, rimuginare (qlco.).
dweller [ˈ·ə*] *s.* abitante.
dwelt [dwelt] *pass.*, *p.p.* di to *dwell.*
dye [daɪ] *s.* tintura; colorante.
dyer [ˈdaɪə*] *s.* tintore.
dy·namic [daɪˈnæmɪk] *agg.* dinamico.
dy·nam·ite [ˈdaɪnəmaɪt] *s.* dinamite.
dyn·asty [ˈdɪnəstɪ *amer.* ˈdaɪnəstɪ] *s.* dinastia.

E

E [i:] *s.* (*mus.*) mi.
each [i:tʃ] *agg.* ogni, ciascuno ♦ *pron.* ognuno, ciascuno | *– other*, l'un l'altro.
eager [ˈi:gə*] *agg.* entusiasta; desideroso.
eagle [ˈi:gl] *s.* aquila.
ear[1] [ɪə*] *s.* orecchio.
ear[2] *s.* spiga (di grano ecc.).
ear·ache [ˈɪəreɪk] *s.* mal d'orecchi.
ear·drum [ˈɪədrʌm] *s.* timpano.
earl [ɜ:l] *s.* conte.
early [ˈɜ:lɪ] *agg.* **1** della prima parte; iniziale: *in the – morning*, di buon mattino **2** prematuro | *an – spring*, primavera precoce **3** remoto, antico ♦ *avv.* **1** presto, di buon'ora | *ten minutes too –*, dieci d'anticipo **2** al principio.
ear·mark [ˈ·mɑ:k] *v.tr.* destinare, stanziare ♦ *s.* caratteristica.
ear·muff [ˈ·mʌf] *s.* paraorecchie.
earn [ɜ:n] *v.tr.* guadagnare (denaro); guadagnarsi (elogi ecc.).
earn·est [ˈɜ:nɪst] *agg.* serio; sincero | *in –*, sul serio.
earn·ing [ˈ·ɪŋ] *s.* **1** *pl.* guadagni, utile; entrate **2** salario, stipendio.
ear·phones [ˈɪəfəʊns] *s.pl.* cuffia.
ear·plug [ˈɪəplʌg] *s.* tappo per le orecchie.
ear·ring [ˈɪərɪŋ] *s.* orecchino.
ear·shot [ˈɪəʃɒt] *s.*: *within –*, a portata di voce.
earth [ɜ:θ] *s.* **1** terra **2** tana (di volpe) ♦ *v.tr.* (*elettr.*) mettere a terra.
earthen [ˈɜ:θn] *agg.* di terra; di terracotta.
earth·en·ware [ˈɜ:θnweə*] *s.* terrecotte; terraglie.
earthly [ˈɜ:θlɪ] *agg.* terrestre | *for no – reason*, per nessuna ragione al mondo.
earth·quake [ˈɜ:θkweɪk] *s.* terremoto.
earthy [ˈɜ:θɪ] *agg.* **1** terroso **2** (*fam.*) grossolano.
ear·wig [ˈɪəwɪg] *s.* (*zool.*) forbicina.
ease [i:z] *s.* **1** benessere, agio **2** facilità ♦ *v.tr.* **1** alleviare; allentare **2** muovere gradualmente ♦ *v.intr.*: *to – (off)*, attenuarsi; allentarsi.
easel [ˈi:zl] *s.* cavalletto.
east [i:st] *agg.* orientale ♦ *s.* est; oriente ♦ *avv.* ad est, verso est.
Easter [ˈi:stə*] *s.* Pasqua.
east·ern [ˈi:stən] *agg.* orientale.

east·ward(s) [ˈ·wəd(z)] *avv.* verso est.
easy [ˈ·ɪ] *agg.* **1** facile **2** comodo; tranquillo | *go – on it*, vacci piano | *take it –!*, non prendertela!, calma!
easy·going [ˈ·ˈgəʊɪŋ] *agg.* tollerante, accomodante.
eat* [i:t] *v.tr.*, *intr.* **1** mangiare **2** *to – away*, *into*, corrodere.
eat·able [ˈ·əbl] *agg.* commestibile.
eaten [ˈi:tn] *p.p.* di to *eat*.
eaves [i:vz] *s.pl.* cornicione.
eaves·drop [ˈi:vzdrɒp] (*-pped* [-pt]) *v.intr.* origliare.
ebb [eb] *s.* riflusso (della marea) ♦ *v. intr.* **1** rifluire (della marea) **2** (*fig.*) declinare.
eb·ony [ˈebənɪ] *s.* ebano.
ebul·li·ent [ɪˈbʌljənt] *agg.* esuberante.
ec·cent·ric [ɪkˈsentrɪk] *agg.*, *s.* eccentrico.
ec·cle·si·ast·ical [ɪ,kli:zɪˈæstɪkl] *agg.* ecclesiastico.
ech·elon [ˈeʃəlɒn] *s.* scaglione.
echo [ˈekəʊ] (*-oes*) *s.* eco ♦ *v.intr.* echeggiare ♦ *v.tr.* far eco a.
ec·lectic [ekˈlektɪk] *agg.*, *s.* eclettico.
ec·lipse [ɪˈklɪps] *s.* eclissi ♦ *v.tr.* eclissare.
eco·logy [i:ˈkɒlədʒɪ] *s.* ecologia.
eco·nomic [,i:kəˈnɒmɪk] *agg.* economico.
eco·nom·ical [,i:kəˈnɒmɪkl] *agg.* economo, parsimonioso.
eco·nom·ics [,i:kəˈnɒmɪks] *s.* economia.
eco·nom·ist [ɪˈkɒnəmɪst] *s.* economista.
eco·nom·ize [ɪˈkɒnəmaɪz] *v.intr.* economizzare, fare economia.
eco·nomy [ɪˈkɒnəmɪ] *s.* economia.
ec·stasy [ˈekstəsɪ] *s.* estasi.
ec·static [ɪkˈstætɪk] *agg.* estatico.
ecu·men·ical [,i:kju:ˈmenɪkl] *agg.* ecumenico.
eddy [ˈedɪ] *s.* vortice, mulinello.
edge [edʒ] *s.* bordo, orlo, margine; filo (di lama) | *to be on –*, avere i nervi a fior di pelle ♦ *v.tr.* **1** bordare, orlare **2** *to – one's way*, farsi strada lentamente.
edge·ways [ˈ·weɪz] *avv.* di fianco.
edgy [ˈedʒɪ] *agg.* (*fam.*) nervoso.
ed·ible [ˈedɪbl] *agg.* commestibile, mangereccio.
Ed·in·burgh [ˈedɪnbərə] *no.pr.* Edimburgo.
edit [ˈedɪt] *v.tr.* **1** curare la pubblicazione di | *edited by*, a cura di | *to – a newspaper*, dirigere un giornale **2** (*cinem.*) montare.
edi·tion [ɪˈdɪʃn] *s.* edizione.
ed·itor [ˈ··ə*] *s.* **1** curatore (di testo); redattore (di articoli, libri): *– in chief*, redattore capo; direttore (di giornale) **2** (*cinem.*) tecnico del montaggio.
ed·it·or·ial [,edɪˈtɔ:rɪəl] *agg.* editoriale ♦ *s.* articolo di fondo.
edu·cate [ˈedju:keɪt] *v.tr.* **1** istruire, mandare a scuola **2** educare, affinare.
edu·ca·tion [,edju:ˈkeɪʃn] *s.* **1** istruzione; cultura **2** insegnamento.
edu·ca·tional [,edju:ˈkeɪʃənl] *agg.* istruttivo; didattico.
eel [i:l] *s.* anguilla.
eerie [ˈɪərɪ] *agg.* inquietante.
ef·face [ɪˈfeɪs] *v.tr.* cancellare.
ef·fect [ɪˈfekt] *s.* **1** effetto | *to take –*, entrare in vigore **2** *pl.* effetti personali, beni ♦ *v.tr.* effettuare.
ef·fect·ive [ˈ·ɪv] *agg.* **1** efficace **2** di effetto **3** effettivo **4** in vigore.
ef·fem·in·ate [ɪˈfemɪnət] *agg.* effeminato.

ef·fer·ves·cent [ˌefəˈvesnt] *agg.* effervescente.
ef·fete [ɪˈfiːt] *agg.* fiacco, debole.
ef·fi·ci·ent [ɪˈfɪʃənt] *agg.* efficiente.
ef·fort [ˈefət] *s.* **1** sforzo **2** (*fam.*) tentativo.
ef·fort·less [ˈefətlɪs] *agg.* che non richiede sforzi, facile.
ef·front·ery [ɪˈfrʌntərɪ] *s.* sfrontatezza, sfacciataggine.
ef·fus·ive [ɪˈfjuːsɪv] *agg.* espansivo.
egg [eg] *s.* uovo ♦ *v.tr.*: *to – on,* istigare.
egg·head [ˈeghed] *s.* (*fam.*) intellettuale, testa d'uovo.
egg·plant [ˈegplɑːnt] *s.* (*spec. amer.*) melanzana.
egg·shell [ˈegʃel] *s.* guscio d'uovo.
ego·cent·ric [ˌegəʊˈsentrɪk] *agg.* egocentrico.
ego·ism [ˈegəʊɪzəm] *s.* egoismo.
ego·ist [ˈegəʊɪst] *s.* egoista.
Egyp·tian [ɪˈdʒɪpʃn] *agg., s.* egiziano.
eh [ei] *inter.* eh!, che cosa?
ei·der·down [ˈaɪdədaʊn] *s.* piumone (da letto).
eight [eɪt] *agg., s.* otto.
eight·een [ˌeɪˈtiːn] *agg., s.* diciotto.
eighth [eɪtθ] *agg., s.* ottavo.
eighty [ˈeɪtɪ] *agg., s.* ottanta.
Eire [ˈeərə] *no.pr.* Repubblica d'Irlanda.
ei·ther [ˈaɪðə* *amer.* ˈiːðə*] *agg., pron.* l'uno o l'altro (fra due); l'uno e l'altro ♦ *avv.*: *not ... –,* neanche ♦ *cong.*: *– ... or,* (o)... o; né...né.
ejacu·late [ɪˈdʒækjʊleɪt] *v.tr., intr.* **1** eiaculare **2** esclamare.
eject [ɪˈdʒekt] *v.tr.* **1** emettere **2** buttare fuori, espellere.
eke [iːk] *v.tr.*: *to – out,* far bastare; arrotondare.
elab·or·ate [ɪˈlæbərət] *agg.* elaborato; minuzioso ♦ *v.tr., intr.* elaborare.
elapse [ɪˈlæps] *v.intr.* trascorrere.
elastic [ɪˈlæstɪk] *agg., s.*: *– (band),* elastico.
elated [ɪˈleɪtɪd] *agg.* euforico.
el·bow [ˈelbəʊ] *s.* gomito.
elder[1] [ˈeldə*] *agg., s.* maggiore.
elder[2] *s.* (*bot.*) sambuco.
eld·erly [ˈeldəlɪ] *agg.* anziano.
eld·est [ˈeldɪst] *agg., s.* maggiore, primogenito.
elect [ɪˈlekt] *v.tr.* **1** eleggere **2** decidere ♦ *agg.* eletto, designato.
elec·tion [ɪˈlekʃn] *s.* elezione.
elector [·ə*] *s.* elettore.
elect·oral [·ərəl] *agg.* elettorale.
elect·or·ate [·ərət] *s.* elettorato.
elec·tric(al) [ɪˈlektrɪk(l)] *agg.* elettrico.
elec·tri·cian [ˌɪlekˈtrɪʃn] *s.* elettricista | *car –,* elettrauto.
elec·tri·city [ˌɪlekˈtrɪsɪtɪ] *s.* elettricità.
elec·trify [ɪˈlektrɪfaɪ] *v.tr.* elettrificare; elettrizzare.
electro- [ɪˈlektrəʊ] *pref.* elettro-.
elec·tro·cute [·ˈ·kjuːt] *v.tr.* fulminare.
elec·tronic [ˌɪlekˈtrɒnɪk] *agg.* elettronico.
elec·tron·ics [ˌ·ˈ·s] *s.* elettronica.
el·eg·ance [ˈelɪgəns] *s.* eleganza.
el·eg·ant [ˈelɪgənt] *agg.* elegante.
ele·ment [ˈelɪmənt] *s.* elemento; fattore.
ele·ment·ary [ˌ··ˈ·ərɪ] *agg.* elementare.
ele·phant [ˈelɪfənt] *s.* elefante.
el·ev·ate [ˈelɪveɪt] *v.tr.* elevare.
el·eva·tion [ˌelɪˈveɪʃn] *s.* **1** elevazione **2** altitudine.
el·ev·ator [ˈelɪveɪtə*] *s.* (*amer.*) ascensore.
el·even [ɪˈlevn] *agg., s.* undici.

eli·cit [ɪ'lɪsɪt] *v.tr.* tirar fuori.
eli·gible ['elɪdʒəbl] *agg.* **1** idoneo **2** desiderabile.
elim·in·ate [ɪ'lɪmɪneɪt] *v.tr.* eliminare.
elim·ina·tion [ɪ,lɪmɪ'neɪʃn] *s.* eliminazione.
elm [elm] *s.* olmo.
elocu·tion [,elə'kju:ʃn] *s.* dizione.
elong·ate ['i:lɒŋgeɪt *amer.* ɪ'lɔ:ŋgeɪt] *v.tr., intr.* allungare, allungarsi.
elope·ment [ɪ'ləʊpmənt] *s.* fuga (d'amore).
elo·quence ['eləkwəns] *s.* eloquenza.
elo·quent ['eləkwənt] *agg.* eloquente.
else [els] *agg., avv.* altro | *or* –, altrimenti.
else·where [,els'weə*] *avv.* altrove.
elu·cid·ate [ɪ'lu:sɪdeɪt] *v.tr.* delucidare.
elude [ɪ'lu:d] *v.tr.* eludere.
ema·ci·ated [ɪ'meɪʃɪeɪtɪd] *agg.* emaciato.
em·an·ate ['eməneɪt] *v.intr.* emanare.
eman·cipa·tion [ɪ,mænsɪ'peɪʃn] *s.* emancipazione.
em·balm [ɪm'bɑ:m] *v.tr.* imbalsamare.
em·bank·ment [ɪm'bæŋkmənt] *s.* terrapieno; argine.
em·bark [ɪm'bɑ:k] *v.intr.* imbarcarsi.
em·barka·tion [,embɑ:'keɪʃn] *s.* imbarco.
em·bar·rass [ɪm'bærəs] *v.tr.* imbarazzare.
em·bar·rass·ment ['··mənt] *s.* imbarazzo.
em·bassy ['embəsɪ] *s.* ambasciata.
em·bed [ɪm'bed] (*-dded*) *v.tr.* incastrare; fissare.
em·bel·lish [ɪm'belɪʃ] *v.tr.* abbellire.
em·ber ['embə*] *s.* (*spec. pl.*) brace.
em·bezzle [ɪm'bezl] *v.tr.* appropriarsi indebitamente di.
em·bez·zle·ment ['··mənt] *s.* appropriazione indebita.
em·bit·ter [ɪm'bɪtə*] *v.tr.* amareggiare.
em·blem ['embləm] *s.* emblema.
em·bol·ism ['embəlɪzəm] *s.* (*med.*) embolia.
em·boss [ɪm'bɒs] *v.tr.* stampare in rilievo; lavorare a sbalzo.
embrace [ɪm'breɪs] *v.tr., intr.* abbracciare, abbracciarsi ♦ *s.* abbraccio.
em·broider [ɪm'brɔɪdə*] *v.tr.* ricamare.
em·broid·ery [ɪm'brɔɪdərɪ] *s.* ricamo.
em·broil [ɪm'brɔɪl] *v.tr.* coinvolgere, immischiare.
em·bryo ['embrɪəʊ] (*-os*) *s.* embrione.
em·bry·onic [,embrɪ'ɒnɪk] *agg.* embrionale.
emend [i:'mend] *v.tr.* emendare.
em·er·ald ['emərəld] *s.* smeraldo.
emerge [ɪ'mɜ:dʒ] *v.intr.* emergere.
emer·gence [ɪ'mɜ:dʒəns] *s.* comparsa.
emer·gency [ɪ'mɜ:dʒənsɪ] *s.* emergenza | – (*ward*), pronto soccorso (di ospedale).
em·ery ['emərɪ] *s.* smeriglio | – *board*, limetta per unghie.
emig·rant ['emɪgrənt] *s.* emigrante.
emig·rate ['emɪgreɪt] *v.intr.* emigrare.
em·in·ent ['emɪnənt] *agg.* eminente.
emir [e'mɪə*] *s.* emiro.
emir·ate [e'mɪərət] *s.* emirato.
emis·sion [ɪ'mɪʃn] *s.* emissione.
emo·tion [ɪ'məʊʃn] *s.* emozione.
emo·tional [ɪ'məʊʃənl] *agg.* **1** emotivo **2** commovente.
emo·tive [ɪ'məʊtiv] *agg.* che desta forti emozioni.
em·pathy ['empəθɪ] *s.* empatia.
em·phasis ['emfəsɪs] (*-ses* [-sɪ:z]) *s.* enfasi.
em·phas·ize ['emfəsaɪz] *v.tr.* enfatizzare; mettere in evidenza.
em·phatic [ɪm'fætɪk] *agg.* enfatico.

em·pire [ˈempaɪə*] *s.* impero.
em·ploy [ɪmˈplɔɪ] *v.tr.* impiegare.
em·ployee [ˌemplɔɪˈiː] *s.* impiegato.
em·ployer [-ˈ-ə*] *s.* datore di lavoro; (*fam.*) principale.
em·ploy·ment [-ˈ-mənt] *s.* impiego.
em·power [ɪmˈpaʊə*] *v.tr.* autorizzare.
empty [ˈemptɪ] *agg.* vuoto ♦ *v.tr.*, *intr.* svuotare, svuotarsi ♦ *s.pl.* (*fam.*) i vuoti.
emu·late [ˈemjʊleɪt] *v.tr.* emulare.
emul·sion [ɪˈmʌlʃn] *s.* emulsione.
en·able [ɪˈneɪbl] *v.tr.* consentire a.
en·act [ɪˈnækt] *v.tr.* **1** decretare **2** recitare.
en·amel [ɪˈnæml] *s.* smalto ♦ (*-lled*) *v.tr.* smaltare.
en·am·oured [ɪˈnæməd] *agg.* innamorato.
en·case [ɪnˈkeɪs] *v.tr.* chiudere (in un astuccio).
en·chant [ɪnˈtʃɑːnt *amer.* ɪnˈtʃænt] *v.tr.* incantare, affascinare.
en·circle [ɪnˈsɜːkl] *v.tr.* circondare.
en·close [ɪnˈkləʊz] *v.tr.* **1** cingere, circondare **2** accludere, allegare.
en·clos·ure [ɪnˈkləʊʒə*] *s.* **1** recinto, luogo cintato **2** (*comm.*) allegato.
en·com·pass [ɪnˈkʌmpəs] *v.tr.* **1** includere **2** circondare.
en·core [ɒŋˈkɔː*] *inter.*, *s.* bis.
en·coun·ter [ɪnˈkaʊntə*] *v.tr.* imbattersi in ♦ *s.* incontro (casuale).
en·cour·age [ɪnˈkʌrɪdʒ] *v.tr.* incoraggiare.
en·cour·age·ment [ɪnˈkʌrɪdʒmənt] *s.* incoraggiamento.
en·croach [ɪnˈkrəʊtʃ] *v.intr.* (*upon*) abusare (di); usurpare.
en·cum·ber [ɪnˈkʌmbə*] *v.tr.* ingombrare, impacciare.
en·cyc·lical [enˈsɪklɪkl] *s.* (*eccl.*) enciclica.
end [end] *s.* fine | *to make (both) ends meet*, sbarcare il lunario | *three hours on –*, tre ore di fila ♦ *v.tr.*, *intr.* finire.
en·dan·ger [ɪnˈdeɪndʒə*] *v.tr.* mettere in pericolo.
en·dear·ing [ɪnˈdɪərɪŋ] *agg.* affettuoso.
en·deav·our [ɪnˈdevə*] amer. **en·deav·or** *v.intr.* cercare ♦ *s.* tentativo.
end·ing [ˈ-ɪŋ] *s.* fine, conclusione.
en·dive [ˈendɪv *amer.* ˈendaɪv] *s.* indivia.
en·dorse [ɪnˈdɔːs] *v.tr.* **1** appoggiare **2** girare (un assegno) **3** annotare un'infrazione su (patente).
en·dorse·ment [-ˈ-mənt] *s.* **1** appoggio **2** (*comm.*) girata **3** annotazione di un'infrazione (sulla patente).
en·dur·ance [ɪnˈdjʊərəns] *s.* resistenza; sopportazione.
en·dure [ɪnˈdjʊə*] *v.tr.* sopportare ♦ *v.intr.* durare.
en·emy [ˈenɪmɪ] *agg.*, *s.* nemico.
en·er·getic [ˌenəˈdʒetɪk] *agg.* energico.
en·ergy [ˈenədʒɪ] *s.* energia.
en·er·vate [ˈenɜːveɪt] *v.tr.* snervare.
en·force [ɪnˈfɔːs] *v.tr.* imporre.
en·gage [ɪnˈgeɪdʒ] *v.tr.* (*form.*) **1** assumere **2** impegnare **3** (*mecc.*) ingranare ♦ *v.intr.* (*form.*) impegnarsi.
en·gaged [-ˈ-d] *agg.* **1** fidanzato **2** occupato.
en·gage·ment [-ˈ-mənt] *s.* **1** (*form.*) impegno; appuntamento **2** fidanzamento.
en·ga·ging [-ˈ-ɪŋ] *agg.* affascinante.
en·gen·der [ɪnˈdʒendə*] *v.tr.* (*form.*) causare.
en·gine [ˈendʒɪn] *s.* **1** motore **2** (*ferr.*) locomotore | *– driver*, macchinista.

en·gin·eer [,en*d*ʒɪ'nɪə*] *s.* **1** ingegnere **2** tecnico ♦ *v.tr.* progettare.
en·gin·eer·ing [,en*d*ʒɪ'nɪərɪŋ] *s.* ingegneria.
Eng·land ['ɪŋglənd] *no.pr.* Inghilterra.
Eng·lish ['ɪŋglɪʃ] *agg., s.* inglese.
Eng·lish·man ['··mən] (*-men*) *s.* inglese.
en·grave [ɪn'greɪv] *v.tr.* incidere.
en·grav·ing [·'·ɪŋ] *s.* incisione.
en·grossed [ɪn'grəʊst] *agg.* assorto.
en·hance [ɪn'hɑ:ns *amer.* ɪn'hæns] *v.tr.* aumentare; migliorare.
en·igma [ɪ'nɪgmə] *s.* enigma.
en·ig·matic [,enɪg'mætɪk] *agg.* enigmatico.
en·joy [ɪn'dʒɔɪ] *v.tr.* godere di | *to – o.s.*, divertirsi.
en·joy·able [·'·əbl] *agg.* piacevole.
en·large [ɪn'lɑ:dʒ] *v.tr., intr.* ingrandire, ingrandirsi | *to – (up)on*, dilungarsi su.
en·large·ment [·'·mənt] *s.* ingrandimento.
en·lighten [ɪn'laɪtn] *v.tr.* illuminare, chiarire.
en·list [ɪn'lɪst] *v.tr.* **1** (*mil.*) arruolare **2** assicurarsi l'appoggio di ♦ *v. intr.* (*mil.*) arruolarsi.
en·liven [ɪn'laɪvn] *v.tr.* animare.
en·mity ['enmətɪ] *s.* ostilità.
enorm·ous [ɪ'nɔ:məs] *agg.* enorme.
enough [ɪ'nʌf] *agg., avv.* abbastanza ♦ *s.* il necessario | *that's –!*, adesso basta!
enquire e *deriv.* → *inquire* e *deriv.*
en·rage [ɪn'reɪdʒ] *v.tr.* rendere furioso.
en·rich [ɪn'rɪtʃ] *v.tr.* arricchire.
en·rol [ɪn'rəʊl] amer. **enroll** (*-lled*) *v.tr., intr.* iscrivere, iscriversi; arruolare, arruolarsi.
en·sconce [ɪn'skɒns] *v.tr.* sistemare comodamente.
en·semble [ɒn'sɒmbl] *s.* **1** insieme; complesso **2** (*abbigl.*) completo.
en·sign ['ensain] *s.* **1** insegna **2** (*amer.*) guardiamarina.
en·slave [ɪn'sleɪv] *v.tr.* ridurre in schiavitù.
en·sue [ɪn'sju:] *v.tr.* risultare.
en·sure [ɪn'ʃʊə*] *v.tr.* assicurare.
en·tail [ɪn'teɪl] *v.tr.* implicare.
en·tangle [ɪn'tæŋgl] *v.tr.* impigliare; invischiare.
en·ter ['entə*] *v.tr.* **1** entrare in **2** partecipare a **3** iscrivere ♦ *v.intr.* **1** entrare *my opinion doesn't – into it*, la mia opinione non c'entra. **2** iscriversi **3** iniziare: *to – into negotiations*, avviare negoziati.
en·ter·prise ['entəpraɪz] *s.* **1** impresa **2** iniziativa; intraprendenza **3** (*econ.*) azienda.
en·ter·pris·ing ['···ɪŋ] *agg.* intraprendente.
en·ter·tain [,entə'teɪn] *v.tr.* **1** intrattenere **2** ricevere (ospiti) **3** prendere in considerazione.
en·thral [ɪn'θrɔ:l] amer. **enthrall** (*-lled*) *v.tr.* affascinare, incantare.
en·thuse [ɪn'θju:z] *v.intr.* essere entusiasta.
en·thu·si·asm [ɪn'θju:zɪæzəm] *s.* entusiasmo.
en·thu·si·ast [ɪn'θju:zɪæst] *s.* appassionato.
en·thu·si·astic [ɪn'θju:zɪæstɪk] *agg.* entusiastico.
en·tice [ɪn'taɪs] *v.tr.* adescare.
en·tire [ɪn'taɪə*] *agg.* intero.
en·title [ɪn'taɪtl] *v.tr.* **1** intitolare **2** concedere un diritto a.
en·tity ['entətɪ] *s.* entità.
en·trails ['entreɪlz] *s.pl.* viscere.

en·trance [ˈentrəns] *s.* **1** entrata **2** accesso; ammissione.
en·trench [ɪnˈtrentʃ] *v.tr.* **1** trincerare **2** (*fig.*) radicare, fondare.
en·tre·pren·eur [ˌɒntrəprəˈnɜː*] *s.* imprenditore.
en·trust [ɪnˈtrʌst] *v.tr.* affidare.
entry [ˈentrɪ] *s.* **1** entrata **2** ingresso **3** voce, lemma (di dizionario ecc.) **4** (*comm.*) registrazione.
en·twine [ɪnˈtwaɪn] *v.tr.* intrecciare.
enu·mer·ate [ɪˈnjuːməreɪt] *v.tr.* enumerare.
enun·ci·ate [ɪˈnʌnsɪeɪt] *v.tr.* enunciare.
en·velop [ɪnˈveləp] *v.tr.* avvolgere.
en·vel·ope [ˈenvələʊp] *s.* busta.
en·vi·ous [ˈenvɪəs] *agg.* invidioso.
en·vir·on·ment [ɪnˈvaɪərənmənt] *s.* ambiente.
en·vir·on·mental [···ˈ·l] *agg.* ambientale.
en·vir·on·ment·al·ist [···ˈ·ɪst] *s.* ambientalista.
en·vis·age [ɪnˈvɪzɪdʒ] *v.tr.* prevedere.
envy [ˈenvɪ] *s.* invidia ♦ *v.tr.* invidiare.
epaul·et(te) [ˈepəulet] *s.* (*mil.*) spallina.
epic [ˈepɪk] *s.* epopea ♦ *agg.* epico.
epi·demic [ˌepɪˈdemɪk] *s.* epidemia.
epi·logue [ˈepɪlɒg] amer. **epi·log** *s.* epilogo.
epis·ode [ˈepɪsəud] *s.* episodio.
epoch [ˈiːpɒk] *s.* epoca, età.
equal [ˈiːkwəl] *agg.* uguale, pari | – *to*, all'altezza di ♦ *s.* pari, simile ♦ (*-lled*) *v.tr.* uguagliare; (*mat.*) essere uguale a.
equal·ity [iːˈkwɒlətɪ] *s.* uguaglianza, parità.
equal·ize [ˈiːkwəlaɪz] *v.tr.* livellare ♦ *v.intr.* (*sport*) pareggiare.
equa·tion [ɪˈkweɪʒn] *s.* equazione.
equator [ɪˈkweɪtə*] *s.* equatore.
equat·or·ial [ˌekwəˈtɔːrɪəl] *agg.* equatoriale.
equi·lib·rium [ˌiːkwɪˈlɪbrɪəm] *s.* equilibrio.
equip [ɪˈkwɪp] (*-pped* [-pt]) *v.tr.* equipaggiare, attrezzare.
equip·ment [·ˈ·mənt] *s.* equipaggiamento, attrezzatura.
equity [ˈekwətɪ] *s.* **1** equità **2** *pl.* (*fin.*) azioni ordinarie.
equi·val·ent [ɪˈkwɪvələnt] *agg.*, *s.* equivalente.
equi·vocal [ɪˈkwɪvəkl] *agg.* equivoco.
era [ˈɪərə] *s.* era; epoca.
erase [ɪˈreɪz *amer.* ɪˈreɪs] *v.tr.* cancellare.
eraser [ɪˈreɪzə* *amer.* ɪˈreɪsə*] *s.* gomma (per cancellare).
erect [ɪˈrekt] *agg.* eretto ♦ *v.tr.* erigere.
er·mine [ˈɜːmɪn] *s.* ermellino.
ero·sion [ɪˈrəuʒn] *s.* erosione.
erotic [ɪˈrɒtɪk] *agg.* erotico.
err [ɜː* *amer.* eə*] *v.intr.* errare.
er·rand [ˈerənd] *s.* commissione.
eru·di·tion [ˌeruːˈdɪʃn] *s.* erudizione.
erupt [ɪˈrʌpt] *v.intr.* **1** entrare in eruzione **2** scoppiare (di guerra).
es·cal·ate [ˈeskəleɪt] *v.intr.* intensificarsi, subire un'escalation.
es·cala·tion [ˌeskəˈleɪʃn] *s.* escalation.
es·cal·ator [ˈeskəleɪtə*] *s.* scala mobile.
es·cap·ade [ˌeskəˈpeɪd] *s.* scappatella.
escape [ɪˈskeɪp] *v.intr.* fuggire; evadere ♦ *v.tr.* sfuggire a ♦ *s.* fuga; evasione | *to have a narrow* –, cavarsela per il rotto della cuffia.
es·cort [ˈeskɔːt] *s.* **1** scorta **2** accompagnatore ♦ [ɪˈskɔːt] *v.tr.* scortare; accompagnare.
Es·kimo [ˈeskɪməu] *agg.*, *s.* eschimese.
es·pe·cially [ɪˈspeʃəlɪ] *avv.* specialmente, soprattutto.

es·pi·on·age [ˌespɪəˈnɑːʒ] *s.* spionaggio.
Esq. [ɪˈskwaɪə*] *s.* Egregio Signor.
es·say [ˈeseɪ] *s.* **1** saggio **2** tema.
es·say·ist [ˈ··ɪst] *s.* saggista.
es·sence [ˈesns] *s.* essenza.
es·sen·tial [ɪˈsenʃl] *agg., s.* essenziale.
es·tab·lish [ɪsˈtæblɪʃ] *v.tr.* **1** instaurare; fondare, istituire **2** stabilire.
es·tab·lish·ment [·ˈ··mənt] *s.* **1** costituzione **2** azienda **3** *the Establishment*, la classe dirigente.
es·tate [ɪˈsteɪt] *s.* **1** proprietà; tenuta | – *agent*, agente immobiliare **2** (*dir.*) beni, patrimonio: *real* –, beni immobili.
estate car [·ˈ· ·] *s.* (auto) familiare; station-wagon.
es·teem [ɪˈstiːm] *v.tr.* stimare ♦ *s.* stima.
es·tim·ate [ˈestɪmət] *s.* stima, valutazione; (*comm.*) preventivo ♦ [ˈestimeit] *v.tr.* stimare, valutare.
es·tima·tion [ˌestɪˈmeɪʃn] *s.* valutazione; opinione.
es·tranged [ɪˈstreɪndʒt] *s.* (coniuge) separato.
es·tu·ary [ˈestjʊərɪ] *s.* estuario.
et·cet·era [ɪtˈsetərə] *avv.* eccetera.
etch·ing [ˈetʃɪŋ] *s.* acquaforte.
eternal [ɪːˈtɜːnl] *agg.* eterno.
etern·ity [ɪːˈtɜːnətɪ] *s.* eternità.
ethic [ˈeθɪk] *s.* etica, morale.
eth·ical [ˈ·l] *agg.* etico, morale.
ethics [ˈ·s] *s.* etica.
eth·nic [ˈeθnɪk] *agg.* etnico.
Eu·char·ist [ˈjuːkərɪst] *s.* Eucaristia.
eu·phem·ism [ˈjuːfɪmɪzəm] *s.* eufemismo.
eu·phoria [juːˈfɔːrɪə] *s.* euforia.
Eur·asian [jʊəˈreɪʒjən] *agg., s.* eurasiatico.
Eur·ope [ˈjʊərəp] *no.pr.* Europa.
Euro·pean [ˌjʊərəˈpiːən] *agg., s.* europeo.
eu·tha·nasia [ˌjuːθəˈneɪzjə] *s.* eutanasia.
evacu·ate [ɪˈvækjʊeɪt] *v.tr.* evacuare.
evade [ɪˈveɪd] *v.tr.* eludere; evadere le tasse.
evalu·ate [ɪˈvæljʊeɪt] *v.tr.* valutare.
evan·gel·ical [ˌiːvænˈdʒelɪkl] *agg.* evangelico.
evap·or·ate [ɪˈvæpəreɪt] *v.intr.* evaporare; (*fig.*) svanire.
eva·sion [ɪˈveɪʒn] *s.* evasione (fiscale).
evas·ive [ɪˈveɪsɪv] *agg.* evasivo.
eve [iːv] *s.* vigilia.
even [ˈiːvn] *agg.* **1** uguale, uniforme **2** pari | *to break* –, chiudere in pareggio ♦ *avv.* anche, perfino | – *if*, – *though*, anche se | *not* –, neanche ♦ *v.tr.* **1** livellare **2** *to* – *out*, appianare **3** *to* – *up*, pareggiare.
even·ing [ˈiːvnɪŋ] *s.* sera; serata.
event [ɪˈvent] *s.* **1** caso **2** evento **3** (*sport*) gara.
event·ful [·ˈ·fʊl] *agg.* movimentato.
even·tual [·ˈ·ʃʊəl] *agg.* finale; conclusivo.
even·tu·ality [ɪˌventʃʊˈælətɪ] *s.* eventualità.
even·tu·ally [·ˈ·ʃʊəlɪ] *avv.* alla fine, infine.
ever [ˈevə*] *avv.* **1** mai **2** sempre | *as* –, come sempre | *for* –, per sempre.
ever·green [ˈevəgriːn] *agg., s.* sempreverde.
ever·last·ing [ˌevəˈlɑːstɪŋ *amer.* ˌevəˈlæstɪŋ] *agg.* eterno.
every [ˈevrɪ] *agg.* ogni; tutti.
every·body [ˈ·ˌbɒdɪ] *pron.* ognuno; tutti.
every·day [ˈ·deɪ] *agg.* quotidiano.
every·one [ˈ·wʌn] → *everybody*.
every·thing [ˈ·θɪŋ] *pron.* tutto.

every·where [ˈ·weə*] *avv.* dappertutto, dovunque.
evict [ɪˈvɪkt] *v.tr.* sfrattare.
evic·tion [ɪˈvɪkʃn] *s.* sfratto.
evid·ence [ˈevɪdəns] *s.* **1** prova **2** (*dir.*) testimonianza, deposizione.
evid·ent [ˈevɪdənt] *agg.* evidente.
evil [ˈi:vl] *agg.* cattivo ♦ *s.* male.
evoke [ɪˈvəʊk] *v.tr.* evocare.
evolu·tion [ˌi:vəˈlu:ʃn] *s.* evoluzione.
evolu·tion·ary [ˌi:vəˈlu:ʃnərɪ] *agg.* evolutivo.
evolve [ɪˈvɒlv] *v.tr.* sviluppare ♦ *v.intr.* evolvere.
ex [eks] *prep.* da, fuori da.
ex- *pref.* ex.
ex·acer·bate [ekˈsæsəbeɪt] *v.tr.* esacerbare.
ex·act [ɪgˈzækt] *agg.* esatto.
exact·ing [ɪgˈzæktɪŋ] *agg.* esigente.
ex·ag·ger·ate [ɪgˈzædʒəreɪt] *v.tr.*, *intr.* esagerare.
ex·alt [ɪgˈzɔ:lt] *v.tr.* **1** esaltare **2** elevare.
exam [ɪgˈzæm] *s.* esame.
ex·am·ina·tion [ɪgˌzæmɪˈneɪʃn] *s.* esame.
ex·am·ine [ɪgˈzæmɪn] *v.tr.* esaminare.
ex·ample [ɪgˈzɑ:mpl *amer.* ɪgˈzæmpl] *s.* esempio.
ex·as·per·ate [ɪgˈzæspəreɪt] *v.tr.* esasperare.
ex·cav·ate [ˈekskəveɪt] *v.tr.* scavare.
ex·cava·tion [ˌekskəˈveɪʃn] *s.* scavo archeologico.
ex·cav·ator [ˈekskəveɪtə*] *s.* (*mecc.*) scavatrice.
ex·ceed [ɪkˈsi:d] *v.tr.* superare.
ex·cel [ɪkˈsel] (*-lled*) *v.intr.* eccellere ♦ *v.tr.* superare.
ex·cel·lent [ˈeksələnt] *agg.* eccellente.
ex·cept [ɪkˈsept] *prep.* eccetto, tranne | *– for*, a parte ♦ *v.tr.* escludere.
ex·cep·tion [ɪkˈsepʃn] *s.* eccezione.
ex·cep·tional [·ˈ··l] *agg.* eccezionale.
ex·cèrpt [ˈeksɜ:pt] *s.* brano.
ex·cess [ɪkˈses] *s.* eccesso ♦ *agg.* eccedente; in eccesso.
ex·cess·ive [ɪkˈsesɪv] *agg.* eccessivo.
ex·change [ɪksˈtʃeɪndʒ] *v.tr.* scambiare ♦ *s.* **1** scambio **2** (*fin.*) cambio **3** (*fin.*) (*Stock*) *Exchange*, Borsa (Valori) **4** (*tel.*) centralino.
Ex·chequer [ɪksˈtʃekə*] *s.* (*brit.*) Ministero del Tesoro | *Chancellor of the –*, Cancelliere dello Scacchiere (Ministro del Tesoro).
ex·cise[1] [ˈeksaɪz] *s.* imposta, dazio.
excise[2] [ekˈsaɪz] *v.tr.* recidere.
ex·cite [ɪkˈsaɪt] *v.tr.* eccitare; suscitare.
ex·cite·ment [·ˈ·mənt] *s.* eccitazione.
ex·claim [ɪkˈskleɪm] *v.tr.*, *intr.* esclamare.
ex·clama·tion [ˌekskləˈmeɪʃn] *s.* esclamazione.
ex·clude [ɪkˈsklu:d] *v.tr.* escludere.
ex·clu·sion [ɪkˈsklu:ʒn] *s.* esclusione.
ex·clus·ive [ɪkˈsklu:sɪv] *agg.* esclusivo | *– right*, esclusiva | *– of*, tranne ♦ *s.* esclusiva.
ex·cru·ci·at·ing [ɪkˈskru:ʃɪeɪtɪŋ] *agg.* atroce, straziante.
ex·cur·sion [ɪkˈskɜ:ʃn] *s.* escursione.
ex·cuse [ɪkˈskju:z] *v.tr.* scusare | *– me*, scusi, permesso | *to – from*, dispensare da ♦ [ɪkˈskju:s] *s.* scusa.
ex·directory [ˌeksdɪˈrektərɪ] *agg.* (numero) riservato.
ex·ecute [ˈeksɪkju:t] *v.tr.* **1** eseguire **2** giustiziare.
exe·cu·tion [ˌeksɪˈkju:ʃn] *s.* esecuzione.
exe·cu·tioner [·ˈ··ə*] *s.* boia.

ex·ec·ut·ive [ɪg'zekjʊtɪv] *agg.* esecutivo ♦ *s.* 1 (potere) esecutivo 2 (*comm.*) dirigente; direttore.
ex·em·plary [ɪg'zemplərɪ] *agg.* esemplare.
ex·em·plify [ɪg'zemplɪfaɪ] *v.tr.* esemplificare.
ex·empt [ɪg'zempt] *agg.* esente ♦ *v.tr.* esentare; esonerare.
ex·emp·tion [ɪg'zempʃn] *s.* esenzione.
ex·er·cise ['eksəsaɪz] *s.* esercizio; esercitazione | – *book*, quaderno ♦ *v.tr., intr.* esercitare, esercitarsi.
ex·ert [ɪg'zɜːt] *v.tr.* 1 esercitare 2 *to* – *o.s.*, sforzarsi.
ex·er·tion [ɪg'zɜːʃn] *s.* sforzo.
ex·hale [eks'heɪl] *v.tr.* esalare.
ex·haust [ɪg'zɔːst] *v.tr.* esaurire | *to be exhausted*, essere esausto ♦ *s.* 1 – (*pipe*), tubo di scappamento 2 gas di scarico.
ex·haus·tion [ɪg'zɔːstʃən] *s.* spossatezza.
ex·haust·ive [ɪg'zɔːstɪv] *agg.* esauriente.
ex·hibit [ɪg'zɪbɪt] *v.tr.* esporre; esibire ♦ *s.* 1 oggetto esposto 2 (*dir.*) reperto.
ex·hibi·tion [ˌekzɪ'bɪʃn] *s.* 1 esposizione, mostra 2 esibizione.
ex·hib·itor [ɪg'zɪbɪtə*] *s.* espositore.
ex·hort [ɪg'zɔːt] *v.tr.* esortare.
ex·hume [eks'hjuːm] *v.tr.* esumare.
ex·ile ['eksaɪl] *s.* 1 esilio 2 esule ♦ *v.tr.* esiliare.
ex·ist [ɪg'zɪst] *v.intr.* esistere.
ex·ist·ence [·'·əns] *s.* esistenza.
exit ['eksɪt] *s.* uscita.
ex·odus ['eksədəs] *s.* esodo.
ex·otic [ɪg'zɒtɪk] *agg.* esotico.
ex·pand [ɪk'spænd] *v.tr., intr.* espandere, espandersi; dilatare, dilatarsi | *to* – *on*, ampliare; sviluppare.
ex·panse [ɪk'spæns] *s.* spazio; distesa.
ex·pan·sion [ɪk'spænʃn] *s.* espansione; dilatazione.
ex·pans·ive [ɪk'spænsɪv] *agg.* espansivo.
ex·pat·ri·ate [eks'pætrɪət *amer.* eks'peɪtrɪeɪt] *agg., s.* residente all'estero.
ex·pect [ɪk'spekt] *v.tr.* 1 aspettarsi 2 aspettare 3 pretendere 4 ritenere.
ex·pect·ancy [ɪk'spektənsɪ] *s.* aspettativa, attesa.
ex·pect·ant [·'·ənt] *agg.* in attesa.
ex·pecta·tion [ˌekspek'teɪʃn] *s.* 1 aspettativa; speranza | *life* –, speranza, durata presunta di vita 2 attesa.
ex·pe·di·ent [ɪk'spiːdjənt] *s.* espediente.
ex·pedi·tion [ˌekspɪ'dɪʃn] *s.* spedizione; escursione, gita.
ex·pel [ɪk'spel] (*–lled*) *v.tr.* espellere.
ex·pend·able [ɪk'spendəbl] *agg.* (*form.*) sacrificabile.
ex·pend·it·ure [ɪk'spendɪtʃə*] *s.* 1 dispendio, consumo 2 spesa.
ex·pense [ɪk'spens] *s.* spesa, costo.
ex·pens·ive [·'·ɪv] *agg.* costoso, caro.
ex·peri·ence [ɪk'spɪərɪəns] *s.* esperienza ♦ *v.tr.* sperimentare, provare.
ex·peri·enced [·'··t] *agg.* esperto.
ex·peri·ment [ɪk'sperɪmənt] *s.* esperimento ♦ *v.intr.* sperimentare.
ex·peri·mental [ekˌsperɪ'mentl] *agg.* sperimentale.
ex·pert ['ekspɜːt] *s.* esperto, specialista; perito.
ex·pi·ate ['ekspɪeɪt] *v.tr.* espiare.
ex·pire [ɪk'spaɪə*] *v.intr.* scadere.
ex·piry [ɪk'spaɪərɪ] *s.* scadenza.
ex·plain [ɪk'spleɪn] *v.tr.* spiegare.
ex·plana·tion [ˌeksplə'neɪʃn] *s.* spiegazione.

ex·plan·at·ory [ɪk'splænət'ərɪ] *agg.* esplicativo.
ex·pli·cit [ɪk'splɪsɪt] *agg.* esplicito.
ex·plode [ɪk'spləʊd] *v.intr., tr.* (far) esplodere.
ex·ploit[1] ['eksplɔɪt] *s.* impresa, azione eroica.
exploit[2] [ɪk'splɔɪt] *v.tr.* sfruttare.
ex·ploita·tion [,eksplɔɪ'teɪʃn] *s.* sfruttamento.
ex·plora·tion [,eksplə'reɪʃn] *s.* esplorazione; ricerca.
ex·plore [ɪk'splɔ:*] *v.tr.* esplorare.
ex·plorer [ɪk'splɔ:rə*] *s.* esploratore.
ex·plo·sion [ɪk'spləʊʒn] *s.* esplosione, scoppio.
ex·plos·ive [ɪk'spləʊsɪv] *agg., s.* esplosivo.
ex·po·nent [ek'spəʊnənt] *s.* esponente.
ex·port ['ekspɔ:t] *s.* **1** esportazione **2** merce di esportazione ♦ [ek'spɔ:t] *v.tr.* esportare.
ex·port·er [ek'spɔ:tə*] *s.* esportatore.
ex·pose [ik'spəʊz] *v.tr.* **1** esporre **2** svelare.
ex·posi·tion [,ekspəʊ'zɪʃn] *s.* **1** spiegazione dettagliata **2** mostra.
ex·pos·ure [ɪk'spəʊʒə*] *s.* **1** esposizione | *to die of* –, morire per assideramento | *indecent* –, oltraggio al pudore **2** comparsa (in pubblico).
ex·press [ɪk'spres] *v.tr.* esprimere ♦ *agg.* espresso ♦ *avv.* (per) espresso.
ex·pres·sion [·'·ʃn] *s.* espressione.
ex·press·ive [ɪk'spresɪv] *agg.* espressivo, significativo.
ex·press·way [·'·weɪ] *s.* (*amer.*) autostrada.
ex·propri·ate [eks'prəʊprɪeɪt] *v.tr.* espropriare.
ex·pul·sion [ɪk'spʌlʃn] *s.* espulsione.
ex·quis·ite ['ekskwɪzɪt *amer.* ·'··] *agg.* **1** squisito **2** acuto (di sensazione).
ex·tend [ɪk'stend] *v.tr.* **1** estendere; ampliare **2** tendere, stendere **3** offrire ♦ *v.intr.* estendersi; prolungarsi.
ex·tend·able [ɪk'stendəbl] *agg.* estensibile.
ex·ten·sion [ɪk'stenʃn] *s.* **1** estensione; ampliamento; prolungamento **2** (*tel.*) (numero) interno, derivazione.
ex·tens·ive [ɪk'stensɪv] *agg.* esteso.
ex·tent [ɪk'stent] *s.* estensione | *to a great* –, in larga misura.
ex·tenu·ate [ek'stenjʊeɪt] *v.tr.* attenuare.
ex·ter·ior [ek'stɪərɪə*] *agg., s.* esterno.
ex·term·in·ate [ɪk'stɜ:mɪneɪt] *v.tr.* sterminare.
ex·term·ina·tion [ɪk,stɜ:mɪ'neɪʃn] *s.* sterminio.
ex·ternal [ek'stɜ:nl] *agg.* esterno.
ex·tinct [ɪk'stɪŋkt] *agg.* estinto; (*di vulcano*) spento.
ex·tin·guish [ɪk'stɪŋgwɪʃ] *v.tr.* estinguere, spegnere.
ex·tin·guisher [·'··ə*] *s.* estintore.
ex·tort [ɪk'stɔ:t] *v.tr.* estorcere.
ex·tor·tion [ɪk'stɔ:ʃn] *s.* (*dir.*) estorsione.
ex·tra ['ekstrə] *agg., avv.* extra ♦ *s.* **1** extra; accessorio **2** (*cinem.*) comparsa.
ex·tract [ɪk'strækt] *v.tr.* estrarre; trarre ♦ ['ekstrækt] *s.* **1** estratto **2** brano, passo.
ex·tra·dite ['ekstrədaɪt] *v.tr.* estradare.
ex·tra·di·tion [,ekstrə'dɪʃn] *s.* estradizione.
ex·tra·mar·ital [,··'mærɪtl] *agg.* extraconiugale.
ex·tra·ord·in·ary [ɪk'strɔ:dɪnrɪ] *agg.* straordinario.
ex·tra·vag·ant [ɪk'strævəgənt] *agg.* **1** prodigo **2** eccessivo, smodato.
ex·treme [ɪk'stri:m] *agg., s.* estremo.

ex·trem·ity [ɪk'streməti] *s.* estremità.
ex·tro·vert ['ekstrəʊvɜ:t] *s.* estroverso.
ex·uber·ance [ɪg'zju:bərəns] *s.* esuberanza.
ex·uber·ant [ɪg'zju:bərənt] *agg.* esuberante.
ex·ude [ɪg'zju:d] *v.tr.* trasudare.
ex·ult [ɪg'zʌlt] *v.intr.* esultare.
eye [aɪ] *s.* **1** occhio | *to keep an – on*, tener d'occhio | *to turn a blind – to*, chiudere un occhio su | *to see – to – with*, essere d'accordo con **2** cruna (di ago) ♦ *v.tr.* guardare, osservare.
eye·ball ['·bɔ:l] *s.* (*anat.*) bulbo oculare.
eye·brow ['·braʊ] *s.* sopracciglio.
eye·ful ['·fʊl] *s.* **1** occhiata **2** spettacolo.
eye·lash ['·læʃ] *s.* ciglio.
eye·let ['·lɪt] *s.* occhiello.
eye·lid ['·lɪd] *s.* palpebra.
eye shadow ['·,ʃædəʊ] *s.* ombretto.
eye·sight ['·saɪt] *s.* vista.
eye·sore ['·sɔ:] *s.* (*fig.*) pugno in un occhio.
eye·tooth ['·tu:θ] (*-teeth* ['aiti:θ]) *s.* dente canino.
eye·wash ['·wɒʃ] *s.* **1** collirio **2** (*fam.*) sciocchezze.
eye·wit·ness [,·'wɪtnɪs] *s.* testimone oculare.

F

F [ef] **fa** [fɑ:] *s.* (*mus.*) fa.
fable ['feɪbl] *s.* **1** favola **2** frottola.
fab·ric ['fæbrɪk] *s.* tessuto.
fab·ric·ate ['fæbrɪkeɪt] *v.tr.* **1** architettare **2** fabbricare.
fab·ulous ['fæbjʊləs] *agg.* favoloso.
fa·çade [fə'sɑ:d] *s.* facciata.
face [feɪs] *s.* **1** faccia | *to make, to pull a –*, fare una smorfia **2** quadrante ♦ *v.tr.* **1** fronteggiare; stare di fronte **2** ricoprire.
face card ['· ·] *s.* (*a carte*) figura.
fa·cile ['fæsaɪl *amer.* 'fæsl] *agg.* superficiale.
fa·cil·ity [fə'sɪlɪtɪ] *s.* **1** *pl.* impianti, attrezzature **2** facilitazione **3** facilità.
fa·cing ['·ɪŋ] *s.* rivestimento.
fact [fækt] *s.* fatto | *in –*, infatti; di fatto; *in point of –*, in realtà; *as a matter of –*, in effetti.
fac·tion ['fækʃn] *s.* **1** fazione **2** faziosità.
fac·tional ['··ʃənl] *agg.* fazioso.
fac·tor ['fæktə*] *s.* fattore.
fact·ory ['fæktərɪ] *s.* fabbrica, stabilimento.
fac·tual ['fæktʃʊəl] *agg.* reale; basato sui fatti.
fac·ulty ['fæklti] *s.* facoltà.
fad [fæd] *s.* capriccio.
fade [feɪd] *v.tr.* scolorire ♦ *v.intr.* **1** sbiadire **2** svanire.
fag[1] [fæg] *s.* (*fam.*) sgobbata.
fag[2] *s.* (*fam.*) sigaretta.
fag[3] *s.* (*fam. amer.*) checca.
fail [feɪl] *v.intr.* **1** fallire **2** fermarsi, guastarsi ♦ *v.tr.* **1** bocciare; non superare **2** omettere **3** venire a mancare ♦ *s.*: *without –*, senza fallo.
fail·ing ['·ɪŋ] *s.* difetto ♦ *prep.* in mancanza di.
fail·ure ['feɪljə*] *s.* **1** insuccesso, fallimento **2** collasso.
faint [feɪnt] *agg.* debole ♦ *s.* svenimento ♦ *v.intr.* svenire.
fair[1] [feə] *agg.* **1** onesto; leale **2** abba-

stanza buono **3** considerevole **4** biondo; chiaro **5** bello ♦ *avv.* **1** lealmente **2** con precisione.
fair[2] *s.* fiera, mercato.
fair-minded [,·'··] *agg.* imparziale.
fair·ness ['·nɪs] *s.* **1** bellezza **2** giustizia; lealtà.
fairy ['feərɪ] *agg.* di fata; fatato.
faith [feɪθ] *s.* fede; fiducia.
faith·ful ['feɪθfʊl] *agg.* fedele.
faith·less ['feɪθlɪs] *agg.* sleale; disonesto.
fake [feɪk] *v.tr.* **1** falsificare **2** fingere ♦ *s.* **1** impostore, imbroglione **2** falso; truffa ♦ *agg.* falso.
fal·con ['fɔːlkən *amer.* 'fælkən] *s.* falcone.
fall* [fɔːl] *v.intr.* cadere | *to – apart*, andare a pezzi | *to – back*, ricadere | *to – behind*, rimanere indietro | *to – for*, innamorarsi di; cadere in trappola | *to – in*, crollare; unirsi a; approvare | *to – out*, (*fam.*) litigare | *to – through*, fallire ♦ *s.* **1** caduta **2** (*amer.*) autunno **3** *pl.* cascata.
fallen ['fɔːlən] *p.p.* di to *fall.*
fall guy ['· ·] *s.* (*fam.*) **1** capro espiatorio **2** (*fig.*) pollo.
false [fɔːls] *agg.* falso.
fals·ify ['fɔːlsɪfaɪ] *v.tr.* falsificare.
fals·ity ['fɔːlsətɪ] *s.* falsità.
fal·ter ['fɔːltə*] *v.intr.* barcollare, vacillare ♦ *v.tr.* balbettare.
fame [feɪm] *s.* fama.
famed [feɪmd] *agg.* famoso.
fa·mil·iar [fə'mɪljə*] *agg.* familiare.
fa·mili·ar·ize [fə'mɪljəraɪz] *v.tr.* familiarizzare.
fam·ily ['fæməlɪ] *s.* famiglia.
fam·ished ['fæmɪʃt] *agg.* affamato.
fam·ous ['feɪməs] *agg.* famoso.
fan[1] [fæn] *s.* ventaglio; ventilatore ♦ (*-nned*) *v.tr.* far vento | *to – out*, aprirsi a ventaglio.
fan[2] *s.* fan, ammiratore; tifoso.
fan·at·ic(al) [fə'nætɪk(l)] *s.* fanatico.
fan·ci·ful ['fænsɪfʊl] *agg.* fantasioso.
fancy ['fænsɪ] *s.* **1** simpatia **2** immaginazione, fantasia; idea vaga ♦ *v.tr.* **1** immaginare, pensare | *to – o.s.*, avere un'alta opinione di sé **2** desiderare.
fant·astic [fæn'tæstɪk] *agg.* fantastico, incredibile.
fant·asy ['fæntəsɪ] *s.* fantasia.
far [fɑː*] *agg.* lontano | *the Far East*, l'Estremo Oriente ♦ *avv.* **1** lontano: *how –?*, fin dove? | *so, thus –*, fin qui | *in so – as*, in quanto; per quanto **2** di gran lunga | *by –*, moltissimo.
far·away ['fɑːrəweɪ] *agg.* lontano.
fare [feə*] *s.* **1** prezzo della corsa, tariffa **2** passeggero (di taxi) ♦ *v.intr.* passarsela (bene, male).
far·fetched [,fɑː'fetʃt] *agg.* inverosimile; tirato.
farm [fɑːm] *s.* fattoria | *chicken –*, allevamento di polli ♦ *v.tr.* **1** coltivare; allevare **2** *to – out*, dar fuori (lavoro ecc.).
farmer ['·ə*] *s.* agricoltore.
farm·hand ['fɑːm,hænd] *s.* bracciante (agricolo).
farm·house ['fɑːmhaʊs] *s.* casa colonica.
farm·ing ['·ɪŋ] *s.* agricoltura.
far-off [,·'·] *agg.* lontano.
far·sighted [,fɑː'saɪtɪd] *agg.* lungimirante.
far·ther ['fɑːðə*] *agg., avv.* più lontano: *– back*, più indietro; *– off*, più distante; *– on*, più avanti.
far·thest ['fɑːðɪst] *agg., avv.* il più lontano.

fas·cin·ate [ˈfæsɪneɪt] *v.tr.* affascinare.
fas·cina·tion [ˌ··ˈ·ʃn] *s.* fascino.
Fas·cism [ˈfæʃɪzəm] *s.* fascismo.
Fas·cist [ˈfæʃɪst] *agg., s.* fascista.
fash·ion [ˈfæʃn] *s.* 1 modo, maniera 2 moda ♦ *v.tr.* modellare.
fash·ion·able [ˈ··əbl] *agg.* di moda.
fast[1] [fɑːst *amer.* fæst] *agg.* 1 rapido, veloce; (*di orologio*) avanti, in anticipo 2 fermo, saldo; solido, inalterabile ♦ *avv.* 1 presto, velocemente 2 fermamente; saldamente.
fast[2] *s.* digiuno ♦ *v.intr.* digiunare.
fasten [ˈfɑːsn *amer.* ˈfæsn] *v.tr., intr.* chiudere, chiudersi; allacciare, allacciarsi; fissare.
fast·ener [ˈ·ə*] *s.* chiusura: *snap* –, automatico; *zip* –, chiusura lampo.
fast·en·ing [ˈ··ɪŋ] *s.* gancio; chiavistello.
fat [fæt] *agg.* grasso.
fa·tal [ˈfeɪtl] *agg.* fatale.
fat·al·ity [fəˈtælɪtɪ] *s.* 1 fatalità 2 morte accidentale.
fate [feɪt] *s.* fato, destino.
fated [ˈ·ɪd] *agg.* destinato.
fate·ful [ˈfeɪtfʊl] *agg.* fatale; decisivo.
father [ˈfɑːðə*] *s.* padre.
father-in-law [ˈ·· rɪnlɔː] (*fathers-in-law*) *s.* suocero.
fath·er·land [ˈfɑːðəlænd] *s.* (madre) patria.
fath·erly [ˈfɑːðəlɪ] *agg.* paterno.
fathom [ˈfæðəm] *v.tr.* (*fig.*) sondare, capire.
fa·tigue [fəˈtiːg] *s.* stanchezza.
fat·ten [ˈfætn] *v.tr., intr.* ingrassare.
fatty [ˈfætɪ] *agg.* untuoso.
fau·cet [ˈfɔːsɪt] *s.* (*amer.*) rubinetto.
fault [fɔːlt] *s.* errore; colpa ♦ *v.tr.* criticare.
faulty [ˈfɔːltɪ] *agg.* difettoso.
fauna [ˈfɔːnə] *s.* fauna.
fa·vour [ˈfeɪvə*] *s.* favore ♦ *v.tr.* 1 favorire 2 preferire.
fa·vour·able [ˈfeɪvərəbl] *agg.* favorevole.
fa·vour·ite [ˈfeɪvərɪt] *agg.* preferito ♦ *s.* favorito.
fawn [fɔːn] *s.* cerbiatto ♦ *agg.* (colore) fulvo.
fawn on *v.intr.* adulare servilmente.
fear [fɪə*] *s.* paura, timore ♦ *v.tr., intr.* temere.
fear·ful [ˈfɪəfʊl] *agg.* 1 timoroso 2 terribile.
feas·ible [ˈfiːzəbl] *agg.* fattibile.
feast [fiːst] *s.* 1 banchetto 2 festività ♦ *v.intr.* banchettare.
feather [ˈfeðə*] *s.* penna, piuma.
fea·ture [ˈfiːtʃə*] *s.* 1 caratteristica 2 (*di giornale*) servizio ♦ *v.tr.* avere come protagonista ♦ *v.intr.* avere un ruolo importante.
Feb·ru·ary [ˈfebrʊərɪ] *s.* febbraio.
fed [fed] *pass., p.p.* di to *feed*.
fed·eral [ˈfedərəl] *agg.* federale.
fed·era·tion [ˌfedəˈreɪʃn] *s.* federazione.
fed up [ˌ·ˈʌp] *agg.* (*fam.*) stufo.
fee [fiː] *s.* 1 onorario 2 tassa.
feeble [ˈfiːbl] *agg.* debole, fiacco.
feeble·minded [ˌfiːblˈmaɪndɪd] *agg.* debole di mente, ritardato.
feed [fiːd] *v.tr., intr.* nutrire, nutrirsi; alimentare, alimentarsi ♦ *s.* alimentazione; nutrimento.
feeder [ˈ·ə*] **feeding bottle** [ˈfiːdɪŋ ˌbɒtl] *s.* poppatoio.
feel [fiːl] *v.tr., intr.* 1 sentire, sentirsi | *to – soft*, essere morbido al tatto | *to – hot*, aver caldo | *to – like*, aver voglia di | *not to – well*, non sentirsi bene | *to – up to*,

sentirsi all'altezza di **2** *to – for*, cercare a tastoni; provare (simpatia o pietà) per ♦ *s.* tatto.
feel·ing ['·ɪŋ] *s.* sensazione; sentimento; opinione.
feet [fi:t] *pl.* di *foot.*
feign [feɪn] *v.tr.* fingere, fingersi.
feint [feɪnt] *s.* finta.
fell[1] [fel] *pass.* di to *fall.*
fell[2] *v.tr.* abbattere; atterrare.
fel·low ['feləʊ] *s.* **1** (*fam.*) persona, individuo **2** compagno **3** membro.
fel·low·ship ['··ʃɪp] *s.* **1** compagnia, amicizia **2** associazione **3** borsa di studio post-universitaria.
fel·ony ['felənɪ] *s.* reato grave.
felt[1] [felt] *s.* feltro.
felt[2] *pass., p.p.* di to *feel.*
fe·male ['fi:meɪl] *s.* femmina.
fem·in·ine ['femɪnɪn] *agg.* femminile.
fe·mur ['fi:mə*] (*-s, femora* ['femərə]) *s.* femore.
fence [fens] *s.* **1** recinto, steccato **2** (*fam.*) ricettatore ♦ *v.tr.* recintare.
fen·cing ['·ɪŋ] *s.* scherma.
fend [fend] *v.intr.*: *to – for o.s.*, badare a se stesso | *to – off*, respingere.
fender ['·ə*] *s.* (*amer.*) parafango.
fen·nel ['fenl] *s.* finocchio.
fer·ment ['fɜ:ment] *s.* fermento ♦ *v.tr., intr.* (far) fermentare.
fern [fɜ:n] *s.* felce.
fe·ro·cious [fə'rəʊʃəs] *agg.* feroce.
ferry ['ferɪ] *s.* traghetto ♦ *v.tr.* traghettare.
ferry·boat ['ferɪbəʊt] *s.* traghetto.
fer·tile ['fɜ:taɪl *amer.* 'fɜ:tl] *agg.* fertile.
fert·il·izer ['fɜ:tɪlaɪzə*] *s.* fertilizzante.
fer·vent ['fɜ:vənt] *agg.* fervente.
fer·vour ['fɜ:və*] *amer.* **fervor** *s.* fervore.
fest·iv·ity [fe'stɪvətɪ] *s.* **1** festa, festività **2** *pl.* festeggiamenti.
fetch [fetʃ] *v.tr.* **1** andare a prendere **2** *to – up*, (*fam. amer.*) arrivare, finire a.
fetch·ing ['·ɪŋ] *agg.* attraente.
fet·ters ['fetəz] *s.pl.* vincoli.
fever ['fi:və*] *s.* febbre.
fe·ver·ish ['fi:vərɪʃ] *agg.* febbricitante; (*fig.*) febbrile.
few [fju:] *agg., pron.* pochi | *a –*, alcuni | *a good –*, un bel numero.
fi·ancé [fɪ'ɑ:nseɪ] *s.* fidanzato.
fi·an·cée [fɪ'ɑ:nseɪ] *s.* fidanzata.
fi·asco [fɪ'æskəʊ] (*-os,-oes*) *s.* insuccesso, fiasco.
fib [fɪb] *s.* (*fam.*) frottola
fibre ['faɪbə*] amer. **fiber** *s.* fibra.
fickle ['fɪkl] *agg.* incostante.
fic·tion ['fɪkʃn] *s.* **1** narrativa **2** finzione, invenzione.
fic·tional ['fɪkʃənl] *agg.* **1** narrativo **2** immaginario.
fiddle ['fɪdl] *s.* (*fam.*) **1** violino **2** truffa ♦ *v.tr., intr.* **1** suonare (qlco) col violino **2** truffare **3** *to – about, around*, ciondolare, perdere tempo.
fid·dling ['·ɪŋ] *agg.* sciocco, futile.
fiddly ['fɪdlɪ] *agg.* difficile.
fi·del·ity [fɪ'delətɪ] *s.* fedeltà.
fid·get ['fɪdʒɪt] *s.* irrequietezza; tipo irrequieto ♦ *v.intr.* agitarsi.
fid·gety ['fɪdʒɪtɪ] *agg.* irrequieto.
field [fi:ld] *s.* campo.
field·work ['fi:ldwɜ:k] *s.* ricerca sul campo.
fiend [fi:nd] *s.* **1** demonio **2** (*fam.*) entusiasta, fanatico.
fierce [fɪəs] *agg.* intenso, accanito.
fiery ['faɪərɪ] *agg.* **1** di fuoco **2** piccante.

fif·teen [,fɪf'ti:n] *agg., s.* quindici.
fifth [fɪfθ] *agg., s.* quinto.
fifty ['fɪftɪ] *agg., s.* cinquanta.
fifty-fifty [,fɪftɪ'fɪftɪ] *agg., avv.* metà per uno.
fig [fɪg] *s.* fico.
fight* [faɪt] *v.tr., intr.* combattere | *to – back, down*, reprimere | *to – off*, respingere ♦ *s.* 1 combattimento 2 combattività.
fig·ure ['fɪgə*] *s.* 1 figura 2 cifra, numero ♦ *v.intr.* comparire ♦ *v.tr.* 1 (*amer.*) immaginare, credere 2 *to – out*, calcolare; immaginare.
filch [fɪltʃ] *v.tr.* (*fam.*) sgraffignare.
file[1] [faɪl] *s.* lima ♦ *v.tr.* limare.
file[2] *s.* 1 raccoglitore; schedario, archivio; dossier ♦ *v.tr.* 1 schedare, archiviare 2 inoltrare.
file[3] *s.* fila ♦ *v.intr.* sfilare.
filibuster ['fɪlɪbʌstə*] *v.intr.* (*amer.*) fare ostruzionismo in parlamento.
filing cabinet ['··,···] *s.* casellario, schedario.
Fi·li·pino [fɪlɪ'pi:nəʊ] (*-os*) *agg., s.* filippino.
fill [fɪl] *v.tr., intr.* 1 riempire, riempirsi | *to – in, up*, riempire, riempirsi; rimpiazzare 2 ricoprire (una carica) ♦ *s.* sazietà.
fil·let ['fɪlɪt] *s.* (*cuc.*) filetto.
fill-in ['fɪlɪn] *s.* (*fam.*) tappabuchi.
fill·ing ['·ɪŋ] *s.* 1 otturazione 2 (*cuc.*) ripieno.
filling station ['··,·] *s.* stazione di servizio.
film [fɪlm] *s.* film, pellicola ♦ *v.tr.* filmare.
film·strip ['fɪlm,strɪp] *s.* filmina.
fil·ter ['fɪltə*] *s.* filtro ♦ *v.tr., intr.* filtrare.
filth [fɪlθ] *s.* sudiciume.
filthy ['fɪlθɪ] *agg.* sporco; schifoso.
fil·trate ['fɪltreɪt] → to *filter*.
fin [fɪn] *s.* 1 pinna 2 deriva (di aereo).
fi·nal ['faɪnl] *agg., s.* finale.
fi·nale [fɪ'nɑ:lɪ *amer.* fɪ'nælɪ] *s.* finale.
fi·nal·ist ['faɪnəlɪst] *s.* finalista.
fi·nal·ize ['faɪnəlaɪz] *v.tr.* completare, concludere.
fi·nally ['faɪnəlɪ] *avv.* 1 alla fine, infine 2 definitivamente.
fin·ance ['faɪnæns *amer.* 'fɪnæns] *s.* 1 finanza | *– company*, (società) finanziaria 2 *pl.* entrate ♦ *v.tr.* finanziare.
finch [fɪntʃ] *s.* fringuello.
find* [faɪnd] *v.tr.* 1 trovare | *to – out*, scoprire; cogliere in fallo 2 (*dir.*) *to – against*, dichiarare colpevole ♦ *s.* scoperta.
find·ing ['faɪndɪŋ] *s.* (*spec. pl.*) scoperta; risultato; conclusione.
fine[1] [faɪn] *agg.* 1 bello; di buona qualità 2 fine; sottile ♦ *avv.* 1 bene 2 sottile.
fine[2] *s.* multa ♦ *v.tr.* multare.
fin·ger ['fɪŋgə*] *s.* dito ♦ *v.tr.* toccare (con le dita).
fin·ger·mark ['fɪŋəmɑ:k] *s.* ditata.
fin·ger·print ['fɪŋgəprɪnt] *s.* impronta digitale.
fin·icky ['fɪnɪkɪ] *agg.* schizzinoso.
fin·ish ['fɪnɪʃ] *v.tr., intr.* finire; terminare | *to – off*, esaurire; uccidere | *to – up*, andare a finire; esaurire ♦ *s.* 1 fine 2 finitura.
fi·nite ['faɪnaɪt] *agg.* circoscritto.
Fin·land ['fɪnlənd] *s.* Finlandia.
Finn [fɪn] *s.* finlandese (persona).
Finn·ish ['fɪnɪʃ] *agg., s.* finlandese.
fiord [fɪɔ:d] *s.* fiordo.
fir [fɜ:*] *s.* abete.
fire ['faɪə*] *s.* fuoco | *gas –*, stufa a gas ♦

v.tr. **1** sparare; lanciare **2** (*fam.*) licenziare **3** (*fig.*) accendere ♦ *v.intr.* far fuoco.
fire·arm [ˈfaɪərɑːm] *s.* arma da fuoco.
fire brigade [ˈ· ·,·] *s.* vigili del fuoco, pompieri.
fire engine [ˈ·,··] *s.* autopompa.
fire·fly [ˈfaɪəflaɪ] *s.* lucciola.
fire·man [ˈfaɪəmən] (*-men*) *s.* vigile del fuoco, pompiere.
fire·place [ˈfaɪəpleɪs] *s.* focolare.
fire-plug [ˈ· ·] *s.* (*amer.*) idrante.
fire·proof [ˈfaɪəpruːf] *agg.* a prova di fuoco, di incendio.
fire·works [ˈfaɪəwɜːks] *s.pl.* fuochi artificiali.
firm[1] [fɜːm] *agg.* **1** solido; stabile **2** deciso; risoluto.
firm[2] *s.* ditta; società; impresa.
first [fɜːst] *agg., s.* primo | *from the –*, dal principio | *at –*, dapprima ♦ *avv.* **1** per primo; prima di tutto **2** per la prima volta; inizialmente.
first-class [ˈ· ·] *agg.* di prima qualità, ottimo.
first·hand [,fɜːstˈhænd *attr.* ˈ··] *agg., avv.* di prima mano.
first-rate [,·ˈ· *attr.* ˈ··] *agg.* ottimo, di prima qualità.
firth [fɜːθ] *s.* estuario.
fiscal [ˈfɪskl] *agg.* fiscale.
fish [fɪʃ] *s.* pesce | *– fingers*, (*amer.*) *– sticks*, bastoncini di pesce ♦ *v.intr.* **1** pescare **2** cercare di ottenere **3** cercare ♦ *v.tr.* pescare in | *to – out*, tirar fuori.
fish·cake [ˈfɪʃkeɪk] *s.* crocchetta di pesce.
fish·er·man [ˈfɪʃəmən] (*-men*) *s.* pescatore.
fish·ing [ˈ·ɪŋ] *s.* pesca: *– rod*, canna da pesca.
fish·mon·ger [ˈfɪʃ,mʌŋgə*] *s.* pescivendolo.
fish·net [ˈfɪʃnet] *s.* rete da pesca.
fishy [ˈfɪʃɪ] *agg.* (*fam.*) sospetto, equivoco.
fis·sure [ˈfɪʃə*] *s.* fenditura.
fist [fɪst] *s.* pugno.
fit[1] [fɪt] *agg.* **1** adatto; in grado; opportuno | *– for*, adatto a; *– to*, in grado di **2** in forma ♦ (*-tted* [tɪd]) *v.tr.* **1** addirsi a; andar bene a **2** adattare; adattarsi a | *to – in*, infilare, infilarsi **3** (*out*) fornire; equipaggiare **4** installare ♦ *v.intr.* andar bene, calzare.
fit[2] *s.* attacco; crisi | *by fits and starts*, a sbalzi.
fit·ful [ˈfɪtfʊl] *agg.* irregolare.
fit·ness [ˈfɪtnɪs] *s.* **1** idoneità **2** buona forma.
fit·ted [ˈfɪtɪd] *agg.* **1** adatto **2** aderente; attillato **3** su misura (di mobili ecc.): *– carpet*, moquette.
fit·ting [ˈ·ɪŋ] *s.* **1** prova (di abito) **2** (*abbigl.*) misura; numero **3** *pl.*: *fixtures and fittings*, impianti e attrezzature.
five [faɪv] *agg., s.* cinque.
fiver [ˈfaɪvə*] *s.* (*fam.*) banconota da cinque (sterline, dollari).
fix [fɪks] *s.* (*fam.*) **1** difficoltà, pasticcio **2** dose (di droga) ♦ *v.tr.* **1** fissare **2** riparare **3** (*fam.*) truccare (gara ecc.) **4** preparare.
fixa·tion [fɪkˈseɪʃn] *s.* fissazione.
fixed [fɪkst] *agg.* fisso; fissato.
fixer [ˈ·ə*] *s.* (*fam.*) faccendiere.
fix·ings [ˈfɪksɪŋz] *s.pl.* **1** (*fam. amer.*) accessori **2** (*cuc.*) contorno.
fix·ture [ˈfɪkstʃə*] *s.* **1** elememto fisso **2** (*sport*) avvenimento in calendario.

fizzle out [ˈfɪzlaʊt] *v.intr.* finire in nulla.
fizzy [ˈfɪzɪ] *agg.* effervescente.
fjord [fjɔ:d] *s.* fiordo.
flab·ber·gast [ˈflæbəgɑ:st *amer.* ˈflæbə gæst] *v.tr.* (*fam.*) sbalordire.
flabby [ˈflæbɪ] *agg.* flaccido.
flag[1] [flæg] *s.* pietra per lastricare.
flag[2] *s.* bandiera ♦ *v.tr.*: *to – down*, far cenno di fermarsi.
flag[3] *v.intr.* venir meno.
flagged [ˈflægd] *agg.* lastricato.
flag·rancy [ˈfleɪgrənsɪ] *s.* (*dir.*) flagranza.
flair [fleə*] *s.* **1** talento; inclinazione; fiuto **2** stile.
flake [fleɪk] *s.* fiocco; scaglia ♦ *v.intr.* squamarsi; scrostarsi | *to – out*, (*fam. fig.*) crollare.
flam·boy·ant [flæmˈbɔɪənt] *agg.* sgargiante, vistoso.
flame [fleɪm] *s.* fiamma ♦ *v.intr.* fiammeggiare, ardere.
fla·mingo [fləˈmɪŋgəʊ] (*-os,-oes*) *s.* fenicottero.
flank [flæŋk] *s.* fianco; lato ♦ *v.tr.* fiancheggiare.
flannel [ˈflænl] *s.* flanella.
flap [flæp] *s.* lembo, falda; patta; ribalta | *to be in a –*, essere in agitazione ♦ (*-pped* [-pt]) *v.tr.*, *intr.* **1** battere le ali **2** sventolare.
flare [fleə*] *s.* **1** fiammata **2** svasatura.
flash [flæʃ] *s.* **1** bagliore, lampo | *news –*, flash di cronaca **2** (*fot.*) flash **3** (*amer.*) torcia elettrica ♦ *agg.* vistoso ♦ *v.intr.* **1** lampeggiare, balenare **2** sfrecciare ♦ *v.tr.* ostentare.
flash·light [ˈflæʃlaɪt] *s.* **1** (*spec. amer.*) torcia elettrica **2** (*fot.*) flash.
flashy [ˈflæʃɪ] *agg.* vistoso.
flask [flɑ:sk *amer.* flæsk] *s.* fiaschetta, borraccia.
flat[1] [flæt] *agg.* **1** piatto | *a – tyre*, una gomma a terra | *a – denial*, un netto rifiuto **2** senza carica **3** bemolle ♦ *avv.* assolutamente, completamente.
flat[2] *s.* appartamento.
flat·let [ˈflætlɪt] *s.* appartamentino.
flat·ly [ˈflætlɪ] *avv.* categoricamente.
flat·ten [ˈflætn] *v.tr.*, *intr.* appiattire, appiattirsi.
flatter [ˈflætə*] *v.tr.* adulare.
flat·tery [ˈflætərɪ] *s.* adulazione.
flaunt [flɔ:nt] *v.tr.* ostentare.
fla·vour [ˈfleɪvə*] amer. **flavor** *s.* gusto, sapore ♦ *v.tr.* insaporire.
flaw [flɔ:] *s.* pecca, difetto.
flax [flæks] *s.* lino.
flea [fli:] *s.* pulce.
fleck [flek] *s.* macchiolina.
fled [fled] *pass.*, *p.p.* di to *flee.*
flee* [fli:] *v.intr.*, *tr.* fuggire (da).
fleece [fli:s] *v.tr.* (*fig. fam.*) pelare.
fleet [fli:t] *s.* flotta.
fleet·ing [ˈ·ɪŋ] *agg.* fugace.
Flem·ish [ˈflemɪʃ] *agg.*, *s.* fiammingo.
flesh [fleʃ] *s.* **1** carne **2** polpa (di frutta).
fleshy [ˈfleʃɪ] *agg.* carnoso.
flew [flu:] *pass.* di to *fly.*
flex·ible [ˈfleksəbl] *agg.* flessibile.
flexi·time [ˈfleksɪ,taɪm] *s.* orario flessibile, orario elastico.
flick [flɪk] *s.* colpetto ♦ *v.intr.* : *to – though*, sfogliare.
flicker [ˈflɪkə*] *v.intr.* tremolare.
flick knife [ˈ· ·] *s.* coltello a serramanico.
flight [flaɪt] *s.* **1** volo **2** fuga.
flimsy [ˈflɪmzɪ] *agg.* sottile e leggero; fragile ♦ *s.* (*fam.*) carta velina.

flinch [flɪntʃ] *v.intr.* tirarsi indietro.
fling* [flɪŋ] *v.tr.* lanciare, scagliare ♦ *s.* **1** momento di svago **2** avventura amorosa.
flint [flɪnt] *s.* selce; pietrina.
flip [flɪp] *s.* colpetto ♦ *v.tr.* **1** dare un colpetto a **2** gettare in aria ♦ *v.intr.*: *to – through*, sfogliare.
flip-flops ['· ·] *s.pl.* sandali infradito (di gomma).
flip·pant ['flɪpənt] *agg.* frivolo.
flip·per ['flɪpə*] *s.* pinna.
flip-side ['· ·] *s.* retro (di disco).
flir·ta·tion [flɜ:'teɪʃn] *s.* **1** flirt; (*fig.*) fuoco di paglia.
flit (*-tted* [-tɪd]) *v.intr.* svolazzare.
float [fləʊt] *v.tr., intr.* **1** (far) galleggiare **2** (*econ.*) fluttuare; lanciare (una società) ♦ *s.* **1** galleggiante **2** fluttuazione | – (*fund*), fondo di cassa **3** carro (per sfilate).
flock [flɒk] *s.* **1** gregge **2** gruppo.
flog [flɒg] (*-gged*) *v.tr.* **1** flagellare **2** (*sl.*) vendere.
flood [flʌd] *s.* inondazione; flusso (di marea) ♦ *v.tr.* inondare ♦ *v.intr.* **1** allagarsi **2** straripare **3** riversarsi.
flood·light ['flʌdlaɪt] *s.* riflettore.
floor [flɔ:*] *s.* **1** pavimento **2** piano: *first –*, primo piano, (*amer.*) pianterreno; *ground –*, pianterreno; *second –*, secondo piano, (*amer.*) primo piano; *top –*, ultimo piano **3** fondo (di mare ecc.) **4** pista da ballo | *– show*, spettacolo di varietà ♦ *v.tr.* **1** pavimentare **2** atterrare; stendere.
floor·ing ['·rɪŋ] *s.* pavimentazione.
flop [flɒp] *s.* (*fam.*) fiasco ♦ (*-pped* [-pt]) *v.intr.* **1** (*fam.*) far fiasco **2** *to – (down) in*, lasciarsi cadere su.
floppy ['flɒpɪ] *agg.* floscio.
Flor·ence ['flɒrəns] *no.pr.* Firenze.
flor·ist ['flɒrɪst] *s.* fiorista.
floss [flɒs] *s.* filo: *dental –*, filo interdentale.
flounder ['flaʊndə*] *v.intr.* annaspare.
flour ['flaʊə*] *s.* farina.
flour·ish ['flʌrɪʃ] *v.intr.* prosperare.
flout [flaʊt] *v.tr.* contravvenire a.
flow [fləʊ] *v.intr.* scorrere; fluire ♦ *s.* flusso, circolazione.
flow·chart ['fləʊtʃɑ:t] *s.* **1** organigramma **2** diagramma (di flusso).
flower ['flaʊə*] *s.* fiore ♦ *v.intr.* fiorire.
flower·bed ['flaʊəbed] *s.* aiuola.
flowery ['flaʊərɪ] *agg.* **1** a fiori **2** (*fig.*) fiorito.
flown [fləʊn] *p.p.* di to *fly*.
flu [flu:] *s.* (*fam.*) influenza.
fluc·tu·ate ['flʌktjʊeɪt] *v.intr.* oscillare.
flu·ent ['flu:ənt] *agg.* fluente, scorrevole; sciolto.
fluff [flʌf] *s.* lanugine; peluria.
fluffy ['flʌfɪ] *agg.* soffice.
fluid ['flu:ɪd] *agg., s.* fluido.
fluke [flu:k] *s.* (*fam.*) colpo di fortuna.
flung [flʌŋ] *pass., p.p.* di to *fling*.
flunk [flʌŋk] *v.tr.* (*fam.*) bocciare ♦ *v. intr.* essere bocciato.
fluor·es·cent [ˌfluə'resnt] *agg.* fluorescente.
flush[1] [flʌʃ] *v.intr.* arrossire ♦ *v.tr.* scaricare l'acqua ♦ *s.* **1** getto d'acqua **2** sciacquone **3** rossore.
flush[2] *s.* (*carte*) colore (a poker).
flush[3] *agg.* **1** (*with*) a livello con, rasente (a) **2** ben fornito di.
flushed [flʌʃt] *agg.* eccitato, accaldato.
fluster ['flʌstə*] *v.tr.* agitare, innervosire ♦ *s.* agitazione.
flute [flu:t] *s.* flauto.
flutter ['flʌtə*] *v.intr.* **1** svolazzare **2**

battere le ali **3** avere un battito irregolare ♦ *s.* **1** battito **2** agitazione **3** (*fam.*) piccola scommessa.
flux [flʌks] *s.* flusso.
fly*[1] [flaɪ] *v.intr.* **1** volare **2** sventolare ♦ *v.tr.* **1** far volare **2** pilotare (un aereo) **3** trasportare, spedire per via aerea.
fly[2] *s.* mosca.
fly[3], **flies** *s.* patta (di calzoni).
fly·leaf [ˈflaɪli:f] (*-ves* [-vz]) *s.* (*tip.*) risguardo.
fly·over [ˈflaɪ,əʊvə*] *s.* sovrappasso.
foal [fəʊl] *s.* puledro.
foam [fəʊm] *s.* schiuma | *– rubber*, gommapiuma ♦ *v.intr.* schiumeggiare.
foamy [ˈfəʊmɪ] *agg.* spumeggiante.
fob off [,fɒbˈɒf] *v.tr.* (*fam.*) rifilare.
fo·cus [ˈfəʊkəs] (*-ses* [-sɪz], *-ci* [-saɪ]) *s.* (*scient.*) fuoco ♦ *v.tr., intr.* focalizzare, focalizzarsi.
fod·der [ˈfɒdə*] *s.* foraggio.
fog [fɒg] *s.* nebbia ♦ (*-gged*) *v.tr., intr.* annebbiare, annebbiarsi.
foggy [ˈfɒgɪ] *agg.* nebbioso.
foil[1] [fɔɪl] *s.* foglio di alluminio.
foil[2] *v.tr.* frustrare, sventare.
fold [fəʊld] *s.* piega ♦ *v.tr.* **1** piegare | *to – up*, ripiegare **2** avvolgere **3** incrociare (braccia); congiungere (mani) ♦ *v.intr.* piegarsi, essere pieghevole.
fold·away [ˈfəʊldəweɪ] *agg.* pieghevole; estraibile.
folder [ˈ·ə*] *s.* cartelletta; raccoglitore.
fo·li·age [ˈfəʊlɪɪdʒ] *s.* fogliame.
folk [fəʊk] *s.* **1** gente **2** *pl.* (*fam.*) famiglia **3** popolo, nazione ♦ *agg.* popolare; (*mus.*) folk.
folk·lore [ˈfəʊklɔ:*] *s.* folclore.
folksy [ˈfəʊksɪ] *agg.* senza pretese.
fol·low [ˈfɒləʊ] *v.tr.* **1** seguire; far seguire | *to – up*, seguire; far seguito a **2** esercitare (un mestiere) ♦ *v.intr.* **1** seguire **2** conseguire.
fol·lower [ˈ··ə*] *s.* seguace.
fol·low·ing [ˈ··ɪŋ] *agg.* seguente, successivo ♦ *prep.* conseguente a; dopo.
follow-up [ˈ·· ·] *s.* seguito; sollecito.
folly [ˈfɒlɪ] *s.* follia.
fo·ment [fəʊˈment] *v.tr.* fomentare.
fond [fɒnd] *agg.* **1** amante, appassionato **2** affettuoso.
fondle [ˈfɒndl] *v.tr.* accarezzare; vezzeggiare.
fond·ness [ˈ·nɪs] *s.* **1** affetto **2** predilezione.
food [fu:d] *s.* cibo | *– processor*, tritatutto.
food·stuff [ˈfu:dstʌf] *s.* generi alimentari.
fool [fu:l] *s.* sciocco; stupido ♦ *v.tr.* **1** ingannare **2** *to – around*, comportarsi stupidamente; perdere tempo.
fool·hardy [ˈfu:lhɑ:dɪ] *agg.* temerario.
fool·ish [ˈfu:lɪʃ] *agg.* sciocco.
fool·proof [ˈfu:lpru:f] *agg.* sicuro.
foot [fʊt] (*feet* [fi:t]) *s.* piede | *at the –*, in calce; in fondo | *on –*, a piedi ♦ *v.tr.* (*fam.*) pagare.
foot·ball [ˈfʊtbɔ:l] *s.* **1** pallone; palla ovale **2** (gioco del) calcio | (*American*) *–*, football americano.
foot·ing [ˈ·ɪŋ] *s.* punto d'appoggio; (*fig.*) posizione: *to lose one's –*, perdere l'equilibrio.
foot·mark [ˈfʊtmɑ:k] *s.* orma.
foot·path [ˈfʊtpɑ:θ] *s.* sentiero.
foot·print [ˈfʊtprɪnt] *s.* orma.
foot·step [ˈfʊtstep] *s.* **1** passo **2** orma.
foot·wear [ˈfʊtweə] *s.* calzature.
for [fɔ:* (*ff*) fə* (*fd*)] *prep.* **1** per | *– or*

against, pro o contro **2** verso **3** nonostante ♦ *cong.* poiché.
for·age [ˈfɒrɪdʒ] *s.* foraggio ♦ *v.intr.*: *to – for*, andare in cerca di.
foray [ˈfɒreɪ] *s.* raid; incursione.
forbade [fəˈbæd *amer.* ·ˈbeɪd] *pass.* di to *forbid*.
for·bear·ing [fɔ:ˈbeərɪŋ] *agg.* paziente, tollerante; indulgente.
for·bid* [fəˈbɪd] *v.tr.* proibire.
for·bid·den [fəˈbɪdn] *p.p.* di to *forbid*.
for·bid·ding [·ˈ·ɪŋ] *agg.* minaccioso.
force [fɔ:s] *s.* forza | *in –*, in vigore; in massa | *the* (*Armed*) *Forces*, le Forze Armate ♦ *v.tr.* forzare; obbligare; estorcere.
ford [fɔ:d] *s.* guado.
fore [fɔ:*] *agg.* anteriore; (*mar.*) di prua.
fore·arm [ˈfɔ:rɑ:m] *s.* avambraccio.
fore·bod·ing [fɔ:ˈbəʊdɪŋ] *s.* presentimento.
fore·cast [ˈfɔ:kɑ:st *amer.* ˈfɔ:kæst] *s.* pronostico; previsione | *weather –*, previsioni del tempo ♦ (come *cast*) *v.tr.* predire.
fore·father [ˈfɔ:ˌfɑ:ðə*] *s.* antenato, avo.
fore·fin·ger [ˈfɔ:fɪŋgə*] *s.* (dito) indice.
forego [fɔ:ˈgəʊ] → to *forgo*.
fore·gone [fɔ:ˈgɒn] *agg.* scontato; inevitabile.
fore·ground [ˈfɔ:graʊnd] *s.* primo piano.
fore·hand [ˈfɔ:hænd] *s.* (*sport*) diritto.
fore·head [ˈfɒrɪd] *s.* fronte.
for·eign [ˈfɒrən] *agg.* straniero; estero | *– body*, corpo estraneo.
for·eigner [ˈ··ə*] *s.* straniero.
fore·leg [ˈfɔ:leg] *s.* zampa anteriore.
fore·man [ˈfɔ:mən] (*-men*) *s.* capo-officina; caposquadra; caporeparto; soprintendente.
fore·men·tioned [ˌfɔ:ˈmenʃnd] *agg.* suddetto.
fore·most [ˈfɔ:məʊst] *agg.*, *avv.* (per) primo.
fore·name [ˈfɔ:neɪm] *s.* nome (di battesimo).
for·ensic [fəˈrensɪk] *agg.* forense.
fore·run·ner [ˈfɔ:rʌnə*] *s.* **1** precursore **2** presagio; sintomo.
fore·saw [fɔ:ˈsɔ:] *pass.* di to *foresee*.
fore·see [fɔ:ˈsi:] (come *see*) *v.tr.* prevedere.
fore·seen [fɔ:ˈsi:n] *p.p.* di to *foresee*.
fore·shadow [fɔ:ˈʃædəʊ] *v.tr.* adombrare; presagire.
fore·sight [ˈfɔ:saɪt] *s.* previdenza.
for·est [ˈfɒrɪst] *s.* foresta; bosco.
fore·stall [fɔ:ˈstɔ:l] *v.tr.* prevenire; anticipare.
fore·taste [ˈfɔ:teɪst] *s.* assaggio, anticipazione.
fore·tell [fɔ:ˈtel] (come *tell*) *v.tr.* predire, pronosticare.
fore·thought [ˈfɔ:θɔ:t] *s.* previdenza.
fore·told [fɔ:ˈtəʊld] *pass.*, *p.p.* di to *foretell*.
for·ever [fəˈrevə*] *avv.* per sempre.
fore·warn [fɔ:ˈwɔ:n] *v.tr.* preavvisare.
fore·word [ˈfɔ:wɜ:d] *s.* prefazione.
for·feit [ˈfɔ:fɪt] *agg.* (*dir.*) confiscato ♦ *s.* confisca.
for·gave [fəˈgeɪv] *pass.* di to *forgive*.
forge[1] [fɔ:dʒ] *v.tr.* **1** forgiare **2** contraffare.
forge[2] *v.intr.* avanzare | *to – ahead*, farsi strada.
for·gery [ˈfɔ:dʒərɪ] *s.* contraffazione.
for·get* [fəˈget] *v.tr.*, *intr.* dimenticare, dimenticarsi | *– about it!*, non pensarci più!

for·get·ful [fə'getful] *agg.* di corta memoria.
forget-me-not [fə'getmɪnɒt] *s.* nontiscordardimé.
for·giv·able [fə'gɪvəbl] *agg.* perdonabile.
for·give [fə'gɪv] (come *give*) *v.tr.* perdonare; condonare (debiti).
for·given [fə'gɪvn] *p.p.* di to *forgive.*
for·give·ness [·'·nɪs] *s.* **1** perdono **2** indulgenza, clemenza.
for·go [fɔ:'gəʊ] (come *go*) *v.tr.* rinunciare a, privarsi di; far senza.
for·gone [fɔ:'gɒn] *p.p.* di to *forgo.*
forgot [fə'gɒt] *pass.* di to *forget.*
forgotten [fə'gɒtn] *p.p.* di to *forget.*
fork [fɔ:k] *s.* **1** forchetta **2** forca, forcone **3** bivio **4** forcella ♦ *v.intr.* biforcarsi ♦ *v.tr.*: *to – out,* (*fam.*) sganciare.
for·lorn [fə'lɔ:n] *agg.* dimenticato; sconsolato.
form [fɔ:m] *s.* **1** forma **2** modulo **3** classe ♦ *v.tr., intr.* formare, formarsi.
formal ['fɔ:ml] *agg.* formale.
form·al·ity [fɔ:'mæləti] *s.* formalità.
for·mat ['fɔ:mæt] *s.* formato.
forma·tion [fɔ:'meɪʃn] *s.* formazione.
for·mer ['fɔ:mə*] *agg., pron.* primo (di due); anteriore, precedente: *the – and the latter,* il primo e il secondo.
for·mid·able ['fɔ:mɪdəbl] *agg.* difficile, arduo.
for·mula ['fɔmjʊlə] (*-lae* ['··li:], *-las*) *s.* **1** formula **2** (*amer.*) alimento (per neonati).
for·mu·late ['fɔ:mjʊleɪt] *v.tr.* formulare.
for·sake* [fə'seɪk] *v.tr.* abbandonare.
for·saken [fə'seɪkən] *p.p.* di to *forsake.*
forsook [fə'sʊk] *pass.* di to *forsake.*
fort [fɔ:t] *s.* (*mil.*) forte.
forte ['fɔ:teɪ] *s.* forte, abilità.
forth [fɔ:θ] *avv.* **1** (in) avanti | *and so –,* e così via **2** fuori.
forth·com·ing [,fɔ:θ'kʌmɪŋ] *agg.* **1** imminente, prossimo **2** disponibile **3** amichevole, cordiale.
forth·right ['fɔ:θraɪt] *agg.* franco.
for·ti·fica·tion [,fɔ:tɪfɪ'keɪʃn] *s.* fortificazione.
for·tify ['fɔ:tɪfaɪ] *v.tr.* fortificare; (*fig.*) rinvigorire.
for·ti·tude ['fɔ:tɪtju:d *amer.* 'fɔ:tɪtu:d] *s.* forza d'animo.
fort·night ['fɔ:tnaɪt] *s.* due settimane, quindici giorni.
fort·ress ['fɔ:trɪs] *s.* fortezza.
for·tu·it·ous [fɔ:'tju:ɪtəs] *agg.* fortuito.
for·tu·nate ['fɔ:tʃnət] *agg.* fortunato; propizio.
for·tune ['fɔ:tʃu:n] *s.* fortuna, sorte.
fortune hunter ['·· ··] *s.* cacciatore di dote.
fortune-teller ['·· ··] *s.* indovino.
forty ['fɔ:tɪ] *agg., s.* quaranta.
for·ward ['fɔ:wəd] *agg.* **1** avanzato, in avanti **2** sfrontato, impertinente ♦ *avv.* avanti, in avanti ♦ *s.* (*sport*) attaccante ♦ *v.tr.* inoltrare | *forwarding address,* recapito.
for·wards ['fɔ:wədz] *avv.* → *forward.*
forwent [fɔ:'went] *pass.* di to *forgo.*
fos·sil ['fɒsl] *agg., s.* fossile.
fos·sil·ize ['fɒsɪlaɪz] *v.intr.* fossilizzarsi.
fos·ter ['fɒstə*] *v.tr.* **1** allevare **2** favorire, incoraggiare.
fought [fɔ:t] *pass., p.p.* di to *fight.*
foul [faʊl] *agg.* sporco; puzzolente; osceno; sleale; cattivo (di tempo) | *– play,* crimine; gioco sleale ♦ *s.* fallo ♦ *v.tr.* **1** sporcare **2** commettere un fallo.
found [faʊnd] *v.tr.* **1** fondare **2** fondere.

found *pass., p.p.* di to *find.*
founda·tion [faʊn'deɪʃn] *s.* **1** fondazione **2** *pl.* fondamenta **3** (*fig.*) fondamento **4** fondotinta.
foundry ['faʊndrɪ] *s.* fonderia.
foun·tain ['faʊntɪn] *s.* fontana | – *pen,* penna stilografica.
four [fɔ:*] *agg., s.* quattro.
four-poster [,·'··] *s.* letto a baldacchino.
four·some ['fɔ:səm] *s.* (*fam.*) quattro persone.
four·teen [,fɔ:'ti:n] *agg., s.* quattordici.
fourth [fɔ:θ] *agg., s.* quarto.
fowl [faʊl] *s.* pollame.
fox [fɒks] *s.* volpe.
foyer ['fɔɪeɪ *amer.* 'fɔɪə*] *s.* hall; (*teatr.*) ridotto, foyer.
frac·tion ['frækʃn] *s.* frazione.
frac·tious ['frækʃəs] *agg.* stizzoso.
frac·ture ['fræktʃə*] *s.* frattura ♦ *v.tr., intr.* fratturare, fratturarsi.
fra·gile ['frædʒaɪl *amer.* 'frædʒəl] *agg.* fragile, delicato.
frag·ment ['frægmənt] *s.* frammento.
frag·ment·ary ['frægməntərɪ *amer.,* frægmən'terɪ] *agg.* frammentario.
fra·grant ['freɪgrənt] *agg.* fragrante.
frail [freɪl] *agg.* delicato.
frame [freɪm] *s.* struttura; intelaiatura; cornice | – *of mind,* stato d'animo ♦ *v.tr.* incorniciare.
frame-up ['freɪmʌp] *s.* (*fam.*) macchinazione, complotto.
frame·work ['freɪmwɜ:k] *s.* armatura; intelaiatura.
franc [fræŋk] *s.* franco (moneta).
France [frɑ:ns] *no.pr.* Francia.
frank[1] [fræŋk] *agg.* franco, schietto.
frank[2] *v.tr.* affrancare.
frank·furter ['fræŋkfɜ:tə*] *s.* (*cuc.*) würstel.
fran·tic ['fræntɪk] *agg.* agitato.
frat·ern·ize ['frætənaɪz] *v.intr.* fraternizzare.
fraud [frɔ:d] *s.* **1** frode **2** (*fam.*) truffatore.
fraudu·lent ['frɔ:djʊlənt] *agg.* fraudolento.
fraught [frɔ:t] *agg.* **1** teso **2** – *with,* pieno, carico di.
fray[1] [freɪ] *s.* zuffa, lotta.
fray[2] *v.tr., intr.* logorare, logorarsi.
freak [fri:k] *s.* **1** essere deforme **2** (*fam.*) patito.
freak out ['··] *v.intr.* (*fam.*) andar via di testa.
freaky ['fri:kɪ] *agg.* (*fam.*) bizzarro.
freckle ['frekl] *s.* lentiggine.
free [fri:] *agg.* **1** libero | – *and easy,* informale **2** gratuito; (*comm.*) franco ♦ *avv.* **1** gratuitamente, gratis **2** liberamente ♦ *v.tr.* liberare.
free·dom ['fri:dəm] *s.* libertà.
free-for-all [,··'·] *s.* (*fam.*) discussione rumorosa.
free·hold ['fri:həʊld] *s.* (*dir.*) proprietà assoluta.
free·lance ['fri:lɑ:ns *amer.* 'fri:læns] *s.* freelance; libero professionista.
free·loader [,fri:'ləʊdə*] *s.* (*fam.*) scroccone.
free·man ['fri:mən] (*-men*) *s.* cittadino onorario.
free·phone ['fri:fəʊn] *s.* numero verde.
free·way ['fri:weɪ] *s.* (*amer.*) autostrada (senza pedaggio).
freeze* [fri:z] *v.intr.* **1** gelare **2** fermarsi di colpo ♦ *v.tr.* congelare ♦ *s.* gelo.
freeze-dry ['fri:zdraɪ] *v.tr.* liofilizzare.
freight [freɪt] *s.* **1** carico **2** trasporto **3** costo di trasporto ♦ *v.tr.* trasportare; spedire.

freighter [ˈfreɪtə*] *s.* nave, aereo da carico, cargo.
French [frentʃ] *agg., s.* francese | *–fries*, patatine fritte (a bastoncino) | *– window*, porta finestra.
fren·etic [frəˈnetɪk] **fren·zied** [ˈfrenzɪd] *agg.* frenetico.
fre·quency [ˈfri:kwənsɪ] *s.* frequenza.
fre·quent [ˈfri:kwənt] *agg.* frequente.
fresh [freʃ] *agg.* **1** nuovo; recente **2** altro **3** non conservato, fresco **4** dolce, non salato **5** (*fam.*) sfacciato.
freshen [ˈfreʃn] *v.tr.* rinfrescare ♦ *v. intr.*: *to – up*, rinfrescare, rinfrescarsi.
fresher [ˈfreʃə*] **fresh·man** [ˈfreʃmən] (*-men*) *s.* matricola.
fresh·water [ˈfreʃ,wɔ:tə*] *agg.* d'acqua dolce.
fret [fret] *s.* inquietudine ♦ (*-tted* [-tɪd]) *v.tr., intr.* inquietare, inquietarsi.
friar [ˈfraɪə*] *s.* frate.
fric·tion [ˈfrɪkʃn] *s.* attrito.
Fri·day [ˈfraɪdɪ] *s.* venerdì | *Good –*, Venerdì Santo.
fridge [frɪdʒ] *s.* (*fam.*) frigo.
friend [frend] *s.* amico: *a – of mine*, un mio amico.
friendly [ˈfrendlɪ] *agg.* amichevole, cordiale.
friend·ship [ˈfrendʃɪp] *s.* amicizia.
fright [fraɪt] *s.* paura, spavento ♦ *v.tr.* spaventare.
fright·ful [ˈfraɪtfʊl] *agg.* orribile.
fri·gid [ˈfrɪdʒɪd] *agg.* gelido.
fringe [frɪndʒ] *s.* **1** frangia **2** margine.
frisk [frɪsk] *v.tr.* perquisire (una persona).
frisky [ˈfrɪskɪ] *agg.* (*fam.*) vivace.
frit·ter [ˈfrɪtə*] *s.* frittella ♦ *v.tr.*: *to – away*, sprecare
fri·vol·ous [ˈfrɪvələs] *agg.* frivolo.
frizzy [ˈfrɪzɪ] *agg.* crespo, riccio.
frog [frɒg] *s.* rana.
frog·man [ˈfrɒgmən] (*-men*) *s.* sommozzatore.
frolic [ˈfrɒlɪk] (*-cked* [-kt]) *v.intr.* giocherellare.
from [frɒm (*ff*) frəm (*fd*)] *prep.* da | *– among*, tra.
front [frʌnt] *agg., s.* davanti, (parte) anteriore **2** fronte ♦ *v.intr., tr.* **1** fronteggiare **2** *to – for*, fare da copertura a **3** (*tv*) presentare.
front·age [ˈfrʌntɪdʒ] *s.* facciata.
frontal [ˈfrʌntl] *agg.* frontale.
fron·tier [ˈfrʌn,tɪə* *amer.* ·ˈ··] *s.* confine, frontiera.
front-page [ˈ· ·] *agg.* di, da prima pagina.
frost [frɒst] *s.* gelo, gelata; brina ♦ *v. intr.* (*over*) ricoprirsi di brina.
frost·bit·ten [ˈfrɒs*t*bɪtn] *agg.* (*med.*) congelato.
frosted [ˈfrɒstɪd] *agg.* **1** (*amer.*) glassato **2** smerigliato.
frosty [ˈfrɒstɪ] *agg.* brinato; (*fig.*) glaciale.
froth [frɒθ] *s.* schiuma, spuma.
frown [fraʊn] *v.intr.* **1** corrugare la fronte **2** accigliarsi ♦ *s.* cipiglio.
froze [frəʊz] *pass.* di to *freeze.*
frozen [ˈfrəʊzn] *p.p.* di to *freeze.*
fru·gal [ˈfru:gl] *agg.* frugale.
fruit [fru:t] *s.* frutto; frutta ♦ *v.intr.* fruttificare.
fruit·erer [ˈfru:tərə*] *s.* fruttivendolo.
fruit·less [ˈfru:tlɪs] *agg.* infruttuoso.
fruit machine [ˈ· ·ˈ·] *s.* slot machine.
frus·trate [frʌˈstreɪt *amer.* ˈfrʌstreɪt] *v.tr.* frustrare.
frus·tra·tion [frʌˈstreɪʃn] *s.* frustrazione.

fry [fraɪ] *s.* (*cuc.*) fritto, frittura | *small –*, (*fig.*) pesci piccoli ♦ *v.tr., intr.* friggere.
fuck [fʌk] *v.tr.* (*volg.*) fottere | *to – up*, incasinare.
fuddle [ˈfʌdl] *v.tr.* annebbiare (la mente).
fuddy-duddy [ˈfʌdɪˈdʌdɪ] (*fam.*) *agg.* dalle idee antiquate.
fuel [fjʊəl] *s.* combustibile, carburante ♦ (*-lled*) *v.tr., intr.* rifornire, rifornirsi di carburante.
fu·git·ive [ˈfjuːdʒɪtɪv] *s.* fuggitivo ♦ *agg.* fugace, effimero.
ful·fil [fʊlˈfɪl] amer. **fulfill** (*-lled*) *v.tr.* **1** adempiere **2** soddisfare.
ful·fil·ment [-ˈ·mənt] *s.* **1** adempimento **2** appagamento, realizzazione.
full [fʊl] *agg.* **1** pieno **2** intero, completo | *in –*, per intero **3** comodo, ampio (di abito) **4** in carne ♦ *avv.* in pieno.
full·back [ˈfʊlbæk] *s.* (*sport*) terzino.
full-blooded [ˌ·ˈ··] *agg.* vigoroso.
full-blown [ˌ·ˈ·] *agg.* (*fig.*) completo.
full-house [ˌ·ˈ·] *s.* **1** (*teatr.*) tutto esaurito **2** (*a poker*) full.
full-length [ˌ·ˈ·] *agg.* **1** a figura intera **2** intero (di libro).
full·ness [ˈfʊlnɪs] *s.* pienezza; abbondanza; sazietà.
full stop [ˌ·ˈ·] *s.* punto.
full-time [ˌ·ˈ·] *agg.* a tempo pieno.
full-up [ˌ·ˈ·] *agg.* pieno.
ful·mina·tion [ˌfʌlmɪˈneɪʃn] *s.* invettiva, attacco verbale.
ful·some [ˈfʊlsəm] *agg.* esagerato.
fumble [ˈfʌmbl] *v.intr.* armeggiare.
fume [fjuːm] *v.intr.* ribollire (di rabbia).
fumes [fjuːmz] *s.pl.* fumi, esalazioni.
fun [fʌn] *s.* divertimento.
func·tion [ˈfʌŋkʃn] *s.* funzione ♦ *v.intr.* funzionare.
func·tional [ˈ·ʃənl] *agg.* funzionale; in grado di funzionare.
func·tion·ary [ˈfʌŋkʃnərɪ] *s.* funzionario.
fund [fʌnd] *s.* **1** (*econ.*) fondo **2** *pl.* fondi, mezzi ♦ *v.tr.* finanziare.
fun·da·mental [ˈfʌndəˈmentl] *agg.* fondamentale ♦ *s.* fondamento.
fu·neral [ˈfjuːnərəl] *s.* funerale | *that's your –*, (*fam.*) è affar tuo.
fu·ner·eal [fjuːˈnɪərɪəl] *agg.* funereo.
fun·fair [ˈfʌnfeə*] *s.* luna park.
fu·nicu·lar [fjuːˈnɪkjʊlə*] *s.* funicolare.
fun·nel [ˈfʌnl] *s.* **1** imbuto **2** ciminiera.
funny [ˈfʌnɪ] *agg.* **1** divertente, comico **2** strano.
fur [fɜː*] *s.* pelo; pelliccia ♦ *v.intr.*: *to – (up)*, incrostarsi.
fur·bish [ˈfɜːbɪʃ] *v.tr.* rinnovare, mettere a nuovo.
furi·ous [ˈfjʊrɪəs] *agg.* furioso.
furl [fɜːl] *v.tr.* arrotolare.
fur·nace [ˈfɜːnɪs] *s.* fornace.
fur·nish [ˈfɜːnɪʃ] *v.tr.* ammobiliare.
fur·nish·ings [ˈfɜːnɪʃɪŋz] *s.pl.* arredamento.
fur·ni·ture [ˈfɜːnɪtʃə*] *s.* mobilio, mobili.
fur·rier [ˈfʌrɪə*] *s.* pellicciaio.
fur·row [ˈfʌrəʊ] *s.* solco.
fur·ther [ˈfɜːðə*] *agg.* **1** più lontano **2** ulteriore ♦ *avv.* **1** oltre **2** inoltre ♦ *v.tr.* promuovere, favorire.
fur·ther·most [ˈfɜːðəməʊst] *agg.* il più lontano.
fur·thest [ˈfɜːðɪst] *agg.* il più lontano, estremo ♦ *avv.* al massimo.
furt·ive [ˈfɜːtɪv] *agg.* furtivo; circospetto.
fury [ˈfjʊərɪ] *s.* furia.

fuse [ˈfju:z] *s.* valvola, fusibile ♦ *v.tr., intr.* **1** fondere **2** (far) saltare.
fu·sel·age [ˈfju:zɪlɑ:ʒ] *s.* fusoliera.
fu·sion [ˈfju:ʒn] *s.* fusione.
fuss [fʌs] *s.* trambusto, confusione ♦ *v.intr.* agitarsi ♦ *v.tr.* (*fam. amer.*) scocciare.
fussi·ness [ˈfʌsɪnɪs] *s.* pedanteria.
fussy [ˈfʌsɪ] *agg.* pedante.
fus·tian [ˈfʌstɪən] *s.* fustagno.
fu·tile [ˈfju:taɪl *amer.* ˈfju:tl] *agg.* futile.
fu·ture [ˈfju:tʃə*] *agg., s.* futuro.
fuzzy [ˈfʌzɪ] *agg.* **1** crespo (di capelli) **2** confuso, indistinto.

G

gabble [ˈgæbl] *v.tr., intr.* farfugliare.
gadget [ˈgædʒɪt] *s.* aggeggio; dispositivo.
gaf·fer [ˈgæfə*] *s.* (*fam.*) **1** capo **2** vecchio.
gag [gæg] *s.* **1** bavaglio **2** (*teatr.*) gag, battuta ♦ (*-gged*) *v.tr.* imbavagliare ♦ *v.intr.* strozzarsi.
gaga [ˈgægɑ: *amer.* ˈgɑ:gɑ:] *agg.* (*fam.*) rincitrullito.
gage [geɪdʒ] (*amer.*) → *gauge.*
gai·ety [ˈgeɪətɪ] *s.* allegria.
gaily [ˈgeɪlɪ] *avv.* allegramente.
gain [geɪn] *v.tr., intr.* guadagnare ♦ *s.* guadagno; profitto; aumento.
gait [geɪt] *s.* andatura.
gal [gæl] *s.* (*fam.*) ragazza.
gale [geɪl] *s.* vento forte.
gal·lery [ˈgælərɪ] *s.* galleria.
gal·lon [ˈgælən] *s.* gallone (misura).
gal·lop [ˈgæləp] *s.* galoppo ♦ *v.intr.* galoppare.
gal·lows [ˈgæləʊz] *s.* patibolo.
ga·lore [gəˈlɔ:*] *avv.* (*fam.*) a bizzeffe.
gamble [ˈgæmbl] *v.intr.* giocare d'azzardo ♦ *v.tr.* scommettere ♦ *s.* azzardo, rischio.
gamb·ling [ˈ·ɪŋ] *s.* gioco d'azzardo.
game[1] [geɪm] *s.* **1** gioco **2** partita **3** cacciagione, selvaggina | – *licence*, licenza di caccia.
game[2] *agg.* (*fam.*) **1** coraggioso **2** disposto: *I am –*, ci sto.
gam·mon [ˈgæmən] *s.* prosciutto affumicato.
gang [gæŋ] *s.* banda; squadra ♦ *v.intr.*: *to – up*, coalizzarsi, allearsi.
gang·land [ˈgæŋˌlænd] *s.* ambiente della malavita.
gang·ling [ˈgæŋglɪŋ] *agg.* allampanato.
gang·way [ˈgæŋweɪ] *s.* passaggio; corsia; passerella; (*aer.*) scaletta.
gaol e deriv. → *jail* e deriv.
gap [gæp] *s.* **1** buco; apertura **2** divario.
gape [geɪp] *v.intr.* **1** spalancare la bocca **2** (*fig.*) rimanere a bocca aperta.
gap·ing [ˈ·ɪŋ] *agg.* **1** aperto; spalancato **2** stupito.
gar·age [ˈgærɑ:ʒ *amer.* gəˈrɑ:ʒ] *s.* **1** garage, box **2** stazione di servizio ♦ *v.tr.* mettere, tenere in garage.
garb·age [ˈgɑ:bɪdʒ] *s.* **1** immondizia, spazzatura, rifiuti.
garbled [ˈgɑ:bld] *agg.* ingarbugliato.
gar·den [ˈgɑ:dn] *s.* giardino ♦ *v.intr.* fare del giardinaggio.
gar·den·ing [ˈ·ɪŋ] *s.* giardinaggio.
gargle [ˈgɑ:gl] *s.* gargarismo.
gar·ish [ˈgeərɪʃ] *agg.* sgargiante.
gar·land [ˈgɑ:lənd] *s.* ghirlanda.
gar·lic [ˈgɑ:lɪk] *s.* aglio: *clove of –*, spicchio d'aglio.

gar·ment [ˈgɑ:mənt] *s.* capo di vestiario, indumento.
gar·nish [ˈgɑ:nɪʃ] *s.* (*cuc.*) guarnizione.
gar·ret [ˈgærət] *s.* abbaino; soffitta.
gar·rul·ous [ˈgærələs] *agg.* garrulo.
gar·ter [ˈgɑ:tə*] *s.* giarrettiera.
gas [gæs] *s.* **1** gas | – *oil*, gasolio **2** (*amer.*) benzina **3** (*fam.*) chiacchiere ♦ (*-ssed* [-st]) *v.tr.* gassare.
gas·bag [ˈgæsbæg] *s.* (*fam.*) chiacchierone.
gash [ˈgæʃ] *s.* sfregio.
gas·man [ˈgæsmæn] (*-men*) *s.* letturista del gas; gassista.
gas·meter [ˈgæs,mi:tə*] *s.* contatore del gas.
gasol·ine [ˈgæsəli:n] *s.* (*amer.*) benzina.
gasp [gɑ:sp *amer.* gæsp] *v.intr.* **1** respirare affannosamente | *to – out*, farfugliare **2** (*fig.*) rimanere a bocca aperta ♦ *s.* respiro affannoso.
gassy [ˈgæsɪ] *agg.* gassato, frizzante.
gast·ro·nomy [gæsˈtrɒnəmɪ] *s.* gastronomia.
gate [geɪt] *s.* **1** cancello; porta **2** (*sport*) spettatori paganti.
gate·crasher [ˈgeɪt,kræʃə*] *s.* intruso, (*fam.*) portoghese.
gate·keeper [ˈgeɪtki:pə*] *s.* custode.
gate·way [ˈgeɪtweɪ] *s.* **1** entrata, ingresso **2** (*fig.*) strada, via.
gather [ˈgæðə*] *v.tr.* **1** raccogliere, radunare **2** prendere, acquistare **3** capire, dedurre ♦ *v.intr.* raccogliersi, radunarsi.
gather·ing [ˈgæðərɪŋ] *s.* **1** riunione **2** raccolta.
gaudy [ˈgɔ:dɪ] *agg.* vistoso.
gauge [geɪdʒ] *s.* **1** misura; spessore; diametro; calibro **2** (*ferr.*) scartamento **3** strumento di misura; contatore ♦ *v.tr.* misurare; valutare.
gauze [gɔ:z] *s.* garza.
gave [geɪv] *pass.* di to *give*.
gay [geɪ] *agg.*, *s.* omosessuale ♦ *agg.* gaio, allegro; vivace.
gaze [geɪz] *v.intr.* guardare fissamente ♦ *s.* sguardo fisso.
gaz·elle [gəˈzel] *s.* gazzella.
gaz·ette [gəˈzet] *s.* gazzetta; gazzetta ufficiale.
gear [gɪə*] *s.* **1** ingranaggio; meccanismo; dispositivo **2** (*aut.*) marcia; cambio di velocità **3** attrezzatura; equipaggiamento ♦ *v.tr.* **1** ingranare **2** adattare ♦ *v.intr.*: *to – up*, prepararsi.
gear·box [ˈgɪəbɒks] *s.* (*aut.*) scatola del cambio.
geese [gi:s] *pl.* di *goose*.
gel [dʒel] *s.* gel ♦ (*-lled*) *v.intr.* **1** gelatinizzarsi **2** (*fig.*) prendere forma.
gel·at·ine [,dʒeləˈti:n *amer.* ˈdʒelətɪn] *s.* gelatina.
gem [dʒem] *s.* gemma.
gen [dʒen] *s.* (*fam.*) informazioni.
gen·der [ˈdʒendə*] *s.* **1** (*gramm.*) genere **2** (*form.*) sesso.
genea·lo·gical [,dʒi:njəˈlɒdʒɪkl] *agg.* genealogico.
gen·eral [ˈdʒenərəl] *agg.*, *s.* generale; generalizzato.
gen·er·al·ize [ˈdʒenərəlaɪz] *v.tr.*, *intr.* generalizzare.
gen·er·ate [ˈdʒenəreɪt] *v.tr.* generare.
gen·era·tion [-ˈ·ʃn] *s.* generazione.
gen·eric [dʒɪˈnerɪk] *agg.* generico.
gen·er·os·ity [,dʒenəˈrɒsətɪ] *s.* generosità.
gen·er·ous [ˈdʒenərəs] *agg.* generoso.
gen·et·ics [dʒɪˈnetɪks] *s.* genetica.
Ge·neva [dʒɪˈni:və] *no.pr.* Ginevra.

gen·ial [ˈdʒiːnjəl] *agg.* cordiale, affabile.
genius [ˈdʒiːnjəs] (*-ses* [-sɪz]) *s.* genio.
genned up [ˌdʒendˈʌp] *agg.* (*fam.*) ben informato.
gent [dʒent] *s.* (*fam.*) abbr. di → *gentleman.*
gen·tian [ˈdʒenʃɪən] *s.* genziana.
gen·tle [ˈdʒentl] *agg.* **1** gentile, garbato **2** mite **3** leggero, lieve.
gen·tle·man [ˈdʒentlmən] (*-men*) *s.* gentiluomo; signore.
genu·ine [ˈdʒenjʊɪn] *agg.* genuino.
geo·graphy [dʒɪˈɒgrəfɪ] *s.* geografia.
geo·logy [dʒɪˈɒlədʒɪ] *s.* geologia.
geo·metry [dʒɪˈɒmɪtrɪ] *s.* geometria.
ge·ra·nium [dʒɪˈreɪnjəm] *s.* geranio.
ge·ri·at·ri·cian [ˌdʒerɪəˈtrɪʃn] *s.* geriatra.
ge·ri·at·rics [ˌdʒerɪˈætrɪks] *s.* geriatria.
germ [dʒɜːm] *s.* germe.
Ger·man [ˈdʒɜːmən] *agg., s.* tedesco.
Ger·many [ˈdʒɜːmənɪ] *no.pr.* Germania.
ger·mi·cidal [ˌdʒɜːmɪˈsaɪdl] *agg.* germicida.
ger·mi·cide [ˈdʒɜːmɪsaɪd] *s.* germicida.
ger·minal [ˈdʒɜːmɪnl] *agg.* in germe.
ger·min·ate [ˈdʒɜːmɪneɪt] *v.tr., intr.* (far) germinare.
ges·ticu·late [dʒeˈstɪkjʊleɪt] *v.intr.* gesticolare.
ges·ture [ˈdʒestʃə*] *s.* gesto.
get* [get] *v.tr.* **1** (riuscire a) ottenere; procurare, procurarsi **2** prendere **3** ricevere **4** far diventare, rendere **5** far (fare): *can't you – it mended?*, non puoi farlo aggiustare? **6** far arrivare, portare: *he got me to the station in time*, mi ha portato alla stazione in tempo **7** (*fam.*) irritare, dare sui nervi a ♦ *v. intr.* **1** diventare, farsi: *he got lost*, si è perso **2** mettersi (a), cominciare (a) **3** andare, arrivare: *they got home at six*, sono arrivati a casa alle sei **4** riuscire: *if you – to see him...*, se riesci a vederlo... ♦ *Verbi frasali*: *to – across*, attraversare; comunicare, trasmettere | *to – at*, arrivare a; dare addosso a | *to – by*, farcela | *to – off*, scendere (da); togliere; venirne fuori; smontare (dal lavoro) | *to – on*, salire (su); indossare; procedere, continuare | *to – on for*, essere quasi | *to – on with*, andare d'accordo con | *to – over*, superare; chiarire; far arrivare | *to – through*, superare; passare; dar fondo a; (*amer.*) finire | *to – through to*, mettere, mettersi in comunicazione con | *to – up*, alzarsi | *to – up to*, (*fig.*) combinare.
get-at-able [getˈætəbl] *agg.* (*fam.*) accessibile.
get·away [ˈgetəweɪ] *s.* (*fam.*) fuga.
get·up [ˈgetʌp] *s.* costume.
gey·ser [ˈgiːzə* *amer.* ˈgaɪzə*] *s.* **1** geyser **2** (*brit.*) scaldabagno a gas.
ghastly [ˈgɑːstlɪ *amer.* ˈgæstlɪ] *agg.* **1** orrendo, spaventoso **2** spettrale.
gher·kin [ˈgɜːkɪn] *s.* cetriolino sotto aceto.
ghetto [ˈgetəʊ] (*-os,-oes*) *s.* ghetto | – *blaster*, (*fam.*) stereo portatile.
ghost [gəʊst] *s.* fantasma.
ghost writer [ˈgəʊstˌraɪtə*] *s.* negro, chi scrive per conto di un altro.
gi·ant [ˈdʒaɪənt] *s.* gigante ♦ *agg.* gigantesco.
gib·ber·ish [ˈgɪbərɪʃ] *s.* discorso incomprensibile.
gibe [dʒaɪb] → *jibe.*
gib·lets [ˈdʒɪblɪts] *s.pl.* rigaglie.
giddy [ˈgɪdɪ] *agg.* preso da vertigini: *to be, to feel –*, aver le vertigini | – *heights*, altezze vertiginose.

gift [gɪft] *s.* dono; regalo | – *token*, – *voucher*, buono omaggio.
gif·ted [ˈgɪftɪd] *agg.* dotato.
giggle [ˈgɪgl] *v.intr.* ridacchiare.
gild [gɪld] *v.tr.* dorare.
gilt [gɪlt] *agg.* dorato ♦ *s.* doratura.
gim·crack [ˈdʒɪmkræk] *agg.* appariscente ma di poco pregio.
gim·mick [ˈgɪmɪk] *s.* (*fam.*) **1** trovata **2** aggeggio, arnese.
gin·ger [ˈdʒɪndʒə*] *agg.* fulvo ♦ *s.* zenzero | – *beer*, – *ale*, bibita allo zenzero ♦ *v.tr.*: *to – up*, stimolare.
gin·gerly [ˈdʒɪndʒəlɪ] *avv.* cautamente ♦ *agg.* cauto.
gin·gery [ˈdʒɪndʒərɪ] *agg.* **1** allo zenzero **2** fulvo, rossiccio **3** vivace, vispo.
gin rummy [ˈdʒinˈrʌmi] *s.* ramino.
gipsy [ˈdʒɪpsɪ] *s.* zingaro, gitano.
gir·affe [dʒɪˈrɑ:f *amer.* dʒɪˈræf] *s.* giraffa.
girder [ˈgɜ:də*] *s.* trave.
girdle [ˈgɜ:dl] *s.* **1** fascia elastica **2** cintura, fascia ♦ *v.tr.* circondare.
girl [gɜ:l] *s.* ragazza.
girl·friend [ˈgɜ:lfrend] *s.* ragazza, innamorata; amica.
girlie [ˈgɜ:lɪ] *agg.* (*amer.*) con nudo femminile in copertina.
girl·ish [ˈgɜ:lɪʃ] *agg.* da ragazza.
giro [ˈdʒaɪrəʊ] *s.* giroconto | – *cheque*, assegno postale.
gist [dʒɪst] *s.* essenza, sostanza.
give* [gɪv] *v.tr.* **1** dare **2** indurre ♦ *v. intr.* **1** guardare, dare (su) **2** cedere ♦ *Verbi frasali*: *to – away*, dar via; regalare; tradire; sprecare | *to – in*, consegnare; arrendersi | *to – off*, emettere | *to – out*, distribuire; far sapere; esaurirsi | *to – over*, destinare; consegnare; (*fam.*) smettere | *to – up*, consegnare; arrendersi; smettere; rinunciare.
give·away [ˈgɪvəweɪ] *agg.* (*fam.*) basso, stracciato (di prezzo) ♦ *s.* **1** rivelazione involontaria, il tradirsi **2** gadget, omaggio (per l'acquisto di un prodotto).
given [ˈgɪvn] *p.p.* di to *give*.
gla·cier [ˈglæsjə* *amer.* ˈgleɪʃə*] *s.* ghiacciaio.
glad [glæd] *agg.* felice.
glad·den [ˈglædn] *v.tr.* rallegrare.
gladly [ˈglædlɪ] *avv.* volentieri.
glam·or·ous [ˈglæmərəs] *agg.* affascinante.
glam·our [ˈglæmə*] *s.* fascino.
glance [glɑ:ns *amer.* glæns] *s.* sguardo, occhiata | *at a –*, con un'occhiata ♦ *v. intr.* **1** dare un'occhiata **2** balenare; scintillare **3** *to – off*, riflettersi.
glan·cing [ˈ-ɪŋ] *agg.* di striscio.
glare [gleə*] *s.* **1** luce abbagliante; riverbero **2** (*fam.*) occhiataccia ♦ *v.intr.* **1** abbagliare **2** *to – at*, guardare in cagnesco.
glass [glɑ:s *amer.* glæs] *s.* **1** vetro **2** bicchiere **3** *pl.* occhiali.
glass·house [ˈglɑ:s,haʊs] *s.* serra.
glass·ware [ˈglɑ:sweə*] *s.* articoli di vetro, vetreria.
glass·works [ˈglɑ:swɜ:ks] *s.* fabbrica di vetro, vetreria.
glassy [ˈglɑ:sɪ *amer.* ˈglæsɪ] *agg.* **1** cristallino, limpido **2** vitreo.
glaze [gleɪz] *v.tr.* **1** fornire di vetri **2** smaltare, vetrinare **3** (*cuc.*) glassare ♦ *s.* **1** vetrina; smalto **2** (*cuc.*) glassa.
glaz·ier [ˈgleɪzjə*] *s.* vetraio.
gleam [gli:m] *s.* barlume ♦ *v.intr.* luccicare.
glean [gli:n] *v.tr.*, *intr.* spigolare.
glib [glɪb] *agg.* con la lingua sciolta.
glide [glaɪd] *v.intr.* scivolare; (*aer.*) planare.

glider [ˈglaɪdə*] *s.* aliante.
glim·mer [ˈglɪmə*] *s.* barlume; luccichio ♦ *v.intr.* luccicare; baluginare.
glimpse [glɪmps] *s.* apparizione fugace: *to catch a – of*, intravedere ♦ *v.tr.* intravedere.
glis·ten [ˈglɪsn] *v.intr.* scintillare, luccicare, brillare.
glit·ter [ˈglɪtə*] *v.intr.* scintillare; luccicare ♦ *s.* scintillio, luccichio.
glitzy [ˈglɪtsɪ] *agg.* sfavillante.
gloat [gləʊt] *v.intr.* gongolare.
global [ˈgləʊbl] *agg.* globale.
globe [gləʊb] *s.* globo.
gloom(·iness) [ˈglu:m(ɪnɪs)] *s.* **1** oscurità **2** (*fig.*) malinconia; depressione.
gloomy [ˈglu:mɪ] *agg.* cupo, tetro; malinconico.
glor·ify [ˈglɔ:rɪfaɪ] *v.tr.* glorificare.
glori·ous [ˈglɔ:rɪəs] *agg.* **1** glorioso; illustre **2** stupendo.
glory [ˈglɔ:rɪ] *s.* **1** gloria **2** bellezza, splendore ♦ *v.intr.*: *to – in*, gioire di.
gloss [glɒs] *s.* lucentezza ♦ *v.intr.*: *to – over*, sorvolare su; mascherare.
gloss·ary [ˈglɒsərɪ] *s.* glossario; lessico.
glossy [ˈglɒsɪ] *agg.* lucido | *– magazine*, rivista su carta patinata.
glove [glʌv] *s.* guanto.
gloved [glʌvd] *agg.* inguantato.
glow [gləʊ] *v.intr.* **1** risplendere, brillare **2** avvampare; ardere ♦ *s.* **1** splendore **2** colorito vivo **3** (*fig.*) ardore.
glow-worm [ˈgləʊwɜ:m] *s.* lucciola.
glue [glu:] *s.* colla ♦ *v.tr.* incollare.
gluey [ˈglu:ɪ] *agg.* colloso; appiccicoso.
glum [glʌm] *agg.* triste, depresso.
glut [glʌt] *s.* sovrabbondanza; eccesso ♦ (*-tted*) *v.tr.* saturare.
glut·ton [ˈglʌtn] *s.* goloso.
G-man [ˈdʒi:mæn] (*-men*) *s.* agente federale.
gnat [næt] *s.* moscerino.
gnaw [nɔ:] *v.tr., intr.* rodere.
gnawn [nɔ:n] *p.p.* di to *gnaw*.
gnome [nəʊm] *s.* gnomo.
go* [gəʊ] *v.intr.* **1** andare, andarsene: *to – to town*, *to Paris*, andare in città, a Parigi; *to – on foot*, *by bus*, andare a piedi, in autobus | *the lamp went yesterday*, la lampada è saltata ieri **2** (*con agg.*) diventare, divenire, farsi | *to – unpunished*, restare impunito **3** andare, funzionare **4** essere venduto: *it is going cheap*, vien via per, a poco **5** *to be going to* (+ *inf.*), essere sul punto di, stare per; avere intenzione di ♦ *Verbi frasali*: *to – at*, buttarsi su | *to – back*, ritornare | *to – back on*, rimangiarsi | *to – for*, assalire; piacere; riguardare | *to – off*, andar via; esplodere; scattare (di suoneria); andare a male; riuscire; perdere interesse | *to – out*, uscire; passare di moda; spegnersi | *to – over*, esaminare, controllare | *to – through*, controllare; subire ♦ (*-es*) *s.* (fam.) **1** movimento **2** tentativo **3** energia.
go-ahead [ˈ···] *agg.* intraprendente ♦ *s.* via libera.
goal [gəʊl] *s.* **1** traguardo; meta **2** (*sport*) rete, porta.
goal·keeper [ˈgəʊl,ki:pə*] fam. **goalie** [ˈgəʊlɪ] *s.* (*sport*) portiere.
goat [gəʊt] *s.* capra.
gob·bet [ˈgɒbɪt] *s.* (*fam.*) boccone.
gobble [ˈgɒbl] *v.tr.* trangugiare.
go-between [ˈgəʊbɪ,twi:n] *s.* intermediario.
god [gɒd] *s.* dio | *the gods*, il loggione.
god·dammit [,gɒˈdæmɪt] *inter.* (*sl. amer.*) maledizione!

god·dam(n) [ˈgɒdæm], **god·damn(ed)** [ˈgɒdæm(d)] *agg.* dannato, maledetto.
god·father [ˈgɒd,fɑːðə*] *s.* padrino.
god·for·saken [ˈgɒdfə,seɪkən] *agg.* abbandonato da Dio; sperduto.
god·like [ˈgɒdlaɪk] *agg.* divino.
godly [ˈgɒdlɪ] *agg.* devoto, pio.
god·mother [ˈgɒd,mʌðə*] *s.* madrina.
god·send [ˈgɒdsend] *s.* dono del cielo.
gofer [ˈgəʊfə*] *s.* (*sl. amer.*) fattorino.
go-getter [ˈgəʊ,getə*] *s.* (*fam.*) tipo intraprendente.
goggle [ˈgɒgl] *v.intr.* sgranare, strabuzzare gli occhi.
goggle box [ˈ·,·] *s.* (*fam.*) la tivù.
goggles [ˈgɒglz] *s.pl.* occhiali (di protezione, da motociclista, per nuotare).
go·ing [ˈ·ɪŋ] *s.* **1** partenza **2** andatura, passo **3** (condizioni del) terreno ♦ *agg.* **1** corrente, prevalente **2** fiorente, florido.
going-over [,··ˈ··] (*goings-over*) *s.* (*fam.*) **1** revisione **2** lavata di capo; battuta.
goings-on [,gəʊɪŋzˈɒn] *s.pl.* (*fam.*) avvenimenti, fatti.
gold [gəʊld] *s.* oro ♦ *agg.* d'oro.
golden [ˈgəʊldən] *agg.* d'oro; dorato.
gold·finch [ˈgəʊldfɪntʃ] *s.* cardellino.
gold·fish [ˈgəʊldfɪʃ] *s.* pesce rosso.
gold-plated [,ˈ··] *agg.* placcato oro.
gold·smith [ˈgəʊldsmɪθ] *s.* orafo.
golf [gɒlf] *s.* (*sport*) golf | *– course*, percorso.
gone [gɒn] *p.p.* di to *go*.
goner [gɒnə*] *s.* (*fam.*) persona spacciata.
gonna [ˈgɒnə] (*amer.*) contr. di *going to*.
good [gʊd] *agg.* buono; bravo | *to make –*, avere successo; *to make sthg. –*, rimediare a qlco. ♦ *s.* bene | *it's no –*, non serve | *for –*, per sempre | *– for you*, beato te.
good·bye [gʊdˈbaɪ] *inter., s.* addio.
good-for-nothing [ˈ·fə,nʌθɪŋ] *s.* buono a nulla.
goodie [gʊdɪ] → *goody*.
good-looking [,·ˈ··] *agg.* di bell'aspetto.
good looks [,·ˈ·] *s.pl.* bellezza, bell'aspetto.
good-natured [,gʊdˈneɪtʃəd] *agg.* di buon carattere.
good·ness [ˈgʊdnɪs] *s.* bontà; gentilezza | *– me!* (o *my –!*), mamma mia!; *for –' sake!*, per l'amor del cielo!
good·night [,gʊdˈnaɪt] *inter.* buonanotte.
goods [gʊdz] *s.pl.* **1** merci, merce **2** beni (economici).
good·will [,gʊdˈwɪl] *s.* **1** benevolenza, favore **2** buona volontà **3** (*comm.*) avviamento.
goody[1] [gʊdɪ] *s.* (*fam.*) **1** leccornia; cosa desiderabile **2** (personaggio) buono.
goody[2] *inter.* (*fam.*) bello!; buono!; che bellezza!
goody-goody [ˈgʊdɪˈgʊdɪ] *s.* (*fam.*) persona ostentatamente buona.
gooey [ˈguːɪː] *agg.* (*fam.*) appiccicoso.
goof [guːf] *s.* errore stupido.
goon [guːn] *s.* (*fam.*) **1** sciocco **2** (*amer.*) sicario.
goose [guːs] (*geese* [giːs]) *s.* oca.
goose·berry [ˈgʊzbərɪ] *s.* uva spina.
goose·flesh [ˈguːsfleʃ] *s.* pelle d'oca.
gorge [gɔːdʒ] *v.tr.*: *to – o.s. on, with*, rimpinzarsi di.
gor·geous [ˈgɔːdʒəs] *agg.* magnifico.
gor·illa [gəˈrɪlə] (*-as*) *s.* gorilla.
gorm·less [ˈgɔːmlɪs] *agg.* (*fam.*) incapace.
gory [ˈgɔːrɪ] *agg.* sanguinoso.

gosh [gɒʃ] *inter.* (*fam.*) caspita.
go-slow [,gəʊ'sləʊ] *s.* sciopero bianco.
gos·pel ['gɒspl] *s.* vangelo.
gos·sip ['gɒsɪp] *s.* **1** chiacchiera; pettegolezzo **2** chiacchierata **3** pettegolo ♦ *v.intr.* spettegolare; chiacchierare.
got [gɒt] *pass., p.p.* di to *get*.
Gothic ['gɒθɪk] *agg., s.* gotico.
gotta ['gɒtə] (*fam.*) contr. di *have got to, have got a*.
gotten [gɒtn] *p.p.* (*amer.*) di to *get*.
gourd [gʊəd] *s.* (*bot.*) zucca.
gov·ern ['gʌvn] *v.tr., intr.* governare.
gov·ern·ess ['gʌvnɪs] *s.* istitutrice.
gov·ern·ment ['gʌvnmənt] *s.* governo.
gov·ern·mental [,··'·l] *agg.* governativo.
gov·ernor ['··ə*] *s.* (*di colonia, stato*) governatore; (*di prigione*) direttore; (*di scuola, ospedale ecc.*) membro del consiglio di amministrazione.
gown [gaʊn] *s.* **1** abito da sera (da donna) **2** toga **3** camice.
GP ['dʒi:'pi:] *s.* medico generico.
grab [græb] (*-bbed*) *v.tr.* acchiappare, afferrare.
grace [greɪs] *s.* **1** grazia **2** favore **3** (*comm.*) dilazione.
grace·ful ['greɪsfʊl] *agg.* grazioso.
grace·less ['greɪslɪs] *agg.* sgraziato.
grada·tion [grə'deɪʃn] *s.* gradazione.
grade [greɪd] *s.* **1** grado; qualità **2** classificazione **3** (*amer.*) classe | – *school*, scuola elementare **3** (*amer.*) pendenza ♦ *v.tr.* graduare; valutare.
grade crossing [,'··] *s.* (*amer.*) passaggio a livello.
gra·di·ent ['greɪdjənt] *s.* pendenza.
grad·ual ['grædʒʊəl] *agg.* graduale.
gradu·ate ['grædʒʊət] *s.* laureato; (*amer.*) diplomato ♦ *v.intr.* laurearsi; diplomarsi ♦ *v.tr.* graduare.
graft[1] [grɑ:ft *amer.* græft] *s.* **1** innesto **2** (*med.*) trapianto.
graft[2] *s.* **1** concussione, malversazione **2** (*fam.*) sgobbata.
grain [greɪn] *s.* **1** cereali; frumento **2** chicco, granello; (*fig.*) briciolo.
gram [græm] *s.* grammo.
gram·mar ['græmə*] *s.* grammatica.
grammar school ['···] *s.* **1** scuola secondaria **2** (*amer.*) scuola elementare.
gram·mat·ic·(al) [grə'mætɪk(l)] *agg.* **1** grammaticale **2** grammaticalmente corretto.
gramme [græm] *s.* grammo.
grand [grænd] *agg.* **1** grandioso **2** piacevole **3** importante; imponente ♦ *s.* (*fam.*) **1** pianoforte a coda **2** 1000 dollari; 1000 sterline.
gran·dad ['grændæd] *s.* (*fam.*) nonno.
grand·child ['græntʃaɪld] (*-children* ['·ʃɪldrən]) *s.* nipotino, nipotina (di nonno).
grand·daughter ['græn,dɔ:tə*] *s.* nipote, nipotina (di nonno).
grand·father ['græn*d*,fɑ:ðə*] *s.* nonno | – *clock*, orologio a pendolo.
grand jury [,'··] *s.* (*dir. amer.*) gran giurì.
grand·mother ['græn,mʌðə*] fam.
grand·ma ['grænmɑ:] *s.* nonna.
grandpa ['grænpɑ:] *s.* (*fam.*) nonno.
grand·son ['grænsʌn] *s.* nipote, nipotino (di nonno).
grand·stand ['græn*d*stænd] *s.* tribuna d'onore, tribuna coperta.
gran·ite ['grænɪt] *s.* granito.
grannie, **granny** ['grænɪ] *s.* (*fam.*) nonnina.
grant [grɑ:nt *amer.* grænt] *s.* sovvenzione, contributo; borsa di studio ♦ *v.tr.* **1** concedere, accordare **2** am-

mettere | *to take (sthg.) for granted*, dare (qlco.) per scontato | *granted that*, ammesso che.
grape [greɪp] *s.* acino; *pl.* uva.
grape·fruit [ˈgreɪpfru:t] *s.* pompelmo.
grape·vine [ˈgreɪpvaɪn] *s.* vite.
graph [grɑ:f *amer.* græf] *s.* grafico.
graphic [ˈgræfɪk] *agg.* grafico; (*fig.*) vivido.
graph·ics [ˈgræfɪks] *s.* grafica.
grapple [ˈgræpl] *v.intr.* **1** afferrarsi **2** essere alle prese con.
grasp [grɑ:sp *amer.* græsp] *v.tr.* afferrare ♦ *s.* **1** stretta, presa **2** potere **3** portata, comprensione.
grasp·ing [ˈ·ɪŋ] *agg.* avido.
grass [grɑ:s *amer.* græs] *s.* **1** erba **2** (*sl.*) informatore.
grass·hop·per [ˈgrɑ:s,hɒpə*] *s.* cavalletta.
grate[1] [greɪt] *s.* grata, griglia
grate[2] *v.tr.* grattugiare ♦ *v.intr.* **1** stridere **2** irritare.
grate·ful [ˈgreɪtfʊl] *agg.* grato.
grater [ˈ·ə*] *s.* grattugia.
grat·ify [ˈgrætɪfaɪ] *v.tr.* gratificare.
grat·it·ude [ˈgrætɪtju:d] *s.* gratitudine, riconoscenza.
gra·tu·it·ous [grəˈtju:ɪtəs] *agg.* ingiustificato.
gra·tu·ity [grəˈtju:ɪ,tɪ] *s.* gratifica.
grave[1] [greɪv] *agg.* grave; solenne.
grave[2] *s.* fossa, tomba.
gravel [ˈgrævl] *s.* ghiaia.
grave·yard [ˈgreɪvjɑ:d] *s.* cimitero.
grav·it·ate [ˈgrævɪteɪt] *v.intr.* gravitare.
gravy [ˈgreɪvɪ] *s.* sugo | *– boat*, salsiera.
gray [greɪ] (*amer.*) → *grey*.
graze[1] [greɪz] *s.* **1** colpo di striscio **2** escoriazione, graffio ♦ *v.tr.* **1** sfiorare **2** graffiare.
graze[2] *v.tr., intr.* pascolare.
grease [gri:s] *s.* **1** grasso, unto **2** brillantina ♦ [gri:z] *v.tr.* ungere.
greasy [ˈgri:zɪ] *agg.* grasso, unto; (*fig.*) untuoso.
great [greɪt] *agg.* **1** grande **2** (*fam.*) splendido, fantastico.
Great Britain [ˈgreɪtˈbrɪtn] *no.pr.* Gran Bretagna.
greatly [ˈgreɪtlɪ] *avv.* molto.
Gre·cian [ˈgri:ʃn] *agg.* greco, dell'antica Grecia.
Greece [gri:s] *no.pr.* Grecia.
greed [gri:d] *s.* cupidigia; ingordigia.
greedy [ˈgri:dɪ] *agg.* **1** avido, cupido **2** goloso, ingordo.
Greek [gri:k] *agg., s.* greco.
green [gri:n] *agg.* **1** verde **2** inesperto, ingenuo ♦ *s.pl.* verdura.
green·gro·cer [ˈgri:n,grəʊsə*] *s.* fruttivendolo.
green·house [ˈgri:nhaʊs] *s.* serra.
Green·land [ˈgri:nlənd] *no.pr.* Groenlandia.
green·ish [ˈgri:nɪʃ] *agg.* verdastro.
green·room [ˈgri:nrʊm] *s.* (*teatr.*) camerino.
green·stuff [ˈgri:nstʌf] *s.* verdura.
greet [gri:t] *v.tr.* salutare; accogliere.
greet·ing [ˈgri:tɪŋ] *s.* **1** saluto **2** *pl.* auguri.
grew [gru:] *pass.* di to *grow*.
grey [greɪ] *agg.* grigio ♦ *v.intr.* diventare grigio.
grid [grɪd] *s.* **1** grata **2** reticolo **3** rete di distribuzione.
grid·iron [ˈgrɪdaɪən] *s.* **1** graticola **2** campo da football americano.
grief [gri:f] *s.* dolore, afflizione.
griev·ance [ˈgri:vns] *s.* (motivo di) lagnanza.

grieve [gri:v] *v.tr., intr.* affliggere, affliggersi.
griev·ous ['gri:vəs] *agg.* grave.
grill [grɪl] *v.tr.* **1** grigliare **2** (*fig. fam.*) torchiare ♦ *s.* **1** grigliata **2** griglia.
grille [grɪl] *s.* grata; inferriata.
grim [grɪm] *agg.* **1** torvo, arcigno **2** cupo.
grim·ace [grɪ'meɪs *amer.* 'grɪmɪs] *s.* smorfia ♦ *v.intr.* fare smorfie.
grin [grɪn] *s.* largo sorriso.
grind* [graɪnd] *v.tr.* **1** macinare | *to – out*, sfornare **2** levigare **3** opprimere ♦ *v.intr.* (*fam.*) sgobbare ♦ *s.* sgobbata; (*amer.*) sgobbone.
grinder ['·ə*] *s.* **1** macinino **2** arrotino.
grip [grɪp] *s.* **1** stretta; presa **2** impugnatura, manico **3** padronanza; controllo **4** (*amer.*) valigetta a mano ♦ (*-pped* [-pt]) *v.tr.* afferrare saldamente.
grist [grɪst] *s.*: *it's all – to the mill*, tutto fa brodo.
grit [grɪt] *s.* **1** ghiaia **2** (*fam.*) grinta ♦ (*-tted*) *v.tr.* stringere (i denti).
gritty ['grɪtɪ] *agg.* **1** ghiaioso; sabbioso **2** (*fam.*) grintoso; coraggioso.
groan [grəʊn] *s.* **1** gemito **2** lamentela.
gro·cer ['grəʊsə*] *s.* droghiere.
groggy ['grɒgɪ] *agg.* barcollante.
groin [grɔɪn] *s.* inguine.
groom [gru:m] *s.* sposo.
groove [gru:v] *s.* solco; scanalatura.
grope [grəʊp] *v.intr.* andare a tastoni.
gross [grəʊs] *agg.* **1** grossolano **2** (*comm.*) lordo.
grot·esque [grəʊ'tesk] *agg.* grottesco.
grouchy ['graʊtʃɪ] *agg.* (*fam.*) brontolone.
ground[1] [graʊnd] *s.* **1** terra, suolo; terreno | *sports –*, campo sportivo **2** *pl.* fondi (di caffè ecc.) **3** base; motivo ♦ *v.tr.* **1** fondare, basare **2** fornire le basi **3** (*elettr.*) (*amer.*) mettere a terra **4** trattenere a terra (aereo ecc.) **5** incagliare.
ground[2] *pass., p.p.* di *to grind*.
ground·ing ['·ɪŋ] *s.* (*fig.*) base.
group [gru:p] *s.* gruppo ♦ *v.tr., intr.* raggruppare, raggrupparsi.
grove [grəʊv] *s.* boschetto.
grow* [grəʊ] *v.intr.* **1** crescere | *to – up*, diventare adulto **2** diventare | *to – on*, piacere sempre più ♦ *v.tr.* coltivare; produrre.
growl [graʊl] *v.intr.* ringhiare.
grown [grəʊn] *p.p.* di *to grow*.
grown-up [,·'·] *agg., s.* adulto.
growth [grəʊθ] *s.* crescita.
grub [grʌb] *s.* **1** larva **2** (*fam.*) cibo.
grubby ['grʌbɪ] *agg.* sporco.
grudge [grʌdʒ] *s.* rancore ♦ *v.intr.* essere riluttante.
gru·el·ling ['grʊəlɪŋ] amer. **gruel·ing** *agg.* (*fam.*) estenuante.
grue·some ['gru:səm] *agg.* raccapricciante; macabro.
gruff [grʌf] *agg.* **1** rauco **2** burbero.
grumble ['grʌmbl] *v.intr., tr.* brontolare.
grumpy ['grʌmpɪ] *agg.* (*fam.*) irritabile; scontroso.
grunt [grʌnt] *s.* grugnito.
guar·an·tee [,gærən'ti:] *s.* **1** garanzia **2** garante ♦ *v.tr.* garantire.
guar·antor [,··'tɔ:*] *s.* garante.
guard [gɑ:d] *s.* **1** guardia **2** capotreno ♦ *v.tr.* sorvegliare.
guarded ['gɑ:dɪd] *agg.* guardingo.
guard·ian ['gɑ:djən] *s.* **1** guardiano **2** (*dir.*) tutore.
guardi·an·ship ['··ʃɪp] *s.* tutela.

guer·(r)illa [gə'rɪlə] *s.* guerrigliero | – *warfare*, guerriglia.
guess [ges] *v.tr., intr.* indovinare; immaginare | *I – so*, credo di sì; *I guessed as much*, me lo immaginavo ♦ *s.* congettura, supposizione | *at a –*, a occhio e croce.
guess·work ['geswɜ:k] *s.* supposizione.
guest [gest] *s.* ospite.
guest·house ['gesthaʊs] *s.* pensione.
guid·ance ['gaɪdəns] *s.* guida, controllo.
guide [gaɪd] *s.* guida ♦ *v.tr.* guidare.
guide·lines ['gaɪdlaɪnz] *s.pl.* **1** istruzioni; indicazioni **2** direttive di massima; punti essenziali.
guild [gɪld] *s.* corporazione.
guile [gaɪl] *s.* astuzia; falsità.
guilt [gɪlt] *s.* colpa, colpevolezza.
guilty ['gɪltɪ] *agg.* colpevole.
guinea-fowl ['gɪnɪˌfaʊl] *s.* faraona.
guinea-pig ['gɪnɪpɪg] *s.* porcellino d'India, cavia.
guise [gaɪz] *s.* apparenza, parvenza.
gui·tar [gɪ'tɑ:*] *s.* chitarra.
gulf [gʌlf] *s.* golfo.
gull [gʌl] *s.* gabbiano.
gull·ible ['gʌləbl] *agg.* credulone.
gulp [gʌlp] *v.tr.* ingoiare.
gum[1] [gʌm] *s.* gengiva.
gum[2] *s.* **1** gomma **2** colla.
gummy ['gʌmɪ] *agg.* gommoso; appiccicoso.
gump·tion ['gʌmpʃn] *s.* (*fam.*) **1** senso pratico **2** spirito d'iniziativa.
gun [gʌn] *s.* arma da fuoco; rivoltella; fucile ♦ (*-nned*) *v.tr.* mandare su di giri (un motore) | *to – down*, (*fam.*) freddare | *to – for*, perseguire.
gun·man ['gʌnmən] (*-men*) *s.* bandito.
gun·runner ['gʌnˌrʌnə*] *s.* contrabbandiere d'armi.
gun·shot ['gʌnʃɒt] *s.* sparo, spari.
gun·smith ['gʌnsmiɪ] *s.* armaiolo.
gurgle ['gɜ:gl] *s.* gorgoglio ♦ *v.intr.* gorgogliare.
gush [gʌʃ] *v.intr.* sgorgare ♦ *s.* getto, fiotto.
gush·ing ['·ɪŋ], **gushy** ['·i] *agg.* smanceroso.
gust [gʌst] *s.* **1** colpo di vento **2** (*fig.*) scoppio.
guts [gʌt] *s.pl.* **1** budella; viscere **2** (*sl.*) coraggio.
gutter ['gʌtə*] *s.* grondaia; cunetta | – *press*, (*fam.*) stampa scandalistica.
guy [gaɪ] *s.* (*fam.*) tipo, tizio.
gym [dʒɪm] *s.* (*fam.*) abbr. di *gymnasium, gymnastics*.
gym·nas·ium [dʒɪm'neɪzjəm] *s.* palestra.
gym·nast·ics [dʒɪm'næstɪks] *s.* ginnastica.
gyn·ae·co·lo·gist [ˌgaɪnɪ'kɒlədʒɪst] *s.* ginecologo.
gypsy ['dʒɪpsɪ] *s.* zingaro.

H

hab·er·dash·ery ['hæbədæʃərɪ] *s.* merceria.
habit ['hæbɪt] *s.* **1** abitudine **2** abito (ecclesiastico).
hab·it·able ['··əbl] *agg.* abitabile.
ha·bit·ual [hə'bɪtjʊəl] *agg.* abituale.
hack[1] [hæk] *s.* **1** ronzino **2** (*fam.*) scribacchino, imbrattacarte.
hack[2] *v.tr.* fare a pezzi, tagliare.
hacker ['hækə*] *s.* (*fam.*) pirata di computer; hacker.
hackney (carriage) ['hæknɪ(ˌkærɪdʒ)] *s.* vettura pubblica.

hack·neyed [ˈhæknɪd] *agg.* banale.
had [ˈhæd] *pass., p.p.* di to *have*.
haemo- [ˈheməʊ] *pref.* → *hemo-*.
hag·gard [ˈhægəd] *agg.* stravolto.
hail[1] [heɪl] *s.* grandine ♦ *v.intr.* grandinare.
hail[2] *v.tr.* **1** salutare **2** chiamare con un cenno ♦ *v.intr.* provenire.
hail·stone [ˈheɪlstəʊn] *s.* chicco di grandine.
hail·storm [ˈheɪlstɔ:m] *s.* grandinata.
hair [heə*] *s.* **1** capelli, capigliatura **2** capello; pelo | *by a –'s breadth*, per un pelo.
hair·do [ˈheədu:] (*-dos*) *s.* (*fam.*) acconciatura, pettinatura.
hair·dresser [ˈheə,dresə*] *s.* parrucchiere.
hair·dryer [ˈheə,draɪə*] *s.* asciugacapelli, fon.
hair·grip [ˈheəgrɪp] *s.* molletta per capelli.
hair·piece [ˈheəpi:s] *s.* parrucchino.
hair·pin [ˈheəpɪn] *s.* forcina | – *bend*, tornante.
hair·style [ˈheəstaɪl] *s.* acconciatura, pettinatura.
hairy [ˈheərɪ] *agg.* **1** peloso; villoso **2** (*fam.*) pericoloso, rischioso.
hake [heɪk] *s.* nasello.
hale [heɪl] *agg.* gagliardo; arzillo.
half [hɑ:f *amer.* hæf] (*-ves* [-vz]) *s.* **1** metà; mezzo | *first, second* –, primo, secondo tempo (di partita, film) **2** biglietto ridotto **3** mezza pinta ♦ *agg.* mezzo | – (*an*) *hour*, mezz'ora ♦ *avv.* **1** a mezzo, a metà **2** quasi.
half·back [ˈhɑ:fbæk] *s.* (*sport*) mediano.
half-baked [,hɑ:fˈbeɪkt] *agg.* avventato.
half-breed [ˈ··] *s., agg.* meticcio.
half-brother [ˈ···] *s.* fratellastro.
half-hearted [,·ˈ··] *agg.* apatico.
half·penny [ˈheɪpnɪ] *s.* mezzo penny.
half time [,·ˈ·] *s.* (*sport*) intervallo.
half·way [,hɑ:fˈweɪ] *agg., avv.* a metà strada.
half-wit [ˈ··] *s.* (*fam.*) idiota.
hall [hɔ:l] *s.* **1** sala, salone **2** atrio; ingresso **3** edificio | – *of residence*, casa dello studente.
hall·mark [ˈhɔ:lmɑ:k] *s.* **1** marchio (dei metalli preziosi) **2** caratteristica ♦ *v.tr.* marchiare.
hallo [həˈləʊ] → *hello*.
Hal·low·e'en [ˈhæləʊˈi:n] *s.* vigilia d'Ognissanti.
hal·lu·cina·tion [hə,lu:sɪˈneɪʃn] *s.* allucinazione.
halo [ˈheɪləʊ] (*-lo(e)s*) *s.* **1** alone **2** aureola.
halt [hɔ:lt] *s.* sosta, fermata ♦ *v.tr., intr.* fermare, fermarsi.
halt·ing [ˈ·ɪŋ] *agg.* stentato.
halve [hɑ:v *amer.* hæv] *v.tr.* dividere (a metà).
ham [hæm] *s.* **1** prosciutto **2** – (*actor*), gigione **3** radioamatore ♦ (*-mmed*) *v.tr.* (*up*) recitare da gigione.
ham·let [ˈhæmlɪt] *s.* paesino.
ham·mer [ˈhæmə*] *s.* **1** martello **2** cane (di fucile) ♦ *v.tr.* **1** martellare **2** (*fam.*) sconfiggere **3** *to – out*, giungere a fatica a (una soluzione).
ham·mock [ˈhæmək] *s.* amaca.
ham·per[1] [ˈhæmpə*] *s.* paniere.
hamper[2] *v.tr.* ostacolare, impedire.
ham·ster [ˈhæmstə*] *s.* criceto.
hand [hænd] *s.* **1** mano | *at* –, a portata di mano | *on* –, disponibile | *on the other* –, d'altra parte **2** lavoratore **3** (*fam.*) lancetta (dell'orologio) ♦ *v.tr.* **1** por-

gere, dare **2** *to – down*, tramandare **3** *to – in, over*, consegnare **4** *to – out*, distribuire.

hand·bag [ˈhæn*d*bæg] *s.* borsetta.

hand·book [ˈhæn*d*bʊk] *s.* manuale; guida.

hand·cuff [ˈhæn*d*kʌf] *s.* manetta ♦ *v.tr.* ammanettare.

hand·ful [ˈhæn*d*fʊl] *s.* **1** manciata **2** (*fam.*) persona, cosa difficile da controllare.

han·di·cap [ˈhændɪkæp] *s.* handicap ♦ (*-pped* ([-pt)] *v.tr.* ostacolare.

han·di·capped [ˈhændɪkæpt] *agg.* handicappato.

han·di·craft [ˈhændɪkrɑːft *amer.* ˈhændɪ kræft] *s.* artigianato.

handi·work [ˈhændɪwɜːk] *s.* opera, operato.

hand·ker·chief [ˈhæŋkətʃɪf] *s.* fazzoletto.

handle [ˈhændl] *s.* manico; maniglia ♦ *v.tr.* **1** maneggiare **2** trattare.

handle·bars [hændl·bɑːz] *s.pl.* manubrio di bicicletta.

hand·made [ˈhæn*d*ˈmeɪd] *agg.* fatto a mano.

hand·rail [ˈhændreɪl] *s.* corrimano.

hand·shake [ˈ·ʃeɪk] *s.* stretta di mano | *golden* –, buonuscita.

hand·some [ˈhænsəm] *agg.* bello.

hand-to-hand [ˌ··ˈ·] *agg.* corpo a corpo.

hand·writ·ing [ˈhændˌraɪtɪŋ] *s.* scrittura.

handy [ˈhændɪ] *agg.* **1** utile **2** (*fam.*) abile.

hang* [hæŋ] *v.tr.* **1** appendere; attaccare **2** impiccare ♦ *v.intr.* **1** pendere **2** *to – about*, (*fam.*) stare ad aspettare **3** *to – on*, aggrapparsi a **4** *to – up*, (*fam.*) riattaccare (il telefono) ♦ *s.*: *to get the – of sthg.*, (*fam.*) capire come funziona qlco.

hangar [ˈhæŋə*] *s.* hangar, aviorimessa.

hanger [ˈhæŋə*] *s.* appendiabiti.

hang glider [ˈ··] *s.* deltaplano.

hang·over [ˈhæŋəʊvə*] *s.* (*fam.*) postumi di sbornia.

hank [hæŋk] *s.* matassina.

hanker [ˈhæŋkə*] *v.intr.*: *to – after*, agognare.

hankie, hanky [ˈhæŋkɪ] *s.* (*fam.*) fazzoletto.

hap·haz·ard [ˈhæpˈhæzəd] *agg.* casuale.

happen [ˈhæpən] *v.intr.* **1** accadere, succedere **2** (*costr. pers.*) capitare.

hap·pen·ing [ˈ··ɪŋ] *s.* avvenimento.

happy [ˈhæpɪ] *agg.* **1** felice.

happy-go-lucky [··ˈ·] *agg.* spensierato.

har·angue [həˈræŋ] *s.* arringa ♦ *v.tr.* arringare.

har·ass [ˈhærəs *amer.* həˈræs] *v.tr.* tormentare, molestare.

har·ass·ment [ˈhærəsmənt] *s.* tormento | *sexual* –, molestie sessuali.

har·bour [ˈhɑːbə*] amer. **harbor** *s.* porto; (*fig.*) asilo ♦ *v.tr.* dare asilo a.

hard [hɑːd] *agg.* **1** duro **2** difficile **3** forte; (*di droga*) pesante ♦ *avv.* **1** duramente; intensamente: *it's raining* –, piove a dirotto; *to think* –, riflettere profondamente; *to try* –, provare e riprovare; *to be – at it* (o *at work*), lavorare sodo; *to feel – done by*, sentirsi maltrattato **2** con difficoltà.

hard·back [ˈhɑːdbæk] *s.* libro rilegato.

hard-boiled [ˌ·ˈ·] *agg.* **1** sodo (di uovo) **2** (*fig.*) cinico; spietato.

hard·core [ˈhɑːdkɔː*] *s.* nocciolo duro (di gruppo, partito) ♦ *agg.* intransigente | – *pornography*, pornografia spinta.

harden [ˈhɑ:dn] *v.tr., intr.* indurire, indurirsi.
hardly [ˈhɑ:dlɪ] *avv.* **1** a stento, appena **2** quasi.
hard shoulder [,·ˈ··] *s.* corsia d'emergenza.
hard up [,·ˈ·] *agg.* (*fam.*) al verde, in bolletta.
hard·ware [ˈhɑ:dweə*] *s.* **1** ferramenta **2** (*inform.*) hardware.
hardy [ˈhɑ:dɪ] *agg.* robusto; resistente.
hare [heə*] *s.* lepre.
hare·bell [ˈheəbel] *s.* campanula.
hare·brained [ˈheəbreɪnd] *agg.* scervellato, sventato.
hare·lip [,heəˈlɪp] *s.* labbro leporino.
haricot (bean) [ˈhærɪkəʊ(ˈbi:n)] *s.* fagiolo bianco (secco).
hark [hɑ:k] *v.intr.*: *to – back*, (far) ricordare.
harm [hɑ:m] *s.* male; danno ♦ *v.tr.* far male a; nuocere a.
harm·ful [ˈ·fʊl] *agg.* nocivo, dannoso.
harm·less [ˈhɑ:mlɪs] *agg.* innocuo.
har·mo·ni·ous [hɑ:ˈməʊnjəs] *agg.* armonioso.
har·mony [ˈhɑ:mənɪ] *s.* armonia.
har·ness [ˈhɑ:nɪs] *s.* finimenti ♦ *v.tr.* mettere i finimenti a.
harp [hɑ:p] *s.* arpa ♦ *v.intr.*: *to – on*, insistere in modo noioso.
har·poon [hɑ:ˈpu:n] *s.* arpione.
har·row·ing [ˈhærəʊɪŋ] *agg.* straziante.
harsh [hɑ:ʃ] *agg.* rigido; severo.
har·vest [ˈhɑ:vɪst] *s.* raccolto, messe ♦ *v.tr.* mietere.
hash [hæʃ] *s.* **1** (*cuc.*) carne tritata **2** (*fig.*) pasticcio **3** (*fam.*) hashish.
hassle [ˈhæsl] *s.* (*fam.*) scocciatura ♦ *v.tr.* (*fam.*) scocciare, seccare.
haste [heɪst] *s.* fretta.
hasten [ˈheɪsn] *v.tr.* far fretta a ♦ *v.intr.* affrettarsi.
hat [hæt] *s.* cappello.
hatch[1] [hætʃ] *s.* **1** sportello **2** (*mar., aer.*) portello **3** passavivande.
hatch[2] *v.tr.* **1** far schiudere (uova) **2** tramare ♦ *v.intr.* uscire dal guscio.
hatch·back [ˈhætʃbæk] *s.* **1** auto a tre, a cinque porte **2** portellone posteriore (di autovettura).
hatchet [ˈhætʃɪt] *s.* accetta.
hate [heɪt] *v.tr.* odiare ♦ *s.* odio.
hate·ful [ˈheɪtfʊl] *agg.* odioso.
hat·red [ˈheɪtrɪd] *s.* odio, astio.
haughty [ˈhɔ:tɪ] *agg.* arrogante.
haul [hɔ:l] *v.tr.* tirare, trascinare ♦ *s.* **1** trazione, tiro **2** bottino.
haul·age [ˈhɔ:lɪdʒ] *s.* (spese di) trasporto.
haul·ier [ˈhɔ:ljə*] *s.* corriere.
haunch [hɔ:ntʃ] *s.* anca; fianco.
haunt [hɔ:nt] v.tr. **1** infestare (di fantasmi) **2** ossessionare ♦ *s.* (luogo di) ritrovo.
have* [hæv (*ff*) həv, əv (*fd*)] *v. ausiliare* **1** avere; essere: – *you bought the milk?*, hai comprato il latte?; *she has just left*, è appena partita **2** far (fare qlco. a qlcu.): *I'll – them help you*, ti farò aiutare da loro; *he had his car washed*, ha fatto lavare la macchina ♦ *v.tr.* **1** avere | *I've been had!*, sono stato ingannato! | *I have it* (o *I've got it*)!, ci sono!, ho capito! | *you must – it out with him*, devi affrontare la questione con lui **2** fare, prendere: *to – breakfast*, fare colazione; *to – tea*, prendere il tè | *to – a walk*, fare una passeggiata **3** dovere: *I – to go*, devo andare **4** *to – on*, indossare; prendere in giro; ingannare **5** *to – up*, chiamare in tribunale.

haven [ˈheɪvn] *s.* rifugio.
have-nots [ˈ·nɒts] *s.pl.* (*fam.*) poveri.
hav·er·sack [ˈhævəsæk] *s.* zaino.
haves [hævz] *s.pl.* ricchi, benestanti.
havoc [ˈhævək] *s.* disastro, rovina.
hawk [hɔ:k] *s.* falco.
hawker [ˈhɔ:kə*] *s.* venditore ambulante.
haw·thorn [ˈhɔ:θɔ:n] *s.* biancospino.
hay [heɪ] *s.* fieno | *– fever*, raffreddore da fieno.
hay·stack [ˈheɪstæk] *s.* mucchio di fieno.
hay·wire [ˈheɪwaɪə*] *agg.*: *to go –*, (*fam.*) funzionare male.
hazard [ˈhæzəd] *s.* azzardo; rischio ♦ *v.tr.* **1** azzardare **2** mettere in pericolo.
haz·ard·ous [ˈ·əs] *agg.* rischioso.
haze [heɪz] *s.* foschia.
hazel [ˈheɪzl] *s.* **1** nocciolo **2** colore nocciola.
hazel·nut [ˈheɪzlnʌt] *s.* nocciola.
he [hi:] *pron.* egli, lui ♦ *s.* maschio.
head [hed] *s.* **1** testa | *to have a big –*, essere un pallone gonfiato | *– over heels*, innamorato cotto **2** capo; dirigente **3** parte iniziale, capo, testa **4** capocchia (di spillo, fiammifero, chiodo) **5** capo (di bestiame ecc.) **6** schiuma (di birra) ♦ *v.tr.* **1** capeggiare; guidare **2** intestare ♦ *v.intr.* dirigersi.
head·ache [ˈhedeɪk] *s.* mal di testa.
header [ˈhedə*] *s.* **1** tuffo di testa **2** (*sport*) colpo di testa.
head·ing [ˈhedɪŋ] *s.* intestazione.
head·light [ˈhedlaɪt] *s.* (*aut.*) faro anteriore.
head·line [ˈhedlaɪn] *s.* titolo.
head·long [ˈhedlɒŋ] *avv.* **1** a capofitto **2** precipitosamente.
head·master [ˌhedˈmɑ:stə*] *s.* direttore (di scuola); preside.
head office [ˌˈ·] *s.* sede centrale.
head-on [ˌˈɒn] *agg.* frontale.
head·phones [ˈ·fəʊnz] *s.pl.* cuffia; auricolari.
head·quar·ters [ˈhedˈkwɔ:təz] *s.pl.* sede centrale; (*mil.*) quartier generale.
head·rest [ˈhedrest] *s.* poggiatesta.
head·strong [ˈhedstrɒŋ] *agg.* testardo.
head teacher [ˌˈ·] *s.* direttore (di scuola).
head·way [ˈhedweɪ] *s.* progresso.
heady [ˈhedɪ] *agg.* inebriante.
heal [hi:l] *v.tr., intr.* guarire.
health [helθ] *s.* salute.
healthy [ˈhelθɪ] *agg.* **1** sano **2** salubre.
heap [hi:p] *s.* mucchio ♦ *v.tr.* ammucchiare; accumulare.
hear* [hɪə*] *v.tr., intr.* sentire: *I heard of it*, l'ho sentito dire | *to – from*, avere notizie da.
hearer [ˈhɪərə*] *s.* ascoltatore.
hear·ing [ˈhɪərɪŋ] *s.* **1** udito | *– aid*, apparecchio acustico **2** (*dir.*) udienza.
hear·say [ˈhɪəseɪ] *s.* diceria, voce.
hearse [hɜ:s] *s.* carro funebre.
heart [hɑ:t] *s.* cuore | *by –*, a memoria | *to take –*, farsi coraggio.
heart·ache [ˈhɑ:teɪk] *s.* pena, angoscia.
heart·burn [ˈhɑ:tbɜ:n] *s.* bruciore di stomaco.
hearten [ˈhɑ:tn] *v.tr.* incoraggiare.
heart·felt [ˈhɑ:tfelt] *agg.* sincero.
hearth [hɑ:θ] *s.* focolare.
heart·less [ˈhɑ:tlɪs] *agg.* crudele.
hearty [ˈhɑ:tɪ] *agg.* **1** cordiale **2** sostanzioso.
heat [hi:t] *s.* **1** calore; caldo **2** (*sport*) (prova) eliminatoria ♦ *v.tr., intr.* scaldare, scaldarsi.

heated [ˈ·ɪd] *agg.* acceso, animato.
heath [hi:θ] *s.* brughiera.
heathen [ˈhi:ðn] *agg.*, *s.* pagano.
heather [ˈheðə*] *s.* erica.
heat·ing [ˈ·ɪŋ] *s.* riscaldamento.
heaven [ˈhevn] *s.* cielo, paradiso.
heav·enly [ˈhevnlɪ] *agg.* **1** divino **2** (*astron.*) celeste.
heavy [ˈhevɪ] *agg.* **1** pesante | – *sea*, mare grosso **2** profondo **3** forte, intenso.
heavy·weight [ˈhevɪweɪt] *s.* (*boxe*) peso massimo.
Heb·rew [ˈhi:bru:] *s.* ebraico.
heckle [ˈhekl] *v.tr.* interrompere.
hec·tare [ˈhektɑ:* *amer.* ˈhekteə*] *s.* ettaro.
hec·tic [ˈhektɪk] *agg.* febbrile.
hec·tor [ˈhektə*] *v.tr.* strapazzare, maltrattare.
hedge [hedʒ] *s.* siepe ♦ *v.intr.* **1** tergiversare **2** *to – against*, difendersi da.
hedge·hog [ˈhedʒhɒg] *s.* (*zool.*) **1** riccio **2** (*amer.*) porcospino; istrice.
heed [hi:d] *v.tr.* fare attenzione a ♦ *s.* attenzione.
heed·less [ˈ·lɪs] *agg.* sbadato.
heel [hi:l] *s.* **1** calcagno, tallone **2** calcagno (di calza); tacco (di scarpa): *stiletto –*, tacco a spillo.
hefty [ˈheftɪ] *agg.* grande, grosso.
height [haɪt] *s.* **1** altezza **2** altitudine; quota **3** culmine; colmo.
heighten [ˈhaɪtn] *v.tr.*, *intr.* **1** innalzare, innalzarsi **2** intensificare, intensificarsi.
heir [eə*] *s.* erede.
heiress [ˈeərɪs] *s.* erede; ereditiera.
heir·loom [ˈeəlu:m] *s.* cimelio di famiglia.
held [held] *pass.*, *p.p.* di *to hold*.
heli·cop·ter [ˈhelɪkɒptə*] *s.* elicottero.
heli·port [ˈhelɪpɔ:t] *s.* eliporto.
hell [hel] *s.* inferno | *what the –...?*, che diavolo...?
hell-bent [ˈ·bent] *agg.* (*fam.*) decisissimo.
hell·ish [ˈhelɪʃ] *agg.* infernale.
hello [ˈheˈləʊ] *inter.* **1** ciao!, salve! | *to say – to*, salutare **2** pronto! (al telefono).
helm [helm] *s.* barra, timone.
hel·met [ˈhelmɪt] *s.* elmetto, casco.
help [help] *v.tr.* **1** aiutare; dare una mano a | *can I – you?*, in che cosa posso servirla? **2** servire: – *yourself*, serviti **3** (con *cannot*) evitare, fare a meno di ♦ *s.* aiuto.
helper [ˈhelpə*] *s.* aiuto, aiutante.
help·ful [ˈhelpfʊl] *agg.* di aiuto; servizievole.
help·ing [ˈhelpɪŋ] *s.* porzione.
help·less [ˈhelplɪs] *agg.* indifeso; debole.
help·line [ˈhelplaɪn] *s.* linea telefonica di soccorso.
helter-skelter [ˈheltəˈskeltə*] *avv.* (*fam.*) alla rinfusa.
hem [hem] *s.* orlo ♦ (*-mmed*) *v.tr.* **1** orlare **2** *to – in*, rinchiudere.
hemi·sphere [ˈhemɪsfɪə*] *s.* emisfero.
hemo- [ˈheməʊ, ˈhi:məʊ] *pref.* emo-.
hem·or·rhage [ˈhemərɪdʒ] *s.* emorragia.
hem·or·rhoids [ˈhemərɔɪdz] *s.pl.* emorroidi.
hemp [hemp] *s.* **1** canapa **2** hashish.
hen [hen] *s.* gallina.
hen·pecked [ˈhenpekt] *agg.* (*fam.*) comandato a bacchetta dalla moglie.
her [hɜ:*] *pron.* la; le; lei; sé ♦ *agg.* suo, di lei.

her·ald [ˈherəld] *s.* araldo ♦ *v.tr.* preannunciare.
herb [hɜ:b] *s.* erba medicinale; (*cuc.*) erba aromatica, odore.
herb·al·ist [ˈhɜ:bəlɪst] *s.* erborista.
herbi·cide [ˈhɜ:bɪsaɪd] *s.* erbicida, diserbante.
herd [hɜ:d] *s.* branco; gregge; mandria ♦ *v.tr.*, *intr.* riunire, riunirsi; ammassare, ammassarsi.
here [hɪə*] *avv.* qui, qua; a questo punto | – *I am*, eccomi; – *you are!*, ecco (quello che cercavi)! | –!, presente!
here·after [hɪərˈɑ:ftə* *amer.* hɪərˈæftə*] *avv.* in seguito, più avanti.
hereby [ˈhɪəˈbaɪ] *avv.* con la presente.
her·ed·it·ary [hɪˈredɪtərɪ] *agg.* ereditario.
her·ed·ity [hɪˈredətɪ] *s.* ereditarietà.
herein [ˈhɪərˈɪn] *avv.* (qui) allegato.
her·esy [ˈherəsɪ] *s.* eresia.
here·with [ˈhɪəˈwɪð] *avv.* con la presente.
her·it·age [ˈherɪtɪdʒ] *s.* eredità.
her·metic [hɜ:ˈmetɪk] *agg.* ermetico.
her·mit [ˈhɜ:mɪt] *s.* eremita.
her·mit·age [ˈhɜ:mɪtɪdʒ] *s.* eremo.
her·nia [ˈhɜ:njə] *s.* ernia.
hero [ˈhɪərəʊ] (*-oes*) *s.* eroe.
heroic [hɪˈrəʊɪk] *agg.* eroico.
heroin [ˈherəʊɪn] *s.* (*chim.*) eroina.
hero·ine [ˈherəʊɪn] *s.* eroina.
hero·ism [ˈherəʊɪzəm] *s.* eroismo.
her·ring [ˈherɪŋ] *s.* aringa.
her·ring·bone [ˈherɪŋbəʊn] *s.* disegno a spina di pesce.
hers [hɜ:z] *pron.* il suo, di lei.
her·self [hɜ:ˈself] *pron.* **1** si, sé, se stessa | *by* –, da sola **2** (proprio) lei.
hes·it·ancy [ˈhezɪtənsɪ] *s.* esitazione.
hes·it·ant [ˈhezɪtənt] *agg.* esitante.
hes·it·ate [ˈhezɪteɪt] *v.intr.* esitare.
hes·sian [ˈhesɪən *amer.* ˈheʃn] *s.* tela da sacchi.
het·ero·gen·eous [ˌhetərəʊˈdʒi:njəs] *agg.* (*form.*) eterogeneo.
het·ero·sexual [ˌhetərʊˈseksjʊəl] *agg.*, *s.* eterosessuale.
hew* [hju:] *v.tr.* tagliare, spaccare (con l'accetta).
hey [heɪ] *inter.* ehi!
hey·day [ˈheɪdeɪ] *s.* epoca d'oro.
hi [haɪ] *inter.* (*fam.*) ciao!
hi·bern·ate [ˈhaɪbɜ:neɪt] *v.intr.* andare in letargo.
hi·berna·tion [ˌhaɪbɜ:ˈneɪʃn] *s.* letargo.
hiccup [ˈhɪkʌp] **hiccough** *s.* singhiozzo ♦ *v.intr.* avere il singhiozzo.
hick [hɪk] *s.* (*fam. amer.*) paesanotto.
hid [hɪd] *pass.* di to *hide*[2].
hid·den [ˈhɪdn] *p.p.* di to *hide*[2].
hide[1] [haɪd] *s.* pelle, pellame.
hide[2] *v.tr.* nascondere, nascondersi ♦ *s.* nascondiglio; posto di osservazione.
hide·away [ˈhaɪdəweɪ] *s.* (*fam.*) nascondiglio.
hid·eous [ˈhɪdɪəs] *agg.* orrendo.
hide·out [ˈhaɪdəʊt] *s.* nascondiglio.
hier·archy [ˈhaɪərɑ:kɪ] *s.* gerarchia.
hi-fi [ˈhaɪˈfaɪ] *s.* apparecchio ad alta fedeltà.
higgledy-piggledy [ˈhɪgldɪˈpɪgldɪ] *avv.*, *agg.* (*fam.*) alla rinfusa.
high [haɪ] *agg.* **1** alto; elevato | *higher education*, istruzione superiore **2** forte; intenso **3** pieno, al culmine **4** acuto (di suono) **5** frollo **6** (*fam.*) brillo; sotto l'effetto di una droga ♦ *avv.* (in) alto.
high·ball [ˈhaɪbɔ:l] *s.* (*amer.*) whisky e soda con ghiaccio.
high·brow [ˈhaɪbraʊ] *agg.*, *s.* intellettuale.

high chair [ˈ··] *s.* seggiolone.
high·falutin [ˌhaɪfəˈlu:tɪn] *agg.* (*fam.*) pretenzioso.
high-handed [ˌhaɪˈhændɪd] *agg.* prepotente.
high·land [ˈhaɪlənd] *s.* (*geogr.*) regione montuosa.
high·light [ˈhaɪlaɪt] *s.* **1** clou, culmine **2** punto più luminoso (di quadro ecc.) **3** *pl.* colpi di sole (nei capelli) ♦ *v.tr.* mettere in luce, in risalto.
high·lighter [ˈhaɪlaɪtə*] *s.* evidenziatore.
high-rise [ˈ··] *agg.* molto alto, con tanti piani (di edificio).
high street [ˈ··] *s.* via principale.
high-tech [ˌ·ˈtek] *agg.* tecnologicamente avanzato.
high·way [ˈhaɪweɪ] *s.* strada maestra | *Highway Code*, Codice della Strada.
high·way·man [ˈhaɪweɪmən] (*-men*) *s.* brigante.
hi·jack [ˈhaɪdʒæk] *v.tr.* dirottare ♦ *s.* dirottamento.
hike [haɪk] *v.intr.* **1** fare una camminata **2** *to – up*, tirare su, alzare.
hil·ari·ous [hɪˈleərɪəs] *agg.* molto divertente.
hill [hɪl] *s.* collina, colle.
hill·billy [ˈhɪlbɪlɪ] *s.* (*amer.*) zotico.
hil·lock [ˈhɪlək] *s.* collinetta.
hilly [ˈhɪlɪ] *agg.* collinoso.
hilt [hɪlt] *s.* elsa.
him [hɪm] *pron.* lo; gli; lui; sé.
him·self [hɪmˈself] *pron.* **1** si, sé, se stesso | *by –*, da solo **2** (proprio) lui.
hind [haɪnd] *agg.* posteriore.
hinder [ˈhɪndə*] *v.tr.* intralciare.
hind·rance [ˈhɪndrəns] *s.* intralcio.
hind·sight [ˈhaɪndsaɪt] *s.* il senno di poi.
hinge [hɪndʒ] *s.* cardine; cerniera ♦ *v. intr.* dipendere.
hint [hɪnt] *s.* **1** accenno, allusione **2** suggerimento **3** pizzico, punta ♦ *v.tr.*, *intr.* accennare: *to – at sthg.*, alludere a qlco.
hin·ter·land [ˈhɪntəlænd] *s.* entroterra.
hip [hɪp] *s.* anca.
hippo [ˈhɪpəʊ] (*-os*) *s.* (*fam.*) ippopotamo.
hire [ˈhaɪə*] *v.tr.* **1** affittare, noleggiare **2** assumere ♦ *s.* affitto; nolo, noleggio | *for –*, libero (di taxi).
hire·ling [ˈhaɪəlɪŋ] *s.* mercenario.
hire purchase [ˌ··] *s.* acquisto a rate.
his [hɪz] *agg.* suo, di lui ♦ *pron.* il suo, di lui.
hiss [hɪs] *s.* sibilo; fischio ♦ *v.tr.*, *intr.* sibilare; fischiare.
his·tor·ian [hɪˈstɔ:rɪən] *s.* storico.
his·tor·ic(al) [hɪˈstɒrɪk(l)] *agg.* storico.
his·tory [ˈhɪstərɪ] *s.* storia.
hit* [hɪt] *v.tr.* **1** colpire; urtare | *to – it off*, andare d'accordo **2** (*fam.*) raggiungere | *to – the road*, (*fam.*) partire | ♦ *v.intr.* **1** urtare, sbattere **2** *to – on*, trovare ♦ *s.* **1** colpo, botta **2** successo.
hit-and-run [ˌ···] *agg.*: *a – driver*, pirata della strada.
hitch [hɪtʃ] *v.tr.* **1** legare, attaccare **2** farsi dare (un passaggio) ♦ *v.intr.* rimanere impigliato ♦ *s.* **1** colpo, strattone **2** intoppo.
hitch·hike [ˈhɪtʃhaɪk] *v.intr.* fare l'autostop.
hi-tech [haɪˈtek] → *high-tech*.
hit-man [ˈ··] (*-men*) *s.* (*fam.*) killer.
hit-or-miss [ˌ··ˈ·] *agg.* casuale.
HIV [ˌeɪtʃˌaɪˈvi:] *s.* HIV | *– positive*, sieropositivo.
hive [haɪv] *s.* alveare ♦ *v.tr.*: *to – off*, scindere, separare.

hives [haɪvz] *s.pl.* orticaria.
hoard [hɔ:d] *s.* 1 scorta 2 gruzzolo ♦ *v.tr.* accumulare.
hoarder [ˈ·ə*] *s.* accaparratore.
hoard·ing [ˈ·ŋ] *s.* tabellone.
hoar·frost [ˌhɔ:ˈfrɒst] *s.* brina.
hoarse [hɔ:s] *agg.* rauco.
hoax [həʊks] *s.* imbroglio; truffa ♦ *v.tr.* truffare.
hob [hɒb] *s.* piastra di cucina.
hobble [ˈhɒbl] *v.intr.* zoppicare.
hobby [ˈhɒbɪ] *s.* hobby; passatempo.
hobby·horse [ˈhɒbɪhɔ:s] *s.* pallino, chiodo fisso.
hob·nail [ˈhɒbneɪl] *s.* chiodo da scarpe, bulletta.
hoe [həʊ] *s.* zappa ♦ *v.tr.* zappare.
hog [hɒg] *s.* maiale (castrato), porco ♦ (*-gged*) *v.tr.* (*fam.*) arraffare.
hoist [hɔɪst] *v.tr.* sollevare; issare ♦ *s.* paranco; montacarichi.
hold*[1] [həʊld] *v.tr.* 1 tenere; sostenere 2 contenere 3 mantenere | *to – the line*, restare in linea 4 trattenere 5 avere 6 tenere; organizzare 7 riservare 8 ritenere ♦ *v.intr.* 1 durare; restare 2 tenersi, aggrapparsi 3 tenere, resistere 4 comportarsi; stare ♦ *Verbi frasali*: *to – back*, trattenere; ritardare | *to – on*, aspettare; (*al telefono*) rimanere in linea; (*to*) aggrapparsi (a) | *to – out*, offrire; tener duro | *to – up*, bloccare; rapinare ♦ *s.* 1 presa 2 ascendente, influenza 3 *on –*, in linea 4 punto d'appoggio.
hold[2] *s.* (*mar.*) stiva.
hold·all [ˈhəʊldɔ:l] *s.* sacca da viaggio.
holder [ˈ·ə*] *s.* 1 possessore; detentore; titolare 2 contenitore; sostegno.
hold·ing [ˈ·ɪŋ] *s.* 1 proprietà; tenuta 2 (*fin.*) pacchetto azionario.
hold up [ˈ··] *s.* 1 intoppo 2 rapina.
hole [həʊl] *s.* 1 buco | *to be in a –*, (*fam.*) essere nei guai | *what a –!*, che postaccio! 2 tana 3 (*golf*) buca ♦ *v.tr.* 1 bucare 2 (*golf*) lanciare in buca.
holi·day [ˈhɒlɪdeɪ] *s.* festa, giorno festivo; (*spec. pl.*) vacanza, ferie ♦ *v.intr.* passare le vacanze.
holi·day·maker [ˈhɒlɪdeɪˌmeɪkə*] *s.* villeggiante.
Hol·land [ˈhɒlənd] *no.pr.* Olanda.
hol·low [ˈhɒləʊ] *agg.* cavo; vuoto ♦ *s.* cavità; depressione ♦ *v.tr.* (*out*) scavare.
holly [ˈhɒlɪ] *s.* agrifoglio.
holo·caust [ˈhɒləkɔ:st] *s.* olocausto.
hol·ster [ˈhəʊlstə*] *s.* fondina.
holy [ˈhəʊlɪ] *agg.* santo, sacro.
hom·age [ˈhɒmɪdʒ] *s.* omaggio.
home [həʊm] *s.* 1 casa; focolare domestico: *at –*, a, in casa | *to feel at –*, sentirsi a proprio agio | *– and dry*, sano e salvo 2 patria 3 ospizio; istituto ♦ *agg.* 1 domestico, casalingo; familiare | *– help*, assistenza domiciliare 2 nazionale; interno 3 (*sport*) giocato in casa ♦ *avv.* a casa; in patria.
home·land [ˈhəʊmlænd] *s.* patria.
home·less [ˈhəʊmlɪs] *agg.* senzatetto.
homely [ˈhəʊmlɪ] *agg.* 1 familiare; semplice 2 (*amer.*) bruttino.
home·made [ˌhəʊmˈmeɪd] *agg.* fatto in casa; casereccio.
hom·eo·pathic [ˌhəʊmjəʊˈpæθɪk] *agg.* omeopatico.
home·sick [ˈhəʊmsɪk] *agg.*: *to be –*, avere nostalgia di casa.
home·town [ˈhəʊmtaʊn] *s.* paese natale.
home truth [ˌˈ·] *s.* verità spiacevole.
home·ward(s) [həʊmwəd(z)] *avv.* verso casa, verso il proprio paese.

home·work [ˈhəʊmwɜːk] *s.* compiti a casa.
hom·icide [ˈhɒmɪsaɪd] *s.* **1** omicidio **2** omicida.
homo·gen·eous [ˌhɒməʊˈdʒiːnjəs] *agg.* omogeneo.
homo·sexual [ˌhɒməʊˈseksjʊəl] *agg.*, *s.* omosessuale.
hone [həʊn] *v.tr.* affilare.
hon·est [ˈɒnɪst] *agg.* onesto; leale.
hon·esty [ˈɒnɪstɪ] *s.* onestà.
honey [ˈhʌnɪ] *s.* **1** miele **2** (*fam.*) amore, tesoro.
hon·ey·comb [ˈhʌnɪkəʊm] *s.* favo.
hon·ey·moon [ˈhʌnɪmuːn] *s.* luna di miele.
hon·ey·suckle [ˈhʌnɪˌsʌkl] *s.* caprifoglio.
honk [hɒŋk] *v.intr.* suonare il clacson.
honor e *deriv.* (*amer.*) → *honour* e *deriv.*
hon·or·ary [ˈɒnərərɪ] *agg.* onorario; onorifico.
hon·our [ˈɒnə*] amer. **honor** *s.* onore ♦ *v.tr.* onorare.
hon·our·able [ˈɒnərəbl] *agg.* onorevole.
hood [hʊd] *s.* **1** cappuccio **2** (*aut.*) capote; mantice (di passeggino) **3** (*amer.*) cofano (di autoveicolo) **4** cappa (di cucina).
hood·lum [ˈhuːdləm] *s.* (*fam.*) malvivente; teppista.
hood·wink [ˈhʊdwɪŋk] *v.tr.* (*fam.*) infinocchiare.
hoof [huːf] (*-fs*, *-ves* [-vz]) *s.* zoccolo (di animale).
hook [hʊk] *s.* **1** uncino, gancio | *to take the phone off the* –, staccare il telefono | *by – or by crook*, per amore o per forza **2** amo ♦ *v.tr.* **1** agganciare **2** prendere all'amo.
hooked [hʊkt] *agg.* **1** ricurvo; adunco **2** (*fam.*) fanatico.
hook-up [ˈ··] *s.* (*rad.*, *tv*) collegamento.
hooky [ˈhʊkɪ] *s.* (*fam. amer.*) *to play* –, marinare la scuola.
hoo·li·gan [ˈhuːlɪgən] *s.* teppista.
hoop [huːp] *s.* cerchio; cerchione.
hoot [huːt] *s.* **1** fischio **2** colpo di clacson **3** (*fam.*) cosa divertentissima, spasso ♦ *v.tr.* **1** fischiare **2** suonare (il clacson).
hooter [ˈ·ə*] *s.* **1** sirena **2** (*fam.*) naso.
hooves [huːvz] *pl.* di *hoof*.
hop[1] [hɒp] (*-pped* [-pt]) *v.intr.* **1** saltare; saltellare **2** (*fam.*) fare un salto, andare ♦ *v.tr.* attraversare saltellando | – *it!*, (*fam.*) sloggia! ♦ *s.* **1** salto, saltello | *to catch s.o. on the* –, (*fam.*) prendere qlcu. in contropiede **2** (*fam.*) salto, scappata.
hop[2] *s.* luppolo.
hope [həʊp] *s.* speranza, fiducia ♦ *v.tr.*, *intr.* sperare | *I – so, not*, spero di sì, di no.
hope·ful [ˈhəʊpfʊl] *agg.* **1** fiducioso **2** promettente ♦ *s.* persona promettente, promessa.
hope·less [ˈhəʊplɪs] *agg.* disperato.
hop·scotch [ˈhɒpskɒtʃ] *s.* (*gioco*) mondo, campana.
horde [hɔːd] *s.* orda.
ho·ri·zon [həˈraɪzn] *s.* orizzonte.
ho·ri·zontal [ˌhɒrɪˈzɒntl] *agg.* orizzontale.
hor·mone [ˈhɔːməʊn] *s.* ormone.
horn [hɔːn] *s.* **1** corno **2** clacson.
hor·net [ˈhɔːnɪt] *s.* calabrone.
horo·scope [ˈhɒrəskəʊp] *s.* oroscopo.
hor·rible [ˈhɒrəbl] **hor·rid** [ˈhɒrɪd] *agg.* orribile.

hor·rific [hɒ'rɪfɪk] *agg.* raccapricciante.
hor·ror ['hɒrə*] *s.* orrore.
hors d'oeuvre [ɔ:'dɜ:vrə *amer.*ɔ:'dɜ:v] *s.* antipasto.
horse [hɔ:s] *s.* cavallo.
horse·back ['hɔ:sbæk] *s.*: *on* –, a cavallo.
horse chestnut [,··] *s.* ippocastano.
horse·man ['hɔ:smən] (*-men*) *s.* cavaliere.
horse·play ['hɔ:spleɪ] *s.* gioco scatenato.
horse·power ['hɔ:spaʊə*] *s.* cavallo vapore.
horse racing ['··] *s.* ippica.
horse-riding ['··] *s.* equitazione.
horse sense ['··] *s.* (*fam.*) buon senso.
horse·shoe ['hɔ:sʃu:] *s.* ferro di cavallo.
hors(e)y ['hɔ:sɪ] *agg.* **1** amante dei cavalli **2** (*spreg.*) da cavallo.
hose [həʊz] *s.* tubo flessibile ♦ *v.tr.* lavare con la canna dell'acqua.
ho·si·ery ['həʊzɪərɪ *amer.* 'həʊʒərɪ] *s.* calze e maglieria intima.
hos·pice ['hɒspɪs] *s.* ospizio.
hos·pit·able ['hɒspɪtəbl] *agg.* ospitale.
hos·pital ['hɒspɪtl] *s.* ospedale | *general* –, policlinico.
hos·pit·al·ity [,hɒspɪ'tælɪtɪ] *s.* ospitalità.
host[1] [həʊst] *s.* **1** ospite, padrone di casa **2** (*tv*) conduttore (di programmi).
host[2] *s.* grande numero, mucchio.
host[3] *s.* ostia consacrata.
host·age ['hɒstɪdʒ] *s.* ostaggio.
hos·tel ['hɒstl] *s.* ospizio | (*youth*) –, ostello (della gioventù).
host·ess ['həʊstɪs] *s.* **1** ospite, padrona di casa **2** (*aer.*) hostess, assistente di volo.
hos·tile ['hɒstaɪl *amer.* 'hɒstl] *agg.* ostile.
hot [hɒt] *agg.* **1** caldo; bollente; (*fig.*) scottante: *to be* –, esser caldo; aver caldo; far caldo **2** piccante **3** fresco (di notizia).
hot-air balloon ['···] *s.* mongolfiera.
hotch·potch ['hɒtʃpɒtʃ] *s.* (*cuc.*) potpourri.
hot dog ['··] *s.* hot dog, panino con würstel e senape.
ho·tel [həʊ'tel] *s.* albergo.
ho·tel·ier [həʊ'telɪeɪ] *s.* albergatore.
hot·head ['hɒthed] *s.* testa calda.
hot·house ['hɒthaʊs] *s.* serra.
hot line ['··] *s.* linea diretta.
hot·plate ['hɒtpleɪt] *s.* (fornello a) piastra.
hot·pot ['hɒtpɒt] *s.* spezzatino di carne con patate.
hot-water bottle [,'··] amer. **hot-water bag** [,'··] *s.* borsa dell'acqua calda.
hound [haʊnd] *s.* cane da caccia ♦ *v.tr.* inseguire; (*fig.*) perseguitare.
hour ['aʊə*] *s.* **1** ora: *rush, peak hours*, ore di punta **2** (*pl.*) orario.
hourly ['aʊəlɪ] *agg., avv.* **1** (di) frequente **2** a ogni ora; all'ora.
house [haʊs] *s.* **1** casa **2** (*pol.*) camera; assemblea | *the Houses of Parliament*, il Parlamento (britannico) **3** casato; dinastia **4** (*teatr.*) *full* –, tutto esaurito **5** ditta ♦ [haʊz] *v.tr.* alloggiare, ospitare.
house·boat ['haʊsbəʊt] *s.* casa galleggiante.
house·break·ing ['haʊs,breɪkɪŋ] *s.* furto con scasso.
house·hold ['haʊs*h*əʊld] *s.* la famiglia (compresi i domestici) ♦ *agg.* domestico | – *appliances*, elettrodomestici | – *objects*, (articoli) casalinghi.
house·holder ['··ə*] *s.* padrone di casa.

house·keep·ing [ˈhaʊsˌkiːpɪŋ] *s.* governo della casa.
house·maid [ˈhaʊsmeɪd] *s.* domestica, cameriera.
house·warm·ing [ˈhaʊsˌwɔːmɪŋ] *s.* festa per l'inaugurazione di una casa.
house·wife [ˈhaʊswaɪf] (*-ves* [-vz]) *s.* casalinga, donna di casa.
house·work [ˈhaʊswɜːk] *s.* le faccende domestiche.
hous·ing [ˈhaʊzɪŋ] *s.* **1** l'offrire riparo, rifugio **2** alloggio | – *boom*, boom edilizio | – *association*, cooperativa edilizia **3** custodia; scatola.
hovel [ˈhɒvl] *s.* baracca, tugurio.
hover [ˈhɒvə*] *v.intr.* **1** librarsi **2** (*fig.*) indugiare.
hov·er·craft [ˈhɒvəkrɑːft] *s.* hovercraft, veicolo a cuscino d'aria.
how [haʊ] *avv.* **1** come | – *so?*, (*fam.*) come mai? | – *about...?*, che ne diresti di...? **2** quanto | – *often?*, ogni quanto?
how·ever [haʊˈevə*] *avv.* **1** comunque **2** per quanto ♦ *cong.* tuttavia.
howl [haʊl] *v.intr.* ululare ♦ *s.* **1** ululato **2** risata fragorosa.
howler [ˈ·ə*] *s.* strafalcione.
hub·bub [ˈhʌbʌb] *s.* baccano.
huddle [ˈhʌdl] *v.intr.* rannicchiarsi.
hue [hjuː] *s.* tinta, colore.
huff [hʌf] *s.* broncio.
hug [hʌg] (*-gged*) *v.tr.* abbracciare, stringere ♦ *s.* abbraccio, stretta.
huge [hjuːdʒ] *agg.* enorme, immenso.
hulk [hʌlk] *s.* **1** carcassa di nave **2** omaccione.
hull [hʌl] *s.* scafo.
hullo [həˈləʊ] → *hello.*
hum [hʌm] (*-mmed*) *v.intr.* **1** ronzare **2** (*anche tr.*) canticchiare a bocca chiusa | *to – and haw*, nicchiare ♦ *s.* ronzio.
hu·man [ˈhjuːmən] *agg.*, *s.* (essere) umano.
hu·mane [hjuːˈmeɪn] *agg.* umano, caritatevole.
hu·man·it·ar·ian [hjuːˌmænɪˈteərɪən] *agg.* umanitario ♦ *s.* filantropo.
humble [ˈhʌmbl] *agg.* umile; modesto ♦ *v.tr.* umiliare.
hum·bug [ˈhʌmbʌg] *s.* **1** sciocchezze **2** impostore **3** caramella alla menta.
hum·drum [ˈhʌmdrʌm] *agg.* monotono.
hu·mid [ˈhjuːmɪd] *agg.* umido.
hu·mi·li·ate [hjuːˈmɪlɪeɪt] *v.tr.* umiliare.
hu·mil·ity [hjuːˈmɪlətɪ] *s.* umiltà.
hum·ming·bird [ˈhʌmɪŋbɜːd] *s.* colibrì.
humor [ˈhjuːmə*] (*amer.*) → *humour.*
hu·mor·ist [ˈhjuːmərɪst] *s.* umorista.
hu·mor·ous [ˈhjuːmərəs] *agg.* **1** umoristico, divertente **2** spiritoso.
hu·mour [ˈhjuːmə*] amer. **humor** *s.* **1** umorismo **2** lato comico **2** umore ♦ *v.tr.* compiacere.
hump [hʌmp] *s.* **1** gobba **2** collinetta ♦ *v.tr.* portare sulle spalle.
hump·back [ˈhʌmpbæk] *s.* gobbo.
hump·backed [ˈ·t] *agg.* gobbo.
hunch [hʌntʃ] *s.* (*fam.*) intuizione, sospetto ♦ *v.tr.* incurvare (le spalle).
hunch·back [ˈhʌntʃbæk] *s.* gobbo.
hun·dred [ˈhʌndrəd] *agg.*, *s.* cento | *in hundreds*, a centinaia.
hun·dred·weight [ˈhʌndrədweɪt] *s.* cinquanta chili.
hung [hʌŋ] *pass.*, *p.p.* di to *hang.*
Hun·gar·ian [hʌŋˈgeərɪən] *agg.*, *s.* ungherese.
Hun·gary [ˈhʌŋgərɪ] *no.pr.* Ungheria.

hun·ger [ˈhʌŋgə*] *s.* fame ♦ *v.intr.* (*for, after*) bramare.
hung over [ˌ·ˈ·] *agg.* (*fam.*) intontito (per i postumi di una sbornia).
hun·gry [ˈhʌŋgrɪ] *agg.* **1** affamato: *to be –*, aver fame **2** (*fig.*) avido, assetato.
hunk [hʌŋk] *s.* grosso pezzo.
hunt [hʌnt] *v.tr.*, *intr.* **1** cacciare **2** (*for*) rovistare (alla ricerca di) ♦ *s.* caccia.
hunt·ing [ˈ·ɪŋ] *s.* caccia.
hurdle [ˈhɜ:dl] *s.* ostacolo.
hurdy-gurdy [ˈhɜ:dɪˌgɜ:dɪ] *s.* organetto.
hurl [hɜ:l] *v.tr.* lanciare.
hurly-burly [ˈhɜ:lɪˌbɜ:lɪ] *s.* subbuglio, confusione.
hur·rah [hʊˈrɑ:] **hur·ray** [hʊˈreɪ] *s.*, *inter.* urrà!
hur·ric·ane [ˈhʌrɪkən *amer.* ˈhʌrɪkeɪn] *s.* uragano, ciclone.
hurry [ˈhʌrɪ] *v.intr.* affrettarsi | *– up!*, sbrigati! ♦ *v.tr.* far fretta a ♦ *s.* fretta: *to be in a –*, avere fretta.
hurt* [hɜ:t] *v.tr.*, *intr.* **1** far male (a) **2** (*fig.*) ferire, offendere *s.* ferita.
hurt·ful [ˈhɜ:tfʊl] *agg.* (*to*) doloroso; offensivo.
hurtle [ˈhɜ:tl] *v.intr.* sfrecciare.
hus·band [ˈhʌzbənd] *s.* marito.
hush [hʌʃ] *v.tr.*, *intr.* **1** (far) tacere **2** *to – up*, mettere a tacere, insabbiare ♦ *s.* silenzio.
hush-hush [ˈ·ˈ·] *agg.* (*fam.*) segretissimo.
husk [hʌsk] *s.* pellicina, buccia; pula ♦ *v.tr.* sbucciare; mondare.
husky [ˈhʌskɪ] *agg.* **1** rauco **2** (*fam.*) aitante.
hustle [ˈhʌsl] *v.tr.* sballottare ♦ *s.* andirivieni | *– and bustle*, trambusto.
hut [hʌt] *s.* capanna; capanno.
hutch [hʌtʃ] *s.* conigliera; gabbia.
hy·acinth [ˈhaɪəsɪnθ] *s.* giacinto.
hy·aena [haɪˈi:nə] *s.* iena.
hy·brid [ˈhaɪbrɪd] *agg.*, *s.* ibrido.
hy·dran·gea [haɪˈdreɪndʒə] *s.* ortensia.
hy·draulic [haɪˈdrɔ:lɪk] *agg.* idraulico.
hy·dro- [ˈhaɪdrəʊ] *pref.* idro-.
hy·dro·car·bon [ˌhaɪdrəʊˈkɑ:bən] *s.* (*chim.*) idrocarburo.
hy·dro·foil [ˈhaɪdrəʊfɔɪl] *s.* aliscafo.
hy·dro·gen [ˈhaɪdrədʒən] *s.* idrogeno | *-peroxide*, acqua ossigenata.
hy·dro·plane [ˈhaɪdrəʊpleɪn] *s.* idrovolante.
hy·ena [haɪˈi:nə] *s.* iena.
hy·giene [ˈhaɪdʒi:n] *s.* igiene.
hy·gienic [haɪˈdʒi:nɪk] *agg.* igienico.
hymn [hɪm] *s.* inno.
hype [haɪp] *s.* battage pubblicitario.
hyper- [ˈhaɪpə*] *pref.* iper-.
hy·per·mar·ket [ˈhaɪpəˌmɑ:kɪt] *s.* ipermercato.
hy·phen [ˈhaɪfn] *s.* lineeta, trattino (d'unione).
hy·phen·ate [ˈhaɪfəneɪt] *v.tr.* unire (due parole) con un trattino.
hyp·no·sis [hɪpˈnəʊsɪs] *s.* ipnosi.
hypo- [ˈhaɪpəʊ] *pref.* ipo-.
hy·po·crisy [hɪˈpɒkrəsɪ] *s.* ipocrisia.
hy·po·crite [ˈhɪpəkrɪt] *s.* ipocrita.
hy·po·crit·ical [ˌhɪpəˈkrɪtɪkl] *agg.* ipocrita.
hy·po·thesis [haɪˈpɒθɪsɪs] (*-ses* [-zi:z]) *s.* ipotesi.
hy·po·thet·ical [ˌhaɪpəˈθetɪkl] *agg.* ipotetico.
hys·teria [hɪsˈtɪərɪə] *s.* isterismo.
hys·ter·ical [hɪˈsterɪkl] *agg.* **1** isterico **2** (*fam.*) divertentissimo.
hys·ter·ics [hɪsˈterɪks] *s.pl.* attacco isterico, crisi di nervi.

I

I *pron.* io.
ice [aɪs] *s.* **1** ghiaccio **2** gelato ♦ *v.tr.* glassare ♦ *v.intr.* (*up*) ghiacciarsi, gelarsi.
ice axe ['··] *s.* piccozza.
ice-bucket ['·,·] *s.* secchiello per il ghiaccio.
ice cream ['·'·] *s.* gelato.
Ice·land ['aɪslənd] *no.pr.* Islanda.
Ice·lander ['··ə*] *s.* islandese.
Ice·landic [aɪs'lændɪk] *agg.*, *s.* islandese.
ice lolly ['·'··] *s.* ghiacciolo.
ice rink ['·'·] *s.* pista di pattinaggio.
ice-skating ['·,skeɪtɪŋ] *s.* pattinaggio su ghiaccio.
icing sugar ['aɪsɪŋ,ʃʊgə*] *s.* zucchero a velo.
icon ['aɪkɒn] *s.* icona.
idea [aɪ'dɪə] *s.* idea.
ideal [aɪ'dɪəl] *agg.*, *s.* ideale.
ideal·ize [aɪ'dɪəlaɪz] *v.tr.* idealizzare.
ident·ical [aɪ'dentɪkl] *agg.* identico.
identi·fy [aɪ'dentɪfaɪ] *v.tr.* identificare.
iden·tity [aɪ'dentɪtɪ] *s.* identità.
ideo·lo·gical [,aɪdɪə'lɒdʒɪkl] *agg.* ideologico.
ideo·lo·gist [,aɪdɪ'ɒlədʒɪst] *s.* ideologo.
idi·ocy ['ɪdɪəsɪ] *s.* idiozia.
idiom ['ɪdɪəm] *s.* **1** frase idiomatica **2** idioma, linguaggio.
idio·matic [,ɪdɪə'mætɪk] *agg.* idiomatico.
idiot ['ɪdɪət] *s.* idiota.
idle ['aɪdl] *agg.* **1** pigro; ozioso **2** inutile **3** inattivo (di macchinario).
idler ['·ə*] *s.* poltrone; indolente.
idol ['aɪdl] *s.* idolo.
idyll ['ɪdɪl *amer.* 'aɪdl] *s.* idillio.
i.e. [,aɪ'·] abbr. di *id est*, cioè.
if [ɪf] *cong.*, *s.* se.
ig·ne·ous ['ɪgnɪəs] *agg.* igneo.
ig·no·mi·ni·ous [,ɪgnəʊ'mɪnɪəs] *agg.* ignominioso.
ig·nor·ant ['ɪgnərənt] *agg.* **1** ignorante **2** ignaro.
ig·nore [ɪg'nɔ:*] *v.tr.* ignorare; trascurare.
ilk [ɪlk] *s.* (*fam.*) genere, specie.
ill [ɪl] *agg.* **1** ammalato | *to feel* –, sentirsi male **2** cattivo ♦ *avv.* **1** male **2** difficilmente.
ill- *pref.* male.
ill-advised [,ɪləd'vaɪzd] *agg.* incauto, sconsiderato.
ill-bred [,ɪl'bred] *agg.* maleducato.
il·legal [ɪ'li:gl] *agg.* illegale.
il·legible [ɪ'ledʒəbl] *agg.* illeggibile.
il·le·git·im·ate [,ɪlɪ'dʒɪtɪmɪt] *agg.* **1** illegittimo **2** illegale.
ill-fated [,ɪl'feɪtɪd] *agg.* sfortunato.
ill-humoured [,ɪl'hju:məd] *agg.* di carattere difficile.
il·li·cit [ɪ'lɪsɪt] *agg.* illecito.
il·lit·er·ate [ɪ'lɪtərɪt] *agg.*, *s.* analfabeta; ignorante.
ill-mannered [,ɪl'mænəd] *agg.* maleducato.
ill·ness ['·nɪs] *s.* malattia.
il·lo·gical [ɪ'lɒdʒɪkl] *agg.* illogico.
ill-treat [,ɪl'tri:t] *v.tr.* maltrattare.
ill-treatment [·'··] *s.* maltrattamento.
il·lu·min·ate [ɪ'lu:mɪneɪt] *v.tr.* illuminare.
il·lu·sion [ɪ'lu:ʒn] *s.* illusione; inganno.
il·lus·ory [ɪ'lu:sərɪ] *agg.* illusorio.
il·lus·trate ['ɪləstreɪt] *v.tr.* illustrare.
il·lus·tra·tion [··'·ʃn] *s.* illustrazione.

il·lus·trat·ive [ˈɪləstrətɪv *amer.* ɪˈlʌstrətɪv] *agg.* illustrativo.
il·lus·tri·ous [ɪˈlʌstrɪəs] *agg.* illustre.
ill will [ˌ·ˈ·] *s.* rancore.
im·age [ˈɪmɪdʒ] *s.* immagine.
ima·gina·tion [ɪˌmædʒɪˈneɪʃn] *s.* immaginazione; fantasia.
ima·gine [ɪˈmædʒɪn] *v.tr., intr.* immaginare, immaginarsi | *just –...,* figurati...
im·be·cile [ˈɪmbɪsiːl *amer.* ˈɪmbɪsl] *agg., s.* imbecille.
im·bibe [ɪmˈbaɪb] *v.tr.* assorbire.
im·it·ate [ˈɪmiteɪt] *v.tr.* imitare.
im·ita·tion [ˌɪmɪˈteɪʃn] *s.* imitazione; copia; contraffazione.
im·macu·late [ɪˈmækjʊlət] *agg.* **1** immacolato **2** impeccabile.
im·ma·ture [ˌɪməˈtjʊə*] *agg.* immaturo.
im·meas·ur·able [ɪˈmeʒərəbl] *agg.* incommensurabile; immenso.
im·me·di·acy [ɪˈmiːdɪəsɪ] *s.* immediatezza.
im·me·di·ate [ɪˈmiːdjət] *agg.* immediato, istantaneo.
im·me·di·ate·ly [·ˈ···lɪ] *avv.* immediatamente, subito ♦ *cong.* (non) appena.
im·me·mor·ial [ˌɪmɪˈmɔːrɪəl] *agg.* immemorabile.
im·mense [ɪˈmens] *agg.* immenso.
im·merse [ɪˈmɜːs] *v.tr.* immergere.
im·mer·sion [ɪˈmɜːʃn] *s.* immersione.
im·mig·rant [ˈɪmɪgrənt] *agg., s.* immigrante.
im·min·ent [ˈɪmɪnənt] *agg.* imminente.
im·mob·ile [ɪˈməʊbaɪl *amer.* ɪˈməʊbl] *agg.* immobile.
im·mob·il·ize [ɪˈməʊbɪlaɪz] *v.tr.* immobilizzare; bloccare.
im·mol·ate [ˈɪməʊleɪt] *v.tr.* immolare.
im·moral [ɪˈmɒrəl] *agg.* immorale.
im·mor·tal [ɪˈmɔːtl] *agg., s.* immortale.
im·mor·tal·ize [ɪˈmɔːtəlaɪz] *v.tr.* immortalare.
im·mov·able [ɪˈmuːvəbl] *agg.* **1** inamovibile **2** irremovibile.
im·mune [ɪˈmjuːn] *agg.* immune; esente | *– system,* sistema immunitario.
im·mun·ize [ˈɪmjuːnaɪz] *v.tr.* immunizzare.
im·mut·able [ɪˈmjuːtəbl] *agg.* immutabile.
imp [ɪmp] *s.* diavoletto.
im·pact [ˈɪmpækt] *s.* impatto ♦ *v.tr.* conficcare ♦ *v.intr.* avere un impatto.
im·pair [ɪmˈpeə*] *v.tr.* **1** indebolire **2** danneggiare, menomare.
im·palp·able [ɪmˈpælpəbl] *agg.* impalpabile.
im·par·tial [ɪmˈpɑːʃl] *agg.* imparziale.
im·pass·able [ɪmˈpɑːsəbl *amer.* ɪmˈpæsəbl] *agg.* invalicabile; impraticabile.
im·passe [ˈæmpɑːs *amer.* ˈɪmpæs] *s.* (*fig.*) punto morto, impasse.
im·pass·ive [ɪmˈpæsɪv] *agg.* impassibile; insensibile.
im·pa·tience [ɪmˈpeɪʃns] *s.* **1** impazienza **2** insofferenza; intolleranza.
im·pa·tient [ɪmˈpeɪʃnt] *agg.* **1** impaziente **2** insofferente; intollerante.
im·peach [ɪmˈpiːtʃ] *v.tr.* **1** incriminare **2** invalidare, revocare.
im·peach·ment [ɪmˈpiːtʃmənt] *s.* incriminazione; messa in stato d'accusa.
im·pec·cable [ɪmˈpekəbl] *agg.* impeccabile.
im·pede [ɪmˈpiːd] *v.tr.* impedire; ostacolare.
im·pel [ɪmˈpel] (*-lled*) *v.tr.* costringere; spingere.
im·pen·et·rable [ɪmˈpenɪtrəbl] *agg.* impenetrabile.

im·per·at·ive [ɪm'perətɪv] *agg.*, *s.* imperativo.
im·per·cept·ible [ˌɪmpə'septəbl] *agg.* impercettibile.
im·per·fect [ɪm'pɜ:fɪkt] *agg.*, *s.* imperfetto.
im·per·fec·tion [ˌɪmpə'fekʃn] *s.* imperfezione.
im·peri·al·ism [ɪm'pɪərɪəlɪzəm] *s.* imperialismo.
im·per·meable [ɪm'pɜ:mjəbl] *agg.* impermeabile.
im·per·sonal [ɪm'pɜ:snl] *agg.* **1** impersonale **2** obiettivo.
im·per·son·ate [ɪm'pɜ:sənɪt] *v.tr.* impersonare.
im·per·tin·ent [ɪm'pɜ:tɪnənt] *agg.* impertinente.
im·per·turb·able [ˌɪmpə'tɜ:bəbl] *agg.* imperturbabile.
im·petu·ous [ɪm'petjʊəs] *agg.* impetuoso, impulsivo.
im·pi·ous ['ɪmpɪəs] *agg.* empio, irriverente.
imp·ish ['ɪmpɪʃ] *agg.* birichino.
im·ple·ment ['ɪmplɪmənt] *s.* utensile ♦ *v.tr.* realizzare, attuare.
im·plica·tion [ˌɪmplɪ'keɪʃn] *s.* **1** implicazione **2** insinuazione | *by* –, implicitamente.
im·pli·cit [ɪm'plɪsɪt] *agg.* **1** implicito **2** assoluto.
im·plore [ɪm'plɔ:*] *v.tr.* implorare, supplicare.
im·ply [ɪm'plaɪ] *v.tr.* **1** insinuare; sottintendere **2** implicare.
im·pol·ite [ˌɪmpə'laɪt] *agg.* scortese.
im·port ['ɪmpɔ:t] *s.* importazione.
import [ɪm'pɔ:t] *v.tr.*, *intr.* importare.
im·port·ance [ɪm'pɔ:təns] *s.* importanza.
im·port·ant [ɪm'pɔ:tənt] *agg.* importante.
im·porta·tion [ˌɪmpɔ:'teɪʃn] *s.* importazione.
im·porter [-'-ə*] *s.* importatore.
im·pose [ɪm'pəʊz] *v.tr.* imporre | *to – on*, approfittare di.
im·pos·ing [ɪm'pəʊzɪŋ] *agg.* imponente, maestoso.
im·posi·tion [ˌɪmpə'zɪʃn] *s.* **1** imposizione **2** imposta, tassa.
im·poss·ible [ɪm'pɒsəbl] *agg.* impossibile.
im·pot·ent ['ɪmpətənt] *agg.* impotente.
im·prac·tic·able [ɪm'præktɪkəbl] *agg.* **1** inattuabile **2** impraticabile.
im·pre·cise [ˌɪmprɪ'saɪs] *agg.* impreciso.
im·preg·nate ['ɪmpregneɪt *amer.* ɪm'preg neɪt] *v.tr.* **1** impregnare **2** fecondare.
im·press [ɪm'pres] *v.tr.* **1** impressionare **2** imprimere.
im·pres·sion [ɪm'preʃn] *s.* **1** impressione, effetto **2** stampa, tiratura.
im·press·ive [ɪm'presɪv] *agg.* impressionante; imponente.
im·print ['ɪmprɪnt] *s.* **1** impressione; impronta **2** sigla editoriale.
imprint [ɪm'prɪnt] *v.tr.* imprimere.
im·prison [ɪm'prɪzn] *v.tr.* imprigionare; (*fig.*) rinchiudere.
im·prob·able [ɪm'prɒbəbl] *agg.* improbabile.
im·promptu [ɪm'prɒm*p*tju:] *agg.* improvvisato ♦ *s.* improvvisazione.
im·proper [ɪm'prɒpə*] *agg.* **1** improprio **2** scorretto **3** sconveniente.
im·prove [ɪm'pru:v] *v.tr.*, *intr.* migliorare.
im·pro·visa·tion [ˌɪmprəvaɪ'zeɪʃn *amer.*,

ımprəvı'zeıʃn] *s.* improvvisazione.
im·pro·vise ['ımprəvaız] *v.tr.*, *intr.* improvvisare.
im·pru·dent [ım'pru:dənt] *agg.* imprudente.
im·pud·ent ['ımpjʊdənt] *agg.* impudente, sfrontato.
im·pulse ['ımpʌls] *s.* impulso.
im·puls·ive [ım'pʌlsıv] *agg.* impulsivo.
im·pure [ım'pjʊə*] *agg.* impuro.
im·puta·tion [,ımpju:'teıʃn] *s.* (*dir.*) imputazione.
in [ın] *prep.* in; a; fra: – *Paris*, a Parigi; – *March*, in, a marzo; – *a month*, fra un mese; *dressed – red*, vestita di, in rosso | – *the sun*, al sole | – *twos*, a due a due | – *the meantime*, nel frattempo ♦ *avv.* **1** dentro; in, a casa **2** (*fam.*) di moda ♦ *agg.* **1** interno **2** alla moda ♦ *s. the ins and outs*, i dettagli; i retroscena.
in- *pref.* in-, il-, im-.
in·ac·cess·ible [,ınæk'sesəbl] *agg.* inaccessibile.
in·ac·cur·ate [ın'ækjʊrıt] *agg.* inesatto, impreciso.
in·act·ive [ın'æktıv] *agg.* inattivo; inerte.
in·ad·equate [ın'ædıkwıt] *agg.* inadeguato, inadatto.
in·ad·vis·able [,ınəd'vaızəbl] *agg.* sconsigliabile.
in·an·im·ate [ın'ænımət] *agg.* inanimato.
in·ap·plic·able [ın'æplıkəbl] *agg.* inapplicabile; inadatto.
in·at·ten·tion [,ınə'tenʃn] *s.* disattenzione; sbadataggine.
in·aud·ible [ın'ɔ:dəbl] *agg.* impercettibile.
in·aug·ur·ate [ı'nɔ:gjʊreıt] *v.tr.* **1** inaugurare **2** insediare.
in·aug·ura·tion [ı,nɔ:gjʊ'reıʃn] *s.* **1** inaugurazione **2** insediamento.
in·aus·pi·cious [,ınɔ:s'pıʃəs] *agg.* infausto, funesto.
in·born [,ın'bɔ:n] *agg.* innato.
in·bred [,ın'bred] *agg.* **1** congenito **2** nato dall'unione di consanguinei.
in·cal·cul·able [ın'kælkjʊləbl] *agg.* incalcolabile.
in·can·des·cent [,ınkæn'desnt] *agg.* incandescente.
in·cap·able [ın'keıpəbl] *agg.* incapace; inetto.
in·carna·tion [,ınkɑ:'neıʃn] *s.* incarnazione, personificazione.
in·cau·tious [ın'kɔ:ʃəs] *agg.* incauto; imprudente.
in·cense ['ınsens] *s.* incenso.
in·cent·ive [ın'sentıv] *s.* incentivo.
in·cess·ant [ın'sesnt] *agg.* incessante, continuo.
inch [ıntʃ] *s.* pollice (misura di lunghezza) ♦ *v.tr.*, *intr.* muoversi, muovere gradatamente.
in·cid·ent ['ınsıdənt] *s.* **1** caso; avvenimento **2** episodio **3** incidente.
in·cin·er·ator [ın'sınəreıtə*] *s.* inceneritore.
in·cision [ın'sıʒn] *s.* incisione.
in·cis·ive [ın'saısıv] *agg.* incisivo, acuto.
in·cisor [ın'saızə*] *s.* (*dente*) incisivo.
in·cite [ın'saıt] *v.tr.* incitare.
in·cite·ment [-'·mənt] *s.* incitamento; istigazione.
in·clem·ent [ın'klemənt] *agg.* inclemente (di clima).
in·cline ['ınklaın] *s.* pendenza; pendio ♦ *v.tr.*, *intr.* inclinare, inclinarsi.

in·clined [ɪn'klaɪnd] *agg.* **1** inclinato **2** incline, propenso.
in·clude [ɪn'klu:d] *v.tr.* includere.
in·clus·ive [ɪn'klu:sɪv] *agg.* incluso.
in·come ['ɪnkəm] *s.* rendita; reddito.
in·com·ing ['ɪn,kʌmɪŋ] *agg.* **1** subentrante **2** in arrivo **3** montante (di marea).
in·com·par·able [ɪn'kɒmpərəbl] *agg.* incomparabile.
in·com·patible [,ɪnkəm'pætəbl] *agg.* incompatibile.
in·com·pet·ent [ɪn'kɒmpɪtənt] *agg., s.* incompetente; incapace.
in·com·plete [,ɪnkəm'pli:t] *agg.* incompleto; incompiuto.
in·com·pre·hens·ible [ɪn,kɒmprɪ'hensəbl] *agg.* incomprensibile.
in·con·ceiv·able [,ɪnkən'si:vəbl] *agg.* inconcepibile.
in·con·clus·ive [,ɪnkən'klu:sɪv] *agg.* inconcludente, sconclusionato; non decisivo.
in·con·gru·ous [ɪn'kɒŋgrʊəs] *agg.* incongruente; assurdo.
in·con·sid·er·ate [,ɪnkən'sɪdərɪt] *agg.* **1** senza riguardi **2** sconsiderato.
in·con·sist·ent [,ɪnkən'sɪstənt] *agg.* **1** incoerente **2** discontinuo.
in·con·stant [ɪn'kɒnstənt] *agg.* incostante; instabile.
in·con·veni·ence [,ɪnkən'vi:njəns] *s.* noia; disturbo; scomodità.
in·con·veni·ent [,ɪnkən'vi:njənt] *agg.* che reca disturbo; scomodo; imbarazzante.
in·corp·or·ate [ɪn'kɔ:pəreɪt] *v.tr., intr.* incorporare, incorporarsi.
in·cor·rect [,ɪnkə'rekt] *agg.* inesatto; scorretto.
in·cor·ri·gible [ɪn'kɒrɪdʒəbl] *agg.* incorreggibile.
in·cor·rupt [,ɪnkə'rʌpt] *agg.* incorrotto, puro; integro.
in·crease ['ɪnkri:s] *s.* aumento.
in·crease [ɪn'kri:s] *v.tr., intr.* accrescere; aumentare.
in·cred·ible [ɪn'kredəbl] *agg.* incredibile.
in·credu·lous [ɪn'kredjʊləs] *agg.* incredulo.
in·cre·ment ['ɪnkrɪmənt] *s.* incremento.
in·crim·in·ate [ɪn'krɪmɪneɪt] *v.tr.* incriminare.
in·cub·ate ['ɪnkjʊbeɪt] *v.tr.* **1** covare **2** (*fig.*) meditare.
in·cub·ator ['ɪnkjʊbeɪtə*] *s.* incubatrice.
in·cul·cate ['ɪnkʌlkeɪt *amer.* ɪn'kʌlkeɪt] *v.tr.* inculcare.
in·cum·bent [ɪn'kʌmbənt] *agg.* **1** incombente **2** in carica.
incur [ɪn'kɜ:*] (*-rred*) *v.tr.* incorrere (in).
in·cur·able [ɪn'kjʊərəbl] *agg.* incurabile, inguaribile.
in·cur·sion [ɪn'kɜ:ʃn *amer.* ɪn'kɜ:ʒn] *s.* incursione.
in·debted [ɪn'detɪd] *agg.* **1** indebitato **2** (*fig.*) obbligato, in debito.
in·de·cency [ɪn'di:snsɪ] *s.* indecenza.
in·de·cent [ɪn'di:snt] *agg.* indecente.
in·de·ci·sion [,ɪndɪ'sɪʒn] *s.* indecisione; esitazione.
in·deed [ɪn'di:d] *avv.* **1** davvero; infatti **2** anzi ♦ *inter.* come!
in·de·fin·able [,ɪndɪ'faɪnəbl] *agg.* indefinibile, indescrivibile.
in·def·in·ite [ɪn'defɪnɪt] *agg.* indefinito.
in·del·ible [ɪn'delɪbl] *agg.* indelebile.
in·del·ic·ate [ɪn'delɪkɪt] *agg.* indelicato; sconveniente.

in·dem·nity [ɪnˈdemnɪfaɪ] *v.tr.* indennizzare, risarcire.
in·dem·nity [ɪnˈdemnɪtɪ] *s.* **1** indennità **2** assicurazione.
in·dent [ˈɪndent] *s.* **1** dentellatura, tacca **2** (*tip.*) capoverso rientrato.
indent [ɪnˈdent] *v.tr.* **1** dentellare **2** (*tip.*) rientrare (una riga) ♦ *v.intr.* ordinare (merci).
in·de·pend·ent [ˌɪndɪˈpendənt] *agg.* **1** indipendente **2** imparziale ♦ *s.* indipendente.
in-depth [ˈɪndepθ] *agg.* approfondito.
in·des·crib·able [ˌɪndɪˈskraɪbəbl] *agg.* indescrivibile.
in·des·truct·ible [ˌɪndɪˈstrʌktəbl] *agg.* indistruttibile.
in·de·term·in·ate [ˌɪndɪˈtɜːmɪnət] *agg.* indeterminato, imprecisato.
in·dex [ˈɪndeks] (*-xes, in·di·ces* [ˈɪndisiːz]) *s.* indice | *card* –, – *cards*, schedario alfabetico ♦ *v.tr.* **1** comporre un indice di **2** indicizzare.
index finger [ˈ·· ,··] *s.* indice (della mano).
In·dian [ˈɪndjən] *agg.*, *s.* indiano | *Red* –, pellerossa | – *ink*, inchiostro di china.
in·dic·ate [ˈɪndɪkeɪt] *v.tr.* indicare.
in·dic·at·ive [ɪnˈdɪkətɪv] *agg.*, *s.* indicativo.
in·dict·ment [ɪnˈdaɪtmənt] *s.* accusa; imputazione.
in·dif·fer·ent [ɪnˈdɪfrənt] *agg.* indifferente, apatico.
in·di·gen·ous [ɪnˈdɪdʒɪnəs] *agg.* indigeno.
in·di·gest·ible [ˌɪndɪˈdʒestəbl] *agg.* indigesto.
in·dig·nant [ɪnˈdɪgnənt] *agg.* indignato, sdegnato.
in·dig·nity [ɪnˈdɪgnɪtɪ] *s.* oltraggio.
in·dir·ect [ˌɪndɪˈrekt] *agg.* indiretto.
in·dis·creet [ˌɪndɪˈskriːt] *agg.* indiscreto, indelicato.
in·dis·pens·able [ˌɪndɪˈspensəbl] *agg.* indispensabile.
in·dis·posed [ˌɪndɪˈspəʊzd] *agg.* indisposto.
in·dis·tinct [ˌɪndɪsˈtɪŋkt] *agg.* indistinto; oscuro.
in·di·vidual [ˌɪndɪˈvɪdjʊəl] *agg.* **1** individuale **2** particolare ♦ *s.* individuo.
in·di·vis·ible [ˌɪndɪˈvɪzəbl] *agg.* indivisibile.
in·dol·ent [ˈɪndələnt] *agg.* indolente.
In·do·ne·sian [ˌɪndəʊˈniːzjən] *agg.*, *s.* indonesiano.
in·door [ˈɪndɔː*] *agg.* interno, al coperto; dentro casa.
in·doors [ˌɪnˈdɔːz] *avv.* all'interno.
in·duce [ɪnˈdjuːs *amer.* ɪnˈduːs] *v.tr.* indurre.
in·duce·ment [ɪnˈdjuːsmənt] *s.* stimolo; incentivo.
in·duc·tion [ɪnˈdʌkʃn] *s.* **1** induzione **2** insediamento.
in·duct·ive [ɪnˈdʌktɪv] *agg.* induttivo.
in·dulge [ɪnˈdʌldʒ] *v.tr.* accontentare, viziare ♦ *v.intr.* (*in*) permettersi.
in·dul·gent [ɪnˈdʌldʒənt] *agg.* indulgente; benevolo.
in·dus·trial [ɪnˈdʌstrɪəl] *agg.* industriale; industrializzato | – *disease*, malattia professionale.
in·dus·tri·al·ist [ɪnˈdʌstrɪəlɪst] *s.* industriale.
in·dus·tri·ous [ɪnˈdʌstrɪəs] *agg.* operoso, attivo.
in·dus·try [ˈɪndəstrɪ] *s.* **1** industria **2** laboriosità, operosità.

in·ed·ible [ɪnˈedɪbl] *agg.* non commestibile.
in·ef·fable [ɪnˈefəbl] *agg.* ineffabile.
in·ef·fec·tual [ˌɪnɪˈfektjʊəl] *agg.* **1** inutile **2** incapace **3** inefficace.
in·ef·fi·cient [ˌɪnɪˈfɪʃnt] *agg.* inefficiente.
in·ept [ɪnˈept] *agg.* inetto.
in·ept·it·ude [ɪnˈepˈtɪtjuːd *amer.* ɪnˈeptɪtuːd] *s.* inettitudine.
in·ert [ɪˈnɜːt] *agg.* inerte.
in·es·tim·able [ɪnˈestɪməbl] *agg.* inestimabile.
in·ev·it·able [ɪnˈevɪtəbl] *agg.* **1** inevitabile **2** (*fam.*) solito.
in·ex·haust·ible [ˌɪnɪgˈzɔːstəbl] *agg.* inesauribile.
in·ex·pens·ive [ˌɪnɪkˈspensɪv] *agg.* non costoso, economico.
in·ex·peri·ence [ˌɪnɪkˈspɪərɪəns] *s.* inesperienza.
in·fal·lible [ɪnˈfæləbl] *agg.* infallibile.
in·fam·ous [ˈɪnfəməs] *agg.* infame.
in·fancy [ˈɪnfənsɪ] *s.* infanzia.
in·fant [ˈɪnfənt] *agg.* **1** per neonato **2** nuovo ♦ *s.* neonato.
in·fan·try [ˈɪnfəntrɪ] *s.* fanteria.
in·fect [ɪnˈfekt] *v.tr.* infettare.
in·fec·tious [ɪnˈfekʃəs] *agg.* **1** infetto **2** infettivo; contagioso.
in·fer [ɪnˈfɜː*] (*-rred*) *v.tr.* **1** dedurre, arguire **2** insinuare.
in·ferior [ɪnˈfɪərɪə*] *agg.*, *s.* inferiore.
in·fernal [ɪnˈfɜːnl] *agg.* infernale.
in·fer·til·ity [ˌɪnfɜːˈtɪlətɪ] *s.* sterilità, infecondità.
in·fest [ɪnˈfest] *v.tr.* infestare.
in·filt·rate [ˈɪnfɪltreɪt] *v.tr.*, *intr.* infiltrare, infiltrarsi.
in·fin·ite [ˈɪnfɪnət] *agg.*, *s.* infinito.
in·firm [ɪnˈfɜːm] *agg.* debole.
in·firm·ary [ɪnˈfɜːmərɪ] *s.* **1** infermeria **2** ospedale.
in·flame [ɪnˈfleɪm] *v.tr.* infiammare.
in·flate [ɪnˈfleɪt] *v.tr.*, *intr.* gonfiare, gonfiarsi.
in·fla·tion [ɪnˈfleɪʃn] *s.* **1** inflazione **2** (*med.*) gonfiore.
in·flex·ible [ɪnˈfleksəbl] *agg.* inflessibile.
in·flict [ɪnˈflɪkt] *v.tr.* infliggere.
in·flu·ence [ˈɪnflʊəns] *s.* influenza ♦ *v.tr.* influenzare.
in·flu·enza [ˌɪnflʊˈenzə] *s.* influenza.
info [ˈɪnfəʊ] *s.* (*fam.*) informazioni.
in·form [ɪnˈfɔːm] *v.tr.* informare ♦ *v.intr.*: *to – against*, denunziare.
in·formal [ɪnˈfɔːml] *agg.* informale.
in·form·ant [ɪnˈfɔːmənt] *s.* informatore.
in·forma·tion [ˌɪnfəˈmeɪʃn] *s.* informazioni.
in·fra·red [ˌɪnfrəˈred] *agg.* (*fis.*) infrarosso.
in·fra·struc·ture [ˈɪnfrəˌstrʌktʃə*] *s.* infrastruttura.
in·fringe [ɪnˈfrɪndʒ] *v.tr.* infrangere, violare ♦ *v.intr.*: *to – (up)on*, intromettersi; usurpare.
in·fuse [ɪnˈfjuːz] *v.tr.* **1** (*fig.*) infondere **2** fare un infuso di.
in·fu·sion [ɪnˈfjuːʒn] *s.* **1** (*med.*) infusione, infuso **2** apporto; introduzione: *the business needed an – of fresh capital*, l'azienda necessitava di un afflusso di nuovi capitali.
in·geni·ous [ɪnˈdʒiːnjəs] *agg.* ingegnoso.
in·genu·ous [ɪnˈdʒenjʊəs] *agg.* ingenuo.
in·go·ing [ˈɪŋgəʊɪŋ] *agg.* entrante.
in·got [ˈɪŋgət] *s.* lingotto.

in·gov·ern·able [ɪn'gʌvnəbl] *agg.* ingovernabile.

in·gra·ti·ate [ɪn'greɪʃɪeɪt] *v.tr.*: *to – oneself with s.o.*, ingraziarsi qlcu.

in·gre·di·ent [ɪn'gri:djənt] *s.* ingrediente; elemento.

in·hab·it·ant [ɪn'hæbɪtənt] *s.* abitante.

in·hale [ɪn'heɪl] *v.tr.* inalare.

in·her·ent [ɪn'hɪərənt] *agg.* inerente.

in·herit [ɪn'herɪt] *v.tr., intr.* ereditare.

in·hib·ited [ɪn'hɪbɪtɪd] *agg.* inibito.

in·hos·pit·able [,ɪnhɒ'spɪtəbl] *agg.* inospitale.

in·house ['··] *agg., avv.* interno.

in·hu·man [ɪn'hju:mən] *agg.* inumano.

in·hu·mane [,ɪnhju:'meɪn] *agg.* disumano.

in·im·it·able [ɪ'nɪmɪtəbl] *agg.* inimitabile.

ini·quit·ous [ɪ'nɪkwɪtəs] *agg.* iniquo.

ini·tial [ɪ'nɪʃl] *agg., s.* iniziale.

initiate [ɪ'nɪʃɪeɪt] *v.tr.* **1** dar inizio a **2** iniziare.

ini·ti·ation [ɪ,nɪʃɪ'eɪʃn] *s.* **1** iniziazione **2** inizio.

ini·ti·at·ive [ɪ'nɪʃɪətɪv] *s.* iniziativa.

in·ject [ɪn'dʒekt] *v.tr.* **1** iniettare **2** immettere.

in·junc·tion [ɪn'dʒʌŋkʃn] *s.* ingiunzione.

in·jure ['ɪndʒə*] *v.tr.* **1** ferire **2** danneggiare; offendere.

in·jured ['ɪndʒəd] *agg.* **1** ferito | *the –*, i feriti **2** danneggiato; leso.

in·juri·ous [ɪn'dʒʊərɪəs] *agg.* nocivo, dannoso.

in·jury ['ɪndʒərɪ] *s.* **1** ferita **2** danno.

in·just·ice [ɪn'dʒʌstɪs] *s.* ingiustizia.

ink [ɪŋk] *s.* inchiostro.

ink·ling ['ɪŋklɪŋ] *s.* sentore.

in·laid [,ɪn'leɪd] *pass., p.p.* di to *inlay* ♦ *agg.* intarsiato.

in·land ['ɪnlənd] *agg.* interno ♦ *avv.* all'interno.

in-laws ['ɪnlɔ:z] *s.pl.* parenti acquisiti.

in·lay* [,ɪn'leɪ] *v.tr.* intarsiare.

in·let ['ɪnlet] *s.* **1** insenatura; (*di fiume*) immissario **2** entrata.

in·mate ['ɪnmeɪt] *s.* **1** paziente (di ospedale) **2** carcerato; detenuto.

in·most ['ɪnməʊst] *agg.* interiore; intimo.

inn [ɪn] *s.* locanda; osteria.

inn·ards ['ɪnədz] *s.pl.* **1** parti interne **2** (*fam.*) visceri.

in·nate [,ɪ'neɪt] *agg.* innato.

in·ner ['ɪnə*] *agg.* interiore; intimo.

in·no·cence ['ɪnəsns] *s.* innocenza.

in·no·cent ['ɪnəsnt] *agg., s.* innocente.

in·nocu·ous [ɪ'nɒkjʊəs] *agg.* innocuo.

in·nova·tion [,ɪnəʊ'veɪʃn] *s.* innovazione.

in·ocu·la·tion [ɪ,nɒkjʊ'leɪʃn] *s.* vaccinazione.

in·put ['ɪnpʊt] *s.* **1** immissione; input **2** (*elettr.*) potenza, alimentazione.

in·quire [ɪn'kwaɪə*] *v.tr.* chiedere: *to – into*, indagare ♦ *v.intr.* informarsi.

in·quirer ['·ə*] *s.* investigatore, indagatore.

in·quir·ing ['·ɪŋ] *agg.* **1** inquisitore; indagatore **2** curioso.

in·quiry [ɪn'kwaɪərɪ] *s.* **1** domanda **2** indagine, ricerca; (*dir.*) inchiesta.

in·quis·it·ive [ɪn'kwɪzətɪv] *agg.* curioso; indiscreto.

in·road ['ɪnrəʊd] *s.* incursione.

in·sane [ɪn'seɪn] *agg.* pazzo, folle.

in·san·it·ary [ɪn'sænɪtərɪ *amer.* ɪn'sænɪterɪ] *agg.* malsano.

in·sa·ti·able [ɪn'seɪʃjəbl] *agg.* insaziabile.
in·scrip·tion [ɪn'skrɪpʃn] *s.* **1** iscrizione **2** dedica (su libro).
in·sect ['ɪnsekt] *s.* insetto.
in·sect·icide [ɪn'sektɪsaɪd] *s.* insetticida.
in·sec·ure [,ɪnsɪ'kjʊə*] *agg.* **1** instabile **2** insicuro, incerto.
in·sem·in·ate [ɪn'semɪneɪt] *v.tr.* inseminare, fecondare.
in·sens·ible [ɪn'sensəbl] *agg.* **1** svenuto **2** insensibile **3** inconsapevole.
in·sens·it·ive [ɪn'sensətɪv] *agg.* insensibile, privo di tatto.
in·sert ['ɪnsɜ:t] *s.* inserto.
in·shore [,ɪn'ʃɔ:] *avv.* presso, verso la costa ♦ *agg.* costiero.
in·side ['ɪnsaɪd] *agg.* interno ♦ *s.* **1** interno **2** *pl.* interiora; stomaco.
inside [,ɪn'saɪd] *avv.* internamente; dentro ♦ *prep.* **1** dentro, all'interno di **2** entro.
in·si·di·ous [ɪn'sɪdɪəs] *agg.* insidioso.
in·sight ['ɪnsaɪt] *s.* intuizione.
in·sig·ni·fic·ant [,ɪnsɪg'nɪfɪkənt] *agg.* insignificante; irrilevante.
in·sin·cere [,ɪnsɪn'sɪə*] *agg.* falso, ipocrita.
in·sinu·ate [ɪn'sɪnjʊeɪt] *v.tr.* insinuare.
in·sipid [ɪn'sɪpɪd] *agg.* insipido.
in·sist [ɪn'sɪst] *v.intr.* insistere ♦ *v.tr.* asserire, affermare.
in·sist·ent [ɪn'sɪstənt] *agg.* insistente.
in·sole ['ɪnsəʊl] *s.* soletta.
in·sol·ent ['ɪnsələnt] *agg.* insolente, arrogante.
in·solu·bil·ity [ɪn,sɒljʊ'bɪlətɪ] *s.* insolubilità.
in·sol·uble [ɪn'sɒljʊbl] *agg.* insolubile.
in·solv·ent [ɪn'sɒlvənt] *agg.* insolvente.
in·som·nia [ɪn'sɒmnɪə] *s.* insonnia.
in·spec·tion [ɪn'spekʃn] *s.* ispezione.
in·spector [ɪn'spektə*] *s.* **1** ispettore **2** controllore (sui mezzi di trasporto).
in·spira·tion [,ɪnspə'reɪʃn] *s.* ispirazione.
in·spire [ɪn'spaɪə*] *v.tr.* ispirare.
in·stall [ɪn'stɔ:l] *v.tr.* installare.
in·stalla·tion [··'leɪʃn] *s.* **1** installazione **2** impianto **3** insediamento.
in·stal·ment [ɪn'stɔ:lmənt] *s.* **1** rata **2** puntata; dispensa.
in·stance ['ɪnstəns] *s.* **1** caso **2** esempio: *for* –, per esempio **3** istanza.
in·stant ['ɪnstənt] *agg.* **1** immediato; istantaneo | – *coffee*, caffè solubile **2** (del) corrente mese ♦ *s.* istante: *on the* –, subito.
in·stant·an·eous [,ɪnstən'teɪnjəs] *agg.* istantaneo.
in·stead [ɪn'sted] *avv.* invece | – *of*, invece di, anziché.
in·step ['ɪnstep] *s.* collo del piede.
in·stig·ate ['ɪnstɪgeɪt] *v.tr.* istigare; incitare.
in·stil [ɪn'stɪl] (*-lled*) *v.tr.* instillare, inculcare.
in·stinct ['ɪnstɪŋkt] *s.* istinto.
in·sti·tute ['ɪnstɪtju:t] *s.* istituto.
in·sti·tu·tion [,ɪnstɪ'tju:ʃn] *s.* **1** istituzione **2** istituto; riformatorio; manicomio.
in·struct [ɪn'strʌkt] *v.tr.* **1** istruire **2** dare ordini a.
in·struc·tion [·'·ʃn] *s.* **1** insegnamento **2** (*spec. pl.*) istruzioni; ordini.
in·stru·ment ['ɪnstrʊmənt] *s.* strumento.

in·stru·ment·al·ist [ˌɪnstrʊˈmentəlɪst] *s.* strumentista.
in·sub·stan·tial [ˌɪnsəbˈstænʃl] *agg.* incorporeo; inconsistente.
in·suf·fi·cient [ˌɪnsəˈfɪʃnt] *agg.* insufficiente; inadeguato.
in·su·late [ˈɪnsjʊleɪt] *v.tr.* isolare.
in·su·lat·ing [ˈɪnsjʊleɪtɪŋ *amer.* ˈɪnsəletɪŋ] *agg.* (*tecn.*) coibente, isolante: – *tape*, nastro isolante.
in·su·la·tion [ˌɪnsjʊˈleɪʃn *s.* **1** isolamento **2** (materiale) isolante.
in·sult [ˈɪnsʌlt] *s.* insulto, offesa.
in·sult [ɪnˈsʌlt] *v.tr.* insultare.
in·sur·ance [ɪnˈʃʊərəns] *s.* **1** assicurazione | *national* –, previdenza sociale **2** protezione, sicurezza.
in·sure [ɪnˈʃʊə*] *v.tr.* assicurare.
in·surer [·ˈ·rə*] *s.* assicuratore.
in·sur·rec·tion [ˌɪnsəˈrekʃn] *s.* insurrezione.
in·tact [ɪnˈtækt] *agg.* intatto; intero.
in·take [ˈɪnteɪk] *s.* **1** immissione **2** presa **3** nuovo personale.
in·teg·ral [ˈɪntɪgrəl] *agg.* **1** integrante **2** (*mat.*) integrale.
in·teg·rate [ˈɪntɪgreɪt] *v.tr.* **1** unire **2** integrare ♦ *v.intr.* integrarsi.
in·tel·lec·tual [ˌɪntɪˈlektjʊəl] *agg.*, *s.* intellettuale.
in·tel·li·gence [ɪnˈtelɪdʒəns] *s.* **1** intelligenza; acutezza **2** informazioni.
in·tend [ɪnˈtend] *v.tr.* **1** intendere **2** voler dire **3** destinare.
in·tense [ɪnˈtens] *agg.* intenso.
in·tens·ify [ɪnˈtensɪfaɪ] *v.tr.*, *intr.* intensificare, intensificarsi.
in·tens·ive [ɪnˈtensɪv] *agg.* **1** intenso **2** intensivo.
in·tent [ɪnˈtent] *agg.* **1** intento **2** ardente; accanito ♦ *s.* intento.
in·ten·tion [ɪnˈtenʃn] *s.* intenzione.
in·ten·tional [ɪnˈtenʃənl] *agg.* intenzionale.
in·ter·act [ˌɪntərˈækt] *v.intr.* interagire.
in·ter·cept [ˌɪntəˈsept] *v.tr.* intercettare.
in·ter·ces·sion [ˌɪntəˈseʃn] *s.* intercessione.
in·ter·change [ˌɪntəˈtʃeɪndʒ] *s.* **1** scambio **2** svincolo (autostradale).
in·ter·course [ˈɪntəkɔːs] *s.* relazione, rapporti | (*sexual*) –, rapporto sessuale.
in·ter·est [ˈɪntrəst] *s.* interesse ♦ *v.tr.* interessare.
in·ter·est·ing·ly [ˈ···ɪŋlɪ] *avv.*: – *enough*, stranamente, curiosamente.
in·ter·fere [ˌɪntəˈfɪə*] *v.intr.* interferire | *to* – *with*, ostacolare; immischiarsi in.
in·ter·fer·ence [ˌɪntəˈfɪərəns] *s.* interferenza.
in·ter·ior [ɪnˈtɪərɪə*] *agg.*, *s.* interno.
in·ter·lace [ˌɪntəˈleɪs] *v.tr.*, *intr.* intrecciare, intrecciarsi.
in·ter·loc·utor [ˌɪntəˈlɒkjʊtə*] *s.* interlocutore.
in·ter·me·di·ary [ˌɪntəˈmiːdjərɪ *amer.*, ɪntəˈmiː dɪerɪ] *s.* intermediario.
in·ter·me·di·ate [ˌɪntəˈmiːdjət] *agg.* intermedio; medio.
in·ternal [ɪnˈtɜːnl] *agg.* interno.
in·tern·al·ize [ɪnˈtɜːnəlaɪz] *v.tr.* interiorizzare.
in·ter·na·tional [ˌɪntəˈnæʃənl] *agg.* internazionale.
in·tern·ment [ɪnˈtɜːnmənt] *s.* internamento; confino.
in·ter·pret [ɪnˈtɜːprɪt] *v.tr.* interpretare ♦ *v.intr.* fare da interprete.
in·ter·preter [.ˈ..ə*] *s.* interprete.
in·ter·rog·ate [ɪnˈterəgeɪt] *v.tr.*, *intr.* interrogare.

in·ter·rupt [ˌɪntəˈrʌpt] *v.tr., intr.* interrompere.
in·ter·val [ˈɪntəvəl] *s.* intervallo.
in·ter·vene [ˌɪntəˈviːn] *v.intr.* **1** intervenire **2** accadere; sopravvenire.
in·ter·ven·tion [ˌɪntəˈvenʃn] *s.* intervento.
in·ter·view [ˈɪntəvjuː] *s.* intervista; colloquio (di lavoro).
in·ter·viewee [ˌɪntəvjuːˈiː] *s.* intervistato.
in·test·ine [ɪnˈtestɪn] *s.* intestino.
in·tim·acy [ˈɪntɪməsɪ] *s.* intimità.
in·tim·ate [ˈɪntɪmət] *agg.* intimo; profondo ♦ *s.* amico intimo.
intimate [ˈɪntɪmeɪt] *v.tr.* accennare a; suggerire.
in·tim·id·ate [ɪnˈtɪmɪdeɪt] *v.tr.* intimidire; intimorire.
into [ˈɪntʊ] *prep.* in, dentro.
in·tol·er·ant [ɪnˈtɒlərənt] *agg.* intollerante.
in·tox·ic·at·ing [ɪnˈtɒksɪkeɪtɪŋ] *agg.* inebriante.
in·tox·ica·tion [ɪnˌtɒksɪˈkeɪʃn] *s.* ubriachezza, ebbrezza.
intra- [ˈɪntrə] *pref.* intra-; endo-.
in·trans·igent [ɪnˈtrænsɪdʒənt] *agg., s.* intransigente.
in·tra·ven·ous [ˌɪntrəˈviːnəs] *agg.* endovenoso.
in·trepid [ɪnˈtrepɪd] *agg.* intrepido.
in·tric·acy [ˈɪntrɪkəsɪ] *s.* intrico; complicazione.
in·tric·ate [ˈɪntrɪkət] *agg.* intricato; complicato.
in·trigue [ɪnˈtriːg] *s.* intrigo; tresca ♦ *v.intr.* intrallazzare ♦ *v.tr.* incuriosire; affascinare.
in·tro·duce [ˌɪntrəˈdjuːs] *v.tr.* **1** introdurre **2** presentare.
in·tro·vert [ˌɪntrəʊˈvɜːt] *s.* introverso.
in·truder [ɪnˈtruːdə*] *s.* intruso.
in·trus·ive [ɪnˈtruːsɪv] *agg.* importuno; invadente.
in·tu·ition [ˌɪntjuːˈɪʃn] *s.* intuizione; intuito.
in·vade [ɪnˈveɪd] *v.tr.* invadere.
in·vader [ˈ·ə*] *s.* invasore.
in·valid[1] [ˈɪnvəlɪd] *agg., s.* invalido.
in·valid[2] [ɪnˈvælɪd] *agg.* non valido.
in·valu·able [ɪnˈvæljʊəbl] *agg.* inestimabile; prezioso.
in·vari·able [ɪnˈveərɪəbl] *agg.* invariabile; costante.
in·va·sion [ɪnˈveɪʒn] *s.* invasione.
in·vent [ɪnˈvent] *v.tr.* inventare.
in·ven·tion [ˈ·ʃn] *s.* invenzione.
in·ventor [ˈ·ə*] *s.* inventore.
in·vent·ory [ˈɪnvəntrɪ *amer.* ˈɪnvəntɔːrɪ] *s.* **1** inventario **2** scorta.
in·verse [ˌɪnˈvɜːs] *agg., s.* inverso.
in·ver·sion [ɪnˈvɜːʃn] *s.* inversione.
invert [ɪnˈvɜːt] *v.tr.* invertire.
in·vest [ɪnˈvest] *v.tr., intr.* investire.
in·vest·ig·ate [ɪnˈvestɪgeɪt] *v.tr.* investigare, indagare.
in·vest·ment [ɪnˈvestmənt] *s.* investimento.
in·vestor [ˈ·ə*] *s.* investitore.
in·vidi·ous [ɪnˈvɪdɪəs] *agg.* odioso.
in·vis·ible [ɪnˈvɪzəbl] *agg.* invisibile.
in·vita·tion [ˌɪnvɪˈteɪʃn] *s.* invito.
invite [ɪnˈvaɪt] *v.tr.* **1** invitare **2** incoraggiare.
in·voice [ˈɪnvɔɪs] *s.* fattura.
in·voke [ɪnˈvəʊk] *v.tr.* invocare.
in·vol·un·tary [ɪnˈvɒləntərɪ *amer.* ɪnˈvɒlənterɪ] *agg.* involontario.
in·volve [ɪnˈvɒlv] *v.tr.* **1** coinvolgere **2** comportare.
in·volve·ment [ˈ·mənt] *s.* coinvolgimento.

in·ward [ˈɪnwəd] *agg.* interno; intimo.
in·wards [ˈɪnwədz] *avv.* verso l'interno.
iod·ine [ˈaɪədi:n *amer.* ˈaɪədaɪn] *s.* iodio.
Ira·nian [ɪˈreɪnjən] *agg.*, *s.* iraniano, persiano.
Iraqi [ɪˈrɑ:kɪ] *agg.*, *s.* iracheno.
iras·cible [ɪˈræsəbl] *agg.* irascibile.
Ire·land [ˈaɪələnd] *no.pr.* Irlanda.
iri·des·cent [ˌɪrɪˈdesnt] *agg.* iridescente.
iris [ˈaɪərɪs] *s.* iride.
Ir·ish [ˈaɪərɪʃ] *agg.*, *s.* irlandese.
iron [ˈaɪən *amer.* ˈaɪərn] *s.* **1** ferro **2** ferro da stiro **3** *pl.* catene ♦ *agg.* di ferro ♦ *v.tr.* stirare.
iron·ic(al) [aɪˈrɒnɪk(l)] *agg.* ironico.
iron·mon·ger [ˈaɪən,mʌŋgə*] *s.* negoziante in ferramenta.
irony [ˈaɪərənɪ] *s.* ironia.
ir·ra·tional [ɪˈræʃənl] *agg.* irrazionale.
ir·regu·lar [ɪˈregjʊlə*] *agg.* irregolare.
ir·re·place·able [ˌɪrɪˈpleɪsəbl] *agg.* insostituibile.
ir·re·press·ible [ˌɪrɪˈpresəbl] *agg.* irrefrenabile.
ir·res·ist·ible [ˌɪrɪˈzɪstəbl] *agg.* irresistibile.
ir·re·spons·ible [ˌɪrɪˈspɒnsəbl] *agg.* irresponsabile.
ir·rig·ate [ˈɪrɪgeɪt] *v.tr.* irrigare.
ir·rit·ate [ˈɪrɪteɪt] *v.tr.* irritare.
Is·lam [ˈɪzlɑ:m] *s.* **1** islamismo **2** Islam.
Is·lamic [ɪzˈlæmɪk] *agg.* islamico.
is·land [ˈaɪlənd] *s.* isola.
isol·ate [ˈaɪsəleɪt] *v.tr.* isolare.
isola·tion [ˌaɪsəˈleɪʃn] *s.* isolamento.
Is·raeli [ɪzˈreɪlɪ] *agg.*, *s.* israeliano.
issue [ˈɪʃu:] *s.* **1** questione: *at –*, in discussione **2** emissione; numero (di giornali) **3** uscita; sbocco **4** esito ♦ *v.tr.* **1** emettere; diffondere **2** pubblicare **3** rifornire.
it [ɪt] *pron.* **1** *sogg.* esso; essa **2** *compl.* lo; la; ciò.
It·al·ian [ɪˈtæljən] *agg.*, *s.* italiano.
it·alics [ɪˈtælɪks] *s.pl.* corsivo.
It·aly [ɪˈtælɪ] *no.pr.* Italia.
itch [ɪtʃ] *v.intr.* **1** prudere **2** (*fam.*) avere una gran voglia di.
item [ˈaɪtəm] *s.* **1** articolo; capo **2** (*amm.*) voce **3** argomento.
it·in·er·ant [ɪˈtɪnərənt] *agg.* ambulante ♦ *s.pl.* nomadi.
it·in·er·ary [aɪˈtɪnərərɪ *amer.* aɪˈtɪnərerɪ] *s.* itinerario.
its [ɪts] *agg.* suo, di esso.
itself [ɪtˈself] *pron.* si; sé, se stesso.
iv·ory [ˈaɪvərɪ] *agg.* d'avorio, avorio ♦ *s.* **1** avorio **2** *pl.* oggetti d'avorio.
ivy [ˈaɪvɪ] *s.* edera.

J

jack [dʒæk] *s.* **1** cric **2** (*a carte*) fante; (*a bocce*) boccino **3** (*fam.*) marinaio ♦ *v.tr.*: *to – in*, abbandonare.
jackal [ˈdʒækɔ:l] *s.* sciacallo.
jacket [ˈdʒækɪt] *s.* **1** giacca; giubbotto | *life –*, giubbotto di salvataggio **2** rivestimento; sopraccoperta; (*amer.*) copertina.
jack·pot [ˈdʒækpɒt] *s.* posta; somma in palio.
jade [dʒeɪd] *s.* giada.
jaded [ˈdʒeɪdɪd] *agg.* sfinito.
jagged [ˈdʒægɪd] *agg.* dentellato.
jag·uar [ˈdʒægjʊə*] *s.* giaguaro.
jail [dʒeɪl] *s.* prigione ♦ *v.tr.* mettere in prigione.

jail·bird [ˈdʒeɪlbɜ:d] *s.* (*fam.*) avanzo di galera.
jail·break [ˈdʒeɪlbreɪk] *s.* evasione.
ja·lopy [dʒəˈlɒpɪ] *s.* (*fam.*) macinino, vecchia carcassa.
jam[1] [dʒæm] *s.* **1** ingorgo **2** (*mecc.*) inceppamento **3** (*fam.*) guaio, pasticcio ♦ (*-mmed*) *v.tr.* **1** bloccare **2** (*rad.*) causare interferenze ♦ *v.intr.* **1** incepparsi **2** affollarsi.
jam[2] *s.* marmellata.
jammed [dʒæmd] *agg.* pieno zeppo.
jammy [ˈdʒæmɪ] *agg.* (*fam.*) appiccicoso.
jan·itor [ˈdʒænɪtə*] *s.* custode; portiere.
Janu·ary [ˈdʒænjʊərɪ *amer.* ˈdʒænjʊerɪ] *s.* gennaio.
Ja·pan [dʒəˈpæn] *no.pr.* Giappone.
Jap·an·ese [ˌdʒæpəˈni:z] *agg.*, *s.* giapponese.
jar[1] [dʒɑ:*] (*-rred* [dʒɑ:d]) *v.intr.* **1** stonare **2** (*fig.*) urtare, dare fastidio; discordare.
jar[2] *s.* **1** orcio; brocca **2** vaso.
jar·gon [ˈdʒɑ:gən] *s.* gergo professionale.
jas·mine [ˈdʒæsmɪn] *s.* gelsomino.
jaunt [dʒɔ:nt] *s.* gita.
jaw [dʒɔ:] *s.* mandibola; mascella.
jazz [dʒæz] *s.* jazz | (*and*) *all that* –, (*fam.*) eccetera, eccetera ♦ *v.intr.*: *to – up*, (*fam.*) vivacizzare.
jazzy [ˈdʒæzɪ] *agg.* **1** jazzistico **2** (*fam.*) vistoso.
jeal·ous [ˈdʒeləs] *agg.* geloso.
jeer [dʒɪə*] *s.* scherno ♦ *v.tr.* schernire.
jelly [ˈdʒelɪ] *s.* gelatina.
jel·ly·fish [ˈdʒelɪfɪʃ] *s.* medusa.
jemmy [ˈdʒemɪ] *s.* grimaldello.
jeop·ard·ize [ˈdʒepədaɪz] *v.tr.* mettere a repentaglio.
jerk [dʒɜ:k] *s.* **1** strattone; scossone; scatto **2** (*fam.*) stupido, idiota ♦ *v.intr.* muoversi a scatti.
jer·kin [ˈdʒɜ:kɪn] *s.* panciotto; gilè.
jerky [ˈdʒɜ:kɪ] *agg.* sobbalzante.
jerry-built [ˈdʒerɪbɪlt] *agg.* costruito in fretta e con materiale scadente.
jer·sey [ˈdʒɜ:zɪ] *s.* maglia.
jest [dʒest] *s.* scherzo; battuta | *in* –, per scherzo ♦ *v.intr.* scherzare.
Jesus [ˈdʒezəs] *no.pr.* Gesù.
jet [dʒet] *s.* **1** getto; spruzzo; zampillo **2** jet, aviogetto ♦ (*-tted*) *v.intr.* **1** schizzare **2** viaggiare in jet.
jet-black [ˌˈ·] *agg.* nero corvino.
jet-lag [ˈ··] *s.* malessere dovuto al cambiamento di fuso orario.
jet·sam [ˈdʒetsəm] *s.* relitti.
jet·tison [ˈdʒetɪsn] *v.tr.* abbandonare; gettare (in mare).
jetty [ˈdʒetɪ] *s.* molo; pontile.
Jew [dʒu:] *s.* ebreo.
jewel [ˈdʒu:əl] *s.* gioiello; (*fig.*) perla.
jew·el·ler [ˈ··ə*] amer. **jew·eler** *s.* gioielliere.
Jew·ish [ˈdʒu:ɪʃ] *agg.* ebraico, ebreo.
jibe [dʒaib] *s.* scherno.
jiff(y) [ˈdʒɪf(ɪ)] *s.* (*fam.*) momento.
jig·saw [ˈdʒɪgsɔ:] *s.*: – (*puzzle*), puzzle.
jimmy [ˈdʒɪmɪ] *s.* (*amer.*) grimaldello.
jingle [ˈdʒɪŋgl] *v.tr.*, *intr.* (far) tintinnare.
jinx [dʒɪŋks] *s.* menagramo.
jit·ters [ˈdʒɪtəz] *s.pl.* (*fam.*) nervosismo.
jit·tery [ˈdʒɪtərɪ] *agg.* (*fam.*) nervoso.
job [dʒɒb] *s.* lavoro; impiego; occupazione | *put-up* –, montatura | – *centre*, ufficio di collocamento.
job·bing [ˈ·ɪŋ] *s.* lavoro per conto terzi.
jockey [ˈdʒɒkɪ] *s.* fantino.
jog [dʒɒg] (*-gged*) *v.intr.* fare (del) jogging.

john [dʒɒn] *s.* (*fam. amer.*) gabinetto.
join [dʒɔɪn] *v.tr.* **1** unire, collegare **2** unirsi a **3** associarsi a ♦ *v.intr.* unirsi, congiungersi | *to – in*, prendere parte a | *to – up*, arruolarsi.
joiner [ˈ·ə*] *s.* falegname.
joint [dʒɔɪnt] *agg.* unito; congiunto | – *heir*, coerede ♦ *s.* **1** giuntura **2** (*mecc.*) giunto **3** (*fam.*) locale malfamato **4** (*sl.*) spinello.
joke [dʒəʊk] *s.* **1** scherzo **2** barzelletta ♦ *v.intr.* scherzare.
jokey [ˈdʒəʊkɪ] *agg.* (*fam.*) scherzoso.
jolly [ˈdʒɒlɪ] *agg.* allegro; vivace; (*fam.*) divertente; brillo ♦ *avv.* (*fam.*) molto | – *good!*, molto bene! | – *well*, certamente.
jolt [ˈdʒəʊlt] *s.* sobbalzo; scossa; colpo ♦ *v.tr., intr.* (far) sobbalzare.
jon·quil [ˈdʒɒŋkwɪl] *s.* giunchiglia.
Jor·dan [ˈdʒɔ:dn] *no.pr.* Giordania.
Jor·dan·ian [dʒɔ:ˈdeɪnjən] *agg., s.* giordano.
jostle [ˈdʒɒsl] *v.tr., intr.* farsi strada a gomitate.
jot [dʒɒt] (*-tted*) *v.tr.*: *to* – (*down*), annotare.
jot·ter [ˈ·ə*] *s.* taccuino.
journal [ˈdʒɜ:nl] *s.* **1** diario **2** giornale; periodico.
journ·al·ism [ˈdʒɜ:nəlɪzəm] *s.* giornalismo.
journ·al·ist [ˈdʒɜ:nəlɪst] *s.* giornalista.
jour·ney [ˈdʒɜ:nɪ] *s.* viaggio.
jowl [dʒaʊl] *s.* **1** mascella **2** guancia | *cheek by* –, vicinissimo.
joy [dʒɔɪ] *s.* gioia.
ju·bilee [ˈdʒu:bɪlɪ:] *s.* giubileo | *silver* –, venticinquesimo anniversario.
judge [dʒʌdʒ] *s.* giudice ♦ *v.tr., intr.* giudicare.
judg(e)·ment [ˈ·mənt] *s.* giudizio.
ju·di·cial [dʒu:ˈdɪʃl] *agg.* giudiziale; giudiziario.
jug [dʒʌg] *s.* brocca; bricco.
jug·ger·naut [ˈdʒʌgənɔ:t] *s.*: – (*lorry*), TIR, autotreno.
juggle [ˈdʒʌgl] *v.intr.* fare giochi di destrezza.
juice [dʒu:s] *s.* **1** succo **2** (*cuc.*) sugo.
juicy [ˈdʒu:sɪ] *agg.* succoso.
July [dʒu:ˈlaɪ] *s.* luglio.
jumble [ˈdʒʌmbl] *s.* guazzabuglio, miscuglio | – *sale*, vendita di beneficenza ♦ *v.tr.* mescolare.
jumbo [ˈdʒʌmbəʊ] *agg.* gigantesco | – (*jet*), jumbo.
jump [dʒʌmp] *v.intr., tr.* **1** saltare, balzare | *to – the gun*, (*fam.*) essere precipitoso | *to – at*, afferrare al volo | *to – on*, attaccare; criticare | *to – up*, scattare in piedi **2** sobbalzare, trasalire ♦ *s.* salto; balzo.
jumped-up [ˌdʒʌmptˈʌp] *agg.* con l'arroganza dell'arrivato.
jumper [ˈ·ə*] *s.* pullover (da donna).
jump·suit [ˈdʒʌmpsu:t] *s.* (*abbigl.*) tuta.
jumpy [ˌdʒʌmpɪ] *agg.* nervoso.
junc·tion [ˈdʒʌŋkʃn] *s.* incrocio; nodo ferroviario.
junc·ture [ˈdʒʌŋktʃə*] *s.*: *at this* –, in questo frangente.
June [dʒu:n] *s.* giugno.
jungle [ˈdʒʌŋgl] *s.* giungla.
ju·nior [ˈdʒu:njə*] *agg., s.* (persona) inferiore (di posizione, grado ecc.); (persona) più giovane (d'età) | – *minister*, viceministro | – *school*, (*brit.*) scuola per bambini fra 7 e 11 anni.
ju·ni·per [ˈdʒu:nɪpə*] *s.* ginepro.
junk [dʒʌŋk] *s.* cianfrusaglie.
junkie [ˈdʒʌŋkɪ] *s.* (*sl.*) drogato.
jur·id·ic·al [ˌdʒʊəˈrɪdɪkl] *agg.* giuridico; legale.

jur·is·dic·tion [ˌdʒʊərɪsˈdɪkʃn] *s.* giurisdizione.
jur·is·pru·dence [ˌdʒʊərɪsˈpruːdəns] *s.* giurisprudenza.
jur·ist [ˈdʒʊərɪst] *s.* giurista; (*amer.*) avvocato.
juror [ˈdʒʊərə*] *s.* giurato.
jury [ˈdʒʊərɪ] *s.* giuria.
jury·man [ˈdʒʊərɪmən] (*-men*) *s.* giurato, membro della giuria.
just [dʒʌst] *agg.* giusto ♦ *avv.* **1** proprio; esattamente; appunto | *– so*, proprio così | *– as well*, meno male | *– now*, adesso **2** soltanto, solamente: *– a little*, soltanto un pochino **3** appena, da poco.
just·ice [ˈdʒʌstɪs] *s.* **1** giustizia **2** giudice.
jus·ti·fi·able [ˈdʒʌstɪfaɪəbl.] *agg.* giustificabile.
jus·ti·fica·tion [ˌdʒʌstɪfɪˈkeɪʃn] *s.* giustificazione.
jus·tify [ˈdʒʌstɪfaɪ] *v.tr.* giustificare.
jut [dʒʌt] (*-tted*) *v.intr.* sporgere; aggettare.
jute [dʒuːt] *s.* iuta.
ju·ven·ile [ˈdʒuːvənaɪl] *s., agg.* minorenne: *– delinquency*, delinquenza giovanile.
jux·ta·pose [ˈdʒʌkstəpəʊz] *v.tr.* giustapporre.

K

kan·garoo [ˌkæŋgəˈruː] *s.* canguro.
karat [ˈkærət] *s.* (*amer.*) carato.
keel [kiːl] *s.* (*mar.*) chiglia.
keen [kiːn] *agg.* **1** appassionato, accanito **2** acuto, intenso **3** aguzzo; affilato.
keep* [kiːp] *v.tr.* **1** tenere; mantenere, conservare | *to – o.s. to o.s.*, starsene per proprio conto | *to – a shop*, avere, gestire un negozio **2** trattenere: *to – s.o. waiting*, far aspettare qlcu. **3** tener fede a ♦ *v.intr.* **1** mantenersi, stare, restare | *how are you keeping?*, (*fam.*) come te la passi? **2** continuare: *to – (on) doing sthg.*, continuare a fare qlco. **3** conservarsi (di cibo) ♦ *Verbi frasali*: *to – on at*, (*fam.*) assillare | *to – up*, mantenere; conservare; continuare | *to – up with*, stare al passo con ♦ *s.* sostentamento.
keeper [ˈkiːpə*] *s.* **1** guardiano, custode; sorvegliante **2** (*sport*) portiere.
keep-fit [ˈ··] *s.* ginnastica per mantenersi in forma.
keep·sake [ˈkiːpseɪk] *s.* ricordo, pegno.
ken·nel [ˈkenl] *s.* **1** canile **2** pensione per cani; allevamento di cani.
kept [kept] *pass., p.p.* di to *keep*.
kerb [kɜːb] *s.* bordo, cordonatura del marciapiede.
ker·nel [ˈkɜːnl] *s.* **1** gheriglio **2** (*fig.*) nucleo.
kettle [ˈketl] *s.* bollitore.
key [kiː] *s.* chiave.
key·board [ˈkiːbɔːd] *s.* tastiera ♦ *v.tr.* digitare.
keyed up [kiːdˈʌp] *agg.* (*fam.*) teso, nervoso.
key·hole [ˈkiːhəʊl] *s.* buco della serratura.
kick [kɪk] *s.* **1** calcio | *free –*, calcio di punizione **2** (*fam.*) emozione, piacere ♦ *v.tr.* **1** dar calci, un calcio a; spingere a calci **2** (*sport*) calciare; segnare **3** (*fam. fig.*) liberarsi di (vizio ecc.) ♦ *v. intr.* **1** scalciare **2** rinculare ♦ *Verbi frasali*: *to – off*, dare il calcio d'inizio; (*fam.*) incominciare | *to – out*, buttar fuori | *to – up*, suscitare.

kick·back [ˈkɪkbæk] *s.* tangente, mazzetta.

kid[1] [kɪd] *s.* **1** (*fam.*) ragazzo | – *brother*, fratellino **2** capretto.

kid[2] *v.tr.* (*fam.*) prendere in giro.

kiddie [ˈkɪdɪ] **kiddy** *s.* (*fam.*) bambino, ragazzino.

kid·nap [ˈkɪdnæp] (*-pped* [ˈ-pt]) *v.tr.* rapire.

kid·nap(·ping) [ˈ··(ɪŋ)] *s.* rapimento.

kid·ney [ˈkɪdnɪ] *s.* **1** rene **2** (*cuc.*) rognone.

kill [kɪl] *v.tr.* **1** uccidere; ammazzare **2** (*fig.*) distruggere; affossare.

kill·ing [ˈ·ɪŋ] *agg.* **1** stancante; faticoso **2** (*fam.*) buffo da morire ♦ *s.* **1** assassinio; uccisione **2** bel colpo, forte guadagno

kill·joy [ˈkɪldʒɔɪ] *s.* guastafeste.

kiln [kɪln] *s.* fornace; forno.

kilo·gram(me) [ˈkɪləʊgræm] *s.* kilogrammo.

kilo·metre [ˈkɪləʊˌmiːtə*] amer.

kilo·meter [kɪˈlɒmətə*] *s.* kilometro.

kind[1] [kaɪnd] *agg.* gentile.

kind[2] *s.* specie; genere | *in* –, in natura | *a* – *of*, una specie di | – *of*, (*fam.*) in una certa misura.

kind·er·gar·ten [ˈkɪndəˌgɑːtn] *s.* asilo infantile; scuola materna.

kind-hearted [ˌkaɪndˈhɑːtɪd] *agg.* di cuore buono, gentile.

kindle [ˈkɪndl] *v.tr., intr.* accendere, accendersi.

kindly [ˈkaɪndlɪ] *agg.* gentile; benevolo, compiacente.

kind·ness [ˈ·nɪs] *s.* gentilezza.

king [kɪŋ] *s.* **1** re **2** (*a dama*) dama.

king·dom [ˈkɪŋdəm] *s.* regno.

king-size(d) [ˈkɪŋsaɪz(d)] *agg.* di taglia, misura, grandezza superiore al normale.

kin·ship [ˈkɪnʃɪp] *s.* **1** parentela **2** (*fig.*) affinità; legame.

ki·osk [ˈkiːɒsk] *s.* **1** chiosco, edicola **2** (*brit.*) cabina telefonica.

kip [kɪp] (*-pped* [-pt]) *v.intr.* (*fam.*) dormire.

kiss [kɪs] *s.* bacio ♦ *v.tr.* baciare.

kit [kɪt] *s.* **1** equipaggiamento; corredo: *first-aid* –, cassetta del pronto soccorso ♦ (*-tted*) *v.tr.* : *to* – *out*, equipaggiare, rifornire.

kit·chen [ˈkɪtʃɪn] *s.* cucina | – *garden*, orto.

kit·chen·ette [ˌkɪtʃɪˈnet] *s.* cucinino.

kite [kaɪt] *s.* aquilone.

kit·ten [ˈkɪtn] *s.* gattino.

kitty[1] [ˈkɪtɪ] *s.* (*fam.*) gattino.

kitty[2] *s.* **1** cassa, fondo comune **2** (*a carte*) piatto.

klaxon [ˈklæksn] *s.* sirena (di ambulanza ecc.)

knack [næk] *s.* abilità | *to have the* –, conoscere il trucco.

knap·sack [ˈnæpsæk] *s.* zaino.

knead [niːd] *v.tr.* **1** impastare **2** massaggiare.

knee [niː] *s.* ginocchio.

kneel* [niːl] *v.intr.* inginocchiarsi.

knees-up [ˈniːzʌp] *s.* (*fam.*) festa.

knell [nel] *s.* rintocco funebre.

knelt [nelt] *pass., p.p.* di to *kneel*.

knew [njuː] *pass.* di to *know*.

knick·er·bock·ers [ˈnɪkəbɒkəz] *s.pl.* calzoni alla zuava.

knick·ers [ˈnɪkəz] *s.pl.* (*fam.*) mutandine (da donna).

knife [naɪf] (*knives* [naɪvz]) *s.* coltello: *jack* –, coltello a serramanico ♦ *v.tr.* accoltellare.

knight [naɪt] *s.* **1** cavaliere **2** (*scacchi*) cavallo ♦ *v.tr.* creare cavaliere.

knit* [nɪt] *v.tr., intr.* 1 lavorare a maglia 2 saldare, saldarsi; unire, unirsi.
knit·wear [ˈnɪtweə*] *s.* maglieria.
knives [naɪvz] *pl.* di *knife*.
knob [nɒb] *s.* pomo; manopola.
knock [nɒk] *s.* botta; colpo ♦ *v.tr.* 1 colpire, picchiare; battere 2 (*fam.*) criticare ♦ *v.intr.* 1 picchiare; bussare 2 (*mecc.*) battere in testa ♦ *Verbi frasali*: *to – about, around*, andare in giro; colpire brutalmente | *to – back*, (*fam.*) scolarsi; costare | *to – down*, abbattere | *to – off*, ridurre di; (*fam.*) sbrigare; far fuori; rubare; smontare (dal lavoro) | *to – out*, mettere k.o. | *to – up*, mettere insieme; (*fam.*) svegliare.
knock·down [ˈnɒkdaʊn] *agg.* stracciato, molto basso.
knocker [ˈnɒkə*] *s.* batacchio.
knock·out [ˈnɒkaʊt] *s., agg.* (da) k.o..
knot [nɒt] *s.* nodo ♦ *v.tr., intr.* annodare, annodarsi.
knotty [ˈnɒtɪ] *agg.* 1 nodoso 2 (*fig.*) spinoso.
know* [nəʊ] *v.tr.* conoscere; sapere | *to – how to do sthg.*, saper fare qlco. | *to – s.o. by*, riconoscere qlcu. da ♦ *s.*: *in the –*, (*fam.*) al corrente.
know-all [ˈnəʊɔːl] *s.* (*fam.*) sapientone.
know·ing [ˈ·ɪŋ] *agg.* astuto; accorto | *a – look*, uno sguardo d'intesa.
know-it-all [ˈnəʊɪtɔːl] *s.* sapientone.
know·ledge [ˈnɒlɪdʒ] *s.* 1 conoscenza; sapere 2 consapevolezza, coscienza.
know·ledge·able [ˈ··əbl] *agg.* bene informato.
known [nəʊn] *p.p.* di to *know*.
knuckle [ˈnʌkl] *s.* nocca.
Ko·ran [kəˈrɑːn *amer.* kəˈræn] *s.* Corano.

L

lab [læb] *s.* (*fam.*) laboratorio.
la·bel [ˈleɪbl] *s.* etichetta ♦ (*-lled*) *v.tr.* etichettare.
labor e deriv. (*amer.*) → *labour* e deriv.
la·bor·at·ory [ləˈbɒrətrɪ *amer.* ˈlæbrətɔːrɪ] *s.* laboratorio.
la·bour [ˈleɪbə*] *s.* 1 lavoro, fatica 2 manodopera | *– exchange*, ufficio di collocamento | *the Labour Party*, partito laburista 3 doglie ♦ *v.intr.* lavorar duro, faticare.
la·bourer [ˈ··rə*] *s.* manovale; bracciante.
laby·rinth [ˈlæbərɪnθ] *s.* labirinto.
lace [leɪs] *s.* 1 pizzo, pizzi 2 laccio, stringa ♦ *v.tr.* 1 correggere (caffè ecc.) 2 *to – up*, allacciare.
la·cer·ate [ˈlæsəreɪt] *v.tr.* lacerare.
lace-ups [ˈleɪsʌps] *s.pl.* (*fam.*) scarpe con stringhe.
lack [læk] *s.* mancanza ♦ *v.tr.* mancare di.
lacka·dais·ical [ˌlækəˈdeɪzɪkl] *agg.* apatico, pigro.
lackey [ˈlækɪ] *s.* lacchè.
lac·quer [ˈlækə*] *s.* lacca ♦ *v.tr.* laccare.
lad [læd] *s.* ragazzo.
lad·der [ˈlædə*] *s.* 1 scala a pioli 2 smagliatura ♦ *v.tr., intr.* smagliare, smagliarsi.
laden [ˈleɪdn] *agg.* carico; (*fig.*) oppresso.
la-di-da [ˌlɑːdiːˈdɑː] *agg.* (*fam.*) snob, affettato.
ladle [ˈleɪdl] *s.* mestolo.
lady [ˈleɪdɪ] *s.* signora | *young –*, signorina | *Our Lady*, la Madonna.
lady·bird [ˈleɪdɪbɜːd] amer. **lady·bug** [ˈleɪdɪbʌg] *s.* coccinella.

ladykiller ['leɪdɪkɪlə*] *s.* (*fam.*) rubacuori.
lag [læg] *s.* intervallo ♦ (*-gged*) *v.intr.* andare a rilento; indugiare | *to – behind*, restare indietro.
la·ger ['lɑ:gə*] *s.* birra chiara.
lag·ging ['lægɪŋ] *s.* rivestimento isolante.
la·goon [lə'gu:n] *s.* laguna.
laid [leɪd] *pass., p.p.* di to *lay*.
laid-back [,'·] *agg.* (*fam.*) rilassato.
lain [leɪn] *p.p.* di to *lie*[2].
lair [leə*] *s.* tana.
lake [leɪk] *s.* lago.
lake·side ['leɪksaɪd] *s.* riva del lago.
lamb [læm] *s.* agnello.
lame [leɪm] *agg.* zoppo; (*fig.*) zoppicante | *– duck*, fiasco.
la·ment [lə'ment] *s.* lamento ♦ *v.tr., intr.* lamentare, lamentarsi.
lamp [læmp] *s.* lampada; lampadina.
lamp·post ['læmppəʊst] *s.* lampione.
lamp·shade ['læmpʃeɪd] *s.* paralume.
lance [lɑ:ns *amer.* læns] *s.* lancia ♦ *v.tr.* (*med.*) incidere.
lan·cet ['lɑ:nsɪt *amer.* 'lænsɪt] *s.* **1** bisturi **2** arco a sesto acuto.
land [lænd] *s.* terra; terreno ♦ *v.tr.* **1** sbarcare; scaricare ♦ *v.intr.* **1** approdare; (*aer.*) atterrare **2** (*fig.*) arrivare; (andare a) finire.
landed ['·ɪd] *agg.* terriero.
land·ing ['·ɪŋ] *s.* **1** sbarco; (*aer.*) atterraggio **2** pianerottolo.
land·lady ['læn,leɪdɪ] *s.* padrona di casa; affittacamere.
land·lord ['lænlɔ:d] *s.* padrone di casa.
land·mark ['læn*d*mɑ:k] *s.* punto di riferimento.
land·owner ['lænd,əʊnə*] *s.* proprietario terriero.
land·scape ['lænskeɪp] *s.* paesaggio.
land·slide ['læn*d*slaɪd] **land·slip** ['læn*d*slɪp] *s.* **1** frana **2** valanga di voti.
land·ward(s) ['læn*d*wəd(s)] *avv.* verso terra.
lane [leɪn] *s.* **1** sentiero; vicolo **2** rotta **3** corsia (di autostrada).
lan·guage ['læŋgwɪdʒ] *s.* lingua; linguaggio.
lan·guish ['læŋgwɪʃ] *v.intr.* languire.
lank [læŋk] *agg.* debole (di capello).
lanky ['læŋkɪ] *agg.* allampanato.
lan·tern ['læntən] *s.* lanterna.
lap[1] [læp] *s.* grembo.
lap[2] *s.* giro (di circuito); tappa (di viaggio) ♦ *v.tr.* doppiare.
lap[3] *v.tr., intr.* **1** (*up*) lappare **2** sciabordare.
lapel [lə'pel] *s.* bavero.
lapse [læps] *s.* **1** errore, svista **2** intervallo **3** (*dir.*) estinzione ♦ *v.intr.* **1** scadere **2** trascorrere.
lar·ceny ['lɑ:snɪ] *s.* (*dir.*) furto.
larch [lɑ:tʃ] *s.* larice.
lard [lɑ:d] *s.* strutto.
larder ['lɑ:də*] *s.* dispensa.
large [lɑ:dʒ] *agg.* vasto; ampio.
large·ly ['lɑ:dʒlɪ] *avv.* in gran parte.
large-scale ['··] *agg.* su vasta scala.
lar·gish ['lɑ:dʒɪʃ] *agg.* abbondante.
lark[1] [lɑ:k] *s.* allodola.
lark[2] *s.* (*fam.*) burla.
lash [læʃ] *s.* **1** frustata **2** ciglio (dell'occhio) ♦ *v.tr.* frustare; sferzare | *to – out at*, attaccare violentemente.
lash·ings ['læʃɪŋz] *s.pl.* gran quantità.
lass(ie) ['læs(ɪ)] *s.* ragazza.
last[1] [lɑ:st *amer.* læst] *agg.* ultimo | *– month*, il mese scorso | *to the –*, fino all'ultimo ♦ *avv.* per ultimo; per l'ultima volta ♦ *s.* l'ultimo | *the – but one*, il penultimo.

last[2] *v.intr.* durare; conservarsi; resistere.
last·ly [ˈ·lɪ] *avv.* infine.
latch [lætʃ] *s.* chiavistello; serratura a scatto ♦ *v.tr.* chiudere col chiavistello | *to – onto*, appiccicarsi a.
late [leɪt] *agg., avv.* in ritardo; tardi | *of –*, (*fam.*) recentemente ♦ *agg.* **1** tardo: *at a – hour*, a notte inoltrata **2** defunto.
late·comer [ˈleɪt,kʌmə*] *s.* ritardatario.
lately [ˈ·lɪ] *avv.* recentemente; ultimamente.
later [ˈ·ə*] *agg.* posteriore, successivo ♦ *avv.* più tardi, dopo: *– on*, poi.
lat·eral [ˈlætərəl] *agg.* laterale.
latest [ˈ·ɪst] *agg.* l'ultimissimo; il più recente | *at the –*, al più tardi.
lathe [leɪð] *s.* tornio.
lather [ˈlɑːðə* *amer.* ˈlæðə*] *s.* schiuma (di detergente) ♦ *v.tr.* insaponare.
Latin [ˈlætɪn] *agg., s.* latino.
lat·ter [ˈlætə*] *agg., s.* ultimo (di due); secondo | *the former and the –*, il primo e il secondo.
latter-day [ˈlætə,deɪ] *agg.* moderno; attuale | *Latterday Saints*, i mormoni.
lat·terly [ˈlætəlɪ] *avv.* ultimamente.
lat·tice [ˈlætɪs] *s.* traliccio.
laugh [lɑːf *amer.* læf] *v.intr.* ridere | *to – at*, ridere di | *to – off*, buttare in ridere ♦ *s.* riso; risata.
laugh·ing·stock [ˈlɑːfɪŋ,stɒk] *s.* zimbello.
laugh·ter [ˈ·tə*] *s.* risa; risata.
launch[1] [lɔːntʃ] *s.* **1** lancio **2** (*mar.*) varo ♦ *v.tr.* lanciare; varare ♦ *v.intr.* lanciarsi.
launch[2] *s.* scialuppa; lancia.
launch(ing) pad [ˈ··,·] *s.* piattaforma di lancio.
laun·der [ˈlɔːndə*] *v.tr.* lavare e stirare | *to – money*, riciclare denaro.
laun·der·ette [,lɔːndəˈret] amer. **laun·dro·mat** [ˈlɔːndrəʊmæt] *s.* lavanderia a gettone.
laun·dry [ˈlɔːndrɪ] *s.* **1** lavanderia **2** bucato.
laurel [ˈlɒrəl] *s.* alloro.
lav·at·ory [ˈlævətərɪ] *s.* gabinetto.
lav·en·der [ˈlævəndə*] *s.* lavanda.
lav·ish [ˈlævɪʃ] *agg.* prodigo ♦ *v.tr.* profondere.
law [lɔː] *s.* **1** legge **2** diritto; giurisprudenza: *criminal, civil –*, diritto penale, civile | *blue laws*, (*amer.*) leggi a tutela della morale pubblica.
law·ful [ˈlɔːfʊl] *agg.* legale; legittimo; lecito.
lawn [lɔːn] *s.* prato all'inglese.
lawn·mower [ˈlɔːn,məʊə*] *s.* tagliaerba.
law·suit [ˈlɔːsuːt] *s.* (*dir.*) causa, azione legale.
law·yer [ˈlɔːjə*] *s.* avvocato.
lax [læks] *agg.* **1** trascurato **2** rilassato.
lax·at·ive [ˈlæksətɪv] *s.* lassativo.
lay[1] [leɪ] *agg.* laico.
lay*[2] *v.tr.* **1** posare, collocare | *to – a bet*, scommettere **2** deporre (uova) ♦ *Verbi frasali*: *to – down*, deporre; indicare, stabilire | *to – in*, mettere da parte | *to – off*, lasciare a casa (per crisi) | *to – on*, fornire | *to – out*, spiegare, distendere; (*fam.*) spendere e spandere.
lay[3] *pass.* di to *lie*[2].
lay·about [ˈleɪə,baʊt] *s.* perdigiorno.
lay-by [ˈleɪbaɪ] *s.* piazzuola.
layer [ˈleɪə*] *s.* strato.
lay·ette [leɪˈet] *s.* corredino da neonato.
lay·man [ˈleɪmən] (*-men*) *s.* **1** laico **2** profano.

lay·out [ˈleɪaʊt] *s.* disposizione; pianta, piano; impaginazione; bozzetto.
lay·over [ˈleɪəʊvə*] *s.* (*amer.*) tappa; sosta.
laze [leɪz] *v.intr.* oziare.
lazy [ˈleɪzɪ] *agg.* pigro.
lazy·bones [ˈleɪzɪbəʊnz] *s.* (*fam.*) pigrone, scansafatiche.
lead[1] [led] *s.* **1** piombo **2** grafite.
lead*[2] [li:d] *v.tr., intr.* condurre, guidare; (*fig.*) indurre | *to* – *in*, introdurre | *to* – *off*, dare il via | *to* – (*up*) *to*, condurre a ♦ *s.* **1** comando, guida **2** guinzaglio **3** traccia, indizio **4** (*teatr.*) parte principale.
leaden [ledn] *agg.* plumbeo.
leader [ˈli:də*] *s.* **1** capo; leader **2** articolo di fondo **3** primo violino; (*amer.*) direttore d'orchestra.
lead-in [ˈli:dɪn] *s.* introduzione.
lead·ing [ˈli:dɪŋ] *agg.* dominante; principale | – *actor, actress* (o *lady*), primo attore, prima attrice | (*dir.*) – *question*, domanda tendenziosa | – *light*, personaggio di primo piano.
leaf [li:f] (-ves [-vs]) *s.* **1** foglia **2** foglio, pagina **3** ribalta; battente (di porta) ♦ *v.intr.*: *to* – *through*, sfogliare (un libro).
leaf·let [ˈli:flɪt] *s.* **1** fogliolina **2** volantino, dépliant.
leaf-table [ˈ·,·] *s.* tavolo allungabile.
league [li:g] *s.* lega.
leak [li:k] *s.* perdita, fuoriuscita; fuga ♦ *v.tr., intr.* perdere; colare | *to* – *out*, (*fig.*) trapelare.
leak·age [ˈli:kɪdʒ] *s.* fuoriuscita, fuga.
lean*[1] [li:n] *v.intr.* **1** pendere; inclinare **2** appoggiarsi ♦ *v.tr.* appoggiare.
lean[2] *agg.* magro, snello.
lean·ing [ˈ·ɪŋ] *s.* (*fig.*) inclinazione.
leant [lent] *pass., p.p.* di to *lean*.
leap* [li:p] *v.intr.* saltare ♦ *s.* salto.
leap year [ˈ· ·] *s.* anno bisestile.
learn [lɜ:n] *v.tr., intr.* imparare; apprendere.
learned [ˈ·ɪd] *agg.* istruito, colto.
learn·ing [ˈ·ɪŋ] *s.* cultura.
learnt [lɜ:nt] *pass., p.p.* di to *learn*.
lease [li:s] *s.* contratto d'affitto; (*fin.*) contratto di leasing ♦ *v.tr.* affittare.
lease·hold [ˈli:s*h*əʊld] *agg., s.* (proprietà) in affitto.
leash [li:ʃ] *s.* guinzaglio.
least [li:st] *agg.* (il) più piccolo, (il) minore, (il) minimo ♦ *s., avv.* (il) meno | *not in the* –, per niente | – *of all*, meno di tutti; tanto meno | *at* –, almeno.
leather [ˈleðə*] *s.* cuoio; pelle.
leave* [li:v] *v.tr.* lasciare | *to be left* (*over*), rimanere, avanzare | *to* – *out*, lasciar fuori, omettere ♦ *v.intr.* partire, andarsene; uscire ♦ *s.* **1** permesso, autorizzazione **2** congedo.
leaves [li:vz] *pl.* di *leaf*.
Leb·anon [ˈlebənən] *no.pr.* Libano.
Leb·an·ese [ˌlebəˈni:z] *agg., s.* libanese.
lec·ture [ˈlektʃə*] *s.* **1** conferenza; lezione (universitaria) **2** sgridata, rimprovero.
led [led] *pass., p.p.* di to *lead*[2].
ledge [ledʒ] *s.* sporgenza; mensola; davanzale.
led·ger [ˈledʒə*] *s.* libro mastro.
leech [li:tʃ] *s.* (*zool.*) sanguisuga.
leek [li:k] *s.* (*bot.*) porro.
leer [lɪə*] *s.* sguardo, sorriso malizioso.
leery [ˈlɪərɪ] *agg.* (*fam.*) guardingo.
lees [li:z] *s.pl.* fondo (di vino).
left[1] [left] *agg.* sinistro ♦ *s.* sinistra: *to, on the* –, a sinistra.
left[2] *pass., p.p.* di to *leave*.

left-hand [ˈ··] *agg.* di sinistra; a sinistra: – *drive*, guida a sinistra.
left-handed [,·ˈ··] *agg.* mancino.
left·ist [ˈleftɪst] *agg.*, *s.* (uomo) di sinistra.
left luggage (office) [,·ˈ·· (,··)] *s.* deposito bagagli.
left-of-center [,··ˈ··] *agg.* (*pol.*) di centro-sinistra.
left·over [ˈleftəʊvə*] *s.* **1** traccia, segno **2** *pl.* avanzi.
leg [leg] *s.* **1** gamba; zampa | *to pull s.o.'s* –, prendere in giro qlcu. **2** tappa **3** (*sport*) tempo; turno.
leg·acy [ˈlegəsɪ] *s.* legato, lascito.
legal [ˈli:gl] *agg.* legale | – *aid*, patrocinio legale gratuito | – *tender*, moneta (a corso) legale.
le·gend [ˈledʒənd] *s.* **1** leggenda **2** legenda, didascalia.
le·gible [ˈledʒəbl] *agg.* leggibile.
le·gis·lat·ive [ˈledʒɪslətɪv] *agg.* legislativo.
le·gis·lat·ure [ˈledʒɪsleɪtʃə*] *s.* assemblea legislativa.
le·git·im·ate [lɪˈdʒɪtɪmɪt] *agg.* legittimo ♦ *v.tr.* legittimare.
leg-warmer [ˈ·,··] *s.* scaldamuscoli.
leis·ure [ˈleʒə*] *s.* tempo libero | *at (one's)* –, con comodo.
leis·ure·ly [ˈleʒəlɪ] *agg.* fatto con comodo, senza fretta.
lemon [ˈlemən] *s.* **1** limone **2** (*fam.*) bidone.
lem·on·ade [,leməˈneɪd] *s.* limonata; gassosa.
lend* [lend] *v.tr.* **1** prestare | *to – itself to*, prestarsi a **2** conferire, dare.
length [leŋθ] *s.* **1** lunghezza **2** durata **3** pezzo (di corda ecc.); taglio (di stoffa).
lengthen [ˈleŋθən] *v.tr.*, *intr.* **1** allungare, allungarsi **2** prolungare, prolungarsi.
length·ways [ˈleŋθweɪz], **length·wise** [ˈleŋθ waɪz] *avv.* per il lungo.
lengthy [ˈleŋθɪ] *agg.* lungo; prolisso.
le·ni·ent [ˈli:njənt] *agg.* indulgente.
lens [lenz] *s.* **1** lente **2** (*fot.*) obiettivo **3** (*anat.*) cristallino.
lent [lent] *pass.*, *p.p.* di to *lend*.
Lent *s.* quaresima.
len·til [ˈlentɪl] *s.* lenticchia.
leo·pard [ˈlepəd] *s.* leopardo.
leo·pard·ess [ˈlepədɪs] *s.* leopardo femmina.
leo·tard [ˈli:əʊtɑ:d] *s.* body (da ginnastica).
le·sion [ˈli:ʒn] *s.* lesione.
less [les] *agg.*, *pron.*, *avv.*, *prep.* meno : – *and* –, sempre meno; *more or* –, più o meno; *no* –, non meno | – *of that*, (*fam.*) smettila.
-less [lɪs] *suff.* senza: *colourless*, incolore.
lessen [ˈlesn] *v.tr.*, *intr.* diminuire; abbassare, abbassarsi.
lesser [ˈlesə*] *agg.* minore; più piccolo.
les·son [lesn] *s.* lezione.
let* [let] *v.tr.* **1** permettere; lasciare; autorizzare: – *me go*, lasciami andare | *let's go now!*, andiamo adesso! | – *him wait!*, lascia che aspetti! | – *me see*, fammi vedere | – *alone*, per non parlare di ♦ *v.tr.*, *intr.* affittare; venire affittato | *to* –, affittasi; da affittare ♦ *Verbi frasali*: *to – down*, allungare; deludere; sgonfiare | *to – off*, emettere; sparare; dispensare da | *to – on*, far trapelare | *to – out*, emettere; liberare; allargare (abiti); affittare | *to – up*, diminuire; cessare.
let·down [ˈletdaʊn] *s.* (*fam.*) disappunto; delusione.

leth·argy ['leθədʒɪ] *s.* (*fig.*) apatia.
let·ter ['letə*] *s.* lettera.
let·ter·box ['letəbɒks] *s.* cassetta per le lettere.
let·ter·ing ['··rɪŋ] *s.* caratteri; iscrizione.
let·tuce ['letɪs] *s.* lattuga.
let·up ['letʌp] *s.* interruzione; diminuzione.
leuk·(a)e·mia [lju:'ki:mɪə *amer.* lu:ki:mɪə] *s.* leucemia.
levee ['levɪ] *s.* (*amer.*) argine.
level ['levl] *agg.* **1** livellato, piano; orizzontale: *a – spoon*, un cucchiaio raso **2** a livello; sullo stesso piano, pari ♦ *s.* **1** livello: *above sea –*, sopra il livello del mare | *on the –*, (*fig.*) onestamente; onesto **3** livella ♦ (*-lled*) *v.tr.* **1** livellare **2** puntare; dirigere (critica ecc.).
level crossing [,·'··] *s.* passaggio a livello.
level-headed [,·'··] *agg.* equilibrato.
le·ver ['li:və* *amer.* 'levə*] *s.* **1** leva **2** manovella.
levy ['levɪ] *s.* imposta, tributo ♦ *v.tr.* imporre (una tassa).
lewd [lju:d] *agg.* indecente; osceno.
li·ab·il·ity [,laɪə'bɪlətɪ] *s.* **1** (*dir.*) responsabilità; (*fam.*) peso; handicap: *to be a –*, essere di peso | *limited – company*, società a responsabilità limitata **2** *pl.* passività.
li·able ['laɪəbl] *agg.* **1** soggetto, esposto **2** (*dir.*) responsabile.
liar ['laɪə*] *s.* bugiardo.
lib [lɪb] *s.* (*fam.*) movimento di liberazione.
li·bel ['laɪbl] *s.* (*dir.*) diffamazione.
li·bel·lous ['laɪbələs] *agg.* diffamatorio.
lib·eral ['lɪbərəl] *agg.*, *s.* liberale | *– studies*, studi umanistici.
lib·er·al·ize ['lɪbərəlaɪz] *v.tr.* liberalizzare.
lib·era·tion [,lɪbə'reɪʃn] *s.* liberazione.
lib·erty ['lɪbətɪ] *s.* libertà.
lib·rar·ian [laɪ'breərɪən] *s.* bibliotecario.
lib·rary ['laɪbrərɪ] *s.* biblioteca.
Libya ['lɪbɪə] *no.pr.* Libia.
Li·byan ['lɪbɪən] *agg.* libico.
lice [laɪs] *pl.* di *louse*.
li·cence ['laɪsəns] amer. **license** *s.* **1** licenza; autorizzazione **2** licenza, arbitrio.
li·cense *v.tr.* autorizzare; concedere una licenza a: *licensed restaurant*, ristorante con licenza per alcolici.
lick [lɪk] *v.tr.* **1** leccare **2** (*fam.*) battere, suonarle a.
li·cor·ice ['l,kərɪs] *s.* (*amer.*) liquirizia.
lid [lɪd] *s.* **1** coperchio **2** palpebra.
lie[1] [laɪ] (*-lied, lying*['·ɪŋ]) *v.intr.* mentire ♦ *s.* bugia.
lie*[2] *v.intr.* **1** giacere, stare disteso, sdraiato | *to – down*, coricarsi | *to – in*, stare a letto fino a tardi | *to – low*, nascondersi **2** stare, trovarsi.
lie-down ['laɪdaʊn] *s.* (*fam.*) pisolino, sonnellino.
lieu·ten·ant [lef'tenənt *amer.* lu:'tenənt] *s.* tenente.
life [laɪf] (*-ves* [-vz]) *s.* vita | *– sciences*, scienze naturali.
life·boat ['laɪfbəʊt] *s.* scialuppa di salvataggio.
life·guard ['laɪfgɑ:d] *s.* bagnino.
lifer ['laɪfə*] *s.* (*fam.*) ergastolano.
life-size(d) ['laɪfsaɪz(d)] *agg.* in, a grandezza naturale.
lift [lɪft] *s.* **1** ascensore **2** passaggio (su veicolo) **3** (*fam.*) sollievo ♦ *v.tr.*, *intr.* **1** alzare,alzarsi; sollevare, sollevarsi | *to – off*, decollare **2** abolire, togliere **3** (*fam.*) rubare.
lift-off ['··] *s.* lancio (di veicolo spaziale).

light[*1] [laɪt] *v.tr., intr.* **1** (*up*) accendere, accendersi; illuminare, illuminarsi **2** (*fig.*) accendere, infiammare ♦ *s.* **1** luce | – *bulb*, lampadina **2** *pl.* semaforo **3** fiammifero ♦ *agg.* chiaro; luminoso.
light[2] *agg.* leggero | *to make – of*, non dare importanza a, sottovalutare.
lighten[1] ['laɪtn] *v.tr.* alleggerire.
lighten[2] *v.tr., intr.* schiarire, schiarirsi.
lighter ['laɪtə*] *s.* accendino, accendisigari.
light-fingered [,·'··] *agg.* lesto di mano.
light-headed [,·'··] *agg.* che ha le vertigini; stordito.
light-hearted [,·'··] *agg.* spensierato.
light·house ['laɪthaʊs] *s.* faro.
light·ing ['·ɪŋ] *s.* illuminazione.
light·ning ['laɪtnɪŋ] *s.* fulmine; lampo | – *conductor*, (*amer.*) – *rod*, parafulmine ♦ agg. fulmineo.
lik·able ['laɪkəbl] *agg.* piacevole, attraente.
like[1] [laɪk] *s.* simile; uguale: *the likes of us*, quelli come noi | *likes and dislikes*, gusti; simpatie e antipatie ♦ *prep.* come; alla maniera di | – *this, that*, così | *it's just – you...*, è proprio da te... | – *as not*, – *enough*, probabilmente.
-like[1] *suff.* a somiglianza, tipico di.
like[2] *v.tr.* **1** piacere; amare; gradire; aver voglia di: *I like swimming*, mi piace nuotare; *I'd – a coffee*, avrei voglia di un caffè | *to – best, better*, preferire ♦ *v.intr.* volere, desiderare: *as you –*, come vuoi; *if you –*, se vuoi.
like·able ['laɪkabl] → *likable.*
likely ['·lɪ] *agg.* **1** verosimile; probabile **2** promettente ♦ *avv.* probabilmente | *not –!*, neanche per sogno!
liken ['laɪkən] *v.tr.* paragonare.
like·ness ['laɪknɪs] *s.* somiglianza.
like·wise ['laɪkwaɪz] *avv.* **1** parimenti **2** anche, inoltre.
lik·ing ['·ɪŋ] *s.* gusto, preferenza.
lily ['lɪlɪ] *s.* giglio | – *of the valley*, mughetto.
limb [lɪm] *s.* arto.
lime[1] [laɪm] *s.* **1** calce **2** vischio ♦ *v.tr.* invischiare.
lime[2] *s.* **1** limetta, lime **2** tiglio.
lime·stone ['laɪmstəʊn] *s.* calcare.
limit ['lɪmɪt] *s.* limite ♦ *v.tr.* limitare, porre un limite a.
lim·ita·tion [,··'teɪʃn] *s.* limitazione, restrizione.
limp[1] [lɪmp] *v. intr.* zoppicare ♦ *s.* andatura zoppicante.
limp[2] *agg.* flaccido, floscio.
lin·den ['lɪndən] *s.* tiglio.
line[1] [laɪn] *s.* **1** linea, riga | *finishing –*, traguardo | *party –*, linea duplex | *the Line*, l'Equatore **2** filo, corda, fune **3** verso **4** ruga **5** fila; coda: *to stand in (a) –*, fare la coda | *assembly –*, catena di montaggio **6** linea, compagnia, società (di trasporti ecc.) **7** posizione; criterio; programma **8** area; ramo; linea **9** lenza ♦ *v.tr.* rigare; delineare; segnare; marcare | *to – up*, allineare, allinearsi.
line[2] *v.tr.* rinforzare; foderare.
lin·eage ['lɪnɪɪdʒ] *s.* stirpe.
linen ['lɪnɪn] *agg.* di lino, di tela ♦ *s.* **1** tela di lino **2** biancheria.
liner[1] ['laɪnə*] *s.* (*mar.*) transatlantico.
liner[2] *s.*: (*bin*) –, sacchetto per la spazzatura.
lines·man ['laɪnzmən] (*-men*) *s.* (*sport*) guardalinee.
line-up ['· ·] *s.* allineamento; schieramento; formazione.
linger ['lɪŋgə*] *v.intr.* **1** indugiare; tirare in lungo **2** persistere.

lingo ['lɪŋgəʊ] (*-os*) *s.* (*fam.*) gergo.
lin·ing ['·ɪŋ] *s.* fodera; rivestimento.
link [lɪŋk] *s.* 1 anello 2 legame; collegamento ♦ *v.tr.* collegare; unire.
link·age ['lɪŋkɪdʒ] *s.* collegamento.
links [lɪŋks] *s.* campo da golf.
linkup ['lɪŋkʌp] *s.* collegamento.
lino ['laɪnəʊ] **li·no·leum** [lɪ'nəʊljəm] *s.* linoleum.
lin·seed ['lɪnsi:d] *s.* seme di lino.
lint [lɪnt] *s.* garza.
lin·tel ['lɪntl] *s.* (*arch.*) architrave.
lion ['laɪən] *s.* leone.
li·on·ess ['laɪənɪs] *s.* leonessa.
lip [lɪp] *s.* 1 labbro 2 orlo, bordo.
lip-reading ['lɪp,ri:dɪŋ] *s.* lettura labiale.
lip·salve ['lɪpsælv] *s.* pomata per le labbra.
lip·stick ['lɪpstɪk] *s.* rossetto.
li·queur [lɪ'kjʊə*] *s.* liquore.
li·quid ['lɪkwɪd] *agg.*, *s.* liquido.
li·quid·ate ['lɪkwɪdeɪt] *v.tr.* liquidare.
li·quid·ize ['lɪkwɪdaɪz] *v.tr.* frullare.
li·quid·izer ['···ə*] *s.* frullatore.
li·quor ['lɪkə*] *s.* bevanda alcolica.
li·quor·ice ['lɪkərɪs] *s.* liquirizia.
lira ['lɪərə] (*-as*, *-re* [-ri:]) *s.* lira (moneta).
Lis·bon ['lɪzbən] *no.pr.* Lisbona.
lisp [lɪsp] *v.intr.* parlare con la r moscia.
list [lɪst] *s.* lista: *price –*, listino prezzi ♦ *v.tr.* elencare, catalogare.
lis·ten ['lɪsn] *v.intr.* (*to*) ascoltare | *to – in*, origliare.
lis·tener ['·ə*] *s.* ascoltatore.
list·less ['lɪstlɪs] *agg.* svogliato; apatico.
lit [lɪt] *pass.*, *p.p.* di to *light*.
liter ['li:tə*] *s.* (*amer.*) litro.
lit·eral ['lɪtərəl] *agg.* 1 letterale 2 preciso; testuale.
lit·er·ary ['lɪtərərɪ] *agg.* letterario.
lit·er·ate ['lɪtərət] *agg.*, *s.* 1 (persona) capace di leggere e scrivere 2 colto.
lit·er·at·ure ['lɪtərətʃə*] *s.* 1 letteratura 2 (*fam.*) materiale, documentazione.
lithe [laɪð] *agg.* flessuoso.
litho·graph ['lɪθəgrɑ:f *amer.* 'lɪθəgræf] *s.* litografia.
lit·iga·tion [,lɪtɪ'geɪʃn] *s.* (*dir.*) causa, lite.
litre ['li:tə*] *s.* litro.
lit·ter ['lɪtə*] *s.* 1 rifiuti 2 cucciolata.
litter·bin ['lɪtəbɪn] *s.* bidone della spazzatura.
littered with ['lɪtərdwɪð] *agg.* coperto di.
little ['lɪtl] *agg.* 1 piccolo 2 poco | *a –*, un po di ♦ *s.*, *avv.* poco | *a –*, un po', un poco | *a – more*, ancora un po' | *not a –*, non poco | *– by –*, a poco a poco.
li·tur·gic(al) [lɪ'tɜ:dʒɪk(l)] *agg.* liturgico.
live[1] [laɪv] *agg.* 1 vivo 2 ardente, acceso 3 (*elettr.*) sotto tensione 4 carico (di arma), inesploso (di proiettile) 5 (*tv*, *rad.*) in diretta; dal vivo ♦ *avv.* in diretta.
live [lɪv] *v.intr.* vivere | *to – down*, dimenticare | *to – up to*, essere all'altezza di | *to – with*, tollerare | *live-in maid*, domestica fissa.
lively ['laɪvlɪ] *agg.* 1 pieno di vita, vivace; animato 2 vivo, intenso.
liven ['laɪvn] *v.tr.*, *intr.* (*up*) animare, animarsi.
liver ['lɪvə*] *s.* fegato.
lives [laɪvz] *pl.* di *life*.
live·stock ['laɪvstɒk] *s.* bestiame.
livid ['lɪvɪd] *agg.* livido.
liv·ing ['·ɪŋ] *agg.* vivo | *– conditions*, condizioni di vita ♦ *s.* 1 mezzi di so-

stentamento 2 modo di vivere: *standard of* –, – *standard*, tenore di vita.
living room ['·· ·] *s.* soggiorno.
liz·ard ['lɪzəd] *s.* lucertola.
load [ləʊd] *s.* 1 carico, peso | *loads of...*, (*fam.*) un sacco di... 2 (*elettr.*) carica, tensione ♦ *v.tr.* caricare.
loaded ['ləʊdɪd] *agg.* 1 (*fam.*) molto ricco 2 insidioso, subdolo 3 truccato (di dado).
loaf[1] [ləʊf] (*-ves* [-vz]) *s.* pagnotta.
loaf[2] *v.intr.* oziare.
loan [ləʊn] *s.* prestito; mutuo: *to take out a* –, contrarre un mutuo ♦ *v.tr.* (*amer.*) prestare.
loan-shark ['· ·] *s.* (*fam.*) strozzino.
loath [ləʊθ] *agg.* riluttante.
loathe [ləʊð] *v.tr.* detestare.
loath·ing ['·ɪŋ] *s.* ripugnanza.
loath·some ['ləʊðsəm] *agg.* 1 odioso 2 nauseante.
loaves [ləʊvz] *pl.* di *loaf*.
lobby ['lɒbɪ] *s.* 1 atrio, ingresso; ridotto 2 (*pol.*) lobby, gruppo di interesse ♦ *v.tr., intr.* far pressione su.
lobe [ləʊb] *s.* lobo.
lob·ster ['lɒbstə*] *s.* aragosta.
local ['ləʊkl] *agg.* locale ♦ *s.* 1 abitante del luogo 2 (*fam.*) il pub di zona.
loc·ale [ləʊ'kɑ:l] *s.* luogo; scena.
loc·al·ity [ləʊ'kælətɪ] *s.* vicinanze; dintorni.
loc·al·ize ['ləʊkəlaɪz] *v.tr.* localizzare; circoscrivere.
loc·ate [ləʊ'keɪt] *v.tr.* 1 localizzare 2 situare, collocare.
loca·tion [ləʊ'keɪʃn] *s.* 1 posizione 2 (*cinem.*) esterni.
loch [lɒk] *s.* (*scoz.*) 1 lago 2 braccio di mare.
lock[1] [lɒk] *s.* ciocca.
lock[2] *s.* 1 serratura 2 diga; chiusa 3 (*mecc.*) blocco; fermo | *steering* –, bloccasterzo ♦ *v.tr., intr.* 1 chiudere, chiudersi a chiave | *to – in*, rinchiudere | *to – out*, chiudere fuori | *to – up*, mettere al sicuro; chiudere ben bene; rinchiudere 2 (*mecc.*) bloccare, bloccarsi.
locker ['·ə*] *s.* armadietto | – *room*, spogliatoio.
lock·smith ['lɒksmɪθ] *s.* fabbro.
lock·up ['lɒkʌp] *s.* 1 (*fam. amer.*) camera di sicurezza; guardina 2 garage non annesso alla casa.
lo·co·mot·ive [,ləʊkə'məʊtɪv] *s.* locomotiva, locomotore.
locum ['ləʊkəm] *s.* sostituto (di medico).
lode·star ['ləʊdstɑ:*] *s.* stella polare.
lodge [lɒdʒ] *s.* 1 portineria; guardiola 2 capanno ♦ *v.intr.* 1 alloggiare 2 conficcarsi ♦ *v.tr.* 1 ospitare 2 presentare, sporgere.
lodgings ['lɒdʒɪŋz] *s.pl.* camere in affitto.
loft [lɒft] *s.* soffitta; (*amer.*) loft.
lofty ['lɒftɪ] *agg.* 1 alto, elevato; (*fig.*) nobile 2 altezzoso.
log [lɒg] *s.* 1 ceppo 2 giornale di bordo.
log·book ['lɒgbʊk] *s.* 1 giornale di bordo 2 (*aut.*) libretto di circolazione.
lo·gic ['lɒdʒɪk] *s.* logica.
lo·gical ['lɒdʒɪkl] *agg.* logico.
logo ['ləʊgəʊ] (*-os*) *s.* logo, marchio.
loiter ['lɔɪtə*] *v.intr.* bighellonare.
lol·li·pop ['lɒlɪpɒp] *s.* (*fam.*) lecca-lecca.
lolly ['lɒlɪ] *s.* 1 (*fam.*) lecca-lecca; ghiacciolo 2 (*sl.*) denaro.
Lon·don ['lʌndən] *no.pr.* Londra.
Lon·don·er ['··ə*] *s.* londinese.

lonely ['ləunlı] *agg.* solo; solitario; isolato.
loner ['ləunə*] *s.* solitario.
long[1] [lɒŋ] *agg.* lungo | *at – last*, finalmente ♦ *avv.* a lungo; (per) molto tempo | *how – ?*, (da) quanto tempo? | *as* (o *so*) *– as*, purché; finché | *before –*, tra poco.
long[2] *v.intr.* (*for*) desiderare fortemente; non vedere l'ora di.
longed-for ['·,·] *agg.* (tanto) desiderato.
long johns ['lɒŋ,dʒɒnz] *s.pl.* (*fam.*) mutandoni (da uomo).
long-life ['··] *agg.* a lunga durata; a lunga conservazione.
long-standing [,·'··] *agg.* di vecchia data.
long·suf·fer·ing [,·'··] *agg.* molto paziente.
long-term [,·'·] *agg.* a lunga scadenza.
long·ways ['lɒŋweız] *avv.* per il lungo.
long·winded [,·'··] *agg.* prolisso.
loo [lu:] *s.* (*fam.*) gabinetto.
look [luk] *v.tr., intr.* **1** guardare: *to – at s.o.*, guardare qlcu.; *to – on to*, affacciarsi su **2** sembrare | *to – ill, well*, avere una brutta, bella cera | *to – like*, assomigliare a; aver l'aria di | *what does he – like?*, che tipo è? ♦ *Verbi frasali*: *to – after*, badare a, occuparsi di | *to – down on*, guardare dall'alto in basso | *to – forward to* (+ *ger.*), non vedere l'ora di | *to – in* (*on*), (*fam.*) fare una visitina (a) | *to – on*, considerare | *to – out*, fare attenzione | *to – through*, scorrere; esaminare | *to – up*, cercare (in dizionario ecc.); fare una visitina; (*fam.*) migliorare | *to – up to*, rispettare ♦ *s.* **1** sguardo, occhiata: *have, take a – at it*, dagli un'occhiata **2** aspetto; espressione | *good looks*, bellezza.
look-alike ['·,··] *s.* (*fam.*) sosia.
look-in ['··] *s.* (*fam.*) **1** occasione, opportunità **2** capatina.
looking glass ['···] *s.* specchio.
look·out ['lukaut] *s.* **1** vigilanza, guardia **2** posto di guardia | *it's your –*, il problema è tuo.
loom[1] [lu:m] *s.* (*tess.*) telaio.
loom[2] *v.intr.* **1** (*up*) profilarsi **2** incombere.
loony ['lu:nı] *agg., s.* (*fam.*) pazzo.
loop [lu:p] *s.* cappio.
loop·hole ['lu:phəul] *s.* scappatoia.
loose [lu:s] *agg.* **1** sciolto; libero; allentato | *– change*, spiccioli | *to break –*, slegarsi **2** vago **3** licenzioso ♦ *s.*: *to be on the –*, essere a piede libero ♦ *v.tr.* sciogliere; allentare.
loosen ['lu:sn] *v.tr., intr.* slegare, slegarsi; allentare, allentarsi | *to – up*, rilassare, rilassarsi.
loot [lu:t] *s.* bottino ♦ *v.tr.* saccheggiare.
lo·qua·cious [ləu'kweıʃəs] *agg.* loquace.
lord [lɔ:d] *s.* **1** signore **2** Lord.
Lord·ship ['lɔ:dʃıp] *s.* Signoria, Eccellenza.
lore [lɔ:*] *s.* tradizioni.
lorry ['lɒrı] *s.* autocarro, camion | *– driver*, camionista.
lose* [lu:z] *v.tr., intr.* perdere.
loser ['·ə*] *s.* perdente.
loss [lɒs] *s.* perdita.
lost [lɒst] *pass., p.p.* di to *lose*.
lot [lɒt] *s.* **1** quantità; sacco, mucchio | *the –*, tutto **2** lotto **3** destino, fato: *by –*, a sorte, a caso; *to cast, to draw lots*, tirare a sorte **4** (*fam.*) persona, soggetto.
loth [ləuθ] → *loath*.
lo·tion ['ləuʃn] *s.* lozione.

lot·tery [ˈlɒtərɪ] *s.* lotteria.
lotto [ˈlɒtəʊ] *s.* tombola.
loud [laʊd] *agg.* **1** forte **2** sgargiante.
loud(ly) [ˈlaʊd(lɪ)] *avv.* ad alta voce; rumorosamente.
loud·speaker [ˌlaʊdˈspi:kə*] *s.* altoparlante.
lounge [laʊndʒ] *v.intr.* poltrire, oziare | *to – about*, bighellonare ♦ *s.* salone; sala.
louse [laʊs] (*lice* [laɪs]) *s.* pidocchio.
lousy [ˈlaʊzɪ] *agg.* **1** pidocchioso **2** (*fam.*) orrendo, schifoso.
lout [laʊt] *s.* zoticone.
love [lʌv] *v.tr., intr.* amare; piacere ♦ *s.* amore, affetto | *– all*, zero a zero.
lovely [ˈlʌvlɪ] *agg.* bello; piacevole.
lover [ˈ·ə*] *s.* amante; innamorato.
low[1] [ləʊ] *agg.* **1** basso **2** depresso ♦ *avv.* **1** in basso **2** a voce bassa ♦ *s.* (livello) minimo: *an all-time –*, il minimo storico.
low[2] *v.intr.* muggire.
low·brow [ˈləʊbraʊ] *agg., s.* (persona) terra a terra.
low·down [ˈləʊdaʊn] *s.* (*fam.*) informazioni, notizie.
low-down *agg.* (*fam.*) disonesto; mediocre.
lower [ˈləʊə*] *v.tr., intr.* abbassare, abbassarsi; (far) calare.
low·lands [ˈləʊləndz] *s.pl.* pianura.
lowly [ˈləʊlɪ] *agg.* basso; (*fig.*) umile; modesto.
low-spirited [ˌ·ˈspɪrɪtɪd] *agg.* giù di morale.
loyal [ˈlɔɪəl] *agg.* leale, fedele.
loz·enge [ˈlɒzɪndʒ] *s.* **1** losanga; (*geom.*) rombo **2** pastiglia.
lub·ric·ant [ˈlu:brɪkənt] *s.* lubrificante.
lub·ric·ate [ˌlu:brɪkeɪt] *v.tr.* **1** lubrificare **2** facilitare, agevolare.
lu·cid [ˈlu:sɪd] *agg.* lucido (di mente).
luck [lʌk] *s.* fortuna, sorte: *bad –*, sfortuna.
lucky [ˈlʌkɪ] *agg.* fortunato.
lu·dic·rous [ˈlu:dɪkrəs] *agg.* ridicolo.
lug [lʌg] (*-gged*) *v.tr.* trascinare.
lug·gage [ˈlʌgɪdʒ] *s.* bagaglio.
luke·warm [ˈlu:kwɔ:m] *agg.* tiepido.
lull [lʌl] *v.tr.* **1** cullare **2** calmare.
lul·laby [ˈlʌləbaɪ] *s.* ninna-nanna.
lum·bago [lʌmˈbeɪgəʊ] *s.* lombaggine.
lum·ber [ˈlʌmbə*] *s.* **1** cianfrusaglie **2** (*amer.*) legname in tavole.
lum·ber·jack [ˈlʌmbəˌdʒæk] *s.* taglialegna.
lump [lʌmp] *s.* **1** pezzo; zolla; grumo | *– sum*, somma forfettaria **2** bernoccolo.
lun·atic [ˈlu:nətɪk] *agg., s.* folle, pazzo.
lunch [lʌntʃ] *s.* pranzo, seconda colazione | *packed –, picnic –*, colazione al sacco ♦ *v.intr.* pranzare.
lunch·eon [ˈlʌntʃən] *s.* (*form.*) pranzo: *– voucher*, buono pasto.
lunch·eon·ette [ˌlʌntʃənˈet] *s.* (*amer.*) ristorante (aperto solo a mezzogiorno).
lunch·room [ˈlʌntʃrʊm] *s.* (*amer.*) tavola calda.
lung [lʌŋ] *s.* polmone.
lurch[1] [lɜ:tʃ] *v.intr.* barcollare.
lurch[2] *s.*: *in the –*, in difficoltà.
lure [ljʊə*] *s.* richiamo.
lurk [lɜ:k] *v.intr.* stare in agguato.
lus·cious [ˈlʌʃəs] *agg.* succulento.
lush [lʌʃ] *agg.* lussureggiante.
lusty [ˈlʌstɪ] *agg.* vigoroso, robusto.
Lux·em·burg [ˈlʌksəmbɜ:g] *no.pr.* Lussemburgo.
lux·uri·ant [lʌgˈzjʊərɪənt] *agg.* lussureggiante, rigoglioso.
lux·uri·ous [lʌgˈzjʊərɪəs] *agg.* sontuoso

lux·ury [ˈlʌkʃərı] *agg., s.* (di) lusso.
lymph [lımf] *s.* linfa.
lynch [lıntʃ] *v.tr.* linciare.
lyr·ical [ˈlırıkl] *agg.* **1** lirico **2** entusiasta.
lyri·cist [ˈlırısıst] *s.* paroliere.
lyrics [ˈlırıks] *s.pl.* testo (di canzoni).

M

ma [mɑ:] *s.* abbr. di *mam(m)a.*
MA, M.A. [emˈeı] *s.* laurea (in materie umanistiche).
mac [mæk] *s.(fam.)* impermeabile.
ma·car·oni [ˌmækəˈrəʊnı] *s.* **1** maccheroni **2** (*fam. spreg.*) italiano.
ma·car·oon [ˌmækəˈru:n] *s.* amaretto.
ma·chine [məˈʃi:n] *s.* macchina | *– tool,* macchina utensile ♦ *v.tr.* lavorare a macchina.
machine gun [·ˈ· ·] *s.* mitragliatrice.
ma·chinery [məˈʃi:nərı] *s.* macchinari.
ma·chin·ist [məˈʃi:nıst] *s.* operatore di macchina.
mack·erel [ˈmækrəl] *s.* sgombro.
mack·in·tosh [ˈmækıntɒʃ] *s.* impermeabile.
mac·ro·bi·otic [ˌmækrəʊbaıˈɒtık] *agg.* macrobiotico.
mac·ro·bi·otics [ˌ···ˈ··ks] *s.* macrobiotica.
mad [mæd] *agg.* **1** pazzo **2** (*fam.*) furioso.
madam [ˈmædəm] (*mesdames* [meıˈdɑ:m]) *s.* signora (al vocativo).
mad·cap [ˈmædkæp] *agg.* scervellato.
mad·den [ˈmædn] *v.tr.* far impazzire.
made [meıd] *pass., p.p.* di to *make.*
made-to-measure [ˌ· · ˈ··] *agg.* fatto su misura.
made-up [·ˈ·] *agg.* **1** truccato **2** inventato.
mad·house [ˈmædhaʊs] *s.* (*fam.*) manicomio.
mad·man [ˈmædmən] (*-men*) *s.* pazzo.
mad·ness [ˈmædnıs] *s.* pazzia, follia.
ma·ga·zine [ˌmægəˈzi:n] *s.* **1** periodico, rivista; (*tv*) contenitore **2** caricatore **3** (*mil.*) deposito.
mag·got [ˈmægət] *s.* larva, verme.
ma·gic [ˈmædʒık] *s.* magia.
ma·gic(al) [ˈmædʒık(l)] *agg.* magico.
ma·gi·cian [məˈdʒıʃn] *s.* mago; illusionista.
ma·gis·trate [ˈmædʒıstreıt] *s.* magistrato.
mag·nan·im·ous [mægˈnænıməs] *agg.* magnanimo.
mag·nate [ˈmægneıt] *s.* magnate.
mag·nes·ium [mægˈni:zjəm] *s.* magnesio.
mag·net [ˈmægnıt] *s.* calamita.
mag·netic [mægˈnetık] *agg.* magnetico.
mag·ni·fi·cent [mægˈnıfısnt] *agg.* magnifico; splendido.
mag·nify [ˈmægnıfaı] *v.tr.* ingrandire.
mag·pie [ˈmægpaı] *s.* (*zool.*) gazza.
ma·hog·any [məˈhɒgənı] *s.* mogano.
maid [meıd] *s.* domestica, cameriera.
maiden [ˈmeıdn] *s.* fanciulla | *– name,* cognome da nubile | *– trip,* viaggio inaugurale.
mail [meıl] *s.* posta | *by –,* per posta ♦ *v.tr.* (*amer.*) mandare per posta; impostare | *mailing list,* indirizzario.
mail·box [məıl,bɒks] *s.* (*amer.*) cassetta, buca delle lettere.
mail·man [meılmən] (*-men*) *s.* (*amer.*) postino.
maim [meım] *v.tr.* mutilare, storpiare.
main [meın] *agg.* principale | *in the –,* nel

complesso ♦ *s.* conduttura principale.
main·land [ˈmeɪnlənd] *s.* continente.
main·stream [ˈmeɪnstri:m] *s.* corrente, flusso principale.
main·tain [meɪnˈteɪn] *v.tr.* **1** mantenere **2** sostenere, affermare.
main·ten·ance [ˈmeɪntɪnəns] *s.* **1** mantenimento; (*dir.*) alimenti **2** manutenzione.
maize [meɪz] *s.* granoturco, mais.
ma·jest·ic [məˈdʒestɪk] *agg.* maestoso.
maj·esty [ˈmædʒəstɪ] *s.* maestà.
ma·jor[1] [ˈmeɪdʒə*] *agg.* **1** importante; significativo **2** (*mus.*) maggiore ♦ *s.* **1** maggiorenne **2** (*amer.*) materia di specializzazione ♦ *v.intr.*: *to – in*, specializzarsi in.
major[2] *s.* (*mil.*) maggiore.
ma·jor·ity [məˈdʒɒrətɪ] *s.* **1** maggioranza **2** maggiore età.
make [meɪk] *v.tr.* **1** fare | *to – o.s. understood*, farsi capire | *it makes me furious*, mi rende furioso | *to – much, little of*, dare tanta, poca importanza a | *to – do with*, *to – (sthg.) do*, far bastare | *to – it*, farcela; *to – the train*, riuscire a prendere il treno **2** fabbricare **3** risultare, essere: *he will – a good assistant*, sarà un bravo vice ♦ *Verbi frasali*: *to – for*, dirigersi verso | *to – off with*, portar via | *to – out*, vedere, scorgere; capire; compilare; (*fam.*) cavarsela | *to – up*, formare, costituire; preparare; inventare; completare; comporre (lite); truccarsi | *to – up for*, compensare ♦ *s.* fabbricazione; marca.
make-believe [ˈ··,·] *s.* finzione.
maker [ˈ·ə*] *s.* fabbricante; costruttore; creatore.
make·shift [ˈmeɪkʃɪft] *agg.* improvvisato, di ripiego.
make-up [ˈ··] *s.* **1** trucco **2** composizione **3** temperamento, carattere.
make-weight [ˈ··] *s.* aggiunta; supplemento.
mak·ing [ˈ·ɪŋ] *s.* **1** fattura, confezione **2** *pl.* requisiti, presupposti.
mal·ad·jus·ted [,mæləˈdʒʌstɪd] *agg.* disadattato.
male [meɪl] *s.* maschio ♦ *agg.* maschile; di sesso maschile.
malfunction [,mælˈfʌŋkʃn] *v.intr.* funzionare male.
mal·ice [ˈmælɪs] *s.* cattiveria.
ma·li·cious [məˈlɪʃəs] *agg.* maligno.
ma·lig·nant [məˈlɪgnənt] *agg.* **1** malevolo **2** (*med.*) maligno.
ma·lin·ger [məˈlɪŋgə*] *v.intr.* darsi malato.
mall [mɔ:l, mæl *amer.* mɔ:l] *s.* isola pedonale.
mal·le·able [ˈmælɪəbl] *agg.* malleabile.
mal·low [ˈmæləʊ] *s.* malva.
mal·prac·tice [,mælˈpræktɪs] *s.* negligenza.
malt [mɔ:lt] *s.* malto.
Mal·tese [,mɔ:lˈti:z] *agg.*, *s.* maltese.
mal·treat [mælˈtri:t] *v.tr.* maltrattare.
mam(m)a [məˈmɑ: *amer.* ˈmɑ:mə] *s.* (*fam.*) mamma.
man [mæn] (*men* [men]) *s.* uomo | *the – in* (o *amer. on*) *the street*, l'uomo della strada | *– of straw*, uomo di paglia | *as one –*, *to a –*, all'unanimità | *officers and men*, ufficiali e truppa | *–!*, (*fam. amer.*) ragazzi!, gente! ♦ (*-nned*) *v.tr.* fornire d'uomini.
man·age [ˈmænɪdʒ] *v.tr.* **1** dirigere, amministrare; gestire **2** riuscire a.
man·age·able [ˈ··əbl] *agg.* **1** docile; arrendevole **2** maneggevole.
man·age·ment [ˈ··mənt] *s.* **1** direzio-

ne; gestione; amministrazione **2** i dirigenti, la direzione: *middle* –, quadri, dirigenti intermedi **3** controllo.
man·ager ['··ə*] *s.* **1** direttore; dirigente; gestore; amministratore **2** (*teatr.*) impresario.
ma·na·ger·ial [,mænə'dʒɪərɪəl] *agg.* manageriale: – *policy*, politica di gestione.
mandarin ['mændərɪn] *s.*: – (*orange*), mandarino.
man·date ['mændeɪt] *s.* mandato.
man·dat·ory ['mændətərɪ] *agg.* **1** obbligatorio **2** (*comm.*) mandatario.
man·do·lin ['mændəlɪn] *s.* mandolino.
mane [meɪn] *s.* criniera.
maneuver [mə'nu:və] (*amer.*) → *manoeuvre.*
man·ful ['mænfʊl] *agg.* coraggioso.
man·hole ['mænhəʊl] *s.* bocca di accesso (di tombino ecc.).
mania ['meɪnjə] *s.* mania.
ma·niac ['meɪnɪæk] *s.* maniaco.
ma·ni·acal [mə'naɪəkl] *agg.* maniaco.
mani·cure ['mænɪ,kjʊə*] *s.* manicure.
mani·cur·ist ['mænɪ,kjʊərɪst] *s.* manicure (persona).
manifest ['mænɪfest] *v.tr.* manifestare, rivelare.
ma·ni·festa·tion [,···'steɪʃn] *s.* manifestazione.
ma·nip·ulate [mə'nɪpjʊleɪt] *v.tr.* manipolare.
man·kind [mæn'kaɪnd] *s.* umanità.
manly ['mænlɪ] *agg.* maschio, virile.
man·ned ['mænd] *agg.* aperto, in funzione.
man·ner ['mænə*] *s.* **1** maniera, modo **2** *pl.* buone maniere, educazione.
man·ner·ism ['mænərɪzəm] *s.* modo di fare.
man·nish ['mænɪʃ] *agg.* mascolino.
man·oeuvre [mə'nu:və] amer. **maneuver** *s.* manovra ♦ *v.tr., intr.* manovrare.
man·oeuv·ring [mə'nu:vrɪŋ] *s.* (*fig.*) manovre, maneggi.
manor ['mænə*] *s.* grande proprietà terriera | – *house*, grande casa di campagna.
man·power ['mæn,paʊə*] *s.* manodopera.
man·sion ['mænʃn] *s.* **1** residenza; palazzo **2** *pl.* palazzo signorile ad appartamenti.
man·slaugh·ter ['mæn,slɔ:tə*] *s.* (*dir.*) omicidio (non premeditato).
man·tel·piece ['mæntlpi:s] *s.* mensola di camino.
mantle ['mæntl] *s.* mantello; manto.
man·ual ['mænjʊəl] *agg., s.* manuale.
man·u·fac·ture [,mænjʊ'fæktʃə*] *v.tr.* fabbricare; produrre industrialmente ♦ *s.* manifattura; lavorazione; fabbricazione.
man·u·fac·turer [,·'···rə*] *s.* fabbricante, produttore.
ma·nure [mə'njʊə*] *s.* concime.
ma·nu·script ['mænjʊskrɪpt] *agg., s.* manoscritto.
many [menɪ] *agg., pron.* molti, un gran numero di | *how –?*, quanti? | *as* –, altrettanti | *one too* –, uno di troppo | *a great* –, *a good* –, moltissimi.
map [mæp] *s.* carta; pianta, mappa.
maple ['meɪpl] *s.* acero.
mar [mɑ:*] (*-rred*) *v.tr.* rovinare.
mara·thon ['mærəθn] *s.* maratona.
marble ['mɑ:bl] *s.* **1** marmo **2** biglia.
March [mɑ:tʃ] *s.* marzo.
march *s.* marcia; (*fig.*) cammino ♦ *v. intr., tr.* (far) marciare | *to – along, up,*

avanzare | *to – on*, continuare per la propria strada.
marcher [ˈ·ə*] *s.* dimostrante.
mare [meə*] *s.* cavalla, giumenta.
mar·gar·ine [ˌmɑːdʒəˈriːn *amer.* ˈmɑːdʒərɪn] fam. **marge** [mɑːdʒ] *s.* margarina.
mar·gin [ˈmɑːdʒɪn] *s.* margine.
mar·ginal [ˈmɑːdʒɪnl] *agg.* marginale.
mar·gin·al·ize [ˈmɑːdʒɪnəlaɪz] *v.tr.* emarginare.
mar·gin·ally [ˈmɑːdʒɪnəlɪ] *avv.* appena.
ma·rina [məˈriːnə] *s.* porticciolo.
marinade [ˌmærɪˈneɪd] *v.tr.* (*cuc.*) marinare.
ma·rine [məˈriːn] *agg.* marittimo ♦ *s.* marina.
mar·ital [ˈmærɪtl] *agg.* coniugale | *– status*, stato civile.
mari·time [ˈmærɪtaɪm] *agg.* marittimo.
mar·joram [ˈmɑːdʒərəm] *s.* maggiorana.
mark[1] [mɑːk] *s.* **1** segno | *exclamation, question –*, punto esclamativo, interrogativo **2** voto **3** bersaglio **4** livello ♦ *v.tr.* **1** marcare, segnare | *to – down*, abbassare; prender nota | *to – off, out*, delimitare; caratterizzare | *to – up*, aumentare | *to – time*, segnare il passo **2** macchiare **3** classificare **4** caratterizzare **5** fare attenzione a.
mark[2] *s.* marco (moneta).
marker [ˈ·ə*] *s.* **1** segnale **2** segnapunti **3** *–* (*pen*), pennarello; evidenziatore.
mar·ket [ˈmɑːkɪt] *s.* mercato | *– garden*, orto (i cui prodotti sono messi in vendita) ♦ *v.tr.* mettere in vendita; commercializzare.
mar·ma·lade [ˈmɑːməleɪd] *s.* marmellata d'agrumi.
mar·mot [ˈmɑːmət] *s.* marmotta.
mar·quee [mɑːˈkiː] *s.* tendone.
mar·quis [ˈmɑːkwɪs] *s.* marchese.
mar·riage [ˈmærɪdʒ] *s.* matrimonio.
mar·row [ˈmærəʊ] *s.* **1** midollo **2** (*fig.*) quintessenza **3** (*vegetable*) *–*, zucca.
marry [ˈmærɪ] *v.intr., tr.* sposarsi, sposare.
marsh [mɑːʃ] *s.* palude, acquitrino | *– gas*, metano.
mar·shal [ˈmɑːʃl] *s.* **1** maresciallo **2** ufficiale giudiziario **3** (*amer.*) sceriffo ♦ (*-lled*) *v.tr.* schierare.
mart [mɑːt] *s.* mercato; fiera: *car –*, mercato dell'auto.
mar·tyr [ˈmɑːtə*] *s.* martire.
mar·vel [ˈmɑːvl] *s.* meraviglia; prodigio ♦ (*-lled*) *v.intr.* (*at*) meravigliarsi (di).
mar·vel·lous [ˈmɑːvələs] amer. **mar·vel·ous** *agg.* meraviglioso.
Marx·ist [ˈmɑːksɪst] *agg., s.* marxista.
mas·cot [ˈmæskət, ˈmæskɒt] *s.* mascotte.
mas·cu·line [ˈmæskjʊlɪn] *agg.* mascolino, maschio; (*gramm.*) maschile.
mash [mæʃ] *s.* (*fam. brit.*) purè (di patate) ♦ *v.tr.* (*cuc.*) schiacciare.
masher [ˈ·ə*] *s.* schiacciapatate.
mask [mɑːsk *amer.* mæsk] *s.* maschera ♦ *v.tr.* mascherare.
ma·son [ˈmeɪsn] *s.* muratore.
ma·sonry [ˈmeɪsnrɪ] *s.* muratura.
mas·quer·ade [ˌmæskəˈreɪd] *s.* finzione ♦ *v.intr.* fingersi.
mass [mæs] *s.* messa.
mass *s.* massa; blocco; ammasso | *– production*, produzione in serie ♦ *v.tr., intr.* ammassare, ammassarsi.
mas·sacre [ˈmæsəkə*] *s.* massacro ♦ *v.tr.* massacrare.

mas·sage [ˈmæsɑ:ʒ *amer.* məˈsɑ:ʒ] *s.* massaggio.
mas·seur [mæˈsɜ:*] *s.* massaggiatore.
mas·seuse [mæˈsɜ:z] *s.* massaggiatrice.
mas·sif [mæˈsi:f] *s.* massiccio (montagnoso).
mas·sive [ˈmæsɪv] *agg.* massiccio.
mast [mɑ:st *amer.* mæst] *s.* (*mar.*) albero.
mas·ter [ˈmɑ:stə* *amer.* ˈmæstə*] *s.* **1** padrone **2** esperto, maestro **3** professore; maestro **4** (*mar.*) capitano ♦ *agg.* principale | – *key*, chiave universale ♦ *v.tr.* **1** conoscere a fondo **2** controllare.
mas·ter·ly [ˈmɑ:stəlɪ] *agg.* magistrale, da maestro.
master·mind [ˈmɑ:stəmaɪnd] *s.* cervello, mente direttiva.
mas·ter·piece [ˈmɑ:stəpi:s] *s.* capolavoro.
mas·tery [ˈmɑ:stərɪ] *s.* **1** maestria **2** conoscenza profonda; dominio, padronanza.
mast·head [ˈmɑ:sthed] *s.* testata (di giornale).
mas·tiff [ˈmæstɪf] *s.* mastino.
mat[1] [mæt] *s.* **1** tappetino; stuoia **2** sottovaso; sottopiatto.
mat[2] *agg.* opaco.
match[1] [mætʃ] *s.* **1** partita **2** compagno; partito; l'uguale ♦ *v.tr.* **1** pareggiare, uguagliare **2** (*up*) armonizzare **3** confrontare **4** accoppiare ♦ *v.intr.* **1** (*up*) armonizzarsi **2** combaciare.
match[2] *s.* fiammifero: *safety* –, fiammifero svedese.
match·less [ˈmætʃlɪs] *agg.* impareggiabile.
mate[1] [meɪt] *s.* **1** (*fam., vocativo*) amico **2** compagno (di animali) **3** (*mar.*) secondo ♦ *v.tr., intr.* accoppiare, accoppiarsi.
mate[2] *s.* scacco matto ♦ *v.tr.* dare scacco matto a.
ma·ter·ial [məˈtɪərɪəl] *s.* **1** materia; materiale **2** stoffa, tessuto ♦ *agg.* materiale; concreto; rilevante.
ma·ter·nal [məˈtɜ:nl] *agg.* materno.
ma·ter·nity [məˈtɜ:nɪtɪ] *s.* maternità: –*ward*, reparto maternità.
ma·tey [ˈmeɪtɪ] *agg.* (*fam.*) amichevole.
math [mæθ] (*amer.*) → *maths*.
math·em·at·ical [ˌmæθəˈmætɪkl] *agg.* matematico.
math·em·at·ician [ˌmæθəməˈtɪʃn] *s.* matematico.
math·em·at·ics [ˌmæθəˈmætɪks] fam.
maths [mæθs] *s.* matematica.
ma·tric·ulate [məˈtrɪkjʊleɪt] *v.intr.* immatricolarsi (all'università).
mat·rix [ˈmeɪtrɪks] (*-xes, -ces* [-si:z]) *s.* matrice.
matt [mæt] → *mat*[2].
mat·ter [ˈmætə*] *s.* **1** faccenda, affare **2** importanza: *no – how*, comunque; *no – where*, dovunque **3** (*fis.*) materia **4** materiale | *printed* –, stampati, stampe ♦ *v.intr.* importare.
matter-of-fact [ˌ·· ˈ·] *agg.* pratico, con i piedi per terra.
mat·tress [ˈmætrɪs] *s.* materasso.
ma·ture [məˈtjʊə*] *agg.* maturo ♦ *v.intr.* maturare.
mauve [məʊv] *s., agg.* malva.
mav·er·ick [ˈmævərɪk] *s.* (*fig.*) dissidente; cane sciolto.
mawk·ish [ˈmɔ:kɪʃ] *agg.* sdolcinato.
maxim [ˈmæksɪm] *s.* norma; massima.
max·imum [ˈmæksɪməm] (*-ums, -ima* [-ɪmə]) *s.* il massimo, il massimo livello ♦ *agg.* massimo.

May [meɪ] *s.* maggio.
may* *modal verb* potere: – *I smoke?*, (*form.*) posso fumare?; *I might be late*, potrei far tardi.
maybe [ˈmeɪbi:] *avv.* forse.
may·day [ˈmeɪdeɪ] *s.* SOS.
may·hem [ˈmeɪhəm] *s.* confusione, caos.
may·on·naise [ˌmeɪəˈneɪz] *s.* maionese.
mayor [meə* *amer.* meɪə*] *s.* sindaco | *deputy* –, vicesindaco.
me [mi:] *pron.* me, mi | *it's* –, sono io.
meadow [ˈmedəʊ] *s.* prato.
meagre [ˈmi:gə*] *agg.* magro, scarno.
meal[1] [mi:l] *s.* pasto: *a square* –, un pasto sostanzioso.
meal[2] *s.* farina (non di frumento).
mealy-mouthed [ˈ·· ·] *agg.* insincero.
mean[1] [mi:n] *agg.* **1** gretto, meschino **2** cattivo **3** mediocre | *no* –, molto abile.
mean[2] *s.* **1** media **2** *pl.* mezzi | *by all means*, ma certo!, sicuro!; *by no means*, affatto ♦ *agg.* medio.
mean*[3] *v.tr., intr.* significare; voler dire; intendere | *to be meant to*, dovere; essere destinato a | *to – well*, avere buone intenzioni
meaning [ˈ·ɪŋ] *s.* senso, significato.
meant [ment] *pass., p.p.* di to *mean*.
mean·time [ˈmi:ntaɪm], **mean·while** [ˈmi:nwaɪl] *avv.*: (*in the*) –, nel frattempo, intanto.
measles [ˈmi:zlz] *s.* morbillo | *German* –, rosolia.
measly [ˈmi:zlɪ] *agg.* (*fam.*) miserabile; meschino.
meas·ur·ably [ˈmeʒərəblɪ] *avv.* sensibilmente, percettibilmente.
meas·ure [ˈmeʒə*] *s.* misura | *folding* –, metro snodabile ♦ *v.tr., intr.* misurare | *to – out*, dosare | *to – up to*, corrispondere.
meat [mi:t] *s.* carne; polpa.
meaty [ˈmi:tɪ] *agg.* **1** polposo, carnoso **2** (*fig.*) sostanzioso.
mech·anic [mɪˈkænɪk] *s.* meccanico.
mech·an·ical [·ˈ··l] *agg.* meccanico.
mech·an·ics [mɪˈkænɪks] *s.* meccanica.
mech·an·ism [ˈmekənɪzəm] *s.* meccanismo.
mech·an·ize [ˈmekənaɪz] *v.tr.* meccanizzare.
medal [ˈmedl] *s.* medaglia.
meddle [ˈmedl] *v.intr.* immischiarsi.
me·dia [ˈmi:djə] *s.pl.* mezzi di comunicazione (di massa), media.
medic [ˈmedɪk] *s.* (*fam.*) **1** medico **2** studente di medicina.
med·ical [ˈ·l] *agg.* di medicina; medico | – (*examination*), visita medica.
med·ica·tion [ˌmedɪˈkeɪʃn] *s.* **1** trattamento, cura **2** medicamento.
me·di·cine [ˈmedsɪn] *s.* medicina | –*man*, stregone.
me·di·ocre [ˌmi:dɪˈəʊkə*] *agg.* mediocre.
med·it·ate [ˈmedɪteɪt] *v.tr., intr.* meditare.
me·di·ta·tion [ˌ··ˈ·ʃn] *s.* meditazione.
Me·di·ter·ran·ean [ˌmedɪtəˈreɪnjən] *agg., s.* mediterraneo.
me·dium [ˈmi:djəm] *agg.* medio ♦ (*-diums, -dia* [-djə]) *s.* **1** mezzo, strumento **2** elemento; ambiente.
med·ley [ˈmedlɪ] *s.* miscuglio.
meek [mi:k] *agg.* docile, mite.
meet* *v.tr.* **1** incontrare; andare, venire incontro a **2** conoscere; fare la conoscenza di **3** far fronte a (spese);

onorare (impegni); soddisfare **4** affrontare ♦ *v.intr.* **1** (*up*) incontrarsi; riunirsi | *to – with*, imbattersi **2** conoscersi, far conoscenza.

meet·ing [ˈ·ɪŋ] *s.* riunione; convegno; assemblea | *at first –*, al primo incontro.

mel·an·cholic [ˌmelənˈkɒlɪk] *agg., s.* malinconico.

mel·an·choly [ˈmelənkəlɪ] *agg.* malinconico ♦ *s.* malinconia.

mel·low [ˈmeləʊ] *agg.* **1** maturo **2** (*fig.*) comprensivo; pacato ♦ *v.tr., intr.* (far) maturare; ammorbidirsi.

me·lodi·ous [mɪˈləʊdjəs] *agg.* melodioso.

me·lo·dra·matic [ˌmeləʊdrəˈmætɪk] *agg.* melodrammatico.

mel·ody [ˈmelədɪ] *s.* melodia.

melon [ˈmelən] *s.* melone.

melt [melt] *v.tr.* sciogliere; (*fig.*) addolcire ♦ *v.intr.* **1** sciogliersi **2** sparire; dissolversi.

mem·ber [ˈmembə*] *s.* membro | *Member of Parliament*, deputato.

mem·ber·ship [ˈ··ʃɪp] *s.* **1** iscrizione **2** iscritti.

me·mento [mɪˈmentəʊ] (*-os, oes*) *s.* (oggetto) ricordo, souvenir.

memo [ˈmeməʊ] *s.* promemoria, appunto; comunicazione interna.

mem·or·able [ˈmemərəbl] *agg.* memorabile.

me·mor·ial [mɪˈmɔːrɪəl] *agg.* commemorativo.

mem·or·ize [ˈmeməraɪz] *v.tr.* imparare a memoria, memorizzare.

mem·ory [ˈmemərɪ] *s.* memoria.

men [men] *pl.* di *man.*

men·ace [ˈmenəs] *s.* minaccia ♦ *v.tr.* minacciare.

mend [mend] *v.tr.* riparare, aggiustare ♦ *v.intr.* migliorare; ristabilirsi in salute ♦ *s.* rattoppo.

men·stru·ation [ˌmenstrʊˈeɪʃn] *s.* mestruazione.

mens·wear [ˈmenzweə*] *s.* abbigliamento maschile.

men·tal [ˈmentl] *agg.* **1** mentale **2** (*fam.*) pazzo.

men·tal·ity [menˈtælɪtɪ] *s.* mentalità.

men·tion [ˈmenʃn] *v.tr.* menzionare; citare ♦ *s.* citazione.

menu [ˈmenjuː] *s.* menu.

mer·cant·ile [ˈmɜːkəntaɪl] *agg.* mercantile.

mer·chand·ise [ˈmɜːtʃəndaɪz] *s.* merce.

mer·chant [ˈmɜːtʃənt] *s.* **1** mercante, commerciante **2** (*amer.*) negoziante ♦ *agg.* mercantile.

mer·ci·ful [ˈmɜːsɪfʊl] *agg.* pietoso.

mer·ci·less [ˈmɜːsɪlɪs] *agg.* spietato.

mer·cur·ial [mɜːˈkjʊərɪəl] *agg.* (*fig.*) vivace; imprevedibile.

mer·cury [ˈmɜːkjʊrɪ] *s.* mercurio.

mercy [ˈmɜːsɪ] *s.* misericordia.

mere [mɪə*] *agg.* mero, puro e semplice.

merge [mɜːdʒ] *v.tr., intr.* fondere, fondersi; unire, unirsi.

mer·ger [ˈ··ə*] *s.* (*fin.*) fusione; incorporazione.

me·ri·dian [məˈrɪdɪən] *s.* **1** meridiano **2** (*fig.*) culmine, apogeo.

mer·ingue [məˈræŋ] *s.* meringa.

merit [ˈmerɪt] *s.* merito; valore ♦ *v.tr.* meritare.

merry [ˈmerɪ] *agg.* allegro.

merry-go-round [ˈ···ˌ·] *s.* giostra.

mesh [meʃ] *s.* maglia, maglie (di rete); rete.

mes·mer·ize [ˈmezməraɪz] *v.tr.* ipnotizzare.

mess [mes] *s.* **1** confusione, disordine **2** pasticcio **3** (*mil.*) mensa ♦ *v.tr., intr.*: *to – up*, mettere in disordine; rovinare | *to – about, around*, perdersi in cose inutili | *to – with*, interferire con.
mess·age [ˈmesɪdʒ] *s.* messaggio.
mes·sen·ger [ˈmesɪndʒə*] *s.* messaggero | – (*boy*), fattorino.
Messrs [ˈmesəz] *s.pl.* signori | – *Brown and Co.*, Spett. Ditta Brown e C.
mess-up [ˈmesʌp] *s.* (*fam.*) disordine.
messy [ˈmesɪ] *agg.* in disordine.
met [met] *pass., p.p.* di to *meet*.
metal [ˈmetl] *s.* metallo.
me·tal·lic [mɪˈtælɪk] *agg.* metallico.
met·al·worker [ˈmetl,wɜ:kə*] *s.* operaio metallurgico.
met·eor [ˈmi:tjə*] *s.* meteora.
met·eoro·lo·gic(al) [,mi:tjərəˈlɒdʒɪk(l)] *agg.* meteorologico.
met·eoro·logy [,mi:tjəˈrɒlədʒɪ] *s.* meteorologia.
meter [ˈmi:tə*] *s.* **1** contatore, misuratore; tassametro **2** (*amer.*) metro ♦ *v.tr.* misurare; controllare.
methad·one [ˈmeθədəʊn] *s.* metadone.
meth·ane [ˈmi:θeɪn] *s.* metano | – *pipeline*, metanodotto.
method [ˈmeθəd] *s.* metodo.
meth·od·ical [mɪˈθɒdɪkl] *agg.* metodico.
methylated spirits [,meθɪleɪtɪdˈspɪrɪts] fam. **meths** [meθs] *s.* alcol denaturato.
me·ticu·lous [mɪˈtɪkjʊləs] *agg.* meticoloso; minuzioso.
me-too [ˈ·ˈ·] *agg.* imitativo, d'imitazione.
metre [ˈmi:tə*] *s.* metro: *square* –, metro quadro, quadrato; *cubic* –, metro cubo.
met·ro·pol·itan [,metrəˈpɒlɪtən] *agg.* metropolitano.
mettle [ˈmetl] *s.* tempra, carattere | *on one's* –, messo alla prova.
mew [mju:] *v.intr.* miagolare.
mews [mju:z] *s.* scuderie ristrutturate (trasformate in appartamenti).
Mex·ican [ˈmeksɪkən] *agg.*, s. messicano.
Mex·ico [ˈmeksɪkəʊ] *no.pr.* Messico.
mez·zan·ine [ˈmetsəni:n] *s.* **1** mezzanino **2** (*amer.*) balconata, prima galleria.
miaow [mi:ˈaʊ] *v.intr.* miagolare.
mice [maɪs] *pl.* di *mouse*.
mickey [ˈmɪkɪ] *s.* (*fam.*): *to take the – out of s.o.*, prendere in giro qlcu.
micro- [ˈmaɪkrəʊ] *pref.* micro-.
mi·crobe [ˈmaɪkrəʊb] *s.* microbo.
mi·cro·phone [ˈmaɪkrəfəʊn] *s.* microfono.
mi·cro·scope [ˈmaɪkrəskəʊp] *s.* microscopio.
mi·cro·scopic [,maɪkrəˈskɒpɪk] *agg.* microscopico.
mid·air [,mɪdˈeə*] *s.* : *in* –, a mezz'aria; (*fig.*) in sospeso.
mid·day [ˈmɪddeɪ] *s.* mezzogiorno.
middle [ˈmɪdl] *agg.* medio; intermedio | – *age*, mezz'età | – *finger*, dito medio | – *class*, ceto medio ♦ *s.* **1** mezzo, centro: *right in the – of*, nel bel mezzo di **2** vita.
mid·dle·brow [ˈmɪdlbraʊ] *agg., s.* (*fam.*) (persona) di media cultura.
mid·dle·man [ˈmɪdlmæn] (*-men* [-men]) *s.* intermediario, mediatore.
middle-of-the-road [,mɪdləvðəˈrəʊd] *agg.* (*pol.*) moderato.
middle-sized [,ˈ·ˈ·] *agg.* di media misura.
mid·dling [ˈmɪdlɪŋ] *agg.* ordinario; mediocre.

midge [mɪdʒ] *s.* moscerino.
mid·get [ˈmɪdʒɪt] *s.* (*spreg.*) persona, cosa molto piccola | *a – radio*, una radiolina.
mid-life [ˈmɪdlaɪf] *agg.* della mezza età.
mid·night [ˈmɪdnaɪt] *s.* mezzanotte.
mid·point [ˈmɪdpɔɪnt] *s.* centro; metà.
mid·sum·mer [ˈmɪd,sʌmə*] *s.* il pieno, il cuore dell'estate | *Midsummer('s) Day*, S. Giovanni.
mid-term [ˈmɪd,tɜːm] *agg.* (*amer.*) di metà corso; di medio termine: – *election*, elezioni di medio termine (per il rinnovo parziale del parlamento).
mid·way [ˈmɪdweɪ] *agg., avv.* (posto, situato) a mezza strada.
mid·wife [ˈmɪdwaɪf] (*-ves* [-vz]) *s.* levatrice.
mid·win·ter [,mɪdˈwɪntə*] *s.* il pieno, il cuore dell'inverno.
mid·year [,mɪdˈjɜː*] *agg.* (*amer.*) di metà anno.
might [maɪt] *s.* potere; forza.
might *pass., cond.* di *may*.
mighty [ˈmaɪtɪ] *agg.* **1** potente, forte **2** grande, imponente.
mi·graine [ˈmiːgreɪn *amer.* ˈmaɪgreɪn] *s.* emicrania.
mi·grant [ˈmaɪgrənt] *agg., s.* emigrante ♦ *v.intr.* migrare; emigrare.
mike [maɪk] *s.* (*fam.*) microfono.
mild [maɪld] *agg.* mite, dolce; leggero.
mil·dew [ˈmɪldjuː] *s.* muffa.
mile [maɪl] *s.* miglio (misura).
mile·stone [ˈmaɪlstəʊn] *s.* pietra miliare.
mil·it·ary [ˈmɪlɪtərɪ] *agg.* militare.
mil·it·ate [ˈmɪlɪteɪt] *v.intr.*: *to – against, for*, agire contro, in favore di.
milk [mɪlk] *s.* latte ♦ *v.tr.* mungere.
milk·man [ˈmɪlkmən] (*-men*) *s.* lattaio.
milk-shake [ˈ··] *s.* frappé.
milky [ˈmɪlkɪ] *agg.* **1** latteo; lattiginoso **2** con latte.
mill [mɪl] *s.* **1** mulino **2** macinino ♦ *v.tr.* **1** macinare; tritare **2** *to – around, about*, muoversi di qui e di là.
miller [ˈmɪlə*] *s.* mugnaio.
mil·let [ˈmɪlɪt] *s.* miglio.
mil·li·metre [ˈmɪlɪ,miːtə*] amer. **millimeter** *s.* millimetro.
mil·lion [ˈmɪljən] *s.* milione.
mil·lion·aire [,mɪljəˈneə*] *s.* milionario; miliardario.
mill·stone [ˈmɪlstəʊn] *s.* mola, macina.
mime [maɪm] *s.* mimo ♦ *v.tr.* mimare.
mimic [ˈmɪmɪk] *s.* imitatore ♦ (*-cked* [-kt]) *v.tr.* imitare.
mince [mɪns] *s.* carne tritata ♦ *v.tr.* **1** tritare, sminuzzare **2** moderare (le parole).
mince·meat [ˈmɪnsmiːt] *s.* **1** (*amer.*) carne tritata **2** (*cuc.*) ripieno a base di mele, frutta secca e uvetta.
mincer [ˈ·ə*] *s.* tritacarne.
min·cing [ˈ·ɪŋ] *agg.* affettato.
mind [maɪnd] *s.* **1** mente | *out of one's –*, fuori di sé | *to keep, to bear in –*, tenere a mente | *frame of –*, stato d'animo | *to have a good, half a – to*, avere la tentazione di | *to make up one's –*, decidersi **2** opinione, idea | *to my –*, a parer mio ♦ *v.tr., intr.* **1** badare a, occuparsi di **2** fare attenzione a; preoccuparsi di | *never –!*, non importa! **3** spiacere, dispiacere: *if you don't –*, se non ti dispiace.
minder [ˈ·ə*] *s.* (*sl.*) guardia del corpo; gorilla.
mind·ful [ˈmaɪndful] *agg.* attento.
mind·less [ˈmaɪndlɪs] *agg.* (*fig.*) idiota.
mine[1] [maɪn] *pron.* il mio.

mine[2] *s.* 1 miniera 2 (*mil.*) mina ♦ *v.tr.* 1 estrarre 2 minare.
miner ['·ə*] *s.* minatore.
min·eral ['mɪnərəl] *agg., s.* minerale.
mingle ['mɪŋgl] *v.tr., intr.* mescolare, mescolarsi; unire, unirsi.
mingy ['mɪndʒɪ] *s.* (*fam.*) tirchio.
mini·ature ['mɪnətʃə* *amer.* 'mɪn ətʃʊə*] *s.* miniatura.
mini·atur·ize ['mɪnətʃəraɪz] *v.tr.* miniaturizzare.
min·imal ['mɪnɪml] *agg.* minimo.
min·im·ize ['mɪnɪmaɪz] *v.tr.* 1 ridurre al minimo 2 (*fig.*) minimizzare.
min·imum ['mɪnɪməm] *s., agg.* minimo.
min·ing ['·ɪŋ] *s.* attività mineraria.
miniskirt ['mɪnɪskɜ:t] *s.* minigonna.
min·is·ter ['mɪnɪstə*] *s.* 1 ministro 2 (*eccl.*) pastore (protestante) ♦ *v.intr.* (*to*) provvedere a.
min·is·ter·ial [,mɪnɪ'stɪərɪəl] *agg.* ministeriale.
min·is·try ['mɪnɪstrɪ] *s.* 1 ministero 2 (*eccl.*) clero.
mink [mɪŋk] *s.* visone.
mi·nor ['maɪnə*] *agg.* 1 minore 2 lieve, trascurabile ♦ *s.* minorenne.
mi·nor·ity [maɪ'nɒrətɪ] *s.* 1 minoranza 2 minore età.
min·ster ['mɪnstə*] *s.* 1 chiesa (di abbazia, monastero) 2 cattedrale.
mint[1] [mɪnt] *s.* zecca; (*fam.*) barca di soldi ♦ *v.tr.* coniare.
mint[2] *s.* menta.
minus ['maɪnəs] *s.,* agg. (*mat.*) meno ♦ *prep.* meno, senza.
mi·nute[1] [maɪ'nju:t *amer.* maɪ'nu:t] *agg.* minuto.
minute[2] ['mɪnɪt] *s.* 1 minuto (primo) 2 istante, momento: *just a –!*, un momento! | *this –*, subito, adesso 3 *pl.* verbale ♦ *v.tr.* stendere il verbale di.
mir·acle ['mɪrəkl] *s.* miracolo.
mi·ra·cu·lous [mɪ'rækjʊləs] *agg.* miracoloso.
mire ['maɪə*] *s.* pantano; fango.
mir·ror ['mɪrə*] *s.* specchio | *rear-view –*, specchietto retrovisore ♦ *v.tr.* rispecchiare.
mirth [mɜ:θ] *s.* allegria.
mis·ap·plica·tion [,mɪs,æplə'keɪʃn] *s.* uso errato.
mis·ap·pro·pri·ation [,mɪsə,prəʊprɪ'eɪʃn] *s.* appropriazione indebita; malversazione.
mis·be·have [,mɪsbɪ'heɪv] *v.intr.* comportarsi male.
mis·cal·cu·late [,mɪs'kælkjʊleɪt] *v.tr., intr.* calcolare, giudicare male.
mis·car·riage ['mɪskærɪdʒ, ,mɪs'kærɪdʒ] *s.* 1 aborto 2 insuccesso.
mis·chance [,mɪs'tʃɑ:ns *amer.,* mɪs 'tʃæns] *s.* disdetta, sfortuna.
mis·chief ['mɪstʃɪf] *s.* 1 marachella, birichinata 2 danno.
mis·chiev·ous ['mɪstʃɪvəs] *agg.* 1 birichino 2 malevolo.
mis·con·duct [,mɪs'kɒndʌkt] *s.* cattiva condotta.
mis·deed [,mɪs'di:d] *s.* misfatto.
mis·de·mean·our [,mɪsdɪ'mi:nə*] amer. **misdemeanor** *s.* colpa lieve; (*dir.*) infrazione, reato minore.
miser ['maɪzə*] *s.* avaro.
mis·er·able ['mɪzərəbl] *agg.* 1 triste, infelice 2 deprimente; penoso 3 miserabile, misero.
mis·ery ['mɪzərɪ] *s.* 1 sofferenza, tormento 2 (*fam.*) persona lamentosa.
mis·fire [,mɪs'faɪə*] *v.intr.* far cilecca.
mis·fit ['mɪsfɪt] *s.* disadattato.
mis·for·tune [,mɪs'fɔ:tʃu:n] *s.* sfortuna.

mis·guided [,mɪs'gaɪdɪd] *agg.* malaccorto, sconsiderato.
mis·hap ['mɪshæp] *s.* incidente; contrattempo.
mish·mash ['mɪʃmæʃ] *s.* (*fam.*) accozzaglia, guazzabuglio.
mis·in·forma·tion ['mɪs,ɪnfə'meɪʃn] *s.* disinformazione.
mis·in·ter·pret [,mɪsɪn'tɜ:prɪt] *v.tr.* fraintendere.
mis·judg(e)·ment [,mɪs'dʒʌdʒmənt] *s.* opinione sbagliata.
mislaid [,mɪs'leɪd] *pass., p.p.* di to *mislay.*
mis·lay [,mɪs'leɪ] (come *lay*) *v.tr.* smarrire.
mis·lead [,mɪs'li:d] (come *lead*) *v.tr.* trarre in inganno.
mis·placed [,mɪs'pleɪst] *agg.* collocato al posto sbagliato; (*fig.*) malriposto.
mis·print ['mɪsprɪnt] *s.* errore di stampa, refuso.
mis·rep·res·ent [,mɪs,reprɪ'zent] *v.tr.* travisare, distorcere.
mis·rule [,mɪs'ru:l] *s.* malgoverno.
miss[1] [mɪs] *v.tr.* **1** mancare, fallire **2** perdere; non trovare; non notare | *to – out*, omettere, tralasciare **3** mancare a, essere assente da **4** sentire la mancanza di; notare l'assenza di: *I'll miss him*, mi mancherà ♦ *v.intr.* **1** mancare | *to – out on*, rimanere escluso da **2** (*aut.*) perdere colpi ♦ *s.* colpo mancato | *a near –*, un incidente evitato per un pelo.
miss[2] *s.* **1** signorina **2** miss.
mis·sile ['mɪsaɪl *amer.* 'mɪsl] *s.* missile.
miss·ing ['mɪsɪŋ] *agg.* mancante; smarrito.
mis·sion ['mɪʃn] *s.* missione.
mis·sion·ary ['mɪʃnrɪ *amer.* 'mɪʃnerɪ] *s.* missionario.
mis·sis ['mɪsɪz] → *missus.*
mis·spell [,mɪs'spel] (come *spell*) *v.tr.* sbagliare a scrivere.
missus ['mɪsəs] *s.* **1** signora, padrona **2** (*scherz.*) signora, moglie.
mist [mist] *s.* bruma, foschia ♦ *v.tr., intr.* appannare, appannarsi; offuscare, offuscarsi.
mistake [mɪs'teɪk] (come *take*) *v.tr.* **1** fraintendere **2** sbagliare **3** scambiare ♦ *s.* sbaglio, errore | (*and*) *no –*, senza dubbio.
mis·ter ['mɪstə*] *s.* signore | *hey, –!*, ehi tu!
mis·tle·toe ['mɪsltəʊ] *s.* vischio.
mistook [mɪs'tʊk] *pass.* di to *mistake.*
mis·treat [,mɪs'tri:t] *v.tr.* maltrattare.
mis·tress ['mɪstrɪs] *s.* **1** amante **2** (*brit.*) insegnante **3** padrona, signora.
mistrust [,mɪs'trʌst] *v.tr.* diffidare, dubitare di.
misty ['mɪstɪ] *agg.* nebbioso; indistinto.
mis·un·der·stand [,mɪsʌndə'stænd] (come *stand*) *v.tr., intr.* capir male, fraintendere.
mis·un·der·stand·ing [,···'·ɪŋ] *s.* malinteso, equivoco.
mis·un·der·stood [,mɪsʌndə'stʊd] *pass., p.p.* di to *misunderstand.*
mis·use [,mɪs'ju:z] *s.* cattivo uso ♦ *v.tr.* usar male; abusare di.
mit·ig·ate ['mɪtɪgeɪt] *v.tr.* mitigare.
mitt [mɪt] *s.* **1** manopola (guanto) **2** guanto da baseball **3** (*sl.*) mano.
mit·ten ['mɪtn] → *mitt* 1.
mix [mɪks] *v.tr., intr.* mescolare, mescolarsi | *to – up*, confondere; coinvolgere ♦ *s.* miscela, miscuglio; mix.
mixed [mɪkst] *agg.* misto.
mixer ['·ə*] *s.* **1** miscelatore; frullatore **2** persona socievole.

mix·ture [ˈmɪkstʃə*] *s.* mescolanza; miscuglio; miscela.
moan [məʊn] *s.* gemito; lamento ♦ *v. intr.* gemere; lamentarsi.
moat [məʊt] *s.* fosso, fossato.
mob [mɒb] *s.* plebe; folla; banda.
mo·bile [ˈməʊbaɪl *amer.* ˈməʊbl] *agg.* mobile.
mo·bil·ize [ˈməʊbilaɪz] *v.tr.* mobilitare.
moc·casin [ˈmɒkəsɪn] *s.* mocassino.
mock [mɒk] *v.tr.* **1** deridere, burlarsi di **2** imitare ♦ *agg.* finto, simulato.
mocker [ˈ·ə*] *s.*: *to put the mockers on sthg.*, (*fam.*) far naufragare, mandare a monte qlco.
mock·ery [ˈmɒkərɪ] *s.* **1** derisione **2** (*fig.*) beffa, farsa.
modal [ˈməʊdl] *agg.* (*gramm.*) modale, servile.
mod con [ˌmɒdˈkɒn] *s.* comodità, comfort moderno.
mode [məʊd] *s.* **1** modo, maniera **2** moda.
model [ˈmɒdl] *s.* **1** modello **2** modella, indossatrice | *man* –, indossatore ♦ *agg.* modello ♦ (*-lled*) *v.tr.* **1** modellare **2** eseguire secondo modello ♦ *v.intr.* fare la modella, l'indossatrice.
mod·er·ate [ˈmɒdəreɪt] *agg.*, *s.* moderato ♦ *v.tr., intr.* moderare, moderarsi.
mod·era·tion [ˌmɒdəˈreɪʃn] *s.* moderazione: *in* –, con moderazione.
mod·ern [ˈmɒdən] *agg.* moderno.
mod·ern·ize [ˈmɒdənaɪz] *v.tr., intr.* modernizzare, modernizzarsi.
mod·est [ˈmɒdɪst] *agg.* modesto.
mod·esty [ˈmɒdɪstɪ] *s.* modestia.
mod·icum [ˈmɒdɪkəm] *s.* briciolo.
mod·ify [ˈmɒdɪfaɪ] *v.tr., intr.* modificare, modificarsi.
modu·lar [ˈmɒdjʊlə*] *agg.* modulare, componibile.
mo·gul [ˈməʊgʌl] *s.* magnate, pezzo grosso.
moist [mɔɪst] *agg.* umido.
moisten [ˈmɔɪsn] *v.tr., intr.* inumidire, inumidirsi.
mois·ture [ˈmɔɪstʃə*] *s.* umidità.
mois·tur·ize [ˈmɔɪstʃəraɪz] *v.tr.* idratare.
molar [ˈməʊlə*] *agg., s.* (dente) molare.
mold [məʊld] deriv. (*amer.*) → *mould* e deriv.
mole[1] [məʊl] *s.* neo.
mole[2] *s.* talpa.
mole[3] *s.* molo; diga frangiflutti.
mo·lest [məʊˈlest] *v.tr.* molestare.
mo·les·ta·tion [ˌməʊleˈsteɪʃn] *s.* molestia, molestie.
mol·lify [ˈmɒlɪfaɪ] *v.tr.* rabbonire, placare.
mol·lusc [ˈmɒləsk] *s.* mollusco.
mol·ten [ˈməʊltən] *agg.* liquefatto, fuso.
mom [mɒm] (*amer.*) → *mum.*
mo·ment [ˈməʊmənt] *s.* **1** momento | *at the* –, al momento; *at any* –, da un momento all'altro **2** importanza, peso.
mo·ment·ous [məʊˈmentəs] *agg.* importante.
momma [ˈmɒmə] (*amer.*) → *mam*(*ma*).
mon·archy [ˈmɒnəkɪ] *s.* monarchia.
mon·as·tery [ˈmɒnəstərɪ] *s.* monastero.
mon·astic [məˈnæstɪk] *agg.* monastico.
Mon·day [ˈmʌndɪ] *s.* lunedì.
mon·et·ary [ˈmʌnɪtərɪ] *agg.* monetario.
money [ˈmʌnɪ] *s.* denaro, soldi | – *order*, vaglia | *to be rolling in* –, nuotare nell'oro | *to get one's –'s worth*, spendere bene il proprio denaro.

money·box [ˈmʌnɪbɒks] *s.* salvadanaio.
mon·grel [ˈmʌŋgrəl] *s.* **1** (cane) bastardo **2** incrocio, ibrido.
monied [ˈmʌni:d] *agg.* danaroso.
monitor [ˈmɒnɪtə*] *v.tr.* controllare.
monk [mʌŋk] *s.* monaco.
mon·key [ˈmʌŋkɪ] *s.* scimmia.
mono·gram [ˈmɒnəgræm] *s.* monogramma.
mono·graph [ˈmɒnəgrɑ:f *amer.* ˈmɒnəgræf] *s.* monografia.
mono·lin·gual [ˌmɒnəʊˈlɪŋgwəl] *agg.* monolingue.
mono·logue [ˈmɒnəlɒg *amer.* ˈmɒnəlɔ:g] amer. **monolog** *s.* monologo.
mono·pol·ize [məˈnɒpəlaɪz] *v.tr.* monopolizzare.
mono·poly [məˈnɒpəlɪ] *s.* monopolio.
mono·ton·ous [məˈnɒtənəs] *agg.* monotono.
mon·ster [ˈmɒnstə*] *s.* mostro.
mon·strous [ˈmɒnstrəs] *agg.* mostruoso.
mont·age [mɒnˈtɑ:ʒ] *s.* montaggio.
month [mʌnθ] *s.* mese | *a – of Sundays*, un'eternità.
monthly [ˈmʌnθlɪ] *agg.* mensile ♦ *s.* rivista mensile ♦ *avv.* mensilmente.
monu·ment [ˈmɒnjʊmənt] *s.* monumento.
mo·nu·mental [ˌ··ˈ·l] *agg.* monumentale.
moo [mu:] *s.* muggito ♦ *v.intr.* muggire.
mood[1] [mu:d] *s.* (*gramm.*) modo.
mood[2] *s.* umore, stato d'animo.
moody [ˈmu:dɪ] *agg.* **1** capriccioso **2** di cattivo umore.
moon [mu:n] *s.* luna | *once in a blue –*, a ogni morte di papa ♦ *v.intr.* (*about, around*) aggirarsi depresso o sognante.
moon·light [ˈmu:nlaɪt] *s.* chiaro di luna ♦ *v.intr.* (*fam.*) avere un secondo lavoro.
moon·shine [ˈmu:nʃaɪn] *s.* (*fam.*) sciocchezze.
moon·struck [ˈmu:nstrʌk] *agg.* (*fam.*) pazzoide.
moony [ˈmu:nɪ] *agg.* (*fam.*) sognante.
moor[1] [mʊə*] *s.* brughiera.
moor[2] *v.tr., intr.* ormeggiare.
moor·ing [ˈ·rɪŋ] *s.* ormeggio.
mop [mɒp] *s.* **1** spazzolone a frange; scopino (per piatti) **2** (*fam.*) zazzera ♦ (*-pped* [-pt]) *v.tr.* **1** pulire, lavare **2** asciugare.
mope [məʊp] *v.intr.* essere depresso.
mo·ped [ˈməʊped] *s.* motorino.
moral [ˈmɒrəl] *agg., s.* morale.
mor·ale [mɒˈrɑ:l *amer.* mɒˈræl] *s.* morale, stato d'animo.
mor·al·ist [ˈmɒrəlɪst] *s.* moralista.
mor·al·ity [məˈrælətɪ] *s.* moralità.
mor·ass [məˈræs] *s.* palude; pantano.
moray (eel) [ˈmɔ:reɪ(ˈi:l)] *s.* murena.
mor·bid [ˈmɔ:bɪd] *agg.* morboso.
more [mɔ:*] *agg., pron., avv.* più; di più | *a little –*, un po' (di) più | *some –*, ancora un po' | *no –, not any –*, non più.
more·over [mɔ:ˈrəʊvə*] *avv.* inoltre; per di più.
morgue [mɔ:g] *s.* obitorio.
morn·ing [ˈmɔ:nɪŋ] *s.* mattino | *– dress*, tight.
Mo·roc·can [məˈrɒkən] *agg., s.* marocchino.
Mo·rocco [məˈrɒkəʊ] *no.pr.* Marocco.
moron [ˈmɔ:rɒn] *s.* (*fam. spreg.*) deficiente.
mor·ose [məˈrəʊs] *agg.* tetro, cupo.
mor·phine [ˈmɔ:fi:n] **mor·phia** [ˈmɔ:fjə] *s.* morfina.
mor·sel [ˈmɔ:sl] *s.* boccone.

mor·tal [ˈmɔ:tl] *agg., s.* mortale.
mortar [ˈmɔ:tə*] *s.* malta, calcina.
mortarboard [ˈmɔ:təbɔ:d] *s.* tocco accademico.
mort·gage [ˈmɔ:gɪdʒ] *s.* ipoteca ♦ *v.tr.* ipotecare.
mort·ician [mɔ:ˈtɪʃn] *s.* (*amer.*) impresario di pompe funebri.
mor·tify [ˈmɔ:tɪfaɪ] *v.tr., intr.* mortificare, mortificarsi.
mor·tu·ary [ˈmɔ:tʃʊərɪ] *s.* camera ardente.
mo·saic [məʊˈzeɪɪk] *s.* mosaico.
Mos·lem [ˈmɒzləm] *agg., s.* musulmano.
mosque [mɒsk] *s.* moschea.
mos·quito [məˈski:təʊ] (*-os, -oes*) *s.* zanzara.
moss [mɒs] *s.* muschio.
most [məʊst] *agg., pron.* la maggior parte (di); massimo | *at (the)* –, al massimo, tutt'al più | – *of all*, soprattutto ♦ *avv.* più; di più | *it's* – *kind of you*, sei molto gentile.
mostly [ˈməʊstlɪ] *avv.* per lo più.
moth [mɒθ] *s.* farfallina; tarma.
mother [ˈmʌðə*] *s.* madre | – *tongue*, madrelingua.
mother-in-law [ˈ·· · ·] (*mothers-in-law*) *s.* suocera.
moth·er·land [ˈmʌðəlænd] *s.* madrepatria.
moth·erly [ˈmʌðəlɪ] *agg.* materno.
mother-of-pearl [ˌ·· ·ˈ·] *s.* madreperla.
moth-repellent [ˈ· ···] *agg.* antitarmico.
mo·tif [məʊˈti:f] *s.* motivo.
mo·tion [ˈməʊʃn] *s.* **1** moto, movimento | – *picture*, (*amer.*) film **2** mozione, proposta ♦ *v. tr., intr.* far segno: *to* – *s.o. to do*, invitare (con un cenno) qlcu. a.
mo·tiv·ate [ˈməʊtɪveɪt] *v.tr.* motivare.
mo·tiva·tion [ˌ··ˈ·ʃn] *s.* motivazione; motivo.
mo·tive [ˈməʊtɪv] *s.* motivo ♦ *agg.* motore.
mo·tor [ˈməʊtə*] *s.* **1** motore **2** (*fam.*) auto ♦ *v.intr.* viaggiare in automobile.
mo·tor·bike [ˈməʊtəbaɪk] *s.* **1** moto **2** (*amer.*) motorino.
mo·tor·boat [ˈməʊtəbəʊt] *s.* motoscafo.
mo·tor·cycle [ˈməʊtəˌsaɪkl] *s.* motocicletta.
mo·tor·ing [ˈməʊtərɪŋ] *s.* automobilismo.
mo·tor·ist [ˈməʊtərɪst] *s.* automobilista.
mo·tor·way [ˈməʊtəˌweɪ] *s.* autostrada.
mould[1] [məʊld] *s.* forma; stampo ♦ *v.tr.* plasmare, modellare.
mould[2] *s.* muffa ♦ *v.intr.* marcire; ammuffire.
mount[1] [maʊnt] *s.* monte.
mount[2] *v.tr., intr.* montare.
moun·tain [ˈmaʊntɪn *amer.* ˈmaʊntn] *s.* montagna.
moun·tain·eer [ˌ··ˈnɪə*] *s.* alpinista.
moun·tain·eer·ing [ˌ··ˈ·rɪŋ] *s.* alpinismo.
moun·tain·ous [ˈmaʊntɪnəs] *agg.* **1** montuoso **2** (*fig.*) enorme.
mounted [ˈmaʊntɪd] *agg.* a cavallo.
Mountie [ˈmaʊntɪ] *s.* (*fam.*) poliziotto canadese a cavallo.
mourn [mɔ:n] *v.tr., intr.* essere in lutto (per).
mourn·ing [ˈmɔ:nɪŋ] *s.* lutto.
mouse [maʊs] (*mice* [maɪs]) *s.* topo.
mous·tache [məˈstɑ:ʃ] *s.* baffi.
mouth [maʊθ] *s.* **1** bocca **2** apertura.
mouth·ful [ˈmaʊθfʊl] *s.* boccone.

mouth·organ [ˈmaʊθ,ɔ:gən] *s.* armonica a bocca.
mouth·wash [ˈmaʊθwɒʃ] *s.* collutorio.
move [mu:v] *v.tr.* **1** muovere; spostare **2** commuovere **3** proporre ♦ *v.intr.* **1** muoversi; spostarsi | *keep moving!*, *– along!*, circolare! **2** traslocare; trasferirsi ♦ *Verbi frasali*: *to – away*, andarsene | *to – in*, *out*, traslocare (in, da una casa) | *to – off*, partire | *to – over*, far posto ♦ *s.* **1** movimento; mossa **2** trasloco.
mov(e)·able [ˈmu:vəbl] *agg.* mobile.
move·ment [ˈ·mənt] *s.* movimento; meccanismo.
mover [ˈ·ə*] *s.* (*amer.*) chi effettua traslochi.
movie [ˈmu:vi:] *s.* (*amer.*) film; *pl.* cinema | *– theater*, sala cinematografica.
mov·ing [ˈ·ɪŋ] *agg.* commovente.
mow* [məʊ] *v.tr.* tagliare (erba); mietere (grano).
much [mʌtʃ] *agg.*, *pron.*, *s.*, *avv.* molto | *– the best*, di gran lunga il migliore | *– the same as*, più o meno come | *how –?*, quanto? | *too –*, troppo | *nothing –*, ben poco, pochissimo | *as –*, altrettanto; *as*, *so – as*, tanto (...) quanto | *so –*, (così) tanto | *to make – of sthg.*, attribuire grande importanza a qlco. | *– of a muchness*, più o meno la stessa cosa.
muck [mʌk] *s.* **1** letame **2** sporcizia ♦ *v.intr.*: *to – about*, fare lo stupido; perder tempo | *to – in*, condividere | *to – up*, rovinare.
mud [mʌd] *s.* fango.
muddle *v.tr.* mettere in disordine ♦ *s.* confusione.
muddy [ˈmʌdɪ] *agg.* fangoso; infangato.
mud·guard [ˈmʌdgɑ:d] *s.* parafango.
muffle [ˈmʌfl] *v.tr.* **1** imbacuccare **2** attutire.
muf·fler [ˈ·ə*] *s.* silenziatore; marmitta.
mug [mʌg] *s.* **1** tazza; boccale **2** muso **3** babbeo ♦ (*-gged*) *v.tr.* aggredire ♦ *v.intr.*: *to – up*, sgobbare.
muggy [ˈmʌgɪ] *agg.* afoso.
mug shot [ˈ· ·] *s.* (*fam.*) foto segnaletica.
mu·latto [mju:ˈlætəʊ] (*-os*, *-oes*) *agg.*, *s.* mulatto.
mul·berry [ˈmʌlbərɪ] *s.* **1** gelso **2** mora.
mule [mju:l] *s.* mulo.
mull [mʌl] *v.intr.* *to – over*, rimuginare.
mul·let [ˈmʌlɪt] *s.* triglia.
mul·ti·na·tional [,mʌltɪˈnæʃənl] *agg.*, *s.* multinazionale.
mul·tiple [ˈmʌltɪpl] *agg.* multiplo; molteplice ♦ *s.* multiplo.
mul·ti·ply [ˈmʌltɪplaɪ] *v.tr.*, *intr.* moltiplicare, moltiplicarsi.
mul·ti·pur·pose [,mʌltɪˈpɜ:pəs] *agg.* universale; multiuso.
mul·ti·storey [,mʌltɪˈstɔ:rɪ] *agg.* a più piani | *– car park*, autosilo.
mul·ti·tude [ˈmʌltɪtju:d] *s.* moltitudine.
mum[1] [mʌm] *agg.* zitto.
mum[2] *s.* (*fam.*) mamma, mammina.
mumble [ˈmʌmbl] *v.tr.*, *intr.* borbottare.
mummy[1] [ˈmʌmɪ] *s.* mummia.
mummy[2] *s.* (*fam.*) mamma, mammina.
mumps [mʌmps] *s.* orecchioni.
munch [mʌntʃ] *v.tr.*, *intr.* sgranocchiare.
mun·dane [ˈmʌndeɪn] *agg.* banale, terra terra.
mu·ni·cipal [mju:ˈnɪsɪpl] *agg.* municipale; municipalizzato.
mural [ˈmjʊərəl] *agg.*, *s.* murale.

mur·der [ˈmɜ:də*] *s.* **1** assassinio, omicidio **2** (*fam.*) tortura, inferno ♦ *v.tr.* assassinare.
mur·derer [ˈ··rə*] *s.* assassino, omicida.
mur·der·ous [ˈ··rəs] *agg.* omicida; (*fam.*) massacrante.
murky [ˈmɜ:kɪ] *agg.* buio; scuro.
murmur [ˈmɜ:mə*] *s.* mormorio ♦ *v.tr.* mormorare.
mus·ca·tel [mʌskəˈtel] *s.* moscato (vino).
muscle [ˈmʌsl] *s.* muscolo.
Mus·cov·ite [ˈmʌskəʊvaɪt] *agg.*, *s.* moscovita.
Mos·cow [ˈmʌskəʊ] *no.pr.* Mosca.
muse [mju:z] *v.intr.* meditare.
mu·seum [mju:ˈzɪəm] *s.* museo.
mush·room [ˈmʌʃrʊm] *s.* fungo ♦ *v. intr.* proliferare.
music [ˈmju:zɪk] *s.* musica.
mu·sical [ˈ·l] *agg.* **1** musicale | – *box*, carillon **2** appassionato, portato per la musica ♦ *s.* musical.
mu·si·cian [mju:ˈzɪʃn] *s.* musicista.
Mus·lim [ˈmʊzlɪm *amer.* ˈmʌzləm] *agg.*, *s.* musulmano.
mus·sel [ˈmʌsl] *s.* mitilo, cozza.
must[1] [mʌst] *s.* mosto.
must[2] [mʌst (*ff.*) məst, məs (*fd.*)] *modal verb* dovere: *you mustn't tell him*, non devi dirglielo; *it – be late*, dev'essere tardi.
mus·tache [ˈmʌstæʃ] *s.*(*amer.*) baffi.
mus·tard [ˈmʌstəd] *s.* senape.
muster [ˈmʌste*] *v.tr.*, *intr.* radunare, radunarsi ♦ *s.* adunata.
musty [ˈmʌstɪ] *agg.* che sa di muffa.
mute [mju:t] *agg.* muto ♦ *v.tr.* smorzare.
mutiny [ˈmju:tɪnɪ] *v.intr.* ammutinarsi.
mutter [ˈmʌtə*] *v.tr.*, *intr.* borbottare.
mut·ton [ˈmʌtn] *s.* (carne di) montone.
mu·tual [ˈmju:tʃʊəl] *agg.* mutuo; comune.
muzzle [ˈmʌzl] *s.* **1** muso **2** museruola.
my [maɪ] *agg.* mio.
myrtle [ˈmɜ:tl] *s.* mirto.
my·self [maɪˈself] *pron.* **1** mi; me (stesso) | *by* –, da solo **2** io stesso.
mys·ter·ious [mɪˈstɪərɪəs] *agg.* misterioso.
mys·tery [ˈmɪstərɪ] *s.* mistero.
mys·tify [ˈmɪstɪfaɪ] *v.tr.* confondere le idee; disorientare.
myth [mɪθ] *s.* mito.
mytho·logy [mɪˈθɒlədʒɪ] *s.* mitologia.

N

nag [næg] (*-gged*) *v.tr.*, *intr.* brontolare; tormentare.
nail [neɪl] *s.* **1** unghia; artiglio | – *polish* (o *varnish*), smalto (per unghie) **2** chiodo ♦ *v.tr.* **1** inchiodare **2** (*fam.*) afferrare.
naive [nɑ:ˈi:v] *agg.* ingenuo; semplice.
naked [ˈneikid] *agg.* nudo | *the – truth*, la verità pura e semplice.
name [neɪm] *s.* **1** nome **2** reputazione ♦ *v.tr.* **1** dare un nome a **2** nominare.
name·less [ˈ·lɪs] *agg.* **1** anonimo; ignoto **2** innominabile.
namely [ˈ·lɪ] *avv.* cioè, vale a dire.
name·sake [ˈneɪmseɪk] *s.* omonimo.
nanny [ˈnænɪ] *s.* bambinaia, balia.
nap [næp] (*-pped* [-t]) *v.intr.* sonnecchiare ♦ *s.* sonnellino; siesta.
nape [neɪp] *s.* nuca.
nap·kin [ˈnæpkɪn] *s.* tovagliolo.

Na·ples [ˈneɪplz] *no.pr.* Napoli.
nappy [ˈnæpɪ] *s.* pannolino (per bambini).
nar·cissus [nɑːˈsɪsəs] (*-ssi* [-sai]) o *invar. s.* narciso.
nar·cotic [nɑːˈkɒtɪk] *agg., s.* narcotico.
nark [nɑːk] *s.* (*fam.*) informatore.
nar·ra·tion [nəˈreɪʃn] *s.* **1** narrazione **2** (*cinem.*) voce fuori campo.
nar·row [ˈnærəʊ] *agg.* stretto, limitato ♦ *v.tr., intr.* restringere, restringersi.
nar·row·ly [ˈ··lɪ] *avv.* **1** per poco **2** da vicino; a fondo.
narrow-minded [ˌnærəʊˈmaɪndɪd] *agg.* di vedute ristrette.
nasal [ˈneɪzl] *agg., s.* nasale.
nasty [ˈnɑːstɪ *amer.* ˈnæstɪ] *agg.* **1** cattivo **2** brutto; pericoloso.
na·tion [ˈneɪʃn] *s.* nazione.
na·tional [ˈnæʃənl] *agg.* nazionale | *– anthem*, inno nazionale ♦ *s.* cittadino.
na·tion·al·ity [ˌnæʃəˈnælətɪ] *s.* nazionalità; cittadinanza.
na·tion·al·ize [ˈnæʃnəlaɪz] *v.tr.* nazionalizzare.
na·tion·wide [ˌneɪʃnˈwaɪd] *agg.* su scala nazionale ♦ *avv.* per tutto il paese.
nat·ive [ˈneɪtɪv] *agg.* **1** nativo; indigeno: *– speaker*, persona madrelingua **2** innato ♦ *s.* nativo; indigeno.
natty [ˈnætɪ] *agg.* (*fam.*) ordinato; elegante.
nat·ural [ˈnætʃrəl] *agg.* naturale.
nat·ur·al·ist [ˈnætʃrəlɪst] *agg.* naturalistico ♦ *s.* naturalista.
nat·ur·al·ize [ˈnætʃrəlaɪz] *v.tr.* naturalizzare.
nat·ur·ally [ˈnætʃrəlɪ] *avv.* **1** naturalmente; istintivamente; per natura: *dealing with people comes – to him*, gli viene naturale trattare con la gente **2** naturalmente, ovviamente **3** logicamente.
na·ture [ˈneɪtʃə*] *s.* **1** natura **2** indole **3** genere.
naughty [ˈnɔːtɪ] *agg.* **1** birichino **2** sconveniente.
nausea [ˈnɔːsjə *amer.* ˈnɔːzɪə] *s.* nausea.
naus·eate [ˈnɔːsɪeɪt *amer.* ˈnɔːzɪeɪt] *v.tr.* nauseare.
naut·ical [ˈnɔːtɪkl] *agg.* nautico.
naval [ˈneɪvl] *agg.* navale, marittimo.
nave [neɪv] *s.* navata.
na·vel [ˈneɪvl] *s.* ombelico.
nav·ig·able [ˈnævɪgəbl] *agg.* navigabile.
nav·ig·ate [ˈnævɪgeɪt] *v.tr., intr.* **1** navigare **2** pilotare (nave, aereo) **3** farsi strada.
nav·iga·tion [ˌnævɪˈgeɪʃn] *s.* **1** navigazione **2** nautica.
navy [ˈneɪvɪ] *s.* marina militare.
navy (blue) [ˈ··(ˈ·)] *agg.* blu scuro.
Nazi [ˈnɑːtsɪ] *agg., s.* nazista.
Naz·ism [ˈnɑːtsɪzəm] *s.* nazismo.
Nea·pol·itan [nɪəˈpɒlɪtən] *agg., s.* napoletano.
near [nɪə*] *agg.* **1** vicino **2** intimo; stretto ♦ *avv.* **1** vicino **2** quasi ♦ *prep.* vicino a ♦ *v.tr., intr.* avvicinare, avvicinarsi (a).
nearby [ˈnɪəbaɪ *agg.*, nɪəˈbaɪ *avv.*] *agg., avv.* vicino.
nearly [ˈ·lɪ] *avv.* **1** quasi **2** da vicino **3** *not –*, affatto.
neat [niːt] *agg.* **1** ordinato; lindo **2** elegante **3** liscio **4** geniale.
ne·ces·sary [ˈnesəsərɪ *amer.* ˈnesəserɪ] *agg.* **1** necessario **2** inevitabile ♦ *s.* (il) necessario.
ne·ces·sity [nɪˈsesətɪ] *s.* necessità.
neck [nek] *s.* collo.

neck·lace [ˈneklɪs] *s.* collana.
neck·line [ˈneklaɪn] *s.* scollatura.
nec·tar [ˈnektə*] *s.* nettare.
née [neɪ] *agg.* nata.
need [ni:d] *s.* 1 bisogno 2 indigenza ♦ *v.tr., intr.* 1 dovere; occorrere: *he didn't – to hurry*, non c'era bisogno che si affrettasse 2 aver bisogno di ♦ *verbo modale* essere obbligato; essere necessario; occorrere.
needle [ˈni:dl] *s.* 1 ago 2 (*knitting*) –, ferro da calza 3 puntina di grammofono ♦ *v.tr.* (*fam.*) irritare, punzecchiare.
need·less [ˈ·lɪs] *agg.* inutile.
needle·work [ˈni:dlwɜ:k] *s.* cucito.
needy [ˈni:dɪ] *agg.* povero, bisognoso.
neg·at·ive [ˈnegətɪv] *agg.* negativo ♦ *s.* 1 negazione 2 (*fot.*) negativo.
neg·lect [nɪˈglekt] *v.tr.* trascurare ♦ *s.* 1 trascuratezza 2 abbandono.
neg·li·gent [ˈneglɪdʒənt] *agg.* negligente.
ne·go·ti·able [nɪˈgəʊʃjəbl] *agg.* 1 negoziabile: – *price*, prezzo trattabile | (*dir.*) – *instrument*, titolo (di credito) negoziabile, trasferibile 2 (*fam.*) percorribile (di strada).
ne·go·ti·ate [nɪˈgəʊʃɪeɪt] *v.tr.* 1 negoziare 2 (*fam.*) attraversare.
ne·go·ti·ation [nɪˌgəʊʃɪˈeɪʃn] *s.* trattativa, negoziazione.
neigh [neɪ] *v.intr.* nitrire.
neigh·bour [ˈneɪbə*] amer. **neighbor** *s.* vicino; prossimo ♦ *v.tr.* confinare con.
neigh·bour·hood [ˈneɪbəhʊd] *s.* 1 vicinato 2 dintorni | *in the – of*, vicino a; (*fam.*) circa.
nei·ther [ˈnaɪðə* *amer.* ˈni:ðə*] *agg., pron.* né l'uno né l'altro ♦ *cong.* (*seguito da* nor) né ♦ *avv.* neppure, nemmeno.
neo- [ˈni:əʊ] *pref.* neo-.
neo·lo·gism [ni:ˈɒlədʒɪzəm] *s.* neologismo.
neo-Nazi [ˌ·ˈ··] *s., agg.* neonazista.
Nep·al·ese [ˌnepəˈli:z] *agg., s.* nepalese.
nephew [ˈnevju: *amer.* ˈnefju:] *s.* nipote maschio (di zio).
nerve [nɜ:v] *s.* 1 nervo 2 coraggio 3 impudenza 4 nervatura.
nerve-racking [ˈ··,··] *agg.* snervante.
nerve-strain [ˈ··,·] *s.* tensione nervosa.
nerv·ous [ˈnɜ:vəs] *agg.* nervoso.
nest [nest] *s.* 1 nido; tana 2 colonia (di animali) 3 serie ♦ *v.intr.* nidificare.
nest egg [ˈ· ˈ·] *s.* (*fam.*) risparmi.
nestle [ˈnesl] *v.intr.* rannicchiarsi.
nest·ling [ˈneslɪŋ] *s.* uccellino di nido.
net[1] [net] (*-tted*) *v.tr.* realizzare un profitto (di) ♦ *agg.* netto.
net[2] *v.tr.* catturare (con reti) ♦ *s.* rete.
Neth·er·lands [ˈneðələndz] *no.pr.pl.* Paesi Bassi.
net·ting [ˈnetɪŋ] *s.* reticella.
nettle [ˈnetl] *s.* ortica ♦ *v.tr.* pungere, irritare.
nettle rash [ˈ·· ˈ·] *s.* orticaria.
net·work [ˈnetwɜ:k] *s.* rete.
neur(o)- [ˈnjʊər(əʊ) *amer.* ˈnʊr(əʊ)] *pref.* nevr(o)-, neur(o)-.
neur·otic [njʊəˈrɒtɪk] *agg., s.* nevrotico.
neut·ral [ˈnju:trəl *amer.* ˈnu:trəl] *agg.* 1 neutrale 2 neutro ♦ *s.* 1 stato neutrale, persona neutrale 2 (*mecc.*) folle.
neut·ral·ize [ˈnju:trəlaɪz *amer.* ˈnu:trəl aɪz] *v.tr.* neutralizzare.
never [ˈnevə*] *avv.* 1 mai 2 (*fam.*) non.
never-ending [ˌnevərˈendɪŋ] *agg.* interminabile.
nev·er·the·less [ˌnevəðəˈles] *avv.* tuttavia, ciò nonostante.

new [nju: *amer.* nu:] *agg.* nuovo | *New Year*, l'anno nuovo; *New Year's Day*, Capodanno; *New Year's Eve*, il 31 dicembre.
new·born [ˈnju:bɔ:n] *agg.* neonato.
new·fangled [ˈnju:,fæŋgld] *agg.* di nuovo conio.
new-laid [ˈ··] *agg.* (*di uovo*) fresco.
newly [ˈ·lı] *avv.* recentemente.
new·ly·weds [ˈnju:lıwedz] *s.pl.* sposini.
news [nju:z *amer.* nu:z] *s.* **1** notizie | – *conference*, conferenza stampa **2** radiogiornale, telegiornale.
news·agent [ˈnju:z,eıdʒənt] *s.* giornalaio, edicolante.
news·let·ter [ˈnju:zletə*] *s.* bollettino d'informazione.
news·pa·per [ˈnju:s,peıpə*] *s.* giornale, quotidiano.
news·room [ˈnju:zrʊm] *s.* sala stampa.
news·stand [ˈnju:z,stænd] *s.* edicola.
news·worthy [ˈnju:zwɜ:ðı] *agg.* che fa notizia.
newsy [ˈnju:zı] *agg.* (*fam.*) ricco di notizie.
New Zea·land [ˈnju:ˈzi:lənd] *no.pr.* Nuova Zelanda.
New Zea·lander [ˈnju:ˈzi:ləndə*] *s.* neozelandese.
next [nekst] *agg.* **1** più vicino, prossimo; contiguo | – *of kin*, parente stretto **2** prossimo, futuro ♦ *avv.* dopo, poi.
next-door [ˈ·ˈ··] *agg.*, *avv.* accanto, vicino.
nib [nıb] *s.* pennino.
nibble [ˈnıbl] *v.tr.*, *intr.* rosicchiare ♦ *s.* (*fam.*) **1** piccolo morso **2** spuntino.
nice [naıs] *agg.* piacevole; bello; simpatico.
nice-looking [ˈ·ˈ··] *agg.* bello.
nice·ly [ˈ·lı] *avv.* **1** abbastanza bene **2** gentilmente; amabilmente.
ni·cety [ˈnaısətı] *s.* finezza.
niche [nıtʃ] *s.* nicchia.
nick [nık] *s.* **1** tacca; intaglio **2** (*fam.*) prigione **3** *in the – of time*, appena in tempo ♦ *v.tr.* **1** intagliare **2** (*fam.*) rubare **3** (*fam.*) arrestare.
nick·name [ˈnıkneım] *s.* soprannome.
nic·ot·ine [ˈnıkəti:n] *s.* nicotina.
niece [ni:s] *s.* nipote femmina (di zio).
nifty [ˈnıftı] *agg.* **1** molto bello **2** abile; astuto.
Ni·ger·ian [naıˈdʒıərıən] *agg.*, *s.* nigeriano.
nig·gard [ˈnıgəd] *agg.*, *s.* spilorcio.
niggle [ˈnıgl] *v.tr.*, *intr.* (*fam.*) cavillare; assillare.
night [naıt] *s.* **1** notte, sera | – *school*, scuola serale | – *shift*, turno di notte **2** buio, oscurità.
night·dress [ˈnaıtdres] *s.* camicia da notte.
night·in·gale [ˈnaıtıŋgeıl *amer.* ˈnaıtn geıl] *s.* usignolo.
night·life [ˈnaıtlaıf] *s.* vita notturna.
nightly [ˈnaıtlı] *agg.*, *avv.* (di) ogni notte, (di) ogni sera.
night·mare [ˈnaıtmeə*] *s.* incubo.
night owl [ˈ·ˈ·] *s.* (*fam.*) nottambulo.
night·shirt [ˈnaıtʃɜ:t] *s.* camicia da notte (per uomo).
night time [ˈ·ˈ·] *s.* notte, ore notturne ♦ *agg.* notturno.
night watchman [ˈ·ˈ··] (*pl. night watchmen*) *s.* guardiano notturno.
nighty [ˈnaıtı] *s.* (*fam.*) camicia da notte.
nil [nıl] *s.* **1** nulla **2** (*sport*) zero.
nimble [ˈnımbl] *agg.* **1** agile; veloce **2** pronto.
nine [naın] *agg.*, *s.* nove | – *days' wonder*, fuoco di paglia.

nine·teen [,naɪn'ti:n] *agg., s.* diciannove.
ninety ['naɪntɪ] *agg., s.* novanta.
ninth ['naɪnθ] *agg., s.* nono.
nip[1] [nɪp] (*-pped* [-t]) *v.tr.* pizzicare; mordere ♦ *v.intr.* muoversi rapidamente ♦ *s.* pizzicotto; morso | *a – in the air*, freddo.
nip[2] *s.* sorso (di bevanda alcolica).
nip·per ['nɪpə*] *s.* (*fam.*) ragazzino.
nipple ['nɪpl] *s.* **1** capezzolo **2** tettarella.
nippy ['nɪpɪ] *agg.* (*fam.*) **1** agile **2** freddino.
ni·tro·gen ['naɪtrədʒən] *s.* azoto.
ni·tro·gen·ous [naɪ'trɒdʒɪnəs] *agg.* azotato.
nitty-gritty [,nɪtɪ'grɪtɪ] *s.* (*fam.*) nocciolo (di questione).
nit·wit ['nɪtwɪt] *s.* (*fam.*) imbecille.
no [nəʊ] *agg.* **1** nessuno **2** non, niente | *– smoking*, vietato fumare ♦ *avv.* **1** no **2** non: *– less than*, non meno di ♦ *s.* no.
no·bil·ity [nəʊ'bɪlətɪ] *s.* nobiltà.
noble ['nəʊbl] *agg., s.* nobile.
noble·man ['nəʊblmən] (*-men*) *s.* nobiluomo.
no·body ['nəʊbədɪ] *pron.* nessuno ♦ *s.* nullità.
noc·turnal [nɒk'tɜ:nl] *agg.* notturno.
nod [nɒd] (*-dded*) [-dɪd] *v.intr.* **1** fare un cenno col capo **2** ciondolare il capo (per il sonno) **3** *to – off*, (*fam.*) addormentarsi ♦ *v.tr.* indicare (con un cenno del capo) ♦ *s.* cenno del capo.
noddle ['nɒdl] *s.* (*fam.*) testa, zucca.
node [nəʊd] *s.* nodo.
noise [nɔɪz] *s.* rumore ♦ *v.tr.* divulgare, rendere pubblico.
noise·less ['nɔɪzlɪs] *agg.* silenzioso.
noisi·ness ['nɔɪzɪnɪs] *s.* rumore.
no·mad ['nəʊmæd] *s.* nomade.
no·madic [nəʊ'mædɪk] *agg.* nomade.
no-man's-land ['nəʊmænz,lænd] *s.* terra di nessuno.
nom·inal ['nɒmɪnl] *agg.* nominale.
nom·in·ate ['nɒmɪneɪt] *v.tr.* nominare; designare.
nom·inee [,nɒmɪ'ni:] *s.* persona nominata; candidato proposto.
non- [nɒn] *pref.* non, a-; in-.
non-commissioned officer [·kə,mɪʃnd'ɒfɪsə*] *s.* sottufficiale.
non-committal [··'··] *agg.* non impegnativo, vago.
non·con·form·ist [,nɒnkən'fɔ:mɪst] *agg., s.* anticonformista.
non·des·cript ['nɒndɪskrɪpt] *agg.* qualunque.
none [nʌn] *pron.* nessuno; niente: *– of them*, nessuno di loro | *– but*, soltanto ♦ *avv.* per niente, niente affatto.
non·ent·ity [nɒ'nentətɪ] *s.* persona, cosa insignificante.
none·the·less [,nʌnðə'les] *avv.* ciò nonostante, tuttavia.
non-iron [·'··] *agg.* che non necessita stiratura.
non·pay·ment [,nɒn'peɪmənt] *s.* mancato pagamento.
non·plus [,nɒn'plʌs] (*-ssed* [-st]) *v.tr.* sconcertare.
non-profit-making [·'··,··] *agg.* senza fini di lucro.
non·sense ['nɒnsəns *amer.* 'nɒnsens] *s.* assurdità; sciocchezza ♦ *inter.* sciocchezze!; ma va!
non-smoker [·'··] *s.* non fumatore.
non-starter [·'··] *s.* (*fam.*) cosa, idea destinata a fallire.
non·stop [,nɒn'stɒp] *agg.* continuo; diretto ♦ *avv.* ininterrottamente.

non·union [ˌnɒn'ju:njən] *agg.* extrasindacale.
non·vi·ol·ence [ˌnɒn'vaɪələns] *s.* nonviolenza.
nook [nʊk] *s.* cantuccio.
noon [nu:n] *s.* mezzogiorno: *high* –, mezzogiorno in punto.
nor [nɔ:*] *cong.* né, neppure, nemmeno.
Nordic ['nɔ:dɪk] *agg.* nordico.
norm [nɔ:m] *s.* norma.
nor·mal ['nɔ:məl] *agg.* normale.
nor·mal·ize ['nɔ:məlaɪz] *v.tr., intr.* normalizzare, normalizzarsi.
north [nɔ:θ] *agg.* a, del, dal nord, settentrionale | *North America*, America del Nord | *North Sea*, Mare del Nord ♦ *s.* nord, settentrione ♦ *avv.* a nord, verso nord.
north·bound ['·baʊnd] *agg.* diretto a nord.
north·erly ['nɔ:ðəlɪ] *agg.* del, dal nord; settentrionale ♦ *avv.* dal, verso nord.
north·ern ['nɔ:ðn] *agg.* nordico, settentrionale; artico.
north·ward(s) ['·wəd(z)] *avv.* verso nord.
Nor·way ['nɔ:weɪ] *no.pr.* Norvegia.
Nor·we·gian [nɔ:'wi:dʒən] *agg., s.* norvegese.
nose [nəʊz] *s.* naso ♦ *v.intr.* **1** procedere con cautela **2** *to – about*, (*fam.*) curiosare.
nose·bleed ['nəʊzbli:d] *s.* emorragia nasale.
nosedive ['nəʊzdaɪv] *v.intr.* **1** scendere in picchiata **2** crollare (di prezzi ecc.).
nosey ['nəʊzɪ] *agg.* (*fam.*) impiccione.
nosh-up ['nɒʃʌp] *s.* (*fam.*) mangiata.
nos·tal·gia [nɒ'stældʒə] *s.* nostalgia.
nos·tal·gic [nɒs'tældʒɪk] *agg.* nostalgico.
nos·tril ['nɒstrəl] *s.* narice.
not [nɒt] *avv.* non; no | – *at all*, niente affatto.
not·able ['nəʊtəbl] *agg.* notevole; rilevante ♦ *s.* persona eminente.
not·ary (public) ['nəʊtərɪ('pʌblɪk)] *s.* notaio.
notch [nɒtʃ] *v.tr.* **1** intaccare; dentellare **2** (*up*) segnare, fare (un punto).
note [nəʊt] *s.* **1** nota **2** banconota ♦ *v.tr.* **1** notare **2** annotare.
note·book ['nəʊtbʊk] *s.* taccuino.
note·pad ['nəʊtpæd] *s.* notes.
note·paper ['nəʊtpeɪpə*] *s.* carta da lettere.
note·worthy ['nəʊt,wɜ:ðɪ] *agg.* degno di nota.
noth·ing ['nʌθɪŋ] *pron.indef.* nulla, niente ♦ *s.* **1** zero **2** niente; nullità ♦ *avv.* niente affatto.
no·tice ['nəʊtɪs] *s.* **1** avviso; notifica **2** attenzione **3** licenziamento **4** recensione ♦ *v.tr.* fare attenzione a.
no·tice·able ['nəʊtɪsəbl] *agg.* notevole, rilevante.
notice board ['·· '·] *s.* bacheca.
no·tify ['nəʊtɪfaɪ] *v.tr.* notificare.
no·tion ['nəʊʃn] *s.* **1** idea; teoria **2** nozione **3** capriccio.
no·tional ['nəʊʃənl] *agg.* speculativo, teorico.
no·tori·ous [nəʊ'tɔ:rɪəs] *agg.* famigerato.
nou·gat ['nu:gɑ: *amer.* 'nu:gət] *s.* torrone.
nought [nɔ:t] *s.* zero.
noun [naʊn] *s.* sostantivo.
nour·ish ['nʌrɪʃ] *v.tr.* nutrire.
nour·ish·ing ['··ɪŋ] *agg.* nutriente.

nour·ish·ment [ˈ··mənt] *s.* **1** nutrimento **2** nutrizione.
novel [ˈnɒvl] *s.* romanzo.
nov·el·ist [ˈnɒvəlɪst] *s.* romanziere.
nov·elty [ˈnɒvltɪ] *s.* novità.
No·vem·ber [nəʊˈvembə*] *s.* novembre.
now [naʊ] *avv.* **1** ora, adesso | *by* –, a quest'ora; oramai | – *and then*, di quando in quando | *every – and then*, ogni tanto **2** dunque ♦ *s.* il presente.
now·adays [ˈnəʊədeɪz] *avv.* al giorno d'oggi.
no·where [ˈnəʊweə*] *s.* luogo inesistente ♦ *avv.* in nessun luogo.
nox·ious [ˈnɒkʃəs] *agg.* nocivo.
nozzle [ˈnɒzl] *s.* becco, beccuccio.
nu·ance [ˈnjuːɑːns] *s.* sfumatura.
nu·bile [ˈnjuːbaɪl *amer.* ˈnuːbl] *agg.* giovane e attraente (di donna).
nuc·lear [ˈnjuːklɪə*] *agg.* nucleare.
nuclear-free [ˈ····] *agg.* denuclearizzato.
nuc·leus [ˈnjuːklɪəs] *s.* nucleo.
nudge [nʌdʒ] *s.* gomitata.
nud·ist [ˈnjuːdɪst] *agg.*, *s.* nudista.
nug·get [ˈnʌgɪt] *s.* pepita.
nuis·ance [ˈnjuːsns] *s.* noia, seccatura | *public* –, turbativa dell'ordine pubblico.
nuke [njuːk] *s.* (*fam.*) arma nucleare.
null [nʌl] *agg.* nullo.
nul·lify [ˈnʌlɪfaɪ] *v.tr.* annullare.
numb [nʌm] *agg.* intirizzito; intontito ♦ *v.tr.* intirizzire; istupidire.
num·ber [ˈnʌmbə*] *s.* **1** numero, cifra **2** (*fam.*) cosa; articolo ♦ *v.tr.* **1** contare, numerare **2** ammontare a.
num·ber·less [ˈnʌmbəlɪs] *agg.* innumerevole.
num·ber·plate [ˈnʌmbə,pleɪt] *s.* targa (di automobile).
nu·mer·acy [ˈnjuːmərəsɪ] *s.* capacità matematica.
nu·meral [ˈnjuːmərəl] *agg.* numerale ♦ *s.* numero; cifra.
nu·mer·ical [njuːˈmerɪkl] *agg.* numerico.
nu·mer·ous [ˈnjuːmərəs] *agg.* numeroso.
nun [nʌn] *s.* monaca, suora.
nun·nery [ˈnʌnərɪ] *s.* convento (di monache).
nurse [nɜːs] *s.* **1** infermiera: *male* –, infermiere **2** bambinaia: *wet* –, nutrice, balia ♦ *v.tr.* **1** curare; assistere **2** allattare; nutrire **3** cullare ♦ *v.intr.* allattare.
nurse·maid [ˈnɜːsmeɪd] *s.* bambinaia.
nursery [ˈnɜːsərɪ] *s.* **1** camera dei bambini **2** (*day*) –, (asilo) nido | – *school*, asilo; scuola materna | – *rhyme*, filastrocca **3** vivaio.
nurs·ing [ˈnɜːsɪŋ] *agg.* **1** che allatta **2** che cura: – *home*, clinica privata ♦ *s.* **1** allattamento **2** professione di infermiera.
nut [nʌt] *s.* **1** noce; nocciola | *monkey* –, nocciolina americana | *a hard – to crack*, (*fam.*) un osso duro **2** (*mecc.*) dado **3** (*fam.*) matto **4** (*fam.*) testa.
nut·cracker [ˈnʌt,krækə*] *s.* (*anche pl.*) schiaccianoci.
nut·meg [ˈnʌtmeg] *s.* noce moscata.
nu·tri·ent [ˈnjuːtrɪənt] *agg.* nutriente.
nu·tri·tion [njuːˈtrɪʃn] *s.* alimentazione.
nu·tri·tious [njuːˈtrɪʃəs] *agg.* nutriente.
nuts [nʌts] *agg.* (*fam.*) svitato.
nut·shell [ˈnʌtʃel] *s.* guscio di noce | *in a* –, in poche parole.
nutty [ˈnʌtɪ] *agg.* **1** che sa di noce **2** (*fam.*) pazzo.
nuzzle [ˈnʌzl] *v.intr.*, *tr.* strofinare il naso (contro qlco.).
nymph [nɪmf] *s.* ninfa.

O

o [əʊ] *s.* zero.
oaf [əʊf] (*-fs*) *s.* deficiente.
oak [əʊk] *s.* quercia, rovere.
oar [ɔ:*] *s.* remo.
oars·man [ˈɔ:zmən] (*-men*) *s.* rematore.
oasis [əʊˈeɪsɪs] (*-ses* [-si:z]) *s.* oasi.
oath [əʊθ] *s.* 1 giuramento 2 bestemmia; imprecazione.
oat·meal [ˈəʊtmi:l] *s.* farina d'avena.
obedi·ent [əˈbi:djənt] *agg.* obbediente.
obese [əʊˈbi:s] *agg.* obeso.
obey [əˈbeɪ] *v.tr., intr.* obbedire (a).
ob·itu·ary [əˈbɪtjʊərɪ] *s.* necrologio.
ob·ject [ˈɒbdʒɪkt] *s.* 1 oggetto 2 scopo, obiettivo ♦ [əbˈdʒekt] *v.intr.* obiettare (qlco.).
object glass [ˈɒbdʒɪkt,glɑ:s *amer.* ˈɒbdʒɪktglæs] *s.* (*fot., fis.*) obiettivo.
ob·jec·tion [əbˈdʒekʃn] *s.* 1 obiezione 2 avversione 3 inconveniente.
ob·jec·tion·able [əbˈdʒekʃnəbl] *agg.* 1 sgradevole 2 criticabile.
ob·ject·ive [əbˈdʒektɪv] *agg.* oggettivo ♦ *s.* obiettivo.
ob·jector [əbˈdʒektə*] *s.* obiettore.
ob·lig·ate [ˈɒblɪgeɪt] *v.tr.* obbligare.
ob·liga·tion [,ɒblɪˈgeɪʃn] *s.* 1 obbligo 2 debito.
ob·lige [əˈblaɪdʒ] *v.tr.* 1 obbligare 2 fare un favore a.
ob·li·ging [əˈblaɪdʒɪŋ] *agg.* cortese.
ob·lique [əˈbli:k] *agg.* 1 obliquo 2 indiretto.
ob·nox·ious [əbˈnɒkʃəs] *agg.* odioso; sgradevole.
ob·scene [əbˈsi:n] *agg.* osceno.
ob·scure [əbˈskjʊə*] *agg.* oscuro.
ob·scur·ity [əbˈskjʊərətɪ] *s.* oscurità.
ob·serv·ant [əbˈzɜ:vnt] *agg.* osservatore; attento.
ob·ser·va·tion [,ɒbzəˈveɪʃn] *s.* osservazione.
ob·ser·vat·ory [əbˈzɜ:vətrɪ] *s.* osservatorio.
ob·serve [əbˈzɜ:v] *v.tr.* osservare.
ob·sess [əbˈses] *v.tr.* ossessionare.
ob·ses·sion [əbˈseʃn] *s.* ossessione.
ob·sess·ive [əbˈsesɪv] *agg.* ossessivo.
ob·sol·ete [ˈɒbsəli:t] *agg.* obsoleto.
obs·tacle [ˈɒbstəkl] *s.* ostacolo.
ob·stet·ri·cian [,ɒbsteˈtrɪʃn] *s.* (*med.*) ostetrico.
ob·stin·acy [ˈɒbstɪnəsɪ] *s.* ostinazione.
ob·stin·ate [ˈɒbstənət] *agg.* ostinato.
ob·struct [əbˈstrʌkt] *v.tr.* 1 ostruire 2 ostacolare.
ob·tain [əbˈteɪn] *v.tr.* ottenere.
ob·tuse [əbˈtju:s] *agg.* ottuso.
ob·vi·ous [ˈɒbvɪəs] *agg.* ovvio.
oc·ca·sion [əˈkeɪʒn] *s.* 1 occasione | *on* –, all'occorrenza 2 ragione ♦ *v.tr.* causare.
oc·ca·sional [əˈkeɪʒənl] *agg.* occasionale; saltuario.
oc·clu·sion [ɒˈklu:ʒn] *s.* occlusione.
oc·cult [ɒˈkʌlt] *agg., s.* occulto.
oc·cu·pa·tion [,ɒkjʊˈpeɪʃn] *s.* occupazione.
oc·cu·pa·tional [,ɒkju:ˈpeɪʃənl] *agg.* professionale.
oc·cupy [ˈɒkjʊpaɪ] *v.tr.* occupare.
oc·cur [əˈkɜ:*] (*-rred*) *v.intr.* 1 accadere, capitare 2 venire in mente.
ocean [ˈəʊʃn] *s.* oceano.
ochre [ˈəʊkə*] amer. **ocher** *s.* ocra.
oct·ane [ˈɒkteɪn] *s.* ottano.
Oc·to·ber [ɒkˈtəʊbə*] *s.* ottobre.
oc·to·pus [ˈɒktəpəs] (*-ses, -pi* [-paɪ]) *s.* polpo; piovra.

ocu·lar [ˈɒkjʊlə*] *agg.* oculare.
odd [ɒd] *agg.* **1** strano; bizzarro **2** occasionale **3** dispari **4** spaiato, scompagnato | *ten pounds* –, dieci sterline e rotti.
odd·ity [ˈɒdɪtɪ] *s.* **1** stranezza; bizzarria **2** (persona) originale.
odd·ments [ˈɒdmənt] *s.pl.* avanzi; (*comm.*) rimanenze, giacenze.
odds [ɒdz] *s.pl.* **1** pronostico, probabilità | *at* –, in disaccordo **2** quotazione (nelle scommesse).
odds and ends [.·ˈ·] *s.pl.* cianfrusaglie.
ode [əʊd] *s.* ode.
odour [ˈəʊdə*] amer. **odor** *s.* odore.
odys·sey [ˈɒdɪsɪ] *s.* odissea.
of [ɒv (*ff*) əv (*fd*)] *prep.* **1** di **2** da parte di **3** (*amer.*) *three – five*, le tre meno dieci.
off [ɒ:f] *avv.* via: *to take* –, togliere ♦ *prep.* (via) da; fuori di ♦ *agg.* **1** (*fam.*) negativo; fuori fase **2** (*di cibo*) andato a male.
of·fal [ˈɒfl] *s.* frattaglie.
off·beat [ˌɒfˈbi:t] *agg.* (*fam.*) insolito; eccentrico.
of·fence [əˈfens] *s.* **1** (*dir.*) reato; delitto **2** offesa.
of·fend [əˈfend] *v.tr.* offendere.
of·fender [əˈfendə*] *s.* criminale: *first* –, incensurato; *persistent* –, pregiudicato.
offense [əˈfens] (*amer.*) → *offence.*
of·fens·ive [əˈfensɪv] *agg.* offensivo ♦ *s.* offensiva.
of·fer [ˈɒfə*] *v.tr.*, *intr.* offrire, offrirsi ♦ *s.* offerta.
of·fer·ing [ˈɒfərɪŋ] *s.* offerta.
off·hand [ˌɒfˈhænd] *agg.* **1** improvvisato **2** brusco ♦ *avv.* lì per lì.
of·fice [ˈɒfɪs] *s.* **1** ufficio | – *boy*, fattorino **2** carica **3** (*brit.*) *Office*, Ministero: *Foreign*, *Home Office*, Ministero degli Esteri, dell'Interno.
of·ficer [ˈɒfɪsə*] *s.* **1** ufficiale **2** funzionario **3** poliziotto, agente.
of·fi·cial [əˈfɪʃl] *agg.* ufficiale ♦ *s.* funzionario.
of·fi·ci·ate [əˈfɪʃɪeɪt] *v.intr.* officiare.
of·fi·cious [əˈfɪʃəs] *agg.* invadente.
off·ing [ˈɒfɪŋ] *s.*: *in the* –, imminente.
off limits [·ˈ·] *agg.* vietato.
offset [ˈɒfset] (come *set*) *v.tr.* controbilanciare.
off·shoot [ˈɒfʃu:t] *s.* derivato; diramazione.
off·side [ˌɒfˈsaɪd] *agg.*, *avv.* (*sport*) fuori gioco.
off·spring [ˈɒfsprɪŋ] *s.* prole.
of·ten [ˈɒfn] *avv.* spesso, sovente.
ogle [ˈəʊgl] *v.tr.* occhieggiare.
ogre [ˈəʊgə*] *s.* orco.
oh [əʊ] *inter.* oh!, ah!
oil [ɔɪl] *s.* **1** olio **2** petrolio **3** *fuel* –, olio combustibile, nafta ♦ *v.tr.* oliare, ungere.
oil *v.tr.* ungere; lubrificare | *to – the wheels*, spianare la strada | *to – s.o.'s palm*, (*fig.*) ungere le ruote.
oil·cloth [ˈɔɪlklɒθ] *s.* tela cerata.
oil·field [ˈɔɪlfi:ld] *s.* giacimento petrolifero.
oil·rig [ˈɔɪlrɪg] *s.* piattaforma (di trivellazione).
oil·skin [ˈɔɪlskɪn] *s.* **1** tela cerata **2** *pl.* indumenti di tela cerata.
oint·ment [ˈɔɪntmənt] *s.* unguento; pomata.
O.K. [ˌəʊˈkeɪ] **okay** *agg.*, *avv.*, *inter.* (*fam.*) (va) bene, o.k.
old [əʊld] *agg.* **1** vecchio; antico | – *boy*, ex alunno **2** (*in espressioni di età*): *how – are you?*, quanti anni hai?; *I am*

twenty (*years* –), ho vent'anni.
old-fashioned [,·'··] *agg.* antiquato; fuori moda; all'antica.
olean·der [,əʊlɪ'ændə*] *s.* oleandro.
ol·ive ['ɒlɪv] *s.* **1** olivo **2** oliva.
Olym·pic [əʊ'lɪmpɪk] *agg.* olimpico; olimpionico | – *games*, Olimpiadi.
om·elette ['ɒmlɪt] *s.* frittata.
omen ['əʊmən] *s.* presagio.
om·in·ous ['ɒmɪnəs] *agg.* sinistro.
omis·sion [ə'mɪʃn] *s.* omissione.
omit [ə'mɪt] (*-tted*) *v.tr.* omettere.
om·ni·po·tent [ɒm'nɪpətənt] *agg.* onnipotente.
on [ɒn (*ff*) ən (*fd*)] *prep.* **1** su; sopra | – *the radio*, alla radio **2** (*di tempo*): – *Sunday*, domenica; – *Sundays*, alla domenica | – *her arrival*, al suo arrivo ♦ *avv.* **1** su; sopra: *to put* –, metter su, indossare **2** avanti: *to go* –, continuare | *and so* –, e così via | – *and* –, senza fermarsi **3** (*di tempo*): *from now* –, d'ora in poi | – *and off*, di tanto in tanto | *what's – at the cinema?*, cosa danno, fanno al cinema?
once [wʌns] *avv.* **1** una volta: – *in a while*, una volta ogni tanto **2** una volta; un tempo | – *upon a time there was*, c'era una volta **3** *at* –, subito ♦ *cong.* una volta che, quando.
once-over ['··] *s.* (*fam.*) occhiata.
on·co·lo·gist [ɒŋ'kɒlədʒɪst] *s.* (*med.*) oncologo.
on·com·ing ['ɒn,kʌmɪŋ] *agg.* che viene nella nostra direzione.
one [wʌn] *agg.* **1** uno | *act* –, atto primo **2** uno, un certo **3** solo, unico ♦ *pron.* **1** quello | *the little ones*, i bambini; i piccoli **2** uno: – *by* –, uno alla volta | – *another*, l'un l'altro **3** (*costr. impers.*) uno, qualcuno, si: *if – could only...*, se lo si potesse... | –*'s*, (suo) proprio: –*'s friends*, i propri amici ♦ *s.* uno, unità | (*all*) *in* –, insieme, allo stesso tempo; *in ones and twos*, alla spicciolata.
one-man ['wʌn'mæn] *agg.* individuale.
one-off [,·'·] *agg.* (*fam.*) unico; straordinario.
one·self [wʌn'self] *pron.* se stesso, se stessi: *to wash* –, lavarsi | *by* –, da solo, da soli.
one-sided [,·'·] *agg.* unilaterale; parziale.
one-way [,·'·] *agg.* a senso unico | – *ticket*, (biglietto di) sola andata.
on·ion ['ʌnjən] *s.* cipolla.
on·looker ['ɒn,lʊkə*] *s.* spettatore.
only ['əʊnlɪ] *agg.* unico; solo ♦ *avv.* solo, soltanto ♦ *cong.* (*fam.*) solo (che), tranne (che); ma.
on·set ['ɒnset] *s.* inizio.
on·slaught ['ɒnslɔ:t] *s.* attacco.
on-the-spot [,··'·] *agg.* sul posto.
on·ward(s) ['ɒnwəd(z)] *avv.* (in) avanti; oltre.
ooze [u:z] *v.intr.* **1** fluire, colare lentamente ♦ *v.tr.* trasudare, stillare.
opaque [əʊ'peɪk] *agg.* opaco.
open ['əʊpən] *agg.* aperto | *wide* –, spalancato ♦ *v.tr.* aprire ♦ *v.intr.* **1** aprire, aprirsi **2** dare (su): *the two rooms – into each other*, le due stanze sono comunicanti **3** iniziare ♦ *s.*: *in the* –, all'aperto.
open-air [,əʊpən'eə*] *agg.* all'aria aperta.
open day ['··] *s.* giorno d'apertura al pubblico (di scuola ecc.).
open-ended [,·'··] *agg.* aperto; senza limiti precesi.
opener ['əʊpnə*] *s.* apriscatole; apribottiglie.

open-handed [,·'··] *agg.* generoso.
open·ing ['əʊpnɪŋ] *s.* **1** apertura | – *night*, prima (a teatro ecc.) **2** occasione.
open-minded [,·'··] *agg.* di larghe vedute.
op·era ['ɒpərə] *s.*: (*grand*) –, opera lirica | – *house*, teatro lirico | – *glasses*, binocolo da teatro.
op·er·ate ['ɒpəreɪt] *v.intr., tr.* **1** operare **2** (far) funzionare.
op·er·atic [,ɒpə'rætɪk] *agg.* di opera, lirico.
op·era·tion [,ɒpə'reɪʃn] *s.* **1** operazione **2** funzione; vigore **3** funzionamento.
op·era·tional [,ɒpə'reɪʃənl] *agg.* operativo.
op·er·at·ive ['ɒpərətɪv] *agg.* operante.
op·er·ator ['ɒpəreɪtə*] *s.* **1** operatore **2** (*tel.*) centralinista.
ophthalmologist [ɒf'θælmɒlədʒɪst] *s.* oculista.
opin·ion [ə'pɪnjən] *s.* opinione: *in my* –, secondo me.
opin·ion·ated [ə'pɪnjəneɪtɪd] *agg.* dogmatico.
opium ['əʊpjəm] *s.* oppio.
op·pon·ent [ə'pəʊnənt] *s.* avversario.
op·por·tune ['ɒpətju:n] *agg.* opportuno; tempestivo.
op·por·tun·ist ['ɒpətju:nɪst] *s.* opportunista.
op·por·tun·ity [,ɒpə'tju:nətɪ] *s.* occasione; opportunità.
op·pose [ə'pəʊz] *v.tr.* opporre; opporsi a.
op·pos·ite ['ɒpəzɪt] *agg., s.* opposto ♦ *avv., prep.* di fronte (a), dirimpetto (a).
op·posi·tion [,ɒpə'zɪʃn] *s.* opposizione.
op·press [ə'pres] *v.tr.* opprimere.
op·pres·sion [ə'preʃn] *s.* oppressione.
op·press·ive [ə'presɪv] *agg.* oppressivo, opprimente.
opt [ɒpt] *v.intr.* optare.
op·tic(al) ['ɒptik(l)] *agg.* ottico.
op·ti·cian [ɒp'tɪʃn] *s.* ottico.
op·tim·ist ['ɒptɪmɪst] *s.* ottimista.
op·tim·ize ['ɒptɪmaɪz] *v.tr.* ottimizzare.
op·tion ['ɒpʃn] *s.* opzione.
op·tional ['ɒpʃənl] *agg.* facoltativo.
or [ɔ:*] *cong.* **1** o; oppure **2** (*con negazione*) né.
or·acle ['ɒrəkl] *s.* oracolo.
oral ['ɔ:rəl] *agg., s.* orale.
or·ange ['ɒrɪndʒ] *s.* arancia; arancio ♦ *agg.* arancione.
or·ange·ade [,ɒrɪndʒ'eɪd] *s.* aranciata.
or·ator ['ɒrətə*] *s.* oratore.
or·bit ['ɔ:bɪt] *s.* orbita.
orch·ard ['ɔ:tʃəd] *s.* frutteto.
or·ches·tra ['ɔ:kɪstrə] *s.* orchestra.
orchid ['ɔ:kɪd] *s.* orchidea.
or·deal [ɔ:'di:l] *s.* dura prova.
or·der ['ɔ:də*] *s.* ordine | *postal* –, vaglia postale | *in* – *that*, affinché; *in* – *to*, per, allo scopo di ♦ *v.tr.* comandare, ordinare.
or·derly ['ɔ:dəlɪ] *agg.* ordinato ♦ *s.* **1** inserviente (d'ospedale) **2** attendente.
or·dinal ['ɔ:dɪnl] *agg., s.* ordinale.
or·din·ary ['ɔ:dṇrɪ] *agg.* ordinario; comune.
ore [ɔ:*] *s.* minerale.
oreg·ano [əʊ'regənəʊ] *s.* origano.
or·gan ['ɔ:gən] *s.* organo.
or·ganic [ɔ:'gænɪk] *agg.* organico.
or·gan·ism ['ɔ:gənɪzəm] *s.* organismo.
or·gan·iza·tion [,ɔ:gənaɪ'zeɪʃn *amer.* ,ɔ:gənɪ'zeɪʃn] *s.* organizzazione.
or·gan·ize ['ɔ:gənaɪz] *v.tr.* organizzare.
orgy ['ɔ:dʒɪ] *s.* orgia.

ori·ent·(ate) [ˈɔːrɪənt(eɪt)] *v.tr.* orientare.
ori·ental [ˌɔːrɪˈentl] *agg., s.* orientale.
ori·enta·tion [ˌɔːrɪenˈteɪʃn] *s.* orientamento.
ori·gin [ˈɒrɪdʒɪn] *s.* origine.
ori·ginal [əˈrɪdʒənl] *agg., s.* originale.
or·na·ment [ˈɔːnəmənt] *s.* ornamento.
or·nate [ɔːˈneɪt] *agg.* elaborato, ricercato.
orphan [ˈɔːfn] *agg., s.* orfano.
orph·an·age [ˈɔːfənɪdʒ] *s.* orfanotrofio.
or·tho·dox [ˈɔːθədɒks] *agg.* ortodosso.
or·tho·paedic [ˌɔːθəʊˈpiːdɪk] amer. **or·thopedic** *agg.* ortopedico.
os·trich [ˈɒstrɪtʃ] *s.* struzzo.
other [ˈʌðə*] *agg., pron.* altro | *every – day*, un giorno sì e uno no | *I saw no one – than John*, non vidi altri che John | *somehow or –*, in un modo o nell'altro.
oth·er·wise [ˈʌðəwaɪz] *avv.* **1** altrimenti **2** per il resto.
ot·ter [ˈɒtə*] *s.* lontra.
ouch [aʊtʃ] *inter.* ahi.
ought [ɔːt] *modal verb* dovere (*al cond.*).
ounce [aʊns] *s.* oncia.
our [ˈaʊə*] *agg.* nostro.
ours [ˈaʊəz] *pron.* il nostro.
our·selves [ˌaʊəˈselvz] *pron.* **1** ci, noi stessi | *by –*, da noi, da soli **2** (proprio) noi.
oust [aʊst] *v.tr.* estromettere.
out [aʊt] *avv., agg.* **1** fuori, all'esterno | *the secret's –*, il segreto è svelato | *– of*, fuori (da); a corto di, senza; a causa di; *nine times – of ten*, nove volte su dieci **2** sbagliato (di calcolo) **3** fuori moda **4** in sciopero.
out-and-out [ˈ··ˈ·] *agg.* perfetto.
out·bid [ˌaʊtˈbɪd] *v.tr.* offrire di più di.
out·board [ˈaʊtbɔːd] *agg.* fuoribordo.
out·break [ˈaʊtbreɪk] *s.* scoppio.
out·build·ing [ˈaʊtˌbɪldɪŋ] *s.* fabbricato annesso.
out·burst [ˈaʊtbɜːst] *s.* scoppio, accesso.
out·cast [ˈaʊtkɑːst *amer.* ˈaʊtkæst] *s.* emarginato.
out·come [ˈaʊtkʌm] *s.* risultato.
out·cry [ˈaʊtkraɪ] *s.* protesta.
out·dated [ˌaʊtˈdeɪtɪd] *agg.* sorpassato; antiquato.
outdo [ˌaʊtˈduː] (come *do*) *v.tr.* superare.
out·door [ˈaʊtdɔː*] *agg.* esterno; all'aperto.
out·doors [ˌaʊtˈdɔːz] *avv.* all'aperto; fuori di casa.
outer [ˈaʊtə*] *agg.* esterno; lontano dal centro.
out·fit [ˈaʊtfɪt] *s.* completo; equipaggiamento; l'occorrente.
out·go·ing [ˈaʊtˌgəʊɪŋ] *agg.* **1** uscente; in partenza **2** espansivo ♦ *s.pl.* spese; uscite.
out·grow [ˌaʊtˈgrəʊ] (come *grow*) *v.tr.* diventare troppo grande per.
out·house [ˈaʊthaʊs] *s.* edificio annesso.
out·ing [ˈ·ɪŋ] *s.* gita.
out·land·ish [aʊtˈlændɪʃ] *agg.* strano, bizzarro.
out·law [ˈaʊtlɔː] *s.* fuorilegge ♦ *v.tr.* **1** bandire **2** dichiarare illegale.
out·lay [ˈaʊtleɪ] *s.* spesa.
out·let [ˈaʊtlet] *s.* **1** sfogo **2** (*comm.*) sbocco commerciale; punto di vendita.
out·line [ˈaʊtlaɪn] *s.* **1** contorno **2** schema; sommario ♦ *v.tr.* **1** delineare **2** tracciare uno schema, un sommario di.

out·live [,aʊt'lɪv] *v.tr.* sopravvivere a.
out·look ['aʊtlʊk] *s.* **1** prospettiva **2** veduta, modo di vedere.
out·ly·ing ['aʊt,laɪɪŋ] *agg.* isolato; periferico.
out·moded [,aʊt'məʊdɪd] *agg.* antiquato, fuori moda.
out·num·ber [,aʊt'nʌmbə*] *v.tr.* superare in numero.
out-of-date [,··'·] *agg.* fuori moda.
out-of-the-way [,···'·] *agg.* fuori mano.
out·pa·tient ['aʊt,peɪʃnt] *s.* paziente esterno.
out·put ['aʊtpʊt] *s.* produzione.
out·rage ['aʊtreɪdʒ] *s.* oltraggio ♦ *v.tr.* oltraggiare; offendere.
out·ra·geous [aʊt'reɪdʒəs] *agg.* **1** oltraggioso **2** stravagante.
out·right ['aʊt,raɪt] *agg.* netto; franco ♦ [,aʊt'raɪt] *avv.* nettamente; francamente.
out·set ['aʊtset] *s.* inizio.
out·side [,aʊt'saɪd] *prep.* **1** fuori di, all'esterno di **2** al di fuori di; al di là di ♦ *avv.* (di) fuori; all'aperto ♦ ['aʊtsaid] *agg., s.* esterno.
out·sider [,aʊt'saɪdə*] *s.* **1** estraneo **2** atleta, cavallo non favorito.
out·size ['aʊtsaɪz] *agg.* di taglia forte; fuori misura.
out·skirts ['aʊtskɜ:ts] *s.pl.* periferia; sobborghi.
out·spoken [,aʊt'spəʊkən] *agg.* franco, schietto.
out·stand·ing [,aʊt'stændɪŋ] *agg.* **1** notevole **2** (*comm.*) in sospeso.
out·strip [,aʊt'strɪp] (*-pped* [-pt]) *v.tr.* sorpassare; distanziare.
out·ward ['aʊtwəd] *agg.* **1** esterno; esteriore **2** verso l'esterno; d'andata ♦ *avv.* **1** esternamente **2** verso l'esterno.
out·weigh [,aʊt'weɪ] *v.tr.* superare (in valore).
out·wit [,aʊt'wɪt] (*-tted*) *v.tr.* superare in astuzia.
oval ['əʊvl] *agg., s.* ovale.
ova·tion [əʊ'veɪʃn] *s.* ovazione.
oven ['ʌvn] *s.* forno.
over ['əʊvə*] *prep.* **1** su, sopra; al di sopra di | – *the phone*, al telefono **2** dall'altra parte di **3** a causa di, per **4** durante **5** più di, oltre | – *and above*, oltre a ♦ *avv.* **1** (di) sopra, al di sopra; dall'altra parte | – *here*, qui; – *there*, laggiù **2** di più, in più **3** (*per indicare ripetizione*): *three times* –, tre volte di seguito | – *and* – (*again*), ripetutamente | (*all*) – *again*, di nuovo **4** (*nelle comunicazioni*) passo: – *and out*, passo e chiudo ♦ *agg.* terminato, finito.
over- *pref.* sopra; sovra-.
overall ['əʊvərɔ:l] *s.* **1** grembiule, vestaglia da lavoro **2** (*amer.*) tuta.
over·alls ['əʊvərɔ:lz] *s.pl.* **1** tuta **2** (*amer.*) salopette.
over·awe [,əʊvər'ɔ:] *v.tr.* intimidire; impressionare.
over·bal·ance [,əʊvə'bæləns] *v.intr.* perdere l'equilibrio.
over·bear·ing [,əʊvə'beərɪŋ] *agg.* prepotente.
over·board ['əʊvəbɔ:d] *avv.* in mare.
over·book [,əʊvə'bʊk] *v.tr.* prenotare più (posti) di quanti disponibili.
over·cast [,əʊvə'kɑ:st *amer.*,əʊvə'kæst] *agg.* nuvoloso, coperto.
over·charge [,əʊvə'tʃɑ:dʒ] *v.tr.* far pagare troppo caro.
over·coat ['əʊvəkəʊt] *s.* cappotto.
over·come [,əʊvə'kʌm] (come *come*) *v.tr., intr.* vincere.

overdo [ˌəʊvəˈdu:] (come *do*) *v.tr.* **1** esagerare **2** cuocere troppo; far scuocere.

over·dose [ˈəʊvədəʊs] *s.* overdose, dose eccessiva.

over·draft [ˈəʊvədrɑ:ft *amer.* ˈəʊvə dræft] *s.* scoperto (di conto corrente).

overdue [ˌəʊvəˈdju:] *agg.* scaduto; in ritardo.

over·es·tim·ate [ˌəʊvərˈestɪmeɪt] *v.tr.* sopravvalutare.

overflow [ˌəʊvəˈfləʊ] *v.tr.* inondare ♦ *v.intr.* straripare ♦ [ˈəʊvəfləʊ] *s.* sovrabbondanza; eccedenza.

over·grown [ˌəʊvəˈgrəʊn] *agg.* **1** cresciuto troppo **2** coperto di erbacce.

overhang [ˌəʊvəˈhæŋ] *v.intr.* sporgere ♦ [ˈəʊvəhæŋ] *s.* sporgenza.

overhaul [ˌəʊvəˈhɔ:l] *v.tr.* **1** revisionare **2** sorpassare, superare ♦ [ˈəʊvəhɔ:l] *s.* revisione.

over·head [ˌəʊvəˈhed] *agg.* alto; sopra la testa |– *wires*, fili aerei.

over·head *avv.* in alto.

overhead projector [ˌ-·ˈ-·] *s.* lavagna luminosa.

over·heads [ˈəʊvəhedz] *s.pl.* (*comm.*) spese generali.

over·hear [ˌəʊvəˈhɪə*] (come *hear*) *v.tr.* udire per caso.

overhung [ˌəʊvəˈhʌŋ] *pass.*, *p.p.* di to *overhang*.

over·joyed [ˌəʊvəˈdʒɔɪd] *agg.* felicissimo.

over·land [ˌəʊvəˈlænd] *agg.*, *avv.* via terra.

over·lap [ˌəʊvəˈlæp] (*-pped* [-pt]) *v.tr.*, *intr.* sovrapporre, sovrapporsi.

over·leaf [ˌəʊvəˈli:f] *avv.* sul retro della pagina.

over·load [ˌəʊvəˈləʊd] *v.tr.* sovraccaricare.

over·look [ˌəʊvəˈlʊk] *v.tr.* **1** dare su **2** lasciarsi sfuggire **3** tollerare.

over·night [ˌəʊvəˈnaɪt] *agg.* per, di una notte ♦ *avv.* **1** per tutta la notte **2** da un giorno all'altro.

overpaid [ˌəʊvəˈpeɪd] *pass.*, *p.p.* di to *overpay*.

over·pass [ˈəʊvəpɑ:s *amer.* ˈəʊvəpæs] *s.* (*amer.*) cavalcavia.

over·pay [ˌəʊvəˈpeɪ] (come *pay*) *v.tr.* strapagare.

over·power [ˌəʊvəˈpaʊə*] *v.tr.* sopraffare; soffocare.

over·priced [ˌəʊvəˈpraɪst] *agg.* troppo costoso.

overran [ˌəʊvəˈræn] *pass.* di to *overrun*.

over·rate [ˌəʊvəˈreɪt] *v.tr.* sopravvalutare.

over·reach [ˌəʊvəˈri:tʃ] *v.tr.*: *to* – *o.s.*, fare il passo più lungo della gamba.

over·ride [ˌəʊvəˈraɪd] (come *ride*) *v.tr.* calpestare.

over·rule [ˌəʊvəˈru:l] *v.tr.* respingere; (*dir.*) annullare.

over·run [ˌəʊvəˈrʌn] (come *run*) *v.tr.* **1** invadere **2** oltrepassare.

oversaw [ˌəʊvəˈsɔ:] *pass.* di to *oversee*.

over·seas [ˌəʊvəˈsi:z] *agg.*, *avv.* (d') oltremare.

over·see [ˌəʊvəˈsi:] (come *see*) *v.tr.* sorvegliare.

over·shadow [ˌəʊvəˈʃædəʊ] *v.tr.* sovrastare; eclissare.

over·shoot [ˌəʊvəˈʃu:t] (come *shoot*) *v.tr.* oltrepassare.

over·sight [ˈəʊvəsaɪt] *s.* svista.

over·sleep [ˌəʊvəˈsli:p] (come *sleep*)

v.intr. svegliarsi tardi.
over·step [,əʊvə'step] (*-pped* [-pt]) *v.tr.* oltrepassare.
overt ['əʊvɜ:t] *agg.* palese.
over·take [,əʊvə'teɪk] (come *take*) *v.tr.* superare, sorpassare.
over·tax [,əʊvə'tæks] *v.tr.* pretendere troppo da.
over·throw [,əʊvə'θrəʊ] (come *throw*) *v.tr.* rovesciare ♦ ['əʊvəθrəʊ] *s.* crollo; disfatta.
over·time ['əʊvətaɪm] *avv.* oltre l'ora fissata ♦ *s.* straordinario.
over·tone ['əʊvətəʊn] *s.* sottinteso.
overtook [,əʊvə'tʊk] *pass.* di to *overtake.*
over·ture ['əʊvətjʊə*] *s.* approccio.
over·turn [,əʊvə'tɜ:n] *v.tr., intr.* rovesciare, rovesciarsi.
over·weight [,əʊvə'weɪt] *agg.* in sovrappeso.
over·whelm [,əʊvə'welm] *v.tr.* sopraffare; travolgere.
over·work [,əʊvə'wɜ:k] *v.intr.* lavorare troppo ♦ *v.tr.* fare uso eccessivo di ♦ *s.* superlavoro.
over·wrought [,əʊvə'rɔ:t] *agg.* nervoso; teso.
owe [əʊ] *v.tr.* dovere, essere debitore di.
owing to ['əʊɪŋtʊ] *prep.* a causa di.
owl [aʊl] *s.* **1** gufo **2** civetta.
own [əʊn] *agg., pron.* proprio | – *goal,* autogol | *to hold one's* –, tener duro ♦ *v.tr.* possedere.
owner ['əʊnə*] *s.* proprietario.
ox [ɒks] (*oxen* ['ɒksn]) *s.* bue.
ox·ide ['ɒksaɪd] *s.* ossido.
oxy·gen ['ɒksɪdʒən] *s.* ossigeno.
oys·ter ['ɔɪstə*] *s.* ostrica.
ozone ['əʊzəʊn] *s.* ozono.

P

pace [peɪs] *s.* passo; andatura ♦ *v.intr.* camminare | *to – with,* andare di pari passo con.
Pa·ci·fic [pə'sɪfɪk] *agg., no.pr.* Pacifico.
pa·ci·fist ['pæsɪfɪst] *s.* pacifista.
pa·cify ['pæsɪfaɪ] *v.tr.* pacificare.
pack [pæk] *s.* **1** pacco; (*amer.*) pacchetto **2** zaino **3** imballaggio **4** muta (di cani), branco (di lupi) **5** mazzo (di carte) ♦ *v.tr.* **1** imballare; mettere in valigia **2** riempire; stipare **3** *to – in,* smettere **4** *to – off,* mandar via **5** *to – up,* fare (i bagagli); (*fam.*) smettere (di funzionare).
pack·age ['pækɪdʒ] *s.* **1** pacco **2** – (*deal*), pacchetto (di provvedimenti, proposte) | – *tour,* viaggio organizzato ♦ *v.tr.* imballare; impacchettare.
packet ['pækɪt] *s.* pacchetto.
pact [pækt] *s.* patto.
pad [pæd] *s.* **1** imbottitura; cuscinetto (imbottito) **2** notes, blocco di carta **3** cuscinetto carnoso (della zampa) **4** (*aer.*) piattaforma **5** (*fam.*) appartamentino ♦ (*-dded*) *v.tr.* **1** imbottire **2** camminare a passi felpati.
paddle[1] [pædl] *s.* pagaia.
paddle[2] *v.intr.* sguazzare nell'acqua.
paddle steamer ['··] *s.* battello (con ruote a pale).
pad·dock ['pædək] *s.* recinto.
pad·lock ['pædlɒk] *s.* lucchetto.
pae·di·at·ri·cian [,pi:dɪə'trɪʃn] *s.* pediatra.
pa·gan ['peɪgən] *agg.* e *s.* pagano.
page[1] *s.* [peɪdʒ] pagina.
page[2] *v.tr.* chiamare (con l'altoparlante ecc.).
pa·geant ['pædʒənt] *s.* parata; sfilata in costume.

paid [peɪd] *pass., p.p* di to *pay.*
pail [peɪl] *s.* secchio.
pain [peɪn] *s.* **1** dolore | *a – in the neck,* (*fam.*) uno scocciatore; una scocciatura **2** *pl.* fatica, sforzo.
pain·ful [ˈpeɪnfʊl] *agg.* doloroso; penoso.
pain·killer [ˈpeɪnkɪlə*] *s.* calmante.
pain·less [ˈpeɪnlɪs] *agg.* indolore.
pains·tak·ing [ˈpeɪn,steɪkɪŋ] *agg.* diligente, attento.
paint [peɪnt] *s.* pittura, vernice ♦ *v.tr.* dipingere; pitturare; verniciare.
paint·brush [ˈpeɪntbrʌʃ] *s.* pennello.
painter [ˈpeɪntə*] *s.* **1** pittore **2** imbianchino; verniciatore.
paint·ing [ˈpeɪntɪŋ] *s.* quadro.
pair [peə*] *s.* paio; coppia ♦ *v.tr., intr.* appaiare, appaiarsi.
pa·ja·mas [pəˈdʒɑːməs] *s.pl.* (*amer.*) pigiama.
pal [pæl] *s.* (*fam.*) compagno; amico.
pal·ace [ˈpælɪs] *s.* palazzo.
pa·lat·able [ˈpælətəbl] *agg.* appetibile.
pal·ate [ˈpælɪt] *s.* palato.
pale [peɪl] *agg.* pallido ♦ *v.intr.* impallidire.
Pal·es·tine [ˈpæləstaɪn] *no.pr.* Palestina.
Pal·es·tin·ian [,pæləˈstɪnɪən] *agg., s.* palestinese.
pal·ette [ˈpælɪt] *s.* tavolozza.
pall[1] [pɔːl] *s.* **1** drappo funebre **2** (*fig.*) cappa.
pall[2] *v.intr.* stancare.
pal·li·at·ive [ˈpælɪətɪv] *s.* palliativo.
palm[1] [pɑːm] *s.* palma.
palm[2] *s.* palmo ♦ *v.tr.*: *to – off,* affibbiare, rifilare.
palm·ist [ˈpɑːmɪst] *s.* chiromante.
pal·pit·ate [ˈpælpɪteɪt] *v.intr.* palpitare.
pal·try [ˈpɔːltrɪ] *agg.* insignificante.
pam·per [ˈpæmpə*] *v.tr.* viziare.
pamph·let [ˈpæmflɪt] *s.* opuscolo.
pan [pæn] *s.* tegame: *frying –,* padella | (*lavatory*) –, tazza del water ♦ (*-nned*) *v.tr.* (*fam.*) criticare aspramente.
pan·ache [pəˈnæʃ] *s.* eleganza; stile.
pan·cake [ˈpænkeɪk] *s.* frittella.
panda car [ˈpænda,kɑː*] *s.* auto della polizia.
pan·der [ˈpændə*] *v.intr.* (*to*) assecondare.
pane [peɪn] *s.* vetro (di finestra).
panel [pænl] *s.* **1** pannello, lastra **2** gruppo di esperti che prende parte a un dibattito.
pang [pæŋ] *s.* fitta.
panic [ˈpænɪk] *s.* panico ♦ (*-icked* [-ɪkt]) *v.intr.* essere preso dal panico.
pan·or·ama [,pænəˈrɑːmə *amer.* ,pænəˈræmə] *s.* panorama.
pan·or·amic [,pænəˈræmɪk *amer.* ,pænəˈræmɪk] *agg.* panoramico.
pansy [ˈpænzɪ] *s.* **1** viola del pensiero **2** (*sl.*) finocchio, omosessuale.
pant [pænt] *v.intr.* ansimare.
pan·ther [ˈpænθə*] *s.* pantera; (*amer.*) puma.
pant·ies [ˈpæntɪz] *s.pl.* mutandine.
pan·try [ˈpæntrɪ] *s.* dispensa.
pants [pænts] *s.pl.* **1** mutande (da uomo) **2** (*amer.*) pantaloni, calzoni.
papal [peɪpl] *agg.* papale.
pa·per [ˈpeɪpə*] *s.* **1** carta: *blotting –,* carta assorbente; *tissue –,* carta velina; *toilet –,* carta igienica | *on –,* in teoria, sulla carta **2** *pl.* incartamenti, documenti **3** prova scritta (d'esame) **4** articolo; saggio **5** giornale: *– shop,* giornalaio ♦ *v.tr.* tappezzare.
pa·per·back [ˈpeɪpəbæk] *s.* libro in brossura.

paper clip ['··,·] *s.* graffetta.
pa·per·weight ['peɪpəweɪt] *s.* fermacarte.
pa·per·work ['peɪpəwɜ:k] *s.* lavoro d'ufficio.
pap·rika ['pæprɪkə *amer.* pə'pri:kə] *s.* paprica.
pa·pyrus [pə'paɪərəs] *s.* papiro.
par [pɑ:] *s.* pari, parità: *on a – with*, alla pari con.
par·able ['pærəbl] *s.* parabola.
para·chute ['pærəʃu:t] *s.* paracadute.
para·chut·ist ['pærəʃu:tɪst] *s.* paracadutista.
par·ade [pə'reɪd] *s.* **1** parata; sfilata **2** sfoggio **3** passeggiata ♦ *v.tr.* fare sfoggio (di) ♦ *v.intr.* sfilare.
para·dise ['pærədaɪs] *s.* paradiso.
para·dox ['pærədɒks] *s.* paradosso.
para·dox·ical [,pærə'dɒksɪkl] *agg.* paradossale.
par·af·fin ['pærəfɪn] *s.* cherosene: *– wax*, (cera di) paraffina.
para·graph ['pærəgrɑ:f *amer.* 'pærəgræf] *s.* paragrafo | *new –*, a capo.
par·al·lel ['pærəlel] *agg.*, *s.* parallelo ♦ *s.* parallela ♦ (*-led*) *v.tr.* essere paragonabile a.
para·lyse ['pærəlaɪz] *v.tr.* paralizzare.
para·lysis [pə'rælɪsɪs] (*-ses* [-si:z]) *s.* paralisi.
paralyze ['pærəlaɪz] (*amer.*) → *paralyse.*
para·meter [pə'ræmɪtə*] *s.* parametro.
para·mount ['pærəmaʊnt] *agg.* sommo.
para·nor·mal [,pærə'nɔ:ml] *s.* paranormale.
para·pet ['pærəpet] *s.* parapetto.
para·pher·na·lia [,pærəfə'neɪljə] *s.pl.* oggetti (personali).
para·site ['pærəsaɪt] *s.* parassita.
para·trooper ['pærə,tru:pə*] *s.* (*mil.*) paracadutista.
par·cel ['pɑ:sl] *s.* pacco | *– post*, pacco postale.
parch·ment ['pɑ:tʃmənt] *s.* pergamena.
par·don ['pɑ:dn] *v.tr.* perdonare ♦ *s.* **1** perdono | *I beg your –?*, come ha detto?, scusi? **2** grazia.
par·ent ['peərənt] *s.* genitore.
par·en·thesis [pə'renθɪsɪs] (*-ses*) [-si:z]) *s.* parentesi.
par·ish ['pærɪʃ] *s.* parrocchia | *– priest*, parroco.
pa·rish·ioner [pə'rɪʃənə*] *s.* parrocchiano.
Paris ['pærɪs] *no.pr.* Parigi.
Pa·ris·ian [pə'rɪzjən *amer.* pə'rɪʒn] *agg.*, *s.* parigino.
par·ity ['pærətɪ] *s.* parità.
park [pɑ:k] *s.* **1** parco; giardino pubblico **2** (*car*) –, (area da) parcheggio ♦ *v.tr.* parcheggiare, posteggiare.
park·ing ['pɑ:kɪŋ] *s.* parcheggio, posteggio | *no –*, divieto di sosta, di parcheggio | *– meter*, parchimetro.
par·lia·ment ['pɑ:ləmənt] *s.* parlamento.
par·lia·ment·ary [,pɑ:lə'mentərɪ] *agg.* parlamentare.
par·lour ['pɑ:lə*] amer. **parlor** *s.* sala: *beauty –*, salone di bellezza.
Par·mesan ['pɑ:mɪzn *amer.*,pɑ:mɪ'zæn] *s.* (formaggio) parmigiano.
par·ody ['pærədɪ] *s.* parodia.
pa·role [pə'rəʊl] *s.* parola (d'onore).
par·ri·cide ['pærɪsaɪd] *s.* **1** parricida, matricida **2** parricidio, matricidio.
par·rot ['pærət] *s.* pappagallo.
parry ['pærɪ] *v.tr.* schivare, scansare.

pars·ley [ˈpɑːsl] *s.* prezzemolo.
par·son [ˈpɑːsn] *s.* parroco; pastore.
part [pɑːt] *s.* parte | *to take sthg. in good –*, prenderla bene ♦ *v.tr.* dividere ♦ *v. intr.* separarsi.
par·take [pɑːˈteɪk] (come *take*) *v.intr.* partecipare.
par·tial [ˈpɑːʃl] *agg.* parziale.
par·ti·cip·ant [pɑːˈtɪsɪpənt] *s.* partecipante.
par·ti·cip·ate [pɑːˈtɪsɪpeɪt] *v.intr.* (*in*) partecipare, prendere parte (a).
par·ti·cipa·tion [pɑːˌtɪsɪˈpeɪʃn] *s.* partecipazione.
par·ticle [ˈpɑːtɪkl] *s.* particella.
par·ticu·lar [pəˈtɪkjʊlə*] *agg.* **1** particolare **2** esigente; pignolo ♦ *s.* particolare.
par·tisan [ˌpɑːtɪˈzæn *amer.* ˈpɑːtɪzn] *agg.*, *s.* partigiano.
par·ti·tion [pɑːˈtɪʃn] *s.* divisorio.
partly [ˈpɑːtlɪ] *avv.* in parte.
part·ner [ˈpɑːtnə*] *s.* **1** (*comm.*) socio **2** partner, compagno.
part·ner·ship [ˈpɑːtnəʃɪp] *s.* (*comm.*) società.
partook [pɑːˈtʊk] *pass.* di to *partake*.
part·ridge [ˈpɑːtrɪdʒ] *s.* pernice.
part-time [ˌ·ˈtaɪm] *agg.*, *avv.* part time, a orario ridotto.
party [ˈpɑːtɪ] *s.* **1** party, festa **2** comitiva **3** partito politico **4** (*dir.*) parte (in causa) | *third –*, terzi | *the adverse –*, la controparte.
pass[1] [pɑːs *amer.* pæs] *v.tr.* **1** passare **2** sorpassare **3** approvare; promuovere ♦ *v.intr.* **1** passare **2** essere promosso **3** *to – away*, morire **4** *to – out*, (*fam.*) svenire **5** *to – over*, sorvolare su ♦ *s.* **1** passaggio **2** (*a scuola*) sufficienza **3** lasciapassare, permesso **4** tessera, abbonamento.
pass[2] *s.* passo; valico.
pass·able [ˈpɑːsəbl *amer.* ˈpæsəbl] *agg.* passabile.
pas·sage [ˈpæsɪdʒ] *s.* **1** passaggio **2** traversata, viaggio su nave **3** passo, brano.
pas·sen·ger [ˈpæsɪndʒə*] *s.* passeggero.
passer-by [ˌpɑːsəˈbaɪ *amer.* pæsəˈbaɪ] (*passers-by*) *s.* passante.
pas·sion [ˈpæʃn] *s.* passione.
pas·sion·ate [ˈpæʃənət] *agg.* appassionato; passionale.
pas·sion·flower [ˈpæʃnˌflaʊə*] *s.* passiflora.
pass·ive [ˈpæsɪv] *agg.* passivo.
Pass·over [ˈpɑːsˌəʊvə* *amer.* ˈpæs ˌəʊvə*] *s.* Pasqua ebraica.
pass·port [ˈpɑːspɔːt *amer.* ˈpæspɔːt] *s.* passaporto.
pass·word [ˈpɑːswɜːd *amer.* ˈpæswɜːd] *s.* parola d'ordine.
past [pɑːst *amer.* pæst] *agg.*, *s.* passato ♦ *avv.*: *to run –*, passare di corsa ♦ *prep.* oltre; al di là di | *he's – it*, non è più all'altezza | *half – one*, la una e mezzo.
paste [peɪst] *s.* **1** pasta **2** colla **3** strass ♦ *v.tr.* incollare.
paste·board [ˈpeɪstbɔːd] *s.* cartone.
pas·tel [ˈpæstl *amer.* pæˈstel] *agg.*, *s.* pastello.
pas·teur·ize [ˈpæstəraɪz] *v.tr.* pastorizzare.
pas·tille [ˈpæstɪl *amer.* pæˈstiːl] *s.* pastiglia.
pas·time [ˈpɑːstaɪm *amer.* ˈpæstaɪm] *s.* passatempo.
pas·toral [ˈpɑːstərəl *amer.* ˈpæstərəl] *agg.* pastorale.
pas·try [ˈpeɪstrɪ] *s.* **1** pasta (per dolci) |

puff –, pasta sfoglia; *shortcrust* –, pasta frolla 2 pasticcino.
pas·ture [ˈpɑːstʃə* *amer.* ˈpæstʃə*] *s.* pascolo.
pasty[1] [ˈpeɪstɪ] *agg.* smorto, scialbo.
pasty[2] [ˈpæstɪ] *s.* (*cuc.*) pasticcio.
pat [pæt] (*-tted*) *v.tr.* dare un buffetto, un colpetto a ♦ *s.* 1 buffetto, colpetto 2 pezzetto (spec. di burro).
patch [pætʃ] *s.* 1 pezza, toppa 2 appezzamento ♦ *v.tr.* 1 rattoppare 2 *to – up*, rappezzare, sistemare.
patchy [ˈpætʃɪ] *agg.* irregolare.
pa·tent [ˈpeɪtənt *amer.* ˈpætənt] s. brevetto ♦ *agg.* 1 chiaro, evidente 2 brevettato ♦ *v.tr.* brevettare.
pa·ter·nal [pəˈtɜːnl] *agg.* paterno.
pa·tern·ity [pəˈtɜːnətɪ] *s.* paternità.
path [pɑːθ *amer.* pæθ] *s.* 1 sentiero 2 (*fig.*) via.
path·etic [pəˈθetɪk] *agg.* patetico.
pa·tho·lo·gic(al) [ˌpæθəˈlɒdʒɪk(l)] *agg.* patologico.
pa·tience [ˈpeɪʃns] *s.* 1 pazienza 2 (*a carte*) solitario.
pa·tient [ˈpeɪʃnt] *agg.*, *s.* paziente.
pat·ri·arch [ˈpeɪtrɪɑːk *amer.* ˈpætrɪɑːk] *s.* patriarca.
pat·riot [ˈpætrɪət *amer.* ˈpeɪtrɪət] *s.* patriota.
pa·trol [pəˈtrəʊl] *s.* pattuglia; ronda ♦ (*-lled*) *v.intr.* fare la ronda ♦ *v.tr.* pattugliare.
patrol car [pəˈtrəʊl,kɑː] *s.* autopattuglia; (*fam.*) pantera.
pat·ron [ˈpeɪtrən] *s.* 1 protettore; mecenate 2 cliente abituale 3 – *saint*, (santo) patrono.
pat·ron·age [ˈpætrənɪdʒ *amer.* ˈpeɪtrən ɪdʒ] *s.* patronato.
pat·ron·iz·ing [ˈpætrənaɪzɪŋ *amer.* ˈpeɪtrənaɪzɪŋ] *agg.* 1 protettore 2 condiscendente.
patter [ˈpætə*] *s.* picchiettio; ticchettio ♦ *v.intr.* picchiettare.
pat·tern [ˈpætən] *s.* 1 modello; campione 2 disegno.
paunch [pɔːntʃ] *s.* grossa pancia.
pause [pɔːz] *s.* pausa.
pave [peɪv] *v.tr.* pavimentare.
pave·ment [ˈpeɪvmənt] *s.* marciapiede.
pa·vil·ion [pəˈvɪljən] *s.* padiglione.
paw [pɔː] *s.* zampa.
pawn[1] [pɔːn] *v.tr.* impegnare ♦ *s.*: *in* –, in pegno.
pawn[2] *s.* pedone (negli scacchi); (*fig.*) pedina.
pawn·broker [ˈpɔːn,brəʊkə*] *s.* chi presta su pegno.
pawn·shop [ˈpɔːnʃɒp] *s.* monte di pietà; banco dei pegni.
pay* [peɪ] *v.tr.* 1 pagare 2 fare 3 *to – in(to)*, versare 4 *to – off*, saldare 5 *to – out*, sborsare ♦ *v.intr.* 1 pagare 2 rendere ♦ *s.* paga; salario: – *packet*, busta paga | *severance* –, indennità di licenziamento.
PAYE [ˌpiːeɪwaɪˈiː] *s.* ritenuta d'imposta alla fonte.
payee [peɪˈiː] *s.* beneficiario.
pay·ment [ˈpeɪmənt] *s.* pagamento | *down* –, acconto.
pay·off [ˈpeɪɒf] *s.* liquidazione; (*fig.*) resa dei conti.
pay·roll [ˈpeɪrəʊl] *s.* libro paga.
pea [piː] *s.* (*bot.*) pisello.
peace [piːs] *s.* pace.
peace·able [ˈpiːsəbl] *agg.* pacifico.
peace·ful [ˈpiːsfʊl] *agg.* calmo; sereno.
peace·maker [ˈpiːs,meɪkə*] *s.* paciere.
peach [piːtʃ] *s.* 1 pesca; pesco 2 (*fam.*) amore.

pea·cock [ˈpi:kɒk] *s.* pavone.
peak [pi:k] *s.* **1** picco, cima **2** visiera (di berretto) **3** (*fig.*) massimo ♦ *agg.* di massima attività.
peaky [ˈpi:kɪ] *agg.* (*fam.*) pallidino.
peal [pi:l] *s.* **1** scampanio **2** scoppio (di risa).
pea·nut [ˈpi:nʌt] *s.* **1** arachide **2** *pl.* (*fam.*) quattro soldi.
pear [peə*] *s.* pera.
pearl [pɜ:l] *s.* perla.
peas·ant [ˈpeznt] *s.* contadino.
pebble [ˈpebl] *s.* ciottolo.
peck [pek] *v.tr.* **1** beccare **2** (*fam.*) dare un bacio frettoloso a ♦ *v.intr.*: *to – at*, (*fam.*) piluccare ♦ *s.* **1** beccata **2** (*scherz.*) bacetto.
peck·ish [ˈpekɪʃ] *agg.* (*fam.*) che ha un po' di fame.
pe·cu·liar [pɪˈkju:ljə*] *agg.* **1** particolare; tipico **2** strano.
pedal [ˈpedl] *s.* pedale ♦ (*-lled*) *v.intr.* pedalare.
ped·ant [ˈpedənt] *s.* pedante.
pe·dantic [pɪˈdæntɪk] *agg.* pedante.
peddle [ˈpedl] *v.tr.* vendere porta a porta.
ped·dler [ˈpedlə*] *s.* spacciatore.
ped·es·trian [pɪˈdestrɪən] *s.* pedone | *– crossing*, passaggio pedonale; *– precinct*, isola pedonale ♦ *agg.* pedestre.
pe·di·at·rician [ˌpi:dɪəˈtrɪʃn] → *paediatrician*.
pedi·cure [ˈpedɪkjʊə*] *s.* pedicure.
ped·lar [ˈpedlə*] *s.* venditore ambulante.
peek [pi:k] e *deriv.* → *peep*[1] e *deriv.*
peel [pi:l] *v.tr.* sbucciare ♦ *v.intr.* **1** spellarsi; squamarsi **2** scrostarsi ♦ *s.* buccia; scorza.
peel·ings [ˈpi:lɪŋs] *s.pl.* bucce.
peep[1] [pi:p] *v.intr.* sbirciare ♦ *s.* sbirciata, occhiata furtiva.
peep[2] *v.intr.* pigolare ♦ *s.* pigolio.
peep·hole [ˈpi:phəʊl] *s.* spioncino.
peer[1] [pɪə*] *s.* Pari.
peer[2] *v.intr.* guardare attentamente, scrutare.
peev·ish [ˈpi:vɪʃ] *agg.* **1** irritabile **2** stizzito.
peg [peg] *s.* **1** piolo **2** attaccapanni | *off the –*, pronto, confezionato **3** molletta ♦ (*-gged*) *v.tr.* **1** fissare con mollette **2** stabilizzare (prezzi).
Pe·kin·ese [ˌpi:kɪˈni:s] *s.* pechinese.
Pe·king [pi:ˈkɪŋ] *no.pr.* Pechino.
Pe·king·ese [ˌpi:kɪŋˈi:z] *s.* pechinese.
pel·ican [ˈpelɪkən] *s.* pellicano | *– crossing*, attraversamento pedonale a richiesta.
pel·let [ˈpelɪt] *s.* pallottolina.
pelt[1] [pelt] *s.*: *at full –*, a tutta birra, a tutta velocità.
pelt[2] *s.* pelliccia (non conciata).
pen[1] [pen] *s.* penna | *felt-tip –*, pennarello.
pen[2] *s.* recinto per animali.
penal [ˈpi:nl] *agg.* penale.
pen·al·ize [ˈpi:nəlaɪz] *v.tr.* penalizzare.
pen·alty [ˈpenltɪ] *s.* pena; penalità | *– kick*, calcio di rigore.
pen·ance [ˈpenəns] *s.* penitenza.
pence [pens] *pl.* di *penny*.
pen·cil [ˈpensl] *s.* matita ♦ (*-lled*) *v.tr.* scrivere, disegnare a matita.
pen·dant [ˈpendənt] *s.* ciondolo.
pend·ing [ˈpendɪŋ] *agg.* in sospeso; pendente ♦ *prep.* in attesa di.
pen·du·lum [ˈpendjʊləm] *s.* pendolo.
pen·et·rate [ˈpenɪtreɪt] *v.tr.*, *intr.* penetrare.
pen·et·rat·ing [ˈ···ɪŋ] *agg.* penetrante; acuto.

penfriend ['··] *s.* corrispondente.
pen·guin ['peŋgwɪn] *s.* pinguino.
pen·in·sula [pə'nɪnsjʊlə *amer.* pə'nɪn sələ] *s.* penisola.
pen·it·en·tiary [,penɪ'tenʃərɪ] *s.* (*amer.*) penitenziario.
pen·knife ['pənnaɪf] (*-ves* [-vz]) *s.* temperino; coltellino a serramanico.
pen name ['··] *s.* pseudonimo.
penny ['penɪ] (*pennies*, *pence* [pens]) *s.* penny; centesimo.
penny-farthing [,penɪ'fɑ:ðɪŋ] *s.* (*antiq.*) biciclo.
pen·sion ['penʃn] *s.* pensione ♦ *v.tr.*: *to – off*, mandare in pensione.
pen·sioner ['penʃənə*] *s.* pensionato.
pens·ive ['pensɪv] *agg.* pensoso.
pent·house ['penthaʊs] *s.* attico.
pent up ['pent,ʌp] *agg.* represso.
pen·ul·tim·ate [pɪ'nʌltɪmɪt] *agg.* penultimo.
pen·ury ['penjʊrɪ] *s.* miseria.
people ['pi:pl] *s.* **1** popolo **2** (*costr.pl.*) gente **3** (*costr.pl.*) famiglia | *my –*, i miei ♦ *v.tr.* popolare.
pep [pep] *s.* (*fam.*) energia | *– talk*, parole d'incoraggiamento ♦ (*-pped* [-pt] *v.tr.*: *to – up*, stimolare.
pep·per ['pepə*] *s.* **1** pepe **2** peperone ♦ *v.tr.* **1** pepare **2** spargere **3** crivellare.
pep·per·mint ['pepəmɪnt] *s.* menta (piperita).
pep·pery ['pepərɪ] *agg.* pepato.
per [pɜ:* (*ff*) pə* (*fd*)] *prep.* per, a.
per·ceive [pə'si:v] *v.tr.* percepire; accorgersi di.
per·cent·age [pə'sentɪdʒ] *s.* percentuale.
per·cept·ive [pə'septɪv] *agg.* perspicace.
perch[1] [pɜ:tʃ] *s.* posatoio ♦ *v.intr.* appollaiarsi.
perch[2] *s.* pesce persico.
per·col·ate ['pɜ:kəleɪt] *v.tr.*, *intr.* filtrare.
per·col·ator ['pɜ:kəleɪtə*] *s.* caffettiera a filtro.
per·cus·sion [pɜ:'kʌʃn] *s.* percussione.
per·emp·tory [pə'remptərɪ *amer.* 'per əmptɔ:rɪ] *agg.* perentorio; imperioso.
per·en·nial [pə'renjəl] *agg.* perenne.
per·fect ['pɜ:fɪkt] *agg.* perfetto ♦ *v.tr.* perfezionare.
per·fec·tion [pə'fekʃn] *s.* perfezione.
per·fi·di·ous [pə'fɪdɪəs] *agg.* perfido.
per·for·ate ['pɜ:fəreɪt] *v.tr.* perforare.
per·form [pə'fɔ:m] *v.tr.* **1** eseguire; compiere **2** (*teatr.*) rappresentare ♦ *v.intr.* **1** recitare; cantare; suonare **2** funzionare; rendere.
per·form·ance [pə'fɔ:məns] *s.* **1** esecuzione **2** rappresentazione, spettacolo; interpretazione; esecuzione **3** prestazione; rendimento.
per·former [pə'fɔ:mə*] *s.* esecutore; interprete.
per·fume ['pɜfju:m] *s.* profumo ♦ [pə'fju:m] *v.tr.* profumare.
per·func·tory [pə'fʌŋktərɪ] *agg.* superficiale; distratto.
per·haps [pə'hæps] *avv.* forse; magari.
peril ['perɪl] *s.* pericolo, rischio.
peri·meter [pə'rɪmɪtə*] *s.* perimetro.
period ['pɪərɪəd] *s.* **1** periodo **2** ora (di scuola) **3** punto (segno d'interpunzione).
peri·od·ical [,pɪərɪ'ɒdɪkl] *agg.*, *s.* periodico.
peri·pheral [pə'rɪfərəl] *agg.* secondario, marginale.
per·ish ['perɪʃ] *v.intr.* **1** perire **2** deteriorarsi.

per·ish·able [ˈperɪʃəbl] *agg.* deperibile.
per·ish·ing [ˈ··ɪŋ] *agg.* pungente.
peri·ton·itis [ˌperɪtəˈnaɪtɪs] *s.* peritonite.
peri·winkle [ˈperɪˌwɪŋkl] *s.* pervinca.
per·jury [ˈpɜːdʒərɪ] *s.* falsa testimonianza.
perk[1] [ˈpɜːk] *s.* (*fam.*) gratifica.
perk[2] *v.tr.*: *to – up*, rallegrare.
perm [pɜːm] *s.* (*fam.*) permanente.
per·man·ence [ˈpɜːmənəns], **per·man·ency** [ˈpɜːmənənsɪ] *s.* permanenza.
per·man·ent [ˈpɜːmənənt] *agg.* permanente.
per·meable [ˈpɜːmjəbl] *agg.* (*form.*) permeabile.
per·meate [ˈpɜːmɪeɪt] *v.tr.* permeare.
per·mis·sion [pəˈmɪʃn] *s.* permesso | *planning –*, licenza edilizia.
per·miss·ive [pəˈmɪsɪv] *agg.* permissivo.
per·mit [pəˈmɪt] (*-tted*) *v.tr.* permettere ♦ *s.* [ˈpɜːmɪt] permesso (scritto).
per·pen·dic·ular [ˌpɜːpənˈdɪkjʊlə*] *agg.*, *s.* perpendicolare.
per·petual [pəˈpetjʊəl] *agg.* perpetuo.
per·plexed [pəˈplekst] *agg.* perplesso.
per·se·cute [ˈpɜːsɪkjuːt] *v.tr.* perseguitare; molestare.
per·se·cu·tion [ˌpɜːsɪˈkjuːʃn] *s.* persecuzione; molestie.
per·se·vere [ˌpɜːsɪˈvɪə*] *v.intr.* perseverare.
Per·sian [ˈpɜːʃn] *agg.*, *s.* persiano.
per·sist [pəˈsɪst] *v.intr.* persistere.
per·sist·ent [pəˈsɪstənt] *agg.* persistente.
per·son [ˈpɜːsn] *s.* persona.
per·sonal [ˈpɜːsnl] *agg.* personale.
per·son·al·ity [ˌpɜːsəˈnælətɪ] *s.* personalità.
personal stereo [ˌ··ˈ··] *s.* walkman.
per·son·ify [pɜːˈsɒnɪfaɪ] *v.tr.* personificare.
per·son·nel [ˌpɜːsəˈnel] *s.* personale.
per·spect·ive [pəˈspektɪv] *s.* prospettiva.
per·spira·tion [ˌpɜːspəˈreɪʃn] *s.* sudore; traspirazione.
per·suade [pəˈsweɪd] *v.tr.* persuadere.
per·sua·sion [pəˈsweɪʒn] *s.* persuasione.
pert [pɜːt] *agg.* impertinente.
per·tain [pɜːˈteɪn] *v.intr.* riguardare.
per·tin·ent [ˈpɜːtɪnənt] *agg.* pertinente; attinente.
per·use [pəˈruːz] *v.tr.* leggere (attentamente).
per·vade [pɜːˈveɪd] *v.tr.* pervadere.
per·verse [pəˈvɜːs] *agg.* perverso.
per·vert [pəˈvɜːt] *v.tr.* **1** snaturare; travisare **2** pervertire ♦ [ˈpɜːvɜːt] *s.* pervertito.
pess·im·ist [ˈpesɪmɪst] *s.* pessimista.
pest [pest] *s.* **1** animale, insetto infestante **2** (*fam.*) peste.
pes·ter [ˈpestə*] *v.tr.* importunare, seccare.
pes·ti·cide [ˈpestɪsaɪd] *s.* pesticida.
pet [pet] *s.* **1** animale da compagnia **2** beniamino | *– name*, vezzeggiativo ♦ (*-tted*) *v.tr.* coccolare ♦ *v.intr.* (*fam.*) pomiciare.
petal [ˈpetl] *s.* petalo.
peter [ˈpiːtə*] *v.intr.*: *to – out*, esaurirsi.
pe·ti·tion [pɪˈtɪʃn] *s.* petizione ♦ *v.tr.* presentare una petizione a.
pet·rol [ˈpetrəl] *s.* benzina | *– station*, distributore (di benzina).
petrol bomb [ˈ···] *s.* bomba molotov.
pet·ro·leum [pɪˈtrəʊljəm] *s.* petrolio.
pet·ti·coat [ˈpetɪkəʊt] *s.* sottoveste.

petty [ˈpetɪ] *agg.* 1 piccolo; trascurabile 2 meschino; gretto.
petty officer [ˌ·ˈ··] *s.* (*mar.*) sottufficiale.
pet·ulant [ˈpetjʊlənt] *agg.* scontroso.
pew [pju:] *s.* banco (di chiesa).
pew·ter [ˈpju:tə*] *s.* peltro.
phan·tom [ˈfæntəm] *s.* fantasma.
phar·ma·ceut·ical [ˌfɑ:məˈsju:tɪkl] *agg.* farmaceutico.
phar·ma·cist [ˈfɑ:məsɪst] *s.* farmacista.
phar·macy [ˈfɑ:məsɪ] *s.* farmacia.
phase [feɪz] *s.* fase ♦ *v.tr.* programmare | *to – in, out,* introdurre, eliminare gradualmente.
PhD [ˌpi:eɪtʃˈdi:] *s.* dottorato di ricerca.
pheas·ant [ˈfeznt] *s.* fagiano.
phe·nom·enon [fəˈnɒmɪnən] (*-ena* [-ɪnə]) *s.* fenomeno.
phial [ˈfaɪəl] *s.* fiala.
phil·ately [fɪˈlætəlɪ] *s.* filatelia.
Phil·ip·pine [ˈfɪlɪpi:n] *agg.* filippino.
phil·is·tine [ˈfɪlɪstaɪn *amer.* ˈfɪlɪsti:n] *agg., s.* (individuo) rozzo, ignorante.
philo·sopher [fɪˈlɒsəfə*] *s.* filosofo.
philo·sophy [fɪˈlɒsəfɪ] *s.* filosofia.
philtre [ˈfɪltə*] amer. **philter** *s.* filtro, pozione.
phone [fəʊn] *s.* telefono | *– book,* guida del telefono; *– booth, box,* cabina telefonica ♦ *v.tr., intr.* (*fam.*) telefonare (a).
phone-in [ˈ· ·] *s.* trasmissione in cui il pubblico interviene per telefono.
phon·et·ics [fəʊˈnetɪks] *s.* fonetica.
phono- [ˈfəʊnəʊ] *pref.* fono-.
photo [ˈfəʊtəʊ] (*-os*) *s.* (*fam.*) foto.
photo- [ˈfəʊtəʊ] *pref.* foto-.
pho·to·copier [ˌfəʊtəʊˈkɒpɪə*] *s.* fotocopiatrice.
pho·to·copy [ˈfəʊtəʊˌkɒpɪ] *s.* fotocopia ♦ *v.tr.* fotocopiare.
pho·to·graph [ˈfəʊtəgrɑ:f *amer.* ˈfəʊtəgræf] *s.* fotografia ♦ *v.tr.* fotografare.
pho·to·grapher [fəˈtɒgrəfə*] *s.* fotografo.
pho·to·graphy [fəˈtɒgrəfɪ] *s.* fotografia.
phrase [freɪz] *s.* locuzione; espressione ♦ *v.tr.* esprimere.
phys·ical [ˈfɪzɪkl] *agg.* fisico.
physi·cian [fɪˈzɪʃn] *s.* medico.
physi·cist [ˈfɪzɪsɪst] *s.* fisico.
phys·ics [ˈfɪzɪks] *s.* fisica.
phys·ique [fɪˈzi:k] *s.* fisico.
pi·an·ist [ˈpɪənɪst] *s.* pianista.
piano [pɪˈænəʊ] (*-os*) *s.* piano(forte).
pick[1] [pɪk] *s.* piccone.
pick[2] *v.tr.* 1 prendere; tirar via; cogliere (fiori, frutti) 2 scegliere; selezionare 3 togliere | *to – a bone,* spolpare un osso | *to – a lock,* forzare una serratura 4 borseggiare 5 *to – on,* prendersela con 6 *to – out,* mettere in risalto, evidenziare 7 *to – up,* prendere (su), raccogliere; rimorchiare; star meglio ♦ *s.* scelta; il fior fiore.
pick·axe [ˈpɪkæks] *s.* piccone.
picket [ˈpɪkɪt] *s.* picchetto | *– line,* cordone di scioperanti ♦ *v.tr.* picchettare.
pickle [pɪkl] *s.* 1 salamoia 2 *pl.* sottaceti 3 (*fam.*) guaio, pasticcio ♦ *v.tr.* mettere sotto aceto.
pick·pocket [ˈpɪkˌpɒkɪt] *s.* borsaiolo, borseggiatore.
pick-up [ˈ··] *s.* 1 pickup (di giradischi) 2 (*fam.*) persona rimorchiata 3 *–* (*truck*), camioncino.
pic·nic [ˈpɪknɪk] *s.* picnic, scampagnata ♦ (*-nicked* [-nɪkt]) *v.intr.* fare un picnic, fare una scampagnata.
pic·tor·ial [pɪkˈtɔ:rɪəl] *agg.* 1 illustrato 2 pittorico.
pic·ture [ˈpɪktʃə*] *s.* 1 quadro; dise-

gno; illustrazione; fotografia **2** *pl.* film ♦ *v.tr.* **1** dipingere; disegnare; illustrare **2** immaginare.
pic·tur·esque [ˌpɪktʃəˈresk] *agg.* pittoresco.
pid·dling [ˈpɪdlɪŋ] *agg.* (*fam.*) insignificante.
pie [paɪ] *s.* torta; pasticcio.
piece [pi:s] *s.* **1** pezzo | *to take to pieces*, smontare, disfare | *a – of clothing*, un capo di vestiario; *a – of news*, una notizia **2** moneta **3** (*a scacchi*) pezzo ♦ *v.tr.*: *to – together*, mettere insieme; ricostruire.
piece·meal [ˈpi:smi:l] *avv.* pezzo per pezzo.
piece·work [ˈpi:swɜ:k] *s.* lavoro a cottimo, lavoro a forfait.
pier [pɪə*] *s.* **1** molo **2** pilone.
pierce [pɪəs] *v.tr.* forare.
pier·cing [ˈ·ɪŋ] *agg.* penetrante.
piety [ˈpaɪətɪ] *s.* pietà, devozione.
piffle [ˈpɪfl] *s.* (*fam.*) sciocchezza.
pig [pɪg] *s.* maiale, porco; suino.
pi·geon [ˈpɪdʒɪn] *s.* piccione, colombo | *carrier –*, piccione viaggiatore | (*sport*) (*clay*) –, (tiro al) piattello.
pi·geon·hole [ˈpɪdʒɪnhəʊl] *s.* casella.
piggy [ˈpɪgɪ] *agg.* ingordo.
pig·gy·bank [ˈpɪgɪbæŋk] *s.* salvadanaio.
pig·headed [ˌpɪgˈhedɪd] *agg.* ostinato.
pig iron [ˈ·,··] *s.* ghisa grezza.
pig·ment [ˈpɪgmənt] *s.* pigmento.
pig·pen [ˈpɪgpen] *s.* (*amer.*) porcile.
pig·skin [ˈpɪgskɪn] *s.* (pelle di) cinghiale.
pig·sty [ˈpɪgstaɪ] *s.* porcile.
pig·tail [ˈpɪgteɪl] *s.* treccia; codino.
pike [paɪk] *s.* luccio.
pilch·ard [ˈpɪltʃəd] *s.* sardina.
pile[1] [paɪl] *s.* pila; mucchio ♦ *v.tr.* impilare; ammucchiare ♦ *v.intr.* ammassarsi; accalcarsi.
pile[2] *s.* palo.
pile[3] *s.* pelo (di tessuto ecc.).
piles [paɪlz] *s.pl.* (*fam.*) emorroidi.
pile-up [ˈ· ·] *s.* (*fam.*) tamponamento a catena.
pil·fer [ˈpɪlfə*] *v.tr.* rubacchiare.
pil·grim [ˈpɪlgrɪm] *s.* pellegrino.
pil·grim·age [ˈpɪlgrɪmɪdʒ] *s.* pellegrinaggio.
pill [pɪl] *s.* pillola.
pil·lage [ˈpɪlɪdʒ] *s.* (*fam.*) saccheggio ♦ *v.tr.* saccheggiare.
pil·lar [ˈpɪlə*] *s.* pilastro; colonna | *– box*, cassetta per le lettere.
pil·lion [ˈpɪljən] *s.* sellino posteriore.
pil·low [ˈpɪləʊ] *s.* cuscino.
pil·low·case [ˈpɪləʊkeɪs] *s.* federa.
pi·lot [ˈpaɪlət] *s.*, *agg.* pilota | *– burner*, (fiamma) spia ♦ *v.tr.* pilotare.
pimp [pɪmp] *s.* ruffiano, magnaccia.
pimple [ˈpɪmpl] *s.* foruncolo, brufolo.
pin [pɪn] *s.* **1** spillo **2** perno ♦ (*-nned*) *v.tr.* **1** attaccare (con spilli) **2** bloccare, fermare **3** *to – down*, costringere; precisare **4** *to – up*, puntare, attaccare con spilli, puntine.
pin·afore [ˈpɪnəfɔ:*] *s.* **1** grembiule **2** – (*dress*), scamiciato.
pin·ball [ˈpɪnbɔ:l] *s.* flipper.
pin·cers [ˈpɪnsəz] *s.pl.* **1** tenaglie **2** chele.
pinch [pɪntʃ] *v.tr.* **1** pizzicare **2** (*fam.*) rubare ♦ *v.intr.* stringere (di scarpe ecc.) ♦ *s.* **1** pizzicotto **2** pizzico, presa | *at a –*, (*fam.*) se è (proprio) necessario.
pin·cush·ion [ˈpɪn,kʊʃn] *s.* puntaspilli.
pine[1] [paɪn] *s.* pino.
pine[2] *v.intr.* **1** languire **2** *to – for*, bramare.
pine·apple [ˈpaɪn,æpl] *s.* ananas.

pine·cone ['paınkəʊn] *s.* pigna.
pinion ['pınjən] *v.tr.* legare, immobilizzare.
pink [pıŋk] *agg.*, *s.* rosa | *in the –*, in perfetta forma ♦ *s.* garofano.
pin money ['·,·] *s.* argent de poche.
pin·nacle ['pınəkl] *s.* picco; (*fig.*) culmine.
pin·stripe ['pınstraıp] *s.* (abito) gessato.
pint [paınt] *s.* pinta.
pin-up ['· ·] *s.* fotografia da appendere (di donna procace).
pi·on·eer [,paıə'nıə*] *s.* pioniere.
pi·ous ['paıəs] *agg.* pio, devoto.
pip[1] [pıp] *s.* (*fam.*) stelletta (di ufficiale).
pip[2] *s.* seme (di mela, pera ecc.).
pip[3] *s.* segnale acustico.
pipe [paıp] *s.* **1** tubo; tubazione; conduttura **2** flauto, piffero; (*pl.*) cornamusa **3** pipa ♦ *v.tr.* **1** convogliare per mezzo di tubazioni **2** *to – down*, tacere.
pipe dream ['· ·] *s.* (*fam.*) sogno irrealizzabile.
pipe·line ['paıplaın] *s.* gasdotto; oleodotto.
piping ['·ıŋ] *s.* **1** tubature, tubazioni **2** profilo (per abiti).
pi·quant ['pi:kənt] *agg.* piccante.
pique [pi:k] *s.* risentimento.
pir·ate ['paıərıt] *s.* **1** pirata **2** chi riproduce abusivamente (dischi, cassette ecc.) ♦ *v.tr.* riprodurre abusivamente (dischi, cassette ecc.).
pis·ta·chio [pı'stɑ:ʃıəʊ *amer.* pı'stæʃıəʊ] (*-os*) *s.* pistacchio.
pis·tol ['pıstl] *s.* pistola.
pis·ton ['pıstən] *s.* pistone.
pit [pıt] *s.* **1** fossa; buca **2** miniera **3** *orchestra –*, golfo mistico **4** box (di circuito automobilistico) ♦ (*-tted*) *v.tr.* **1** butterare **2** *to – one's wits against*, misurarsi intellettualmente con.
pitch[1] [pıtʃ] *v.tr.* **1** gettare, lanciare **2** rizzare; piantare (tende ecc.) **3** (*mus.*) dare il tono a ♦ *v.intr.* **1** precipitare **2** (*mar.*, *aer.*) beccheggiare **3** *to – in*, collaborare **4** *to – into*, attaccare ♦ *s.* **1** campo sportivo **2** tono; altezza (di suono) **3** posteggio (di venditore ambulante) **4** inclinazione, pendenza.
pitch[2] *s.* pece; bitume.
pitcher[1] ['pıtʃə*] *s.* (*baseball*) lanciatore.
pitcher[2] *s.* brocca.
pit·fall ['pıtfɔ:l] *s.* tranello.
pithy ['pıθı] *agg.* conciso; efficace.
pi·ti·ful ['pıtıfʊl] *agg.* pietoso.
pi·ti·less ['pıtılıs] *agg.* spietato.
pit·tance ['pıtəns] *s.* compenso esiguo; tozzo di pane.
pity ['pıtı] *s.* compassione, pietà | *what a –!*, che peccato! ♦ *v.tr.* avere pietà di.
pivot ['pıvət] *s.* cardine, perno.
plac·ard ['plækɑ:d] *s.* cartellone.
place [pleıs] *s.* **1** posto; luogo | *to take –*, aver luogo, accadere **2** (*sport*) piazzamento **3** posto; impiego ♦ *v.tr.* collocare, mettere | *to – a bet*, fare una scommessa | (*sport*) *to be placed*, piazzarsi | *to – a person*, (*fam.*) ricordarsi chi sia una persona.
place·ment ['pleısmənt] *s.* collocamento.
pla·cid ['plæsıd] *agg.* placido.
pla·gi·ar·ism ['pleıdʒjərızəm] *s.* plagio.
pla·gi·ar·ize ['pleıdʒjəraız] *v.tr.* plagiare.
plague [pleıg] *s.* **1** peste **2** (*fig.*) piaga, flagello ♦ *v.tr.* affliggere.
plaid [plæd] *s.* **1** sciarpa di lana scozzese **2** tessuto scozzese.

plain [pleın] *agg.* **1** chiaro, evidente **2** semplice | *in – clothes*, in borghese **3** insignificante **4** sincero, schietto ♦ *s.* pianura.
plaint·iff [ˈpleıntıf] *s.* (*dir.*) querelante.
plait [plæt] *v.tr.* intrecciare ♦ *s.* treccia.
plan [plæn] *s.* piano; progetto ♦ (*-nned*) *v.tr.* progettare; programmare.
plane[1] [pleın] *s.* aereo ♦ *v.intr.* planare.
plane[2] *agg.*, *s.* piano ♦ *s.* pialla.
plane[3] *s.* platano.
planet [ˈplænıt] *s.* pianeta.
plan·et·arium [ˌplænıˈteərıəm] *s.* planetario.
plan·et·ary [ˈplænıtərı] *agg.* planetario.
plank [plæŋk] *s.* asse, tavola.
plan·ning [ˈplænıŋ] *s.* progettazione | *– permission*, licenza edilizia.
plant [plɑ:nt *amer.* plænt] *s.* **1** pianta **2** impianto; macchinario **3** fabbrica; stabilimento ♦ *v.tr.* **1** piantare **2** (*fam.*) piazzare; mettere addosso.
planta·tion [plænˈteıʃn] *s.* piantagione.
plaque [plɑ:k *amer.* plæk] *s.* placca.
plas·ter [ˈplɑ:stə* *amer.* ˈplæstə*] *s.* **1** intonaco **2** *– (of Paris)*, gesso **3** cerotto ♦ *v.tr.* **1** intonacare **2** ricoprire.
plas·tered [ˈplɑ:stəd *amer.* ˈplæstəd] *agg.* (*fam.*) sbronzo.
plas·tic [ˈplæstık] *s.* plastica | *plastics*, materie plastiche ♦ *agg.* **1** di plastica **2** plastico.
plas·ti·cine [ˈplæstısi:n] *s.* plastilina.
plate [pleıt] *s.* **1** piatto **2** lamiera; lastra; placca **3** targa **4** illustrazione; tavola **5** vasellame (di metallo prezioso) **6** dentiera ♦ *v.tr.* placcare.
plat·form [ˈplætfɔ:m] *s.* **1** piattaforma **2** (*ferr.*) marciapiede; banchina **3** pedana.
plat·inum [ˈplætınəm] *s.* platino.
pla·toon [pləˈtu:n] *s.* plotone.
plaus·ible [ˈplɔ:zəbl] *agg.* plausibile.
play [pleı] *v.tr.*, *intr.* **1** giocare **2** suonare **3** recitare, interpretare **4** accendere; mettere in funzione **5** *to – back*, riascoltare **6** *to – down*, minimizzare **7** *to – off*, mettere uno contro l'altro **8** *to – on*, fare leva su **9** *to – up*, dar fastidio; far capricci ♦ *s.* **1** gioco **2** lavoro teatrale; commedia; tragedia **3** condotta: *fair –*, comportamento leale.
play·bill [ˈpleıbıl] *s.* locandina.
player [ˈpleıə*] *s.* **1** giocatore **2** suonatore.
play·ful [ˈpleıfʊl] *agg.* giocoso, scherzoso.
play·ground [ˈpleıgraʊnd] *s.* parco giochi; cortile (di scuola).
play·group [ˈpleıgru:p] *s.* asilo infantile.
play·house [ˈpleıhaʊs] *s.* teatro.
play·pen [ˈpleıpen] *s.* box, piccolo recinto per bambini.
play·thing [ˈpleıθıŋ] *s.* giocattolo.
play·wright [ˈpleıraıt] *s.* commediografo; drammaturgo.
plea [pli:] *s.* **1** richiesta; appello **2** scusa **3** (*dir.*) difesa; eccezione | *– bargaining*, patteggiamento.
plead [pli:d] *v.intr.* **1** implorare, supplicare **2** addurre a pretesto ♦ *v.intr.* (*dir.*) dchiararsi.
pleas·ant [ˈpleznt] *agg.* **1** piacevole.
please [pli:z] *v.tr.*, *intr.* far piacere (a) | *to – o.s.*, fare il proprio comodo ♦ *avv.*, *inter.* per favore; prego.
pleas·ure [ˈpleʒə*] *s.* piacere.
pleat [pli:t] *s.* piega ♦ *v.tr.* pieghettare.
pledge [pledʒ] *s.* **1** pegno, garanzia **2** promessa ♦ *v.tr.* impegnare; impegnarsi.
plen·ary [ˈpli:nərı] *agg.* plenario.

plen·ti·ful [ˈplentɪfʊl] *agg.* copioso, abbondante.
plenty [ˈplentɪ] *s.* abbondanza.
ple·on·astic [plɪəʊˈnæstɪk] *agg.* pleonastico.
pleur·isy [ˈplʊərəsɪ] *s.* pleurite.
pli·able [ˈplaɪəbl] **pli·ant** [ˈplaɪənt] *agg.* flessibile; (*fig.*) arrendevole.
pli·ers [ˈplaɪəz] *s.pl.* pinza.
plight [plaɪt] *s.* situazione difficile, penosa.
plim·solls [ˈplɪmsəls] *s.pl.* scarpe da tennis.
plod [plɒd] (*-dded*) *v.intr.* **1** arrancare **2** sgobbare.
plonk [plɒŋk] *s.* (*fam.*) vino scadente.
plop [plɒp] *s.* tonfo ♦ (*-pped*) *v.intr.* cadere con un tonfo.
plot [plɒt] *s.* **1** complotto, congiura **2** trama, intreccio **3** appezzamento ♦ (*-tted*) *v.tr.* macchinare ♦ *v.intr.* cospirare.
plough [plaʊ] *s.* aratro ♦ *v.intr.* **1** (*anche tr.*) arare **2** avanzare a fatica.
plow [plaʊ] (*amer.*) → *plough.*
ploy [plɔɪ] *s.* manovra, stratagemma.
pluck [plʌk] *v.tr.* **1** tirare; strappare **2** spennare **3** pizzicare (strumento a corde) **4** *to – up*, fare appello a ♦ *s.* coraggio.
plucky [ˈplʌkɪ] *agg.* coraggioso.
plug [plʌg] *s.* **1** tappo **2** (*elettr.*) spina **3** (*fam.*) pubblicità martellante ♦ (*-gged*) *v.tr.* **1** tappare, turare **2** (*fam.*) reclamizzare **3** *to – in*, attaccare.
plum [plʌm] *s.* prugna; susina ♦ *agg.* ottimo.
plumb [plʌm] *v.tr.* scandagliare | *to – the depths*, (*fig.*) toccare il fondo ♦ *avv.* esattamente.
plumber [ˈ·ə*] *s.* idraulico.
plumb·ing [ˈ·ɪŋ] *s.* impianto idraulico.
plum·met [ˈplʌmɪt] *v.intr.* precipitare.
plump[1] [plʌmp] *agg.* paffuto.
plump[2] *v.intr.* cadere pesantemente ♦ *v.tr.*: *to – for*, scegliere; votare.
plun·der [ˈplʌndə*] *v.tr.* saccheggiare ♦ *s.* bottino.
plunge [plʌndʒ] *v.tr., intr.* tuffare; immergere, immergersi ♦ *s.* immersione; tuffo.
plun·ger [ˈ·ə*] *s.* sturalavandini.
plun·ging [ˈ·ɪŋ] *agg.* profondo.
plural [ˈplʊərəl] *agg., s.* plurale.
plus [plʌs] *prep.* più ♦ *agg.* più di ♦ *s.* **1** più **2** aspetto positivo; vantaggio.
plush [plʌʃ] *s.* felpa ♦ *agg.* lussuoso.
ply[1] [plaɪ] *s.* strato.
ply[2] *v.tr.* **1** usare **2** fare, esercitare **3** (*anche intr.*) fare servizio di linea (su) **4** *to – with*, assillare, importunare.
ply·wood [ˈplaɪwʊd] *s.* (legno) compensato.
pneu·matic [nju:ˈmætɪk *amer.* nu:ˈmætɪk] *agg.* pneumatico.
pneu·mo·nia [nju:ˈməʊnɪə] *s.* polmonite.
poach[1] [pəʊtʃ] *v.tr.* lessare | *poached egg*, uovo in camicia.
poach[2] *v.tr.* **1** cacciare, pescare di frodo **2** (*estens.*) soffiare, portar via.
poacher [ˈ·ə*] *s.* bracconiere; pescatore di frodo.
pocket [ˈpɒkɪt] *s.* **1** tasca | *– edition*, edizione tascabile | *– money*, denaro per le piccole spese | *to be in, out of –*, guadagnarci, rimetterci **2** buca (di biliardo) **3** sacca ♦ *v.tr.* intascare.
pock·marked [ˈpɒkmɑ:kt] *agg.* butterato.
pod [pɒd] *s.* baccello.

podgy [ˈpɒdʒɪ] *agg.* (*fam.*) tracagnotto.
po·dium [ˈpəʊdɪəm] (*-ums*) *s.* podio.
poem [ˈpəʊɪm] *s.* poesia.
poet [ˈpəʊɪt] *s.* poeta.
po·et·ic(al) [pəʊˈetɪk(l)] *agg.* poetico.
po·etry [ˈpəʊɪtrɪ] *s.* poesia.
poign·ant [ˈpɔɪnənt] *agg.* acuto, intenso.
point [pɔɪnt] *s.* **1** punto | *to the* –, pertinente **2** punta, estremità **3** senso, scopo **4** (*elettr.*) puntina; presa di corrente **5** (*ferr.*) scambio ♦ *v.tr.* **1** puntare **2** *to – out*, indicare; far notare ♦ *v. intr.* **1** puntare **2** *to* – at, *to*, indicare, segnare.
point-blank [ˌpɔɪntˈblæŋk] *agg.*, *avv.* a bruciapelo.
point duty [ˈ· ·] *s.* servizio (di vigile addetto al traffico).
poin·ted [ˈpɔɪntɪd] *agg.* **1** appuntito **2** (*fig.*) inteso (per).
pointer [ˈ·ə*] *s.* **1** indicatore **2** suggerimento **3** pointer, cane da punta.
point·less [ˈ·lɪs] *agg.* inutile.
poise [pɔɪz] *s.* equilibrio; compostezza.
poison [ˈpɔɪzn] *s.* veleno ♦ *v.tr.* avvelenare.
pois·on·ous [ˈpɔɪznəs] *agg.* velenoso.
poke [pəʊk] *v.tr.* **1** colpire (di punta) **2** ficcare; cacciare ♦ *s.* gomitata.
poker[1] [ˈ·ə*] *s.* attizzatoio.
poker[2] *s.* (*carte*) poker.
poky [ˈpəʊkɪ] *agg.* (*fam.*) minuscolo.
Pol·and [ˈpəʊlənd] *no.pr.* Polonia.
po·lar [ˈpəʊlə*] *agg.* polare.
pole[1] [pəʊl] *s.* palo, asta.
pole[2] *s.* polo.
Pole *s.* polacco.
pole·cat [ˈpəʊlkæt] *s.* puzzola.
po·lemic [pəʊˈlemɪk] *s.* polemica.
po·lem·ical [pəʊˈlemɪkl] *agg.* polemico.
po·lice [pəˈliːs] *s.* polizia | – *station*, commissariato ♦ *v.tr.* vigilare.
po·lice·man [pəˈliːsmən] (*-men*) *s.* poliziotto, agente; vigile.
po·lice·wo·man [pəˈliːsˌwʊmən] (*-women* [·ˈ·ˌwɪmɪn]) *s.* donna poliziotto.
pol·icy[1] [ˈpɒləsɪ] *s.* politica.
policy[2] *s.* polizza.
po·lio [ˈpəʊlɪəʊ], **po·lio·my·el·itis** [ˌpəʊlɪəʊmaɪəˈlaɪtɪs] *s.* poliomielite.
polish [ˈpɒlɪʃ] *v.tr.* **1** lucidare **2** rendere raffinato ♦ *s.* **1** lucido; smalto **2** (*fig.*) raffinatezza.
Pol·ish [ˈpəʊlɪʃ] *agg.*, *s.* polacco.
po·lite [pəˈlaɪt] *agg.* **1** educato, cortese **2** raffinato, elegante.
po·lit·ical [pəˈlɪtɪkl] *agg.* politico.
po·li·ti·cian [ˌpɒlɪˈtɪʃn] *s.* uomo politico.
po·li·ti·cized [pəˈlɪtɪsaɪzd] *agg.* politicizzato.
pol·it·ics [ˈpɒlɪtɪks] *s.* politica.
polka dot [ˌpɒlkəˈdɒt] *s.* pois.
poll [pəʊl] *s.* **1** votazione, voto; scrutinio **2** sondaggio; inchiesta: *opinion* –, sondaggio d'opinione; *exit polls*, sondaggio elettorale ♦ *v.tr.* **1** ottenere (voti) **2** intervistare (per un sondaggio).
pol·len [ˈpɒlən] *s.* polline.
poll·ing [ˈ·ɪŋ] *s.* votazione | – *booth*, cabina elettorale; – *station*, seggio elettorale.
poll tax [ˈ·ˌ·] *s.* imposta pro capite.
pol·lut·ant [pəˈluːtənt] *s.* (sostanza) inquinante.
pol·lute [pəˈluːt] *v.tr.* inquinare.
pol·lu·tion [pəˈluːʃn] *s.* inquinamento.
polo [ˈpəʊləʊ] *s.* (*sport*) polo | *water* –, pallanuoto.
polo neck [ˈ·ˌ·] *s.* dolcevita, maglia a collo alto.

polo shirt ['·,·] *s.* (maglietta) polo.
poly- ['pɒlɪ] *pref.* poli-.
polyp ['pɒlɪp] *s.* polipo.
poly·sty·rene [,pɒlɪ'staɪri:n] *s.* polistirolo.
poly·tech·nic [,pɒlɪ'teknɪk] *agg.*, *s.* politecnico.
po·man·der [pəʊ'mændə*] *s.* sfera contenente sostanze odorose.
pom·egran·ate ['pɒmɪ,grænɪt] *s.* melagrana.
pom·pous ['pɒmpəs] *agg.* pomposo.
pond [pɒnd] *s.* stagno, laghetto.
ponder ['pɒndə*] *v.intr.* riflettere.
pong [pɒŋ] *s.* (*fam.*) puzzo, puzza ♦ *v.intr.* (*fam.*) puzzare.
pontificate [pɒn'tɪfɪkeɪt] *v.intr.* pontificare.
pon·toon [pɒn'tu:n] *s.* pontone: – *bridge*, ponte di barche.
pony·tail ['pəʊnɪ,teɪl] *s.* (pettinatura a) coda di cavallo.
poodle ['pu:dl] *s.* barboncino.
pool[1] [pu:l] *s.* **1** pozza; pozzanghera **2** (*swimming*) –, piscina.
pool[2] *s.* **1** (*comm.*) fondo comune **2** *pl.* totocalcio ♦ *v.tr.* mettere in un fondo comune.
poor [pʊə*] *agg.* **1** povero | *the* –, i poveri **2** insufficiente; scadente.
poorly ['·lɪ] *agg.* malato ♦ *avv.* male.
pop[1] [pɒp] (*-pped* [-pt]) *v.tr.*, *intr.* **1** (far) scoppiare **2** (*fam.*) mettere velocemente; apparire inaspettatamente ♦ *s.* **1** botto, scoppio **2** bevanda effervescente.
pop[2] *s.* (*fam.*) (musica) pop ♦ *agg.* (*fam.*) popolare.
Pope [pəʊp] *s.* papa.
pop·lar ['pɒplə*] *s.* pioppo.
pop·pet ['pɒpɪt] *s.* (*fam.*) tesoro, amore.
poppy ['pɒpɪ] *s.* papavero.
pop·ular ['pɒpjʊlə*] *agg.* popolare.
popu·late ['pɒpjʊleɪt] *v.tr.* popolare.
popu·la·tion [,pɒpjʊ'leɪʃn] *s.* popolazione.
por·cel·ain ['pɔ:səlɪn] *s.* porcellana.
porch [pɔ:tʃ] *s.* portico.
por·cu·pine ['pɔ:kjʊpaɪn] *s.* istrice; (*fam.*) porcospino.
pore[1] [pɔ:*] *s.* poro.
pore[2] *v.intr.*: *to – over*, studiare, esaminare attentamente.
pork [pɔ:k] *s.* (carne di) maiale.
por·no·graphic [,pɔ:nəʊ'græfɪk] *agg.* pornografico.
por·ous ['pɔ:rəs] *agg.* poroso.
por·ridge ['pɒrɪdʒ *amer.* 'pɔ:rɪdʒ] *s.* porridge, pappa d'avena.
port [pɔ:t] *s.* porto.
port·able ['pɔ:təbl] *agg.* portatile.
portal ['pɔ:tl] *s.* portale.
por·tent ['pɔ:tent] *s.* presagio.
porter[1] ['pɔ:tə*] *s.* facchino.
porter[2] *s.* custode, portiere, portinaio | *–'s lodge*, portineria, guardiola.
port·fo·lio [,pɔ:t'fəʊljəʊ] (*-os*) *s.* **1** cartella **2** (*fin.*, *pol.*) portafoglio.
port·hole ['pɔ:thəʊl] *s.* oblò.
por·tion ['pɔ:ʃn] *s.* porzione; parte ♦ *v.tr.*: *to – out*, dividere.
por·trait ['pɔ:trɪt] *s.* ritratto.
por·tray [pɔ:'treɪ] *v.tr.* descrivere.
Por·tu·gal ['pɔ:tʃʊgl] *no.pr.* Portogallo.
Por·tu·guese [,pɔ:tʃʊ'gi:z] *agg.*, *s.* portoghese.
pose [pəʊz] *v.intr.* posare ♦ *v.tr.* porre, sollevare (problema) ♦ *s.* posa.
posh [pɒʃ] *agg.* **1** (*fam.*) lussuoso **2** snob.
po·si·tion [pə'zɪʃn] *s.* **1** posto **2** posizione ♦ *v.tr.* mettere.

pos·it·ive ['pɒzətɪv] *agg.* 1 positivo 2 vero, effettivo 3 preciso 4 convinto, certo.
pos·sess [pə'zes] *v.tr.* possedere.
pos·ses·sion [pə'zeʃn] *s.* 1 possesso 2 *pl.* beni, proprietà.
pos·sess·ive [pə'zesɪv] *agg.* possessivo.
pos·sessor [pə'zesə*] *s.* possessore.
pos·sib·il·ity [,pɒsə'bɪlətɪ] *s.* possibilità.
pos·sible ['pɒsəbl] *agg.* possibile ♦ *s.* (*fam.*) persona, cosa adatta.
pos·sibly ['pɒsəblɪ] *avv.* forse, può darsi.
post[1] [pəʊst] *s.* posta, corrispondenza; servizio postale | *by return of* –, a giro di posta ♦ *v.tr.* impostare; inviare per posta | *to keep s.o. posted*, tenere qlcu. al corrente.
post[2] *s.* palo; sostegno; puntello ♦ *v.tr.* affiggere.
post[3] *s.* 1 posto; postazione 2 ufficio, carica ♦ *v.tr.* assegnare a un posto.
post·age ['pəʊstɪdʒ] *s.* tariffa postale.
postal ['pəʊstəl] *agg.* postale.
post·card ['pəʊstkɑ:d] *s.* cartolina.
post·code ['pəʊst,kəʊd] *s.* codice postale.
poster ['pəʊstə*] *s.* manifesto.
poste restante [,pəʊst'restɑ:nt *amer.* ,pəʊst,re'stænt] *s.* fermo posta.
pos·ter·ior [pɒ'stɪərɪə*] *agg.*, *s.* posteriore.
post·gradu·ate [,pəʊst'grædjʊɪt] *s.* laureato che segue un corso di perfezionamento.
post·hum·ous ['pɒstjʊməs] *agg.* postumo.
post·man ['pəʊstmən] (*-men*) *s.* postino.
post·mark ['pəʊstmɑ:k] *s.* timbro postale.
post·mas·ter ['pəʊst,mɑ:stə*] *s.* direttore di ufficio postale.
post·mortem [,pəʊst'mɔ:təm] *s.* autopsia.
post·natal [,pəʊst'neɪtl] *agg.* neonatale.
post office ['pəʊst,ɒfɪs] *s.* ufficio postale.
post·pone [,pəʊst'pəʊn] *v.tr.* posporre, rimandare.
post·script ['pəʊsskrɪpt] *s.* poscritto.
posy ['pəʊzɪ] *s.* mazzolino di fiori.
pot [pɒt] *s.* 1 vaso; barattolo; pentola | *pots and pans*, batteria da cucina 2 teiere 3 *pl.* (*fam.*) sacco 4 (*sl.*) erba ♦ (*-tted*) *v.tr.* 1 piantare (in vaso) 2 (*biliardo*) mandare (la palla) in buca.
po·tato [pə'teɪtəʊ] (*-oes*) *s.* patata.
pot·belly ['pɒt,belɪ] *s.* pancione.
po·tent ['pəʊtənt] *agg.* potente; efficace.
pot·hole ['pɒthəʊl] *s.* buca (in una strada)
pot·holer ['pɒt,həʊlə*] *s.* speleologo dilettante.
pot·luck [,pɒt'lʌk] *s.* quello che c'è.
pot·shot ['pɒt,ʃɒt] *s.* (*fam.*) colpo sparato a casaccio.
pot·ted ['pɒtɪd] *agg.* 1 (*di cibo*) conservato 2 (*di pianta*) in vaso 3 (*fam.*) condensato, ridotto.
pot·ter[1] ['pɒtə*] *s.* vasaio.
potter[2] *v.intr.* gingillarsi.
pot·tery ['pɒtərɪ] *s.* 1 (oggetti in) ceramica 2 fabbrica di ceramiche.
potty[1] ['pɒtɪ] *agg.* (*fam.*) matto, pazzo.
potty[2] *s.* (*fam.*) vasino (per bambini).
pouch [paʊtʃ] *s.* 1 borsa 2 marsupio.
pouffe [pu:t] *s.* pouf, sgabello imbottito.
poulterer ['pəʊltərə*] *s.* pollivendolo.

poultry [ˈpəʊltrɪ] *s.* pollame.
pounce [paʊns] *v.intr.* avventarsi; piombare ♦ *s.* balzo.
pound[1] [paʊnd] *s.* **1** libbra **2** lira sterlina.
pound[2] *v.tr.* **1** colpire ripetutamente **2** schiacciare; frantumare **3** (*del cuore*) battere velocemente ♦ *v.intr.* muoversi con passo pesante.
pound[3] *s.* **1** ricovero per animali randagi **2** deposito veicoli rimossi.
pour [pɔ:*] *v.intr.* **1** riversarsi; sgorgare **2** diluviare, piovere a dirotto ♦ *v.tr.* (*out*) versare.
pout [paʊt] *v.intr.* fare il broncio ♦ *s.* broncio.
pov·erty [ˈpɒvətɪ] *s.* povertà.
pow·der [ˈpaʊdə*] *s.* **1** polvere **2** (*face*) –, cipria: – *puff*, piumino da cipria | – *room*, toilette per signore ♦ *v.tr.* **1** spolverizzare **2** incipriare.
powdered [ˈpaʊdəd] *agg.* in polvere.
powder keg [ˈ·· ·] *s.* (*fig.*) polveriera.
power [ˈpaʊə*] *s.* **1** potenza **2** potere; autorità; facoltà | – *of attorney*, procura **3** energia; (*elettr.*) corrente.
powered [ˈpaʊəd] *agg.* a motore.
power·ful [ˈpaʊəfʊl] *agg.* potente.
power·less [ˈpaʊelɪs] *agg.* impotente.
power point [ˈ·,·] *s.* presa di corrente.
power station [ˈ·,··] *s.* centrale elettrica.
prac·tic·able [ˈpræktɪkəbl] *agg.* fattibile.
prac·tical [ˈpræktɪkl] *agg.* pratico ♦ *s.* prova pratica.
practical joke [,··ˈ·] *s.* burla.
prac·tice [ˈpræktɪs] *s.* **1** pratica **2** abitudine, regola **3** esercizio; allenamento **4** attività professionale **5** clientela (di medico, avvocato).
prac·tise [ˈpræktɪs] amer. **practice** *v.intr.* esercitarsi ♦ *v.tr.* **1** praticare **2** esercitare.
prac·tised [ˈ··t] *agg.* esperto; abile.
prac·ti·tioner [prækˈtɪʃnə*] *s.* professionista | *general* –, medico generico.
Prague [prɑ:g] *no.pr.* Praga.
prairie [ˈpreərɪ] *s.* prateria.
praise [preɪz] *v.tr.* lodare ♦ *s.* lode.
praise·worthy [ˈpreɪz,wɜ:ðɪ] *agg.* lodevole.
pram [præ:m] *s.* carrozzina.
prank [præŋk] *s.* tiro, burla.
prattle [ˈprætl] *v.intr.* (*fam.*) parlare a vanvera.
prawn [prɔ:n] *s.* (*zool.*) gambero.
pray [preɪ] *v.tr.*, *intr.* pregare.
prayer [preə*] *s.* preghiera.
preach [pri:tʃ] *v.tr.* e *intr.* predicare.
pre·amble [pri:ˈæmbl] *s.* premessa.
pre·car·ious [prɪˈkeərɪəs] *agg.* precario.
pre·cau·tion [prɪˈkɔ:ʃn] *s.* precauzione.
pre·cede [,pri:ˈsi:d] *v.tr.* precedere.
pre·ced·ence [ˈpresɪdəns] *s.* precedenza.
pre·ced·ent [prɪˈsi:dənt] *s.* precedente.
pre·cinct [ˈpri:sɪŋkt] *s.* area delimitata, zona (cittadina).
pre·cious [ˈpreʃəs] *agg.* prezioso.
pre·cip·ice [ˈpresɪpɪs] *s.* precipizio. cadere in un precipizio.
pre·cip·it·ous [prɪˈsɪpɪtəs] *agg.* ripido.
pré·cis [ˈpreɪsi: *amer.* preɪˈsi:] *s.* riassunto.
pre·cise [prɪˈsaɪs] *agg.* preciso.
pre·ci·sion [prɪˈsɪʒn] *s.* precisione.
pre·co·cious [prɪˈkəʊʃəs] *agg.* precoce.
pred·at·ory [ˈpredətərɪ *amer.* ˈpredət ɔ:rɪ] *agg.* predatore.
pre·de·ces·sor [ˈpri:dɪsesə*] *s.* predecessore.

pre·des·tina·tion [pri:ˌdestɪ'neɪʃn] *s.* predestinazione.
pre·dica·ment [prɪ'dɪkəmənt] *s.* situazione difficile.
predicate ['predɪkeɪt] *v.tr.* asserire.
pre·dict [prɪ'dɪkt] *v.tr.* predire.
pre·dom·in·ance [prɪ'dɒmɪnəns] *s.* predominio.
pre-empt [ˌpri:'empt] *v.tr.* assicurarsi.
pre·fab ['pri:fæb] *s.* (*fam.*) casa prefabbricata.
pre·face ['prefɪs] *s.* prefazione.
pre·fect ['pri:fekt] *s.* **1** prefetto **2** (*brit.*) allievo anziano con mansioni di responsabilità.
pre·fer [prɪ'fɜ:*] (*-rred*) *v.tr.* preferire.
pref·er·ence ['prefərəns] *s.* preferenza.
pref·er·en·tial [ˌprefə'renʃl] *agg.* preferenziale.
preg·nancy ['pregnənsɪ] *s.* gravidanza.
preg·nant ['pregnənt] *agg.* **1** incinta **2** pregnante.
pre·his·tory [ˌpri:'hɪstərɪ] *s.* preistoria.
pre·judge [ˌpri:'dʒʌdʒ] *v.tr.* giudicare affrettatamente.
pre·ju·dice ['predʒʊdɪs] *s.* pregiudizio ♦ *v.tr.* pregiudicare.
pre·ju·diced ['predʒʊdɪst] *agg.* prevenuto.
prel·ate ['prelɪt] *s.* prelato.
pre·lim·in·ary [prɪ'lɪmɪnərɪ] *agg.*, *s.* preliminare.
pre·lude ['prelju:d] *s.* preludio.
pre·mar·ital [ˌpri:'mærɪtl] *agg.* prematrimoniale.
pre·ma·ture [ˌpremə'tjʊə*] *agg.* prematuro.
pre·med·it·ate [ˌpri:'medɪteɪt] *v.tr.* premeditare.
pre·med·ita·tion [ˌpri:ˌmedɪ'teɪʃn] *s.* premeditazione.
prem·ier ['premjə* *amer.* 'pri:mjə*] *s.* primo ministro.
premi·ère ['premɪeə*] *s.* (*cinem.*) prima.
pre·mise ['premɪs] *s.* **1** premessa **2** *pl.* edificio con terreni annessi; locali.
prem·iss ['premɪs] *s.* premessa.
pre·mium ['pri:mɪəm] *s.* premio | *at a –*, molto ricercato.
pre·oc·cu·pa·tion [ˌpri:ˌɒkjʊ'peɪʃn] *s.* preoccupazione.
prep [prep] *s.* (*fam.*) compito a casa.
pre·para·tion [ˌprepə'reɪʃn] *s.* **1** preparazione; preparativo **2** (*med.*) preparato.
pre·par·at·ory [prɪ'pærətərɪ] *agg.* preparatorio.
pre·pare [prɪ'peə*] *v.tr.*, *intr.* preparare, prepararsi.
pre·pos·sess·ing [ˌpri:pə'zesɪŋ] *agg.* attraente.
pre·pos·ter·ous [prɪ'pɒstərəs] *agg.* assurdo.
pre·requis·ite [ˌpri:'rekwɪzɪt] *s.* prerequisito, requisito essenziale.
pre·rog·at·ive [prɪ'rɒgətɪv] *s.* prerogativa.
pre·scribe [prɪ'skraɪb] *v.tr.* prescrivere.
pre·scrip·tion [prɪ'skrɪpʃn] *s.* **1** prescrizione **2** (*med.*) ricetta.
pres·ence ['prezns] *s.* presenza.
pres·ent[1] ['preznt] *agg.*, *s.* presente: *at –*, attualmente.
present[2] *s.* dono, regalo.
pre·sent[2] [prɪ'zent] *v.tr.* **1** donare; consegnare **2** presentare.
pre·senter [·'·ə*] *s.* presentatore.
pre·sen·ti·ment [prɪ'zentɪmənt] *s.* presentimento.
pres·ently ['··lɪ] *avv.* **1** presto, tra poco **2** attualmente, ora.

pre·ser·vat·ive [prɪ'zɜ:vətɪv] *s.* conservante.
pre·serve [prɪ'zɜ:v] *v.tr.* **1** preservare, conservare **2** mettere in conserva ♦ *s.* **1** (*cuc.*) conserva **2** riserva (di caccia, pesca).
pres·ide [prɪ'zaɪd] *v.intr.* presiedere.
pres·id·ency ['prezɪdənsɪ] *s.* presidenza.
pres·id·ent ['prezɪdənt] *s.* presidente.
press [pres] *v.tr.* **1** premere, schiacciare; spremere **2** stirare **3** fare pressione su; costringere ♦ *v.intr.* premere; accalcarsi ♦ *s.* **1** pressa | *in the –*, in corso di stampa **2** *the –*, la stampa, i giornali; i giornalisti | *– agency*, agenzia stampa; agenzia di pubblicità; *– agent*, agente pubblicitario | *– box*, tribuna stampa | *– release*, comunicato stampa.
press·ing ['·ɪŋ] *agg.* urgente.
press-stud ['pres,stʌd] *s.* (bottone) automatico.
pres·sure ['preʃə*] *s.* pressione.
pressure cooker ['··,·] *s.* pentola a pressione.
pres·sur·ize ['preʃəraɪz] *v.tr.* pressurizzare.
pres·tige [pres'ti:ʒ] *s.* prestigio.
pre·sume [prɪ'zju:m] *v.tr.* presumere.
pre·sumpt·ive [prɪ'zʌmptɪv] *agg.* presunto.
pre·sump·tu·ous [prɪ'zʌmptjʊəs] *agg.* presuntuoso.
pre·tence [prɪ'tens] *s.* finzione.
pre·tend [prɪ'tend] *v.tr., intr.* fingere.
pre·tender [prɪ'tendə*] *s.* pretendente.
pre·ten·sion [prɪ'tenʃn] *s.* pretesa.
pre·text ['pri:tekst] *s.* pretesto.
pretty ['prɪtɪ] *agg.* grazioso ♦ *avv.* (*fam.*) abbastanza | *to be sitting –*, passarsela bene.
pre·vail [prɪ'veɪl] *v.intr.* prevalere.
pre·val·ent ['prevələnt] *agg.* prevalente.
pre·var·ic·ate [prɪ'værɪkeɪt] *v.intr.* tergiversare.
pre·vent [prɪ'vent] *v.tr.* impedire.
pre·ven·tion [prɪ'venʃn] *s.* prevenzione; misura preventiva.
pre·vent·ive [prɪ'ventɪv] *agg.* preventivo.
pre·view ['pri:'vju:] *s.* anteprima.
pre·vi·ous ['pri:vjəs] *agg.* precedente.
pre·war [,pri:'wɔ:*] *agg.* anteguerra.
prey [preɪ] *s.* preda: *bird of –*, uccello rapace ♦ *v.intr.*: **1** *to – on*, cacciare **2** tormentare.
price [praɪs] *s.* prezzo ♦ *v.tr.* stabilire il prezzo (di).
price·less ['·lɪs] *agg.* **1** inestimabile **2** (*fam.*) impagabile, spassoso.
prick [prɪk] *v.tr.* **1** pungere **2** *to – up one's ears*, drizzare le orecchie ♦ *s.* puntura.
prickle ['prɪkl] *s.* spina ♦ *v.intr.* pizzicare.
prickly-pear [,·lɪ'·] *s.* fico d'India.
pride [praɪd] *s.* orgoglio ♦ *v.tr.*: *to – o.s. on*, essere orgoglioso di.
priest ['pri:st] *s.* sacerdote, prete.
prig [prɪg] *s.* presuntuoso.
prim·ary ['praɪmərɪ *amer.* 'praɪmerɪ] *agg.* primario; primitivo, originario; principale: *of – importance*, di importanza fondamentale | (*inform.*) *– storage*, memoria centrale ♦ *s.pl.* (*pol. amer.*) (elezioni) primarie.
prim·ary ['praɪmərɪ] *agg.* primario.
prime [praɪm] *agg.* **1** primo, primario **2** eccellente ♦ *s.* splendore: *in the – of life*, nel fiore degli anni.
primer[1] ['praɪmə*] *s.* sillabario.

primer[2] *s.* prima mano (di vernice).
prim·it·ive [ˈprɪmɪtɪv] *agg.* primitivo.
prim·rose [ˈprɪmrəʊz] *s.* primula | *the – path*, la via della perdizione.
prim·rose [ˈprɪmrəʊz] *s.* primula.
prince [prɪns] *s.* principe.
prin·cipal [ˈprɪnsəpl] *agg.* principale ♦ *s.* preside; direttore.
prin·ciple [ˈprɪnsəpl] *s.* principio.
print [prɪnt] *v.tr.* **1** stampare | *printed matter*, stampe **2** scrivere in stampatello ♦ *s.* **1** (carattere di) stampa | *book out of –*, libro esaurito **2** stampa, riproduzione **3** tessuto stampato **4** (*fot.*) copia **5** impronta.
printer [ˈ·ə*] *s.* **1** tipografo **2** stampante.
print·out [ˈprɪnt,aʊt] *s.* tabulato.
prior[1] [ˈpraɪə*] *agg.* precedente | *– to*, prima di.
prior[2] *s.* priore.
pri·or·ity [praɪˈɒrətɪ] *s.* priorità | *top –*, precedenza assoluta.
prison [ˈprɪzn] *s.* prigione, carcere.
prisoner [ˈ·ə*] *s.* prigioniero; detenuto.
priv·acy [ˈprɪvəsɪ *amer.* ˈpraɪvəsɪ] *s.* **1** intimità; vita privata **2** riserbo, riservatezza.
pri·vate [ˈpraɪvɪt] *agg.* **1** privato **2** riservato, segreto ♦ *s.* soldato semplice.
pri·va·tion [praɪˈveɪʃn] *s.* privazione.
pri·vat·ize [ˌpraɪvətaɪˈz] *v.tr.* privatizzare.
priv·il·ege [ˈprɪvɪlɪdʒ] *s.* privilegio.
privileged [ˈprɪvɪlɪdʒd] *agg.* privilegiato.
prize [praɪz] *s.* premio | *– money*, montepremi ♦ *v.tr.* apprezzare, stimare.
pro [prəʊ] (*-os*) *s.* pro: *the pros and cons*, i pro e i contro.
prob·able [ˈprɒbəbl] *agg.* probabile.
pro·ba·tion [prəˈbeɪʃn] *s.* (*dir.*) libertà vigilata.
probe [prəʊb] *v.tr.* sondare ♦ *s.* sonda.
prob·lem [ˈprɒbləm] *s.* problema.
pro·ced·ure [prəˈsiːdʒə*] *s.* procedura; procedimento.
pro·ceed [prəˈsiːd] *v.intr.* **1** procedere **2** provenire.
pro·ceed·ings [prəˈsiːdɪŋz] *s.pl.* **1** avvenimenti, eventi **2** azione legale: *to start legal –*, adire le vie legali **3** atti; verbale.
pro·ceeds [ˈprəʊsiːdz] *s.pl.* proventi.
pro·cess [ˈprəʊses] *s.* processo; procedimento ♦ *v.tr.* lavorare; trattare.
pro·ces·sion [prəˈseʃn] *s.* processione, corteo.
pro·cessor [ˈprəʊsesə*] *s.* processore; calcolatore.
pro·claim [prəˈkleɪm] *v.tr.* proclamare; dichiarare.
prod [prɒd] (*-dded*) *v.tr.* pungolare.
prod·igy [ˈprɒdɪdʒɪ] *s.* prodigio.
pro·duce [prəˈdjuːs] *v.tr.* **1** produrre **2** presentare; mostrare **3** (*teatr.*) mettere in scena; (*cinem.*) produrre ♦ [ˈprɒdjuːs] *s.* prodotto, prodotti; derrate.
pro·du·cer [·ˈ·ə*] *s.* produttore.
prod·uct [ˈprɒdəkt] *s.* prodotto.
pro·duct·ive [prəˈdʌktɪv] *agg.* produttivo.
pro·fane [prəˈfeɪn] *agg.* blasfemo, empio ♦ *v.tr.* profanare.
pro·fes·sion [prəˈfeʃn] *s.* **1** professione **2** classe, categoria professionale.
pro·fes·sional [prəˈfeʃənl] *agg.* professionale ♦ *s.* professionista.
pro·fes·sion·al·ism [prəˈfeʃnəlɪzəm] *s.* professionalità.
pro·fessor [prəˈfesə*] *s.* **1** (*brit.*) pro-

fessore ordinario **2** (*amer.*) docente universitario: *full* –, professore ordinario.
pro·fi·ciency [prə'fɪʃnsɪ] *s.* competenza.
pro·fi·cient [prə'fɪʃnt] *agg.* esperto, competente.
pro·file ['prəʊfaɪl] *s.* profilo.
profit ['prɒfɪt] *s.* profitto ♦ *v.intr.* trarre profitto.
prof·it·able ['prɒfɪtəbl] *agg.* vantaggioso.
prof·it·eer [,prɒfɪ'tɪə*] *s.* speculatore ♦ *v.intr.* speculare.
pro·gnosis [prɒg'nəʊsɪs] (*-ses* [-si:z]) *s.* prognosi.
pro·gramme ['prəʊgræm] amer. **pro·gram** *s.* programma.
pro·gress ['prəʊgres] *s.* **1** progresso **2** avanzata | *in* –, in corso ♦ [prəʊ'gres] *v.intr.* **1** progredire **2** avanzare.
pro·gress·ive [prəʊ'gresɪv] *agg.* **1** progressivo **2** progressista.
pro·hibit [prə'hɪbɪt] *v.tr.* proibire.
pro·hibi·tion [,prəʊɪ'bɪʃn] *s.* proibizione, veto.
pro·hib·it·ive [prə'hɪbɪtɪv] *agg.* proibitivo.
pro·ject ['prɒdʒekt] *s.* progetto ♦ [prə'dʒekt] *v.tr.* **1** fare una previsione **2** proiettare ♦ *v.intr.* sporgere.
pro·jec·tion [prə'dʒekʃn] *s.* proiezione.
pro·jector [prə'dʒektə*] *s.* proiettore.
pro·let·arian [,prəʊlɪ'teərɪən] *agg.*, *s.* proletario.
pro·lif·er·ate [prəʊ'lɪfəreɪt] *v.intr.* proliferare.
pro·lific [prəʊ'lɪfɪk] *agg.* prolifico.
pro·lix [prəʊ'lɪks] *agg.* prolisso.
pro·logue ['prəʊlɒg] *s.* prologo.
pro·long [prəʊ'lɒŋ] *v.tr.* prolungare.
prom·en·ade [,prɒmə'nɑ:d *amer.* ,prɒmə'neɪd] *s.* passeggiata.
pro·mis·cu·ity [,prɒmɪ'skju:ətɪ] *s.* promiscuità.
pro·mis·cu·ous [prə'mɪskjʊəs] *agg.* che ha rapporti sessuali promiscui.
prom·ise ['prɒmɪs] *s.* promessa ♦ *v.tr.* promettere.
promissory note ['prɒmɪsərɪnəʊt] *s.* (*comm.*) cambiale.
prom·on·tory ['prɒməntrɪ] *s.* promontorio.
pro·mote [prə'məʊt] *v.tr.* promuovere.
pro·moter [prə'məʊtə*] *s.* **1** promotore; organizzatore **2** (socio) fondatore.
pro·moter [·'·ə*] *s.* promotore.
pro·mo·tion [prə'məʊʃn] *s.* promozione.
pro·mo·tional [prə'məʊʃnl] *agg.* promozionale.
prompt [prɒmpt] *v.tr.* **1** spingere; indurre **2** suggerire ♦ *agg.* pronto, sollecito ♦ *avv.* (*fam.*) in punto.
prompt box ['··] *s.* buca del suggeritore.
promp·ter ['·ə*] *s.* suggeritore.
prong [prɒŋ] *s.* dente (di forchetta).
pro·noun ['prəʊnaʊn] *s.* pronome.
pro·nounce [prə'naʊns] *v.tr.* pronunciare.
pronto ['prɒntəʊ] *avv.* (*fam.*) subito, immediatamente.
pro·nun·ci·ation [prə,nʌnsɪ'eɪʃn] *s.* pronuncia.
proof [pru:f] *s.* **1** prova **2** bozza (di stampa) **3** gradazione alcolica ♦ *agg.* **1** a prova di, resistente a **2** di gradazione alcolica.
proof·reader ['pru:f,ri:də*] *s.* correttore di bozze.

prop[1] [prɒp] *s.* puntello; sostegno ♦ (*-pped* [-pt]) *v.tr.* puntellare; sostenere.
prop[2] *s.* (*fam.*) elica.
prop·ag·ate [ˈprɒpəgeɪt] *v.tr.* propagare ♦ *v.intr.* crescere; propagarsi.
pro·pel·lant [prəˈpelənt] *s.* **1** (*chim.*) propellente **2** (*mecc.*) propulsore.
pro·pel·ler [prəˈpelə*] *s.* elica.
proper [ˈprɒpə*] *agg.* **1** adatto; appropriato **2** corretto; per bene **3** proprio, tipico **3** (*fam.*) vero (e proprio).
prop·erty [ˈprɒpətɪ] *s.* proprietà | *lost* –, oggetti smarriti.
proph·ecy [ˈprɒfɪsɪ] *s.* profezia.
prophet [ˈprɒfɪt] *s.* **1** profeta **2** indovino.
pro·pi·tious [prəˈpɪʃəs] *agg.* propizio.
pro·por·tion [prəˈpɔːʃn] *s.* proporzione.
pro·por·tional [·ˈ··l] *agg.* proporzionale.
pro·por·tion·ate [prəˈpɔːʃnət] *agg.* proporzionato.
pro·posal [prəˈpəʊzl] *s.* proposta.
pro·pose [prəˈpəʊz] *v.tr.* proporre.
pro·posi·tion [ˌprɒpəˈzɪʃn] *s.* **1** asserzione **2** proposta **3** (*fam.*) affare.
pro·pri·etor [prəˈpraɪətə*] *s.* proprietario; titolare.
pro·pri·ety [prəˈpraɪətɪ] *s.* proprietà; correttezza.
pro·saic [prəʊˈzeɪɪk] *agg.* prosaico.
prose [prəʊz] *s.* prosa.
pro·sec·ute [ˈprɒsɪkjuːt] *v.tr.* **1** (*dir.*) perseguire **2** proseguire ♦ *v.intr.* (*dir.*) intentare causa.
pro·secu·tion [ˌprɒsɪˈkjuːʃn] *s.* **1** (*dir.*) accusa; processo **2** esecuzione.
pro·secu·tor [ˈprɒsɪkjuːtə*] *s.* (*dir.*) accusatore: *public* –, pubblico ministero.
pros·pect [ˈprɒspekt] *s.* **1** prospettiva; speranza, aspettativa **2** *pl.* carriera, avvenire.
pro·spectus [prəˈspektəs] (*-ses* [-siːz]) *s.* prospetto (informativo).
pros·ti·tute [ˈprɒstɪtjuːt] *s.* prostituta ♦ *v.tr.*, *intr.* prostituire, prostituirsi.
pros·trate [ˈprɒstreɪt] *agg.* prostrato.
prot·ag·on·ist [prəʊˈtægənɪst] *s.* **1** protagonista **2** fautore.
pro·tect [prəˈtekt] *v.tr.* proteggere.
pro·tec·tion [prəˈtekʃn] *s.* protezione.
pro·tect·ive [prəˈtektɪv] *agg.* protettivo.
pro·tector [prəˈtektə*] *s.* protettore.
pro·tein [ˈprəʊtiːn] *s.* proteina.
pro·test [ˈprəʊtest] *s.* **1** protesta **2** (*dir.*) protesto ♦ [prəˈtest] *v.tr.*, *intr.* protestare.
Prot·est·ant [ˈprɒtɪstənt] *agg.*, *s.* protestante.
pro·tester [·ˈ·ə*] *s.* dimostrante.
pro·to·col [ˈprəʊtəkɒl] *s.* protocollo.
pro·to·type [ˈprəʊtəʊtaɪp] *s.* prototipo.
pro·tru·sion [prəˈtruːʒn] *s.* sporgenza.
pro·tu·ber·ance [prəˈtjuːbərəns] *s.* protuberanza.
pro·tu·ber·ant [prəˈtjuːbərənt] *agg.* sporgente.
proud [praʊd] *agg.* orgoglioso.
prove [pruːv] *v.tr.* **1** provare; dimostrare **2** convalidare ♦ *v.intr.* risultare.
proven [ˈpruːvən] *agg.* provato.
pro·verb [ˈprɒvɜːb] *s.* proverbio.
pro·vide [prəˈvaɪd] *v.tr.* **1** fornire, procurare **2** prevedere; contemplare ♦ *v.intr.*: *to – for*, provvedere a.
pro·vided [·ˈ·ɪd] *cong.* purché.
prov·id·ence [ˈprɒvɪdəns] *s.* provvidenza.
prov·id·ing [·ˈ·ɪŋ] (*fam.*) → *provided*.
prov·ince [ˈprɒvɪns] *s.* **1** provincia: *in*

the provinces, in provincia **2** campo (d'attività); competenza.
pro·vin·cial [prə'vɪnʃl] *agg.*, *s.* provinciale.
pro·vi·sion [prə'vɪʒn] *s.* **1** il provvedere **2** *pl.* provviste **3** (*dir.*) clausola.
pro·vi·sional [prə'vɪʒənl] *agg.* provvisorio.
pro·voke [prə'vəʊk] *v.tr.* provocare.
prow [praʊ] *s.* prua, prora.
proxy ['prɒksɪ] *s.* (*dir.*) **1** procura; delega **2** procuratore; delegato.
prude [pru:d] *s.* persona eccessivamente pudica; puritano.
pru·dence ['pru:dns] *s.* prudenza.
pru·dent ['pru:dnt] *agg.* prudente.
prud·ish ['pru:dɪʃ] *agg.* pudibondo.
prune[1] [pru:n] *s.* prugna secca.
prune[2] *v.tr.* potare.
pry[1] [praɪ] *v.intr.* spiare; impicciarsi; mettere il naso.
psalm [sɑ:m] *s.* salmo.
pseud·onym ['psju:dənɪm *amer.* 'su:dənɪm] *s.* pseudonimo.
psyche ['saɪki:] *s.* psiche.
psy·che·delic [,saɪkɪ'delɪk] *agg.* psichedelico.
psy·chi·at·rist [saɪ'kaɪətrɪst *amer.* sɪ'kaɪətrɪst] *s.* psichiatra.
psychic ['saɪkɪk] *agg.* psichico.
psy·cho·ana·lysis [,saɪkəʊə'næləsɪs] *s.* psicoanalisi.
psy·cho·ana·lyst [,saɪkəʊ'ænəlɪst] *s.* psicoanalista.
psy·cho·lo·gist [saɪ'kɒlədʒɪst] *s.* psicologo.
psy·cho·logy [saɪ'kɒlədʒɪ] *s.* psicologia.
psych·osis [saɪ'kəʊsɪs] *s.* psicosi.
psy·cho·so·matic [,saɪkəʊsəʊ'mætɪk] *agg.* psicosomatico.
pub [pʌb] *s.* pub, bar.
pub·lic ['pʌblɪk] *agg.*, *s.* pubblico.
pub·lican ['pʌblɪkən] *s.* proprietario di pub.
public house [,··'·] *s.* pub, bar.
pub·li·city [pʌb'lɪsətɪ] *s.* pubblicità.
pub·lish ['pʌblɪʃ] *v.tr.* pubblicare.
pub·lisher ['··ə*] *s.* editore.
pub·lish·ing ['··ɪŋ] *s.* editoria.
pud·ding ['pʊdɪŋ] *s.* pudding; budino.
puddle ['pʌdl] *s.* pozzanghera.
pu·er·ile ['pjʊəraɪl *amer.* 'pjʊərəl] *agg.* puerile.
puff [pʌf] *s.* **1** sbuffo (di fumo) **2** (*fam.*) respiro | *out of* –, senza fiato **3** boccata, tiro (di fumo) ♦ *v.intr.* **1** sbuffare **2** soffiare **3** tirare boccate.
puff pastry ['·'··] *s.* pasta sfoglia.
pull [pʊl] *v.tr.* **1** tirare | *to – a fast one*, giocare un brutto scherzo **2** tendere **3** attirare **4** estrarre, tirar fuori ♦ *Verbi frasali*: *to – in*, (*di veicolo*) accostare; arrivare; attirare; (*fam.*) arrestare | *to – off*, (*fam.*) avere successo | *to – out*, (*di veicolo*) spostarsi all'esterno; partire; strappare | *to – through*, farcela, cavarsela | *to – o.s. together*, controllarsi | *to – up*, (*di veicolo*) fermarsi; strappar via, sradicare; rimproverare ♦ *s.* **1** tirata, strappo **2** tiro, boccata (di fumo); sorso, sorsata **3** (*fam.*) influenza, ascendente.
pull·over ['pʊl,əʊvə*] *s.* pullover, maglione.
pulp [pʌlp] *s.* **1** polpa **2** pasta (per fare la carta) | – *magazine*, (*fam.*) giornale scandalistico.
pul·pit ['pʊlpɪt] *s.* pulpito.
pulsa·tion [pʌl'seɪʃn] *s.* pulsazione.
pulse [pʌls] *s.* polso.
pul·ver·ize ['pʌlvəraɪz] *v.tr.* polverizzare.
pum·mel ['pʌml] (*-lled*) *v.tr.* picchiare.

pump [pʌmp] *s.* pompa ♦ *v.tr., intr.* pompare | *to – s.o.*, strappare informazioni a qlcu.
pumps [pʌmps] *s.pl.* (*scarpe*) ballerine.
pump·kin [ˈpʌmpkɪn] *s.* zucca.
pun [pʌn] *s.* gioco di parole.
punch[1] [ˈpʌntʃ] *v.tr.* prendere a pugni ♦ *s.* **1** pugno **2** (*fig.*) energia.
punch[2] *s.* punzone; perforatrice ♦ *v.tr.* perforare; forare.
punch[3] *s.* punch, ponce.
punch-drunk [ˈpʌntʃdrʌŋk] *agg.* (*fam.*) suonato, rintronato.
punch line [ˈ· ·] *s.* battuta finale (di una barzelletta).
punch-up [ˈ· ·] *s.* (*fam.*) rissa.
punc·tual [ˈpʌŋktjʊəl] *agg.* puntuale.
punc·ture [ˈpʌŋktʃə*] *s.* foratura (di pneumatico) ♦ *v.tr.* forare.
pun·gent [ˈpʌndʒənt] *agg.* pungente.
pun·ish [ˈpʌnɪʃ] *v.tr.* punire.
pun·ish·ment [ˈpʌnɪʃmənt] *s.* punizione; pena.
punt [pʌnt] *s.* barca a fondo piatto.
punter [ˈpʌntə*] *s.* scommettitore.
puny [ˈpju:nɪ] *agg.* gracile.
pup [pʌp] *s.* cucciolo, cagnolino.
pu·pil[1] [ˈpju:pl] *s.* allievo; scolaro.
pupil[2] *s.* pupilla.
pup·pet [ˈpʌpɪt] *s.* marionetta.
puppy [ˈpʌpɪ] *s.* cucciolo, cagnolino.
pur·chase [ˈpɜ:tʃəs] *v.tr.* acquistare ♦ *s.* acquisto.
pur·chaser [ˈ··ə*] *s.* acquirente.
pure [pjʊə*] *agg.* puro.
puree [ˈpjʊəreɪ *amer.* pjʊəˈreɪ] *s.* (*cuc.*) purè, passato.
pur·gat·ive [ˈpɜ:gətɪv] *s.* purga.
pur·gat·ory [ˈpɜ:gətərɪ] *s.* purgatorio.
purge [pɜ:dʒ] *v.tr.* epurare ♦ *s.* epurazione; purga.
pur·ify [ˈpjʊərɪfaɪ] *v.tr.* purificare.
Pur·itan [ˈpjʊərɪtən] *agg., s.* puritano.
pur·it·an·ical [ˌpjʊərɪˈtænɪkl] *agg.* puritano.
purl [pɜ:l] *s.* punto rovescio (a maglia).
purple [ˈpɜ:pl] *s.* porpora ♦ *agg.* purpureo.
pur·pose [ˈpɜ:pəs] *s.* **1** scopo; intenzione | *on –*, apposta | *to no –*, senza nessun risultato **2** fermezza.
purpose-built [ˌpɜ:pəsˈbɪlt] *agg.* costruito espressamente.
pur·pose·ful [ˈpɜ:pəsfʊl] *agg.* risoluto, deciso.
pur·pose·ly [ˈpɜ:pəslɪ] *avv.* di proposito.
purr [pɜ:*] *s.* fusa ♦ *v.intr.* fare le fusa.
purse [pɜ:s] *s.* **1** borsellino **2** (*amer.*) borsetta ♦ *v.tr.* increspare (le labbra).
pur·sue [pəˈsju:] *v.tr.* **1** inseguire **2** perseguire.
pur·suit [pəˈsju:t] *s.* **1** inseguimento **2** occupazione, impiego.
push [pʊʃ] *v.tr.* **1** spingere (*anche fig.*) **2** premere, schiacciare **3** (*sl.*) spacciare (droga) ♦ *v.intr.*: *to – off*, andarsene ♦ *s.* **1** spinta | *to get the –*, (*fam.*) essere licenziato **2** sforzo.
push·chair [ˈpʊʃtʃeə*] *s.* passeggino.
pusher [ˈ·ə*] *s.* (*sl.*) spacciatore.
push·over [ˈpʊʃˌəʊvə*] *s.* (*fam.*) **1** facile vittima **2** cosa facilissima.
pushy [ˈpʊʃɪ] *agg.* (*fam.*) arrivista.
puss [pʊs] *s.* (*fam.*) micio, micino.
put* [pʊt] *v.tr.* **1** mettere **2** esprimere; dire **3** *to – about*, mettere in giro **4** *to – across*, comunicare, far capire **5** *to – down*, scrivere, mettere giù; sedare, reprimere; sopprimere (un animale); umiliare **6** *to – off*, rinviare; dissuadere; ripugnare a **7** *to – over*, comu-

nicare **8** *to – up*, costruire; ospitare, alloggiare; proporre (un candidato).
put-down ['· ·] *s.* (*fam.*) affronto.
pu·trid ['pju:trɪd] *agg.* putrido.
putty ['pʌtɪ] *s.* mastice; stucco.
put-up ['· ·] *agg.* (*fam.*) combinato: *– job*, losca macchinazione.
put-upon ['· ·] *agg.* sfruttato.
puzzle ['pʌzl] *v.tr.* sconcertare, rendere perplesso ♦ *v.intr.* restare sconcertato, perplesso ♦ *s.* puzzle, rompicapo.
py·ja·mas [pə'dʒɑ:məz *amer.* pə'dʒæməz] *s.pl.* pigiama.
pyr·amid ['pɪrəmɪd] *s.* piramide.
pyro·ma·niac [,paɪrə'meɪnɪæk] *s.* piromane.
py·thon ['paɪθən] *s.* pitone.

Q

quack[1] [kwæk] *s.* ciarlatano.
quack[2] *s.* il qua qua (delle oche).
quag·mire ['kwægmaɪə*] *s.* pantano.
quail [kweɪl] *s.* quaglia.
quaint [kweɪnt] *agg.* bizzarro.
quake [kweɪk] *v.intr.* tremare ♦ *s.* (*fam.*) terremoto.
quali·fica·tion [,kwɒlɪfɪ'keɪʃn] *s.* **1** qualifica **2** restrizione; riserva **3** titolo; requisito.
quali·fied ['kwɒlɪfaɪd] *agg.* qualificato; specializzato.
qual·ify ['kwɒlɪfaɪ] *v.tr.* **1** qualificare **2** precisare ♦ *v.intr.* **1** avere i requisiti, essere qualificato **2** (*sport*) qualificarsi.
qual·it·at·ive ['kwɒlɪtətɪv] *agg.* qualitativo.
qual·ity ['kwɒlətɪ] *s.* qualità.
qualm [kwɑ:m] *s.* rimorso; scrupolo.
quan·dary ['kwɒndərɪ] *s.* dilemma.
quant·ify ['kwɒntɪfaɪ] *v.tr.* quantificare.
quant·ity ['kwɒntɪtɪ] *s.* quantità.
quar·rel ['kwɒrəl] *s.* lite ♦ (*-lled*) *v.intr.* litigare.
quar·rel·some ['··səm] *agg.* litigioso.
quarry[1] ['kwɒrɪ] *s.* cava.
quarry[2] *s.* preda.
quar·ter ['kwɔ:tə*] *s.* **1** quarto **2** trimestre **3** (*amer.*) quarto di dollaro **4** quartiere (di città) **5** *pl.* alloggio, appartamentino **6** tregua, quartiere ♦ *v.tr.* **1** dividere in quattro parti **2** alloggiare.
quar·terly ['kwɔ:təlɪ] *agg.*, *s.* (pubblicazione) trimestrale ♦ *avv.* ogni trimestre.
quartz [kwɔ:ts] *s.* quarzo.
quay [ki:] *s.* banchina, molo.
queasy ['kwi:zɪ] *agg.* **1** nauseato **2** a disagio.
queen [kwi:n] *s.* regina.
queer [kwɪə*] *agg.* **1** strano, bizzarro **2** (*fam.*) indisposto.
quench [kwen*t*ʃ] *v.tr.* placare (la sete).
query ['kwɪərɪ] *s.* domanda, quesito ♦ *v.tr.* chiedere; indagare su.
ques·tion ['kwestʃən] *s.* **1** domanda **2** questione; discussione ♦ *v.tr.* **1** interrogare **2** mettere in dubbio.
ques·tion·able ['kwestʃənəbl] *agg.* discutibile.
ques·tion·naire [,kwestɪə'neə*] *s.* questionario.
queue [kju:] *s.* coda, fila ♦ *v.intr.* (*up*) fare la coda, mettersi in coda.
quick [kwɪk] *agg.* **1** veloce, svelto | *a – temper*, un carattere irascibile **2** pronto; intelligente ♦ *s.* punto vivo | *to cut to the –*, pungere sul vivo.
quicken ['kwɪkən] *v.tr.*, *intr.* accelerare.

quick·sand [ˈkwɪksænd] *s.* sabbie mobili.
quid [kwɪd] *s.* (*fam.*) sterlina.
quiet [ˈkwaɪət] *agg.* quieto, calmo | *be –!*, sta' zitto! ♦ *s.* quiete.
quilt [kwɪlt] *s.* trapunta.
quip [kwɪp] *s.* battuta spiritosa.
quirk [kwɜ:k] *s.* stranezza | *a – of fate*, uno scherzo del destino.
quit* [kwɪt] *v.tr.* **1** lasciare **2** smettere.
quite [kwaɪt] *avv.* **1** completamente; proprio **2** piuttosto, abbastanza.
quits [kwɪts] *agg.* pari.
quiver [ˈkwɪvə*] *v.intr.* tremare.
quiz·zical [ˈkwɪzɪkəl] *agg.* interrogativo, divertito (di sguardo).
quota [ˈkwəʊtə] *s.* quota.
quo·ta·tion [kwəʊˈteɪʃn] *s.* **1** citazione | *– marks*, virgolette **2** preventivo.
quote [kwəʊt] *v.tr.* **1** citare **2** (*comm.*) quotare, stimare ♦ *s.* **1** citazione **2** preventivo (di spesa) **3** *pl.* virgolette.
quo·tient [ˈkwəʊʃnt] *s.* quoziente.

R

rabbi [ˈræbaɪ] *s.* rabbino.
rab·bit [ˈræbɪt] *s.* coniglio.
ra·bid [ˈræbɪd] *agg.* **1** (*med.*) rabbioso, idrofobo **2** violento.
ra·bies [ˈreɪbi:z] *s.* (*med.*) rabbia.
rac·coon [rəˈku:n] *s.* procione, orsetto lavatore.
race[1] [reɪs] *s.* corsa, gara | *rat –*, corsa al successo ♦ *v.intr.* correre; gareggiare ♦ *v.tr.* **1** gareggiare con **2** far correre.
race[2] *s.* razza; stirpe.
race·course [ˈreɪskɔ:s] *s.* ippodromo.
race·horse [ˈreɪshɔ:s] *s.* cavallo da corsa.
ra·cer [ˈ·ə*] *s.* **1** corridore **2** cavallo da corsa **3** veicolo da competizione.
race·track [ˈreɪstræk] *s.* pista; ippodromo.
ra·cial [ˈreɪʃl] *agg.* razziale.
ra·cial·ism [ˈreɪʃəlɪzəm] *s.* razzismo.
ra·cing [ˈreɪsɪŋ] *agg.* da corsa: *– car*, automobile da corsa.
ra·cist [ˈreɪsɪst] *s.* razzista.
rack[1] [ræk] *s.* **1** rastrelliera | *plate –*, scolapiatti | (*luggage*) *–*, reticella portabagagli | *roof –*, portabagagli, portapacchi **2** scaffale.
rack[2] *s.* tortura ♦ *v.tr.* torturare | *to – one's brains*, scervellarsi.
rack[3] *s.* rovina, distruzione.
racket[1] [ˈrækɪt] *s.* racchetta.
racket[2] *s.* **1** fracasso; tumulto **2** (*fam.*) attività criminosa.
rack·et·eer [ˌrækɪˈtɪə*] *s.* chi fa parte di un racket.
racy [ˈreɪsɪ] *agg.* vivace; vivo.
ra·di·ant [ˈreɪdjənt] *agg.* **1** raggiante; radioso **2** radiante ♦ *s.* radiante.
ra·di·ate [ˈreɪdɪeɪt] *v.tr.*, *intr.* irradiare, irradiarsi.
ra·di·ator [ˈreɪdɪeɪtə*] *s.* radiatore.
rad·ical [ˈrædɪkl] *agg.*, *s.* radicale.
ra·dio [ˈreɪdɪəʊ] (*-os*) *s.* radio ♦ *v.tr.*, *intr.* diramare per radio.
ra·dio·act·ive [ˌreɪdɪəʊˈæktɪv] *agg.* radioattivo.
ra·di·olo·gist [ˌreɪdɪˈɒlədʒɪst] *s.* radiologo.
ra·dio·thera·pist [ˌreɪdɪəʊˈθerəpɪst] *s.* radioterapista.
rad·ish [ˈrædɪʃ] *s.* ravanello.
ra·dius [ˈreɪdjəs] (*ra·dii* [ˈreɪdɪaɪ]) *s.* **1** raggio **2** (*anat.*) radio.

raff·ish [ˈræfɪʃ] *agg.* scapestrato.
raffle [ˈræfl] *s.* lotteria, riffa.
raft [rɑːft *amer.* ræft] *s.* zattera.
rag[1] [ræg] *s.* **1** cencio, straccio **2** *pl.* abiti logori **3** (*fam. spreg.*) giornalaccio.
rag[2] (*-gged*) *v.tr.* prendere in giro.
rag·amuf·fin [ˈrægə,mʌfɪn] *s.* pezzente, straccione.
rage [reɪdʒ] *s.* **1** collera **2** gran moda ♦ *v.intr.* **1** infuriare (degli elementi) **2** infuriarsi.
rag·ged [ˈrægɪd] *agg.* **1** stracciato **2** frastagliato **3** ispido (di barba).
raid [reɪd] *s.* **1** incursione **2** rapina (a mano armata) **3** retata ♦ *v.intr.* fare un'incursione ♦ *v.tr.* **1** fare irruzione in **2** rapinare (a mano armata).
raider [ˈ·ə*] *s.* predone; razziatore.
rail[1] [reɪl] *s.* **1** barra **2** inferriata; cancellata **3** balaustra **4** rotaia: *by* –, su rotaia, per ferrovia.
rail[2] *v.intr.* inveire: *to – against* (o *at*), prendersela con.
rail·ing [ˈreɪlɪŋ] *s.* (*spec. pl.*) cancellata; ringhiera.
rail·road [ˈreɪlrəʊd] *s.* (*amer.*) ferrovia.
rail·way [ˈreɪlweɪ] *s.* ferrovia.
rail·way·man [ˈreɪlweɪmən] (*-men*) *s.* ferroviere.
rain [reɪn] *s.* **1** pioggia **2** *pl.* stagione delle piogge ♦ *v.intr.* piovere | *it's raining cats and dogs*, (*fam.*) piove a catinelle.
rain·bow [ˈreɪnbəʊ] *s.* arcobaleno.
rain·coat [ˈreɪnkəʊt] *s.* impermeabile.
rain·fall [ˈreɪnfɔːl] *s.* precipitazione.
rain·proof [ˈreɪnpruːf] *agg.* impermeabile.
rain·storm [ˈreɪnstɔːm] *s.* temporale.
rain·water [ˈreɪnwɔːtə*] *s.* acqua piovana.
raise [reɪz] *v.tr.* **1** alzare **2** suscitare **3** costruire **4** allevare; coltivare **5** aumentare ♦ *s.* rialzo dei prezzi; (*amer.*) aumento (di salario).
raisin [ˈreɪzn] *s.* uva passa.
rake[1] [reɪk] *s.* rastrello ♦ *v.tr.* **1** rastrellare **2** perlustrare **3** *to – up*, rivangare, ricordare.
rake[2] *s.* debosciato; libertino.
rake-off [ˈ·] *s.* **1** provvigione **2** tangente, bustarella.
rally [ˈrælɪ] *v.tr., intr.* **1** radunare, radunarsi **2** rianimare, rianimarsi; riprendersi ♦ *s.* **1** raduno **2** rally **3** recupero.
ram [ræm] (*-mmed*) **1** investire; speronare **2** spingere con forza ♦ *s.* ariete, montone.
ramble [ˈræmbl] *s.* escursione ♦ *v. intr.* **1** passeggiare **2** divagare.
ram·bling [ˈræmblɪŋ] *agg.* sconnesso; incoerente.
ramp·ant [ˈræmpənt] *agg.* **1** dilagante **2** lussureggiante.
ram·part [ˈræmpɑːt] *s.* bastione.
ram·shackle [ˈræm,ʃækl] *agg.* (che cade) in rovina.
ran [ræn] *pass.* di to *run.*
ranch [rɑːntʃ *amer.* ræntʃ] *s.* ranch.
ran·cid [ˈrænsɪd] *agg.* rancido.
ran·cour [ˈræŋkə*] amer. **rancor** *s.* rancore.
ran·dom [ˈrændəm] *agg.* fatto a caso, casuale | *– access memory* (abbr. RAM), memoria ad accesso casuale.
rang [ræŋ] *pass.* di to *ring.*
range [reɪndʒ] *s.* **1** portata **2** ambito, raggio (d'azione) **3** gamma **4** scala; variazione **5** catena (di montagne) **6** poligono di tiro; rampa di lancio **7** pascolo ♦ *v.tr.* **1** allineare; schierare **2**

vagare per **3** classificare ♦ *v.intr.* **1** variare **2** estendersi.

ranger [ˈreɪndʒə*] *s.* guardia forestale; guardaboschi.

rank[1] [ræŋk] *s.* **1** fila, schiera **2** classe sociale; grado | *the – and file*, la truppa; (*fig.*) la base, i militanti ♦ *v.tr.* **1** classificare **2** schierare ♦ *v.intr.* classificarsi; collocarsi.

rank[2] *agg.* **1** lussureggiante **2** rozzo, volgare **3** puzzolente **4** vero e proprio.

ran·sack [ˈrænsæk *amer.* rænˈsæk] *v.tr.* **1** mettere a soqquadro **2** saccheggiare.

ran·som [ˈrænsəm] *s.* (prezzo del) riscatto ♦ *v.tr.* riscattare.

rant [rænt] *v.intr.* parlare con veemenza.

rap [ræp] (*-pped* [-t]) *v.tr., intr.* battere ♦ *s.* **1** colpo **2** (*fig.*) rimprovero; punizione.

ra·pa·cious [rəˈpeɪʃəs] *agg.* rapace.

rape [reɪp] *s.* stupro ♦ *v.tr.* violentare, stuprare.

rapid [ˈræpɪd] *agg.* rapido, celere.

rap·ist [ˈreɪpɪst] *s.* violentatore.

rapt [ræpt] *agg.* rapito, estatico.

rap·ture [ˈræptʃə*] *s.* estasi, rapimento.

rare[1] [reə*] *agg.* **1** raro **2** rarefatto.

rare[2] *agg.* (*cuc.*) al sangue.

rar·ity [ˈreərətɪ] *s.* rarità.

ras·cal [ˈrɑ:skl *amer.* ˈræskl] *s.* furfante; mascalzone.

rash[1] [ræʃ] *agg.* avventato.

rash[2] *s.* eruzione cutanea; eritema.

rasher [ˈræʃə*] *s.* fetta (di prosciutto, pancetta).

rasp [ˈrɑ:sp *amer.* ˈræsp] *s.* stridore ♦ *v.intr.* stridere.

rasp·berry [ˈrɑ:zbərɪ *amer.* ˈræzberɪ] *s.* lampone.

rat [ræt] *s.* ratto.

rate[1] [reɪt] *s.* **1** andamento; velocità | *at any –*, in ogni caso **2** tasso **3** tariffa **4** imposta ♦ *v.tr.* **1** valutare **2** tassare **3** considerare ♦ *v.intr.* essere classificato.

rate[2] *v.tr.* sgridare, rimproverare.

ra·ther [ˈrɑ:ðə* *amer.* ˈræðə*] *avv.* **1** piuttosto | *I'd – go*, preferirei andare **2** abbastanza.

rat·ify [ˈrætɪfaɪ] *v.tr.* ratificare.

rat·ing [ˈreɪtɪŋ] *s.* **1** valutazione **2** imponibile **3** marinaio **4** *pl.* indici di ascolto.

ra·tio [ˈreɪʃɪəʊ] (*-os*) *s.* (*mat.*) rapporto.

ra·tion [ˈræʃn] *s.* **1** razione **2** *pl.* provvigioni ♦ *v.tr.* razionare.

ra·tional [ˈræʃənl] *agg.* razionale.

ra·tion·al·ize [ˈræʃnəlaɪz] *v.tr., intr.* razionalizzare.

rattle [ˈrætl] *v.intr.* **1** tintinnare **2** sfrecciare rumorosamente **3** *to – on*, chiacchierare ♦ *v.tr.* **1** far risonare; far tintinnare **2** agitare **3** innervosire **4** *to – off*, snocciolare, dire velocemente ♦ *s.* **1** sonaglio **2** tintinnio.

rattle·snake [ˈrætlsneɪk] *s.* serpente a sonagli.

ratty [ˈrætɪ] *agg.* (*fam.*) irascibile.

ravage [ˈrævɪdʒ] *v.tr.* devastare.

rave [reɪv] *v.intr.* **1** delirare **2** andare in estasi ♦ *s.* lode smisurata ♦ *agg.* entusiastico.

raven [ˈreɪvn] *s.* corvo.

rav·en·ous [ˈrævənəs] *agg.* vorace.

ra·vine [rəˈvi:n] *s.* burrone; gola.

rav·ing [ˈreɪvɪŋ] *agg.* **1** delirante **2** notevole ♦ *s.* delirio.

raw [rɔ:] *agg.* **1** crudo **2** greggio | *– materials*, materie prime **3** inesperto **4** aperto (di ferita) **5** freddo (di clima).

ray [reɪ] *s.* raggio; lampo, barlume.
razor [ˈreɪzə*] *s.* rasoio.
re- [riː] *pref.* ri-.
reach [riːtʃ] *v.tr.* **1** raggiungere, arrivare a **2** allungare ♦ *v.intr.* estendersi ♦ *s.* **1** portata: *within – of*, alla portata di **2** tratto (di corso d'acqua).
re·act [rɪˈækt] *v.intr.* reagire.
re·ac·tion·ary [rɪˈækʃnərɪ *amer.* rɪˈækʃnerɪ] *agg., s.* reazionario.
re·actor [rɪˈæktə*] *s.* reattore.
read* [riːd] *v.tr.* **1** leggere; interpretare **2** *to – out*, leggere ad alta voce ♦ *v.intr.* **1** leggere **2** segnare (di strumenti).
read·able [ˈriːdəbl] *agg.* di piacevole lettura.
read·ing [ˈriːdɪŋ] *s.* **1** lettura **2** interpretazione **3** *pl.* misurazioni.
ready [ˈredɪ] *agg.* pronto | *– money*, denaro contante.
ready-made [ˌ·ˈ·] *agg.* confezionato, bell'e pronto.
re·af·for·esta·tion [ˈriːæˌfɒrɪˈsteɪʃn *amer.* ˌriːəˌfɔːrɪˈsteɪʃn] *s.* rimboschimento.
real [rɪəl] *agg.* reale; vero ♦ *avv.* (*amer.*) realmente.
real·ism [ˈrɪəlɪzəm] *s.* realismo.
real·istic [ˌrɪəˈlɪstɪk] *agg.* realistico.
real·ity [rɪˈælətɪ] *s.* realtà.
real·iza·tion [ˌrɪəlaɪˈzeɪʃn *amer.* ˌrɪəlɪˈzeɪʃn] *s.* **1** consapevolezza **2** realizzazione **3** (*comm.*) realizzo.
real·ize [ˈrɪəlaɪz] *v.tr.* **1** rendersi conto di **2** realizzare (*anche econ.*).
really [ˈrɪəlɪ] *avv.* veramente; davvero.
re·an·im·ate [ˌriːˈænɪmeɪt] *v.tr.* rianimare.
reap [riːp] *v.tr., intr.* mietere.
rear[1] [rɪə*] *agg.* posteriore ♦ *s.* **1** parte posteriore, retro **2** retroguardia.
rear[2] *v.tr.* allevare; coltivare ♦ *v.intr.* (*up*) impennarsi.
rear·guard [ˈrɪəgɑːd] *s.* retroguardia.
re·arma·ment [ˌriːˈɑːməmənt] *s.* riarmo.
reason [ˈriːzn] *s.* **1** causa, ragione **2** raziocinio ♦ *v.intr.* ragionare ♦ *v.tr.* persuadere.
reas·on·able [ˈriːznəbl] *agg.* ragionevole.
reas·on·ing [ˈriːznɪŋ] *s.* ragionamento.
re·as·sess·ment [ˌriːəˈsesmənt] *s.* revisione, correzione.
re·as·sur·ing [ˌriːəˈʃʊərɪŋ] *agg.* rassicurante.
rebel [ˈrebl] *agg., s.* ribelle.
rebel [rɪˈbel] (*-lled*) *v.intr.* ribellarsi.
re·bel·lion [rɪˈbeljən] *s.* ribellione.
re·bel·li·ous [rɪˈbeljəs] *agg.* ribelle.
rebound [ˈriːbaʊnd] *v.intr.* rimbalzare; (*fig.*) ricadere.
rebuke [rɪˈbjuːk] *v.tr.* rimproverare.
recall [rɪˈkɔːl] *v.tr.* **1** richiamare **2** rievocare ♦ *s.* **1** richiamo **2** ricordo.
re·cede [rɪˈsiːd] *v.intr.* recedere; allontanarsi.
re·ceipt [rɪˈsiːt] *s.* **1** ricevuta **2** *pl.* introiti.
re·ceive [rɪˈsiːv] *v.tr.* ricevere.
re·ceiver [·ˈ·ə*] *s.* **1** ricevitore **2** ricettatore **3** (*dir.*) (*official*) *–*, curatore fallimentare; liquidatore.
re·cent [ˈriːsnt] *agg.* recente.
re·cep·tion [rɪˈsepʃn] *s.* **1** ricevimento **2** accoglienza **3** accettazione.
re·cess [rɪˈses] *s.* **1** rientranza **2** nicchia **3** vacanza.
re·cid·iv·ist [rɪˈsɪdɪvɪst] *s.* recidivo.
re·cipe [ˈresɪpɪ] *s.* ricetta.
re·cip·rocal [rɪˈsɪprəkl] *agg.* reciproco.
re·cite [rɪˈsaɪt] *v.tr.* **1** recitare **2** enumerare.

reck·less [ˈreklɪs] *agg.* noncurante; avventato.
reckon [ˈrekən] *v.tr.* **1** considerare **2** calcolare **3** *to – with*, fare i conti con ♦ *v.intr.*: *to – (up)on*, contare su.
reck·on·ing [ˈreknɪŋ] *s.* calcolo.
re·clama·tion [ˌrekləˈmeɪʃn] *s.* bonifica (di terreni ecc.).
re·cog·ni·tion [ˌrekəgˈnɪʃn] *s.* riconoscimento.
re·cog·nize [ˈrekəgnaɪz] *v.tr.* riconoscere.
re·com·mend [ˌrekəˈmend] *v.tr.* raccomandare; consigliare.
re·com·pense [ˈrekəmpens] *s.* ricompensa.
re·con·cile [ˈrekənsaɪl] *v.tr.* riconciliare; conciliare | *to – o.s.*, rassegnarsi.
re·con·nais·sance [rɪˈkɒnɪsəns] *s.* ricognizione.
re·con·struct [ˌri:kənˈstrʌkt] *v.tr.* ricostruire.
rec·ord [ˈrekɔ:d *amer.* ˈrekəd] *s.* **1** nota; documento; *pl.* archivi | *off the –*, (*fam.*) ufficioso **2** record **3** disco: *– player*, giradischi ♦ [riˈkɔ:d] *v.tr.* **1** annotare **2** riportare **3** registrare ♦ *v. intr.* registrare.
record-breaking [ˈ··,··] *agg.* da primato.
recorded delivery [rɪˌkɔ:dɪd dɪˈlɪvərɪ] *s.* raccomandata con ricevuta di ritorno.
re·corder [rɪˈkɔ:də*] *s.* **1** registratore **2** flauto dolce.
re·course [rɪˈkɔ:s] *s.* ricorso.
re·cover [ˌrɪˈkʌvə*] *v.tr.* riprendere; ricuperare | *to – oneself*, riaversi ♦ *v.intr.* riaversi.
re·cov·ery [rɪˈkʌvərɪ] *s.* **1** ricupero **2** guarigione **3** ripresa.
re·cre·ation [ˌrekrɪˈeɪʃn] *s.* ricreazione.
re·cruit [rɪˈkru:t] *s.* **1** recluta **2** principiante.
recruit *v.tr.* reclutare.
rect·angle [ˈrekˌtæŋgl] *s.* rettangolo.
rec·ti·fica·tion [ˌrektɪfɪˈkeɪʃn] *s.* rettifica.
rect·ify [ˈrektɪfaɪ] *v.tr.* rettificare.
rect·it·ude [ˈrektɪtju:d] *s.* rettitudine; integrità.
rector [ˈrektə*] *s.* **1** parroco **2** rettore.
re·cur [rɪˈkɜ:*] (*-rred*) *v.intr.* ricorrere; ripetersi.
re·cycle [ˌrɪ:ˈsaɪkl] *v.tr.* riciclare.
re·cyc·ling [·ˈ·ɪŋ] *s.* riciclaggio.
red [red] *agg.*, *s.* **1** rosso | *in the –*, (*comm.*) in rosso **2** (*fam.*) comunista.
red-blooded [·ˈblʌdɪd] *agg.* (*fam.*) energico; virile.
red·den [ˈredn] *v.tr.* **1** arrossare **2** fare arrossire ♦ *v.intr.* arrossire.
re·deem [rɪˈdi:m] *v.tr.* **1** riscattare **2** liberare **3** compensare.
re·deem·er [·ˈ·ə*] *s.* redentore.
re·demp·tion [rɪˈdempʃn] *s.* riscatto; (*relig.*) redenzione.
red-handed [·ˈhændɪd] *agg.* in flagrante.
red·head [ˈredhed] *s.* (*fam.*) persona dai capelli rossi.
red-hot [·ˈ·] *agg.* rovente.
re·double [rɪˈdʌbl] *v.tr.* raddoppiare; intensificare.
red tape [·ˈ·] *s.* burocrazia.
re·duce [rɪˈdju:s] *v.tr.* **1** ridurre **2** (*mil.*) degradare ♦ *v.intr.* ridursi.
re·duc·tion [rɪˈdʌkʃn] *s.* **1** riduzione **2** semplificazione.
re·dund·ant [rɪˈdʌndənt] *agg.* **1** eccedente **2** ridondante.
reed [ri:d] *s.* canna, giunco.

reef [ri:f] *s.* scogliera; banco di sabbia.
reefer[1] ['ri:fə*] *s.* giaccone.
reefer[2] *s.* (*sl.*) spinello.
reek [ri:k] *s.* puzzo ♦ *v.intr.* puzzare.
reel[1] [ri:l] *s.* **1** rocchetto, bobina **2** mulinello ♦ *v.tr.* **1** arrotolare **2** *to – off*, (*fig.*) snocciolare.
reel[2] *v.intr.* **1** roteare **2** barcollare.
re·fer [rɪ'fɜ:*] (*-rred*) *v.intr.* **1** fare riferimento **2** far ricorso ♦ *v.tr.* **1** indirizzare a **2** inoltrare.
ref·eree [,refə'ri:] *s.* arbitro; giudice ♦ *v.tr.*, *intr.* arbitrare.
ref·er·ence ['refrəns] *s.* **1** riferimento | *in* (o *with*) *– to*, con riferimento a **2** consultazione **3** raccomandazione.
re·fined [rɪ'faɪnd] *agg.* raffinato.
re·fine·ment [rɪ'faɪnmənt] *s.* **1** raffinazione **2** raffinatezza.
re·finery [rɪ'faɪnərɪ] *s.* raffineria.
re·flect [rɪ'flekt] *v.tr.* riflettere; rispecchiare ♦ *v.intr.* **1** riflettersi **2** pensare.
re·flec·tion [rɪ'flekʃn] *s.* **1** riflessione **2** conseguenza **3** meditazione.
re·flex ['ri:fleks] *s.* riflesso.
re·form [rɪ'fɔ:m] *s.* riforma.
reform [,ri:'fɔ:m] *v.tr.* riformare ♦ *v.intr.* correggersi.
re·fract·ory [rɪ'fræktərɪ] *agg.* refrattario.
re·frain[1] [rɪ'freɪn] *s.* ritornello.
refrain[2] *v.intr.* astenersi.
re·fresh [rɪ'freʃ] *v.tr.* **1** ristorare **2** rinfrescare, ravvivare.
re·fresh·ment [rɪ'freʃmənt] *s.* **1** ristoro; riposo **2** (*gener. pl.*) rinfresco.
re·fri·ger·ate [rɪ'frɪdʒəreɪt] *v.tr.* refrigerare.
re·fri·ger·ator [rɪ'frɪdʒəreɪtə*] *s.* frigorifero.
ref·uge ['refju:dʒ] *s.* rifugio.
re·fu·gee [,refju:'dʒi:] *s.* profugo.
re·fund ['ri:fʌnd] *s.* rimborso.
refund [ri:'fʌnd] *v.tr.* rimborsare.
re·fusal [rɪ'fju:zl] *s.* rifiuto.
refuse [rɪ'fju:z] *v.tr.*, *intr.* rifiutare, rifiutarsi.
re·fute [rɪ'fju:t] *v.tr.* confutare.
regal ['ri:gl] *agg.* regale.
regard [rɪ'gɑ:d] *v.tr.* **1** considerare **2** riguardare **3** guardare ♦ *s.* **1** riguardo **2** *pl.* saluti.
re·gard·ing [rɪ'gɑ:dɪŋ] *prep.* per quanto riguarda.
re·gard·less [rɪ'gɑ:dlɪs] *avv.* ciononostante | *– of*, nonostante.
re·gatta [rɪ'gætə] *s.* regata.
re·gency ['ri:dʒənsɪ] *s.* reggenza.
re·gent ['ri:dʒənt] *s.* reggente.
re·gime [reɪ'ʒi:m] **régime** *s.* regime.
re·gi·ment ['redʒɪmənt] *s.* reggimento.
re·gion ['ri:dʒən] *s.* **1** regione | *in the – of*, all'incirca **2** sfera, campo.
re·gional ['ri:dʒənl] *agg.* regionale.
re·gis·ter ['redʒɪstə*] *s.* registro ♦ *v.tr.* **1** registrare; immatricolare **2** raccomandare (lettere), assicurare (bagaglio) ♦ *v.intr.* **1** iscriversi **2** rimanere impresso.
re·gis·trar [,redʒɪs'trɑ:*] *s.* **1** segretario amministrativo (di università) **2** ufficiale di stato civile.
re·gis·tra·tion [,redʒɪ'streɪʃn] *s.* registrazione: *– number*, numero di targa.
re·gis·try ['redʒɪstrɪ] *s.* **1** ufficio di registrazione: *land –*, catasto **2** *– office*, ufficio di stato civile.
regress [rɪ'gres] *v.intr.* regredire.
regret [rɪ'gret] (*-tted* [-tɪd]) *v.tr.* **1** rimpiangere **2** rammaricarsi di ♦ *s.* rimpianto, rincrescimento.
re·gret·table [rɪ'gretəbl] *agg.* spiacevole, deplorevole.

regu·lar [ˈregjʊlə*] *agg.* **1** regolare; abituale **2** (*spec. amer.*) medio ♦ *s.* cliente abituale.
regu·late [ˈregjʊleɪt] *v.tr.* **1** regolamentare **2** regolare, mettere a punto.
re·gu·la·tion [ˌregjʊˈleɪʃn] *s.* **1** regolazione **2** disposizione, norma.
re·gur·git·ate [rɪˈgɜːdʒɪteɪt] *v.tr.*, *intr.* rigurgitare; rigettare.
re·hab·il·it·ate [ˌriːəˈbɪlɪteɪt] *v.tr.* **1** riabilitare **2** ripristinare.
re·hearsal [rɪˈhɜːsl] *s.* prova (di rappresentazione, concerto ecc.).
re·hearse [rɪˈhɜːs] *v.tr.* provare; fare le prove di.
reign [reɪn] *s.* regno ♦ *v.intr.* regnare.
reign·ing [ˈ·ɪŋ] *agg.* **1** regnante **2** in carica.
rein [reɪn] *s.* redine, briglia.
rein·deer [ˈreɪndɪə*] *s.* (*pl. invar.*) renna.
re·in·force [ˌriːɪnˈfɔːs] *v.tr.* rinforzare; rafforzare.
re·in·force·ment [ˌ··ˈ·mənt] *s.* rinforzo.
re·in·state [ˌriːɪnˈsteɪt] *v.tr.* ristabilire; ripristinare.
re·is·sue [ˌriːˈɪʃuː] *s.* ristampa.
reject [rɪˈdʒekt] *v.tr.* rifiutare; (*med.*) rigettare (un organo).
re·jec·tion [rɪˈdʒekʃn] *s.* **1** rigetto; scarto **2** emarginazione.
re·joice [rɪˈdʒɔɪs] *v.intr.* rallegrarsi.
re·join [ˌriːˈdʒɔɪn] *v.tr.*, *intr.* ricongiungere; ricongiungersi (a).
re·lapse [rɪˈlæps] *s.* ricaduta ♦ *v.intr.* **1** ricadere **2** avere una ricaduta.
re·late [rɪˈleɪt] *v.tr.* **1** riferire **2** collegare ♦ *v.intr.* (*to*) avere rapporto (con); riferirsi (a).
re·lated [rɪˈleɪtɪd] *agg.* **1** imparentato **2** connesso, collegato.
re·lat·ing [rɪˈleɪtɪŋ] *agg.* relativo, concernente.
re·la·tion [rɪˈleɪʃn] *s.* **1** racconto **2** relazione | *in* (o *with*) – *to*, in relazione a **3** parente.
rel·at·ive [ˈrelətɪv] *agg.* relativo ♦ *s.* parente.
re·lax [rɪˈlæks] *v.tr.*, *intr.* **1** rilassare, rilassarsi **2** allentare, allentarsi.
re·laxa·tion [ˌriːlækˈseɪʃn] *s.* **1** rilassamento **2** svago.
re·lay [ˈriːleɪ *nel significato 3* rɪˈleɪ] *s.* **1** – (*race*), staffetta **2** turno **3** (*rad.*) collegamento ♦ *v.tr.* **1** ritrasmettere **2** riferire.
re·lease [rɪˈliːs] *v.tr.* **1** liberare **2** distribuire; diffondere **3** sganciare; disinserire ♦ *s.* **1** liberazione **2** distribuzione: *new* –, novità (discografica ecc.) **3** dispositivo di sgancio; scatto.
re·leg·ate [ˈrelɪgeɪt] *v.tr.* **1** relegare **2** (*sport*) retrocedere.
re·lent·less [rɪˈlentlɪs] *agg.* inesorabile.
rel·ev·ant [ˈreləvənt] *agg.* **1** pertinente **2** significativo.
re·li·able [rɪˈlaɪəbl] *agg.* attendibile.
re·li·ant [rɪˈlaɪənt] *agg.* dipendente.
relic [ˈrelɪk] *s.* reliquia; resto.
re·lief[1] [rɪˈliːf] *s.* **1** sollievo **2** soccorso; sussidio **3** sgravio **4** sostituto.
relief[2] *s.* rilievo.
re·lieve [rɪˈliːv] *v.tr.* **1** alleviare **2** aiutare **3** sostituire.
re·li·gion [rɪˈlɪdʒən] *s.* religione.
re·li·gious [rɪˈlɪdʒəs] *agg.* religioso.
re·lin·quish [rɪˈlɪŋkwɪʃ] *v.tr.* abbandonare.
rel·ish [ˈrelɪʃ] *s.* **1** gusto **2** salsa piccante ♦ *v.tr.* gustare, apprezzare.
re·lo·ca·tion [ˌriːləʊˈkeɪʃn] *s.* trasferimento.

re·luct·ant [rɪ'lʌktənt] *agg.* riluttante; restio.
re·luct·ant·ly [·'··lɪ] *avv.* a malincuore.
rely [rɪ'laɪ] *v.intr.* (*on*) **1** fare assegnamento (su) **2** dipendere (da).
remade [rɪ'meɪd] *pass, p.p.* di to *remake.*
re·main [rɪ'meɪn] *v.intr.* rimanere.
re·main·der [rɪ'meɪndə*] *s.* **1** resto; avanzo **2** *pl.* giacenze.
re·mains [rɪ'meɪnz] *s.pl.* resti.
re·make ['ri:meɪk] *s.* rifacimento ♦ (come *make*) *v.tr.* rifare.
re·mark [rɪ'mɑ:k] *s.* osservazione; commento ♦ *v.tr.* osservare ♦ *v.intr.* fare commenti.
re·mark·able [rɪ'mɑ:kəbl] *agg.* notevole.
rem·edy ['remɪdɪ] *s.* rimedio; cura ♦ *v.tr.* rimediare.
re·mem·ber [rɪ'membə*] *v.tr., intr.* ricordare, ricordarsi.
re·mem·brance [rɪ'membrəns] *s.* ricordo: *in – of*, alla memoria di.
re·mind [rɪ'maɪnd] *v.tr.* (far) ricordare a.
re·minder [·'·ə*] *s.* **1** promemoria **2** lettera di sollecito; avviso.
re·min·is·cence [,remɪ'nɪsns] *s.* reminiscenza; ricordo.
re·mis·sion [rɪ'mɪʃn] *s.* **1** remissione **2** condono.
re·mit [rɪ'mɪt] (*-tted* [-tɪd]) *v.tr.* **1** rimettere **2** condonare ♦ *v.intr.* pagare.
re·mit·tance [rɪ'mɪtəns] *s.* rimessa.
rem·nant ['remnənt] *s.* avanzo; rimanenza; scampolo.
re·morse [rɪ'mɔ:s] *s.* rimorso.
re·morse·less [rɪ'mɔ:slɪs] *agg.* spietato.
re·mote [rɪ'məʊt] *agg.* remoto.
re·moval [rɪ'mu:vl] *s.* **1** rimozione **2** trasloco.
re·move [rɪ'mu:v] *v.tr.* **1** rimuovere **2** destituire; licenziare ♦ *v.intr.* traslocare.
re·mover [·'·ə*] *s.* smacchiatore; solvente.
renal ['ri:nəl] *agg.* renale.
rend [rend] *v.tr., intr.* strappare, strapparsi.
ren·eg·ade ['renɪgeɪd] *s.* rinnegato.
re·new [rɪ'nju: *amer.* rɪ'nu:] *v.tr.* rinnovare; ripristinare.
re·new·able [rɪ'nju:əbl] *agg.* rinnovabile.
re·newal [rɪ'nju:əl] *s.* rinnovo; rinnovamento.
re·nounce [rɪ'naʊns] *v.tr.* **1** rinunciare a **2** rinnegare.
ren·ov·ate ['renəʊveɪt] *v.tr.* rinnovare; ristrutturare.
re·nowned [rɪ'naʊnd] *agg.* rinomato, celebre.
rent[1] [rent] *s.* affitto | *for –*, affittasi | *– control*, equo canone ♦ *v.tr.* affittare.
rent[2] *s.* strappo; squarcio ♦ *pass.* e *p.p.* di to *rend.*
rental ['rentl] *s.* nolo, noleggio.
rent-free ['·,·] *agg.* esente da affitto ♦ *avv.* gratis.
re·nun·ci·ation [rɪ,nʌnsɪ'eɪʃn] *s.* **1** rinuncia **2** ripudio.
re·open [,ri:'əʊpən] *v.tr., intr.* riaprire, riaprirsi.
re·or·gan·ize [,ri:'ɔ:gənaɪz] *v.tr., intr.* riorganizzare, riorganizzarsi.
rep[1] [rep] (*fam.*) → *repertory.*
rep[2] *s.* (*fam.*) rappresentante.
repaid [ri:'peɪd] *pass., p.p.* di to *repay.*
re·pair [rɪ'peə*] *s.* riparazione | *in good –*, in buono stato ♦ *v.tr.* riparare.
re·para·tion [,repə'reɪʃn] *s.* riparazione; risarcimento.
re·par·tee [,repɑ:'ti:] *s.* risposta pronta.

re·pat·ri·ate [ˌriːˈpætrɪeɪt] *v.tr.* rimpatriare.
re·pat·ri·ation [ˌriːpætrɪˈeɪʃn] *s.* rimpatrio.
re·pay [riːˈpeɪ] (come *pay*) *v.tr.* **1** ripagare **2** restituire.
re·pay·able [riːˈpeɪəbl] *agg.* rimborsabile.
re·peal [rɪˈpiːl] *v.tr.* abrogare.
re·peat [rɪˈpiːt] *s.* ripetizione; (*tv*, *rad.*) replica.
re·pel [rɪˈpel] (*-lled*) *v.tr.* **1** respingere **2** ripugnare a.
re·pel·lent [rɪˈpelənt] *agg.* ripugnante.
re·pent [rɪˈpent] *v.tr.*, *intr.* pentirsi (di).
re·pent·ance [rɪˈpentəns] *s.* pentimento.
re·pent·ant [rɪˈpentənt] *agg.* pentito.
rep·er·toire [ˈrepətwɑː*] *s.* (*teatr.*) repertorio.
rep·er·tory [ˈrepətərɪ *amer.* ˈrepətɔːrɪ] *s.* repertorio ♦ *agg.* di repertorio.
re·pe·ti·tion [ˌrepɪˈtɪʃn] *s.* ripetizione.
re·pe·ti·tious [ˌrepɪˈtɪʃəs] **re·pet·it·ive** [rɪˈpetɪtɪv] *agg.* ripetitivo.
re·place [rɪˈpleɪs] *v.tr.* **1** rimpiazzare **2** ricollocare, rimettere a posto.
re·ply [rɪˈplaɪ] *s.* replica ♦ *v.tr.*, *intr.* rispondere, replicare.
report [rɪˈpɔːt] *v.tr.* **1** riferire; fare la relazione di **2** denunciare ♦ *v.intr.* **1** fare il corrispondente **2** presentarsi ♦ *s.* **1** rapporto **2** cronaca **3** diceria **4** pagella.
re·port·age [ˌrepɔːˈtɑːʒ] *s.* servizio (giornalistico).
re·por·ted·ly [rɪˈpɔːtɪdlɪ] *avv.* da quel che si dice.
re·porter [rɪˈpɔːtə*] *s.* cronista.
rep·res·ent [ˌreprɪˈzent] *v.tr.* rappresentare.
rep·res·enta·tion [ˌreprɪzenˈteɪʃn] *s.* rappresentazione.
rep·res·ent·at·ive [ˌreprɪˈzentətɪv] *agg.* rappresentativo ♦ *s.* **1** rappresentante **2** campione.
re·press [rɪˈpres] *v.tr.* reprimere.
re·pres·sion [rɪˈpreʃn] *s.* repressione.
re·press·ive [rɪˈpresɪv] *agg.* repressivo.
reprieve [rɪˈpriːv] *v.tr.* **1** sospendere l'esecuzione di **2** accordare una tregua a.
re·print [ˌriːˈprɪnt] *s.* ristampa ♦ *v.tr.* ristampare.
re·prisal [rɪˈpraɪzl] *s.* (*spec. pl.*) rappresaglia.
re·proach [rɪˈprəʊtʃ] *s.* rimprovero ♦ *v.tr.* rimproverare.
re·proach·ful [rɪˈprəʊtʃfʊl] *agg.* di rimprovero.
re·pro·duce [ˌriːprəˈdjuːs] *v.tr.*, *intr.* riprodurre, riprodursi.
re·proof [rɪˈpruːf] *s.* rimprovero.
rep·tile [ˈreptaɪl *amer.* ˈreptl] *s.* rettile.
re·pub·lic [rɪˈpʌblɪk] *s.* repubblica.
re·pub·lican [rɪˈpʌblɪkən] *agg.*, *s.* repubblicano.
re·pu·di·ate [rɪˈpjuːdɪeɪt] *v.tr.* **1** ripudiare **2** negare.
re·pug·nant [rɪˈpʌgnənt] *agg.* ripugnante.
re·pul·sion [rɪˈpʌlʃn] *s.* repulsione.
re·puls·ive [rɪˈpʌlsɪv] *agg.* ripulsivo.
rep·ut·able [ˈrepjʊtəbl] *agg.* rispettabile, onorato.
re·pu·ta·tion [ˌrepjʊˈteɪʃn] *s.* reputazione; fama; rispettabilità.
re·puted [rɪˈpjuːtɪd] *agg.* supposto, presunto.
re·quest [rɪˈkwest] *s.* richiesta ♦ *v.tr.* richiedere.
re·quire [rɪˈkwaɪə*] *v.tr.* richiedere;

aver bisogno di ♦ *v.intr.* essere necessario.
re·quire·ment [·ˈ··mənt] *s.* **1** richiesta; bisogno **2** requisito.
re·quis·ite [ˈrekwɪzɪt] *agg.* necessario ♦ *s.* requisito.
requisition [ˌrekwɪˈzɪʃn] *v.tr.* **1** fare richiesta di **2** requisire (*spec. mil.*).
res·cue [ˈreskju:] *s.* liberazione; salvataggio ♦ *v.tr.* liberare; salvare.
res·cuer [ˈ··ə*] *s.* liberatore; soccorritore.
re·search [rɪˈsɜ:tʃ *amer.* ˈrɪsɜ:tʃ] *s.* ricerca; indagine.
re·searcher [·ˈ·ə*] *s.* ricercatore.
re·semb·lance [rɪˈzembləns] *s.* somiglianza.
re·semble [rɪˈzembl] *v.tr.* assomigliare a.
re·sent [rɪˈzent] *v.tr.* risentirsi di.
re·sent·ment [·ˈ·mənt] *s.* risentimento.
re·ser·va·tion [ˌrezəˈveɪʃn] *s.* **1** riserva **2** prenotazione.
re·serve [rɪˈzɜ:v] *s.* **1** riserva **2** riserbo ♦ *v.tr.* **1** riservare **2** prenotare.
res·er·voir [ˈrezəvwɑ:*] *s.* **1** serbatoio; cisterna **2** (*anat.*) cavità.
res·ide [rɪˈzaɪd] *v.intr.* risiedere.
res·id·ence [ˈrezɪdəns] *s.* **1** residenza **2** casa signorile.
res·id·ent [ˈrezɪdənt] *agg.*, *s.* residente.
res·id·en·tial [ˌrezɪˈdenʃl] *agg.* residenziale.
res·idue [ˈrezɪdju:] *s.* residuo.
resign [rɪˈzaɪn] *v.tr.* **1** rinunciare a; dimettersi da **2** *to – oneself to*, rassegnarsi a ♦ *v.intr.* dare le dimissioni.
resig·na·tion [ˌrezɪgˈneɪʃn] *s.* **1** dimissioni **2** rassegnazione.
resin [ˈrezɪn] *s.* resina.
res·ist [rɪˈzɪst] *v.tr.* **1** resistere a **2** fare a meno di.
res·ist·ance [rɪˈzɪstəns] *s.* resistenza.
res·ol·ute [ˈrezəlu:t] *agg.* risoluto, deciso.
res·olu·tion [ˌrezəˈlu:ʃn] *s.* **1** fermezza **2** risoluzione **3** soluzione.
re·solve [rɪˈzɒlv] *v.tr.* **1** decidere **2** scomporre; semplificare ♦ *v.intr.* decidere (di).
re·solved [rɪˈzɒlvd] *agg.* risoluto.
res·on·ance [ˈrezənəns] *s.* risonanza.
re·sort [rɪˈzɔ:t] *s.* **1** stazione (climatica) **2** risorsa **3** ricorso ♦ *v.intr.* far ricorso.
re·sound [rɪˈzaʊnd] *v.intr.* risuonare.
re·sound·ing [·ˈ·ɪŋ] *agg.* **1** risonante **2** clamoroso.
re·source [rɪˈsɔ:s] *s.* (*spec. pl.*) risorsa.
re·spect [rɪˈspekt] *s.* **1** rispetto **2** riferimento: *in – of* (o *with – to*), riguardo a **3** punto di vista **4** *pl.* ossequi ♦ *v.tr.* rispettare.
re·spect·able [rɪˈspektəbl] *agg.* **1** rispettabile **2** considerevole.
re·spect·ing [·ˈ·ɪŋ] *prep.* riguardo a.
res·pira·tion [ˌrespəˈreɪʃn] *s.* **1** respirazione **2** respiro.
re·spond [rɪˈspɒnd] *v.intr.* rispondere.
re·sponse [rɪˈspɒns] *s.* risposta.
re·spons·ible [rɪˈspɒnsəbl] *agg.* **1** responsabile **2** che comporta responsabilità.
re·spons·ive [rɪˈspɒnsɪv] *agg.* **1** reattivo **2** sensibile.
rest[1] [rest] *s.* **1** riposo | *to come to –*, fermarsi **2** supporto **3** (*mus.*) pausa ♦ *v.tr.*, *intr.* **1** (far) riposare, riposarsi **2** appoggiare, appoggiarsi.
rest[2] *s.* **1** resto | *for the –*, quanto al resto **2** gli altri ♦ *v.intr.* **1** restare **2** *to – with*, dipendere da.
res·taur·ant [ˈrestərɒnt] *s.* ristorante.

res·taur·at·eur [ˌrestɒrə'tɜ:*] *s.* ristoratore.
rest·ful ['restfʊl] *agg.* riposante; tranquillo.
rest·less ['restlɪs] *agg.* irrequieto.
res·tora·tion [ˌrestə'reɪʃn] *s.* **1** restauro **2** restaurazione.
res·tor·at·ive [rɪ'stɒrətɪv] *agg.* corroborante ♦ *s.* ricostituente.
re·store [rɪ'stɔ:*] *v.tr.* **1** ristabilire; rimettere **2** restaurare **3** rimettere in salute.
re·storer [rɪ'stɔ:rə*] *s.* restauratore.
re·strain [rɪ'streɪn] *v.tr.* reprimere; controllare.
re·strained [rɪ'streɪnd] *agg.* **1** calmo **2** sobrio; misurato.
re·stricted [rɪ'strɪktɪd] *agg.* **1** costretto **2** riservato.
re·stric·tion [rɪ'strɪkʃn] *s.* restrizione, limitazione.
re·struc·ture [ˌri:'strʌktʃə*] *v.tr.* ristrutturare.
res·ult [rɪ'zʌlt] *s.* **1** risultato **2** conseguenza.
result *v.intr.* **1** risultare **2** concludersi.
re·sur·rect [ˌrezə'rekt] *v.tr., intr.* risuscitare.
re·sur·rec·tion [ˌrezə'rekʃn] *s.* **1** risurrezione **2** ripresa.
re·sus·cit·ate [rɪ'sʌsɪteɪt] *v.tr.* rianimare.
re·tail ['ri:teɪl] *s.* vendita al dettaglio ♦ *agg.* al dettaglio.
re·tailer ['··ə*] *s.* dettagliante.
re·tain [rɪ'teɪn] *v.tr.* **1** trattenere **2** conservare.
re·tali·ation [rɪˌtælɪ'eɪʃn] *s.* pariglia; rappresaglia.
retch [ri:tʃ] *s.* conato di vomito.
re·ti·cent ['retɪsənt] *agg.* reticente.
re·tire [rɪ'taɪə*] *v.tr.* pensionare ♦ *v.intr.* andare in pensione.
re·tired [rɪ'taɪəd] *agg.* a riposo, in pensione.
re·tiree [rɪˌtaɪ'ri:] *s.* (*amer.*) pensionato.
re·tir·ing [rɪ'taɪərɪŋ] *agg.* riservato.
re·touch [ˌri:'tʌtʃ] *v.tr.* ritoccare.
re·tract [rɪ'trækt] *v.tr.* **1** ritrarre **2** ritrattare ♦ *v.intr.* ritrarsi.
re·treat [rɪ'tri:t] *s.* **1** (*mil.*) ritirata **2** ritiro ♦ *v.intr.* ritirarsi.
re·trieval [rɪ'tri:vl] *s.* recupero.
re·trieve [rɪ'tri:v] *v.tr.* **1** recuperare **2** riparare; salvare.
re·triever [rɪ'tri:və*] *s.* cane da riporto.
retro- ['retrəʊ] *pref.* retro-.
ret·ro·act·ive [ˌretrəʊ'æktɪv] *agg.* retroattivo.
ret·ro·grade ['retrəʊgreɪd] *agg.* retrogrado.
ret·ro·spect·ive [ˌretrəʊ'spektɪv] *agg.* **1** retrospettivo **2** retroattivo.
re·turn [rɪ'tɜ:n] *s.* **1** ritorno | – (*ticket*), biglietto di andata e ritorno **2** restituzione **3** profitto | *in – for*, in cambio di **4** (*spec. pl.*) rendiconto ♦ *v.intr.* **1** ritornare **2** replicare ♦ *v.tr.* **1** rimettere **2** restituire **3** rendere.
re·turn·able [rɪ'tɜ:nəbl] *agg.* restituibile: – *bottle*, vuoto a rendere.
returning officer ['·· '···] *s.* presidente di seggio (elettorale).
re·union [ˌri:'ju:njən] *s.* riunione.
re·unite [ˌri:ju:'naɪt] *v.tr., intr.* riunire, riunirsi.
rev [rev] *s.* giro (del motore).
re·veal [rɪ'vi:l] *v.tr.* rivelare.
rev·elry ['revlrɪ] *s.* baldoria.
re·venge [rɪ'vendʒ] *s.* vendetta ♦ *v.tr.* vendicare.

re·venge·ful [rɪ'vendʒfʊl] *agg.* vendicativo.
revenue ['revənju: *amer.* 'revənu:] *s.* 1 reddito 2 fisco | *Inland Revenue Office*, (ufficio del) fisco | *Internal Revenue Service*, Dipartimento delle imposte.
re·ver·bera·tion [rɪˌvɜ:bə'reɪʃn] *s.* 1 eco 2 risonanza.
rev·er·end ['revərənd] *agg.* reverendo.
re·verse [rɪ'vɜ:s] *agg.* rovescio; opposto ♦ *s.* 1 il rovescio 2 retromarcia ♦ *v.tr.* rovesciare ♦ *v.intr.* fare retromarcia.
re·vers·ible [rɪ'vɜ:səbl] *agg.* reversibile.
re·vert [rɪ'vɜ:t] *v.intr.* tornare indietro.
re·view [rɪ'vju:] *s.* 1 esame 2 recensione 3 rivista ♦ *v.tr.* 1 esaminare 2 recensire.
re·viewer [-'·ə*] *s.* recensore.
re·vise [rɪ'vaɪz] *v.tr.* rivedere; riesaminare.
re·vi·sion [rɪ'vɪʒn] *s.* 1 revisione 2 ripasso.
re·vival [rɪ'vaɪvl] *s.* rinascita; revival.
re·vive [rɪ'vaɪv] *v.tr., intr.* 1 (far) rivivere 2 ravvivare, ravvivarsi.
re·voke [rɪ'vəʊk] *v.tr.* revocare.
re·volt [rɪ'vəʊlt] *s.* rivolta ♦ *v.intr.* ribellarsi ♦ *v.tr.* disgustare.
re·volu·tion [ˌrevə'lu:ʃn] *s.* rivoluzione.
re·volu·tion·ary [ˌrevə'lu:ʃənərɪ *amer.* ˌrevə'lu: ʃənerɪ] *agg., s.* rivoluzionario.
re·volve [rɪ'vɒlv] *v.tr., intr.* (far) ruotare.
re·volver [rɪ'vɒlvə*] *s.* rivoltella.
re·vue [rɪ'vju:] *s.* (*teatr.*) rivista.
re·vul·sion [rɪ'vʌlʃn] *s.* repulsione.
re·ward [rɪ'wɔ:d] *s.* ricompensa ♦ *v.tr.* ricompensare.
re·ward·ing [-'·ɪŋ] *agg.* gratificante; rimunerativo.
rhet·or·ical [rɪ'tɔ:rɪkl] *agg.* retorico.
rheum·atic [ru:'mætɪk] *agg.* reumatico ♦ *s. pl.* (*fam.*) reumatismi.
rheum·at·ism ['ru:mətɪzəm] *s.* reumatismo.
rhine·stone ['raɪnstəʊn] *s.* strass.
rhi·no·ceros [raɪ'nɒsərəs] fam. **rhino** ['raɪnəʊ] *s.* rinoceronte.
rho·do·den·dron [ˌrəʊdə'dendrən] *s.* rododendro.
rhu·barb ['ru:bɑ:b] *s.* 1 rabarbaro 2 (*fam.*) parlottio.
rhyme [raɪm] *s.* 1 rima 2 verso ♦ *v.tr., intr.* (far) rimare.
rhythm ['rɪðəm] *s.* ritmo.
rhyth·mic·(al) ['rɪðmɪk(l)] *agg.* ritmico.
rib [rɪb] *s.* 1 costola: – *cage*, gabbia toracica 2 costa 3 stecca (di ombrello).
rib (*-bbed*) *v.tr.* (*fam.*) prendere in giro.
rib·bed [rɪbd] *agg.* 1 scanalato 2 a coste 3 nervato.
rib·bon ['rɪbən] *s.* nastro | *in ribbons*, a brandelli.
rice [raɪs] *s.* riso: – *field*, risaia.
rich [rɪtʃ] *agg.* 1 ricco: – *in*, ricco di | *the* –, i ricchi 2 fertile (di terreno) 3 intenso (di colore).
riches ['rɪtʃɪz] *s.pl.* ricchezze.
rick·ets ['rɪkɪts] *s.* rachitismo.
rick·ety ['rɪkɪtɪ] *agg.* 1 rachitico 2 malsicuro.
rick·shaw ['rɪkʃɔ*] *s.* risciò.
rid* [rɪd] *v.tr.* sbarazzare | *to get – of*, liberarsi da, di.
rid·den ['rɪdn] *p.p.* di *to ride* ♦ *agg.* oppresso, tormentato.
riddle[1] ['rɪdl] *s.* enigma ♦ *v.intr.* parlare per enigmi.
riddle[2] *v.tr.* crivellare.
ride* [raɪd] *v.tr., intr.* 1 cavalcare 2 andare, viaggiare (su) 3 *to – up*, (*di*

abito) salire ♦ *s.* **1** cavalcata **2** corsa (su un veicolo) **3** tragitto, percorso.
rider [ˈ·ə*] *s.* **1** cavallerizzo; fantino **2** ciclista, motociclista **3** postilla.
ridge [rɪdʒ] *s.* **1** sporgenza **2** colmo (del tetto) **3** cresta (di monte).
ri·di·cule [ˈrɪdɪkju:l] *v.tr.* mettere in ridicolo.
ri·dicu·lous [rɪˈdɪkjʊləs] *agg.* ridicolo.
rid·ing [ˈ·ɪŋ] *s.* equitazione.
rife [raɪf] *agg.* diffuso.
riff·raff [ˈrɪfræf] *s.* plebaglia.
rifle [ˈraɪfl] *s.* fucile.
rifle·man [ˈraɪflmən] (*-men*) *s.* **1** fuciliere **2** tiratore.
rifle range [ˈ·· ˈ·] *s.* poligono di tiro.
rift [rɪft] *s.* crepa; spaccatura.
rig[1] [rɪg] *s.* **1** equipaggiamento **2** (*fam.*) abbigliamento **3** piattaforma (di trivellazione) ♦ *v.tr.* **1** equipaggiare **2** (*fam.*) vestire **3** sistemare.
rig[2] (*-gged*) *v.tr.* manipolare.
right [raɪt] *agg.* **1** giusto, corretto | *that's –*, esattamente | *to be –*, avere ragione **2** destro ♦ *s.* **1** il giusto **2** diritto | *by rights*, a buon diritto **3** destra: *on* (o *to*) *the –*, a destra ♦ *avv.* **1** bene: *it serves him –!*, gli sta bene! **2** nel modo giusto **3** in linea retta **4** esattamente **5** a destra ♦ *v.tr.* **1** raddrizzare **2** rendere giustizia a.
right·ful [ˈraɪtfʊl] *agg.* **1** legittimo **2** giusto.
right-hand [ˈ·hænd] *agg.* destro; situato a destra | *– man*, braccio destro.
right-handed [·ˈ··] *agg.* destrimano.
right·ist [ˈraɪtɪst] *agg.* (*pol.*) di destra ♦ *s.* membro della destra.
right-minded [·ˈ··] *agg.* sensato.
right of way [ˈ·· ˈ·] *s.* **1** precedenza **2** diritto di transito, di passaggio.
ri·gid [ˈrɪdʒɪd] *agg.* rigido.
rig·our [ˈrɪgə*] amer. **rigor** *s.* rigore.
rile [raɪl] *v.tr.* (*fam.*) irritare.
rim [rɪm] (*-mmed*) *v.tr.* bordare, orlare ♦ *s.* **1** bordo, orlo **2** cerchione.
rind [raɪnd] *s.* corteccia; scorza; buccia.
ring[1] [rɪŋ] *s.* **1** anello; cerchio | *– finger*, (dito) anulare **2** (*boxe*) ring **3** organizzazione (criminale) ♦ *v.tr.* circondare.
ring*[2] *v.tr.*, *intr.* **1** suonare **2** telefonare (a) **3** *to – back*, ritelefonare (a) **4** *to – off*, riattaccare (il telefono) **5** *to – up*, telefonare; registrare (in cassa) ♦ *s.* **1** scampanio; squillo | *give him a –*, (*fam.*) dagli un colpo di telefono **2** timbro (di voce); (*fig.*) nota.
ring·ing [ˈrɪŋɪŋ] *agg.* sonoro.
ring·let [ˈrɪŋlɪt] *s.* **1** boccolo **2** anellino; cerchietto.
ring·mas·ter [ˈrɪŋmɑ:stə* *amer.* ˈrɪŋ mæstə*] *s.* direttore di circo.
ring road [ˈ· ˈ·] *s.* tangenziale; circonvallazione.
ring·way [ˈrɪŋweɪ] *s.* tangenziale; circonvallazione.
rink [rɪŋk] *s.* **1** pista (di pattinaggio) **2** campo (di bocce ecc.).
rinse [rɪns] *v.tr.* (*out*) risciacquare.
riot [ˈraɪət] *s.* **1** rivolta; tumulto **2** stravizio: *to run –*, abbandonarsi a eccessi **3** profusione (di colori) ♦ *v.intr.* insorgere.
rioter [ˈ·ə*] *s.* rivoltoso.
ri·ot·ous [ˈraɪətəs] *agg.* **1** sedizioso **2** dissoluto; sfrenato.
rip [rɪp] (*-pped* [-pt]) *v.tr.* **1** (*up*) strappare; scucire **2** *to – off*, (*sl.*) rubare; derubare ♦ *v.intr.* strapparsi; scucirsi ♦ *s.* strappo; scucitura.
ripe [raɪp] *agg.* **1** maturo | *– lips*, labbra turgide **2** stagionato.

ripen ['raɪpən] *v.intr., tr.* (far) maturare; (far) stagionare.
rip-off ['··] *s.* (*sl.*) fregatura; rapina.
ripple ['rɪpl] *v.intr.* **1** incresparsi **2** gorgogliare **3** (*fig.*) diffondersi ♦ *v.tr.* increspare.
rise* [raɪz] *v.intr.* **1** sorgere, levarsi, alzarsi **2** aumentare; gonfiarsi **3** (*up*) insorgere **4** aver origine **5** (*di pesci*) affiorare ♦ *s.* **1** il sorgere (del sole) | *the – of day*, l'alba **2** ascesa; progresso **3** salita; rampa **4** aumento **5** origine.
risen ['rɪzn] *p.p.* di to *rise*.
ris·ing ['raɪzɪŋ] *s.* rivolta.
risk [rɪsk] *s.* rischio ♦ *v.tr.* rischiare; mettere a repentaglio: *let's – it!*, tentiamo!
risky ['rɪskɪ] *agg.* rischioso, arrischiato.
ris·sole ['rɪsəʊl] *s.* polpetta.
rite [raɪt] *s.* rito; cerimonia.
rit·ual ['rɪtjʊəl] *agg., s.* rituale.
ri·val ['raɪvl] *agg., s.* rivale.
ri·valry ['raɪvlrɪ] *s.* rivalità.
river ['rɪvə*] *s.* fiume: *down* –, a valle; *up* –, a monte.
riv·er·bed ['rɪvəbed] *s.* letto di fiume.
riv·er·side ['rɪvəsaid] *agg.* rivierasco ♦ *s.* lungofiume; riva (di fiume).
rivet ['rɪvɪt] (*-(t)ted* ['-tɪd]) *v.tr.* inchiodare.
road [rəʊd] *s.* strada: *on the* –, per strada; *– sense*, educazione stradale; *– hog*, pirata della strada | *by* –, in automobile.
road·house ['rəʊdhaʊs] *s.* autogrill.
road·side ['rəʊdsaɪd] *agg., s.* (sul) bordo della strada.
road·way ['rəʊdweɪ] *s.* carreggiata, piano stradale.
roam [rəʊm] *v.intr.* vagare ♦ *v.tr.* percorrere.
roar [rɔ:*] *s.* **1** boato; rombo **2** ruggito **3** urlo ♦ *v.intr.* **1** rimbombare; tuonare | *to – with laughter*, scoppiare dalle risa **2** ruggire **3** urlare ♦ *v.tr.* urlare.
roast [rəʊst] *agg.* arrosto ♦ *s.* **1** arrosto **2** tostatura ♦ *v.tr.* **1** arrostire **2** tostare (caffè ecc.) ♦ *v.intr.* arrostirsi.
rob [rɒb] (*-bbed*) *v.tr.* **1** derubare; saccheggiare **2** privare ♦ *v.intr.* commettere un furto.
rob·ber ['rɒbə*] *s.* rapinatore.
rob·bery ['rɒbərɪ] *s.* rapina.
robe [rəʊb] *s.* tunica; toga.
robin ['rɒbɪn] *s.* pettirosso.
ro·botic [rəʊ'bɒtɪk] *agg.* da robot, da automa.
ro·bust [rəʊ'bʌst] *agg.* robusto.
rock[1] [rɒk] *s.* **1** roccia; scoglio | *on the rocks*, (*fam.*) in malora; al verde | *whisky on the rocks*, whisky con ghiaccio **2** rocca **3** (bastoncino di) zucchero candito.
rock[2] *s.* dondolio; oscillazione ♦ *v.tr., intr.* dondolare, dondolarsi; (far) oscillare.
rock-bottom [,·'bɒtəm] *agg.* stracciato (di prezzi).
rock-climbing ['·,klaɪmɪŋ] *s.* alpinismo.
rocker ['·ə*] *s.* dondolo.
rocket ['rɒkɪt] *s.* razzo; missile.
rock-hard ['·'·] *agg.* durissimo.
rocking chair ['·· '·] *s.* sedia a dondolo.
rocking horse ['·· '·] *s.* cavallo a dondolo.
rod [rɒd] *s.* **1** verga; bacchetta **2** canna.
rode [rəʊd] *pass.* di to *ride*.
ro·dent ['rəʊdənt] *agg., s.* roditore.
roe [rəʊ] (*anche invar.*) *s.* capriolo.
roe·buck ['rəʊbʌk] *s.* capriolo maschio.
rogue [rəʊg] *s.* furfante.
role [rəʊl] *s.* (*teatr.*) ruolo.

roll [rəʊl] *v.intr.* 1 rotolare | *to be rolling in it* (o *in money*), (*fam.*) sguazzare nei soldi 2 roteare 3 rullare (di tamburi) 4 *to – over*, rigirarsi (nel letto) 5 *to – up*, arrivare in gruppo ♦ *v.tr.* 1 far rotolare 2 arrotolare 3 roteare 4 spianare con un rullo ♦ *s.* 1 rotolo 2 elenco, lista: *to call the –*, fare l'appello 3 rullo; cilindro 4 rullo (di tamburo) 5 panino.
roll call ['· '·] *s.* appello.
roller ['rəʊlə*] *s.* 1 rullo 2 cilindro 3 bigodino.
roller coaster ['·· '··] *s.* montagne russe (*pl.*).
roller-skate ['··,·] *v.intr.* schettinare.
Ro·man ['rəʊmən] *agg.*, *s.* romano | *– nose*, naso aquilino.
ro·mance [rəʊ'mæns] *s.* 1 racconto fantastico, sentimentale 2 idillio.
Ro·man·esque [,rəʊmə'nesk] *agg.*, *s.* (stile) romanico.
ro·man·tic [rəʊ'mæntɪk] *agg.*, *s.* romantico.
Rome [rəʊm] *no.pr.* Roma.
romp [rɒmp] *v.intr.* giocare in modo rumoroso.
roof [ru:f] *s.* tetto | *– of the mouth*, palato | *– garden*, giardino pensile ♦ *v.tr.* ricoprire con tetto.
rook [rʊk] *s.* (*scacchi*) torre.
room [rʊm *amer.* ru:m] *s.* 1 spazio 2 camera, stanza: *spare –*, camera degli ospiti.
roomy ['ru:mɪ] *agg.* spazioso, ampio.
rooster ['ru:stə*] *s.* gallo.
root [ru:t] *s.* radice ♦ *v.tr.*, *intr.* 1 (far) attecchire 2 fissare, fissarsi 3 *to – out*, sradicare; snidare.
rope [rəʊp] *s.* fune; corda ♦ *v.tr.* 1 legare con fune 2 *to – in*, (*fam.*) coinvolgere.
ros·ary ['rəʊzərɪ] *s.* rosario.
rose[1] [rəʊz] *agg.*, *s.* rosa.
rose[2] *pass.* di to *rise*.
rose-bud ['··] *s.* bocciolo di rosa.
rose·mary ['rəʊzmərɪ *amer.* 'rəʊzmerɪ] *s.* rosmarino.
rose·water ['rəʊz,wɔ:tə*] *s.* acqua di rose.
rose window ['· '··] *s.* rosone.
rose·wood ['rəʊzwʊd] *s.* palissandro.
rosy ['rəʊzɪ] *agg.* roseo, rosato.
rot [rɒt] (*-tted* [-tɪd]) *v.intr.*, *tr.* (far) imputridire ♦ *s.* 1 putrefazione 2 (*fam.*) stupidaggine.
ro·tate [rəʊ'teɪt] *v.tr.*, *intr.* ruotare.
ro·ta·tion [rəʊ'teɪʃn] *s.* rotazione.
rot·ten ['rɒtn] *agg.* 1 marcio; corrotto 2 (*fam.*) schifoso.
rough [rʌf] *agg.* 1 ruvido 2 burrascoso 3 approssimativo 4 brusco; rozzo ♦ *avv.* 1 rudemente 2 grossolanamente 3 approssimativamente ♦ *s.* 1 stato grezzo | *in the –*, abbozzato 2 teppista 3 avversità ♦ *v.tr.* 1 (*out*) abbozzare 2 *to – it*, (*fam.*) vivere in modo semplice, senza comfort.
rough-and-ready [··'··] *agg.* alla buona; grossolano.
rough-and-tumble [··'··] *agg.* violento ♦ *s.* mischia.
round [raʊnd] *agg.* rotondo; sferico ♦ *s.* 1 cerchio; sfera 2 ciclo 3 giro 4 (*a carte*) mano 5 round ♦ *avv.* intorno; in giro ♦ *prep.* 1 intorno a 2 circa | *– about*, pressappoco ♦ *v.tr.* 1 arrotondare 2 girare 3 *to – off*, completare 4 *to – up*, riunire; arrotondare alla cifra superiore.
round·about ['raʊndəbaʊt] *agg.* tortuoso ♦ *s.* 1 rondò 2 giostra.
round-shouldered [,··'ʃəʊldəd] *agg.* dalle spalle curve, cadenti.

round-the-clock [···'·] *agg.* continuo ♦ *avv.* ventiquattr'ore su ventiquattro.
round trip ['·· '·] *s.* viaggio di andata e ritorno.
round·up ['raʊndʌp] *s.* **1** il radunare (bestiame) **2** retata.
rouse [raʊz] *v.tr.* **1** risvegliare **2** provocare.
rous·ing ['·ɪŋ] *agg.* entusiasmante; stimolante.
rout [raʊt] *s.* disfatta ♦ *v.tr.* sconfiggere.
route [ru:t] *s.* strada; rotta; itinerario.
row[1] [rəʊ] *s.* fila; filare.
row[2] [raʊ] *s.* (*fam.*) litigio; chiasso ♦ *v.intr.* litigare.
row[3] *s.* giro in barca; remata ♦ *v.intr.* remare ♦ *v.tr.* trasportare in barca.
rowdy ['raʊdɪ] *agg.* turbolento ♦ *s.* attaccabrighe.
rowing boat ['·· '·] *s.* barca a remi.
royal ['rɔɪəl] *agg.*, *s.* reale.
roy·alty ['rɔɪəltɪ] *s.* **1** regalità **2** i reali **3** (*gener. pl.*) diritti d'autore.
rub [rʌb] (*-bbed*) *v.tr.*, *intr.* **1** fregare; strofinare **2** sfregare, sfregarsi **3** *to – in*, martellare | *to – it in*, ripetere continuamente **4** *to – off*, passare, trasmettere **5** *to – out*, cancellare ♦ *s.* **1** strofinata; frizione **2** difficoltà.
rub·ber ['rʌbə*] *s.* **1** gomma: *– band*, elastico; *– dinghy*, canotto, gommone **2** gomma da cancellare.
rub·bery ['rʌbərɪ] *agg.* gommoso.
rub·bish ['rʌbɪʃ] *s.* **1** spazzatura; rifiuti **2** schifezza **3** (*fam.*) sciocchezze.
rub·bishy ['rʌbɪʃɪ] *agg.* **1** senza valore **2** stupido.
rubble ['rʌbl] *s.* macerie.
ruby ['ru:bɪ] *agg.*, *s.* (di color) rubino.
ruck·sack ['rʌksæk] *s.* zaino.
rud·der ['rʌdə*] *s.* timone.
ruddy ['rʌdɪ] *agg.* rosso; rubicondo.
rude [ru:d] *agg.* **1** sgarbato **2** brusco **3** volgare; osceno **4** rudimentale.
ruffled ['rʌfld] *agg.* **1** spiegazzato **2** increspato **3** turbato.
rug [rʌg] *s.* **1** tappetino **2** coperta (spec. da viaggio).
rug·ged ['rʌgɪd] *agg.* **1** ruvido; accidentato **2** duro **3** robusto.
ruin [rʊɪn] *s.* rovina ♦ *v.tr.* rovinare; distruggere.
ru·ined [rʊɪnd] *agg.* in rovina; (*fig.*) rovinato.
ru·in·ous ['rʊɪnəs] *agg.* **1** rovinoso **2** in rovina.
rule [ru:l] *s.* **1** regola; norma: *as a –*, di regola | *rules and regulations*, normativa **2** regolamento **3** governo; dominio ♦ *v.tr.* **1** regolare **2** governare **3** decretare **4** *to – out*, scartare ♦ *v. intr.* **1** governare **2** prevalere.
ruler ['·ə*] *s.* **1** sovrano **2** regolo; riga, righello.
rul·ing ['·ɪŋ] *agg.* dirigente; dominante ♦ *s.* decreto.
rumble ['rʌmbl] *s.* rombo; rumore sordo ♦ *v.intr.* rombare; rumoreggiare.
rumble[2] *v.tr.* (*fam.*) smascherare.
ru·min·ant ['ru:mɪnənt] *agg.*, *s.* ruminante.
ru·min·ate ['ru:mɪneɪt] *v.tr.*, *intr.* ruminare.
rum·mage ['rʌmɪdʒ] *s.* il rovistare ♦ *v.tr.*, *intr.* frugare; rovistare.
rummy *s.* ramino (gioco di carte).
ru·mour ['ru:mə*] amer. **rumor** *s.* diceria, voce ♦ *v.tr.*: *it is rumoured that...*, corre voce che...
ru·moured ['ru:məd] *agg.* presunto.
rump [rʌmp] *s.* posteriore, groppa.

run* [rʌn] *v.intr.* **1** correre | *the story runs that...*, si dice che... **2** partecipare (a una gara ecc.) **3** andare; funzionare **4** scorrere; colare; liquefarsi **5** estendersi; diffondersi **6** durare ♦ *v.tr.* **1** correre **2** far funzionare **3** amministrare; gestire **4** pubblicare **5** inseguire ♦ *Verbi frasali: to – across, into* imbattersi in | *to – away*, scappare | *to – down*, smettere di funzionare; indebolire; criticare | *to – in*, (*fam.*) arrestare (di polizia); fare il rodaggio (di un'auto) | *to – out*, esaurirsi, esaurire | *to – up*, accumulare (debiti ecc.) ♦ *s.* **1** corsa | *at a –*, di corsa **2** gita (in automobile) **3** percorso; pista **4** corso, andamento **5** serie; periodo | *in the long –*, a lungo andare **6** smagliatura (di calza).
run·about [ˈrʌnəbaʊt] *s.* utilitaria.
run-around [·ˈ·,··] *s.* (*sl.*) scuse, pretesti.
run·away [ˈrʌnəweɪ] *agg.* **1** fuggitivo; evaso **2** decisivo ♦ *s.* **1** fuggitivo; evaso **2** veicolo senza controllo.
run-down [·ˈ·] *agg.* esaurito ♦ *s.* **1** riduzione **2** resoconto dettagliato.
rung [rʌŋ] *p.p.* di to *ring*.
run-in [ˈ··] (*fam.*) battibecco.
run·ner [ˈ·ə*] *s.* **1** corridore; podista **2** fattorino **3** contrabbandiere **4** passatoia, guida **5** (lama di) pattino.
run·ning [··ˈ·] *agg.* **1** che corre; in corsa; funzionante **2** da corsa **3** corrente (di acqua ecc.) **4** che cola **5** continuo ♦ *s.* **1** corsa **2** gestione.
running-in [··ˈɪn] *s.* rodaggio.
runny [ˈrʌnɪ] *agg.* **1** troppo liquido **2** che gocciola, che cola.
run-of-the-mill [ˌrʌn·əvðəˈmɪl] *agg.* ordinario.
run·way [ˈrʌnweɪ] *s.* **1** pista **2** (*teatr.*) passerella.
rural [ˈrʊərəl] *agg.* rurale.
rush[1] [rʌʃ] *v.intr.* precipitarsi ♦ *v.tr.* **1** spingere; fare fretta a **2** irrompere in ♦ *s.* **1** corsa precipitosa; impeto **2** fretta **3** grande richiesta.
rush[2] *s.* giunco.
Rus·sian [ˈrʌʃn] *agg.*, *s.* russo.
rust [rʌst] *s.* ruggine ♦ *v.tr.*, *intr.* arrugginire, arrugginirsi.
rus·tic [ˈrʌstɪk] *agg.* rustico ♦ *s.* campagnolo.
rustle[1] [ˈrʌsl] *s.* fruscio ♦ *v.tr.*, *intr.* (far) frusciare; (far) stormire.
rustle[2] *v.intr.* rubare (bestiame).
rust·ler [ˈ·ə*] *s.* ladro di bestiame.
rust·proof [ˈrʌstpru:f] *agg.* che non arrugginisce; inossidabile.
rut [rʌt] *s.* solco, rotaia.
ruth·less [ˈru:θlɪs] *agg.* spietato.
rye [raɪ] *s.* segale.

S

sable [ˈseɪbl] *agg.* zibellino.
sab·ot·age [ˈsæbətɑ:ʒ] *s.* sabotaggio ♦ *v.tr.* sabotare.
sabre [ˈseɪbə*] amer. **saber** *s.* sciabola.
sac·charin(e) [ˈsækərɪn] *s.* saccarina.
sachet [ˈsæʃeɪ *amer.* sæˈʃeɪ] *s.* bustina.
sack[1] [sæk] *s.* **1** sacco **2** (*fam.*) licenziamento **3** (*fam.*) letto ♦ *v.tr.* (*fam.*) licenziare.
sack[2] *s.* saccheggio.
sac·ra·ment [ˈsækrəmənt] *s.* sacramento.
sac·red [ˈseɪkrɪd] *agg.* sacro.
sac·ri·fice [ˈsækrɪfaɪs] *s.* sacrificio ♦ *v.tr.* sacrificare.
sac·ri·lege [ˈsækrɪlɪdʒ] *s.* sacrilegio.

sac·ri·le·gious [,sækrɪ'lɪdʒəs] *agg.* sacrilego.
sac·ristan ['sækrɪstən] *s.* sagrestano.
sac·risty ['sækrɪstɪ] *s.* sagrestia.
sad [sæd] *agg.* **1** triste | – *to say*, purtroppo **2** deplorevole.
sad·den ['sædn] *v.tr.* rattristare.
saddle ['sædl] *s.* sella ♦ *v.tr.* **1** (*up*) sellare **2** (*fig.*) addossare a; gravare.
sad·ism ['seɪdɪzəm] *s.* sadismo.
sad·ist ['seɪdɪst] *s.* sadico.
sad·istic [-'ɪk] *agg.* sadico.
safe [seɪf] *agg.* **1** sicuro; al sicuro **2** salvo; intatto ♦ *s.* cassaforte.
safe-conduct [,·'··] *s.* salvacondotto.
safeguard ['seɪfgɑ:d] *s.* salvaguardia ♦ *v.tr.* salvaguardare.
safe-keeping [,·'··] *s.* custodia.
safety ['seɪftɪ] *s.* sicurezza; salvezza | – *catch*, sicura (di arma).
saf·fron ['sæfrən] *s.* zafferano.
sag [sæg] (*-gged*) *v.intr.* **1** incurvarsi; cedere **2** (*di abito*) sformarsi.
sage [seɪdʒ] *s.* salvia.
said [sed] *pass., p.p.* di to *say*.
sail [seɪl] *s.* vela ♦ *v.intr.* navigare; salpare.
sail·boat ['seɪlbəʊt] *s.* (*amer.*) barca a vela.
sail·ing ['·ɪŋ] *s.* (*sport*) vela.
sailing boat ['·· ·] *s.* barca a vela.
sailor ['·ə*] *s.* marinaio.
saint [seɪnt (*ff*) sənt, snt (*fd*)] *agg., s.* san, santo | *All Saints' Day*, Ognissanti.
sake [seɪk] *s.* interesse; fine, scopo: *for his own* –, per il suo bene; *for safety's* –, per motivi di sicurezza.
salad ['sæləd] *s.* insalata.
sa·lami [sə'lɑ:mɪ] *s.* salame.
sal·ary ['sælərɪ] *s.* stipendio.
sale [seɪl] *s.* **1** vendita: *on* –, in vendita **2** liquidazione, saldo.
sale·room ['seɪlrʊm] *s.* sala d'asta.
sales·girl ['seɪlzgɜ:l] *s.* commessa.
sales·man ['seɪlzmən] (*-men*) *s.* commesso | (*travelling*) –, commesso viaggiatore, rappresentante.
sa·liva [sə'laɪvə] *s.* saliva.
sal·low ['sæləʊ] *agg.* giallastro.
sal·mon ['sæmən] *s.* salmone.
salon ['sælɒn *amer.* sə'lɒn] *s.* salone.
sa·loon [sə'lu:n] *s.* **1** (*mar.*) salone, sala **2** (*aut.*) – (*car*), berlina **3** (*amer.*) bar.
salt [sɔ:lt] *s.* sale ♦ *v.tr.* salare.
salt·cellar ['sɔ:lt,selə*] *s.* saliera.
salty ['sɔ:ltɪ] *agg.* salato.
sa·lu·ta·tion [,sæljʊ'teɪʃn] *s.* (*form.*) saluto.
sal·vage ['sælvɪdʒ] *s.* **1** salvataggio (di nave) **2** beni recuperati ♦ *v.tr.* salvare, mettere in salvo.
sal·va·tion [sæl'veɪʃn] *s.* salvezza.
salve [sælv *amer.* sæv] *s.* pomata.
same [seɪm] *agg.* stesso, medesimo ♦ *pron.* lo stesso | *all, just the* –, lo stesso; comunque | – *here*, anche a me; anch'io ♦ *avv.* proprio come; allo stesso modo (di).
sample ['sɑ:mpl *amer.* 'sæmpl] *s.* campione; saggio ♦ *v.tr.* assaggiare; provare.
san·at·orium [,sænə'tɔ:rɪəm] (*-ria* [-rɪə], *-riums*) *s.* convalescenziario.
sanc·tify ['sæŋ*k*tɪfaɪ] *v.tr.* santificare.
sanc·ti·mo·ni·ous [,sæŋ*k*tɪ'məʊnɪəs] *agg.* bacchettone.
sanc·tion ['sæŋ*k*ʃn] *s.* **1** autorizzazione **2** (*dir.*) ratifica **3** (*spec. pl.*) sanzione ♦ *v.tr.* autorizzare; ratificare.
sanc·tity ['sæŋ*k*tɪtɪ] *s.* santità.
sanc·tu·ary ['sæŋ*k*tjʊərɪ *amer.* 'sæŋ*k*

tʃʊeri] *s.* **1** santuario **2** rifugio **3** riserva; oasi.
sand [sænd] *s.* sabbia ♦ *v.tr.* sabbiare; carteggiare | *to – down*, levigare.
san·dal [ˈsændl] *s.* (*abbigl.*) sandalo.
san·dal·wood [ˈsændlwʊd] *s.* sandalo.
sand·blast [ˈsænd,blɑːst *amer.* ˈsænd ,blæst] *v.tr.* sabbiare.
sand·pa·per [ˈsænd,peɪpə*] *s.* carta vetrata ♦ *v.tr.* cartavetrare.
sand·stone [ˈsændstəʊn] *s.* arenaria.
sandy [ˈsændɪ] *agg.* **1** sabbioso **2** color sabbia.
sane [seɪn] *agg.* **1** sano di mente **2** sensato.
sang [sæŋ] *pass.* di to *sing*.
san·it·ary [ˈsænɪtərɪ] *agg.* igienico; sanitario | *– napkin, towel*, assorbente igienico.
san·ita·tion [,sænɪˈteɪʃn] *s.* interventi a tutela della salute pubblica.
sank [sæŋk] *pass.* di to *sink*.
Santa Claus [ˈsæntə,klɔːz] *no.pr.* Babbo Natale.
sap [sæp] *s.* linfa ♦ *v.tr.* svigorire.
sap·phire [ˈsæfaɪə*] *s.* zaffiro.
sar·casm [ˈsɑːkæzəm] *s.* sarcasmo.
sar·castic [sɑːˈkæstɪk] *agg.* sarcastico.
sar·dine [sɑːˈdiːn] *s.* sardina, sarda.
Sar·dinia [sɑːˈdɪnjə] *no.pr.* Sardegna.
Sar·din·ian [ˈ··n] *agg., s.* sardo.
sarge [sɑːdʒ] *s.* (*fam.*) sergente.
sar·tor·ial [sɑːˈtɔːrɪəl] *agg.* di sartoria.
sash[1] [sæʃ] *s.* sciarpa, fusciacca.
sash[2] *s.*: *– window*, finestra a ghigliottina.
sat [sæt] *pass., p.p.* di to *sit*.
sa·tanic [səˈtænɪk *amer.* seɪˈtænɪk] *agg.* satanico.
satchel [ˈsætʃl] *s.* cartella.
sat·el·lite [ˈsætəlaɪt] *s.* satellite.
sa·tiate [ˈseɪʃɪeɪt] *v.tr.* saziare.
sa·ti·ety [səˈtaɪətɪ] *s.* sazietà.
satin [ˈsætɪn] *s.* raso.
sat·ire [ˈsætaɪə*] *s.* satira.
sat·is·fac·tion [,sætɪsˈfækʃn] *s.* soddisfazione.
sat·is·fact·ory [,sætɪsˈfæktərɪ] *agg.* soddisfacente.
sat·isfy [ˈsætɪsfaɪ] *v.tr.* **1** soddisfare **2** convincere, persuadere.
sat·ur·ate [ˈsætʃəreɪt] *v.tr.* saturare.
Sat·ur·day [ˈsætədɪ] *s.* sabato.
sauce [sɔːs] *s.* **1** salsa; sugo **2** (*fam.*) facciatosta.
sauce·pan [ˈsɔːspən *amer.* ˈsɔːspæn] *s.* pentola.
sau·cer [ˈsɔːsə*] *s.* piattino | *flying –*, disco volante.
saucy [ˈsɔːsɪ] *agg.* (*fam.*) sfacciato, spudorato; impertinente.
Saudi [ˈsaʊdɪ] *agg.* saudita.
sauna [ˈsɔːnə] *s.* sauna.
saunter [ˈsɔːntə*] *v.intr.* andare a zonzo.
saus·age [ˈsɒsɪdʒ *amer.* ˈsɔːsɪdʒ] *s.* salsiccia | *– dog*, (*fam.*) cane bassotto.
sav·age [ˈsævɪdʒ] *agg.* feroce; crudele; violento ♦ *v.tr.* attaccare violentemente.
sa·van·na(h) [səˈvænə] *s.* savana.
save [seɪv] *v.tr., intr.* **1** salvare **2** mettere da parte; risparmiare.
save (for) [ˈ·ˈ·] *prep.* tranne, eccetto.
saver [ˈ·ə*] *s.* risparmiatore.
sav·ing [ˈ·ɪŋ] *s.* risparmio.
sa·vour [ˈseɪvə*] amer. **savor** *s.* sapore, gusto ♦ *v.tr.* gustare ♦ *v.intr.*: *to – of*, sapere di.
sa·voury [ˈseɪvərɪ] *agg.* gustoso | *– herbs*, erbe aromatiche.
saw*[1] [sɔː] *v.tr., intr.* segare ♦ *s.* sega.
saw[2] *pass. di* to *see*.

saw·mill ['sɔ:mɪl] *s.* segheria.
sawn [sɔ:n] *p.p.* di to *saw.*
sax [sæks] *s.* (*fam.*) sassofono.
Saxon ['sæksn] *agg.*, *s.* sassone; anglosassone.
saxo·phone ['sæksəfəʊn] *s.* sassofono.
say* [seɪ] *v.tr.*, *intr.* dire | *enough said!*, basta così! | *I'll –!*, eccome! ♦ *s.*: *to have no – in*, non avere voce in capitolo in; *to let s.o. have his –*, lasciare che qlcu. dica la sua.
say·ing ['·ɪŋ] *s.* proverbio, detto.
say-so ['seɪsəʊ] *s.* (*fam.*) permesso.
scab [skæb] *s.* **1** crosta **2** (*fam. spreg.*) crumiro.
sca·bies ['skeɪbɪ:z] *s.* scabbia.
scaf·fold(·ing) ['skæfəld(ɪŋ)] *s.* impalcatura, ponteggio.
scald [skɔ:ld] *v.tr.* scottare ♦ *s.* scottatura.
scale[1] [skeɪl] *s.* scala; dimensione ♦ *v.tr.* scalare | *to – down, up*, diminuire, aumentare.
scale[2] *s.* scaglia ♦ *v.tr.*, *intr.* squamare, squamarsi.
scale[3] *s.* (*gener. pl.*) bilancia.
scal·pel ['skælpəl] *s.* bisturi.
scamp [skæmp] *s.* (*fam.*) monello.
scan [skæn] (*-nned*) *v.tr.* **1** scrutare **2** scorrere **3** fare lo scanning di ♦ *s.* ecografia.
scan·dal ['skændl] *s.* **1** scandalo **2** maldicenza.
scan·dal·ize ['skændəlaɪz] *v.tr.* scandalizzare.
scan·dal·ous ['skændələs] *agg.* **1** scandaloso **2** diffamatorio.
Scan·di·navia [,skændɪ'neɪvjə] *no.pr.* Scandinavia.
Scan·din·avian [,skændɪ'neɪvjən] *agg.*, *s.* scandinavo.
scant(y) ['skænt(ɪ)] *agg.* scarso.
scape·goat ['skeɪpgəʊt] *s.* capro espiatorio.
scar [skɑ:*] *s.* cicatrice ♦ (*-rred*) *v.tr.* sfregiare.
scarce [skeəs] *agg.* scarso; raro.
scarcely ['·lɪ] *avv.* **1** appena; a stento **2** difficilmente; certamente no.
scare [skeə*] *v.tr.* spaventare ♦ *s.* spavento.
scare·crow ['skeəkrəʊ] *s.* spaventapasseri.
scare·mon·ger ['skeə,mʌŋgə*] *s.* allarmista.
scarf [skɑ:f] (*-fs*, *-ves* [-vz]) *s.* sciarpa; foulard.
scar·let ['skɑ:lɪt] *agg.* scarlatto | *– fever*, scarlattina.
scarp [skɑ:p] *s.* scarpata.
scary [skeərɪ] *agg.* (*fam.*) pauroso, che fa paura.
scath·ing ['skeɪðɪŋ] *agg.* sarcastico.
scatter ['skætə*] *v.tr.*, *intr.* disperdere, disperdersi; spargere.
scat·ter·brain ['skætəbreɪn] *s.* (*fam.*) scervellato, sventato.
scatty ['skætɪ] *agg.* (*fam. brit.*) svitato, scervellato.
scav·enge ['skævɪndʒ] *v.tr.*, *intr.* (*for*) cercare tra gli scarti ecc.
scen·ario [sɪ'nɑ:rɪəʊ] (*-os*) *s.* **1** sceneggiatura **2** (*fig.*) scenario.
scene [sɪ:n] *s.* **1** scena **2** (*fam.*) ambiente, mondo.
scenery ['sɪ:nərɪ] *s.* **1** scena, scenario; scenografia **2** paesaggio.
scent [sent] *s.* profumo; scia ♦ *v.tr.* fiutare.
scep·tic ['skeptɪk] *s.* scettico.
scep·tical ['··l] *agg.* scettico.
scep·ti·cism ['skeptɪsɪzəm] *s.* scetticismo.

sched·ule ['ʃedju:l *amer.* 'skedʒʊl] *s.* **1** programma, piano; scaletta **2** orario **3** catalogo ♦ *v.tr.* programmare.
scheme [ski:m] *s.* **1** progetto, disegno; piano, programma **2** complotto ♦ *v.tr., intr.* complottare.
schism ['sɪzəm] *s.* scisma.
schmaltzy ['ʃmɑ:ltsɪ] *agg.* (*fam.*) sentimentale, sdolcinato.
schnapps [ʃnæps] *s.* superalcolico.
scholar ['skɒlə*] *s.* **1** studioso; letterato **2** borsista.
schol·arly ['skɒləlɪ] *agg.* colto.
schol·ar·ship ['skɒləʃɪp] *s.* **1** cultura; erudizione **2** borsa di studio.
schol·astic [skə'læstɪk] *agg.* **1** scolastico **2** accademico.
school[1] [sku:l] *s.* scuola; facoltà.
school[2] *s.* banco (di pesci).
school·boy ['sku:lbɔɪ] *s.* scolaro.
school·girl ['sku:lgɜ:l] *s.* scolara.
school·teacher ['sku:l,ti:tʃə*] *s.* insegnante.
sci·ence ['saɪəns] *s.* scienza | – *fiction*, fantascienza.
sci·ent·ific [,saɪən'tɪfɪk] *agg.* scientifico.
sci·ent·ist ['saɪəntɪst] *s.* scienziato.
sci-fi [,saɪ'faɪ] *s.* (*fam.*) fantascienza.
scis·sors ['sɪzəz] *s.pl.* forbici.
scoff[1] [skɒf] *v.intr.* deridere.
scoff[2] *v.tr.* (*fam.*) divorare.
scold ['skəʊld] *v.tr.* sgridare.
scold·ing ['·ɪŋ] *s.* sgridata.
scoot [sku:t] *v.intr.* (*fam.*) correre via.
scooter ['sku:tə*] *s.* **1** monopattino **2** (*motor*) –, motorino.
scope [skəʊp] *s.* **1** possibilità, opportunità **2** portata; ambito; raggio.
scorch [skɔ:tʃ] *v.tr.* **1** scottare; bruciacchiare ♦ *v.intr.* inaridirsi ♦ *s.* bruciacchiatura.
scorcher ['·ɔ*] *s.* (*fam.*) giornata torrida.
score [skɔ:*] *s.* **1** punti; punteggio **2** tacca **3** (*mus.*) partitura **4** venti **5** molti, un gran numero ♦ *v.tr.* **1** segnare; marcare; assegnare punti a | *to – off*, avere la meglio su **2** aggiudicarsi **3** *to – out*, cancellare.
scorn [skɔ:n] *s.* disprezzo; scherno ♦ *v.tr.* disprezzare; disdegnare.
scorn·ful ['skɔ:nfʊl] *agg.* sprezzante.
scor·pion ['skɔ:pjən] *s.* scorpione.
Scot [skɒt] *s.* scozzese.
Scotch [skɒtʃ] *s.* whisky scozzese.
scotch *v.tr.* porre fine a.
scot-free [,skɒt'fri:] *agg.*: *to get off* –, farla franca, passarla liscia.
Scot·land ['skɒtlənd] *no.pr.* Scozia.
Scots [skɒts] *agg.* scozzese ♦ *s.* (dialetto) scozzese.
Scots·man ['skɒtsmən] (*-men*) *s.* scozzese.
Scot·tish ['skɒtɪʃ] *agg.* scozzese | *the* –, gli scozzesi.
scour[1] ['skaʊə*] *v.tr.* strofinare.
scour[2] *v.tr.* perlustrare, setacciare.
scourer ['·rə*] *s.* paglietta (per pentole ecc.).
scourge [skɜ:dʒ] *s.* sferza.
scout [skaʊt] *s.*; (*boy*) –, scout.
scowl [skaʊl] *s.* cipiglio.
scrabble ['skræbl] *v.intr.* raspare.
scraggy ['skrægɪ] *agg.* ossuto; scarno.
scram [skræm] (*-mmed*) *v.intr.* (*fam.*) battersela: –!, fila via!
scramble ['skræmbl] *v.intr.* **1** arrampicarsi; arrancare **2** (*for*) accapigliarsi (per) **3** decollare in fretta ♦ *v.tr.* mescolare | *scrambled eggs*, uova strapazzate.
scrap[1] [skræp] *s.* pezzetto; *pl.* avanzi; rottami ♦ (*-pped* [-pt]) *v.tr.* scartare.

scrap[2] *s.* (*fam.*) lite; zuffa ♦ *v.intr.* (*fam.*) litigare; azzuffarsi.
scrape [skreɪp] *v.tr.* **1** raschiare; grattare **2** scorticare ♦ *v.intr.* fare economia ♦ *s.* **1** graffio **2** (*fig. fam.*) pasticcio, guaio.
scratch [skrætʃ] *v.tr.* **1** graffiare **2** stridere ♦ *s.* graffio; stridio | *from –* , da zero ♦ *agg.* improvvisato.
scratch pad ['·,·] *s.* blocco per appunti.
scratchy ['skrætʃɪ] *agg.* **1** stridente **2** ruvido; che gratta.
scrawl [skrɔːl] *v.tr., intr.* scarabocchiare ♦ *s.* scarabocchio.
scrawny ['skrɔːnɪ] *agg.* pelle e ossa.
scream [skriːm] *v.intr.* strillare ♦ *s.* strillo | *he is a –!*, è uno spasso!
screech [skriːtʃ] *v.intr.* stridere ♦ *s.* stridore.
screen [skriːn] *s.* schermo | *– test*, provino ♦ *v.tr.* **1** schermare; riparare **2** vagliare, esaminare **3** proiettare.
screen·play ['skriːnpleɪ] *s.* sceneggiatura.
screen·writer ['skriːn,raɪtə*] *s.* sceneggiatore.
screw [skruː] *s.* **1** vite | *– top*, (con) tappo a vite **2** (*sl.*) secondino ♦ *v.tr.* **1** avvitare **2** (*fam.*) estorcere **3** *to – up*, incasinare.
screw·driver ['skruː,draɪvə*] *s.* cacciavite.
screwy ['skruːi] *agg.* (*fam.*) matto, svitato.
scribble ['skrɪbl] *v.tr., intr.* scarabocchiare ♦ *s.* scarabocchio.
scrim·mage ['skrɪmɪdʒ] *s.* rissa.
scrimp [skrɪmp] *v. intr.* fare economia.
script [skrɪpt] *s.* **1** scrittura; alfabeto **2** copione, sceneggiatura.
script·writer ['skrɪpt,raɪtə*] *s.* soggettista; sceneggiatore.
scrounge ['skraʊndʒ] *v.tr., intr.* (*fam.*) scroccare.
scrub[1] [skrʌb] *s.* macchia; boscaglia.
scrub[2] (*-bbed*) *v.tr.* **1** strofinare **2** (*fam.*) cancellare ♦ *s.* strofinata.
scruff [skrʌf] *s.* nuca.
scruffy ['skrʌfi] *agg.* trasandato.
scrump·tious ['skrʌmpʃəs] *agg.* (*fam.*) delizioso (di cibo).
scrunch [skrʌntʃ] *v.tr., intr.* **1** (far) scricchiolare **2** accartocciare, accartocciarsi.
scruple ['skruːpl] *s.* scrupolo ♦ *v. intr.* farsi scrupolo.
scru·pu·lous ['skruːpjʊləs] *agg.* scrupoloso.
scru·tin·ize ['skruːtɪnaɪz] *v.tr.* scrutare; esaminare minuziosamente.
scrutiny ['skruːtɪnɪ] *s.* esame minuzioso.
scuba ['skuːbə] *s.* autorespiratore.
scuff [skʌf] *v.tr.* trascinare (i piedi).
scuffle ['skʌfl] *s.* zuffa; rissa ♦ *v.intr.* azzuffarsi.
sculpt [skʌlpt] *v.tr.* scolpire.
sculptor [skʌlptə*] *s.* scultore.
sculp·ture ['skʌlptʃə*] *s.* scultura ♦ *v.tr.* scolpire.
scum [skʌm] *s.* **1** schiuma **2** feccia.
scurry ['skʌrɪ] *v.intr.* affrettarsi.
scuttle ['skʌtl] *v.intr.*: *to – (away, off)*, correre via.
scythe [saɪð] *s.* falce.
sea [siː] *s.* mare | *at –*, in mare | *by –* per mare, via mare.
sea·food ['siːfuːd] *s.* frutti di mare.
sea·front ['siːfrʌnt] *s.* lungomare.
sea·gull ['siːgʌl] *s.* gabbiano.
seal[1] [siːl] *s.* foca.

seal[2] *s.* **1** sigillo **2** (*mecc.*) guarnizione ♦ *v.tr.* **1** sigillare | *to – off*, isolare, bloccare l'accesso **2** determinare.
seam [si:m] *s.* cucitura; giuntura ♦ *v.tr.* cucire.
sea·man ['si:mən] (*-men*) *s.* marinaio.
seamy ['si:mi] *agg.* squallido.
sea·quake ['si:kweik] *s.* maremoto.
search [sɜ:tʃ] *s.* ricerca; perquisizione | *– party*, squadra di soccorso ♦ *v.tr., intr.* ricercare; perquisire | *to – out*, scovare.
search·light ['··] *s.* riflettore.
sea·scape ['si:skeɪp] *s.* (*pitt.*) marina.
sea·shore ['si:ʃɔ:*] *s.* spiaggia; litorale.
sea·sick ['si:sɪk] *agg.* che soffre di mal di mare.
sea·side ['si:saɪd] *s.* spiaggia; litorale | *to go to the –*, andare al mare.
sea·son ['si:zn] *s.* stagione | *off –, low –*, bassa stagione; *high –, peak –*, alta stagione | *– ticket*, abbonamento ♦ *v.tr., intr.* stagionare; insaporire.
sea·son·al ['si:zənl] *agg.* stagionale, di stagione.
sea·son·ed ['si:zənd] *agg.* **1** piccante **2** abituato.
sea·son·ing ['·ɪŋ] *s.* condimento.
seat [si:t] *s.* **1** sedile; posto (a sedere) | *– belt*, cintura di sicurezza **2** sedere **3** fondo (di sedia, pantaloni) **4** seggio **5** sede; centro ♦ *v.tr.* mettere a sedere; far sedere; aver posto a sedere per.
sea·weed ['si:wi:d] *s.* alga marina.
sec [sek] *s.* (*fam.*) secondo; attimo.
se·ces·sion [sɪ'seʃn] *s.* secessione; separazione.
se·cluded [sɪ'klu:dɪd] *agg.* appartato.
se·clu·sion [sɪ'klu:ʒn] *s.* isolamento.
sec·ond ['sekənd] *agg., s.* secondo | *– best*, primo dopo il migliore ♦ *avv.* al secondo posto ♦ *v.tr.* assecondare.
sec·ond·ary ['sekəndərɪ] *agg.* secondario.
second-class [,·'·] *agg.* **1** di seconda categoria; scadente **2** di seconda classe.
second-hand[1] [,··'·] *agg.* di seconda mano.
second-rate [,··'·] *agg.* scadente; di seconda scelta.
se·crecy ['si:krɪsɪ] *s.* segretezza.
se·cret ['si:krɪt] *agg., s.* segreto.
sec·ret·ary ['sekrətrɪ] *s.* **1** segretario **2** ministro: *Secretary of State*, ministro (in GB); Segretario di Stato, Ministro degli Esteri (in USA).
sect [sekt] *s.* setta.
sec·tion ['sekʃn] *s.* sezione ♦ *v.tr.* suddividere.
sec·tor ['sektə*] *s.* settore.
secu·lar ['sekjʊlə*] *agg.* secolare, laico; profano.
se·cure [sɪ'kjʊə*] *agg.* sicuro ♦ *v.tr.* **1** assicurarsi; procurarsi **2** assicurare; fissare **3** garantire.
se·cur·ity [sɪ'kjuərətɪ] *s.* **1** sicurezza **2** sorveglianza **3** garanzia **4** titolo, obbligazione.
se·dan [sɪ'dæn] *s.* (*amer.*) berlina.
sed·ate [sɪ'deɪt] *agg.* posato.
sed·at·ive ['sedətɪv] *agg., s.* sedativo.
sed·ent·ary ['sedntərɪ] *agg.* sedentario.
se·duce [sɪ'dju:s] *v.tr.* sedurre.
se·duct·ive [sɪ'dʌktɪv] *agg.* seducente.
see*[1] [si:] *v.tr.* **1** vedere | *– you on Monday*, (arrivederci) a lunedì; *– you soon!*, a presto! | *I don't – what you mean*, non ti capisco **2** accompagnare ♦ *v. intr.* **1** vedere; vederci: *as far as I can –*, per quanto posso capire **2** fare in modo; assicurarsi ♦ *Verbi frasali*: *to – in*, fare entrare | *to – off*, veder partire | *to – out*,

accompagnare all'uscita | *to – through*, vedere al di là delle apparenze.
see[2] *s.* diocesi; vescovato | *the Holy See*, la Santa Sede.
seed [si:d] *s.* seme.
seek* [si:k] *v.tr.* cercare | *to – after*, richiedere | *to – out*, scovare.
seem [si:m] *v.intr.* sembrare; apparire.
seen [si:n] *p.p.* di to *see*.
seep [si:p] *v.intr.* filtrare; (*fig.*) trapelare.
see·saw ['si:sɔ:] *s.* altalena (a bilico) ♦ *v.intr.* andare su e giù.
seethe [si:ð] *v. intr.* ribollire.
see-through ['··] *agg.* trasparente.
seg·ment ['segmənt] *s.* segmento ♦ *v.tr.* dividere in segmenti.
se·greg·ate ['segrɪgeɪt] *v.tr.* segregare ♦ *v.intr.* separarsi.
seis·mic ['saɪzmɪk] *agg.* sismico.
seize [si:z] *v.tr.* **1** afferrare; impadronirsi di | *to – (up)on*, cogliere al volo **2** confiscare, sequestrare.
seiz·ure ['si:ʒə*] *s.* **1** confisca, sequestro **2** cattura **3** (*med.*) attacco, colpo.
sel·dom ['seldəm] *avv.* raramente.
se·lect [sɪ'lekt] *v.tr.* scegliere; selezionare ♦ *agg.* scelto; esclusivo.
se·lec·tion [sɪ'lekʃn] *s.* scelta; selezione.
se·lect·ive [sɪ'lektɪv] *agg.* selettivo.
self [self] (*-ves* [-vz]) *s.* l'io; se stesso | (*comm.*) *payable to –*, pagabile al firmatario.
self- *pref.* auto-; da sé; di sé.
self-addressed [,·'·] *agg.* indirizzato a se stessi.
self-assertive [,·'··] *agg.* che si impone, che si fa valere.
self-catering [,·'···] *agg.* senza servizio di cucina.
self-confessed [,·'·] *agg.* confesso.
self-conscious [,·'··] *agg.* **1** imbarazzato, timido **2** conscio.
self-contained [,·'·] *agg.* autosufficiente; autonomo.
self-defence [,·'·] *s.* autodifesa.
self-denial [,·'··] *s.* abnegazione.
self-drive ['··] *agg.* da noleggio senza autista.
self-educated [,·'····] *agg.* autodidatta.
self-effacing [,·'··] *agg.* schivo.
self-government [,·'···] *s.* autogoverno.
self-important [,·'···] *agg.* presuntuoso; arrogante.
self-interest [,·'··] *s.* interesse personale; tornaconto.
self·ish ['·ɪʃ] *agg.* egoista; interessato.
self·ish·ness ['··nɪs] *s.* egoismo.
self-possessed [,·'·] *agg.* padrone di sé.
self·same ['selfseɪm] *agg.* esattamente lo stesso.
self-satisfied [,·'···] *agg.* compiaciuto.
self-willed [,·'·] *agg.* ostinato.
sell* [sel] *v.tr.* vendere | *to – off*, liquidare | *to – out*, esaurire; tradire | *to – up*, vendere totalmente ♦ *v.intr.* essere venduto | *to be sold cheap*, costare poco.
sell-by date ['selbaɪ,deɪt] *s.* data di scadenza (di alimenti).
seller ['·ə*] *s.* **1** venditore **2** articolo che si vende (bene, male).
sel·lo·tape ['seləʊteɪp] *s.* nastro adesivo.
sell-out ['··] *s.* **1** tutto esaurito **2** (*fam.*) tradimento.
seltzer ['seltsə*] *s.* seltz.
selves [selvz] *pl.* di *self*.
sema·phore ['seməfɔ:*] *s.* (*ferr.*) semaforo.
semi·co·lon [,semɪ'kəʊlən] *s.* punto e virgola.

semicustody [ˌsemɪˈkʌstədɪ] *s.* (*dir.*) semilibertà.
semi·de·tached [ˌsemɪdɪˈtætʃt] *agg.* con muro divisorio in comune.
semi·final [ˌsemɪˈfaɪnl] *s.* semifinale.
sem·inar [ˈsemɪnɑ:*] *s.* seminario.
sem·in·ary [ˈsemɪnərɪ] *s.* (*eccl.*) seminario.
semi·trop·ical [ˌsemɪˈtrɒpɪkl] *agg.* subtropicale.
se·mo·lina [ˌseməˈli:nə] *s.* semolino.
Seine [seɪn] *no.pr.* Senna.
sen·ate [ˈsenɪt] *s.* senato.
sen·ator [ˈsenətə*] *s.* senatore.
send* [send] *v.tr.* mandare, spedire | *to – for*, mandare a chiamare | *to – down*, espellere (dall'università); (*fam.*) mandare in prigione | *to – off*, (*sport*) espellere | *to – on*, inoltrare | *to – up*, (*fam.*) fare il verso a.
sender [ˈ·ə*] *s.* mittente.
send-off [ˈ· ·] *s.* (*fam.*) festa d'addio.
sen·ile [ˈsi:naɪl] *agg.* rimbambito.
sen·il·ity [sɪˈnɪlətɪ] *s.* senilità.
se·nior [ˈsi:njə*] *agg.* più vecchio | *– citizen*, pensionato, anziano | *– partner*, socio anziano.
sen·sa·tion [senˈseɪʃn] *s.* sensazione.
sen·sa·tional [senˈseɪʃənl] *agg.* 1 sensoriale 2 sensazionale.
sensationalize [senˈseɪʃənəlaɪz] *v.tr.* fare del sensazionalismo su.
sense [sens] *s.* 1 senso | *not to make – out of*, non riuscire a capire 2 *pl.* facoltà mentali ♦ *v.tr.* intuire; percepire; capire.
sens·ib·il·ity [ˌsensɪˈbilətɪ] *s.* sensibilità.
sens·ible [ˈsensəbl] *agg.* sensato; razionale.
sens·it·ive [ˈsensɪtɪv] *agg.* sensibile.
sens·it·iv·ity [ˌ··ˈ·ətɪ] *s.* sensibilità; emotività.
sens·it·ize [ˈsensitaiz] *v.tr.* sensibilizzare.
sen·sual [ˈsensjʊəl] *agg.* sensuale.
sen·su·ous [ˈsensjʊəs] *agg.* sensuale; dei sensi.
sent [sent] *pass., p.p.* di to *send*.
sen·tence [ˈsentəns] *s.* 1 sentenza | *life –*, ergastolo 2 (*gramm.*) periodo ♦ *v.tr.* pronunciare una sentenza; condannare.
sen·ti·ment [ˈsentɪmənt] *s.* 1 opinione, parere 2 sentimento.
sen·try [ˈsentrɪ] *s.* sentinella.
separate [ˈsepəreɪt] *v.tr., intr.* separare, separarsi; dividere, dividersi ♦ [ˈseprət] *agg.* indipendente; distinto.
Sep·tem·ber [səpˈtembə*] *s.* settembre.
se·quel [ˈsi:kwəl] *s.* 1 seguito 2 conseguenza; risultato.
se·quence [ˈsi:kwəns] *s.* sequenza.
se·ques·ter [sɪˈkwestə*] **se·quest·rate** [sɪˈkwestreɪt] *v.tr.* sequestrare.
se·quest·ra·tion [ˌ··ˈ·ʃn] *s.* sequestro.
se·quin [ˈsi:kwɪn] *s.* lustrino.
ser·en·ade [ˌserəˈneɪd] *s.* serenata.
se·rene [sɪˈri:n] *agg.* sereno.
se·ren·ity [sɪˈrenətɪ] *s.* serenità.
ser·geant [ˈsɑ:dʒənt] *s.* sergente.
serial [ˈsɪərɪəl] *s.* serial, sceneggiato, romanzo a puntate; pubblicazione periodica ♦ *agg.* 1 periodico; a puntate 2 di serie; seriale.
seri·al·ize [ˈsɪərɪəlaɪz] *v.tr.* pubblicare, trasmettere a puntate.
series [ˈsɪəri:z] (*pl. invar.*) *s.* serie.
ser·ious [ˈsɪərɪəs] *agg.* serio; grave; importante.
ser·mon [ˈsɜ:mən] *s.* sermone.
ser·ra·ted [sɪˈreɪtɪd *amer.* ˈsereitid] *agg.* dentellato, seghettato.

ser·vant [ˈsɜːvənt] *s.* domestico | *civil –*, impiegato statale.
serve [sɜːv] *v.tr.* 1 servire | *to – out, up*, servire, distribuire 2 scontare, espiare 3 (*dir.*) notificare ♦ *v.intr.* 1 servire 2 avere ruolo, funzione; far parte ♦ *s.* (*sport*) servizio.
ser·vice [ˈsɜːvɪs] *s.* 1 servizio | *– area*, area di servizio 2 *pl.* forze armate 3 (*dir.*) notifica ♦ *v.tr.* revisionare.
ser·vice·able [ˈsɜːvɪsəbl] *agg.* 1 funzionale; utile 2 operativo, in servizio.
ser·vice·man [ˈsɜːvɪsmən] (*-men*) *s.* militare.
ser·vi·ette [ˌsɜːvɪˈet] *s.* tovagliolo.
serv·ile [ˈsɜːvaɪl *amer.* ˈsɜːvl] *agg.* servile.
serv·il·ity [sɜːˈvɪlətɪ] *s.* servilismo.
ser·ving [ˈ·ɪŋ] *s.* porzione.
ses·sion [ˈseʃn] *s.* 1 sessione; seduta 2 anno accademico.
set*¹ [set] *v.tr.* 1 mettere; porre | *to – free*, liberare | *to – going*, mettere in moto 2 preparare; sistemare; regolare 3 assegnare 4 fissare ♦ *v.intr.* 1 tramontare 2 solidificarsi; rapprendersi ♦ *Verbi frasali*: *to – about*, intraprendere | *to – back*, ostacolare; (*fam.*) costare | *to – off*, partire, muoversi; fare esplodere; dare il via a; mettere in evidenza | *to – to*, accingersi a | *to – up*, mettere su; (*fam.*) mettere in sesto; (*fam.*) incastrare ♦ *agg.* 1 fissato, stabilito; rigido | *– phrases*, frasi fatte | *a – smile*, un sorriso di circostanza 2 pronto ♦ *s.* 1 posizione 2 (*hair*) –, messa in piega 3 (*teatr.*) scenario, scene; (*cinem.*) set 4 presa.
set² *s.* 1 serie completa, insieme; servizio | *radio –*, apparecchio radio; *tv –*, televisore 2 mondo, ambiente 3 (*mat.*) insieme.
set·back [ˈsetbæk] *s.* 1 contrattempo, imprevisto 2 ricaduta (di malattia).
set·tee [seˈtiː] *s.* divano.
set·ting [ˈ·ɪŋ] *s.* 1 messa in opera, montaggio 2 (*tecn.*) messa a punto, registrazione 3 presa 4 montatura; incastonatura 5 ambiente; ambientazione (di romanzo ecc.); (*teatr.*) messa in scena 6 (*mus.*) arrangiamento 7 coperto 8 tramonto.
settle [ˈsetl] *v.tr.* 1 fissare; stabilire | *to – on*, decidere 2 regolare (conti ecc.) 3 sistemare 4 calmare 5 (*dir.*) legare, lasciare ♦ *v.intr.* 1 accordarsi; trovare un accordo 2 mettersi; appoggiarsi | *to – down*, sistemarsi, mettere la testa a posto 3 stabilirsi, andare a stare 4 calmarsi 5 depositarsi; sedimentare.
set·tle·ment [ˈ·mənt] *s.* 1 pagamento, saldo 2 accordo; transazione 3 insediamento.
set-to [ˈ· ·] (*-os*) *s.* (*fam.*) rissa.
set-up [ˈ· ·] *s.* (*fam.*) situazione; organizzazione.
seven [ˈsevn] *agg., s.* sette.
sev·en·teen [ˌsevnˈtiːn] *agg., s.* diciassette.
sev·enth [ˈsevnθ] *agg.* settimo.
sev·enty [ˈsevntɪ] *agg., s.* settanta.
sever [ˈsevə*] *v.tr., intr.* staccare, staccarsi.
sev·eral [ˈsevrəl] *agg., pron.* diversi, parecchi | *– of us*, alcuni di noi.
se·vere [sɪˈvɪə*] *agg.* 1 grave; serio 2 severo.
se·ver·ity [sɪˈverətɪ] *s.* 1 gravità, serietà 2 severità.
sew* [səʊ] *v.tr., intr.* cucire.
sew·age [ˈsuːɪdʒ] *s.* acque di scarico, liquame | *– works*, depuratore.

sewer ['sju:ə*] *s.* fogna.
sew·er·age ['sjʊərɪdʒ] *s.* rete fognaria; fognatura.
sewn [səʊn] *p.p.* di to *sew*.
sex [seks] *s.* sesso.
sex·ism ['seksɪzəm] *s.* discriminazione sessuale.
sex·ton ['sekstən] *s.* **1** sagrestano **2** custode (di cimitero).
sexual ['seksjʊəl] *agg.* sessuale.
shabby ['ʃæbɪ] *agg.* **1** trasandato; male in arnese **2** meschino, gretto.
shack [ʃæk] *s.* baracca.
shackles ['ʃækls] *s.pl.* manette.
shade [ʃeɪd] *s.* **1** ombra: *in the* –, all'ombra **2** sfumatura **3** pizzico **4** tenda, tendina **5** *pl.* (*sl.*) occhiali da sole ♦ *v.tr.* **1** fare ombra a; riparare **2** velare, oscurare ♦ *v.intr.* sfumare.
shadow ['ʃædəʊ] *s.* ombra ♦ *v.tr.* **1** fare ombra a **2** pedinare.
shady ['ʃeɪdɪ] *agg.* **1** ombreggiato; ombroso **2** losco; disonesto.
shaft [ʃɑ:ft *amer.* ʃæft] *s.* **1** lancia, giavellotto **2** raggio **3** camino; condotto; pozzo **4** gambo; fusto **5** asta; palo; manico **6** (*mecc.*) albero, asse.
shake* [ʃeɪk] *v.tr.* scuotere, agitare | – *a leg!*, datti una mossa! | *to* – (*hands*), stringersi la mano ♦ *v.intr.* tremare ♦ *Verbi frasali*: *to – down*, trovare una sistemazione di fortuna | *to – off*, scuotersi di dosso | *to – up*, mescolare scuotendo; scioccare; rivoluzionare, ristrutturare a fondo ♦ *s.* scossa; tremito | *in a* –, in un batter d'occhio.
Shake·spear·ian [ʃeɪk'spɪərɪən] *agg.* shakespeariano.
shake-up ['· ·] *s.* **1** (*fam.*) scossone; (*fig.*) rimaneggiamento | *government* –, rimpasto di governo **2** riorganizzazione, ristrutturazione.
shaky ['ʃeɪkɪ] *agg.* tremolante; vacillante.
shall [ʃæl (*ff*) ʃ əl (*fd*)] *modal verb*: *I – ask him*, glielo chiederò; *we – probably be in London next week*, probabilmente saremo a Londra la prossima settimana; *let's have a drink, – we?*, beviamo qualcosa?; *payments – be made by cash*, i pagamenti devono essere effettuati in contanti.
shal·low ['ʃæləʊ] *agg.* poco profondo ♦ *s.pl.* secca.
sham [ʃæm] *agg.* finto, falso; simulato ♦ *s.* **1** finzione **2** imitazione ♦ (*-mmed*) *v.tr., intr.* fingere, fingersi.
shambles ['ʃæmblz] *s.* confusione.
sham·bolic [,ʃæm'bɒlɪk] *agg.* (*fam.*) confuso, caotico.
shame [ʃeɪm] *s.* **1** vergogna **2** (*fam.*) sfortuna: *what a –!*, che peccato! ♦ *v.tr.* far vergognare | *to – into doing*, fare qlco. spinto da un senso di vergogna.
sham·poo [ʃæm'pu:] *s.* shampoo ♦ *v.tr.* fare uno shampoo a.
sham·rock ['ʃæmrɒk] *s.* trifoglio.
shandy ['ʃændɪ] *s.* bevanda composta di birra e gassosa.
shanty·town ['ʃæntɪ,taʊn] *s.* bidonville, baraccopoli.
shape [ʃeɪp] *s.* forma | *in poor –, in good –*, in cattive, buone condizioni | *to take –*, delinearsi; concretizzarsi ♦ *v.tr.* formare; modellare ♦ *v.intr.* prendere forma | *to – up*, svilupparsi; procedere.
shape·less ['ʃeɪplɪs] *agg.* informe.
shapely ['ʃeɪplɪ] *agg.* ben fatto.
share [ʃeə*] *s.* **1** parte; quota **2** (*fin.*) azione, titolo ♦ *v.tr.* dividere; condividere | *to – out*, spartire ♦ *v.intr.* partecipare.

share·holder [ˈʃeəˌhəʊldə*] *s.* azionista.
shark [ʃɑ:k] *s.* **1** squalo; pescecane **2** (*fig.*) truffatore.
sharp [ʃɑ:p] *agg.* **1** affilato; aguzzo **2** (*fig.*) pungente; acuto **3** netto; distinto **4** brusco, improvviso **5** sveglio; astuto **6** (*mus.*) diesis **7** (*fam. amer.*) elegante, raffinato ♦ *avv.* **1** bruscamente **2** in punto; puntualmente ♦ *v.tr., intr.* (*fam.*) imbrogliare.
sharpen [ˈʃɑ:pən] *v.tr.* affilare; aguzzare ♦ *v.intr.* acuirsi; acutizzarsi.
sharper [ˈ·ə*] *s.* imbroglione; baro.
shat·ter [ˈʃætə*] *v.tr., intr.* andare, mandare in frantumi.
shave [ʃeɪv] *v.tr.* radere; rasare ♦ *v.intr.* radersi ♦ *s.* rasatura.
shaven [ˈʃeɪvn] *agg.* rasato.
shaver [ˈ·ə*] *s.* rasoio.
shav·ings [ˈʃeɪvɪŋz] *s.pl.* trucioli di legno.
shawl [ʃɔ:l] *s.* scialle.
she [ʃi:] *pron.* lei ♦ *s.* femmina.
sheaf [ʃi:f] (*-ves* [-vz]) *s.* **1** fascio **2** covone.
shear* [ʃɪə*] *v.tr.* tosare; tagliare.
shears [ʃɪə*z] *s.pl.* cesoie, forbici.
sheath [ʃi:θ] *s.* **1** fodero; guaina **2** preservativo.
sheaves [ʃi:vz] *pl.* di *sheaf.*
shed[1] [ʃed] *s.* capanno; capannone.
shed*[2] *v.tr.* **1** versare **2** liberarsi di; lasciar cadere, perdere.
sheen [ʃi:n] *s.* lucentezza.
sheep [ʃi:p] *s.* (*pl. invar.*) pecora.
sheep·ish [ˈʃi:pɪʃ] *agg.* imbarazzato; timido.
sheer [ʃɪə*] *agg.* **1** puro e semplice **2** velato, molto sottile **3** a picco.
sheet [ʃi:t] *s.* **1** lenzuolo **2** foglio **3** lastra; lamina.
sheik(h) [ʃeɪk *amer.* ʃi:k] *s.* sceicco.
shelf [ʃelf] (*-ves* [-vz]) *s.* scaffale.
shell [ʃel] *s.* **1** conchiglia; guscio; (*bot.*) baccello **2** struttura; ossatura **3** bomba; granata ♦ *v.tr.* **1** sgusciare **2** bombardare **3** *to – out*, (*fam.*) sborsare (denaro).
shell·fish [ˈʃelfɪʃ] *s.* mollusco; crostaceo; frutti di mare.
shel·ter [ˈʃeltə*] *s.* riparo; rifugio; protezione ♦ *v.tr., intr.* riparare, ripararsi; dare asilo a.
shelve [ˈʃelv] *v.tr.* accantonare, rinviare.
shelves [ʃelvz] *pl.* di *shelf.*
shel·ving [ˈ·ɪŋ] *s.* scaffalatura.
shep·herd [ˈʃepəd] *s.* pastore | *–'s pie*, pasticcio di carne trita e purè.
sher·bet [ˈʃɜ:bət] *s.* (*amer.*) sorbetto.
sher·iff [ˈʃerɪf] *s.* sceriffo.
shield [ʃi:ld] *s.* **1** scudo **2** (*sport*) scudetto ♦ *v.tr.* proteggere, riparare.
shift [ʃɪft] *v.tr., intr.* **1** spostare, spostarsi | *to – about*, spostarsi in continuazione **2** togliere, togliersi **3** (*aut.*) (*amer.*) cambiare (marcia) ♦ *s.* **1** cambiamento; spostamento **2** turno; squadra.
shift·less [ˈʃɪftlɪs] *agg.* inconcludente; indolente.
shifty [ˈʃɪftɪ] *agg.* ambiguo; equivoco | *– glance*, sguardo furtivo.
shilly-shally [ˈʃɪlɪˌʃælɪ] *v.intr.* (*fam.*) tentennare; nicchiare.
shimmer [ˈʃɪmə*] *v.intr.* luccicare.
shin [ʃɪn] *s.* stinco.
shin-bone [ˈ· ·] *s.* tibia.
shindy [ˈʃɪndɪ] *s.* (*fam.*) chiasso.
shine* [ʃaɪn] *v.intr.* splendere, brillare ♦ *v.tr.* **1** illuminare **2** lucidare ♦ *s.* splendore; lucentezza | *to take a – to*, incapricciarsi di.

shiner ['·ə*] *s.* (*fam.*) occhio nero.
shingly ['ʃɪŋglɪ] *agg.* ciottoloso.
shiny ['ʃaɪnɪ] *agg.* splendente; lucido.
ship [ʃɪp] *s.* nave ♦ *v.tr.* **1** trasportare, spedire **2** imbarcare.
ship·ment ['·mənt] *s.* **1** imbarco, spedizione (di merci) **2** carico.
ship·ping ['·ɪŋ] *s.* **1** naviglio **2** spedizione | – *agent*, agente marittimo.
ship·shape ['ʃɪpʃeɪp] *agg.* in perfetto ordine.
ship·wreck ['ʃɪprek] *s.* **1** naufragio **2** relitto ♦ *v.tr.*: *to be shipwrecked*, fare naufragio.
ship·yard ['ʃɪpjɑ:d] *s.* cantiere navale.
shirk [ʃɜ:k] *v.tr.* sottrarsi a.
shirt [ʃɜ:t] *s.* camicia.
shit [ʃɪt] *s.* (*volg.*) merda.
shiver ['ʃɪvə*] *s.* brivido ♦ *v.intr.* (*with*) tremare (di).
shoal[1] [ʃəʊl] *s.* secca.
shoal[2] *s.* **1** banco (di pesci) **2** (*fig.*) folla, moltitudine.
shock [ʃɒk] *s.* urto; colpo; scossa | (*mecc.*) – *absorber*, ammortizzatore ♦ *v.tr., intr.* scioccare; colpire.
shock·ing ['·ɪŋ] *agg.* **1** scioccante; scandaloso **2** (*fam.*) pessimo.
shoddy ['ʃɒdɪ] *agg.* scadente.
shoe [ʃu:] *s.* **1** scarpa, calzatura **2** ferro di cavallo.
shoe·horn ['ʃu:hɔ:n] *s.* calzascarpe.
shoe·lace ['ʃu:leɪs] *s.* stringa.
shoe·maker ['ʃu:meɪkə*] *s.* calzolaio.
shoe·string ['ʃu:strɪŋ] *s.* **1** (*amer.*) stringa | *on a* –, con quattro soldi ♦ *agg.* esiguo.
shone [ʃɒn] *pass., p.p.* di to *shine.*
shook [ʃʊk] *pass.* di to *shake.*
shoot [ʃu:t] *v.tr., intr.* **1** sparare (a) | *to – down*, abbattere **2** lanciare, tirare **3** (*cinem.*) riprendere; girare **4** (*fam.*) sfrecciare | *to – up*, andare alle stelle ♦ *s.* **1** (*bot.*) germoglio **2** partita di caccia.
shop [ʃɒp] *s.* **1** bottega, negozio: – *assistant*, commesso **2** officina; laboratorio | – *steward*, rappresentante sindacale ♦ (*-pped* [-pt]) *v.intr.* far compere ♦ *v.tr.* (*sl.*) tradire.
shop·keeper ['ʃɒpki:pə*] *s.* negoziante.
shop·lift ['ʃɒplɪft] *v.intr.* taccheggiare.
shop·per ['·ə*] *s.* acquirente.
shop·ping ['·ɪŋ] *s.* acquisti; spesa | – *centre*, centro commerciale.
shore [ʃɔ:*] *s.* spiaggia; riva | *off* – , al largo | *on* –, a terra.
shorn [ʃɔ:n] *p.p.* di to *shear.*
short [ʃɔ:t] *agg.* **1** corto; breve **2** (*di statura*) basso, piccolo **3** scarso: *to be, to run – of*, essere a corto di; *we are two cars* –, ci mancano due auto ♦ *s.* **1** cortometraggio **2** cortocircuito **3** *pl.* calzoncini corti ♦ *avv.* bruscamente ♦ *v.tr., intr.* mettere, andare in corto circuito.
short·age ['ʃɔ:tɪdʒ] *s.* carenza, scarsità.
short·bread ['ʃɔ:tbred] **short·cake** ['ʃɔ:tkeɪk] *s.* biscotto di pasta frolla.
short-circuit [,ʃɔ:t'sɜ:kɪt] *s.* cortocircuito.
short·com·ing ['ʃɔ:t,kʌmɪŋ] *s.* difetto.
short cut [,·'·] *s.* scorciatoia.
shorten ['ʃɔ:tn] *v.tr., intr.* accorciare, accorciarsi.
short·fall ['ʃɔ:tfɔ:l] *s.* calo.
short·hand ['ʃɔ:thænd] *s.* stenografia | – *typist*, stenodattilografo.
short list ['·,·] *s.* lista ristretta, rosa (di candidati).
short·sighted [,ʃɔ:t'saɪtɪd] *agg.* miope.
short-tempered [,ʃɔ:t'tempəd] *agg.* facilmente irritabile.

short-term [ˌ·ˈ·] *agg.* a breve scadenza.
shot [ʃɒt] *s.* **1** sparo, colpo **2** tiro; lancio | – *put*, lancio del peso **3** tiratore **4** pallini **5** tentativo, prova **6** foto **7** (*cinem.*) ripresa **8** (*fam.*) iniezione; dose (di droga) **9** goccio, sorso.
shot *pass.*, *p.p.* di to *shoot.*
shot·gun [ˈʃɒtgʌn] *s.* fucile da caccia.
should [ʃud (*ff*) ʃəd (*fd*)] *modal verb* **1** dovere (*al condiz. e* cong.): *she – arrive tomorrow*, dovrebbe arrivare domani; – *he refuse*..., se dovesse rifiutare... **2** (*aus. del condiz.*): *I – like a coffee*, prenderei volentieri un caffè.
shoul·der [ˈʃəuldə*] *s.* **1** spalla **2** (*di strada*) banchina ♦ *v.tr.* prendere sulle spalle; (*fig.*) addossarsi.
shoulder blade [ˈ··ˌ·] *s.* (*anat.*) scapola.
shout [ʃaut] *s.* grido; urlo ♦ *v.tr.*, *intr.* gridare, urlare | *to – down*, zittire.
shove [ʃʌv] *v.tr.* **1** spingere **2** (*fam.*) ficcare, cacciare ♦ *v.intr.*: *to – off*, togliersi di mezzo ♦ *s.* spinta.
shovel [ˈʃʌvl] *s.* pala.
show* [ʃəu] *v.tr.* **1** mostrare, far vedere | *as shown above*, come sopra indicato **2** dimostrare; rivelare **3** condurre, accompagnare ♦ *v.intr.* mostrarsi; farsi vedere ♦ *Verbi frasali*: *to – off*, mettere in risalto; mettere, mettersi in mostra | *to – up*, rivelare, rivelarsi; mettere in imbarazzo; (*fam.*) arrivare, comparire ♦ *s.* **1** mostra; esposizione **2** spettacolo | – *business*, mondo dello spettacolo | *who's running the –?*, chi è che comanda qui? **3** finta, apparenza.
show·case [ˈʃəukeɪs] *s.* bacheca; vetrinetta; (*fig.*) vetrina.
show·down [ˈʃəudaun] *s.* (*fam.*) chiarimento; confronto.
shower [ˈʃauə*] *s.* **1** acquazzone **2** doccia ♦ *v.intr.* fare la doccia ♦ *v.tr.* inondare di.
show·man [ˈʃəumən] (*-men*) *s.* presentatore e conduttore di spettacolo.
shown [ʃəun] *p.p.* di to *show*.
show-off [ˈʃəuɒf] *s.* (*fam.*) esibizionista.
show·room [ˈʃəurum] *s.* sala, salone d'esposizione.
showy [ˈʃəuɪ] *agg.* appariscente.
shrank [ʃræŋk] *pass.* di to *shrink*.
shred [ʃred] *s.* brandello ♦ (*-dded*) *v.tr.* fare a brandelli.
shred·der [ˈ·ə*] *s.* macchina distruggidocumenti.
shrewd [ʃru:d] *agg.* astuto; acuto.
shriek [ʃri:k] *s.* grido; strillo.
shrill [ʃrɪl] *agg.* stridulo; acuto.
shrimp [ʃrɪmp] *s.* gamberetto.
shrine [ʃraɪn] *s.* **1** reliquiario **2** santuario.
shrink [ʃrɪŋk] *v.intr.* **1** restringersi **2** ritirarsi | *to – from*, rifuggire da | *to – into o.s.*, chiudersi in se stesso ♦ *v.tr.* far restringere ♦ *s.* (*fam.*) strizzacervelli.
shrivel [ˈʃrɪvl] (*-lled*) *v.tr.*, *intr.* (*up*) accartocciare, accartocciarsi; raggrinzire, raggrinzirsi.
shrub [ʃrʌb] *s.* arbusto; cespuglio.
shrug [ʃrʌg] (*-gged*) *v.tr.*, *intr.* scrollare (le spalle) | *to – off*, liquidare con un'alzata di spalle ♦ *s.* alzata di spalle.
shrunk [ʃrʌŋk] *p.p.* di to *shrink*.
shrunken [ˈʃrʌŋkn] *agg.* rattrappito.
shud·der [ˈʃʌdə*] *v.intr.* rabbrividire ♦ *s.* brivido; tremito.
shuffle [ˈʃʌfl] *v.tr.* mescolare (carte); strascicare (piedi) ♦ *s.* mescolata; (*pol.*) rimpasto.
shun [ʃʌn] (*-nned*) *v.tr.* evitare, schivare.

shut* [ʃʌt] *v.tr., intr.* chiudere, chiudersi | *to – down*, cessare l'attività | *to – off*, interrompere | *to – out*, escludere; lasciar fuori | *to – up*, chiudere; rinchiudere; (fare) tacere.
shut·down [ˈʃʌtdaʊn] *s.* chiusura (di azienda).
shut-eye [ˈʃʌtaɪ] *s.* (*fam.*) pisolino.
shut·ter [ˈʃʌtə*] *s.* **1** imposta; saracinesca **2** (*fot.*) otturatore.
shuttle [ˈʃʌtl] *s.* navetta ♦ *v.intr.* fare la spola.
shy [ʃaɪ] *agg.* timido.
Si·am·ese [ˌsaɪəˈmi:z] *agg., s.* siamese.
Si·cily [sɪˈsɪlɪ] *no.pr.* Sicilia.
Si·cil·ian [sɪˈsɪljən] *agg., s.* siciliano.
sick [sɪk] *agg.* **1** malato | *to be –*, avere la nausea **2** disgustato; stanco.
sicken [ˈsɪkən] *v.tr.* disgustare.
sickle [ˈsɪkl] *s.* falce; falcetto.
sickly [ˈsɪklɪ] *agg.* malaticcio; nauseante.
sick·ness [ˈsɪknɪs] *s.* **1** malattia, malessere **2** nausea, vomito.
sick up [ˌ·ˈ·] *v.tr.* (*fam.*) vomitare.
side [saɪd] *s.* **1** lato, fianco | *on either –*, da entrambe le parti | *to be on s.o.'s –*, stare dalla parte di qlcu. | *this is your – of the story*, questa è la tua versione dei fatti | *on the –*, come extra **2** sponda, riva; margine **3** squadra ♦ *agg.* laterale, secondario; (*fig.*) marginale ♦ *v.intr.* schierarsi.
side·board [ˈsaɪdbɔ:d] *s.* credenza.
side·line [ˈsaɪdlaɪn] *s.* attività secondaria.
side·long [ˈsaɪdlɒŋ] *agg.* laterale; obliquo.
side·track [ˈsaɪdtræk] *v.tr.* (*fig.*) deviare.
side·walk [ˈsaɪdwɔ:k] *s.* (*amer.*) marciapiede.
side·ways [ˈsaɪdweɪz] *agg.* laterale; obliquo.
siege [si:dʒ] *s.* assedio.
sieve [sɪv] *s.* setaccio ♦ *v.tr.* setacciare.
sift [sɪft] *v.tr.* setacciare.
sigh [saɪ] *s.* sospiro ♦ *v.intr.* sospirare.
sight [saɪt] *s.* **1** vista | *second–*, preveggenza | *in –*, in vista; *on –*, a vista; *out of –*, non visibile **2** mirino **3** (*fam.*) gran quantità ♦ *v.tr.* avvistare.
sight·seeing [ˈsaɪtˌsi:ɪŋ] *s.* visita turistica.
sight·seer [ˈsaɪtˌsi:ə*] *s.* turista.
sign [saɪn] *s.* segno; segnale ♦ *v.tr., intr.* **1** firmare | *to – on*, sottoscrivere (contratto, impegno) **2** iscriversi nelle liste di collocamento | *to – up*, iscriversi; arruolarsi.
sig·nal [ˈsɪgnl] *s.* segnale, segno ♦ *agg.* notevole; cospicuo ♦ (*-lled*) *v.tr., intr.* segnalare; far segnali.
sig·na·ture [ˈsɪgnɪtʃə*] *s.* firma | *– tune*, sigla musicale.
sig·ni·fic·ance [sɪgˈnɪfɪkəns] *s.* significato, importanza.
sig·ni·fic·ant [sɪgˈnɪfɪkənt] *agg.* significativo.
sig·nify [ˈsɪgnɪfaɪ] *v.tr.* suggerire; indicare ♦ *v. intr.* importare.
sign·post [ˈsaɪnpəʊst] *s.* cartello, segnale stradale.
si·lence [ˈsaɪləns] *s.* silenzio ♦ *v.tr.* far tacere, zittire.
si·len·cer [ˈsaɪlənsə*] *s.* **1** silenziatore **2** (*aut.*) marmitta.
si·lent [ˈsaɪlənt] *agg.* silenzioso | *to keep –*, star zitto.
silk [sɪlk] *s.* seta.
silken [ˈsɪlkən] *agg.* di seta; setoso.
silky [ˈsɪlkɪ] *agg.* setoso.
sill [sɪl] *s.* davanzale.

silly [ˈsɪlɪ] *agg.* sciocco, stupido.
sil·ver [ˈsɪlvə*] *s.* argento ♦ *v.tr.* argentare.
silver·smith [ˈsɪlvəsmɪθ] *s.* argentiere.
silver·ware [ˈsɪlvəweə*] *s.* argenteria.
sil·very [ˈsɪlvərɪ] *agg.* argenteo.
sim·ilar [ˈsɪmɪlə*] *agg.* simile.
sim·mer [ˈsɪmə*] *v.intr.* sobbollire; (*fig.*) ribollire.
simple [ˈsɪmpl] *agg.* **1** semplice **2** ingenuo.
sim·pli·city [sɪmˈplɪsətɪ] *s.* semplicità.
sim·plify [ˈsɪmplɪfaɪ] *v.tr.* semplificare.
simp·listic [sɪmˈplɪstɪk] *agg.* semplicistico.
simu·late [ˈsɪmjʊleɪt] *v.tr.* simulare.
sim·ul·tan·eous [ˌsɪməlˈteɪnjəs] *agg.* simultaneo.
sin [sɪn] *s.* peccato ♦ (*-nned*) *v.intr.* peccare.
since [sɪns] *avv.* da allora (in poi) | *long* –, da molto tempo ♦ *cong.* **1** da quando, dal tempo in cui **2** poiché, dato che ♦ *prep.* da.
sin·cere [sɪnˈsɪə*] *agg.* sincero; onesto; schietto.
sin·cer·ity [sɪnˈserətɪ] *s.* sincerità.
sinew [ˈsɪnju:] *s.* tendine.
sin·ewy [ˈsɪnju:ɪ] *agg.* nerboruto.
sin·ful [ˈsɪnfʊl] *agg.* peccaminoso.
sing* [sɪŋ] *v.tr., intr.* cantare.
singe [sɪndʒ] *v.tr.* bruciacchiare.
singer [ˈ·ə*] *s.* cantante.
single [ˈsɪŋgl] *agg.* **1** solo, unico; singolo **2** celibe; nubile ♦ *s.* **1** singolo | *to play singles*, giocare il singolo **2** (stanza) singola **3** single, persona non sposata **4** (disco) 45 giri ♦ *v.tr.*: *to – out*, selezionare.
single-breasted [ˌ·ˈ··] *agg.* (*di vestito*) a un petto solo.
single-handed [ˌ·ˈ··] *agg.* da solo.
single-minded [ˌ·ˈ··] *agg.* deciso, risoluto.
sing·let [ˈsɪŋglɪt] *s.* canottiera.
sing·song [ˈsɪŋsɒŋ] *s.* cantilena.
sin·gu·lar [ˈsɪŋgjʊlə*] *agg.* singolare.
sin·is·ter [ˈsɪnɪstə*] *agg.* sinistro.
sink* [sɪŋk] *v.intr.* **1** affondare; andare a fondo **2** sprofondare; cedere **3** *to – in*(*to*), andare a segno, essere capito ♦ *v.tr.* **1** mandare a picco **2** scavare **3** conficcare ♦ *s.* lavandino
sin·ner [ˈ·ə*] *s.* peccatore.
sinu·ous [ˈsɪnjʊəs] *agg.* sinuoso.
sip [sɪp] *s.* sorso ♦ (*-pped* [-pt]) *v.tr.* sorseggiare ♦ *v.intr.* bere a sorsi.
si·phon [ˈsaɪfn] *s.* sifone.
sir [sɜ:*] *s.* signore.
siren [ˈsaɪərɪn] *s.* sirena.
sir·loin [ˈsɜ:lɔɪn] *s.* lombo di manzo.
sissy [ˈsɪsɪ] *s.* (*fam.*) femminuccia, donnicciola.
sis·ter [ˈsɪstə*] *s.* **1** sorella **2** suora **3** (infermiera) caposala.
sister-in-law [ˈsɪstərɪnlɔ:] (*sisters-in-laws*) s. cognata.
sit* [sɪt] *v.intr.* **1** sedere, essere, stare seduto; mettersi a sedere | *to – tight*, aspettare gli eventi **2** essere in seduta **3** posare ♦ *v.tr.* dare, sostenere (esame) ♦ *Verbi frasali*: *to – down*, (far) sedere | *to – in on*, assistere | *to – out*, aspettare (che qlco. finisca) | *to – up*, stare alzato; stare seduto dritto.
site [sait] *s.* sito, luogo; area: *building* –, cantiere edile ♦ *v.tr.* situare.
sit·ting [ˈ·ɪŋ] *s.* **1** posa; seduta **2** sessione **3** turno (di mensa).
sitting room [ˈ··ˌ·] *s.* soggiorno.
situ·ated [ˈsɪtjʊeɪtɪd] *agg.* situato.
situ·ation [ˌsɪtjʊˈeɪʃn] *s.* situazione |

situations vacant, offerte di impiego.
six [sɪks] *agg.*, *s.* sei.
six·teen [ˌsɪks'ti:n] *agg.*, *s.* sedici.
sixth [sɪksθ] *agg.*, *s.* sesto.
sixty ['sɪkstɪ] *agg.*, *s.* sessanta.
siz·able ['saɪzəbl] *agg.* considerevole.
size [saɪz] *s.* dimensione; taglia, misura; formato ♦ *v.tr.*: *to – up*, giudicare.
size·able ['saɪzəbl] *agg.* considerevole.
sizzle ['sɪzl] *v.intr.* sfrigolare.
skate [skeɪt] *s.* pattino ♦ *v.intr.* pattinare.
skein [skeɪn] *s.* matassa.
skel·eton ['skelɪtn] *s.* **1** scheletro **2** ossatura; intelaiatura.
skeptic ['skeptɪk] e *deriv.* (*amer.*) → *sceptic* e *deriv.*
sketch [sketʃ] *s.* **1** schizzo; abbozzo **2** sketch, scenetta ♦ *v.tr.* abbozzare.
sketchy ['sketʃɪ] *agg.* sommario.
skew [skju:] *agg.* storto; asimmetrico.
skewer ['skju:ə*] *s.* spiedo.
skewwhiff [ˌskju:'wɪf] *agg.* (*fam.*) storto; di traverso.
ski [ski:] *s.* sci ♦ *v.intr.* sciare.
skid [skɪd] (*-dded*) *v.intr.* sbandare.
ski·ing ['·ɪŋ] *s.* (*sport*) sci.
skil·ful ['skɪlfʊl] *agg.* abile, esperto.
skill [skɪl] *s.* **1** abilità, capacità **2** mestiere.
skilled [skɪld] *agg.* esperto, abile | *– worker*, operaio specializzato.
skim [skim] (*-mmed*) *v.tr.* **1** scremare **2** sfiorare.
skimpy ['skɪmpɪ] *agg.* scarso; striminzito.
skin [skɪn] *s.* **1** pelle; buccia | *– deep*, superficiale **2** involucro **3** pellicola (di latte ecc.) ♦ (*-nned*) *v.tr.* **1** sbucciare **2** scuoiare.
skinny ['skɪnɪ] *agg.* magro; scarno.
skint [skɪnt] *agg.* (*sl.*) al verde.
skip [skɪp] (*-pped* [skɪpt]) *v.tr.* saltare ♦ *s.* salto; balzo.
skip·per ['skɪpə*] *s.* capitano.
skir·mish ['skɜ:mɪʃ] *s.* scaramuccia.
skirt [skɜ:t] *s.* gonna ♦ *v.tr.* **1** costeggiare **2** evitare, eludere.
skittle ['skɪtl] *s.* birillo.
skive [skaɪv] *v.intr.* (*fam.*) sottrarsi a.
skull [skʌl] *s.* cranio, teschio.
sky [skaɪ] *s.* cielo.
sky-high [ˌskaɪ'haɪ] *agg.*, *avv.* molto in alto.
sky·lark ['skaɪlɑ:k] *s.* allodola.
sky·light ['skaɪlaɪt] *s.* lucernario.
sky·line ['skaɪlaɪn] *s.* **1** orizzonte **2** profilo (di monti, città ecc.).
sky·rocket ['skaɪˌrɒkɪt] *s.* razzo ♦ *v.intr.* salire, andare alle stelle.
sky·scraper ['skaɪˌskreɪpə*] *s.* grattacielo.
slab [slæb] *s.* **1** lastra; piastra **2** fetta.
slack [slæk] *agg.* **1** lento, allentato **2** fiacco | *– season*, stagione morta **3** negligente ♦ *s.* **1** allentamento, rilassamento; ristagno **2** *pl.* pantaloni ♦ *v.intr.* battere la fiacca.
slacken ['slækən] *v.tr.*, *intr.* allentare, allentarsi; diminuire.
slain [sleɪn] *p.p.* di to *slay*.
slam [slæm] (*-mmed*) *v.tr.*, *intr.* **1** sbattere; scagliare **2** criticare aspramente ♦ *s.* colpo.
slan·der ['slɑ:ndə* *amer.* 'slændə*] *s.* calunnia, maldicenza; (*dir.*) diffamazione ♦ *v.tr.* calunniare; diffamare.
slang [slæŋ] *s.* slang, gergo.
slangy ['slæŋɪ] *agg.* gergale.
slant [slɑ:nt *amer.* slænt] *v.intr.* pendere ♦ *s.* **1** inclinazione **2** angolazione.
slan·ted ['slɑ:ntɪd] *agg.* di parte; tendenzioso (di notizie ecc.).

slap [slæp] *s.* schiaffo, sberla ♦ (*-pped* [slæpt]) *v.tr.* **1** schiaffeggiare **2** (*fam.*) sbattere, piazzare.
slap·dash [ˈslæpdæʃ] *agg.* affrettato; poco curato.
slap-up [ˈslæpʌp] *agg.*: *a – meal*, (*fam.*) un pasto coi fiocchi.
slash [slæʃ] *v.tr.* **1** tagliare; sfregiare **2** ridurre nettamente, abbattere ♦ *s.* taglio, squarcio | – (*mark*), barra.
slate[1] [sleɪt] *s.* **1** ardesia **2** tegola d'ardesia **3** lavagnetta.
slate[2] *v.tr.* criticare duramente.
slaugh·ter [ˈslɔ:tə*] *v.tr.* **1** macellare **2** massacrare ♦ *s.* macello.
slaugh·ter·house [ˈslɔ:təhaʊs] *s.* mattatoio.
Slav [slɑ:v] *agg.*, *s.* slavo.
slave [sleɪv] *s.* schiavo ♦ *v.intr.* sgobbare come un negro.
slavery [ˈsleɪvərɪ] *s.* schiavitù.
slay* [sleɪ] *v.tr.* ammazzare.
sleazy [ˈslɪ:zɪ] *agg.* sordido.
sledge [sledʒ] amer. **sled** [sled] *s.* slitta.
sleek [slɪ:k] *agg.* lucente.
sleep* [slɪ:p] *v.intr.* dormire | *sleeping pill*, pillola per dormire | *to – off*, smaltire con una dormita; *to – with*, andare a letto con ♦ *s.* sonno.
sleeper [ˈslɪ:pə*] *s.*(*ferr.*) traversina; cuccetta; vagone letto.
sleeping car [ˈ·· ·] *s.* vagone letto.
sleep·less [ˈslɪ:plɪs] *agg.* insonne; agitato.
sleep·walker [ˈslɪ:p,wɔ:kə*] *s.* sonnambulo.
sleepy [ˈslɪ:pɪ] *agg.* assonnato; sonnolento.
sleet [slɪ:t] *s.* nevischio.
sleeve [slɪ:v] *s.* **1** manica **2** copertina (di disco); custodia (di libro).
sleigh [sleɪ] *s.* slitta.
slen·der [ˈslendə*] *agg.* **1** snello **2** esiguo.
slept [slept] *pass.*, *p.p.* di to *sleep*.
sleuth [slu:θ] *s.* detective, segugio.
slew[1] [slu:] *pass.* di to *slay*.
slew[2] *v.intr.* sbandare.
slice [slaɪs] *s.* **1** fetta **2** palla tagliata ♦ *v.tr.* affettare.
slick [slɪk] *agg.* brillante; furbo ♦ *s.* **1** (*oil*) –, chiazza di petrolio **2** (*amer.*) rivista su carta patinata.
slide* [slaɪd] *v.intr.* scivolare ♦ *s.* **1** scivolata; (*econ.*) slittamento **2** scivolo **3** vetrino (per microscopio) **4** diapositiva.
sliding scale [,··ˈ·] *s.* scala mobile.
slight [slaɪt] *agg.* leggero, lieve.
slim [slɪm] *agg.* **1** snello **2** sottile; tenue ♦ (*-mmed*) *v.intr.* dimagrire.
slime [slaɪm] *s.* melma; viscidume.
slimy [ˈslaɪmɪ] *agg.* viscoso; viscido; (*fig.*) untuoso.
sling* [slɪŋ] *v.tr.* buttare, gettare ♦ *s.* **1** fionda **2** tracolla; imbracatura: *his arm in a –*, col braccio al collo.
slink* [slɪŋk] *v.intr.* sgattaiolare.
slinky [ˈslɪŋkɪ] *agg.* attillato.
slip [slɪp] (*-pped*) *v.intr.*, *tr.* (far) scivolare | *to – one's mind*, sfuggire di mente | *to let –*, lasciarsi sfuggire | *to – away*, svignarsela | *to – off, on*, sfilarsi, infilarsi (un indumento) | *to – up*, commettere una svista ♦ *s.* **1** scivolone **2** lapsus; svista **3** sottoveste **4** federa **5** scontrino; tagliando.
slip·cover [ˈslɪpkʌvə*] *s.* (*amer.*) fodera lavabile.
slip-on [ˈslɪp,ɒn] *agg.* senza lacci, bottoni ♦ *s.* scarpa senza stringhe.
slip·over [ˈslɪp,əʊvə*] *s.* pullover senza maniche.

slip·per ['slɪpə*] *s.* pantofola.
slip·pery ['slɪpərɪ] *agg.* scivoloso; (*fig.*) sfuggente.
slippy ['slɪpɪ] *agg.* (*fam.*) sdrucciolevole.
slip road ['slɪp,rəʊd] *s.* (*brit.*) rampa (di autostrada).
slit [slɪt] *s.* fessura.
sliver ['slɪvə*] *s.* scheggia.
slob [slɒb] *s.* (*fam.*) sciattone.
slog [slɒg] (*-gged*) *v.tr., intr.* sfacchinare (su) ♦ *s.* (*fam.*) faticata.
slop [slɒp] *s.* **1** risciacquatura (di piatti) **2** brodaglia, sbobba ♦ (*-pped*) [-pt]) *v.tr., intr.* rovesciare, rovesciarsi.
slope [sləʊp] *s.* pendenza; pendio ♦ *v.intr.* essere in pendenza.
sloppy ['slɒpɪ] *agg.* **1** sciatto **2** sdolcinato.
sloshed ['slɒʃt] *agg.* (*fam.*) ubriaco.
slot [slɒt] *s.* fessura; scanalatura ♦ (*-tted*) *v.tr.* **1** introdurre, infilare.
sloth [sləʊθ] *s.* indolenza.
slov·enly ['slʌvnlɪ] *agg.* sciatto.
slow [sləʊ] *agg.* **1** lento | *– motion*, ripresa al rallentatore **2** in ritardo ♦ *v.tr., intr.* rallentare.
slow·down ['sləʊdaʊn] *s.* **1** rallentamento **2** (*amer.*) sciopero bianco.
sludge [slʌdʒ] *s.* melma.
slug[1] [slʌg] *s.* **1** lumacone **2** pallottola.
slug[2] (*-gged*) *v.tr.* (*fam.*) colpire con forza ♦ *s.* **1** colpo violento **2** (*fam.*) sorso (di liquore).
slug·gard ['slʌgəd] *s.* fannullone.
slug·gish ['slʌgɪʃ] *agg.* pigro.
slum [slʌm] *s.* catapecchia; *pl.* bassifondi.
slump [slʌmp] *s.* crollo; (*econ.*) recessione ♦ *v.intr.* crollare.
slung [slʌŋ] *pass., p.p.* di to *sling*.
slunk [slʌŋk] *pass., p.p.* di to *slink*.
slush [slʌʃ] *s.* **1** neve sciolta; fanghiglia | *– fund*, fondi neri **2** (*fam.*) sdolcinatezze.
sly [slaɪ] *agg.* scaltro, furbo | *on the –*, furtivamente.
smack[1] [smæk] *s.* **1** traccia, punta **2** (*sl.*) eroina ♦ *v.intr.* sapere (di).
smack[2] *s.* **1** schiocco **2** bacio con lo schiocco **3** schiaffo ♦ *avv.* (*fam.*) in pieno ♦ *v.tr.* **1** schiaffeggiare **2** far schioccare.
small [smɔːl] *agg.* piccolo; scarso | *in my – way*, nel mio piccolo | *– change*, spiccioli.
small·ish ['smɔːlɪʃ] *agg.* piccolino.
small-minded [,·'··] *agg.* di mentalità ristretta; gretto.
smart [smɑːt] *agg.* **1** elegante; alla moda **2** sveglio, intelligente; impertinente | *– aleck*, sputasentenze **3** veloce, vivace ♦ *s.* dolore acuto ♦ *v.intr.* bruciare.
smarten ['smɑːtn] *v.tr.* (*up*) abbellire ♦ *v. intr.* (*up*) farsi bello.
smash [smæʃ] *v.tr., intr.* fracassare, fracassarsi | *to – down*, sfondare | *to – up*, annientare ♦ *s.* **1** fragore; schianto; scontro **2** – (*hit*), (*fam.*) successo strepitoso.
smash·ing ['·ɪŋ] *agg.* formidabile.
smash-up ['smæʃʌp] *s.* (*fam.*) scontro.
smat·ter·ing ['smætərɪŋ] *s.* infarinatura.
smear [smɪə*] *v.tr.* ungere; macchiare ♦ *s.* **1** macchia **2** – (*test*), pap test.
smell* [smel] *v.tr.* annusare, fiutare ♦ *v.intr.* odorare, profumare ♦ *s.* **1** olfatto **2** odore; profumo.
smelly ['smelɪ] *agg.* puzzolente.

smelt [smelt] *pass., p.p.* di to *smell.*

smile [smaɪl] *v.intr.* sorridere ♦ *s.* sorriso.

smirk [smɜ:k] *s.* sogghigno compiaciuto.

smith [smɪθ] *s.* fabbro.

smoggy [ˈsmɒgɪ] *agg.* pieno di smog.

smoke [sməʊk] *s.* fumo | *to have a* –, fumarsi una sigaretta ♦ *v.tr., intr.* **1** fumare **2** affumicare.

smoker [ˈ·ə*] *s.* **1** fumatore **2** carrozza per fumatori.

smok·ing [ˈ·ɪŋ] *s.* fumo | *no* –, vietato fumare.

smoky [ˈsməʊkɪ] *agg.* **1** che fa fumo; fumoso **2** annerito dal fumo **3** affumicato.

smooth [smu:ð] *agg.* **1** liscio **2** regolare **3** mellifluo ♦ *v.tr.* **1** lisciare **2** spianare; facilitare **3** appianare.

smother [ˈsmʌðə*] *v.tr.* **1** soffocare **2** ricoprire.

smuggle [ˈsmʌgl] *v.tr.* contrabbandare ♦ *v.intr.* praticare il contrabbando.

smutty [ˈsmʌtɪ] *agg.* **1** sporco; fuligginoso **2** osceno, sconcio.

snack [snæk] *s.* spuntino, snack.

snail [sneɪl] *s.* chiocciola; lumaca.

snake [sneɪk] *s.* serpente.

snaky [ˈsneɪkɪ] *agg.* serpeggiante.

snap [snæp] (*-pped* [-pt]) *v.tr., intr.* **1** spezzare, spezzarsi con un colpo secco **2** (far) scattare, fare uno scatto; schioccare: **3** (*at*) avventarsi su | *to* – *up*, prendere al volo **4** parlare, dire in tono brusco ♦ *s.* **1** schiocco **2** morso **3** – (*fastener*), bottone automatico **4** (*fot.*) istantanea **5** improvvisa ondata di freddo ♦ *agg.* **1** improvviso **2** a scatto.

snap·pish [ˈsnæpɪʃ] *agg.* brusco.

snappy [ˈsnæpɪ] *agg.* **1** brusco **2** brillante **3** (*fam.*) elegante.

snap·shot [ˈsnæpʃɒt] *s.* (*fot.*) istantanea.

snare [sneə*] *s.* trappola.

snarl [snɑ:l] *v.intr.* ringhiare.

snarl-up [ˈ· ·] *s.* blocco; ingorgo.

snatch [snætʃ] *v.tr.* afferrare; (*fig.*) strappare, rubare ♦ *s.* frammento.

snatchy [ˈsnætʃɪ] *agg.* frammentario.

sneak [sni:k] *v.intr.* **1** insinuarsi | *to* – *away*, andarsene inosservato **2** (*on*) fare la spia ♦ *s.* (*fam.*) spia.

sneakers [ˈsni:kəz] *s.pl.* (*amer.*) scarpe da ginnastica.

sneak·ing [ˈ·ɪŋ] *agg.* segreto.

sneaky [ˈsni:kɪ] *agg.* furtivo.

sneer [snɪə*] *v.intr.* sogghignare | *to* – *at*, farsi beffe di ♦ *s.* sogghigno.

sneeze [sni:z] *v.intr.* starnutire | *to* – *at*, non degnare di attenzione ♦ *s.* starnuto.

sniff [snɪf] *v.intr.* tirar su col naso; annusare, fiutare | *to* – *at*, mostrare disprezzo per.

sniffy [ˈsnɪfɪ] *agg.* (*fam.*) sprezzante, sdegnoso.

snigger [ˈsnɪgə*] *v.intr.* ridacchiare.

snip [snɪp] (*-pped* [-pt]) *v.tr., intr.* sforbiciare ♦ *s.* **1** sforbiciata **2** (*fam.*) affare.

sniper [ˈsnaɪpə*] *s.* cecchino.

snip·pet [ˈsnɪpɪt] *s.* (*fam.*) frammento.

snivel [ˈsnɪvl] (*-lled*) *v.intr.* piagnucolare, frignare.

snob·bery [ˈsnɒbərɪ] *s.* snobismo.

snob·bish [ˈsnɒbɪʃ] **snobby** [ˈsnɒbɪ] *agg.* snob, snobistico.

snoop [snu:p] *v.intr.* (*fam.*) ficcare il naso.

snooper [ˈ·ə*] *s.* (*fam.*) ficcanaso.

snooty [ˈsnu:tɪ] *agg.* altezzoso.

snooze [snu:z] *s.* pisolino, sonnellino ♦ *v.intr.* fare un sonnellino.
snore [snɔ:*] *v.intr.* russare.
snor·kel ['snɔ:kl] *s.* respiratore a tubo.
snort [snɔ:t] *v.intr.* **1** sbuffare **2** (*sl.*) fiutare, sniffare.
snout [snaʊt] *s.* muso.
snow [snəʊ] *s.* neve ♦ *v.intr.* nevicare.
snow·ball ['snəʊbɔ:l] *s.* palla di neve ♦ *v.intr.* ingrandirsi, gonfiarsi.
snow·bound ['snəʊbaʊnd] *agg.* bloccato dalla neve.
snow·flake ['snəʊfleɪk] *s.* fiocco di neve.
snow·man ['snəʊmæn] (*-men*) *s.* pupazzo di neve.
snow·mo·bile ['snəʊ,məʊbi:l] *s.* gatto delle nevi.
snow·plough ['snəʊplaʊ] amer. **snow·plow** *s.* spazzaneve.
snow·storm ['snəʊstɔ:m] *s.* tempesta, bufera di neve.
snub[1] [snʌb] *agg.*: *– nose*, naso camuso.
snub[2] *s.* mortificazione; affronto ♦ *v.tr.* trattar male.
snuff [snʌf] *v.tr.*: *to – out*, (*fig.*) soffocare.
snug [snʌg] *agg.* **1** comodo; accogliente **2** attillato, aderente.
snuggle ['snʌgl] *v.intr.* rannicchiarsi ♦ *v.tr.* coccolare.
so [səʊ] *avv.* **1** così; tanto | *not – ... as*, non così (tanto)... come | *– that*, cosicché; affinché | *– much*, *– many*, tanto, tanti; *– much that*, a tal punto che | *– much the better*, meglio così | *– far*, fino a ora | *and – on* (o *forth*), e così via | *I think –*, credo di sì | *every – often*, ogni tanto **2** anche, pure ♦ *cong.* perciò, così.
soak [səʊk] *v.tr.* inzuppare; bagnare; immergere | *to – up*, assorbire ♦ *s.* (*fam.*) spugna, ubriacone.
so-and-so ['səʊənsəʊ] (*-os*) *s.* (*fam.*) tale.
soap [səʊp] *s.* sapone.
soar [sɔ:*] *v.intr.* volare in alto; (*fig.*) salire alle stelle.
sob [sɒb] *s.* singhiozzo ♦ (*-bbed*) *v.intr.* singhiozzare.
sober ['səʊbə*] *agg.* sobrio; serio.
so-called [,'·] *agg.* cosiddetto.
soc·cer ['sɒkə*] *s.* football.
so·ci·able ['səʊʃəbl] *agg.* socievole.
so·cial ['səʊʃl] *agg.* **1** sociale | *– science*, sociologia **2** socievole ♦ *s.* (*fam.*) riunione, festa.
So·cial·ism ['səʊʃəlɪzəm] *s.* socialismo.
So·cial·ist ['səʊʃəlɪst] *agg.*, *s.* socialista.
so·cial·ize ['səʊʃəlaɪz] *v.intr.* socializzare.
so·ci·ety [sə'saɪətɪ] *s.* società.
sock [sɒk] *s.* calzino; calzerotto.
socket ['sɒkɪt] *s.* **1** cavità: *eye –*, orbita (dell'occhio) **2** (*elettr.*) presa.
sod [sɒd] *s.* zolla erbosa; tappeto erboso.
sod·den ['sɒdn] *agg.* bagnato fradicio.
so·dium ['səʊdjəm] *s.* sodio.
sofa ['səʊfə] *s.* divano, sofà.
soft [sɒft *amer.* sɔ:ft] *agg.* **1** molle; morbido; soffice | *– spot*, debole **2** leggero | *– water*, acqua dolce | *– drink*, bibita analcolica **3** (*fig.*) tenero, indulgente.
soften ['sɒfn] *v.tr.*, *intr.* **1** ammorbidire; ammorbidirsi **2** calmare; attenuare.
soft·ener ['·ə*] *s.* ammorbidente.
soft·hearted [,sɒft'hɑ:tɪd] *agg.* dal cuore tenero.
soggy ['sɒgɪ] *agg.* bagnato fradicio.
soil[1] [sɔɪl] *s.* suolo, terreno.

soil[2] *v.tr., intr.* macchiare, macchiarsi.
solar [ˈsəʊlə*] *agg.* solare.
sold [səʊld] *pass., p.p.* di to *sell.*
sol·dier [ˈsəʊldʒə*] *s.* soldato.
sole[1] [səʊl] *agg.* solo; esclusivo.
sole[2] *s.* **1** pianta (del piede) **2** suola ♦ *v.tr.* risolare.
sole[3] *s.* sogliola.
sol·emn [ˈsɒləm] *agg.* solenne.
so·lem·nity [səˈlemnɪtɪ] *s.* solennità.
so·li·cit [səˈlɪsɪt] *v.tr.* sollecitare; richiedere ♦ *v.intr.* adescare.
so·li·citor [səˈlɪsɪtə*] *s.* (*in GB*) procuratore legale; avvocato.
so·li·cit·ous [səˈlɪsɪtəs] *agg.* sollecito, premuroso.
solid [ˈsɒlɪd] *agg., s.* solido.
so·lid·ar·ity [ˌsɒlɪˈdærətɪ] *s.* solidarietà.
so·lid·ify [səˈlɪdɪfaɪ] *v.tr., intr.* **1** solidificare, solidificarsi **2** (*fig.*) consolidare, consolidarsi.
so·lit·aire [ˌsɒlɪˈteə* *amer.* ˈsɒlɪteə*] *s.* **1** solitario (pietra) **2** (*amer.*) solitario (gioco).
sol·it·ary [ˈsɒlɪtərɪ] *agg.* **1** solitario **2** solo, singolo.
sol·it·ude [ˈsɒlɪtju:d] *s.* solitudine.
solo [ˈsəʊləʊ] *avv.* da solo, senza accompagnamento.
so·lo·ist [ˈsəʊləʊɪst] *s.* solista.
so long [ˌ· ·] *inter.* (*fam.*) ciao, arrivederci.
sol·uble [ˈsɒljʊbl] *agg.* solubile.
so·lu·tion [səˈlu:ʃn] *s.* soluzione.
solve [sɒlv] *v.tr.* risolvere; chiarire.
solv·ency [ˈsɒlvənsɪ] *s.* (*comm.*) solvibilità.
solv·ent [ˈsɒlvənt] *agg., s.* solvente ♦ *agg.* (*comm.*) solvibile.
So·mali [səʊˈmɑ:lɪ] (*-li(s)*) *s.* somalo.
sombre [ˈsɒmbə*] *agg.* scuro; cupo.
some [sʌm (*ff*) səm (*fd*)] *agg.* **1** alcuni; qualche: – *apples*, alcune mele | – *thirty minutes*, circa trenta minuti **2** del, un po' di: – *bread*, un po' di pane **3** un certo, qualche | – *other*, qualche altro ♦ *pron.* **1** alcuni: – *of you*, alcuni di voi | – ... –, alcuni... altri; chi... chi **2** un po'; ne: *do you want –?*, ne vuoi?
some·body [ˈsʌmbədɪ] *pron., s.* qualcuno.
some·how [ˈsʌmhaʊ] *avv.* in qualche modo, in un modo o nell'altro.
some·one [ˈsʌmwʌn] *pron.* qualcuno.
some·place [ˈsʌmpleɪs] (*amer.*) da qualche parte.
som·er·sault [ˈsʌməsɔ:lt] *s.* capriola; salto mortale.
some·thing [ˈsʌmθɪŋ] *pron.* qualche cosa, qualcosa.
some·times [ˈsʌmtaɪmz] *avv.* qualche volta, di quando in quando.
some·way [ˈsʌmweɪ] (*amer.*) → *somehow.*
some·what [ˈsʌmwɒt] *avv.* piuttosto.
some·where [ˈsʌmweə*] *avv.* in qualche luogo, da qualche parte | – *else*, altrove | *to be getting –*, fare progressi.
son [sʌn] *s.* figlio.
song [sɒŋ] *s.* canto, canzone.
son-in-law [ˈ· · ·] (*sons-in-law*) *s.* genero.
sonny [ˈsʌnɪ] *s.* (*fam.*) figliolo, ragazzo mio.
son·or·ous [səˈnɔ:rəs] *agg.* sonoro.
soon [su:n] *avv.* presto, tra poco: – *after*, poco dopo, subito dopo; *very –*, ben presto, quanto prima; *how –?*, tra quanto tempo? | *as – as*, (non) appena | *sooner*, prima.
soot [sʊt] *s.* fuliggine.
soothe [su:ð] *v.tr.* calmare.

soph·ist·ic·ated [sə'fıstıkeıtıd] *agg.* sofisticato.
sopho·more ['sɒfəmɔ:*] *s.* (*in USA*) studente del secondo anno.
sor·bet ['sɔ:bət] *s.* sorbetto.
sor·did ['sɔ:dıd] *agg.* **1** sordido **2** meschino; ignobile.
sore [sɔ:*] *agg.* **1** dolorante; doloroso **2** (*fam.*) offeso ♦ *s.* piaga.
sor·row ['sɒrəʊ] *s.* dispiacere.
sorry ['sɒrı] *agg.* **1** spiacente, addolorato **2** meschino; pietoso ♦ *inter.* scusa, scusi.
sort [sɔ:t] *s.* genere; specie; tipo ♦ *v.tr.* classificare | *to – out*, selezionare; sistemare.
so-so ['səʊsəʊ] *agg.*, *avv.* così così.
sought [sɔ:t] *pass.*, *p.p.* di to *seek*.
sought-after ['· ··] *agg.* richiesto.
soul [səʊl] *s.* anima | *All Souls' Day*, il giorno dei morti.
soul·ful ['səʊlfʊl] *agg.* pieno di sentimento.
sound[1] [saʊnd] *agg.* **1** sano; in buono stato **2** buono; valido **3** (*di sonno*) profondo ♦ *avv.* profondamente.
sound[2] *s.* **1** suono **2** rumore **3** volume, audio ♦ *v.intr.*, *tr.* suonare.
sound[3] *s.* braccio di mare; stretto.
sound[4] *v.tr.* sondare.
sound·proof ['saʊnd,pru:f] *agg.* **1** insonorizzato **2** fonoassorbente.
sound·track ['saʊndtræk] *s.* colonna sonora.
soup [su:p] *s.* zuppa, minestra | *– plate*, piatto fondo.
soup up [,·'·] *v.tr.* (*fam.*) truccare (un motore).
sour ['saʊə*] *agg.* aspro; acido.
source [sɔ:s] *s.* sorgente; fonte.
south [saʊθ] *agg.* meridionale ♦ *s.* sud, meridione ♦ *avv.* a sud, verso sud.
south·bound ['saʊθbaʊnd] *agg.* diretto a sud.
south·erly ['sʌðəlı] *agg.* proveniente da, rivolto a sud; del sud, meridionale ♦ *avv.* dal sud; verso sud.
south·ern ['sʌðən] *agg.* del sud; meridionale.
south·ward(s) ['saʊθwəd(z)] *avv.* verso sud.
sov·er·eign ['sɒvrın] *s.*, *agg.* sovrano.
sov·er·eignty ['sɒvrəntı] *s.* sovranità.
sow[1] [saʊ] *s.* scrofa.
sow*[2] *v.tr.* seminare.
spa [spɑ:] *s.* sorgente termale; stazione termale.
space [speıs] *s.* spazio; posto | (*astron.*) *outer –*, lo spazio ♦ *v.tr.* spaziare.
space·craft ['speıs,krɑ:ft] *s.* veicolo spaziale.
space·man ['speısmən] (*-men*) *s.* astronauta.
space·ship ['speısʃıp] *s.* astronave.
spa·cing ['·ıŋ] *s.* interlinea; spaziatura.
spa·cious ['speıʃəs] *agg.* spazioso.
spade[1] [speıd] *s.* vanga, badile.
spade[2] *s.* picche.
spade·work ['speıdwɜ:k] *s.* lavoro preliminare.
Spain [speın] *no.pr.* Spagna.
span [spæn] *s.* **1** apertura **2** periodo, lasso di tempo; intervallo **3** (*arch.*) campata ♦ (*-nned*) *v.tr.* attraversare; abbracciare.
Span·iard ['spænjəd] *s.* spagnolo.
Span·ish ['spænıʃ] *agg.*, *s.* spagnolo.
spank [spæŋk] *v.tr.* sculacciare.
span·ner ['spænə*] *s.* (*mecc.*) chiave.
spare [speə*] *v.tr.* **1** risparmiare **2** fare a meno di ♦ *agg.* **1** di scorta, di ri-

cambio **2** in più; libero, disponibile ♦ *s.* (pezzo di) ricambio.
spare·rib [ˈspeərib] *s.* costoletta di maiale.
spar·ing [ˈ·ɪŋ] *agg.* parco; economo.
spark [spɑ:k] *s.* scintilla.
sparking-plug [ˈ··,·] *s.* (*aut.*) candela.
sparkle [ˈspɑ:kl] *v.intr.* scintillare, brillare ♦ *s.* **1** scintillio **2** vivacità.
spark·ling [ˈ·ɪŋ] *agg.* **1** scintillante **2** spumante (di vino).
spark-plug [ˈ· ·] *s.* (*aut.*) candela.
spar·row [ˈspærəʊ] *s.* passero.
sparse [spɑ:s] *agg.* rado, scarso.
spasm [ˈspæzəm] *s.* spasmo; accesso.
spat [spæt] *pass., p.p.* di to *spit.*
spate [speɪt] *s.*: *a – of*, un mare di.
spat·ter [ˈspætə*] *v.tr., intr.* schizzare, spruzzare.
speak [spɪ:k] *v.intr., tr.* parlare | *to – out, up*, parlare francamente; parlare a voce alta.
speaker [ˈspɪ:kə*] *s.* **1** oratore; relatore **2** presidente | *the Speaker*, il presidente della Camera (dei Comuni o dei Rappresentanti) **3** altoparlante.
spear[1] [spɪə*] *s.* lancia.
spear[2] *s.* germoglio; filo d'erba.
spear·mint [ˈspɪəmɪnt] *s.* menta verde.
spe·cial [ˈspeʃl] *agg.* speciale, particolare ♦ *s.* **1** edizione straordinaria **2** (*tv, rad.*) special **3** treno speciale **4** (*fam. amer.*) offerta speciale **5** piatto del giorno.
spe·cial·ist [ˈspeʃəlɪst] *s.* specialista ♦ *agg.* specializzato.
spe·ci·al·ity [,speʃɪˈælətɪ] *s.* specialità.
spe·cial·ize [ˈspeʃəlaɪz] *v.intr.* specializzarsi; essersi specializzato in.
spe·cialty [ˈspeʃltɪ] (*amer.*) specialità.
spe·cific [spɪˈsɪfɪk] *agg.* specifico.
spe·cify [ˈspesɪfaɪ] *v.tr.* specificare.
spe·ci·men [ˈspesɪmən] *s.* **1** esemplare **2** saggio, campione **3** (*fam. spreg.*) tipo.
speck(le) [spek(l)] *s.* macchiolina.
specs [speks] *s.pl.* (*fam.*) occhiali.
spec·tacle [ˈspektəkl] *s.* **1** spettacolo; vista **2** *pl.* occhiali.
spec·tacu·lar [spekˈtækjʊlə*] *agg.* spettacolare ♦ *s.* spettacolo.
spec·tator [spekˈteɪtə*] *s.* spettatore.
specu·late [ˈspekjʊleɪt] *v.intr.* speculare.
specu·la·tion [,spekjʊˈleɪʃn] *s.* speculazione.
specu·lator [ˈspekjʊleɪtə*] *s.* speculatore.
sped [sped] *pass., p.p.* di to *speed.*
speech [spɪ:tʃ] *s.* parola; linguaggio; discorso.
speed* [spɪ:d] v.intr. **1** andare velocemente | *to – up*, accelerare **2** andare a velocità eccessiva ♦ *s.* **1** velocità **2** (*aut.*) marcia **3** (*fot.*) sensibilità.
speed·boat [ˈspɪ:dbəʊt] *s.* motoscafo veloce.
speed·ing [ˈ·ɪŋ] *s.* eccesso di velocità.
speedo·meter [spɪˈdɒmɪtə*] *s.* tachimetro.
speedy [ˈspɪ:dɪ] *agg.* rapido, veloce.
spell*[1] [spel] *v.tr., intr.* dire, scrivere lettera per lettera.
spell[2] [spel] *s.* formula magica; incantesimo.
spell[3] *s.* breve periodo.
spell·ing [ˈ·ɪŋ] *s.* ortografia.
spend* [spend] *v.tr.* **1** spendere **2** dedicare **3** passare, trascorrere.
spend·thrift [ˈspend,θrɪft] *agg., s.* spendaccione; sprecone.
spent [spent] *pass., p.p.* di to *spend.*

sphere [sfiə*] *s.* sfera: – *of action*, campo d'azione.
spher·ical ['sferıkl] *agg.* sferico.
sphinx [sfıŋks] *s.* sfinge.
spice [spaıs] *s.* spezia ♦ *v.tr.* insaporire.
spick-and-span [,· ·'·] *agg.* (*fam.*) pulitissimo.
spicy ['spaısı] *agg.* aromatico; piccante.
spider ['spaıdə*] *s.* ragno.
spike[1] [spaık] *s.* punta.
spike[2] *s.* spiga.
spill* [spıl] *v.tr., intr.* versare, versarsi; rovesciare, rovesciarsi | *to – out*, spifferare ♦ *s.* **1** spargimento **2** caduta.
spin* [spın] *v.tr.* **1** filare; tessere **2** far girare; centrifugare ♦ *v.intr.* **1** girare **2** (*fam.*) sfrecciare ♦ *s.* **1** rotazione **2** (*fam.*) giretto.
spinach ['spınıtʃ] *s.* spinaci.
spin drier, **spin dryer** [,·'··] *s.* centrifuga (per il bucato).
spine [spaın] *s.* **1** spina dorsale **2** (*bot., zool.*) spina **3** dorso (di libro).
spin-off ['· ·] *s.* sottoprodotto.
spin·ster ['spınstə*] *s.* zitella.
spiny ['spaını] *agg.* spinoso.
spiral ['spaıərəl] *agg.* a spirale ♦ *s.* spirale.
spire ['spaıə*] *s.* guglia; campanile.
spirit ['spırıt] *s.* **1** spirito **2** *pl.* umore, stato d'animo **3** *pl.* liquori.
spir·ited ['spırıtıd] *agg.* vivace; animato; focoso.
spir·itual ['spırıtjʊəl] *agg.* spirituale.
spit[1] [spıt] *s.* spiedo.
spit*[2] *v.tr., intr.* sputare ♦ *s.* sputo.
spite [spaıt] *s.* dispetto; rancore ♦ *v.tr.* far dispetto a.
spite·ful ['spaıtfʊl] *agg.* malevolo.
spittle ['spıtl] *s.* sputo, saliva.
splash [splæʃ] *v.tr., intr.* **1** schizzare, spruzzare **2** sguazzare **3** *to – out*, spendere un mucchio di soldi.
splash·down ['splæʃdaʊn] *s.* ammaraggio di veicolo spaziale.
spleen [spli:n] *s.* **1** milza **2** malumore.
splen·did ['splendıd] *agg.* splendido.
splend·our ['splendə*] amer. **splendor** *s.* splendore; sfarzo.
splint [splınt] *s.* stecca.
splin·ter ['splıntə*] *s.* scheggia | (*pol.*) – *group*, gruppo dissidente.
split [splıt] *v.tr.* spaccare; dividere ♦ *v.intr.* (*up*) separarsi, dividersi ♦ *s.* **1** spaccatura; frattura; frazionamento **2** *pl.* spaccata.
splutter ['splʌtə*] *v.intr.* **1** farfugliare **2** sputacchiare
spoil* [spɔıl] *v.tr., intr.* **1** rovinare, rovinarsi **2** viziare.
spoiling for ['· ·] *agg.*: *to be – sthg.*, morire dalla voglia di.
spoils [spɔılz] *s.pl.* bottino.
spoil·sport ['spɔılspɔ:t] *s.* (*fam.*) guastafeste.
spoke [spəʊk] *pass.* di to *speak*.
spoken [spəʊkn] *p.p.* di to *speak*.
spokes·man ['spəʊksmən] (*-men*) *s.* portavoce.
sponge [spʌndʒ] *s.* spugna | – *cake*, pan di Spagna.
sponger ['·ə*] *s.* (*fam.*) scroccone.
spongy ['spʌndʒı] *agg.* spugnoso.
sponsor ['spɒnsə*] *v.tr.* sponsorizzare.
spon·sor·ship ['··ʃıp] *s.* sponsorizzazione.
spon·tan·eous [spɒn'teınjəs] *agg.* spontaneo.
spool [spu:l] *s.* rocchetto, bobina.
spoon [spu:n] *s.* cucchiaio.
sport [spɔ:t] *s.* **1** sport **2** (*fig. fam.*)

persona di spirito, sportivo ♦ *v.tr.* sfoggiare.
sports car ['· ·] *s.* auto sportiva.
sports·man ['spɔ:tsmən] (*-men*) *s.* sportivo.
sports·wear ['spɔ:tsweə*] *s.* abbigliamento sportivo.
sporty ['spɔ:tɪ] *agg.* (*fam.*) sportivo.
spot [spɒt] *s.* **1** luogo, posto **2** macchia; puntino **3** foruncolo **4** piccola quantità, un po' **5** (*tv*, *rad.*) spazio (in un programma) ♦ (*-tted*) *v.tr.* **1** macchiare; punteggiare **2** (*fam.*) individuare; localizzare ♦ *v.intr.* macchiarsi.
spot·light ['spɒtlaɪt] *s.* riflettore.
spotty ['spɒtɪ] *agg.* foruncoloso.
spout [spaʊt] *s.* **1** tubo di scarico **2** beccuccio **3** getto ♦ *v.tr.*, *intr.* (far) zampillare.
sprain [spreɪn] *s.* (*med.*) distorsione.
sprang [spræŋ] *pass.* di to *spring.*
sprawl [sprɔ:l] *v.intr.* **1** sdraiarsi in modo scomposto **2** allargarsi, estendersi (senza ordine).
spray [spreɪ] *s.* **1** spruzzo **2** nebulizzatore.
spread [spred] *v.tr.*, *intr* . **1** spargere, spargersi; stendere, stendersi **2** propagare, propagarsi **3** distribuire, distribuirsi; suddividere ♦ *s.* **1** crescita; espansione; diffusione **2** estensione; gamma **3** (*cheese*) –, formaggio da spalmare **4** pasto abbondante.
sprightly ['spraɪtlɪ] *agg.* arzillo.
spring [sprɪŋ] *v.intr.* **1** saltare; balzare **2** (*fig.*) scaturire; derivare ♦ *s.* **1** primavera **2** sorgente **3** molla **4** balzo **5** elasticità.
spring·board ['sprɪŋbɔ:d] *s.* trampolino.
spring·time ['sprɪŋtaɪm] *s.* stagione primaverile.
springy ['sprɪŋɪ] *agg.* elastico.
sprinkle ['sprɪŋkl] *v.tr.* spruzzare.
sprink·ler ['·ə*] *s.* spruzzatore; innaffiatoio.
sprink·ling ['·ɪŋ] *s.* spruzzatina.
sprint [sprɪnt] *s.* sprint, scatto ♦ *v.intr.* fare uno sprint.
sprout [spraʊt] *s.* germoglio | (*Brussels*) *sprouts*, cavolini di Bruxelles ♦ *v.tr.*, *intr.* (far) germogliare.
spruce [spru:s] *agg.* azzimato.
sprung [sprʌŋ] *pass.*, *p.p.* di to *spring.*
spun [spʌn] *pass.*, *p.p.* di to *spin.*
spur [spɜ:*] (*-rred*) *v.tr.* spronare.
spurt [spɜ:t] *s.* **1** scatto **2** getto ♦ *v.tr.*, *intr.* spruzzare.
sput·ter ['spʌtə*] *v.intr.* scoppiettare (di motore).
spy [spaɪ] *s.* spia ♦ *v.tr.* spiare ♦ *v.intr.* fare la spia.
squabble ['skwɒbl] *s.* battibecco.
squad [skwɒd] *s.* squadra.
squan·der ['skwɒndə*] *v.tr.* sperperare.
square [skweə*] *s.* **1** quadrato **2** piazza ♦ *agg.* **1** quadro; quadrato | *a – meal*, un pasto sostanzioso **2** a posto, come si deve ♦ *avv.* direttamente ♦ *v.tr.* **1** quadrare; squadrare **2** pareggiare **3** elevare al quadrato ♦ *v.intr.* essere coerente; concordare.
squash[1] [skwɒʃ] *v.tr.* schiacciare ♦ *s.* **1** spremuta **2** ressa, calca.
squash[2] *s.* zucca; zucchina.
squat [skwɒt] (*-tted*) *v.intr.* **1** accovacciarsi **2** occupare abusivamente una casa ♦ *s.* casa occupata ♦ *agg.* tozzo; tarchiato.
squeak [skwi:k] *s.* squittio ♦ *v.intr.* squittire; stridere.
squeal [skwi:l] *s.* strillo ♦ *v.intr.* strillare.

squeam·ish [ˈskwi:miʃ] *agg.* schizzinoso; impressionabile.
squeeze [skwi:z] *v.tr.* stringere; spremere; comprimere ♦ *v.intr.* pigiarsi; entrare a fatica ♦ *s.* stretta.
squid [skwɪd] *s.* calamaro; seppia.
squint [skwɪnt] *v.intr.* essere strabico.
squire [ˈskwaɪə*] *s.* gentiluomo di campagna.
squirm [skwɜ:m] *v.intr.* contorcersi.
squir·rel [ˈskwɪrəl] *s.* scoiattolo.
squirt [skwɜ:t] *v.tr., intr.* spruzzare; schizzare.
stab [stæb] (*-bbed*) *v.tr.* pugnalare; conficcare ♦ *s.* pugnalata.
stab·bing [ˈ·ɪŋ] *agg.* lancinante.
sta·bil·ity [stəˈbɪlətɪ] *s.* stabilità.
stable[1] [ˈsteɪbl] *agg.* stabile.
stable[2] *s.* stalla, scuderia.
stack [stæk] *s.* pila; catasta.
sta·dium [ˈsteɪdjəm] (*-diums,-dia* [-djə]) *s.* stadio.
staff [stɑ:f *amer.* stæf] *s.* personale.
stag [stæg] *s.* cervo.
stage [steɪdʒ] *s.* **1** palcoscenico; scena **2** stadio; grado; tappa ♦ *v.tr.* **1** mettere in scena **2** organizzare; inscenare.
stag·ger [ˈstægə*] *v.intr.* barcollare ♦ *v.tr.* **1** sbalordire **2** scaglionare.
sta·ging [ˈ·ɪŋ] *s.* messa in scena.
stag·nant [ˈstægnənt] *agg.* stagnante.
stain [steɪn] *s.* macchia ♦ *v.tr.* macchiare.
stair [steə*] *s.* scalino; *pl.* scala.
stair·case [ˈsteəkeɪs] **stair·way** [ˈsteəweɪ] *s.* scala; scalone.
stake[1] [steɪk] *s.* palo; paletto.
stake[2] *s.* scommessa; posta ♦ *v.tr.* scommettere.
stale [steɪl] *agg.* vecchio; stantio.
stalk [stɔ:k] *s.* stelo; gambo.
stall[1] [stɔ:l] *s.* **1** bancarella **2** box, cabina **3** (*di coro*) stallo.
stall[2] *v.tr., intr.* **1** (*motore*) spegnere, spegnersi **2** temporeggiare.
stam·ina [ˈstæmɪnə] *s.* (capacità di) resistenza; vigore.
stammer [ˈstæmə*] *v.tr., intr.* balbettare.
stamp [stæmp] *s.* **1** francobollo **2** timbro; stampigliatura **3** impronta ♦ *v.tr.* **1** affrancare; timbrare **2** camminare con passo deciso | *to – down, on,* calpestare | *to – out,* reprimere.
stam·pede [stæmˈpi:d] *s.* fuggi-fuggi.
stand* [stænd] *v.intr.* **1** essere, stare in piedi **2** stare, trovarsi; esserci | *no standing,* (*amer.*) divieto di sosta | *to – as,* presentarsi come **3** durare, essere valido **4** riposare (di liquidi) ♦ *v.tr.* **1** mettere ritto; porre **2** sopportare | *to – a chance,* avere una possibilità ♦ *Verbi frasali: to – by,* stare al fianco di; stare a guardare; tenersi pronto; (*tel.*) restare in linea | *to – down,* ritirarsi | *to – for,* rappresentare; (*fam.*) tollerare | *to – in,* sostituire | *to – out,* spiccare | *to – up,* alzarsi in piedi; sostenere un esame; (*fig.*) reggere, stare in piedi; (*fam.*) fare un bidone a | *to – up for,* prendere le parti di | *to – up to,* sostenere, reggere ♦ *s.* **1** bancarella, chiosco; stand **2** palco, tribuna **3** (*amer.*) banco dei testimoni **4** sostegno, supporto **5** pausa; posizione.
stand·ard [ˈstændəd] *s.* **1** standard **2** stendardo ♦ *agg.* **1** standard **2** fondamentale; autorevole.
standard lamp [ˈ·· ·] *s.* lampada a stelo.
stand·by [ˈstænd*b*aɪ] *s., agg.* (di) scorta, (di) riserva.
stand-in [ˈstændɪn] *s.* sostituto;

(*cinem.*) controfigura ♦ *agg.* supplente.
stand·ing ['·ıŋ] *agg.* in piedi; fermo; fisso ♦ *s.* **1** posizione; reputazione **2** durata.
stand·off·ish [,stænd'ɒfıʃ] *agg.* (*fam.*) scostante.
stand·point ['stæn*d*pɔınt] *s.* punto di vista.
stand·still ['stæn*d*stıl] *s.*: *at a* –, fermo, (*fig.*) a un punto morto.
stank [stæŋk] *pass.* di to *stink.*
staple[1] ['steıpl] *agg.* principale, di base ♦ *s.* risorsa primaria; fattore principale.
staple[2] *s.* graffetta, punto metallico.
stap·ler ['·ə*] *s.* graffettatrice.
star [stɑ:*] *s.* stella | *shooting* –, (*amer.*) *falling* –, stella cadente ♦ (*-rred*) *v.tr., intr.* avere, partecipare come protagonista.
starch [stɑ:tʃ] *s.* amido ♦ *v.tr.* inamidare.
stare [steə*] *v.intr., tr.* fissare ♦ *s.* sguardo fisso.
star·fish ['stɑ:fıʃ] *s.* stella marina.
star·let ['stɑ:lıt] *s.* attricetta.
star·ling ['stɑ:lıŋ] *s.* storno.
start [stɑ:t] *v.intr.* **1** (*anche tr.*) incominciare, iniziare; (far) partire **2** trasalire ♦ *s.* **1** inizio: *at the* –, all'inizio **2** sobbalzo.
starter ['stɑ:tə*] *s.* **1** (*fam.*) antipasto **2** (*aut.*) motorino d'avviamento.
startle ['stɑ:tl] *v.tr.* far trasalire.
starve [stɑ:v] *v.tr., intr.* (far) morire di fame; (far) soffrire la fame.
state [steıt] *s.* stato | *the States*, gli Stati Uniti ♦ *v.tr.* affermare.
stately ['·lı] *agg.* signorile.
state·ment ['·mənt] *s.* **1** asserzione **2** estratto conto.
states·man ['steıtsmən] (*-men*) *s.* statista.
sta·tion ['steıʃn] *s.* stazione ♦ *v.tr.* collocare.
sta·tioner ['·ə*] *s.* cartolaio.
sta·tion·ery ['·ərı] *s.* cartoleria; articoli di cancelleria.
sta·tion·mas·ter ['steıʃn,mɑ:stə] *s.* capostazione.
stat·ist·ics [stə'tıstıks] *s.* **1** statistica **2** dati statistici.
statue ['stætʃu:] *s.* statua.
sta·tus ['steıtəs] *s.* (*amm., dir.*) stato.
stat·ute ['stætju:t] *s.* legge.
stay [steı] *v.intr.* stare, rimanere | *to* – *up*, rimanere alzato ♦ *v.tr.* sopportare ♦ *s.* soggiorno, permanenza.
stead·fast ['stedfəst] *agg.* fermo; risoluto; costante.
steady ['stedı] *agg.* **1** fermo, saldo **2** serio **3** regolare, costante | *to go* –, far coppia fissa ♦ *v.tr.* stabilizzare.
steak [steık] *s.* bistecca.
steal* [sti:l] *v.tr.* rubare ♦ *v.intr.* insinuarsi | *to* – *away*, svignarsela quatto quatto.
stealthy ['stelθı] *agg.* furtivo.
steam [sti:m] *s.* vapore.
steel [sti:l] *s.* acciaio.
steel·works ['sti:lwɜ:ks] *s.* acciaieria.
steep[1] [sti:p] *agg.* **1** ripido, erto **2** (*fig.*) eccessivo; vertiginoso.
steep[2] *v.tr.* immergere.
steeple ['sti:pl] *s.* guglia.
steer [stıə*] *v.tr.* manovrare; indirizzare ♦ *v.intr.* sterzare.
steering wheel ['·· ·] *s.* (*aut.*) volante.
stem[1] [stem] *s.* gambo; stelo ♦ (*-mmed*) *v.intr.* derivare.
stem[2] *v.tr.* arginare; contenere.
stench [sten*t*ʃ] *s.* puzza.
step [step] *s.* **1** passo **2** gradino, piolo ♦ (*-pped* [stept]) *v.intr.* muovere un pas-

so (avanti, indietro ecc.); andare, venire | *to – on*, calpestare | *to – in*, intervenire | *to – up*, aumentare.
ste·reo [ˈsterɪəʊ] (*-os*) *s.* stereo.
ster·ile [ˈsteraɪl] *agg.* sterile.
ster·il·ity [stəˈrɪlətɪ] *s.* sterilità.
ster·il·ize [ˈsterəlaɪz] *v.tr.* sterilizzare.
ster·ling [ˈstɜ:lɪŋ] *agg.* di buona lega ♦ *s.* sterlina.
stern[1] [stɜ:n] *agg.* severo.
stern[2] *s.* poppa.
stet·son [ˈstetsn] *s.* cappello da cowboy.
stew [stju:] *s.* stufato | *to be in a –*, essere sulle spine ♦ *v.tr.* stufare | *stewed fruit*, frutta cotta.
stew·ard [stju:əd] *s.* 1 steward 2 commissario di gara 3 amministratore.
stick[1] [stɪk] *s.* bastone; bastoncino.
stick*[2] *v.tr.* 1 conficcare, piantare 2 mettere, ficcare 3 incollare, appiccicare 4 (*fam.*) sopportare ♦ *v.intr.* 1 attaccarsi, rimanere attaccato 2 inceppparsi, bloccarsi ♦ *Verbi frasali*: *to – around*, non muoversi (da un posto) | *to – out*, (far) sporgere | *to – out for*, tener duro per | *to – to*, seguire | *to – up*, incollare | *to – up for*, appoggiare.
sticker [ˈ·ə*] *s.* autoadesivo.
stick·ler [ˈstɪklə*] *s.*: *to be a – for*, essere un maniaco di.
stick-up [ˈstɪkʌp] *s.* (*fam.*) rapina a mano armata.
sticky [ˈstɪkɪ] *agg.* 1 appiccicaticcio 2 autoadesivo 3 (*fam.*) poco piacevole.
stiff [stɪf] *agg.* 1 rigido | *bored –*, (*fam.*) annoiato a morte 2 freddo, formale 3 severo 4 forte 5 (*fam.*) alto (di prezzo) ♦ *s.* (*fam.*) cadavere.
stiffen [ˈstɪfn] *v.intr.* 1 (*anche tr.*) indurire 2 rafforzarsi.
stifle [ˈstaɪfl] *v.tr., intr.* soffocare.
still [stɪl] *agg.* 1 immobile; silenzioso | *– life*, natura morta 2 non frizzante ♦ *avv.* 1 tuttora 2 tuttavia.
stimu·late [ˈstɪmjʊleɪt] *v.tr.* stimolare.
sting* [stɪŋ] *v.tr., intr.* pungere ♦ *s.* 1 pungilione 2 puntura.
stingy [ˈstɪndʒɪ] *agg.* avaro.
stink* [stɪŋk] *v.intr.* puzzare ♦ *s.* puzza.
stink·ing [ˈ·ɪŋ] *agg., avv.* (*fig.*) (in modo) schifoso.
stir [stɜ:*] (*-rred*) *v.tr.* 1 mescolare 2 muovere; agitare | *to – up*, incitare ♦ *v.intr.* muoversi ♦ *s.* rimescolata.
stir·rup [ˈstɪrəp] *s.* staffa.
stitch [stɪtʃ] *s.* punto ♦ *v.tr., intr.* cucire | *to – up*, rammendare.
stock [stɒk] *s.* 1 stock, provvista, scorta 2 (*fin.*) azione; titolo | *– exchange*, borsa 3 (*comm.*) capitale sociale 4 (*fig.*) famiglia, stirpe 5 bestiame 6 (*cuc.*) brodo ♦ *agg.* comune ♦ *v.tr.* tenere (in magazzino).
stock·broker [ˈstɒk,brəʊkə*] *s.* agente di cambio.
stock·fish [ˈstɒkfɪʃ] *s.* stoccafisso.
Stock·holm [ˈstɒkhəʊm] *no.pr.* Stoccolma.
stock·ing [ˈstɒkɪŋ] *s.* calza (da donna).
stock·job·ber [ˈstɒk,dʒɒbə*] *s.* speculatore di borsa.
stock·pile [ˈstɒkpaɪl] *s.* scorta.
stodgy [ˈstɒdʒɪ] *agg.* indigesto.
stoke [stəʊk] *v.tr.* alimentare.
stole[1] [stəʊl] *s.* stola.
stole[2] *pass.* di to *steal.*
stolen [stəʊlən] *p.p.* di to *steal.*
stolid [ˈstɒlɪd] *agg.* imperturbabile.
stom·ach [ˈstʌmək] *s.* stomaco; pancia ♦ *v.tr.* (*fig.*) digerire.
stone [stəʊn] *s.* 1 pietra; roccia;

sasso **2** nocciolo **3** (*med.*) calcolo ♦ *v.tr.* togliere il nocciolo.
stone-deaf [ˌ'·] *agg.* sordo come una campana.
stone·ware ['stəʊnweə*] *s.* ceramica.
stony ['stəʊnɪ] *agg.* sassoso; di pietra | – *broke*, in bolletta.
stood [stʊd] *pass.* e *p.p.* di to *stand*.
stool [stu:l] *s.* sgabello.
stoop [stu:p] *v.intr.* chinarsi.
stop [stɒp] (*-pped* [-pt]) *v.tr., intr.* **1** fermare, fermarsi; arrestare, arrestarsi | *to – off*, sostare **2** (*up*) intasare, intasarsi ♦ *s.* **1** sosta; interruzione; fermata **2** (*full*) –, punto.
stop·gap ['stɒpgæp] *s.* tappabuchi.
stop·light ['stɒplaɪt] *s.* (*amer.*) semaforo.
stop·over ['stɒpəʊvə*] *s.* sosta.
stop·page ['stɒpɪdʒ] *s.* **1** interruzione **2** ostruzione, intasamento **3** trattenuta.
stop·watch ['stɒpˌwɒtʃ] *s.* cronometro.
store [stɔ:*] *s.* **1** provvista; scorta **2** magazzino | *in – for*, in serbo per **3** negozio ♦ *v.tr.* immagazzinare.
store·house ['stɔ:haʊs] *s.* **1** (*amer.*) magazzino **2** (*fig.*) miniera.
storey ['stɔ:rɪ] *s.* piano.
stork [stɔ:k] *s.* cicogna.
storm [stɔ:m] *s.* temporale; tempesta ♦ *v.tr.* prendere d'assalto.
stormy ['stɔ:mɪ] *agg.* tempestoso.
story[1] ['stɔ:rɪ] *s.* **1** storia, racconto **2** (*fam.*) bugia.
story[2] (*amer.*) → *storey*.
stout[1] [staʊt] *agg.* **1** tozzo, corpulento **2** robusto **3** risoluto.
stout[2] *s.* birra scura.
stove [stəʊv] *s.* fornello; cucina.
stow [stəʊ] *v.tr.* (*away*) mettere via.
stow·away ['stəʊəweɪ] *s.* (passeggero) clandestino.
straight [streɪt] *agg* **1** d(i)ritto **2** onesto; franco; diretto **3** non diluito ♦ *avv.* diritto | – *out*, chiaro e tondo | *to go* –, rigar dritto.
straight·away [ˌstreɪtə'weɪ] *avv.* immediatamente.
straight·for·ward [ˌstreɪt'fɔ:wəd] *agg.* **1** schietto, franco **2** semplice.
strain [streɪn] *s.* **1** tensione **2** (*med.*) strappo ♦ *v.tr.* **1** tendere; sforzare **2** filtrare ♦ *v.intr.* sforzarsi.
strainer ['·ə*] *s.* colino.
strait [streɪt] *s.* **1** (*geogr.*) stretto **2** *pl.* posizione critica.
strange [streɪndʒ] *agg.* **1** strano; insolito | *to feel* –, non sentirsi troppo bene **2** sconosciuto; nuovo.
stranger ['·ə*] *s.* **1** sconosciuto; forestiero **2** novellino.
strangle ['stræŋgl] *v.tr.* strangolare; soffocare.
strap [stræp] *s.* **1** cinghia **2** spallina.
strap·ping ['·ɪŋ] *agg.* ben piantato.
Stras·bourg ['stæzbɜ:g] *no.pr.* Strasburgo.
stra·ta·gem ['strætɪdʒəm] *s.* stratagemma.
stra·tegic [strə'tɪ:dʒɪk] *agg.* strategico.
strat·egy ['strætɪdʒɪ] *s.* strategia.
straw [strɔ:] *s.* paglia.
straw·berry ['strɔ:bərɪ] *s.* fragola.
stray [streɪ] *agg.* **1** smarrito; randagio **2** sporadico; occasionale.
streak [strɪ:k] *s.* **1** striscia; vena **2** mêche **3** serie ♦ *v.tr.* striare; rigare; venare ♦ *v.intr.* muoversi velocemente | *to – off*, filar via.
stream [strɪ:m] *s.* **1** ruscello **2** flusso ♦ *v.intr.* scorrere.

streamer [ˈ·ə*] *s.* stella filante.
stream·lined [ˈstri:mlaind] *agg.* aerodinamico.
street [stri:t] *s.* via, strada.
street·car [ˈstri:tkɑ:*] *s.* trm.
street·walker [ˈstri:t,wɔ:kə*] *s.* passeggiatrice.
strength [streŋθ] *s.* forza.
strengthen [ˈstreŋθn] *v.tr., intr.* rinforzare, rinforzarsi.
stress [stres] *s.* **1** tensione **2** enfasi; accento ♦ *v.tr.* porre in rilievo.
stretch [stretʃ] *v.tr.* **1** tirare; tendere; stendere **2** (*fig.*) spingere al massimo ♦ *v.intr.* allungarsi; allargarsi ♦ *s.* **1** distesa, estensione **2** sforzo; tensione.
stretcher [ˈ·ə*] *s.* lettiga, barella.
stretchy [ˈstretʃɪ] *agg.* elastico.
strict [strɪkt] *agg.* **1** stretto; preciso, esatto **2** (*fig.*) rigido, rigoroso.
stridden [strɪdn] *p.p.* di to *stride*.
stride [straɪd] *v.intr.* camminare a grandi passi ♦ *s.* falcata.
strife [straɪf] *s.* conflitto.
strike* [straɪk] *v.tr.* **1** colpire | *to – off, out*, depennare | *to – up*, iniziare; attaccare a suonare **2** accendere **3** scoprire **4** battere (le ore) **5** concludere ♦ *v.intr.* **1** colpire | *to – home*, colpire nel segno **2** scioperare ♦ *s.* sciopero.
string* [strɪŋ] *s.* **1** spago; corda; (*amer.*) laccio | *a – of pearls*, un filo di perle | *to pull strings for*, raccomandare **2** *pl.* strumenti a corda ♦ *v.tr.* infilare.
strin·gent [ˈstrɪndʒənt] *agg.* rigoroso.
strip[1] [strɪp] (*-pped* [-pt]) *v.tr.* **1** spogliare **2** strappare **3** smontare ♦ *v.intr.* spogliarsi.
strip[2] *s.* striscia | – (*cartoon*), fumetto.
stripe [straɪp] *s.* **1** striscia; riga **2** *pl.* (*mil.*) gallone.
strip·per [ˈ·ə*] *s.* spogliarellista.
strip·tease [ˈstripti:z] *s.* spogliarello.
stripy [ˈstraɪpɪ] *agg.* rigato; a righe.
strive* [straɪv] *v.intr.* lottare.
strode [strəʊd] *pass.* di to *stride*.
stroke[1] [strəʊk] *s.* **1** colpo **2** bracciata (al nuoto) **3** tratto.
stroke[2] *v.tr.* accarezzare; lisciare.
stroll [ˈstrəʊl] *s.* passeggiatina ♦ *v.intr.* passeggiare.
stroller [ˈ·ə*] *s.* (*amer.*) passeggino.
strong [strɒŋ] *agg., avv.* forte.
strong·box [ˈstrɒŋbɒks] *s.* cassaforte.
strong-minded [,·ˈ··] *agg.* determinato.
strove [strəʊv] *pass.* di to *strive*.
struck [strʌk] *pass., p.p.* di to *strike*.
struc·ture [ˈstrʌtʃə*] *s.* struttura.
struggle [ˈstrʌgl] *s.* lotta ♦ *v.intr.* lottare.
strung [strʌŋ] *pass., p.p.* di to *string*.
strut [strʌt] (*-tted*) *v.intr.* camminare impettito.
stub [stʌb] *s.* **1** mozzicone **2** matrice.
stub·born [ˈstʌbən] *agg.* testardo.
stucco [ˈstʌkəʊ] *s.* stucco, stucchi.
stuck [stʌk] *pass., p.p.* di to *stick* ♦ *agg.* **1** bloccato **2** nei guai **3** *to be – on*, (*fam.*) essere cotto di.
stuck-up [,stʌkˈʌp] *agg.* (*fam.*) presuntuoso; borioso.
stud[1] [stʌd] *s.* **1** borchia **2** bottoncino.
stud[2] *s.* **1** allevamento di cavalli **2** stallone.
stu·dent [ˈstju:dnt] *s.* studente.
stu·dio [ˈstju:dɪəʊ] (*-os*) *s.* studio (d'artista) | – *flat*, (*amer.*) – *apartment*, monolocale.
study [ˈstʌdɪ] *s.* studio ♦ *v.tr., intr.* studiare.
stuff [stʌf] *s.* (*fam.*) roba ♦ *v.tr.* **1** riem-

pire; rimpinzare 2 imbottire 3 impagliare ♦ *v.intr.* (*fam.*) rimpinzarsi.
stuff·ing [ˈ·ɪŋ] *s.* 1 imbottitura 2 (*cuc.*) ripieno.
stuffy [ˈstʌfɪ] *agg.* senz'aria; afoso.
stumble [ˈstʌmbl] *v.intr.* inciampare; barcollare | *to – across, on, upon*, imbattersi in.
stump [stʌmp] *s.* ceppo; troncone ♦ *v.tr.* sconcertare.
stun [stʌn] (*-nned*) *v.tr.* tramortire; sbalordire.
stung [stʌŋ] *pass., p.p.* di to *sting.*
stunk [stʌŋk] *p.p.* di to *stink.*
stu·pefy [ˈstju:pɪfaɪ] *v.tr.* 1 istupidire 2 sbalordire.
stu·pid [ˈstju:pɪd] *agg.* stupido.
stu·pid·ity [stju:ˈpɪdətɪ] *s.* stupidità.
stu·por [ˈstju:pə*] *s.* torpore.
sturdy [ˈstɜ:dɪ] *agg.* robusto; solido.
stut·ter [ˈstʌtə*] *v.tr., intr.* balbettare.
sty[1] [staɪ] *s.* porcile.
sty[2], **stye** *s.* orzaiolo.
style [staɪl] *s.* stile.
styl·ish [ˈstaɪlɪʃ] *agg.* di classe; elegante.
styl·ized [ˈstaɪlaɪzd] *agg.* stilizzato.
sub·con·tract [ˌsʌbˈkɒntrækt] *s.* subappalto ♦ [ˌ··ˈ·] *v.tr.* subappaltare.
sub·div·ide [ˌsʌbdɪˈvaɪd] *v.tr.* suddividere.
sub·due [səbˈdju:] *v.tr.* 1 sottomettere 2 attenuare; mitigare.
sub·ed·itor [ˌsʌbˈedɪtə*] *s.* redattore; revisore.
sub·ject [ˈsʌbdʒɪkt] 1 argomento; soggetto 2 suddito; cittadino ♦ *agg.* soggetto ♦ [ˈ·ˈ·] *v.tr.* sottomettere.
sub·ject·ive [sʌbˈdʒektɪv] *agg.* soggettivo.
sub·let [ˌsʌbˈlet] (come *let*) *v.tr., intr.* subaffittare.
sub·lime [səˈblaɪm] *agg.* sublime.
submachine gun [ˌ··ˈ··] *s.* fucile mitragliatore, mitra.
sub·mar·ine [ˌsʌbməˈri:n] *s.* sommergibile, sottomarino.
sub·merge [səbˈmɜ:dʒ] *v.tr.* immergere; sommergere ♦ *v.intr.* immergersi.
sub·mit [səbˈmɪt] (*-tted*) *v.intr.* sottomettersi ♦ *v.tr.* sottoporre, presentare.
sub·nor·mal [ˌsʌbˈnɔ:ml] *agg.* subnormale.
sub·or·din·ate [səˈbɔ:dɪnət] *agg.* subordinato ♦ *s.* subalterno ♦ *v.tr.* subordinare.
sub·poena [səbˈpi:nə] *s.* (*dir.*) citazione, mandato di comparizione ♦ *v.tr.* citare.
sub·scribe [səbˈskraɪb] *v.intr.* sottoscrivere; abbonarsi.
sub·scrip·tion [səbˈskrɪpʃn] *s.* sottoscrizione.
sub·sequent [ˈsʌbsɪkwənt] *agg.* successivo; ulteriore.
sub·side [səbˈsaɪd] *v.intr.* calare, abbassarsi; (*fig.*) quietarsi.
sub·sidy [ˈsʌbsɪdɪ] *s.* sussidio.
sub·sist·ence [səbˈsɪstəns] *s.* sussistenza, sostentamento.
sub·soil [ˈsʌbsɔɪl] *s.* sottosuolo.
sub·stance [ˈsʌbstəns] *s.* 1 sostanza 2 solidità; consistenza.
sub·stan·tial [səbˈstænʃl] *agg.* 1 solido 2 notevole; sostanzioso.
sub·sti·tute [ˈsʌbstɪtju:t] *s.* sostituto ♦ *v.tr., intr.* sostituire.
sub·sti·tu·tional [ˌsʌbstɪˈtju:ʃənl] *agg.* sostitutivo.
sub·ter·fuge [ˈsʌbtəfju:dʒ] *s.* sotterfugio, stratagemma.
sub·title [ˈsʌbˌtaɪtl] *s.* sottotitolo.
subtle [ˈsʌtl] *agg.* sottile.

sub·trac·tion [səb'trækʃn] *s.* (*mat.*) sottrazione.
sub·urb ['sʌbɜ:b] *s.* sobborgo; quartiere periferico.
sub·urban [sə'bɜ:bən] *agg.* suburbano, periferico.
sub·urbia [sə'bɜ:bɪə] *s.* quartieri residenziali (fuori città).
sub·vers·ive [səb'vɜ:sɪv] *agg., s.* sovversivo.
sub·vert [səb'vɜ:t] *v.tr.* sovvertire.
sub·way ['sʌbweɪ] *s.* **1** sottopassaggio **2** (*amer.*) metropolitana.
suc·ceed [sək'si:d] *v.intr.* **1** riuscire; aver successo **2** (*anche tr.*) (*dir.*) succedere (a).
suc·cess [sək'ses] *s.* successo.
suc·cessor [-'·ə*] *s.* successore.
suc·cinct [sək'sɪŋ*k*t] *agg.* succinto.
suc·cu·lent ['sʌkjʊlənt] *s.* pianta grassa.
such [sʌtʃ (*ff*) sətʃ (*fd*)] *agg.* **1** tale, simile: – *a man*, un uomo del genere | – *and* –, (*fam.*) questo o quello | – *as*, come | – *that*, – *as* (*to*), tale che, tale da **2** così, tale, tanto: – *a big man*, un uomo così grande ♦ *pron.* tale | *and* –, e simili | – *as?*, per esempio?
such·like ['sʌtʃlaɪk] *agg., s.* simile.
suck [sʌk] *v.tr., intr.* succhiare.
sucker ['·ə*] *s.* **1** (*fam.*) credulone **2** (*amer.*) lecca-lecca.
sud·den ['sʌdn] *agg.* improvviso.
sue [su:] *v.tr.* citare in giudizio.
suede [sweid] *s.* pelle scamosciata.
suet [su:it] *s.* strutto.
suf·fer ['sʌfə*] *v.tr., intr.* soffrire | *to* – *for*, essere punito per.
suf·fer·ing ['··rɪŋ] *s.* sofferenza.
suf·fi·cient [sə'fɪʃnt] *agg.* sufficiente.
suf·fix ['sʌfɪks] *s.* suffisso.
suf·foc·ate ['sʌfəkeɪt] *v.tr., intr.* soffocare.
suf·frage ['sʌfrɪdʒ] *s.* suffragio.
sugar ['ʃʊgə*] *s.* **1** zucchero: – *basin*, – *bowl*, zuccheriera; *lump* –, zucchero in zollette ♦ *v.tr.* zuccherare.
sug·gest [sə'dʒəst] *v.tr.* suggerire.
sug·gest·ible [sə'dʒestɪbl] *agg.* influenzabile; suggestionabile.
sug·ges·tion [-'·ʃən] *s.* suggerimento.
sui·cidal [su:ɪ'saɪdl] *agg.* suicida.
sui·cide ['su:isaɪd] *s.* **1** suicidio **2** suicida.
suit [su:t] *s.* **1** completo, vestito (da uomo); tailleur (da donna) **2** (*a carte*) seme; colore **3** (*dir.*) (*law*) –, causa, azione legale ♦ *v.tr.* **1** soddisfare; andar bene a, per **2** adattare; accordare.
suit·able ['·əbl] *agg.* adatto; idoneo; appropriato.
suit·case ['su:tkeɪs] *s.* valigia.
suite [swi:t] *s.* **1** appartamento **2** suite **3** arredamento (di locale).
sul·fur ['sʌlfə*] *s.* (*amer.*) zolfo.
sulky ['sʌlkɪ] *agg.* imbronciato.
sully ['sʌlɪ] *v.tr.* macchiare.
sul·phur ['sʌlfə*] *s.* zolfo.
sul·tana [sʌl'tɑ:nə] *s.* uva sultanina.
sul·try ['sʌltrɪ] *agg.* afoso.
sum [sʌm] *s.* somma.
sum·mar·ize ['sʌməraɪz] *v.tr.* riassumere.
sum·mary ['sʌmərɪ] *agg., s.* sommario.
sum·mer ['sʌmə*] *s.* estate | *Indian* –, estate di S. Martino ♦ *agg.* estivo | – *time*, ora legale.
sum·mer·time ['sʌmətaɪm] *s.* stagione estiva.
sum·mit ['sʌmɪt] *s.* cima; (*fig.*) culmine | – (*meeting*), incontro al vertice.

sum·mon [ˈsʌmən] *v.tr.* convocare | *to* – *up*, raccogliere, fare appello a.
sum·mons [ˈsʌmənz] *s.* convocazione; (*dir.*) citazione.
sump·tu·ous [ˈsʌmptjʊəs] *agg.* sontuoso.
sun [sʌn] *s.* sole.
sun·bathe [ˈsʌnbeɪð] *v.intr.* prendere il sole.
sun·burn [ˈsʌnbɜːn] *s.* arrossamento, scottatura.
sun·burnt [ˈsʌnbɜːnt] *agg.* abbronzato; scottato (dal sole).
sun·dae [ˈsʌndeɪ *amer.* ˈsʌndiː] *s.* gelato con sciroppo e frutta.
Sun·day [ˈsʌndɪ] *s.* domenica.
sun·dial [ˈsʌndaiəl] *s.* meridiana.
sun·down [ˈsʌndaʊn] *s.* (*spec. amer.*) tramonto.
sun·dries [ˈsʌndrɪz] *s.pl.* (*comm.*) (cose) varie.
sun·dry [ˈsʌndrɪ] *agg.* parecchi, vari.
sun·flower [ˈsʌn,flaʊə*] *s.* girasole.
sung [sʌŋ] *p.p.* di to *sing*.
sun·glasses [ˈsʌn,glɑːsɪz] *s.pl.* occhiali da sole.
sunk [sʌŋk] *p.p.* di to *sink*.
sun·light [ˈsʌnlaɪt] *s.* luce del sole.
sunny [ˈsʌnɪ] *agg.* soleggiato.
sun·rise [ˈsʌnraɪz] *s.* alba.
sun·roof [ˈsʌnruːf] *s.* (*aut.*) tettuccio apribile.
sun·set [ˈsʌnset] *s.* tramonto.
sun·shine [ˈsʌnʃaɪn] *s.* luce del sole.
sun·stroke [ˈsʌnstrəʊk] *s.* colpo di sole.
sun·tan [ˈsʌntæn] *s.* abbronzatura.
su·per- [ˈsuːpə*] *pref.* sovra-, sopra-; super-.
su·perb [suːˈpɜːb] *agg.* superbo.
su·per·cili·ous [,suːpəˈsɪlɪəs] *agg.* altero, sdegnoso.
su·per·fi·cial [,suːpəˈfɪʃl] *agg.* di superficie; superficiale.
su·per·flu·ous [suːˈpɜːflʊəs] *agg.* superfluo.
su·per·in·tend [,suːpərɪnˈtend] *v.tr.* sovrintendere a, sorvegliare.
su·per·ior [suːˈpɪərɪə*] *agg., s.* superiore.
su·per·lat·ive [suːˈpɜːlətɪv] *agg., s.* superlativo.
su·per·mar·ket [ˈsuːpə,mɑːkɪt] *s.* supermercato.
su·per·sede [,suːpəˈsiːd] *v.tr.* rimpiazzare, sostituire.
su·per·sti·tious [,suːpəˈstɪʃəs] *agg.* superstizioso.
su·per·vise [ˈsuːpəvaɪz] *v.tr., intr.* sovrintendere (a).
su·per·vi·sion [,suːpəˈvɪʒn] *s.* supervisione.
sup·per [ˈsʌpə*] *s.* cena.
supple [ˈsʌpl] *agg.* flessibile; agile, elastico.
sup·ple·ment [ˈsʌplɪmənt] *s.* supplemento ♦ *v.tr.* completare, integrare.
sup·ply [səˈplaɪ] *v.tr.* fornire; (*fig.*) soddisfare ♦ *s.* rifornimento, fornitura; scorta; (*econ.*) offerta.
sup·port [səˈpɔːt] *v.tr.* **1** sostenere **2** mantenere ♦ *s.* sostegno.
sup·pose [səˈpəʊz] *v.tr.* supporre.
sup·pos·it·ory [səˈpɒzɪtərɪ] *s.* supposta.
sup·press [səˈpres] *v.tr.* sopprimere; reprimere.
su·prem·acy [sʊˈpreməsɪ] *s.* supremazia.
su·preme [sʊˈpriːm] *agg.* supremo.
sur·charge [ˈsɜːtʃɑːdʒ] *s.* sovrapprezzo; soprattassa.
sure [ʃʊə*] *agg.* **1** sicuro, certo | *to make* –, accertarsi **2** fidato; attendibi-

le **3** saldo, fermo ♦ *avv.* (*fam.*) certamente | *for* ~, (*fam. amer.*) – *thing*, senz'altro.
surety [ˈʃʊərətɪ] *s.* (*dir.*) **1** garante **2** garanzia.
sur·face [ˈsɜːfɪs] *s.* superficie ♦ *v.intr.* affiorare.
surf·board [ˈsɜːfbɔːd] *s.* tavola da surf.
surf·ing [ˈsɜːfɪŋ] *s.* surf.
surge [sɜːdʒ] *s.* ondata ♦ *v.intr.* montare; riversarsi.
sur·geon [ˈsɜːdʒən] *s.* chirurgo.
sur·gery [ˈsɜːdʒərɪ] *s.* **1** chirurgia **2** ambulatorio; studio medico; orario di visita **3** (*amer.*) sala operatoria.
surly [ˈsɜːlɪ] *agg.* scontroso.
sur·name [ˈsɜːneɪm] *s.* cognome.
sur·plus [ˈsɜːpləs] *s.* eccedenza; avanzo, surplus.
sur·prise [səˈpraɪz] *s.* sorpresa ♦ *v.tr.* sorprendere.
sur·ren·der [səˈrendə*] *v.tr.* cedere; consegnare; abbandonare ♦ *v.intr.* arrendersi ♦ *s.* resa.
sur·rep·ti·tious [ˌsʌrəpˈtɪʃəs] *agg.* furtivo.
sur·rog·ate [ˈsʌrəgɪt] *s.* surrogato.
sur·round [səˈraʊnd] *v.tr.* circondare.
sur·round·ings [-ˈ·ɪŋz] *s.pl.* **1** dintorni **2** ambiente, condizioni ambientali.
sur·tax [ˈsɜːtæks] *s.* imposta addizionale.
sur·vey [ˈsɜːveɪ] *s.* **1** esame, indagine **2** ricerca; studio; sondaggio **3** perizia ♦ *v.tr.* esaminare; valutare; rilevare.
sur·veyor [səˈveɪə*] *s.* **1** ispettore; sovrintendente **2** geometra; topografo.
sur·vival [səˈvaɪvl] *s.* **1** sopravvivenza **2** avanzo, reliquia.
sur·vive [səˈvaɪv] *v.tr., intr.* sopravvivere (a).
sur·vivor [·ˈ·ɔ*] *s.* sopravvissuto.
sus·cept·ible [səˈseptəbl] *agg.* (*to*) sensibile a; predisposto a.
sus·pect [ˈsʌspekt] *agg., s.* sospetto ♦ *v.tr.* sospettare.
sus·pend [səˈspend] *v.tr.* sospendere | *suspended sentence*, condanna con la condizionale.
sus·penders [səˈspendəz] *s.pl.* (*amer.*) bretelle.
sus·pense [səˈspens] *s.* suspense.
sus·pen·sion [səˈspenʃn] *s.* sospensione.
sus·pi·cion [səˈspɪʃn] *s.* **1** sospetto, dubbio **2** traccia.
sus·pi·cious [səˈspɪʃəs] *agg.* **1** sospettoso **2** sospetto.
sus·tain [səˈstein] *v.tr.* sostenere | *objection sustained!*, obiezione accolta!
swal·low[1] [ˈswɒləʊ] *s.* rondine.
swallow[2] *v.tr.* inghiottire, ingoiare.
swam [swæm] *pass.* di to *swim.*
swamp [swɒmp] *s.* palude; acquitrino ♦ *v.tr.* inondare; sommergere ♦ *v.intr.* imbarcare acqua.
swampy [ˈswɒmpi] *agg.* paludoso.
swan [swɒn] *s.* cigno.
swap [swɒp] *s.* (*fam.*) scambio; baratto.
swarm [swɔːm] *s.* sciame ♦ *v.intr.* sciamare; affollarsi.
sway [swei] *v.intr.* oscillare.
swear* [sweə*] *v.tr.* giurare; imprecare | *to – in*, (far) prestare giuramento.
sweat [swet] *s.* **1** sudore **2** sudata, faticata ♦ *v.tr., intr.* sudare.
sweater [ˈ·ə*] *s.* maglione.
sweat·shirt [ˈswetʃɜːt] *s.* felpa.
Swede [ˈswiːd] *s.* svedese.
Swe·den [ˈswiːdn] *no.pr.* Svezia.
Swed·ish [ˈswiːdɪʃ] *agg., s.* svedese.
sweep* [swiːp] *v.tr., intr.* **1** spazza-

re **2** muovere con gesto ampio, muoversi rapidamente ♦ *s.* **1** spazzata, scopata **2** gesto ampio **3** distesa (di terra ecc.) **4** gamma, serie **5** rastrellamento **6** (*fam.*) spazzacamino.
sweeper [ˈ·ə*] *s.* **1** spazzino **2** battitappeto.
sweet [swi:t] *agg.* **1** dolce **2** fragrante.
sweet·bread [ˈswi:tbred] *s.* animella.
sweeten [ˈswi:tn] *v.tr.* **1** zuccherare **2** addolcire.
sweet·ener [ˈ·ə*] *s.* **1** dolcificante **2** (*fam.*) contentino.
sweet·heart [ˈswi:thɑ:t] *s.* innamorato.
swell* [swel] *v.tr., intr.* **1** gonfiare, gonfiarsi **2** aumentare ♦ *agg.* (*fam. amer.*) grandioso.
swell·ing [ˈ·ɪŋ] *s.* rigonfiamento; gonfiore.
swel·ter·ing [ˈsweltərɪŋ] *agg.* soffocante; opprimente.
swept [swept] *pass., p.p.* di to *sweep.*
swerve [swɜ:v] deviare bruscamente; abandare ♦ *s.* scarto.
swift [swɪft] *agg.* rapido; agile.
swim* [swɪm] *v.tr., intr.* nuotare ♦ *s.* nuotata.
swim·ming [ˈ·ɪŋ] *s.* nuoto | *– pool*, piscina.
swim·suit [ˈswim,su:t] *s.* costume da bagno.
swindle [ˈswɪndl] *v.tr.* truffare ♦ *s.* frode; truffa.
swine [swaɪn] *s.* maiale, porco.
swing* [swɪŋ] *v.tr.* **1** dondolare; fare oscillare; roteare **2** girare (bruscamente) **3** sferrare (un colpo) ♦ *v.intr.* **1** oscillare; dondolare; penzolare | *to – open, shut*, spalancarsi, chiudersi **2** girarsi, voltarsi; voltare ♦ *s.* altalena.
swinge·ing [ˈswɪndʒɪŋ] *agg.* violento; forte | *a – majority*, una maggioranza schiacciante.
swing·ing [ˈ·ɪŋ] *agg.* (*fam.*) animato; brillante.
swipe [swaɪp] *s.* colpo violento.
swirl [swɜ:l] *v.intr.* turbinare; girare vorticosamente.
Swiss [swɪs] *agg., s.* svizzero.
switch [swɪtʃ] *s.* **1** interruttore; (*ferr.*) scambio **2** (*fig.*) svolta ♦ *v.tr., intr.* cambiare, scambiare; passare a | *to – on, off*, accendere, spegnere.
switch·back [ˈswɪtʃbæk] *s.* montagne russe.
Swit·zer·land [ˈswɪtsələnd] *no.pr.* Svizzera.
swol·len [ˈswəʊlən] *p.p.* di to *swell.*
swollen-headed [,··ˈ··] *agg.* (*fam.*) pieno di sé.
swoop [swu:p] *v.intr.* piombare ♦ *s.* incursione.
sword [sɔ:d] *s.* spada.
sword·fish [ˈsɔ:dfɪʃ] *s.* pesce spada.
swore [swɔ:*] *pass.* di to *swear.*
sworn [swɔ:n] *p.p.* di to *swear.*
swot [swɒt] *s.* (*fam.*) sgobbone.
swum [swʌm] *p.p.* di to *swim.*
swung [swʌŋ] *pass., p.p.* di to *swing.*
syl·lable [ˈsɪləbl] *s.* sillaba.
syl·labus [ˈsɪləbəs] (*-bi* [-baɪ], *-ses*) [-sɪz] *s.* piano di studi.
sym·bol [ˈsɪmbl] *s.* simbolo.
sym·bolic [sɪmˈbɒlɪk] *agg.* simbolico.
sym·bol·ize [ˈsɪmbəlaɪz] *v.tr.* simboleggiare.
sym·met·ric(al) [sɪˈmetrɪk(l)] *agg.* simmetrico.
sym·metry [ˈsɪmɪtrɪ] *s.* simmetria.
sym·path·etic [,sɪmpəˈθetɪk] *agg.* **1** comprensivo **2** favorevole; ben disposto.

sym·path·ize [ˈsɪmpəθaɪz] *v.intr.* partecipare; condividere.
sym·path·izer [ˈ···ə*] *s.* simpatizzante.
sym·pathy [ˈsɪmpəθɪ] *s.* comprensione; solidarietà.
sym·phonic [sɪmˈfɒnɪk] *agg.* sinfonico.
sym·phony [ˈsɪmfənɪ] *s.* sinfonia | *– orchestra*, orchestra sinfonica.
symp·tom [ˈsɪm*p*təm] *s.* sintomo; indizio.
syn·agogue [ˈsɪnəgɒg] *s.* sinagoga.
syn·chron·ize [ˈsɪŋkrənaɪz] *v.tr.* sincronizzare.
syn·co·pate [ˈsɪŋkəpeɪt] *v.tr.* sincopare.
syn·cope [ˈsɪŋkəpɪ] *s.* sincope.
syn·dic·ate [ˈsɪndɪkɪt] *s.* **1** sindacato **2** agenzia di stampa.
syn·onym [ˈsɪnənɪm] *s.* sinonimo.
syn·tax [ˈsɪntæks] *s.* sintassi.
syn·thesis [ˈsɪnθɪsɪs] (*-ses* [-sɪ:z]) *s.* sintesi.
syn·thes·ize [ˈsɪnθɪsaɪz] *v.tr.* sintetizzare.
syn·thetic [sɪnˈθetɪk] *agg.* sintetico.
syphon [ˈsaɪfn] → *siphon*.
Syria [ˈsɪrɪə] *no.pr.* Siria.
syr·inge [ˈsɪrɪnd*ʒ*] *s.* siringa.
syrup [ˈsɪrəp] *s.* sciroppo | *golden –*, melassa.
sys·tem [ˈsɪstɪm] *s.* sistema; impianto; apparato.

T

tab [tæb] *s.* **1** linguetta **2** etichetta | *to keep tabs on s.o.*, (*fam.*) tenere d'occhio qlcu.
table [ˈteɪbl] *s.* **1** tavolo; tavola **2** tabella; elenco ♦ *v.tr.* sottoporre.
ta·ble·cloth [ˈteɪblklɒθ] *s.* tovaglia.
ta·ble·land [ˈteɪbllænd] *s.* altopiano.
table·spoon [ˈteɪblspu:n] *s.* cucchiaio da portata.
tab·let [ˈtæblɪt] *s.* **1** tavoletta **2** targa **3** compressa.
table tennis [ˈ·· ˈ··] *s.* ping-pong.
tab·loid [ˈtæblɔɪd] *s.* giornale formato tabloid.
ta·boo [təˈbu: *amer.* tæˈbu:] (*-boos*) *s.*, *agg.* tabù.
ta·cho·meter [tækɪˈɒmɪtə*] *s.* tachimetro.
tack [tæk] *s.* **1** puntina; chiodino **2** imbastitura **3** (*mar.*) bordata **4** tattica ♦ *v.tr.* **1** attaccare (con puntine) **2** imbastire **3** *to – on*, aggiungere ♦ *v.intr.* virare.
tackle [ˈtækl] *s.* **1** attrezzatura **2** (*rugby*) placcaggio; (*calcio*) tackle ♦ *v.tr.* **1** afferrare; (*rugby*) placcare; (*calcio*) contrastare **2** affrontare.
tacky [ˈtækɪ] *agg.* appiccicoso.
tact [tækt] *s.* tatto.
tac·tic(s) [ˈtæktɪk(s)] *s.* tattica.
tag [tæg] (*-gged*) *v.tr.* contrassegnare ♦ *v.intr.*: *to – along*, aggregarsi ♦ *s.* **1** cartellino **2** puntale (di stringa) **3** citazione.
tail [teɪl] *s.* **1** coda **2** parte finale **3** (*fam.*) persona incaricata di un pedinamento **4** *pl.* (*fam.*) frac **5** *pl.* (*di moneta*) rovescio: *heads or tails?*, testa o croce? ♦ *v.tr.* **1** pedinare **2** essere in fondo a ♦ *v.intr.*: *to – away*, *off*, diminuire gradualmente.
tail·back [ˈteɪlbæk] *s.* coda (di auto).
tail·coat [ˈteɪlkəʊt] *s.* frac.
tailor [ˈteɪlə*] *s.* sarto ♦ *v.tr.* **1** confezionare (un abito) **2** (*fig.*) adattare.
tailor-made [ˈ····] *agg.* (fatto) su misura.

taint [teɪnt] *s.* 1 tara 2 (*fig.*) marchio ♦ *v.tr.*, *intr.* corrompere, corrompersi; contaminare, contaminarsi.
take* [teɪk] *v.tr.* 1 prendere 2 (*scacchi, dama*) mangiare 3 portare; accompagnare 4 fare; eseguire: *to – an exam, a photo*, fare un esame, una foto 5 resistere a 6 presumere 7 occorrere 8 affascinare 9 contenere ♦ *v.intr.* 1 attecchire 2 fare effetto ♦ *Verbi frasali*: *to – after*, assomigliare a | *to – away*, sottrarre; sminuire | *to – in*, ospitare; restringere (abito ecc.); comprendere; (*fam.*) imbrogliare | *to – off*, togliere; decollare; imitare | *to – up*, accettare; adottare (atteggiamento ecc.); richiedere (tempo); occupare (tempo, spazio) ♦ *s.* 1 incasso 2 (*cinem.*, *tv*) ripresa.
take·away [ˈteɪkəweɪ] *agg.* da asporto ♦ *s.* rosticceria.
taken [ˈteɪkən] *p.p.* di to *take* ♦ *agg.* attratto, interessato.
take·off [ˈteɪkɒf *amer.* ˈteɪkɔ:f] *s.* 1 decollo 2 (*fam.*) caricatura.
take·over [ˈteɪk,əʊvə*] *s.* acquisizione di controllo.
takeup [ˈteɪkʌp] *s.* acquisto.
tak·ings [ˈteɪkɪŋs] *s.pl.* incassi.
talc [tælk] *s.* borotalco, talco.
talcum powder [ˈ··,··] *s.* talco (in polvere).
tale [teɪl] *s.* 1 racconto; favola 2 bugia.
tal·ent [ˈtælənt] *s.* talento.
tale·teller [ˈteɪl,telə*] *s.* 1 (*fam.*) spia 2 narratore (di favole).
tal·is·man [ˈtælɪzmən *amer.* ˈtælɪsmən] *s.* talismano.
talk [tɔ:k] *v.tr.*, *intr.* parlare; conversare | *you can –!*, senti chi parla! ♦ *Verbi frasali*: *to – back*, rispondere in malo modo | *to – into*, (*fam.*) convincere a | *to – out of*, dissuadere da ♦ *s.* 1 conversazione 2 conferenza 3 chiacchiere 4 *pl.* negoziati.
talk·at·ive [ˈtɔ:kətɪv] *agg.* loquace.
talking-to [ˈtɔ:kɪŋ,tu:] *s.* (*fam.*) ramanzina.
tall [tɔ:l] *agg.* 1 alto 2 (*fam.*) impossibile: *a – story*, una fandonia.
tal·low [ˈtæləʊ] *s.* sego.
tally [ˈtælɪ] *s.* conteggio ♦ *v.intr.* corrispondere.
talon [ˈtælən] *s.* artiglio.
tame [teɪm] *agg.* 1 domestico, addomesticato 2 docile 3 banale ♦ *v.tr.* addomesticare.
tamer [ˈ·ə*] *s.* domatore.
tammy [ˈtæmɪ] *s.* berretto di lana con pompon.
tam·per [ˈtæmpə*] *v.intr.* 1 manomettere 2 corrompere.
tam·pon [ˈtæmpɒn] *s.* tampone; assorbente interno.
tan [tæn] *v.tr.* conciare (pelli) ♦ *v.intr.* abbronzarsi ♦ *agg.* marrone giallastro ♦ *s.* abbronzatura.
tang [tæŋ] *s.* odore penetrante; forte sapore.
tan·gent [ˈtændʒənt] *s.* tangente | *to go off at a –*, (*fam.*) partire per la tangente.
tan·ger·ine [,tændʒəˈri:n] *s.* mandarino.
tangle [ˈtæŋgl] *s.* 1 groviglio 2 complicazione 3 litigio ♦ *v.tr.*, *intr.* (*up*) arruffare, arruffarsi; ingarbugliare, ingarbugliarsi.
tank [tæŋk] *s.* 1 cisterna; serbatoio 2 vasca (per i pesci) 3 carro armato.
tank·ard [ˈtæŋkəd] *s.* boccale.
tanker [ˈ·ə*] *s.* 1 nave cisterna: *oil –*, petroliera 2 autocisterna, autobotte.

tan·nery [ˈtænərɪ] *s.* conceria.
tan·tal·ize [ˈtæntəlaɪz] *v.tr.* **1** tormentare **2** allettare, lusingare.
tap[1] [tæp] (*-pped*) *v.tr.* **1** sfruttare **2** intercettare (una comunicazione) ♦ *s.* rubinetto; (*di botte*) zipolo | *on* –, a disposizione; (*di birra*) alla spina.
tap[2] *v.tr.* **1** colpire lievemente **2** (*out*) battere ritmicamente ♦ *v.intr.* bussare ♦ *s.* colpetto.
tap dance [ˈ· ˈ··] *s.* tip tap.
tape [teɪp] *s.* **1** fettuccia; nastro: – *measure*, metro da sarta **2** cassetta; nastro magnetico (per registrazione) ♦ *v.tr.* **1** registrare **2** sigillare con nastro adesivo **3** (*fam.*) mettere a fuoco.
taper [ˈteɪpə*] *v.intr.* **1** diminuire gradualmente **2** *to* – *off*, ridursi notevolmente; calare.
tape recorder [ˈ·· ˈ···] *s.* registratore (a nastro).
tap·es·try [ˈtæpɪstrɪ] *s.* arazzo; tappezzeria.
tape·worm [ˈteɪpwɜ:m] *s.* tenia, verme solitario.
tar [tɑ:*] (*-rred*) *v.tr.* incatramare ♦ *s.* catrame, bitume.
tar·get [ˈtɑ:gɪt] *s.* bersaglio; obiettivo ♦ *v.tr.* avere come bersaglio.
tar·iff [ˈtærɪf] *s.* tariffa.
tar·nish [ˈtɑ:nɪʃ] *v.tr.*, *intr.* **1** ossidare, ossidarsi **2** macchiare, macchiarsi.
tart[1] [tɑ:t] *agg.* agro, aspro.
tart[2] *s.* crostata.
tart[3] *s.* (*fam.*) prostituta, sgualdrina ♦ *v.tr.*: *to* – *up*, mettere in ghingheri.
tar·tar [ˈtɑ:tə*] *s.* tartaro.
task [tɑ:sk *amer.* tæsk] *s.* compito | *to take to* –, rimproverare.
taste [teɪst] *s.* **1** gusto **2** assaggio **3** buon gusto ♦ *v.tr.* assaggiare ♦ *v.intr.* sapere (di): *to* – *good*, avere un buon sapore.
taste·ful [ˈteɪstfʊl] *agg.* raffinato, di buon gusto.
taste·less [ˈteɪstlɪs] *agg.* **1** insipido **2** di cattivo gusto.
taster [ˈ·ə*] *s.* assaggiatore: *wine* –, sommelier.
tattered [ˈtætəd] *agg.* stracciato, a brandelli.
tat·ters [ˈtætəz*] *s.pl.* stracci: *in* –, a brandelli.
tattoo [təˈtu: *amer.* tæˈtu:] (*-os*) *s.* tatuaggio.
taught [tɔ:t] *pass.*, *p.p.* di to *teach*.
taunt [tɔ:nt] *v.tr.* insultare; schernire ♦ *s.* insulto; scherno.
taut [tɔ:t] *agg.* **1** teso **2** conciso.
tawny [ˈtɔ:nɪ] *agg.* ambrato; bruno, fulvo.
tax [tæks] *s.* **1** tassa: *after taxes*, al netto delle imposte **2** onere, peso ♦ *v.tr.* **1** tassare **2** mettere alla prova **3** rimproverare.
tax·able [ˈtæksəbl] *agg.* imponibile.
tax-exempt [··ˈ·] **tax-free** [·ˈ·] *agg.* esente da tasse.
taxi·cab [ˈtæksɪ,kæb] *s.* taxi, tassì.
taxi driver [ˈ··,··] *s.* tassista.
tax·ing [ˈtæksɪŋ] *agg.* oneroso.
tax·payer [ˈtæks,peɪə*] *s.* contribuente: – *code* (*number*), codice fiscale.
tea [ti:] *s.* tè.
tea·bag [ˈti:bæg] *s.* bustina di tè.
teach* [ti:tʃ] *v.tr.*, *intr.* insegnare.
teacher [ˈ·ə*] *s.* insegnante; professore.
teach·ing [ˈ·ɪŋ] *agg.* che insegna ♦ *s.* **1** insegnamento **2** *pl.* dottrina.
tea cloth [ˈ·,·] *s.* strofinaccio, canovaccio.
team [ti:m] *s.* **1** squadra | – *spirit*, spiri-

to di corpo **2** pariglia (di cavalli); muta (di cani) ♦ *v.intr.*: *to – up*, lavorare in équipe.
tea·pot [ˈti:pɒt] *s.* teiera.
tear[1] [tiə*] *s.* lacrima: *– gas*, gas lacrimogeno.
tear*[2] [teə*] *v.tr.* strappare ♦ *v.intr.* **1** strapparsi **2** (*fam.*) correre all'impazzata.
tear·away [ˈteərə,weɪ] *s.* (*fam.*) vandalo.
tear·drop [ˈtɪədrɒp] *s.* lacrima.
tear·ful [ˈtɪəfʊl] *agg.* lacrimoso.
tear·jerk·er [ˈtɪə,dʒɜ:kə*] *s.* (*fam.*) film, libro ecc. strappalacrime.
tease [ti:z] *s.* **1** persona dispettosa **2** dispetto ♦ *v.tr.* **1** prendere in giro **2** cardare.
teaser [ˈ·ə*] *s.* rompicapo.
tea·spoon [ˈti:spu:n] *s.* cucchiaino da tè.
teat [ti:t] *s.* **1** (*di animale*) capezzolo **2** tettarella.
tea·time [ˈti:taɪm] *s.* (l') ora del tè.
tea towel [ˈ· ˈ··] *s.* canovaccio, strofinaccio.
tech·nical [ˈteknɪkl] *agg.* tecnico.
tech·nic·al·ity [,teknɪˈkælətɪ] *s.* **1** tecnicismo **2** (*dir.*) cavillo.
tech·ni·cian [tekˈnɪʃn] *s.* tecnico.
tech·nique [tekˈni:k] *s.* tecnica.
tech·no·lo·gical [,teknəˈlɒdʒɪkl] *agg.* tecnologico.
tech·no·logy [tekˈnɒlədʒɪ] *s.* tecnologia.
teddy bear [ˈtedɪbeə*] *s.* orsacchiotto (di pezza).
teddy boy [ˈtedɪbɔɪ] *s.* teppista.
teem [ti:m] *v.intr.* abbondare; brulicare.
teen·ager [ˈti:n,eɪdʒə*] *s.* adolescente.
teens [ti:nz] *s.pl.* adolescenza: *to be in one's –*, essere adolescente.
teeny [ˈti:nɪ] *agg.* (*fam.*) piccolo | *– weeny*, piccolissimo, minuscolo.
tee·ter [ˈti:tə*] *v.intr.* traballare.
teeth [ti:θ] *pl.* di *tooth* ♦ *v.intr.* mettere i denti.
tee·to·tal [ti:ˈtəʊtl] *agg.* astemio.
tee·to·tal·ler [ˈ··ə*] *s.* astemio.
tele·gram [ˈtelɪgræm] *s.* telegramma.
tele·graph [ˈtelɪgrɑ:f *amer.* ˈteligræf] *s.* telegrafo | *– operator*, telegrafista ♦ *v.tr.*, *intr.* telegrafare (a).
tele·phone [ˈtelɪfəʊn] *s.* telefono | *– booth* (o *box*), cabina telefonica | *– book* (o *directory*), elenco telefonico, guida telefonica ♦ *v.tr.*, *intr.* telefonare (a).
tele·phon·ist [tɪˈlefənɪst] *s.* telefonista; centralinista.
tele·photo lens [,telɪ,fəʊtəʊˈlenz] *s.* (*fot.*) teleobiettivo.
tele·printer [ˈtelɪ,prɪntə*] *s.* telescrivente.
tele·scope [ˈtelɪskəʊp] *s.* telescopio.
tele·vise [ˈtelɪvaɪz] *v.tr.* teletrasmettere.
tele·vi·sion [ˈtelɪ,vɪʒn] *s.* televisione: *on –*, alla, in televisione | *– set*, televisore.
telex [ˈteleks] *s.* **1** telescrivente **2** telex.
tell* [tel] *v.tr.* **1** dire; raccontare **2** rivelare; esprimere **3** comandare **4** distinguere **5** *to – off*, rimproverare ♦ *v.intr.* aver effetto.
teller [ˈ·ə*] *s.* **1** scrutatore **2** cassiere.
tell·ing [ˈ·ɪŋ] *s.* racconto; esposizione ♦ *agg.* **1** efficace **2** espressivo.
telling-off [··ˈ·] *s.* (*fam.*) sgridata.
tell·tale [ˈtelteɪl] *s.* (*fam.*) pettegolo ♦ *agg.* rivelatore.
telly [ˈtelɪ] *s.* (*fam.*) tele, televisione.

temp [temp] *s.* (*fam.*) **1** supplente **2** lavoratore temporaneo.
tem·per ['tempə*] *s.* **1** indole, carattere: *to lose one's* –, andare in collera **2** umore **3** collera.
tem·pera·ment ['tempərəmənt] *s.* temperamento.
tem·pera·mental [,tempərə'mentl] *agg.* **1** capriccioso **2** connaturato.
tem·per·ate ['tempərət] *agg.* **1** (*di clima*) temperato **2** moderato.
tem·per·at·ure ['temprətʃə* *amer.* 'temprətʃʊə*] *s.* temperatura | *to have got a* –, avere la febbre.
temple[1] ['templ] *s.* tempio.
temple[2] *s.* tempia.
tem·por·ary ['tempərərı, tempəri *amer.* 'tempərerı] *agg.* temporaneo.
tempt [tem*p*t] *v.tr.* tentare; indurre.
temp·ta·tion [tem*p*'teıʃn] *s.* tentazione.
tempt·ing ['·ıŋ] *agg.* allettante.
ten [ten] *agg.*, *s.* dieci.
ten·acious [tı'neıʃəs] *agg.* tenace | – *memory*, memoria di ferro.
ten·ancy ['tenənsı] *s.* locazione; affitto.
ten·ant ['tenənt] *s.* **1** proprietario **2** locatario, inquilino.
ten·antry ['tenəntrı] *s.* inquilini.
tench [tenʃ] *s.* (*pl. invar.*) tinca.
tend[1] [tend] *v.tr.*, *intr.* prendersi cura (di).
tend[2] *v.intr.* avere tendenza (a).
tend·ency ['tendənsı] *s.* tendenza.
ten·der[1] ['tendə*] *agg.* **1** tenero **2** delicato, sensibile.
ten·der[2] *s.* offerta, proposta | *to call for tenders*, indire una gara d'appalto ♦ *v.tr.* offrire.
tender-hearted ['··'hɑ:tıd] *agg.* tenero, sensibile.
ten·don ['tendən] *s.* tendine.
tene·ment ['tenımənt] *s.* **1** casa popolare **2** podere, tenuta (in affitto).
ten·ner ['tenə*] *s.* (*fam.*) biglietto da dieci (sterline, dollari).
ten·nis ['tenıs] *s.* tennis: – *court*, campo da tennis; – *player*, tennista.
tenor ['tenə*] *s.* tenore.
tense[1] [tens] *agg.* teso; nervoso ♦ *v.intr.* irrigidirsi, tendersi.
tense[2] *s.* (*gramm.*) tempo.
ten·sion ['tenʃn] *s.* tensione.
tent [tent] *s.* tenda.
tent·at·ive ['tentətıv] *agg.* **1** sperimentale **2** esitante; incerto.
tenth [tenθ] *agg.*, *s.* decimo.
ten·ure ['tenjʊə* *amer.* 'tenjə*] *s.* (diritto di) possesso, godimento.
tepid ['tepıd] *agg.* tiepido.
term [tɜ:m] *s.* **1** periodo; (*scuola*) trimestre | *in the long* –, a lungo andare **2** termine; scadenza **3** *pl.* termini; clausole **4** rapporto: *to be on good terms with s.o.*, essere in buoni rapporti con qlcu. **5** termine | *in no uncertain terms*, senza mezzi termini ♦ *v.tr.* designare.
ter·minal ['tɜ:mınl] *agg.* terminale ♦ *s.* **1** capolinea **2** (*inform.*) terminale.
ter·min·ally ['tɜ:mınəlı] *avv.* (*med.*) – *ill*, malato terminale.
ter·minus ['tɜ:minəs] (-*mini* ['-minaı], -*minuses* ['-minəsız]) *s.* (*di autobus*) capolinea; (*ferr.*) stazione di testa.
ter·mite ['tɜ:maıt] *s.* termite.
ter·race ['terəs] *s.* **1** terrazza **2** case a schiera **3** *pl.* gradinate.
terraced house ['··· '··] *s.* villetta a schiera.
ter·ra·cotta [,terə'kɒtə] *agg.*, *s.* (color) terracotta.
ter·rest·ri·al [tı'restrıəl] *agg.* terrestre.
ter·rible ['terəbl] *agg.* **1** terribile **2** pessimo.

ter·ribly [ˈterəblı] *avv.* 1 terribilmente 2 (*fam.*) estremamente.
ter·rific [təˈrıfık] *agg.* 1 tremendo 2 (*fam.*) magnifico 3 enorme.
ter·rify [ˈterıfaı] *v.tr.* atterrire.
ter·rit·ory [ˈterıtərı *amer.* ˈterıtɔ:rı] *s.* 1 territorio 2 zona, area.
ter·ror [ˈterə*] *s.* 1 terrore 2 (*fam.*) peste; diavolo.
ter·ror·ism [ˈterərızəm] *s.* terrorismo.
ter·ror·ist [ˈterərıst] *s.* terrorista.
ter·ror·ize [ˈterəraız] *v.tr.* terrorizzare.
terse [tɜ:s] *agg.* conciso, stringato.
ter·tiary [ˈtɜ:ʃərı] *agg.* terziario | – *burns*, ustioni di terzo grado.
test [test] *s.* prova, esame; collaudo: – *driver*, collaudatore ♦ *v.tr.* 1 esaminare; controllare; collaudare 2 sperimentare; testare 3 mettere alla prova.
testa·ment [ˈtestəmənt] *s.* testamento.
test·icle [ˈtestıkl] *s.* testicolo.
test·ify [ˈtestıfaı] *v.tr.* 1 testimoniare 2 attestare ♦ *v.intr.* testimoniare.
tes·ti·mo·nial [ˌtestıˈməʊnjəl] *s.* certificato di servizio.
testi·mony [ˈtestımənı *amer.* ˈtestiməʊni] *s.* testimonianza.
test·ing [ˈtestıŋ] *agg.* impegnativo.
test tube [ˈ· ˈ·] *s.* provetta.
text [tekst] *s.* testo.
text·book [ˈteks*t*bʊk] *s.* libro di testo; manuale ♦ *agg.* da manuale.
tex·tile [ˈtekstaıl] *agg.* tessile ♦ *s.* tessuto.
tex·ture [ˈtekstʃə*] *s.* 1 consistenza 2 struttura, composizione 3 (*letter.*) caratteristica.
Thames [temz] *no.pr.* Tamigi.
than [ðæn (*ff*) ðən (*fd*)] *cong.* 1 di, che, di quanto: *finer* –, più bello di; *more – doubled*, più che raddoppiato | *rather* –, piuttosto che 2 che: *nobody other – she*, nessun altro che lei 3 quando.
thank [θæŋk] *v.tr.* ringraziare | – *God, heavens*, grazie a Dio, al cielo | – *you!*, grazie!
thank·ful [ˈθæŋkfʊl] *agg.* 1 grato 2 contento, felice.
thank·less [ˈθæŋklıs] *agg.* ingrato.
thanks [θæŋks] *s.pl.* ringraziamenti | – *to*, grazie a ♦ *inter.* grazie.
thanks·giv·ing [ˈθæŋks,gıvıŋ] *s.* ringraziamento.
that [ðæt] *agg.* quello ♦ *pron.* 1 quello; ciò | – *is* (*to say*), cioè | –*'s all*, ecco tutto 2 che; il quale 3 in cui, nel quale ♦ *cong.* che ♦ *avv.* così, tanto.
thatch [θætʃ] *s.* 1 paglia, stoppia 2 (*fam.*) capigliatura folta ♦ *v.tr.* coprire (un tetto) con paglia.
thaw [θɔ:] *s.* disgelo ♦ *v.tr.*, *intr.* disgelare, disgelarsi; sciogliere, sciogliersi.
the [ðı (*davanti a vocale e* h muta), ðə(*davanti a consonante*)] *art.* il, lo.
theatre [ˈθıətə*] amer. **theater** *s.* teatro | *operating* –, sala operatoria.
the·at·rical [θıˈætrıkl] *agg.* teatrale.
theft [θeft] *s.* furto.
their [ðeə*] *agg.* 1 il loro, i loro 2 proprio.
theirs [ðeəz] *pron.* loro.
them [ðem] *pron.* li; loro; sé | *both of* –, entrambi.
theme [θı:m] *s.* tema | (–) *song*, sigla musicale.
them·selves [ðəmˈselvz] *pron.* 1 si; sé 2 essi stessi.
then [ðen] *avv.* 1 allora; a quel tempo | *now and* –, ogni tanto 2 poi, dopo ♦ *agg.* di allora ♦ *cong.* dunque, allora.
theo·lo·gian [θıəˈləʊdʒjən] *s.* teologo.
the·orem [ˈθıərəm] *s.* teorema.

the·or·et·ical [θɪəˈretɪkl] *agg.* teorico; teoretico.
the·or·eti·cian [ˌθɪəreˈtɪʃn] *s.* teorico.
the·or·ist [ˈθɪərɪst] *s.* teorico.
the·or·ize [ˈθɪəraɪz] *v.intr.* teorizzare.
the·ory [ˈθɪərɪ] *s.* teoria.
thera·peutic [ˌθerəˈpju:tik] *agg.* terapeutico.
ther·apy [ˈθerəpɪ] *s.* terapia.
there [ðeə] *avv.* **1** là, lì | – *she is*, eccola | – *you are!*, ecco fatto! | *hello* (o *hi*) –*!*, salve! **2** ci, vi: – *was nobody*, non c'era nessuno | – *are ten of us*, siamo in dieci.
there·about(s) [ˈθeərəbaʊt(s)] *avv.* circa, pressappoco.
there·af·ter [ˌðeərˈɑ:ftə* *amer.* ˌðeərˈæftə*] *avv.* dopo (di che).
there·fore [ˈðeəfɔ:*] *avv.* perciò.
ther·mal [ˈθɜ:ml] *agg.* termale.
thermic [ˈθɜ:mɪk] *agg.* termico.
thermo- [ˈθɜ:məʊ] *pref.* termo-.
ther·mo·meter [θəˈmɒmɪtə*] *s.* termometro.
ther·mo·nuc·lear [ˌθɜ:məʊˈnju:klɪə*] *agg.* termonucleare.
ther·mos [ˈθɜ:mɒs] *s.* termos.
these [ði:z] *pl.* di *this*.
thesis [ˈθi:sɪs] (*-ses* [-si:z]) *s.* tesi.
they [ðeɪ] *pron.* **1** essi; loro **2** si: – *say that*, si dice che.
thick [θɪk] *agg.* **1** spesso; grosso **2** fitto; folto **3** denso **4** (*di voce*) rauco **5** forte **6** (*fam.*) tonto **7** (*fam.*) (*with*) intimo ♦ *s.* il fitto, il folto ♦ *avv.* **1** a strati grossi **2** fittamente.
thicken [ˈθɪkən] *v.tr.*, *intr.* **1** infittire, infittirsi; ispessire, ispessirsi **2** addensare, addensarsi.
thicket [ˈθɪkɪt] *s.* folto d'alberi.
thick·set [ˌθɪkˈset] *agg.* **1** fitto, spesso **2** tozzo.
thick-skinned [·ˈskɪnd] *agg.* coriaceo.
thief [θi:f] (*-ves* [-vz]) *s.* ladro | *stop* –*!*, al ladro!
thigh [θaɪ] *s.* coscia.
thigh-bone [ˈ···] *s.* femore.
thimble [ˈθɪmbl] *s.* ditale.
thin [θɪn] (*-nned*) *v.tr.* **1** (*down*) diluire **2** (*out*) diradare; sfoltire ♦ *v.intr.* (*out*) diradarsi; sfoltirsi ♦ *agg.* **1** sottile **2** magro **3** rado; scarsamente popolato **4** diluito; rarefatto **5** esile **6** fiacco ♦ *avv.* sottilmente, sottile.
thing [θɪŋ] *s.* **1** cosa | *for one* –, fra l'altro **2** *pl.* (*fam.*) roba; occorrente.
think* [θɪŋk] *v.intr.* pensare; riflettere | *just* –*!*, (*fam.*) pensa un po'! ♦ *v.tr.* **1** pensare; credere | *I* – *so*, credo di sì **2** *to* – *up*, escogitare; inventare.
thinker [ˈ·ə*] *s.* pensatore.
think·ing [ˈ·ɪŋ] *agg.* ragionevole ♦ *s.* **1** pensiero **2** opinione.
think tank [ˈ· ˈ·] *s.* gruppo di esperti.
thin·ner [ˈθɪnə*] *s.* solvente.
thin-skinned [·ˈskɪnd] *agg.* suscettibile, permaloso.
third [θɜ:d] *agg.*, *s.* terzo | – *degree*, terzo grado.
third·ly [ˈ·lɪ] *avv.* in terzo luogo.
third-rate [·ˈ·] *agg.* di terz'ordine.
thirst [θɜ:st] *s.* sete.
thirsty [ˈθɜ:stɪ] *agg.* **1** assetato: *to be* –, aver sete **2** che mette sete.
thir·teen [ˌθɜ:ˈti:n] *agg.*, *s.* tredici.
thirty [ˈθɜ:tɪ] *agg.*, *s.* trenta.
this [ðɪs] *agg.* **1** questo **2** un certo ♦ *pron.* **1** questo **2** questo, ciò ♦ *avv.* così.
thistle [ˈθɪsl] *s.* cardo.
thorn [θɔ:n] *s.* **1** spina **2** rovo.
thor·ough [ˈθʌrə *amer.* ˈθʌrəʊ] *agg.* **1** completo; approfondito **2** perfetto **3** meticoloso.

thor·ough·bred ['θʌrəbred] *s.* purosangue.
thor·ough·fare ['θʌrəfeə*] *s.* via di grande traffico.
those [ðəʊz] *pl.* di *that.*
though [ðəʊ] *cong.* sebbene, benché | *even* –, anche se ♦ *avv.* però, comunque.
thought [θɔ:t] *s.* 1 pensiero; riflessione | *on second thoughts*, ripensandoci 2 opinione ♦ *pass., p.p.* di to *think.*
thought·ful ['θɔ:tfʊl] *agg.* 1 pensieroso 2 premuroso 3 ponderato.
thought·less ['θɔ:tlɪs] *agg.* sconsiderato; sventato.
thou·sand ['θaʊznd] *agg., s.* mille | *by the* – (o *by thousands*), a migliaia.
thou·sandth ['θaʊzntθ] *agg., s.* millesimo.
thrash [θræʃ] *v.tr.* 1 battere, percuotere 2 sconfiggere 3 *to – out*, discutere a fondo ♦ *v.intr.* dimenarsi.
thread [θred] *s.* 1 filo 2 filettatura ♦ *v.tr.* 1 infilare 2 striare 3 filettare.
thread·bare ['θredbeə*] *agg.* 1 logoro 2 banale.
threat [θret] *s.* minaccia.
threaten ['θretn] *v.tr., intr.* minacciare.
three [θri:] *agg., s.* tre.
thresh [θreʃ] *v.tr., intr.* trebbiare.
threshing machine ['θreʃɪŋmə,ʃi:n] *s.* trebbiatrice.
thresh·old ['θreʃhəʊld] *s.* soglia.
threw [θru:] *pass.* di to *throw.*
thrift [θrɪft] *s.* frugalità.
thrill [θrɪl] *s.* 1 fremito 2 emozione ♦ *v.tr., intr.* (far) fremere.
thrive* [θraɪv] *v.intr.* prosperare.
thriv·ing ['·ɪŋ] *agg.* 1 prospero 2 vigoroso.
throat [θrəʊt] *s.* gola: *sore* –, mal di gola.
throb [θrɒb] (*-bbed*) *v.intr.* 1 battere, pulsare 2 fremere ♦ *s.* 1 pulsazione 2 fremito.
throe [θrəʊ] *s.* (*spec. pl.*) dolore acuto | *in the throes of*, alle prese con.
throne [θrəʊn] *s.* trono.
through [θru:] *avv.* 1 attraverso 2 completamente 3 direttamente ♦ *prep.* 1 attraverso 2 durante 3 per mezzo di; a causa di ♦ *agg.* 1 logoro 2 chiuso: *I'm – with you!*, con te ho chiuso! 3 diretto.
through·out [θru:'aʊt] *avv.* da un capo all'altro; completamente ♦ *prep.* in ogni parte di; dal principio alla fine di.
throve [θrəʊv] *pass.* di to *thrive.*
throw* [θrəʊ:] *v.tr.* 1 gettare, lanciare | *to – a party*, dare un ricevimento 2 proiettare 3 (*fam.*) confondere 4 (*ceramica*) tornire 5 premere (un interruttore) 6 emettere (la voce) 7 *to – up*, vomitare ♦ *v.intr.* tirare, fare un lancio ♦ *s.* lancio; tiro.
throw·away ['θrəʊəweɪ] *agg.* a perdere; usa e getta.
thrown [θrəʊn:] *p.p.* di to *throw.*
thrush [θrʌʃ] *s.* tordo.
thrust* [θrʌst] *v.tr.* 1 spingere; ficcare 2 forzare 3 *to – upon*, imporre ♦ *v.intr.* 1 spingersi; farsi largo 2 estendersi ♦ *s.* 1 spinta; urto 2 significato.
thud [θʌd] (*-dded* [-dɪd]) *v.intr.* fare un rumore sordo ♦ *s.* tonfo.
thug [θʌg] *s.* delinquente.
thug·gery ['θʌgərɪ] *s.* criminalità.
thumb [θʌm] *s.* pollice | *by rule of* –, a occhio ♦ *v.tr.* sfogliare | *to – a lift*, fare l'autostop.
thump [θʌmp] *s.* colpo; tonfo ♦ *v.tr.* battere ♦ *v.intr.* 1 produrre un rumore sordo 2 battere.

thun·der [ˈθʌndə*] *s.* 1 tuono 2 rombo ♦ *v.intr.* 1 tuonare 2 rombare.
thun·der·bolt [ˈθʌndəbəʊlt] *s.* fulmine, saetta.
thun·der·ous [ˈθʌndərəs] *agg.* tonante; fragoroso.
thun·der·storm [ˈθʌndəstɔːm] *s.* temporale.
Thurs·day [ˈθɜːzdɪ] *s.* giovedì.
thus [ðʌs] *avv.* 1 così 2 perciò.
thyme [taɪm] *s.* timo.
thyr·oid [ˈθaɪrɔɪd] *s.* tiroide.
tick[1] [tɪk] *s.* 1 tic tac (dell'orologio) 2 attimo 3 segno ♦ *v.intr.* 1 ticchettare 2 (*fam.*) agire ♦ *v.tr.* 1 segnare; vistare 2 *to – off*, spuntare; (*fam.*) rimproverare 3 *to – over*, andare al minimo (di motore); tirare avanti.
tick[2] *s.* zecca.
ticket [ˈtɪkɪt] *s.* 1 biglietto; scontrino: – *collector*, controllore; – *office*, biglietteria 2 etichetta; cartellino ♦ *v.tr.* etichettare.
tickle [ˈtɪkl] *s.* solletico ♦ *v.tr.* 1 solleticare 2 divertire ♦ *v.intr.* fare solletico.
tick·lish [ˈtɪklɪʃ] *agg.* 1 sensibile al solletico 2 delicato 3 permaloso.
tidal [ˈtaɪdl] *agg.* soggetto alla marea.
tide [taɪd] *s.* 1 marea 2 (*fig.*) ondata ♦ *v.tr.*: *to – over*, aiutare a superare.
tidy [ˈtaɪdɪ] *agg.* 1 ordinato; pulito 2 (*fam.*) considerevole ♦ *v.tr.* (*up*) riordinare, rassettare.
tie [taɪ] *s.* 1 laccio; stringa 2 cravatta 3 (*fig.*) legame 4 (*sport*) pareggio ♦ *v.tr.* 1 legare 2 allacciare 3 vincolare ♦ *v.intr.* 1 allacciarsi 2 (*sport*) pareggiare.
tie·breaker [ˈtaɪbreɪkə*] *s.* 1 (*tennis*) tie-break 2 spareggio.
tie·pin [ˈtaɪpɪn] *s.* fermacravatta.
tier [tɪə*] *s.* 1 fila; livello 2 strato; ripiano.
tie-up [ˈ·,·] *s.* 1 connessione; legame 2 unione.
ti·ger [ˈtaɪgə*] *s.* tigre.
tight [taɪt] *agg.* 1 stretto 2 teso, tirato 3 conciso 4 duro; difficile 5 (*fam.*) tirchio 6 (*fam.*) sbronzo ♦ *avv.* 1 strettamente 2 ermeticamente 3 saldamente.
tighten [ˈtaɪtn] *v.tr., intr.* 1 stringere, stringersi 2 tendere, tendersi; tirare 3 *to – up*, irrigidire, irrigidirsi.
tight·fisted [,taɪtˈfɪstɪd] *agg.* taccagno.
tight·ness [ˈtaɪtnɪs] *s.* tensione.
tights [taɪts] *s.pl.* 1 calzamaglia 2 collant.
tig·ress [ˈtaɪgrɪs] *s.* tigre (femmina).
tile [taɪl] *s.* 1 tegola 2 mattonella ♦ *v.tr.* 1 coprire di tegole 2 piastrellare.
till[1] [tɪl] *prep.* fino a | *not...* –, non... prima di ♦ *cong.* finché non.
till[2] *s.* cassa.
till[3] *v.tr.* dissodare; coltivare.
tilt [tɪlt] *s.* 1 inclinazione 2 *at full –*, a tutta velocità ♦ *v.tr., intr.* inclinare, inclinarsi; piegare, piegarsi.
tim·ber [ˈtɪmbə*] *s.* 1 legname da costruzione 2 foresta 3 trave.
timbre [ˈtɪmbə*] *s.* timbro.
time [taɪm] *s.* 1 tempo; momento | *in no –*, (*fam.*) in men che non si dica | *from – to –*, di tanto in tanto | *what – is it* (o *what's the –*)?, che ora è? | *on –*, in orario | (*tv*) *prime –*, prima serata 2 orario 3 volta; occasione: *next –*, la prossima volta; *at times*, a volte; *some – or other*, prima o poi ♦ *v.tr.* 1 programmare 2 calcolare; cronometrare.
time·keeper [ˈtaɪm,kiːpə*] *s.* cronometrista.

time·less [ˈtaɪmlɪs] *agg.* eterno.
timely [ˈtaɪmlɪ] *agg.* tempestivo.
time-out [··ˈ·] *s.* pausa.
timer [ˈtaɪmə*] *s.* temporizzatore.
time·table [ˈtaɪm,teɪbl] *s.* **1** orario **2** programma.
timid [ˈtɪmɪd] *agg.* timido; timoroso.
tim·ing [ˈtaɪmɪŋ] *s.* **1** tempismo **2** momento di attuazione **3** cronometraggio **4** *(mecc.)* messa a punto; regolazione.
tin [tɪn] *s.* **1** stagno; latta **2** scatoletta; lattina.
tin·foil [,tɪnˈfɔɪl] *s.* stagnola.
tinge [tɪndʒ] *s.* sfumatura; tocco.
tingle [ˈtɪŋgl] *v.intr.* **1** formicolare; pizzicare **2** *(fig.)* fremere.
tin·ker [ˈtɪŋkə*] *s.* **1** stagnino (ambulante) **2** *(fam.)* monello ♦ *v.intr.* armeggiare.
tinkle [ˈtɪŋkl] *s.* tintinnio ♦ *v.intr.* tintinnare.
tin·ned [tɪnd] *agg.* in scatola: *– goods*, scatolame.
tint [tɪnt] *v.tr.* colorare; tingere.
tiny [ˈtaɪnɪ] *agg.* minuscolo.
tip[1] [tɪp] *s.* punta; cima.
tip[2] *(-pped* [-pt]) *v.tr.* **1** versare **2** inclinare; rovesciare **3** vuotare, scaricare ♦ *s.* discarica.
tip[3] *s.* **1** informazione riservata **2** consiglio ♦ *v.tr.* **1** pronosticare **2** *to – off*, passare una soffiata a.
tip[4] *s.* mancia ♦ *v.tr., intr.* dare la mancia (a).
tip-off [ˈ··] *s.* soffiata.
tipple [ˈtɪpl] *v.intr.* *(fam.)* alzare il gomito.
tipsy [ˈtɪpsɪ] *agg.* brillo.
tip·toe [ˈtɪptəʊ] *s.*: *on –*, in punta di piedi ♦ *v.intr.* camminare in punta di piedi.
tip-top [,·ˈ·] *agg.* eccellente.
tire [ˈtaɪə*] *v.tr., intr.* stancare, stancarsi | *to – out*, sfinire.
tire·less [ˈtaɪəlɪs] *agg.* instancabile.
tire·some [ˈtaɪəsəm] *agg.* fastidioso.
tis·sue [ˈtɪʃu:] *s.* **1** – *(paper)*, carta velina **2** tessuto.
tit[1] [tɪt] *s.*: *– for tat*, pan per focaccia.
tit[2] *s.* **1** *(volg.)* tetta **2** *(fam.)* stupido.
tit·bit [ˈtɪtbɪt] *s.* **1** leccornia **2** *(fig.)* notizia piccante.
title [ˈtaɪtl] *s.* **1** titolo **2** pubblicazione; libro.
titled [ˈtaɪtld] *agg.* **1** titolato, nobile **2** *(amer.)* intitolato.
titter [ˈtɪtə*] *v.intr.* ridacchiare.
to [tu: *(ff)* tə *(fd)*] *prep.* **1** a, verso; riguardo a; con; per **2** a, in, da **3** (fino) a **4** contro; in confronto a ♦ *avv.* socchiuso, accostato | *– and fro*, avanti e indietro.
toad [təʊd] *s.* rospo.
toad·stool [ˈtəʊdstu:l] *s.* fungo velenoso.
toast[1] [təʊst] *s.* pane tostato; crostino ♦ *v.tr., intr.* abbrustolire, tostare.
toast[2] *s.* **1** brindisi **2** persona, cosa a cui si brinda ♦ *v.tr.* bere alla salute di ♦ *v.intr.* fare un brindisi.
toaster [ˈtəʊstə*] *s.* tostapane.
to·bacco [təˈbækəʊ] *(-os)* *s.* tabacco.
to·bac·con·ist [təˈbækənɪst] *s.* tabaccaio: *–'s*, tabaccheria.
to·day [təˈdeɪ] *s.* oggi ♦ *avv.* **1** oggi **2** al giorno d'oggi.
toe [təʊ] *s.* **1** dito del piede: *big –*, alluce; *little –*, mignolo (del piede) **2** punta (di scarpa, calza) ♦ *v.tr.*: *to – the line*, *(fig.)* rigare dritto.
tof·fee [ˈtɒfɪ] *s.* caramella; toffee.
to·gether [təˈgeðə*] *avv.* **1** insieme **2** consecutivamente.

to·gether·ness [tə'geðənıs] *s.* solidarietà; fratellanza.
toil [tɔıl] *s.* fatica ♦ *v.intr.* 1 faticare 2 arrancare.
toi·let ['tɔılıt] *s.* 1 gabinetto, bagno | – *paper*, carta igienica 2 water.
toi·let·ries ['tɔılıtrız] *s.pl.* articoli da toletta.
token ['təʊkn] *s.* 1 gettone 2 buono acquisto 3 segno, prova ♦ *agg.* simbolico.
told [təʊld] *pass., p.p.* di to *tell*.
tol·er·able ['tɒlərəbl] *agg.* 1 tollerabile 2 discreto.
tol·er·ance ['tɒlərəns] *s.* tolleranza.
tol·er·ant ['tɒlərənt] *agg.* tollerante.
toll[1] [təʊl] *s.* 1 pedaggio; dazio 2 (*fig.*) tributo, costo.
toll[2] *s.* rintocco (di campana) ♦ *v.tr., intr.* suonare.
toll·booth ['təʊlbu:θ] *s.* casello.
tom [tɒm] *s.* gatto (maschio).
to·mato [tə'mɑ:təʊ *amer.* tə'meitəʊ] (*-oes*) *s.* pomodoro.
tomb [tu:m] *s.* tomba, sepolcro.
tom·boy ['tɒmbɔı] *s.* maschiaccio (detto di ragazza).
tomb·stone ['tu:mstəʊn] *s.* pietra tombale.
tom·cat ['tɒm'kæt] *s.* gatto (maschio).
to·mor·row [tə'mɒrəʊ] *s., avv.* domani.
ton [tʌn] *s.* 1 tonnellata 2 (*fam.*) gran quantità.
tone [təʊn] *s.* 1 tono 2 intonazione 3 tonalità 4 (*tel.*) suono, segnale ♦ *v.intr.* (*in*) accordarsi, armonizzare ♦ *v.tr.* 1 *to – down*, smorzare; sfumare 2 *to – up*, tonificare (muscoli).
tone-deaf ['··] *agg.* stonato.
tongs [tɒŋz] *s.pl.* pinze; molle.
tongue [tʌŋ] *s.* 1 lingua | – *twister*, scioglilingua 2 linguetta (di scarpa).
tongue-in-cheek [···'·] *agg.* scherzoso; ironico.
tongue-tied ['··taıd] *agg.* ammutolito.
tonic ['tɒnık] *agg., s.* tonico.
to·night [tə'naıt] *s.* questa sera; questa notte ♦ *avv.* stasera; stanotte.
ton·nage ['tʌnıdʒ] *s.* tonnellaggio.
tonne [tʌn] *s.* tonnellata (metrica).
too [tu:] *avv.* 1 troppo: – *much*, troppo 2 anche 3 tanto, molto.
took [tʊk] *pass.* di to *take*.
tool [tu:l] *s.* 1 arnese, attrezzo | – *kit*, corredo, attrezzatura 2 (*fig.*) strumento.
toot [tu:t] *s.* colpo di clacson.
tooth [tu:θ] *s.* dente.
tooth·ache ['tu:θeık] *s.* mal di denti.
tooth·brush ['tu:θbrʌʃ] *s.* spazzolino da denti.
tooth·less ['tu:θlıs] *agg.* sdentato.
tooth·paste ['tu:θpeıst] *s.* dentifricio.
tooth·pick ['tu:θpık] *s.* stuzzicadenti.
tootsie ['tu:tsı:] **tootsy** *s.* 1 (*fam.*) piedino 2 (*fam. amer.*) donna.
top[1] [tɒp] (*-pped* [-pt]) *v.tr.* 1 essere in cima a, all'apice di 2 superare 3 coprire ♦ *s.* 1 cima; apice 2 parte superiore 3 tappo; coperchio 4 *big* –, tendone di circo 5 (*mar.*) coffa ♦ *agg.* massimo | – *hat*, (cappello a) cilindro.
top[2] *s.* trottola.
to·paz ['təʊpæz] *s.* topazio.
toper ['təʊpə*] *s.* beone, ubriacone.
topic ['tɒpık] *s.* argomento.
top·ical ['tɒpıkl] *agg.* attuale.
top·less ['tɒplıs] *agg.* in topless, a seno nudo.
top-notch [,·'nɒtʃ] *agg.* (*fam.*) eccellente.
topple ['tɒpl] *v.intr.* 1 cadere 2 vacillare ♦ *v.tr.* far cadere; rovesciare.

top-secret [ˈ··] *agg.* segretissimo.
topsy-turvy [ˌtɒpsɪˈtɜːvɪ] *agg.*, *avv.* sottosopra.
torch [tɔːtʃ] *s.* torcia, fiaccola: (*electric*) –, pila (elettrica).
tore [tɔː*] *pass.* di to *tear*.
tor·eador [ˈtɒrɪədɔː*] *s.* torero.
tor·ment [ˈtɔːment] *s.* tormento ♦ *v.tr.* tormentare.
torn [tɔːn] *p.p.* di to *tear*.
tor·pedo [tɔːˈpiːdəʊ] (*-does*) *s.* siluro | *–boat*, torpediniera ♦ *v.tr.* silurare.
tor·por [ˈtɔːpə*] *s.* torpore.
tor·rent [ˈtɒrənt] *s.* torrente.
tor·rid [ˈtɒrɪd] *agg.* torrido.
tor·sion [ˈtɔːʃn] *s.* torsione.
tor·toise [ˈtɔːtəs] *s.* tartaruga (di terra).
tor·tu·ous [ˈtɔːtjʊəs] *agg.* tortuoso.
tor·ture [ˈtɔːtʃə*] *s.* tortura ♦ *v.tr.* torturare.
Tory [ˈtɔːrɪ] *agg.*, *s.* (*pol.*) conservatore.
toss [tɒs] (*-ssed* [-st]) *v.tr.* **1** gettare **2** scuotere **3** disarcionare ♦ *v.intr.* **1** (*up*) tirare a sorte **2** dimenarsi ♦ *s.* **1** lancio | *to win the –*, vincere a testa e croce **2** caduta (da cavallo).
toss-up [ˈ··] *s.* **1** lancio in aria (di moneta) **2** situazione incerta.
tot[1] [tɒt] *s.* **1** bimbetto **2** sorso (di liquore).
tot[2] (*-tted* [-tɪd]) *v.tr.*, *intr.*: *to – up*, (*fam.*) addizionare.
total [ˈtəʊtl] (*-lled*) *v.tr.* **1** sommare **2** ammontare a ♦ *agg.*, *s.* totale.
to·tal·it·arian [ˌtəʊtælɪˈteərɪən] *agg.* totalitario.
tot·ter [ˈtɒtə*] *v.intr.* barcollare.
touch [tʌtʃ] *v.tr.* **1** toccare **2** commuovere **3** uguagliare **4** *to – off*, provocare; scatenare **5** *to – up*, ritoccare ♦ *v.intr.* **1** toccarsi **2** (*mar.*) approdare **3** *to – down*, (*aer.*) atterrare ♦ *s.* **1** tocco **2** (senso del) tatto **3** contatto: *he'll get in –*, si metterà in contatto **4** piccola quantità.
touch-and-go [ˈ··] *agg.* rischioso; incerto.
touch·down [ˈtʌtʃdaʊn] *s.* (*aer.*) atterraggio.
touch·ing [ˈ·ɪŋ] *agg.* commovente.
touch·stone [ˈtʌtʃstəʊn] *s.* pietra di paragone.
touchy [ˈtʌtʃɪ] *agg.* **1** permaloso **2** che richiede tatto.
tough [tʌf] *agg.* **1** duro **2** forte, robusto **3** brutale **4** (*fam.*) sfortunato ♦ *s.* (*fam.*) duro; malvivente.
toughen [ˈtʌfn] *v.tr.*, *intr.* indurire, indurirsi.
tour [tʊə*] *s.* **1** giro; visita **2** tournée ♦ *v.intr.* viaggiare ♦ *v.tr.* visitare.
tour·ism [ˈtʊərɪzəm] *s.* turismo.
tour·ist [ˈtʊərɪst] *s.* turista | *– office*, ufficio turistico.
tour·na·ment [ˈtʊənəmənt] *s.* torneo.
tour·ni·quet [ˈtʊənɪkeɪ *amer.* ˈtɜːnikət] *s.* laccio emostatico.
tousle [ˈtaʊzl] *v.tr.* scompigliare.
tout [taʊt] *s.* (*ticket*) –, bagarino ♦ *v.intr.* fare il piazzista ♦ *v.tr.* **1** reclamizzare **2** vendere a prezzo di bagarinaggio.
tow [təʊ] *s.* rimorchio, traìno ♦ *v.tr.* rimorchiare.
to·ward(s) [təˈwɔːd(z)] *prep.* **1** verso **2** per, a favore di.
towel [ˈtaʊəl] *s.* asciugamano | (*sport*) *to throw in the –*, gettare la spugna.
tower [ˈtaʊə*] *s.* torre | *church –*, campanile | *– of strength*, (*fig.*) sostegno ♦ *v.intr.* torreggiare: *to – above* (o *over*), incombere su; eccellere su, tra.

tower·ing [ˈtaʊərɪŋ] *agg.* imponente | *a – rage*, una collera violenta.

town [taʊn] *s.* **1** città; cittadina | *– hall*, municipio | *– planning*, urbanistica **2** cittadinanza.

town·ship [ˈtaʊnʃɪp] *s.* territorio, giurisdizione di una città.

towns·people [ˈtaʊnz,pi:pl] *s.pl.* cittadinanza.

tow·rope [ˈtəʊrəʊp] *s.* cavo di rimorchio.

toxic [ˈtɒksɪk] *agg.* tossico.

toy [tɔɪ] *s.* giocattolo ♦ *v.intr.*: *to – with*, giocherellare, trastullarsi con.

trace [treɪs] *s.* **1** traccia **2** tracciato (di disegno) **3** pista (su nastro magnetico) ♦ *v.tr.* **1** seguire le tracce di **2** rintracciare **3** tracciare.

tracery [ˈtreɪsərɪ] *s.* **1** (*arch.*) traforo **2** decorazione.

tra·cing [ˈtreɪsɪŋ] *s.* **1** tracciato **2** ricalco | *– paper*, carta da lucido.

track [træk] *s.* **1** traccia; impronta **2** pista | *sound –*, colonna sonora **3** (*ferr.*) binario ♦ *v.tr.* **1** seguire le tracce di **2** *to – down*, rintracciare; scoprire.

tracker [ˈ·ə*] *s.* battitore; segugio | *– dog*, cane poliziotto.

track record [ˈ·ˈ··] *s.* storia; precedenti.

track·suit [ˈtræksu:t] *s.* tuta (da ginnastica).

tract[1] [trækt] *s.* opuscolo.

tract[2] *s.* zona; distesa.

tract·able [ˈtræktəbl] *agg.* arrendevole, malleabile.

trac·tion [ˈtrækʃn] *s.* trazione.

trac·tor [ˈtræktə*] *s.* trattore.

trade [treɪd] *s.* **1** commercio; affari **2** i commercianti **3** industria **4** mestiere ♦ *agg.* commerciale | *– name*, ragione sociale | *– union*, sindacato dei lavoratori ♦ *v.tr., intr.* **1** commerciare **2** *to –in*, dare in permuta **3** *to – on*, speculare su.

trade-in [ˈ···] *s.* permuta.

trade·mark [ˈtreɪdmɑ:k] *s.* marchio di fabbrica.

trader [ˈ·ə*] *s.* commerciante; imprenditore commerciale.

trades·man [ˈtreɪdzmən] (*-men*) *s.* commerciante; negoziante.

trad·ing [ˈ·ɪŋ] *agg.* commerciale ♦ *s.* commercio.

tra·di·tion [trəˈdɪʃn] *s.* tradizione.

tra·di·tional [trəˈdɪʃənl] *agg.* tradizionale.

traf·fic [ˈtræfɪk] *s.* **1** traffico, circolazione | *– jam*, ingorgo stradale | *– light*, semaforo | *– warden*, vigile **2** traffico (illegale).

traf·ficker [ˈ··ə*] *s.* trafficante.

tra·gedy [ˈtrædʒɪdɪ] *s.* tragedia.

tra·gic [ˈtrædʒɪk] *agg.* tragico.

trail [treɪl] *s.* **1** traccia; orma **2** scia; pista **3** sentiero ♦ *v.tr.* **1** trascinare **2** pedinare ♦ *v.intr.* **1** trascinarsi **2** arrampicarsi (di piante).

trailer [ˈtreɪlə*] *s.* **1** rimorchio **2** trailer.

train [treɪn] *s.* **1** treno | *through –*, treno diretto **2** strascico **3** corteo **4** serie **5** svolgimento ♦ *v.tr.* **1** istruire; allenare; addestrare **2** (*artiglieria*) puntare ♦ *v.intr.* allenarsi.

trained [treɪnd] *agg.* abilitato; qualificato: *– nurse*, infermiera diplomata.

trainee [treɪˈni:] *s.* tirocinante.

trainer [ˈtreɪnə*] *s.* istruttore; allenatore.

training ship [ˈtreɪnɪŋʃɪp] *s.* nave scuola.

trait [treɪt] *s.* tratto; caratteristica.

tram [træm] **tram·car** ['træmkɑ:*] *s.* tram.

tramp [træmp] *s.* **1** vagabondo **2** camminata **3** calpestio ♦ *v.intr.* camminare con passo pesante ♦ *v.tr.* **1** calpestare **2** trascinarsi per.

trample ['træmpl] *v.tr.*, *intr.* calpestare.

tram·way ['træmweɪ] *s.* linea tranviaria.

tran·quil·lity [træŋ'kwɪlətɪ] *s.* tranquillità.

tran·quil·lizer ['træŋkwɪlaɪzə*] *s.* tranquillante; ansiolitico.

trans·ac·tion [træn'zækʃn] *s.* transazione.

transfer [træns'fɜ:*] (*-rred*) *v.tr.*, *intr.* trasferire, trasferirsi ♦ ['trænsfɜ:*] *s.* **1** trasferimento **2** (*dir.*) trapasso **3** decalcomania.

trans·form [træns'fɔ:m] *v.tr.* trasformare.

trans·former [·'·ə*] *s.* trasformatore.

trans·fu·sion [træns'fju:ʒn] *s.* trasfusione.

tran·si·ent ['trænzɪənt] *agg.* **1** passeggero **2** di passaggio.

transit ['trænsɪt] *s.* transito.

trans·it·ory ['trænsɪtərɪ *amer.* 'trænsɪtɔ:rɪ] *agg.* transitorio.

trans·lat·able [trænz'leɪtəbl] *agg.* traducibile.

trans·late [trænz'leɪt] *v.tr.* **1** tradurre **2** convertire ♦ *v.intr.* tradursi.

trans·la·tion [trænz'leɪʃn] *s.* traduzione.

trans·mis·sion [trænz'mɪʃn] *s.* trasmissione.

trans·mit·ter [trænz'mɪtə*] *s.* trasmettitore.

trans·par·ent [træns'pærənt] *agg.* **1** trasparente **2** evidente; franco.

trans·plant ['trænsplɑ:nt *amer.* 'trænsplænt] *s.* trapianto ♦ *v.tr.* trapiantare.

trans·port ['trænzpɔ:t] *s.* trasporto ♦ *v.tr.* trasportare.

trans·verse ['trænzvɜ:s] *agg.* trasversale.

trap [træp] (*-pped* [-pt]) *v.tr.* intrappolare ♦ *s.* **1** trappola **2** (*fam.*) bocca.

trap·door ['træpdɔ:*] *s.* botola.

trash [træʃ] *s.* **1** (*amer.*) rifiuti, mondizie **2** (*fam.*) schiocchezze.

trash·can ['træʃ,kæn] *s.* (*amer.*) p… miera.

trashy ['træʃɪ] *agg.* (*fam.*) **1** se… lore **2** spregevole.

trauma ['trɔ:mə *amer.* 'traumə… ma.

travel ['trævl] (*-lled*) *v.intr.* v… *v.tr.* percorrere ♦ *s.* viaggi… *agency*, agenzia (di) viaggi.

trav·el·ler ['··ə*] amer. **trav**… giatore.

travel-sickness ['··,··] *s*… mal d'aereo ecc.

trawl [trɔ:l] *v.tr.*, *intr.* pe… strascico.

trawler ['trɔ:lə*] *s.* n… (per pesca a strascico…

tray [treɪ] *s.* vassoio.

treach·er·ous ['tre… re; infido.

treach·ery ['tret… slealtà.

tread* [tred] *v.tr*… tenersi a galla ♦ … calpestare ♦ *s.* … battistrada (di…

treadle ['tredl…

tread·mill ['t…] no.

treason ['tr…

treas·ure […

treas·urer [ˈtreʒərə*] *s.* tesoriere.
treas·ury [ˈtreʒərı] *s.* **1** tesoreria, erario **2** *Treasury*, ministero del tesoro.
treat [tri:t] *s.* festa, trattenimento ♦ *v.tr.* **1** trattare **2** (*med.*) curare **3** offrire.
treat·ise [ˈtri:tız] *s.* trattato.
treat·ment [ˈtri:tmənt] *s.* **1** trattamento **2** (*med.*) cura.
reaty [ˈtri:tı] *s.* trattato; patto.
reble [trebl] *agg.*, *s.* triplo ♦ *v.tr.*, *intr.* iplicare, triplicarsi.
ee [tri:] *s.* albero | *family* –, albero genealogico.
e-lined [ˈ·laınd] *agg.* alberato.
k [trek] (*-kked* [-kt]) *v.intr.* fare un ggio lungo e faticoso ♦ *s.* percorso go e faticoso.
lis [ˈtrelıs] *s.* graticcio.
ble [ˈtrembl] *s.* tremito ♦ *v.intr.* tre-

end·ous [trıˈmendəs] *agg.* (*fam.*) ne; straordinario.
r [ˈtremə*] *s.* **1** tremore **2** –, scossa di terremoto.
[trentʃ] *s.* **1** fosso **2** trincea.
coat [ˈ· ˈ·] *s.* impermeabile.
rend] *s.* **1** direzione **2** tenden-

ˈtrendı] *agg.* (*fam.*) all'ultima chi segue l'ultima moda.
s [ˈtrespəs] *s.* violazione; infra- *intr.* **1** trasgredire **2** entrare nte in una proprietà | *no tres-* etato l'accesso ♦ *v.tr.*: *to – on*,

r [ˈ··ə*] *s.* **1** trasgressore **2** usivamente in proprietà al-

sl] *s.* cavalletto.
s. **1** processo; giudizio | *on* –, sotto processo **2** prova: *on* –, in prova.
tri·angle [ˈtraıæŋgl] *s.* triangolo.
tri·an·gu·lar [traıˈæŋgjʊlə*] *agg.* triangolare.
tribe [traıb] *s.* tribù.
tri·bu·nal [traıˈbju:nl] *s.* tribunale.
trib·ute [ˈtrıbju:t] *s.* tributo.
trice [traıs] *s.*: *in a* –, in un batter d'occhio.
trick [trık] *s.* **1** trucco; espediente | *to do the* –, (*fam.*) andar bene, funzionare **2** imbroglio **3** gioco di prestigio **4** vezzo **5** (*carte*) mano ♦ *v.tr.* ingannare.
trick·ery [ˈtrıkərı] *s.* inganno.
tricky [ˈtrıkı] *agg.* **1** astuto **2** complicato.
tri·dent [ˈtraıdnt] *s.* tridente.
tried [traıd] *agg.* provato, fidato.
trifle [ˈtraıfl] *s.* **1** sciocchezza **2** (*cuc.*) zuppa inglese ♦ *v.intr.* scherzare.
tri·fling [ˈtraıflıŋ] *agg.* insignificante.
trig·ger [ˈtrıgə*] *s.* grilletto (di arma) ♦ *v.tr.* provocare.
trigger-happy [ˈ·· ··] *agg.* (*fam.*) dal grilletto facile.
tril·lion [ˈtrıljən] *s.* **1** (*brit.*) trilione **2** (*amer.*) bilione.
trim [trım] (*-mmed*) *v.tr.* **1** assettare **2** spuntare; potare **3** ornare ♦ *agg.* ordinato; ben tenuto ♦ *s.* **1** ordine | *in good* –, in forma; in buono stato **2** taglio **3** finiture.
trim·ming [ˈtrımıŋ] *s.* **1** guarnizione **2** *pl.* (*cuc.*) contorno.
trin·ket [ˈtrıŋkıt] *s.* ninnolo.
trip [trıp] (*-pped* [-pt]) *v.intr.* **1** inciampare **2** saltellare **3** (*up*) sbagliare ♦ *v.tr.* **1** fare inciampare **2** (*up*) far sbagliare **3** (*mecc.*) far scattare ♦ *s.* **1** gi-

ta; escursione 2 l'inciampare 3 (*fam.*) viaggio (causato da droghe).
triple ['trɪpl] *agg.* triplo, triplice.
triplicate ['trɪplɪkeɪt] *v.tr.* triplicare.
trip·per ['trɪpə*] *s.* gitante.
tri·umph ['traɪəmf] *s.* trionfo.
triv·ial ['trɪvɪəl] *agg.* insignificante.
trod [trɒd] *pass.* di to *tread*.
trodden ['trɒdn] *p.p.* di to *tread*.
trol·ley ['trɒlɪ] *s.* carrello | – *car*, (*amer.*) tram.
trolleybus ['trɒlɪ,bʌs] *s.* filobus.
troop [tru:p] *s.* 1 frotta; gruppo 2 *pl.* truppe ♦ *v.intr.* muoversi in gruppo.
trooper ['··ə*] *s.* soldato di cavalleria.
trophy ['trəʊfɪ] *s.* trofeo.
tropic ['trɒpɪk] *s.* 1 tropico 2 *pl.* tropici.
trop·ical ['trɒpɪkl] *agg.* tropicale.
trot [trɒt] (*-tted* [-tɪd]) *v.intr.* 1 trottare 2 (*fam.*) correre ♦ *v.tr.* 1 far trottare 2 *to – out*, rivangare ♦ *s.* trotto | *to be on the –*, essere indaffarato.
trouble ['trʌbl] *s.* 1 guaio | *to be in –*, essere nei guai 2 disturbo 3 difficoltà; preoccupazione 4 disordini 5 guasto ♦ *v.tr.* 1 preoccupare 2 disturbare ♦ *v.intr.* disturbarsi.
troubled ['trʌbld] *agg.* agitato, turbato; ansioso.
trouble-free ['···] *agg.* senza inconvenienti.
trouble·maker ['trʌbl,meɪkə*] *s.* sobillatore.
trouble·shooter ['trʌbl,ʃu:tə*] *s.* tecnico riparatore.
trouble·some ['trʌblsəm] *agg.* 1 fastidioso 2 preoccupante; problematico.
troupe [tru:p] *s.* compagnia (di attori ecc.).
trousers ['traʊzəz] *s.pl.* pantaloni.
trous·seau ['tru:səʊ] (*-aus*, *-aux*) *s.* corredo (da sposa).
trout [traʊt] (*anche invar.*) *s.* 1 trota 2 *old –*, (*fam.*) vecchia strega.
trowel [traʊəl] *s.* 1 cazzuola 2 paletta.
tru·ant ['tru:ənt] *s.* chi marina la scuola: *to play –*, marinare la scuola.
truce [tru:s] *s.* tregua.
truck[1] [trʌk] *s.* (*fam.*) relazione.
truck[2] *s.* 1 (*amer.*) camion, autocarro 2 carro merci 3 (*ferr.*) carrello.
trucker ['·ə*] *s.* (*amer.*) camionista.
truckle bed ['trʌkl,bed] *s.* letto estraibile (con rotelle).
truc·ulent ['trʌkjʊlənt] *agg.* aggressivo.
trudge [trʌdʒ] *v.intr.* arrancare.
true [tru:] *agg.* 1 vero | *to come –*, avverarsi 2 fedele 3 intonato 4 accurato 5 centrato; diritto.
true-blue ['·'·] *agg.* fedele.
truffle ['trʌfl] *s.* tartufo.
truly ['tru:lɪ] *avv.* veramente; davvero | *yours –*, cordiali saluti (in una lettera).
trump [trʌmp] *s.* (*a carte*) briscola; atout.
trum·pet ['trʌmpɪt] *s.* 1 tromba 2 barrito (d'elefante) ♦ *v.tr.* proclamare enfaticamente ♦ *v.intr.* 1 suonare la tromba 2 barrire (di elefante).
trum·peter ['··ə*] *s.* (suonatore di) tromba; trombettiere.
trun·cheon ['trʌntʃən] *s.* manganello.
trundle ['trʌndl] *v.tr.*, *intr.* (far) rotolare; (far) scorrere con fatica.
trunk [trʌŋk] *s.* 1 tronco 2 baule 3 proboscide (d'elefante) 4 *pl.* calzoncini ♦ *agg.* principale: *– road*, strada maestra | *– call*, (telefonata) interurbana.
trust [trʌst] *s.* 1 fiducia, fede 2 cura; custodia 3 (*dir.*) fedecommesso 4

cartello; trust 5 ente morale ♦ *v.tr.*, *intr.* fidarsi (di): *I – you*, ho fiducia in te.
trustee [ˌtrʌs'ti:] *s.* (*dir.*) (amministratore) fiduciario.
trust·ful ['trʌstfʊl] **trust·ing** ['trʌstiŋ] *agg.* fiducioso.
trust·worthy ['trʌstˌwɜ:ðɪ] *agg.* 1 fidato, leale 2 attendibile.
truth [tru.θ] *s.* verità, vero | *to tell the –*, a dire il vero.
truth·ful ['tru:θfʊl] *agg.* veritiero.
try [traɪ] (*tried* [traɪd]) *v.tr.* 1 provare, tentare | *to – one's best*, fare del proprio meglio 2 mettere alla prova 3 verificare 4 assaggiare 5 processare 6 *to – on*, provare (abiti ecc.) 7 *to – out*, collaudare; sperimentare ♦ *v.intr.* 1 provare; sforzarsi 2 *to – for sthg.*, cercare di ottenere qlco. ♦ *s.* prova, tentativo.
try·ing ['·ɪŋ] *agg.* 1 difficile 2 insopportabile.
try-out ['··] *s.* (*fam.*) prova, collaudo.
T-shirt ['ti:ʃɜ:t] *s.* maglietta.
T-square ['ti:skweə*] *s.* riga a T.
tub [tʌb] *s.* 1 tino 2 (*fam.*) vasca da bagno.
tube [tju:b] *s.* 1 tubo; tubetto 2 provetta 3 metropolitana.
tuber ['tju:bə*] *s.* tubero.
tub·ing ['tju:bɪŋ] *s.* tubazione.
tu·bu·lar ['tju:bjʊlə*] *agg.* tubolare.
tuck [tʌk] *s.* piega; pince ♦ *v.tr.* 1 riporre 2 mettere 3 piegare 4 *to – away*, mettere al sicuro 5 *to – in*, mangiare avidamente; rimboccare le coperte a.
tuck-in ['··] *s.* (*fam.*) scorpacciata.
Tues·day ['tju:zdɪ] *s.* martedì: *Shrove –*, martedì grasso.
tuft [tʌft] *s.* ciuffo.
tug [tʌg] (*-gged*) *v.tr.* tirare; strappare ♦ *v.intr.* (*at*) dare strattoni (a) ♦ *s.* 1 strattone 2 → *tugboat*.
tug·boat ['tʌgbəʊt] *s.* (*mar.*) rimorchiatore.
tug-of-war [ˌ·əv'wɔ:*] *s.* 1 tiro alla fune 2 (*fig.*) braccio di ferro.
tu·lip ['tju:lɪp] *s.* tulipano.
tumble ['tʌmbl] *s.* capitombolo ♦ *v. intr.* 1 cadere; ruzzolare 2 precipitarsi ♦ *v.tr.* 1 far cadere 2 *to – to*, rendersi conto di.
tum·ble·down ['tʌmbldaʊn] *agg.* cadente.
tumble-drier [··'draɪə*] **tumble-dryer** *s.* asciugabiancheria.
tum·bler ['·ə*] *s.* bicchiere (senza stelo).
tummy ['tʌmi] *s.* (*fam.*) stomaco; pancia.
tu·mour ['tju:mə*] amer. **tu·mor** *s.* tumore.
tu·mult ['tju:mʌlt] *s.* tumulto,
tuna (fish) ['tju:nə(ˌfiʃ)] *s.* tonno (in scatola).
tune [tju:n] *s.* melodia, aria | *in –*, intonato; accordato ♦ *v.tr.* 1 accordare 2 mettere a punto 3 sintonizzare 4 adattare ♦ *v.intr.* 1 *to – in*, sintonizzarsi 2 *to – up*, accordare gli strumenti.
tune·ful ['tju:nfʊl] *agg.* armonioso, melodioso.
tune·less ['tju:nlɪs] *agg.* scordato; stonato.
tuner ['·ə*] *s.* 1 accordatore 2 tuner, sintonizzatore.
tuning fork ['·· '·] *s.* diapason.
Tu·nis·ian [tju:'nɪzɪən] *agg.*, *s.* tunisino.
tunnel ['tʌnl] (*-lled*) *v.tr.*, *intr.* scavare (una galleria) ♦ *s.* galleria; traforo | *wind –*, galleria aerodinamica | *– vision*, visione ristretta.

tunny ['tʌnɪ] *s.* tonno.
tur·ban ['tɜ:bən] *s.* turbante.
tur·bid ['tɜ:bɪd] *agg.* **1** torbido **2** (*fig.*) confuso.
tur·bo·jet ['tɜ:bəʊ,dʒet] *agg.*, *s.* (*aer.*) (a) turbogetto, (a) turboreattore.
tur·bu·lent ['tɜ:bjʊlənt] *agg.* turbolento.
tur·een [tə'ri:n] *s.* zuppiera.
turf [tɜ:f] (*-fs*, *-ves* [-vz]) *s.* **1** zolla; tappeto erboso **2** torba **3** *the* –, l'ippica; le corse ♦ *v.tr.* **1** coprire di zolle **2** *to – out*, (*fam.*) buttar fuori.
turf accountant ['· ···] *s.* allibratore.
Turin [tjʊ'ri:n] *no.pr.* Torino.
Tur·key ['tɛ:kɪ] *no.pr.* Turchia.
tur·key ['tɛ:kɪ] *s.* tacchino.
Turk·ish ['tɜ:kɪʃ] *agg.*, *s.* turco.
tur·moil ['tɜ:mɔɪl] *s.* tumulto.
turn [tɜ:n] *v.tr.* **1** girare; voltare | *to – fifty*, compiere cinquant'anni | *to – upside down* (o *inside out*), ribaltare, rivoltare **2** rivolgere **3** trasformare **4** far inacidire **5** tornire ♦ *v.intr.* **1** voltarsi; volgersi **2** ricorrere **3** diventare ♦ *Verbi frasali*: *to – back*, abbassare; respingere | *to – in*, consegnare; (*fam.*) andare a letto | *to – off*, spegnere; chiudere | *to – on*, accendere; aprire; assalire; eccitare | *to – up*, comparire; alzare; trovare ♦ *s.* **1** giro, rotazione **2** curva, svolta; (*fig.*) andamento **3** turno: *whose – is it?*, a chi tocca?; *in* –, a turno | *out of* –, a sproposito **4** azione **5** (*teatr.*) numero **6** (*fam.*) colpo.
turn·about ['tɜ:nəbaʊt] *s.* voltafaccia.
turn·coat ['tɜ:nkəʊt] *s.* voltagabbana.
turner ['tɜ:nə*] *s.* tornitore.
turn·ing ['·ɪŋ] *s.* svolta: – *point*, svolta decisiva.
tur·nip ['tɜ:nɪp] *s.* rapa.
turn-off ['·'·] *s.* uscita; via laterale.
turn·out ['tɜ:naʊt] *s.* **1** affluenza **2** (*comm.*) volume di produzione **3** (*fam.*) modo di vestire.
turn·over ['tɜ:nəʊvə*] *s.* **1** giro d'affari; fatturato **2** rotazione; ricambio (del personale) **3** fagottino (con ripieno di frutta).
turn·pike ['tɜ:npaɪk] *s.* (*amer.*) autostrada a pedaggio.
turn·round ['tɜ:nraʊnd] *s.* **1** voltafaccia **2** (*fig.*) svolta.
turn·stile ['tɜ:nstaɪl] *s.* cancelletto girevole.
turn·table ['tɜ:nteɪbl] *s.* **1** piatto (di giradischi) **2** (*ferr.*) piattaforma girevole.
turn-up ['··] *s.* **1** risvolto dei pantaloni **2** (*fam.*) colpo di scena.
tur·pen·tine ['tɜ:pəntaɪn] *s.* acquaragia.
turps [tɜ:ps] *s.* (*fam.*) acquaragia.
tur·quoise ['tɜ:kwɔɪz] *s.* turchese.
turtle [tɜ:tl] *s.* tartaruga (di mare).
turtle·dove ['tɜ:tldʌv] *s.* tortora.
turtle·neck ['tɜ:tlnek] *agg.*, *s.* (maglia) a collo alto.
turves [tɜ:vz] *pl.* di *turf*.
tusk [tʌsk] *s.* zanna.
tussle ['tʌsl] *s.* (*fam.*) rissa ♦ *v.intr.* azzuffarsi; lottare.
tus·sock ['tʌsək] *s.* ciuffo d'erba.
tu·tor ['tju:tə*] *s.* **1** insegnante privato **2** (*nelle università*) tutor ♦ *v. intr.* dare lezione.
tu·tor·ial [tju:'tɔ:rɪəl *amer.* tu:'tɔ:riəl] *s.* (*nelle università*) seminario; esercitazione.
tux·edo [tʌks'i:dəʊ] (*-os*) *s.* (*amer.*) smoking.
TV [,ti:'vi:] (*TVs*) *s.* TV, televisione | *TV set*, televisore.

twaddle ['twɒdl] *s.* (*fam.*) sciocchezze ♦ *agg.* (*fam.*) sciocco ♦ *v.intr.* dire sciocchezze.
twang [twæŋ] *s.* **1** stridore; suono acuto **2** suono nasale ♦ *v.tr.*, *intr.* (far) vibrare; (far) risuonare.
tweak [twi:k] *s.* pizzicotto.
twee [twi:] *agg.* (*fam.*) lezioso.
tweed [twi:d] *s.* **1** tweed (tessuto) **2** *pl.* abito di tweed.
tweet [twi:t] *s.* cip; cinguettio.
tweezers ['twi:zəz] *s.pl.* pinzette.
twelfth [twelfθ] *agg.*, *s.* dodicesimo.
twelve [twelv] *agg.*, *s.* dodici.
twenty ['twentɪ] *agg.*, *s.* venti | *the twenties*, gli anni Venti.
twerp [twɜ:p] *s.* (*fam.*) idiota.
twice [twaɪs] *avv.* due volte.
twiddle ['twɪdl] *v.tr.* giocherellare con | *to – one's thumbs*, girare i pollici.
twig[1] [twɪg] *s.* ramoscello.
twig[2] (*-gged*) *v.tr.* (*fam.*) capire.
twi·light ['twaɪlaɪt] *s.* **1** crepuscolo **2** penombra.
twin [twɪn] *agg.*, *s.* gemello.
twin-bedded [,·'bedɪd] *agg.* a due letti.
twine [twaɪn] *s.* spago, corda.
twinge [twɪndʒ] *s.* fitta.
twinkle ['twɪŋkl] *s.* scintillio ♦ *v.intr.* scintillare; brillare.
twink·ling ['·ɪŋ] *s.* attimo: *in the – of an eye*, in un batter d'occhio.
twirl [twɜ:l] *s.* **1** piroetta **2** svolazzo ♦ *v.tr.*, *intr.* (far) girare; attorcigliare, attorcigliarsi.
twist [twɪst] *v.tr.* **1** intrecciare **2** girare; torcere **3** distorcere ♦ *v.intr.* **1** intrecciarsi **2** torcersi, contorcersi **3** serpeggiare ♦ *s.* **1** filo ritorto **2** svolta **3** torsione; storta **4** tendenza **5** effetto (dato a una palla) **6** twist (ballo).
twisted ['twɪstɪd] *agg.* contorto; perverso.
twister ['·ə*] *s.* (*fam.*) **1** imbroglione **2** rompicapo.
twit[1] [twit] *s.* (*fam.*) stupido ♦ (*-tted* ['-tid]) *v.tr.* (*fam.*) sfottere.
twit[2] *s.* cip; cinguettio.
twitch [twɪtʃ] *s.* **1** spasmo; tic **2** strattone ♦ *v.tr.* **1** contrarre **2** dare uno strattone a ♦ *v.intr.* **1** contrarsi; contorcersi **2** agitarsi.
twit·ter ['twɪtə*] *s.* cinguettio ♦ *v.intr.* **1** cinguettare **2** parlare concitatamente.
two [tu:] *agg.*, *s.* due: *in twos* (o *– and – o – by –*), a due a due.
two-edged [,·'edʒd] *agg.* a doppio taglio.
two·faced [,tu:'feɪst] *agg.* doppio.
two·fold ['tu:fəʊld] *agg.* doppio, duplice.
two·some ['tu:səm] *s.* coppia.
two-time ['··] *v.tr.* (*fam.*) fare le corna a.
two-way ['··] *agg.* **1** bidirezionale **2** reciproco.
ty·coon [taɪ'ku:n] *s.* magnate.
tyke [taɪk] *s.* (*fam.*) birba; monello.
type [taɪp] *s.* **1** tipo; genere **2** classe; categoria **3** carattere tipografico ♦ *v.tr.* **1** dattilografare, digitare **2** classificare.
type·cast ['taɪpka:st *amer.* 'taipkæst] (come *cast*) *v.tr.* recitare sempre lo stesso ruolo di.
type·script ['taɪpskrɪpt] *s.* dattiloscritto.
type·writer ['taɪp,raɪtə*] *s.* macchina per scrivere.
ty·phoon [taɪ'fu:n] *s.* tifone.
typhus ['taɪfəs] *s.* (*med.*) tifo.
typ·ical ['tɪpɪkl] *agg.* tipico.

typ·ist ['taɪpɪst] *s.* dattilografo.
tyr·an·nize ['tɪrənaɪz] *v.tr., intr.* tiranneggiare.
tyr·anny ['tɪrənɪ] *s.* tirannia.
tyr·ant ['taɪərənt] *s.* tiranno.
tyre ['taɪə*] amer. **tire** *s.* pneumatico; copertone: *flat* –, gomma a terra.

U

ud·der ['ʌdə*] *s.* mammella (di animali).
UFO [,ju:ef'əʊ] (*-'s, -os*) *s.* (*fam.*) ufo, UFO.
ugly ['ʌglɪ] *agg.* brutto.
ul·cer ['ʌlsə*] *s.* ulcera.
ul·ter·ior [ʌl'tɪərɪə*] *agg.* segreto, nascosto; recondito.
ul·ti·mate ['ʌltɪmɪt] *agg.* estremo; ultimo; basilare ♦ *s.* il massimo.
ul·ti·matum [,ʌltɪ'meɪtəm] *s.* ultimatum.
um·brella [ʌm'brelə] *s.* ombrello.
um·pire ['ʌmpaɪə*] *s.* (*sport*) arbitro ♦ *v.tr., intr.* arbitrare.
ump·teen [,ʌmp'ti:n] *agg.* (*fam.*) innumerevoli.
ump·teenth [,ʌmp'ti:nθ] *agg.* (*fam.*) ennesimo.
un- [ʌn] *pref.* non; senza; in-; dis-.
un·able [ʌn'eɪbl] *agg.* incapace.
un·ac·count·able [,ʌnə'kaʊntɪd,fɔ:*] *agg.* **1** inspiegabile **2** non responsabile.
unaccounted for [,ʌnə'kaʊntɪd,fɔ:*] *agg.* mancante.
un·af·fected [,ʌnə'fektɪd] *agg.* **1** semplice; spontaneo **2** non condizionato.
un·an·im·ous [ju:'nænɪməs] *agg.* unanime.
un·an·nounced [,ʌnə'naʊnst] *agg.* imprevisto.
un·armed [,ʌn'ɑ:md] *agg.* disarmato.
un·as·sum·ing [,ʌnə'sju:mɪŋ] *agg.* modesto; senza pretese.
un·at·tached [,ʌnə'tætʃt] *agg.* **1** indipendente, libero **2** non legato (sentimentalmente).
un·at·ten·ded [,ʌnə'tendɪd] *agg.* incustodito.
un·avail·ing [,ʌnə'veɪlɪŋ] *agg.* inefficace; inutile.
un·awares [,ʌnə'weəz] *avv.* **1** inaspettatamente **2** inconsapevolmente; inavvertitamente.
un·be·com·ing [,ʌnbɪ'kʌmɪŋ] *agg.* **1** disdicevole **2** inadatto.
un·be·liev·able [,ʌnbɪ'li:vəbl] *agg.* incredibile.
un·biased [,ʌn'baɪəst] *agg.* imparziale, obiettivo.
un·bind [,ʌn'baɪnd] (come *bind*) *v.tr.* sciogliere, slegare.
un·bridled [,ʌn'braɪdld] *agg.* sfrenato, scatenato.
un·but·ton [,ʌn'bʌtn] *v.tr.* sbottonare.
uncalled-for [,·'· ·] *agg.* gratuito.
un·canny [,ʌn'kænɪ] *agg.* misterioso; inquietante.
uncared-for [,·'· ·] *agg.* trascurato.
un·cer·tain [,ʌn'sɜ:tn] *agg.* incerto; dubbio.
uncle ['ʌŋkl] *s.* zio.
un·coil [,ʌn'kɔɪl] *v.tr., intr.* srotolare, srotolarsi.
un·com·fort·able [,ʌn'kʌmfətəbl] *agg.* **1** scomodo; a disagio **2** sgradevole.
un·com·mit·ted [,ʌnkə'mɪtɪd] *agg.* non impegnato; neutrale.

un·com·prom·ising [ˌʌnˈkɒmprəmaɪzɪŋ] *agg.* intransigente; che non scende a compromessi.
un·con·cerned [ˌʌnkənˈsɜːnd] *agg.* indifferente, noncurante.
un·con·sidered [ˌʌnkənˈsɪdəd] *agg.* sconsiderato, avventato.
un·cooked [ˌʌnˈkʊkt] *agg.* non cotto; crudo.
un·cork [ˌʌnˈkɔːk] *v.tr.* sturare, stappare.
un·couth [ʌnˈkuːθ] *agg.* rozzo; goffo.
un·cover [ˌʌnˈkʌvə*] *v.tr.* scoprire.
un·demand·ing [ˌʌndɪˈmɑːndɪŋ] *agg.* **1** facile **2** poco esigente.
un·der [ʌndə*] *prep.* **1** sotto; al di sotto di **2** in; in via di.
un·der·brush [ˈʌndəbrʌʃ] *s.* (*amer.*) sottobosco.
un·der·coat [ˈʌndəkəʊt] *s.* mano di fondo (di vernice).
un·der·cover [ˈʌndəˌkʌvə*] *agg.* segreto.
un·der·done [ˌʌndəˈdʌn] *agg.* poco cotto; al sangue.
un·der·es·tim·ate [ˌʌndərˈestɪmeɪt] *v.tr.* sottovalutare.
un·der·foot [ˌʌndəˈfʊt] *avv.* sotto i piedi.
un·der·go [ˌʌndəˈgəʊ] (come *go*) *v.tr.* subire; essere sottoposto a.
un·der·gradu·ate [ˌʌndəˈgrædjʊɪt] fam. **under·grad** [ˈʌndəgræd] *s.* studente non laureato; universitario.
un·der·ground [ˈʌndəgraʊnd] *agg.* **1** sotterraneo **2** segreto; clandestino ♦ *s.* **1** metropolitana **2** movimento clandestino ♦ *avv.* **1** sottoterra **2** clandestinamente.
un·der·growth [ˈʌndəgrəʊθ] *s.* sottobosco.
un·der·hand [ˈʌndəhænd] *agg.* (*spreg.*) losco, poco pulito.
un·der·line [ˌʌndəˈlaɪn] *v.tr.* sottolineare.
un·der·ling [ˈʌndəlɪŋ] *s.* subalterno; (*spreg.*) tirapiedi.
un·der·mine [ˌʌndəˈmaɪn] *v.tr.* minare.
un·der·neath [ˌʌndəˈniːθ] *prep.* sotto, al di sotto di ♦ *avv.* (di) sotto, al di sotto ♦ *agg.* più basso, inferiore ♦ *s.* il fondo, la parte più bassa.
un·der·pants [ˈʌndəpænts] *s.pl.* mutande (da uomo).
un·der·pass [ˈʌndəpɑːs *amer.* ˈʌndəpæs] *s.* sottopassaggio.
un·der·pin [ˌʌndəˈpɪn] (*-nned*) *v.tr.* sostenere.
un·der·priv·ileged [ˌʌndəˈprɪvɪlɪdʒd] *agg.*, *s.* socialmente svantaggiato.
un·der·rate [ˌʌndəˈreɪt] *v.tr.* sottovalutare.
un·der·shirt [ˈʌndəʃɜːt] *s.* (*amer.*) canottiera, maglietta intima.
un·der·signed [ˌʌndəˈsaɪnd] *s.* sottoscritto: *I, the* – ..., io sottoscritto...
un·der·stand [ˌʌndəˈstænd] (come *stand*) *v.tr.* **1** capire, comprendere: *to make oneself understood*, farsi capire **2** sentir dire.
un·der·stand·ing [ˌ··ˈ·ɪŋ] *s.* **1** comprensione; conoscenza **2** accordo.
un·der·state [ˌʌndəˈsteɪt] *v.tr.* minimizzare.
un·der·study [ˈʌndəˌstʌdɪ] *s.* sostituto (di attore).
un·der·take [ˌʌndəˈteɪk] (come *take*) *v.tr.* **1** intraprendere **2** assumersi.
un·der·taker [ˌ··ˈ·ə*] *s.* impresario di pompe funebri.
un·der·tak·ing [ˌ··ˈ·ɪŋ] *s.* impresa, iniziativa.

under-the-counter [ˌ·· ˈ··] *agg.* (*fam.*) sottobanco.
un·der·wear [ˈʌndəweə*] *s.* biancheria intima.
un·der·world [ˈʌndəwɜ:ld] *s.* malavita.
un·der·write [ˈʌndəraɪt] (come *write*) *v.tr.* **1** (*fin.*) sottoscrivere; sostenere (costi) **2** (*comm.*) assicurare.
un·der·writer [ˈ··ˌə*] *s.* **1** sottoscrittore (di titoli) **2** assicuratore.
und·ies [ˈʌndɪz] *s.pl.* (*fam.*) biancheria intima (da donna).
un·dis·puted [ˌʌndɪˈspju:tɪd] *agg.* incontestato, indiscusso.
un·dis·tin·guished [ˌʌndɪˈstɪŋgwɪʃt] *agg.* mediocre, comune.
undo [ˌʌnˈdu:] (come *do*) *v.tr.* disfare, sciogliere.
un·doubted [ˌʌnˈdaʊtɪd] *agg.* indubbio; certo, incontestato.
un·dressed [ˌʌnˈdrest] *agg.* svestito: *to get* –, svestirsi.
un·due [ˌʌnˈdju:] *agg.* sproporzionato, eccessivo.
un·earth [ˌʌnˈɜ:θ] *v.tr.* dissotterrare; (*fig.*) portare alla luce.
un·ease [ˌʌnˈi:z] *s.* disagio.
un·easy [ˌʌnˈi:zi] *agg.* a disagio.
un·emo·tional [ˌʌnɪˈməʊʃənl] *agg.* freddo, impassibile.
un·em·ployed [ˌʌnɪmˈplɔɪd] *agg.* **1** disoccupato **2** inutilizzato.
un·em·ploy·ment [ˌʌnɪmˈplɔɪmənt] *s.* disoccupazione.
un·equal [ˌʌnˈi:kwəl] *agg.* **1** ineguale, disuguale **2** inadeguato; non equo.
un·even [ˌʌnˈi:vn] *agg.* ineguale; disuguale.
un·fair [ˌʌnˈfeə*] *agg.* ingiusto, non equo; scorretto; sleale.
un·feel·ing [ˌʌnˈfi:lɪŋ] *agg.* duro di cuore; insensibile.
un·flap·pable [ˌʌnˈflæpəbl] *agg.* (*fam.*) imperturbabile.
un·fold [ˌʌnˈfəʊld] *v.tr., intr.* aprire, aprirsi; spiegare, spiegarsi.
un·fore·seen [ˌʌnfɔ:ˈsi:n] *agg.* imprevisto.
un·for·giv·ing [ˌʌnfəˈgɪvɪŋ] *agg.* implacabile; inesorabile.
un·friendly [ˌʌnˈfrendlɪ] *agg.* scortese, poco socievole; ostile.
un·ful·filled [ˌʌnfʊlˈfɪld] *agg.* mancato; inappagato.
un·furl [ˌʌnˈfɜ:l] *v.tr.* spiegare; aprire.
un·grate·ful [ˌʌnˈgreɪtfʊl] *agg.* ingrato.
un·guent [ˈʌŋgwənt] *s.* unguento.
un·happy [ˌʌnˈhæpɪ] *agg.* infelice.
un·harmed [ˌʌnˈhɑ:md] *agg.* illeso.
un·healthy [ˌʌnˈhelθɪ] *agg.* **1** malsano **2** malaticcio.
unheard-of [ˌˈ··] *agg.* inaudito.
un·hinge [ˌʌnˈhɪndʒ] *v.tr.* sconvolgere; fare impazzire.
un·hurt [ˌʌnˈhɜ:t] *agg.* illeso.
uni·fica·tion [ˌju:nɪfɪˈkeɪʃn] *s.* unificazione.
uni·form [ˈju:nɪfɔ:m] *agg., s.* uniforme.
unify [ˈju:nɪfaɪ] *v.tr.* unificare.
uni·lat·eral [ˌju:nɪˈlætərəl] *s.* unilaterale.
un·im·peach·able [ˌʌnɪmˈpi:tʃəbl] *agg.* **1** irreprensibile **2** fidato.
un·in·hib·ited [ˌʌnɪnˈhɪbɪtɪd] *agg.* disinibito.
union [ˈju:njən] *s.* unione.
uni·on·ist [ˈju:njənɪst] *s.* sindacalista.
Union Jack [ˌju:njənˈdʒæk] *s.* Union Jack (bandiera nazionale britannica).
unique [ju:ˈni:k] *agg.* **1** unico, eccezionale **2** caratteristico.

unit [ˈju:nɪt] *s.* 1 unità | – *cost*, prezzo unitario 2 complesso, insieme.
unite [ju:ˈnaɪt] *v.tr., intr.* unire, unirsi; combinare, combinarsi.
united [ju:ˈnaɪtɪd] *agg.* unito; congiunto | *the United Kingdom*, il Regno Unito | *the United States*, gli Stati Uniti.
unity [ˈju:nətɪ] *s.* unità.
uni·ver·sal [ˌju:nɪˈvɜ:sl] *agg.* universale.
uni·verse [ˈju:nɪvɜ:s] *s.* universo.
uni·ver·sity [ˌju:nɪˈvɜ:sətɪ] *s.* università.
un·just [ˌʌnˈdʒʌst] *agg.* ingiusto.
un·kempt [ˌʌnˈkempt] *agg.* spettinato; trascurato; sciatto.
un·kind(ly) [ˌʌnˈkaɪnd(lɪ)] *agg.* 1 sgarbato, scortese 2 cattivo; duro.
un·known [ˌʌnˈnəʊn] *agg.* sconosciuto; ignoto | – *to me*, a mia insaputa ♦ *s.* 1 ignoto 2 (*mat.*) incognita.
un·learn [ˌʌnˈlɜ:n] (come *learn*) *v.tr.* disimparare, dimenticare.
un·leash [ˌʌnˈli:ʃ] *v.tr.* sguinzagliare.
un·less [ənˈles] *cong.* a meno che non, se non.
un·like [ˈʌnˈlaɪk] *prep.* diversamente da; a differenza di ♦ *agg.* diverso da.
un·likely [ˌʌnˈlaɪklɪ] *agg.* inverosimile, improbabile.
un·lis·ted [ˌʌnˈlɪstɪd] *agg.* (*Borsa*) non quotato.
un·load [ˌʌnˈləʊd] *v.tr.* scaricare.
unlooked-for [ˌˈ··] *agg.* imprevisto.
un·manned [ˌʌnˈmænd] *agg.* senza equipaggio.
un·matched [ˌʌnˈmætʃt] *agg.* senza pari, impareggiabile.
un·mis·tak·able [ˌʌnmɪˈsteɪkəbl] *agg.* indubbio.
un·mit·ig·ated [ˌʌnˈmɪtɪgeɪtɪd] *agg.* totale, assoluto.
un·nerv·ing [ˌʌnˈnɜ:vɪŋ] *agg.* 1 snervante 2 sconvolgente.
un·oc·cu·pied [ˌʌnˈɒkjʊpaɪd] *agg.* libero, vuoto; vacante.
un·op·posed [ˌʌnəˈpəʊzd] *agg.* incontrastato; incontestato.
un·pack [ˌʌnˈpæk] *v.tr.* disfare (i bagagli); togliere da; disimballare.
un·par·alleled [ˌʌnˈpærəleld] *agg.* impareggiabile; ineguagliato.
un·pleas·ant [ˌʌnˈpleznt] *agg.* spiacevole; sgradevole.
un·popu·lar [ˌʌnˈpɒpjʊlə*] *agg.* impopolare.
un·pre·ced·en·ted [ˌʌnˈpresɪdəntɪd] *agg.* senza precedenti.
un·pre·ten·tious [ˌʌnprɪˈtenʃəs] *agg.* modesto, senza pretese.
un·prof·it·able [ˌʌnˈprɒfitəbl] *agg.* 1 non remunerativo 2 inutile.
un·quote [ˈʌnkwəʊt] *avv.* chiuse le virgolette.
un·ravel [ˌʌnˈrævl] (*-lled*) *v.tr., intr.* districare, districarsi.
un·real·ity [ˌʌnrɪˈælətɪ] *s.* irrealtà.
un·re·li·able [ˌʌnrɪˈlaɪəbl] *agg.* inaffidabile; inattendibile.
un·re·served [ˌʌnrɪˈzɜ:vd] *agg.* incondizionato.
un·rest [ˌʌnˈrest] *s.* inquietudine, agitazione; fermento.
un·ripe [ˌʌnˈraɪp] *agg.* acerbo.
un·ri·valled [ˌʌnˈraɪvld] *agg.* impareggiabile; senza rivali.
un·roll [ˌʌnˈrəʊl] *v.tr., intr.* srotolare, srotolarsi.
un·sat·is·fact·ory [ˌʌnˌsætɪsˈfæktərɪ] *agg.* insoddisfacente.
un·sa·voury [ˌʌnˈseɪvərɪ] amer. **un·sa vory** *agg.* 1 sgradevole 2 losco.
un·scathed [ˌʌnˈskeɪðd] *agg.* illeso, incolume.

un·sched·uled [,ʌn'ʃedju:ld *amer.* ,ʌn'sked ʒʊld] *agg.* fuori programma.
un·sea·son·able [,ʌn'si:znəbl] *agg.* fuori stagione.
un·seat [,ʌn'si:t] *v.tr.* **1** disarcionare **2** defenestrare; deporre.
un·ser·vice·able [,ʌn'sɜ:vɪsəbl] *agg.* inservibile.
un·settle [,ʌn'setl] *v.tr.* turbare; disturbare.
un·skilled [,ʌn'skɪld] *agg.* non specializzato.
un·so·li·cited [,ʌnsə'lɪsɪtɪd] *agg.* non richiesto | *– mail*, pubblicità inviata per posta.
un·stick [,ʌn'stɪk] (come *stick*) *v.tr.* staccare; scollare.
un·stint·ing [,ʌn'stɪntɪŋ] *agg.* generoso.
un·suc·cess·ful [,ʌnsək'sesfʊl] *agg.* che non ha successo; sfortunato.
un·suit·able [,ʌn'su:təbl] *agg.* inadatto; non appropriato.
un·sym·path·etic [,ʌn,sɪmpə'θetɪk] *agg.* **1** indifferente; non comprensivo **2** antipatico **3** (*to*) contrario, ostile.
un·tapped [,ʌn'tæpt] *agg.* non sfruttato, non utilizzato.
un·taxed [,ʌn'tækst] *agg.* esentasse.
un·til [ən'tɪl] → *till*¹.
un·true [,ʌn'tru:] *agg.* falso.
un·trust·worthy [,ʌn'trʌst,wɜ:ðɪ] *agg.* inaffidabile; non attendibile.
un·usual [ʌn'ju:ʒʊəl] *agg.* insolito.
un·veil [,ʌn'veɪl] *v.tr.* scoprire; svelare.
un·voiced [,ʌn'vɔɪst] *agg.* **1** inespresso **2** (*fon.*) sordo.
un·wel·come [,ʌn'welkəm] *agg.* male accolto; sgradito.
un·well [,ʌn'wel] *agg.* ammalato; indisposto.
un·wieldy [,ʌn'wi:ldɪ] *agg.* ingombrante; poco maneggevole.
un·will·ing·ly [,ʌn'wɪlɪŋlɪ] *avv.* malvolentieri; controvoglia.
un·wit·ting [,ʌn'wɪtɪŋ] *agg.* inconsapevole; involontario.
un·worthy [,ʌn'wɜ:ðɪ] *agg.* indegno.
un·wrap [,ʌn'ræp] (*-pped* [-ræpt]) *v.tr.* scartare; disfare, aprire.
un·zip [,ʌn'zɪp] *v.tr.* aprire la cerniera lampo di.
up [ʌp] *avv.* **1** su, in su; in alto; di sopra | *– here*, quassù | *– there*, lassù | *– above*, sopra **2** più avanti; oltre **3** *– against*, di fronte a, alle prese con **4** *– for*, in corso di, soggetto a **5** *– to*, fino a; all'altezza di; intento a ♦ *prep.* su, in cima a; su per ♦ *agg.* alzato | *what's –?*, (*fam.*) c'è qualcosa che non va? ♦ (*upped* [ʌpt]) *v.tr.* aumentare ♦ *v.intr.* fare all'improvviso; saltar su (a fare, dire).
up-and-coming [,·'··] *agg.* promettente.
up·beat ['ʌpbi:t] *agg.* (*fam.*) ottimistico, positivo.
up·bring·ing ['ʌp,brɪŋɪŋ] *s.* educazione.
up·date [,ʌp'deɪt] *v.tr.* aggiornare.
up·end [,ʌp'end] *v.tr.* capovolgere.
upfront [,ʌp'frʌnt] *agg.* sincero, franco.
up·grade [,ʌp'greɪd] *v.tr.* promuovere.
up·hill [,ʌp'hɪl] *agg.* in salita; (*fig.*) arduo ♦ *avv.* in salita.
up·hold [,ʌp'həʊld] (come *hold*) *v.tr.* sostenere.
up·hol·stery [,ʌp'həʊlstərɪ] *s.* tappezzeria.
up·keep ['ʌpki:p] *s.* manutenzione.
up·land ['ʌplənd] *s.* regione montuosa, altopiano.
uplift [,ʌp'lɪft] *v.tr.* elevare, innalzare.
up-market [,ʌp'mɑ:kɪt] *agg.* d'élite, esclusivo (di prodotto).

upon [ə'pɒn] *prep.* su, sopra.
up·per ['ʌpə*] *agg.* superiore, più elevato ♦ *s.* tomaia; gambale.
up·per·most ['ʌpəməʊst] *agg.* **1** il più alto **2** il più importante; predominante.
up·pish ['ʌpɪʃ] **up·pity** ['ʌpətɪ] *agg.* (*fam.*) presuntuoso; arrogante.
up·right ['ʌprait] *agg.* **1** ritto, eretto; verticale **2** retto, integro ♦ *avv.* dritto, in piedi.
up·ris·ing ['ʌp,raɪzɪŋ] *s.* rivolta, insurrezione.
up·river ['ʌp,rɪvə*] *avv.* a monte.
up·roar ['ʌprɔ:*] *s.* tumulto; clamore.
up·root [,ʌp'ru:t] *v.tr.* sradicare, estirpare.
up·set [,ʌp'set] (come *set*) *v.tr.* **1** rovesciare; capovolgere **2** (*fig.*) sconvolgere, scombussolare **3** disturbare (lo stomaco) ♦ ['ʌpset] *s.* **1** rovesciamento **2** (*fig.*) confusione, disordine; sconvolgimento **3** disturbo.
up·shot ['ʌpʃɒt] *s.* esito.
upside down [,ʌpsaɪd'daʊn] *agg., avv.* sottosopra.
up·stairs [,ʌp'steəz] *avv.* al piano superiore; di sopra.
up·stand·ing [,ʌp'stændɪŋ] *agg.* retto, onesto; leale.
up·stream [,ʌp'stri:m] *agg., avv.* **1** controcorrente **2** a monte.
up·tight [,ʌp'taɪt] *agg.* (*fam.*) teso.
up-to-date [,· ·'·] *agg.* aggiornato; moderno.
up-to-the-minute [,· · ·'··] *agg.* aggiornatissimo.
up·town [,ʌp'taʊn] *agg.* (*amer.*) dei quartieri residenziali.
up·turn ['ʌptɜ:n] *s.* miglioramento; ripresa.
up·ward(s) ['ʌpwəd(z)] *avv.* in alto; in su; verso l'alto.
urban ['ɜ:bən] *agg.* urbano | – *myth*, leggenda metropolitana.
ur·chin ['ɜ:tʃɪn] *s.* **1** monello **2** riccio di mare.
urge [ɜ:dʒ] *s.* impulso ♦ *v.tr.* **1** spingere; spronare **2** raccomandare caldamente.
ur·gency ['ɜ:dʒənsɪ] *s.* **1** urgenza **2** insistenza.
ur·gent ['ɜ:dʒənt] *agg.* **1** urgente; incalzante **2** insistente.
ur·in·ate ['jʊərɪneɪt] *v.intr.* orinare.
ur·ine ['jʊərɪn] *s.* orina.
urn [ɜ:n] *s.* **1** urna **2** distributore di tè, caffè (in mense ecc.).
us [ʌs] *pron.* noi; ci.
us·able ['ju:zəbl] *agg.* utilizzabile.
us·age ['ju:zɪdʒ] *s.* uso.
use [ju:z] *v.tr.* **1** usare | *to – up*, consumare **2** trattare ♦ [ju:s] *modal verb* usare, avere l'abitudine di: *I used to go there when I was a child*, ero solito andarci da bambino ♦ [ju:s] *s.* **1** uso **2** utilità, vantaggio: *what is the – (of it)?*, a che serve?
use·ful ['ju:sfʊl] *agg.* utile.
usher ['ʌʃə*] *s.* **1** usciere **2** maschera (di teatro ecc.) ♦ *v.tr.* accompagnare, far strada.
ush·er·ette [,ʌʃə'ret] *s.* maschera (donna) (di teatro ecc.).
usual ['ju:ʒʊəl] *agg.* solito, usuale: *as –*, come al solito.
usu·fruct ['ju:zju:,frʌkt] *s.* usufrutto.
uten·sil [ju:'tensl] *s.* utensile; arnese.
util·ity [ju:'tɪlətɪ] *s.* **1** utilità **2** *pl.* servizi pubblici.
ut·most ['ʌtməʊst] *agg.* **1** estremo; ultimo **2** massimo ♦ *s.* il massimo.
ut·ter[1] ['ʌtə*] *agg.* completo, totale.

utter[2] *v.tr.* emettere; pronunciare.
U-turn [ˈju:tɜ:n] *s.* conversione a U, inversione di marcia.

V

va·cancy [ˈveɪkənsɪ] *s.* **1** posto vacante: *no vacancies*, completo **2** (*fig.*) vacuità.
va·cant [ˈveɪkənt] *agg.* **1** vacante, libero **2** vacuo; distratto.
va·ca·tion [vəˈkeɪʃn *amer.* veɪˈkeɪʃn] *s.* (*spec. amer.*) vacanza, vacanze.
vac·cin·ate [ˈvæksɪneɪt *amer.* ˈvæk səneit] *v.tr.* vaccinare.
vac·cine [ˈvæksi:n *amer.* vækˈsi:n] *s.* vaccino.
va·cu·ous [ˈvækjʊəs] *agg.* vacuo.
va·cuum [ˈvækjʊəm] *s.* vuoto.
vacuum cleaner [ˈ·· ˈ··] *s.* aspirapolvere.
vacuum-packed [ˈ··,··] *agg.* (confezionato) sotto vuoto.
vaga·bond [ˈvægəbɒnd] *s.* vagabondo.
vag·rancy [ˈveɪgrənsɪ] *s.* vagabondaggio.
vag·rant [ˈveɪgrənt] *agg., s.* vagabondo.
vague [veɪg] *agg.* **1** vago; ambiguo **2** distratto **3** incerto.
vain [veɪn] *agg.* **1** vano, inutile **2** vanitoso.
va·le·dic·tion [,vælɪˈdɪkʃn] *s.* (parole, discorso di) commiato.
val·en·tine [ˈvæləntaɪn] *s.* **1** biglietto d'amore (inviato a S. Valentino) **2** destinatario del biglietto (di S. Valentino).
vali·ant [ˈvæljənt] *agg.* valoroso.
valid [ˈvælɪd] *agg.* valido.
val·ida·tion [,vælɪˈdeɪʃn] *s.* convalida; ratifica.
val·ley [ˈvælɪ] *s.* valle, vallata.
valu·able [ˈvæljʊəbl] *agg.* costoso; prezioso ♦ *s.pl.* oggetti di valore.
valu·ation [,væljʊˈeɪʃn] *s.* **1** valutazione **2** stima.
value [ˈvælju:] *s.* **1** valore **2** utilità, importanza ♦ *v.tr.* **1** valutare; stimare **2** dare importanza a; apprezzare.
value-added tax [,··ˈædɪd,tæks] *s.* (abbr. *VAT*) imposta sul valore aggiunto (abbr. IVA).
valuer [ˈvæljʊə*] *s.* perito stimatore.
valve [vælv] *s.* valvola.
va·moose [vəˈmu:s] *v.intr.* (*fam.*) filarsela.
vamp[1] [væmp] *s.* donna fatale ♦ *v.tr.* sedurre.
vamp[2] *v.tr.*: *to – up*, rinnovare; abbellire.
vam·pire [ˈvæmpaɪə*] *s.* vampiro.
van [væn] *s.* **1** furgone | *police –*, cellulare **2** (*ferr.*) bagagliaio.
van·dal [ˈvændl] *s.* vandalo.
vane [veɪn] *s.* **1** banderuola **2** (*mecc.*) pala; aletta.
van·guard [ˈvængɑ:d] *s.* avanguardia.
va·nilla [vəˈnɪlə] *s.* vaniglia.
van·ish [ˈvænɪʃ] *v.intr.* svanire.
van·ity [ˈvænətɪ] *s.* vanità.
vantage point [ˈvɑ:ntɪdʒ,pɔɪnt *amer.* ˈvænt idʒ,pɔint] *s.* punto d'osservazione favorevole.
va·por·ize [ˈ···ə*] *v.tr.* **1** far evaporare **2** vaporizzare ♦ *v.intr.* evaporare.
va·por·izer [ˈveɪpəraɪzə*] *s.* vaporizzatore.
va·pour [ˈveɪpə*] *s.* vapore; esalazione.
vari·able [ˈveərɪəbl] *agg., s.* variabile.
vari·ance [ˈveərɪəns] *s.* disaccordo | *at –*, in disaccordo.

vari·ant [ˈveərıənt] *agg.* variante; differente ♦ *s.* variante.
vari·ation [ˌveərıˈeıʃn] *s.* variante.
varie·gated [ˈveərıgeıtıd] *agg.* **1** variegato **2** (*fig.*) multiforme.
vari·ety [vəˈraıətı] *s.* varietà.
var·nish [ˈvɑ:nıʃ] *s.* vernice trasparente; lacca | *nail* –, smalto per unghie ♦ *v.tr.* verniciare; laccare.
vary [ˈveərı] *v.tr., intr.* variare.
vary·ing [ˈ··ıŋ] *agg.* variabile; vario.
vase [vɑ:z *amer.* veıs] *s.* vaso.
vas·el·ine [ˈvæsıli:n] *s.* vaselina.
vast [vɑ:st *amer.* væst] *agg.* vasto; esteso.
vat [væt] *s.* tino.
VAT [ˌvi:eıˈti:, væt] *s.* (*trib.*) IVA.
Vat·ican [ˈvætıcə] *no.pr.* Vaticano.
vault[1] [vɔ:lt] *s.* **1** (*arch.*) volta **2** caveau **3** cripta; sepolcro.
vault[2] *s.* volteggio, salto: (*pole*) –, salto con l'asta ♦ *v.tr., intr.* volteggiare.
veal [vi:l] *s.* (*cuc.*) vitello.
veer [vıə*] *v.intr.* virare, cambiare rotta.
veg [vedʒ] *s.* (*fam.*) verdura.
ve·get·able [ˈvedʒtəbl] *s.* **1** vegetale **2** ortaggio; *pl.* verdura ♦ *agg.* vegetale.
ve·get·arian [ˌvedʒıˈteərıən] *agg., s.* vegetariano.
ve·geta·tion [ˌvedʒıˈteıʃn] *s.* vegetazione.
ve·he·mence [ˈvi:ıməns] *s.* veemenza.
ve·he·ment [ˈvi:ımənt] *agg.* veemente.
vehicle [ˈvi:ıkl] *s.* veicolo.
veil [veıl] *s.* velo ♦ *v.tr.* velare.
veiled [veıld] *agg.* velato; nascosto.
vein [veın] *s.* **1** vena **2** venatura **3** umore.
ve·lo·city [vıˈlɒsətı] *s.* velocità.
vel·vet [ˈvelvıt] *agg.* di velluto ♦ *s.* velluto.
vel·vety [ˈvelvətı] *agg.* vellutato.
ve·nal [ˈvi:nl] *agg.* venale, corruttibile.
ven·detta [venˈdetə] *s.* faida.
vending machine [ˈvendıŋməˌʃi:n] *s.* distributore automatico.
vendor [ˈvendɔ:*] *s.* venditore.
ven·er·ate [ˈvenəreıt] *v.tr.* venerare.
ve·ner·eal [vəˈnıərıəl] *agg.*: – *desease*, malattia venerea.
Ve·ne·tian [vəˈni:ʃn] *agg., s.* veneziano.
ven·geance [ˈvendʒəns] *s.* vendetta | *with a* –, eccessivamente.
Ven·ice [ˈvenıs] *no.pr.* Venezia.
ven·ison [ˈvenısn] *s.* carne di cervo, di daino.
venom [ˈvenəm] *s.* **1** veleno **2** (*fig.*) cattiveria, malignità.
ven·ous [ˈvi:nəs] *agg.* **1** venoso **2** con nervature.
vent[1] [vent] *s.* spacco (di giacca).
vent[2] *s.* **1** sbocco, sfiato; apertura **2** (*geol.*) camino; bocca **3** sfogo: *to give* – *to sthg.*, dare libero sfogo a qlco. ♦ *v.tr.* dare sfogo a.
vent·il·ate [ˈventıleıt] *v.tr.* ventilare.
vent·il·ator [ˈventileitə*] *s.* ventilatore.
vent·ri·lo·quist [venˈtrıləkwıst] *s.* ventriloquo.
ven·ture [ˈventʃə*] *s.* **1** avventura **2** attività imprenditoriale ♦ *v.tr., intr.* arrischiare, arrischiarsi.
venue [ˈvenju:] *s.* luogo di ritrovo; sede.
ver·anda(h) [vəˈrændə] *s.* veranda.
verb [vɜ:b] *s.* (*gramm.*) verbo.
verbal [ˈvɜ:bl] *agg.* **1** orale; verbale **2** (*gramm.*) verbale.
verb·al·ize [ˈvɜ:bəlaız] *v.tr.* verbalizzare.
verb·ose [vɜ:ˈbəus] *agg.* verboso, prolisso.
ver·dict [ˈvɜ:dıkt] *s.* verdetto.
ver·di·gris [ˈvɜ:dıgrıs] *s.* verderame.
verge [vɜ:dʒ] *s.* bordo, ciglio | *on the* –

of, sull'orlo di ♦ *v.intr.*: *to – on sthg.*, rasentare qlco.
ver·ger ['vɜ:dʒə*] *s.* sagrestano.
ve·ri·fica·tion [,verɪfɪ'keɪʃn] *s.* verifica, controllo.
verify ['verɪfaɪ] *v.tr.* 1 verificare 2 (*dir.*) ratificare; sancire.
ver·min ['vɜ:mɪn] *s.* parassiti.
ver·sat·ile ['vɜ:sətaɪl *amer.* 'vɜ:sətl] *agg.* versatile.
verse [vɜ:s] *s.* 1 verso; poesia 2 strofa 3 versetto.
versed [vɜ:st] *agg.* versato.
ver·sion ['vɜ:ʃn *amer.* 'vɜ:ʒn] *s.* versione.
ver·sus ['vɜ:səs] *prep.* contro.
ver·teb·rate ['vɜ:tɪbrɪt] *agg.*, *s.* vertebrato.
ver·tical ['vɜ:tɪkl] *agg.*, *s.* verticale.
very ['verɪ] *avv.* molto: – *good*, ottimo | – *well*, benissimo | *at the – latest*, al più tardi ♦ *agg.* proprio; stesso: *that – day*, proprio quel giorno | *the – thing*, proprio quello che ci vuole.
ves·sel ['vesl] *s.* 1 vaso 2 nave, vascello.
vest [vest] *s.* 1 maglia, canottiera 2 (*amer.*) panciotto ♦ *v.tr.* conferire | *vested interest*, interesse particolare.
vest·ige ['vestɪdʒ] *s.* vestigio.
vest·ment ['vesmənt] *s.* (*eccl.*) paramento.
vestry ['vestrɪ] *s.* sagrestia.
vet[1] [vet] (*-tted* ['-tid]) *v.tr.* esaminare attentamente ♦ *s.* veterinario.
vet[2] *s.* (*amer.*) reduce, veterano.
vet·eran ['vetərən] *agg.*, *s.* veterano | – *cars*, auto d'epoca.
vet·er·in·ary ['vetərɪnərɪ *amer.* 'vetərɪneri] *agg.* veterinario: – *surgeon*, (medico) veterinario.
vex [veks] *v.tr.* 1 irritare 2 tormentare.
vexed [vekst] *agg.* 1 irritato 2 difficoltoso: – *question*, questione dibattuta.
via ['vaɪə] *prep.* via, per via.
vi·able ['vaɪəbl] *agg.* 1 praticabile 2 vitale.
via·duct ['vaɪədʌkt] *s.* viadotto.
vial ['vaɪəl] *s.* fiala.
vi·brant ['vaɪbrənt] *agg.* 1 pieno di vita 2 vibrante 3 vivace (di colore).
vi·brate [vaɪ'breɪt] *v.tr.*, *intr.* (far) vibrare, (far) oscillare.
vicar ['vɪkə*] *s.* 1 parroco 2 vicario.
vic·ar·age ['vɪkərɪdʒ] *s.* canonica, casa del parroco.
vi·cari·ous [vɪ'keərɪəs *amer.* vaɪ'keərɪəs] *agg.* 1 fatto, subìto al posto di un altro 2 indiretto.
vice[1] [vaɪs] *s.* 1 immoralità 2 vizio.
vice-[2] *pref.* vice-.
vice squad ['· ·] *s.* (squadra del) buon costume.
vice versa [,vaɪsɪ'vɜ:sə] *avv.* viceversa.
vi·cin·ity [vɪ'sɪnətɪ] *s.* dintorni | *in the – of*, dell'ordine di, circa.
vi·cious ['vɪʃəs] *agg.* maligno, cattivo; brutale | – *circle*, circolo vizioso.
vic·tim ['vɪktɪm] *s.* vittima.
vic·tor ['vɪktə*] *s.* vincitore.
Vic·tor·ian [vɪk'tɔ:rɪən] *agg.*, *s.* vittoriano.
vic·tory ['vɪktərɪ] *s.* vittoria.
vi·cuna, **vicuña** [vɪ'kju:nə] *s.* vigogna.
video ['vɪdɪəʊ] *agg.* video: – (*cassette*) *recorder*, videoregistratore; – *display unit*, (*inform.*) unità video; – *game*, videogioco ♦ *s.* videoregistratore ♦ *v.tr.* videoregistrare.
video·cas·sette [,vɪdɪəʊkə'set] *s.* videocassetta.
video nasty ['·· '··] *s.* (*fam.*) videocassetta violenta o scabrosa.

video·tex [ˈvɪdɪəʊ,teks] *s.* videotex, teletex.
Vi·en·nese [vɪeˈniːz] *agg., s.* viennese.
Vi·et·nam·ese [,vɪetnəˈmiːz] *agg., s.* vietnamita.
view [vjuː] *s.* **1** vista; sguardo | *in, within* –, in vista | *on* –, in mostra **2** panorama **3** opinione | *in my* –, secondo me **4** scopo | *with a – to*, allo scopo di ♦ *v.tr.* **1** vedere; ispezionare **2** considerare.
view·data [ˈvjuːdeɪtə] → *videotex*.
viewer [ˈ·ə*] *s.* **1** spettatore **2** ispettore **3** (*fot.*) visore.
view·finder [ˈvjuː,faɪndə*] *s.* (*fot.*) mirino.
view·point [ˈvjuːpɔɪnt] *s.* **1** punto di vista **2** punto d'osservazione.
vig·our [ˈvɪgə*] amer. **vigor** *s.* vigore, energia.
vile [vaɪl] *agg.* **1** orribile **2** abietto.
vil·lage [ˈvɪlɪdʒ] *s.* villaggio.
vil·la·ger [ˈ··ə*] *s.* abitante di paese.
vil·lain [ˈvɪlən] *s.* **1** furfante **2** il cattivo (in un romanzo ecc.).
vil·lainy [ˈvɪlənɪ] *s.* scelleratezza; infamia.
vim [vɪm] *s.* (*fam.*) forza, vigore.
vin·dic·ate [ˈvɪndɪkeɪt] *v.tr.* **1** giustificare **2** scagionare (da un'accusa).
vin·dict·ive [vɪnˈdɪktɪv] *agg.* vendicativo.
vine [vaɪn] *s.* vite.
vin·egar [ˈvɪnɪgə*] *s.* aceto.
vine·yard [ˈvɪnjəd] *s.* vigna, vigneto.
vin·tage [ˈvɪntɪdʒ] *s.* **1** vendemmia **2** annata, raccolto | – *year*, buona annata.
vi·ol·ate [ˈvaɪəleɪt] *v.tr.* violare.
vi·ol·ence [ˈvaɪələns] *s.* violenza.
vi·ol·ent [ˈvaɪələnt] *agg.* **1** violento **2** forte, intenso.
vi·olet [ˈvaɪəlɪt] *agg.* violetto ♦ *s.* **1** viola mammola **2** colore viola.
vi·olin [,vaɪəˈlɪn] *s.* violino.
VIP [,viːaɪˈpiː] *s.* (abbr. di *very important person*) vip.
vi·per [ˈvaɪpə*] *s.* vipera.
viral [ˈvaɪrəl] *agg.* virale.
vir·gin [ˈvɜːdʒɪn] *agg.* vergine; casto ♦ *s.* vergine.
vir·ile [ˈvɪraɪl] *agg.* virile.
vir·tual [ˈvɜːtjʊəl] *agg.* virtuale.
vir·tue [ˈvɜːtjuː] *s.* virtù.
vir·tu·os·ity [,vɜːtjʊˈɒsətɪ] *s.* virtuosismo.
vir·tu·oso [,vɜːtjʊˈəʊzəʊ *amer.* vɜːtjʊˈəʊsəʊ] (*-sos, -si* [-ziː *amer.* -siː]) *s.* virtuoso.
vir·tu·ous [ˈvɜːtʃʊəs] *agg.* virtuoso.
viru·lent [ˈvirʊlənt] *agg.* virulento.
virus [ˈvaɪərəs] *s.* **1** virus **2** influenza nefasta.
visa [ˈviːzə] *s.* visto (su passaporto).
vis-à-vis [ˈviːzɑːviː *amer.* ,viːzəˈviː] *prep.* **1** di fronte **2** rispetto a.
vis·cera [ˈvɪsərə] *s.pl.* viscere.
vis·ible [ˈvɪzəbl] *agg.* visibile; evidente.
vi·sion [ˈvɪʒn] *s.* **1** vista **2** visione; idea.
vi·sion·ary [ˈvɪʒnərɪ *amer.* ˈviʒəneri] *agg., s.* visionario.
visit [ˈvɪzɪt] *s.* visita ♦ *v.tr.* **1** visitare; andare a trovare **2** colpire **3** esaminare ♦ *v.intr.* fare una visita.
vis·ita·tion [,vɪzɪˈteɪʃn] *s.* **1** visita ufficiale **2** segno divino.
vis·itor [ˈvɪzɪtə*] *s.* visitatore; ospite.
visor [ˈvaɪzə*] *s.* **1** visiera **2** (*aut.*): (*sun*) –, aletta parasole.
visual [ˈvɪzjʊəl *amer.* vɪʒʊəl] *agg.* visuale, visivo.
vi·tal [ˈvaɪtl] *agg.* vitale | – *statistics*, statistiche anagrafiche.
vi·tal·ize [ˈvaɪtəlaɪz] *v.tr.* animare.

vi·tally [ˈvaɪtəlɪ] *avv.* estremamente.
vit·amin [ˈvɪtəmɪn *amer.* ˈvaitəmin] *s.* vitamina.
vi·va·cious [vɪˈveɪʃəs] *agg.* vivace; brioso.
vivid [ˈvɪvɪd] *agg.* vivido.
vi·vi·sec·tion [ˌvɪvɪˈsekʃn] *s.* vivisezione.
vixen [ˈvɪksn] *s.* volpe femmina.
viz·ier [vɪˈzɪə*] *s.* visir.
vo·cabu·lary [vəʊˈkæbjʊlərɪ *amer.* vəˈkæbjʊlerɪ] *s.* vocabolario; lessico.
vocal [ˈvəʊkl] *agg.* **1** vocale **2** schietto ♦ *s.pl.* canto.
vo·cal·ist [ˈvəʊkəlɪst] *s.* cantante.
vo·ca·tion [vəʊˈkeɪʃn] *s.* **1** vocazione **2** professione.
vogue [vəʊg] *s.* voga, moda: *all the –*, di gran moda.
voice [vɔɪs] *s.* **1** voce: *in a low –*, a bassa voce **2** parere; voto | *with one –*, all'unanimità ♦ *v.tr.* esprimere.
void [vɔɪd] *agg.* **1** vuoto **2** (*dir.*) nullo ♦ *s.* vuoto.
vol·at·ile [ˈvɒlətaɪl] *agg.* **1** instabile **2** (*chim.*) volatile.
vol·canic [vɒlˈkænɪk] *agg.* vulcanico.
vol·cano [vɒlˈkeɪnəʊ] (*-oes*) *s.* vulcano.
vol·ley [ˈvɒlɪ] *s.* **1** raffica, salva **2** volée (al tennis); tiro al volo.
vol·ley·ball [ˈvɒlɪbɔːl] *s.* pallavolo.
volte-face [ˌvɒltˈfɑːs] *s.* voltafaccia.
vol·uble [ˈvɒljʊbl] *agg.* loquace; sciolto.
vol·ume [ˈvɒljuːm *amer.* ˈvɒljəm] *s.* volume.
vo·lu·min·ous [vəˈljuːmɪnəs] *agg.* **1** voluminoso **2** ampio; largo **3** copioso.
vol·un·tary [ˈvɒləntərɪ] *agg.* **1** volontario **2** non retribuito.
vo·lun·teer [ˌvɒlənˈtɪə*] *s.* **1** volontario **2** (*dir.*) donatario ♦ *v.tr.* offrire spontaneamente ♦ *v.intr.* **1** offrirsi spontaneamente **2** arruolarsi come volontario.
vo·lup·tu·ous [vəˈlʌptʃʊəs] *agg.* **1** voluttuoso **2** formoso.
vomit [ˈvɒmɪt] *s.* vomito ♦ *v.tr., intr.* vomitare.
vo·ra·cious [vəˈreɪʃəs] *agg.* vorace.
vote [vəʊt] *s.* **1** voto; votazione | *one man one –*, suffragio universale **2** diritto di voto ♦ *v.tr., intr.* **1** votare **2** (*to, for*) stanziare (una somma) (per) **3** *to – in*, eleggere.
voter [ˈ·ə*] *s.* elettore.
vouch [vaʊtʃ] *v.intr.*: *to – for*, garantire per.
voucher [ˈvaʊtʃə*] *s.* buono: *gift –*, buono acquisto.
vow [vaʊ] *s.* **1** solenne promessa **2** *pl.* (*eccl.*) voti ♦ *v.tr.* promettere solennemente.
vowel [ˈvaʊəl] *s.* vocale.
voy·age [ˈvɔɪɪdʒ] *s.* viaggio; traversata.
vul·can·ize [ˈvʌlkənaɪz] *v.tr.* vulcanizzare.
vul·gar [ˈvʌlgə*] *agg.* **1** volgare **2** di cattivo gusto; grossolano.
vul·ner·able [ˈvʌlnərəbl] *agg.* vulnerabile.
vul·ture [ˈvʌltʃə*] *s.* avvoltoio.

W

wad [wɒd] *s.* **1** batuffolo **2** rotolo (di banconote).
wad·ding [ˈwɒdɪŋ] *s.* ovatta.

waddle ['wɒdl] *v.intr.* camminare ondeggiando.
wade [weɪd] *v.intr.* avanzare faticosamente.
waffle ['wɒfl] *s.* (*fam.*) sproloquio.
wag [wæg] (*-gged*) *v.tr.*: *to – one's tail*, scodinzolare.
wage [weɪdʒ] *s.* (*spec. pl.*) paga; salario; stipendio ♦ *v.tr.* intraprendere.
waggle ['wægl] *v.tr.* dondolare.
wag(g)on ['wægən] *s.* carro.
wail [weɪl] *v.intr.* gemere ♦ *s.* gemito.
waist [weɪst] *s.* vita; cintura.
waist·coat ['weɪskəʊt] *s.* gilet.
waist·line ['weɪstlaɪn] *s.* vita, girovita.
wait [weɪt] *v.intr., tr.* **1** aspettare **2** ritardare **3** servire ♦ *s.* **1** attesa **2** agguato.
waiter ['weɪtə*] *s.* cameriere.
wait·ress ['weɪtrɪs] *s.* cameriera.
wake*[1] [weɪk] *v.tr., intr.* (*up*) svegliare; svegliarsi ♦ *s.* veglia.
wake[2] *s.* scia.
wake·ful ['weɪkfʊl] *agg.* sveglio.
waken ['weɪkən] *v.tr., intr.* svegliare; svegliarsi.
Wales [weɪlz] *no.pr.* Galles.
walk [wɔ:k] *v.intr.* **1** camminare; passeggiare; andare a piedi **2** *to – into*, trovarsi, finire in **3** *to – out*, andarsene; scioperare ♦ *v.tr.* **1** percorrere a piedi **2** andare a piedi a **3** far camminare; portare a spasso ♦ *s.* **1** passeggiata; camminata **2** passeggiata; sentiero **3** andatura, passo **4** ceto sociale.
walk·about ['wɔ:kəbaʊt] *s.* bagno di folla.
walk-on ['wɔ:kɒn] *s.* (*teatr., cinem., tv*) comparsa.
walk·out ['wɔ:kaʊt] *s.* **1** abbandono per protesta **2** sciopero.
walk·over ['wɔ:k,əʊvə*] *s.* passeggiata, vittoria facile.
wall [wɔ:l] *s.* muro; parete | *to go the –*, fallire ♦ *v.tr.* cintare.
wal·let ['wɒlɪt] *s.* portafogli.
wal·lop ['wɒləp] *s.* (*fam.*) legnata.
wal·low ['wɒləʊ] *v.intr.* rotolarsi nel fango.
wall·pa·per ['wɔ:l,peɪpə*] *s.* carta da parati; tappezzeria.
wal·nut ['wɒlnʌt] *s.* noce.
wal·rus ['wɔ:lrəs] *s.* tricheco.
waltz [wɔ:ls] *s.* valzer.
wand [wɒnd] *s.* bacchetta.
wan·der ['wɒndə*] *v.intr.* **1** vagare; vagabondare **2** divagare; perdere il filo.
wan·derer ['wɒndərə*] *s.* vagabondo.
wan·der·lust ['wɒndəlʌst] *s.* spirito vagabondo.
wane [weɪn] *v.intr.* calare (della luna); declinare ♦ *s.* declino.
wangle ['wæŋgl] *v.tr.* (*fam.*) procurarsi con l'inganno.
wanna ['wɒnə] (*fam.*) contr. di *want to*, *want a*.
want [wɒnt] *v.tr.* **1** volere **2** aver bisogno di; richiedere ♦ *v.intr.* (*for*) mancare (di) ♦ *s.* **1** bisogno, necessità **2** mancanza; carenza.
wanted ['wɒntɪd] *agg.* ricercato.
wan·ton ['wɒntən] *agg.* **1** arbitrario **2** sfrenato.
war [wɔ:*] *s.* guerra.
warble ['wɔ:bl] *v.intr.* trillare.
ward [wɔ:d] *s.* **1** (*dir.*) minore sotto tutela **2** reparto; corsia (di ospedale) **3** rione ♦ *v.tr.*: *to – off*, parare; schivare.
war·den ['wɔ:dn] *s.* guardiano; custode.
warder ['·ə*] *s.* guardia carceraria.
ward·robe ['wɔ:drəʊb] *s.* guardaroba.

ware [weə*] *s.* articoli.
ware·house ['weəhaʊs] *s.* magazzino.
war·fare ['wɔ:feə*] *s.* (stato di) guerra.
warm [wɔ:m] *agg.* caldo ♦ *v.tr., intr.* 1 scaldare, scaldarsi 2 *to – up*, riscaldare, riscaldarsi.
war·mon·ger ['wɔ:,mʌŋgə*] *s.* guerrafondaio.
warmth [wɔ:mθ] *s.* calore.
warn [wɔ:n] *v.tr.* 1 avvertire, mettere in guardia 2 *to – off*, invitare a tenersi lontano.
warn·ing ['·ɪŋ] *s.* 1 avvertimento 2 avviso; preavviso.
warp [wɔ:p] *v.tr., intr.* 1 deformare, deformarsi 2 corrompere, corrompersi.
war·rant ['wɒrənt] *s.* (*dir.*) mandato, ordine ♦ *v.tr.* 1 garantire 2 autorizzare.
war·ranty ['wɒrəntɪ] *s.* (*comm.*) garanzia.
war·rior ['wɒrɪə*] *s.* guerriero.
wary ['weərɪ] *agg.* cauto, circospetto.
wash [wɒʃ] *v.tr.* 1 lavare 2 bagnare; lambire ♦ *v. intr.* 1 lavarsi 2 reggere, essere credibile 3 *to – away*, trascinare via 4 *to – up*, lavare i piatti, rigovernare ♦ *s.* 1 lavaggio; lavata 2 bucato 3 velo; mano (di colore).
wash·able ['wɒʃəbl] *agg.* lavabile.
wash·basin ['wɒʃ,beɪsn] *s.* lavandino.
washed-out [,·t'·] *agg.* 1 sbiadito, slavato 2 sfinito, distrutto.
washer ['·ə*] *s.* guarnizione.
wash·ing ['·ɪŋ] *s.* bucato | *– machine*, lavatrice.
wash·out ['wɒʃaʊt] *s.* (*fam.*) fiasco, fallimento.
wash·room ['wɒʃrʊm] *s.* bagno, toilette.
wasp [wɒsp] *s.* vespa.
wast·age ['weɪstɪdʒ] *s.* 1 spreco 2 calo, riduzione.
waste [weɪst] *v.tr.* sprecare ♦ *v.intr.*: *to – away*, deperire ♦ *agg.* 1 deserto, desolato; incolto, abbandonato (di terreno): *to lay –*, devastare, saccheggiare 2 inutile, di scarto: *– materials*, materiali di scarto, scorie ♦ *s.* 1 spreco, sperpero 2 scarto; rifiuti; scorie 3 *pl.* deserto.
waste·ful ['weɪstfʊl] *agg.* 1 sprecone 2 dispendioso.
wastepaper basket [,weɪst'peɪpə,bɑ:skɪt] *s.* cestino per la carta straccia.
watch [wɒtʃ] *v.tr.* 1 guardare, osservare 2 fare attenzione a, badare a ♦ *v.intr.* 1 stare a guardare 2 (*out*) stare in guardia ♦ *s.* 1 orologio 2 guardia, vigilanza | *on the –*, all'erta, in guardia 3 (*mar.*) turno di guardia.
watch·dog ['wɒtʃdɒg] *s.* cane da guardia.
watch·ful ['wɒtʃfʊl] *agg.* vigile.
watch·man ['wɒtʃmən] (*-men*) *s.* guardiano.
watch·strap ['wɒtʃ,stræp] *s.* cinturino di orologio.
wa·ter ['wɔ:tə*] *s.* acqua | *soda –*, seltz | *in hot –*, (*fam.*) nei guai ♦ *v.tr.* 1 annaffiare 2 annacquare 3 *to – down*, diluire ♦ *v.intr.* 1 lacrimare 2 salivare: *to make s.o.'s mouth –*, far venire l'acquolina in bocca a qlcu.
water biscuit ['wɔ:tə,bɪskɪt] *s.* cracker, galletta.
water bottle ['··,·] *s.* borraccia.
water closet ['··,··] *s.* gabinetto.
wa·ter·col·our ['wɔ:tə,kʌlə*] *s.* acquerello.
wa·ter·fall ['wɔ:təfɔ:l] *s.* cascata.
wa·ter·front ['wɔ:təfrʌnt] *s.* banchina.

water ice [ˈ··,·] *s.* ghiacciolo.
watering can [ˈwɔ:tərɪŋkæn] *s.* annaffiatoio.
wa·ter·lily [ˈwɔ:tə,lɪlɪ] *s.* ninfea.
wa·ter·melon [ˈwɔ:tə,melən] *s.* anguria, cocomero.
wa·ter·proof [ˈwɔ:təpru:f] *agg.*, *s.* impermeabile.
water-repellent [ˈ·· ·,··] *agg.* idrorepellente.
water skiing [ˈ··,··] *s.* sci nautico.
wa·ter·tight [ˈwɔ:tətaɪt] *agg.* **1** stagno, a tenuta d'acqua **2** inconfutabile.
water-wings [ˈ·· ·z] *s.pl.* bracciali (per imparare a nuotare).
wa·ter·works [ˈwɔ:təwɜ:ks] *s.* impianto idrico.
wa·tery [ˈwɔ:tərɪ] *agg.* **1** lacrimoso **2** sbiadito, slavato.
wave [weɪv] *v.intr.* **1** ondeggiare; fluttuare **2** far segno, cenno (con la mano) ♦ *v.tr.* **1** agitare **2** esprimere (a cenni) ♦ *s.* **1** onda; ondata **2** cenno, gesto (con la mano).
waver [ˈweɪvə*] *v.intr.* **1** ondeggiare **2** esitare.
wax [wæks] *s.* cera; ceretta.
wax·work [ˈwækswɜ:k] *s.* statuetta, figura di cera.
way [weɪ] *s.* **1** via, strada, cammino | – *in*, entrata; – *out*, uscita | *on the* –, strada facendo; per strada | *out of the* –, fuori mano; *to get out of the* –, togliersi di mezzo; *to be in the* –, essere tra i piedi | *to give* –, dare la precedenza (in auto) | *to make* –, far posto **2** parte, direzione | *this* –, per di qua **3** via, modo | *in a* –, in un certo senso | *all the* –, (*fam.*) completamente | *by the* –, a proposito | *by – of introduction*, a titolo di introduzione.
way·lay [weɪˈleɪ] (come *lay*) *v.tr.* aspettare al varco.
way-out [,·ˈ·] *agg.* (*fam.*) eccentrico.
way·side [ˈweɪsaɪd] *s.* margine della strada.
we [wi:] *pron.* **1** noi **2** (*con valore indef.*) si.
weak [wi:k] *agg.* **1** debole, fragile **2** leggero; diluito.
weaken [ˈwi:kən] *v.tr.*, *intr.* indebolire, indebolirsi.
weak-kneed [,wi:kˈni:d] *agg.* (*fam.*) titubante.
wealth [welθ] *s.* ricchezza; abbondanza.
wealthy [ˈwelθɪ] *agg.* ricco.
wean [wi:n] *v.tr.* svezzare.
weapon [ˈwepən] *s.* arma.
wear* [weə*] *v.tr.* **1** portare; indossare **2** avere, mostrare **3** logorare **4** (*fam.*) tollerare ♦ *v.intr.* **1** logorarsi **2** durare, resistere ♦ *Verbi frasali*: *to – off*, svanire | *to – on*, passare lentamente | *to – out*, logorare, logorarsi; stancare, stancarsi ♦ *s.* **1** il portare (abiti ecc.); uso **2** logorio, usura | – *and tear*, deterioramento, usura **3** durata **4** abbigliamento.
wear·able [ˈweərəbl] *agg.* portabile.
weary [ˈwɪərɪ] *agg.* **1** stanco **2** fastidioso.
weather [ˈweðə*] *s.* tempo (atmosferico) | – *forecast*, previsioni del tempo; – *report*, bollettino meteorologico ♦ *v.tr.* **1** (*anche intr.*) scolorire; corrodere **2** superare.
weath·er·cock [ˈweðə,kɒk] *s.* banderuola.
weath·er·proof [ˈweðəpru:f] *agg.* che resiste alle intemperie.
weave* [wi:v] *v.tr.* tessere (*anche fig.*) ♦ *v.intr.* muoversi a zig zag.

web [web] *s.* ragnatela.
webbed [webd] *agg.* palmato.
wed·ding ['wedɪŋ] *s.* matrimonio: – *ring*, fede, vera.
wedge [wedʒ] *s.* cuneo; zeppa ♦ *v.tr.* incastrare; incuneare.
Wed·nes·day ['wenzdɪ] *s.* mercoledì.
wee [wi:] *agg.* (*fam.*) minuscolo.
weed [wi:d] *s.* **1** erbaccia **2** (*fam.*) pappamolla.
weed-killer ['·,··] *s.* diserbante.
week [wi:k] *s.* settimana.
week·day ['wi:kdeɪ] *s.* giorno feriale.
week·end [,wi:k'end *amer.* 'wi:kend] *s.* weekend, fine settimana.
weekly ['wi:klɪ] *agg.*, *s.* settimanale ♦ *avv.* settimanalmente.
weep* [wi:p] *v.intr.* piangere; lacrimare.
weigh [weɪ] *v.tr.*, *intr.* pesare.
weight [weɪt] *s.* peso.
weight lifting ['·,lɪftɪŋ] *s.* (*sport*) sollevamento pesi.
wel·come ['welkəm] *agg.* gradito, bene accetto | *you're* –, prego, non c'è di che ♦ *s.* benvenuto; accoglienza ♦ *v.tr.* dare il benvenuto a.
weld [weld] *v.tr.* saldare ♦ *s.* saldatura.
wel·fare ['welfeə*] *s.* **1** prosperità, benessere **2** assistenza (sociale): – *state*, stato assistenziale.
well[1] [wel] *s.* **1** pozzo **2** tromba delle scale; vano dell'ascensore.
well[2] *avv.* **1** bene **2** *as* –, pure, anche | *as – as*, come pure; oltre che; tanto quanto ♦ *agg.* **1** in buona salute **2** bello; buono; giusto ♦ *inter.* be'; ebbene; allora.
well·being ['wel,bi:ɪŋ] *s.* benessere.
well-done [,·'·] *agg.* ben cotto.
well-heeled [,·'·d] *agg.* (*fam.*) ricco.
wellingtons ['welɪŋtənz] *s.pl.* stivali di gomma.
well-known [,·'·] *agg.* noto.
well-meaning [,·'··] *agg.* ben intenzionato.
well-meant [,·'·] *agg.* a fin di bene.
well-off [,·'·] *agg.* benestante.
well-spoken [,·'··] *agg.* che parla bene.
well-to-do [,··'·] *agg.* agiato.
well-worn [,·'·] *agg.* logoro.
Welsh [welʃ] *agg.*, *s.* gallese | *the Welsh*, i gallesi.
Welsh·man ['welʃmən] (*-men*) *s.* gallese.
went [went] *pass.* di to *go*.
wept [wept] *pass.*, *p.p.* di to *weep*.
west [west] *agg.* occidentale ♦ *s.* ovest, occidente ♦ *avv.* a ovest; verso ovest.
west·erly ['westəlɪ] *agg.* dell'ovest, di ponente; dall'ovest, da ponente.
west·ern ['westən] *agg.* occidentale ♦ *s.* (film) western.
west·erner ['westənə*] *s.* occidentale.
west·ward(s) ['westwəd(z)] *avv.* verso ovest, verso occidente.
wet* [wet] *agg.* **1** umido; bagnato | – *paint*, vernice fresca **2** (*fam.*) smidollato ♦ *s.* **1** umidità; pioggia **2** (*fam.*) smidollato ♦ *v.tr.* bagnare; inumidire.
wet blanket [,·'··] *s.* (*fam.*) guastafeste.
wet nurse ['··] *s.* balia.
wet suit ['··] *s.* muta (subacquea).
whack [wæk] *v.tr.* (*fam.*) picchiare ♦ *s.* (*fam.*) **1** colpo, percossa **2** parte.
whacked [,wækt] *agg.* (*fam.*) stanco morto.
whack·ing ['wækɪŋ] *agg.* (*fam.*) enorme.
whale [weɪl] *s.* balena | *a – of*, (*fam.*) un sacco di.
wharf [wɔ:f] (*-ves* [-vz]) *s.* molo.

what [wɒt] *pron.* 1 che?, che cosa? | – *about?*, che ne diresti di? | – *if...?*, cosa succederebbe se...? | – *for?*, a che scopo? 2 ciò che, la cosa che ♦ *agg.* 1 quale?, che? 2 quello che 3 (*escl.*) che! ♦ *inter.* come!, ma come!

what·ever [wɒt'evə*] *agg.*, *pron.* qualunque (cosa), qualsiasi (cosa).

what·not ['wɒtnɒt] *s.* (*fam.*) roba del genere.

wheat [wi:t] *s.* grano, frumento.

wheat·meal ['wi:tmi:l] *s.* farina di frumento.

wheedle ['wi:dl] *v.tr.* ottenere con moine.

wheel [wi:l] *s.* 1 ruota; rotella 2 volante; ruota del timone ♦ *v.tr.* spingere (un veicolo a ruote); trasportare (su un veicolo a ruote) ♦ *v.intr.* 1 voltarsi di scatto 2 ruotare; roteare | *to – and deal*, (*spreg.*) intrallazzare.

wheel·bar·row ['wi:l,bærəʊ] *s.* carriola.

wheel clamp ['· ·] *s.* ceppo (per auto).

wheeze [wi:z] *v.intr.* ansare, ansimare ♦ *s.* respiro affannoso.

when [wen] *avv.* 1 quando? 2 in cui ♦ *cong.* 1 quando 2 sebbene 3 qualora.

when·ever [wen'evə*] *cong.* 1 ogni volta che 2 quando, in qualsiasi momento.

where [weə*] *avv.*, *pron.*, *cong.* dove.

where·abouts ['weərəbauts] *s.* posizione; ubicazione.

whereas [weər'æz] *cong.* 1 poiché 2 mentre.

wher·ever [weər'evə*] *avv.* dove ♦ *cong.* dovunque, in qualsiasi luogo.

whet [wet] (*-tted*) *v. tr.* 1 affilare 2 stimolare; eccitare.

whether ['weðə*] *cong.* 1 se 2 – ... *or*, o...o; sia...sia.

which [wɪtʃ] *agg.* 1 quale? 2 il quale ♦ *pron.* 1 chi?; quale? 2 che; il quale; il che.

which·ever [wɪtʃ'evə*] *agg.* qualunque, qualsiasi ♦ *pron.* chiunque; qualunque cosa.

whiff [wɪf] *s.* soffio; sbuffo.

while [waɪl] *cong.* 1 mentre 2 sebbene; anche ♦ *s.* momento, tempo.

whim [wɪm] *s.* capriccio.

whim·sical ['wɪmzɪkl] *agg.* stravagante; capriccioso.

whine [waɪn] *v.intr.* piagnucolare.

whinny ['wɪnɪ] *v.intr.* nitrire.

whip [wɪp] (*-pped* [-pt]) *v.tr.* 1 frustare 2 (*cuc.*) montare 3 (*fam.*) rubare, portar via ♦ *s.* 1 frusta 2 (*pol.*) capogruppo parlamentare 3 (*cuc.*) mousse.

whip-round ['·,·] *s.* (*fam.*) colletta.

whirl [wɜ:l] *v.intr.* 1 (*anche tr.*) girare rapidamente; roteare; volteggiare 2 (*di pensieri*) turbinare ♦ *s.* 1 rotazione rapida 2 turbine; vortice; mulinello 3 attività frenetica; turbinio.

whirl·pool ['wɜ:lpu:l] *s.* vortice.

whirl·wind ['wɜ:lwɪnd] *s.* turbine, vortice.

whirr [wɜ:*] *s.* ronzio.

whisk [wɪsk] *v.tr.* 1 (*cuc.*) battere; frullare 2 agitare; spostare rapidamente. ♦ *s.* 1 (*cuc.*) frusta; frullino 2 movimento rapido.

whis·kers ['wɪskəz] *s.pl.* 1 basette 2 baffi (di animale).

whis·key ['wɪskɪ] *s.* whisky (americano o irlandese).

whisky *s.* whisky (spec. scozzese).

whis·per ['wɪspə*] *v.intr.* 1 (*anche tr.*) bisbigliare, sussurrare 2 stormire ♦

s. **1** bisbiglio, sussurro **2** lo stormire **3** diceria.
whistle [wɪsl] *v.tr., intr.* fischiare ♦ *s.* **1** fischio, sibilo **2** fischietto, zufolo.
white [waɪt] *agg.* bianco; pallido ♦ *s.* **1** bianco **2** albume.
white·wash [ˈwaɪtwɒʃ] *s.* calce ♦ *v.tr.* **1** imbiancare a calce **2** (*fig.*) nascondere.
whiz(z) [wɪz] *s.* **1** ronzio **2** (*fam.*) mago.
who [hu:] *pron.* **1** chi? | *'Who's Who'*, 'Chi è' (annuario delle personalità) **2** che; il quale.
who·dun(n)it [hu:ˈdʌnɪt] *s.* (*fam.*) (romanzo, film) giallo.
who·ever [hu:ˈevə*] *pron.* chiunque.
whole [həʊl] *agg.* **1** tutto; intero **2** intatto; incolume ♦ *s.* il tutto, l'intero | *as a –*, nell'insieme | *on the –*, tutto considerato.
whole·meal [ˈhəʊlmi:l] *agg.* integrale.
whole·sale [ˈhəʊlseɪl] *s.* vendita all'ingrosso ♦ *agg., avv.* all'ingrosso.
whole·saler [ˈhəʊlseɪlə*] *s.* grossista.
whole·some [ˈhəʊlsəm] *agg.* salubre; sano.
whom [hu:m] *pron.* **1** chi? **2** che, il quale.
whooping cough [ˈhu:pɪŋ,·] *s.* pertosse, (*fam.*) tosse asinina.
whore [hɔ:*] *s.* puttana.
whose [hu:z] *agg., pron.* **1** di chi? **2** di cui; del quale; il cui.
why [waɪ] *avv.* perché? ♦ *s.* il perché, la causa ♦ *inter.* (*fam.*) ma come!; perbacco!
wicked [ˈwɪkɪd] *agg.* **1** cattivo, malvagio **2** birichino.
wicker [ˈwɪkə*] *s.* vimine.
wide [waɪd] *agg.* **1** largo; ampio **2** spalancato **3** lontano ♦ *avv.* **1** largamente | *far and –*, in lungo e in largo **2** del tutto.
wide-angle [,ˈ·] *agg.* (*fot.*) grandangolare: *– lens*, grandangolo.
widen [ˈwaɪdn] *v.tr., intr.* allargare, allargarsi.
wide·spread [ˈwaɪdspred] *agg.* esteso, diffuso.
widow [ˈwɪdəʊ] *s.* vedova.
wid·ower [ˈwɪdəʊə*] *s.* vedovo.
width [wɪdθ] *s.* **1** larghezza; ampiezza **2** altezza (di stoffa).
wife [waɪf] (*-ves*) *s.* moglie.
wig [wɪg] *s.* parrucca.
wild [waɪld] *agg.* **1** selvaggio; selvatico **2** sfrenato; sregolato **3** furibondo; pazzo **4** avventato ♦ *s.* regione selvaggia ♦ *avv.* impulsivamente; selvaggiamente.
wild boar [,ˈ·] *s.* cinghiale.
wild·cat [ˈwaɪldkæt] *agg.* (di sciopero) selvaggio.
wil·der·ness [ˈwɪldənɪs] *s.* landa.
wild·fire [ˈwaɪld,faɪə*] *s.*: *to spread like –*, diffondersi in un baleno.
wild-goose chase [,ˈ·,·] *s.* (*fam.*) impresa inutile.
wild·life [ˈwaɪldlaɪf] *s.* natura.
wil·ful [ˈwɪlfʊl] *agg.* (*dir.*) volontario, intenzionale.
will[1] [wɪl (*ff*) wəl (*fd*)] *modal verb*: *he – be home at 5*, sarà a casa alle 5; *what – you have?*, desidera?
will[2] *s.* **1** volontà, volere; desiderio | *free –*, libero arbitrio **2** (*dir.*) testamento ♦ *v.tr.* **1** costringere **2** lasciare per testamento.
wil·lies [ˈwɪli:z] *s.pl.* (*fam.*) nervosismo.
will·ing [ˈ·ɪŋ] *agg.* pieno di buona volontà.

wil·lingly ['··lı] *avv.* volentieri.
wil·low ['wıləʊ] *s.* salice.
will·power ['wılpaʊə*] *s.* forza di volontà.
willy-nilly [,wılı'nılı] *avv.* (*fam.*) volente o nolente.
win* [wın] *v.intr.* vincere ♦ *v.tr.* **1** vincere **2** conquistare; guadagnare **3** *to – over*, convincere ♦ *s.* vittoria.
winch ['wıntʃ] *s.* argano.
wind[1] [wınd] *s.* **1** vento | *second –*, ritrovato vigore **2** respiro, fiato | *– instruments*, strumenti a fiato **3** sentore; odore portato dal vento **4** peto **5** (*fam.*) chiacchiere ♦ *v.tr.* fiutare.
wind*[2] [waınd] *v.tr.* **1** avvolgere **2** caricare (molla, orologio); far girare **3** *to – up*, caricare (orologio); chiudere, concludere; (*fam.*) eccitare; prendere in giro ♦ *v.intr.* serpeggiare.
wind·bag ['wın*d*bæg] *s.* chiacchierone.
wind·cheater ['wın*d*,tʃi:tə*] *s.* giacca a vento.
wind·fall ['wındfɔ:l] *s.* (*fig.*) fortuna inattesa.
win·dow ['wındəʊ] *s.* **1** finestra; finestrino **2** vetrina | *– dresser*, vetrinista **3** sportello.
win·dow·pane ['wındəʊpeın] *s.* vetro (di finestra).
window shopping ['··,··] *s.*: *to go –*, passeggiare guardando le vetrine.
win·dow·sill ['wındəʊsıl] *s.* davanzale.
wind·pipe ['wın*d*paıp] *s.* trachea.
wind·screen ['wın*d*skri:n] amer.
wind·shield ['wın*d*,ʃi:ld] *s.* parabrezza: *– wiper*, tergicristallo.
windy ['wındı] *agg.* ventoso.
wine [waın] *s.* vino.
wing [wıŋ] *s.* **1** ala **2** *pl.* (*teatr.*) quinte.
wink [wıŋk] *v.intr.* **1** strizzare l'occhio, ammiccare **2** brillare, scintillare ♦ *s.* **1** ammiccamento, strizzatina d'occhi **2** istante.
win·ning ['·ıŋ] *agg.* **1** vincente **2** accattivante ♦ *s.pl.* vincite.
win·ter ['wıntə*] *s.* inverno ♦ *v.intr.* svernare.
win·ter·time ['wıntətaım] *s.* stagione invernale.
wintry ['wıntrı] *agg.* invernale; freddo.
wipe [waıp] *v.tr.* **1** asciugare; pulire **2** cancellare (un nastro) **3** *to – out*, distruggere; eliminare ♦ *s.* passata; asciugata.
wire ['waıə*] *s.* **1** filo | *barbed –*, filo spinato **2** telegramma ♦ *v.tr.* **1** installare fili elettrici in **2** telegrafare.
wir·ing ['waıərıŋ] *s.* impianto elettrico.
wiry ['waıərı] *agg.* ruvido; ispido.
wis·dom ['wızdəm] *s.* saggezza; giudizio; buon senso.
wise [waız] *agg.* saggio, assennato.
wish [wıʃ] *v.tr.* **1** volere, desiderare | *I – I knew*, vorrei sapere **2** augurare ♦ *s.* **1** desiderio **2** augurio.
wish·bone ['wıʃbəʊn] *s.* forcella (di pollo ecc.).
wishful thinking [,wıʃfʊl'··] *s.* illusione, pio desiderio.
wishy-washy ['wıʃı,wɒʃı] *agg.* insipido; lungo.
wisp [wısp] *s.* **1** ciuffo; ciocca di capelli **2** filo (di fumo).
wis·teria [wı'stıərıə] *s.* glicine.
wist·ful ['wıstfʊl] *agg.* malinconico.
wit [wıt] *s.* **1** spirito, arguzia **2** persona arguta, spiritosa **3** *pl.* facoltà mentali | *to be at one's wits end*, non sapere più cosa fare | *to live by one's wits*, vivere di espedienti.

witch [wɪtʃ] *s.* strega.
with [wɪð] *prep.* **1** con | – *it*, secondo l'ultimissima moda **2** per; di.
with·draw [wɪð'drɔ:] (come *draw*) *v.tr.* **1** (*anche intr.*) ritirare **2** prelevare.
with·drawal [wɪð'drɔ:əl] *s.* **1** ritiro **2** prelievo **3** – *symptoms*, crisi di astinenza.
wither ['wɪðə*] *v.intr.*, *tr.* (far) appassire.
wither·ing ['wɪðərɪŋ] *agg.* sprezzante.
with·hold [wɪð'həʊld] (come *hold*) *v.tr.* ritirare; rifiutare.
within [wɪ'ðɪn] *prep.* **1** dentro, in **2** entro, non oltre ♦ *avv.* all'interno.
with·out [wɪ'ðaʊt] *prep.* senza.
with·stand [wɪθ'stænd] (come *stand*) *v.tr.* resistere.
wit·ness ['wɪtnɪs] *s.* **1** testimone, teste: *crown* –, (*brit.*) testimone d'accusa **2** testimonianza; prova ♦ *v.intr.*, *tr.* testimoniare.
wit·ti·cism ['wɪtɪsɪzəm] *s.* arguzia, motto di spirito.
witty ['wɪtɪ] *agg.* spiritoso; brillante; arguto.
wives [waɪvz] *pl.* di *wife*.
wiz·ard ['wɪzəd] *s.* mago.
wiz·ened ['wɪznd] *agg.* avvizzito.
wobble ['wɒbl] *v.tr.*, *intr.* (far) barcollare, vacillare.
woe [wəʊ] *s.* dolore, pena.
woe·ful ['wəʊfʊl] *agg.* doloroso.
woke [wəʊk] *pass.*, *p.p.* di to *wake*.
woken [wəʊən] *p.p.* di to *wake*.
wolf [wʊlf] (*-ves* [-vz]) *s.* lupo | – *whistle*, fischio di ammirazione ♦ *v.tr.* divorare.
wo·man ['wʊmən] (*women* ['wɪmɪn]) *s.* donna.
wo·man·ize ['wʊmənaɪz] *v.intr.* (*fam.*) essere un donnaiolo.
wo·man·ly ['wʊmənlɪ] *agg.* femminile.
womb [wu:m] *s.* utero.
women ['wɪmɪn] *pl.* di *woman*.
won [wʌn] *pass.*, *p.p.* di to *win*.
won·der ['wʌndə*] *s.* meraviglia ♦ *v.intr.*, *tr.* **1** chiedersi, domandarsi **2** meravigliarsi (di), stupirsi (di).
won·der·ful ['wʌndəfʊl] *agg.* meraviglioso.
won·der·land ['wʌndəlænd] *s.* paese delle meraviglie.
wonky ['wɒŋkɪ] *agg.* (*fam.*) traballante; malfermo.
woo [wu:] *v.tr.* corteggiare.
wood [wʊd] *s.* **1** bosco **2** legno; legna.
wood·cock ['wʊdkɒk] *s.* beccaccia.
wooded ['wʊdɪd] *agg.* boscoso.
wooden ['wʊdn] *agg.* di legno; legnoso.
wood·pecker ['wʊd,pekə*] *s.* picchio.
wood·worm ['wʊdwɜ:m] *s.* tarlo.
wool [wʊl] *s.* lana.
wool·gath·er·ing ['wʊl,gæðərɪŋ] *s.* (*fam.*) fantasticheria.
wool·len ['wʊlən] *agg.* di lana ♦ *s.pl.* indumenti di lana.
woolly ['wʊlɪ] *agg.* **1** di lana, lanoso **2** (*fig.*) confuso ♦ *s.* (*fam.*) indumento di lana.
word [wɜ:d] *s.* **1** parola | *a man of his* –, un uomo di parola **2** comando; parola d'ordine **3** notizia, informazione ♦ *v.tr.* esprimere.
word-perfect [,·'··] *agg.* che sa a memoria (un testo, una parte).
word processing ['·,··ɪŋ] *s.* videoscrittura, trattamento testi.
wordy ['wɜ:dɪ] *agg.* prolisso.
wore [wɔ:*] *pass.* di to *wear*.

work [wɜ:k] *s.* 1 lavoro 2 opera ♦ *v.intr.* 1 lavorare | *to – to rule*, fare lo sciopero bianco 2 funzionare, avere effetto 3 divenire a poco a poco ♦ *v.tr.* 1 far lavorare 2 far funzionare; azionare 3 lavorare 4 ottenere; guadagnare | *to – one's way up*, fare la gavetta 5 far divenire (a poco a poco) 6 fare, operare 7 *to – in*, inserire 8 *to – off*, sfogare 9 *to – out*, completare; risolvere; calcolare; progettare.
work·able ['wɜ:kəbl] *agg.* fattibile.
work·aholic [,wɜ:kə'hɒlɪk] *s.* maniaco del lavoro.
work·book ['wɜ:kbʊk] *s.* eserciziario.
worker ['wɜ:kə*] *s.* lavoratore.
working class ['·ɪŋ,·] *s.* classe operaia.
work·man ['wɜ:kmən] (*-men*) *s.* operaio.
work·out ['wɜ:kaʊt] *s.* (*fam.*) allenamento.
work·people ['wɜ:kpi:pl] *s.pl.* lavoratori.
works ['wɜ:ks] *s.* 1 *pl.* lavori | *give me the –*, (*fam.*) dimmi tutto 2 *sing.* fabbrica; officina.
work·shop ['wɜ:kʃɒp] *s.* 1 officina; laboratorio 2 seminario; gruppo di lavoro.
work·top ['wɜ:ktɒp] *s.* piano di lavoro (in una cucina).
work-to-rule [,· ·'·] *s.* sciopero bianco.
world [wɜ:ld] *s.* mondo | *a – of difference*, un'enorme differenza ♦ *agg.* mondiale.
worldly ['wɜ:ldlɪ] *agg.* 1 di questo mondo, terreno 2 di mondo.
world·wide [,wɜ:ld'waɪd] *agg.*, *avv.* (su scala) mondiale.
worm [wɜ:m] *s.* verme ♦ *v.tr.* insinuarsi.
worm-eaten ['·,·] *agg.* tarlato.
worn [wɔ:n] *p.p.* di to *wear*.
worn-out [,·'·] *agg.* 1 logoro 2 esausto.
worry ['wʌrɪ] *v.tr.* 1 infastidire; seccare 2 preoccupare ♦ *v.intr.* preoccuparsi; stare in ansia ♦ *s.* 1 ansia; inquietudine 2 *pl.* preoccupazioni; fastidi.
worse [wɜ:s] *agg.* peggiore | *to be, to feel –*, sentirsi peggio ♦ *s.* (il) peggio ♦ *avv.* peggio.
worsen ['wɜ:sn] *v.tr.*, *intr.* peggiorare.
wor·ship ['wɜ:ʃɪp] (*-pped* [-pt]) *v.tr.* adorare.
worst [wɜ:st] *agg.* (il) peggiore ♦ *s.* (il) peggio: *at (the) –*, alla peggio ♦ *avv.* peggio, nel modo peggiore.
worst-ever ['wɜ:st'evə*] *agg.* peggiore (in assoluto).
worth [wɜ:θ] *agg.* 1 che vale, del valore di 2 degno, meritevole | *it is not – it*, non ne vale la pena ♦ *s.* valore.
worth·while [,wɜ:θ'waɪl] *agg.* utile, proficuo; che vale la pena.
worthy ['wɜ:ðɪ] *agg.* meritevole, degno; rispettabile ♦ *s.* (*fam.*) celebrità.
would [wʊd (*ff*) wəd (*fd*)] *modal verb* 1 (*aus. del condiz.*): *she – do it*, lo farebbe 2 volere (*al pass.* e *cong.*): *he – continue*, volle continuare; *I could leave if I –*, potrei partire se volessi 3 solere (*all'imperf.indic.*): *he – go there every day*, ci andava tutti i giorni.
would-be ['wʊdbi:] *agg.* aspirante; sedicente.
wound[1] [wu:nd] *s.* ferita ♦ *v.tr.* ferire.
wound[2] [waʊnd] *pass.*, *p.p.* di to *wind*[2].
wound-up [,·'·] *agg.* agitato; teso.
wove [wəʊv] *pass.* di to *weave*.
woven ['wəʊn] *p.p.* di to *weave*.
wrangle ['ræŋgl] *s.* battibecco.
wrap [ræp] (*-pped* [-pt]) *v.tr.* avvolgere | *to – up*, incartare; (*fam.*) concludere ♦ *s.* scialle; mantello.

wrap·per [ˈ·ə*] *s.* incarto; copertina.
wrap·ping [ˈ·ɪŋ] *s.* imballaggio.
wreath [ri:θ] *s.* ghirlanda.
wreck [rek] *s.* 1 naufragio 2 relitto; rottame ♦ *v.tr.* far naufragare: *to be wrecked*, fare naufragio.
wreck·age [ˈrekɪdʒ] *s.* relitti.
wrecker [ˈ·ə*] *s.* (*amer.*) carro attrezzi.
wrench [rentʃ] *v.tr.* 1 strappare; tirare con forza 2 slogare ♦ 1 strappo; torsione 2 (*monkey*) –, chiave inglese.
wrestle [resl] *v.intr.* lottare.
wrest·ling [ˈ·ɪŋ] *s.* lotta libera.
wretch [retʃ] *s.* miserabile.
wretched [ˈretʃɪd] *agg.* miserabile | – *weather*, tempo pessimo.
wriggle [ˈrɪgl] *v.intr.* contorcersi.
wring* [rɪŋ] *v.tr.* 1 torcere; strizzare 2 estorcere.
wrinkle [ˈrɪŋkl] *s.* ruga; grinza ♦ *v.tr.*, *intr.* raggrinzire, raggrinzirsi.
wrist [rɪst] *s.* polso.
writ [rɪt] *s.* (*dir.*) mandato; ordine.
write* [raɪt] *v.tr.*, *intr.* scrivere | *to – a cheque*, compilare un assegno | *to – off*, annullare, cancellare | *to – out*, stendere, compilare.
write-off [ˈ· ·] *s.* 1 rottame 2 (*comm.*) cancellazione.
writer [ˈ·ə*] *s.* scrittore.
write-up [ˈraɪtʌp] *s.* (*fam.*) recensione.
writhe [raɪð] *v.intr.* contorcersi.
writ·ing [ˈraɪtɪŋ] *s.* 1 lo scrivere: – *desk*, scrivania 2 calligrafia 3 (documento) scritto: *in* –, per iscritto.
writ·ten [ˈrɪtn] *p.p.* di to *write*.
wrong [rɒŋ] *agg.* 1 sbagliato | *to be* –, avere torto 2 immorale 3 difettoso; in cattive condizioni ♦ *s.* 1 ingiustizia; torto 2 male ♦ *avv.* 1 ingiustamente 2 erroneamente; male: *to go* –, sbagliare; andare male ♦ *v.tr.* far torto a; giudicare male.
wrong·doer [ˈrɒŋ,du:ə* *amer.* ,rɔ:ŋˈdu:ə*] *s.* malfattore.
wrong·ful [ˈrɒŋfʊl] *agg.* 1 ingiusto 2 illegale; illecito.
wrong·ly [ˈ·lɪ] *avv.* 1 a torto; ingiustamente 2 male, erroneamente.
wrote [rəʊt] *pass.* di to *write*.
wrought [rɔ:t] *agg.* lavorato: – *iron*, ferro battuto.
wrung [rʌŋ] *pass.*, *p.p.* di to *wring*.
wry [wraɪ] *agg.* 1 beffardo 2 storto: *to make a – face*, fare una smorfia (di disgusto ecc.).

X

xeno·phobe [ˈzenəfəʊb] *s.* xenofobo.
xe·no·pho·bic [,zenəˈfəʊbɪk] *agg.* xenofobico, xenofobo.
Xmas [ˈkrɪsməs] *s.* (*fam.*) Natale.
X-ray [ˈeksreɪ] *agg.* a, di raggi X ♦ *s.* radiografia ♦ *v.tr.* radiografare.
xy·lo·phone [ˈzaɪləfəʊn] *s.* (*mus.*) xilofono.

Y

yacht [jɒt] *s.* yacht, panfilo.
yacht·ing [ˈ·ɪŋ] *s.* navigazione da diporto.
yahoo [jəˈhu:] *s.* bruto; zoticone.
yam [jæm] *s.* batata, patata americana.
yank [jæŋk] (*fam.*) *s.* strattone ♦ *v.tr.*, *intr.* dare uno strattone (a).

Yank[2], **Yan·kee** ['jæŋkɪ] *s.* **1** (*fam.*) yankee, americano (degli Stati Uniti) **2** (*amer.*) nordista.
yap [jæp] (*-pped* [-pt]) *v.intr.* **1** guaire **2** (*fam.*) parlare a vanvera ♦ *s.* **1** guaito **2** (*fam.*) cicaleccio insulso.
yard[1] [jɑ:d] *s.* iarda.
yard[2] *s.* **1** cortile; recinto **2** *Scotland Yard* (o *the Yard*), Scotland Yard.
yard·stick ['jɑ:dstɪk] *s.* misura; parametro.
yarn [jɑ:n] *s.* **1** filo **2** (*fam.*) frottola ♦ *v.intr.* (*fam.*) raccontare storie.
yawn [jɔ:n] *v.intr.* **1** sbadigliare **2** (*fig.*) spalancarsi ♦ *s.* sbadiglio.
yeah [jeə] *avv.*, *inter.* (*fam.*) sì.
year [jɜ:* *amer.* jiə*] *s.* **1** anno; annata **2** *pl.* anni, età | *in years*, avanti con gli anni.
year·book ['jɜ:bʊk *amer.* 'jɪəbʊk] *s.* annuario.
year·ly ['jɜ:lɪ] *agg.* annuale ♦ *avv.* annualmente.
yearn [jɜ:n] *v.intr.* struggersi dal desiderio.
yeast [ji:st] *s.* lievito; fermento.
yell [jel] *v.tr.*, *intr.* urlare, gridare ♦ *s.* urlo, grido.
yel·low ['jeləʊ] *agg.* **1** giallo **2** di razza gialla **3** (*fam.*) codardo **4** scandalistico ♦ *s.* **1** (colore) giallo **2** tuorlo ♦ *v.tr.*, *intr.* ingiallire.
yelp [jelp] *s.* guaito; gridolino ♦ *v.intr.* guaire; lanciar gridolini.
yen [jen] *s.* (*fam.*) forte desiderio.
yeo·manry ['jəʊmənri] *s.* (*st.*) **1** classe dei piccoli proprietari terrieri **2** guardia nazionale a cavallo.
yes [jes] *avv.* sì | *–, please!*, sì, grazie! ♦ *inter.* non solo; anzi ♦ *s.* **1** sì **2** voto favorevole.
yes-man ['·mæn] (*yes-men*) *s.* (*fam.*) tirapiedi.
yes·ter·day ['jestədɪ] *avv.*, *s.* ieri.
yet [jet] *avv.* **1** ancora **2** già; finora **3** eppure ♦ *cong.* ma, però, tuttavia.
yield [ji:ld] *v.tr.*, *intr.* **1** produrre; rendere **2** cedere; dare: *to – right of way*, dare la precedenza ♦ *s.* **1** prodotto; raccolto **2** produzione **3** reddito; rendimento.
yield·ing ['·ɪŋ] *agg.* **1** docile; remissivo **2** flessibile.
yob [jɒb] **yobbo** [jɒbəʊ] *s.* (*fam.*) giovinastro.
yoke [jəʊk] *s.* **1** giogo **2** (*pl. invar.*) coppia.
yokel ['jəʊkl] *s.* (*spreg.*) zoticone.
yolk [jəʊk] *s.* tuorlo.
yonks ['jɒŋks] *s.* (*fam.*) un'eternità.
you [ju:] *pron.* **1** *sogg.* tu; voi; Lei; Loro **2** *compl.* te; ti; voi; vi; Lei; Le; Loro: *– and I*, tu ed io | *– can never tell*, non si sa mai.
young [jʌŋ] *agg.* **1** giovane **2** giovanile ♦ *s.pl.* **1** *the –*, i giovani **2** prole (di animale).
young·ster ['jʌŋstə*] *s.* ragazzo, giovane.
your [jɔ:*] *agg.* **1** tuo, tuoi; vostro, vostri; Suo, Suoi; Loro **2** proprio.
yours [jɔ:z] *pron.* il tuo, i tuoi; il vostro, i vostri; il Suo, i Suoi; il, i Loro.
your·self [jɔ:'self] *pron.* **1** ti; te; si; Lei stesso | *all* (*by*) *–*, da solo **2** tu stesso; Lei stesso ♦ *s.* tu stesso; Lei stesso.
your·selves [jɔ:'selvz] *pron.* vi; voi stessi; si; Loro stessi ♦ *s.* voi stessi; Loro stessi.
youth [ju:θ] *s.* **1** gioventù **2** adolescente, giovane **3** i giovani.
yowl [jaʊl] *v.intr.* ululare.

Yu·go·slav [ˌjuːgəʊˈslɑːv] *agg.*, *s.* iugoslavo.
yukky [ˈjʌkɪ] *agg.* (*sl.*) schifoso.
yummy [ˈjʌmɪ] *agg.* (*fam.*) delizioso.

Z

zany [ˈzeɪnɪ] *agg.* (*fam.*) demenziale, assurdo.
zap [zæp] (*-pped* [-pt]) (*fam.*) *v.tr.* fare fuori ♦ *v.intr.* **1** sfrecciare **2** (*tv*) saltare da un canale all'altro.
zealot [ˈzelət] *s.* fanatico.
zeal·ous [ˈzeləs] *agg.* zelante.
zebra [ziːbrə] *s.* zebra | – *crossing*, passaggio pedonale zebrato.
zen·ith [ˈzenɪθ] *s.* **1** zenit **2** (*fig.*) culmine.
zero [ˈzɪərəʊ] (*-o*(*e*)*s*) *s.* zero ♦ *agg.* **1** zero **2** nullo ♦ *v.intr.*: *to – in on*, **1** mirare a **2** concentrarsi su.
zest [zest] *s.* **1** aroma, gusto **2** scorzetta (di agrume) **3** (*fig.*) gusto; interesse.
zilch [ˈzɪltʃ] *s.* (*fam.*) niente, zero.
zinc [zɪŋk] *s.* zinco.
zing [zɪŋ] *s.* (*fam.*) brio, vitalità.
Zi·on·ist [ˈzaɪənɪst] *s.* sionista.
zip [zɪp] *s.* **1** cerniera lampo **2** (*fam.*) sibilo, fischio **3** (*fam.*) energia, vigore ♦ (*-pped* [-pt]) *v.tr.* (*up*) chiudere con una cerniera lampo ♦ *v.intr.* sfrecciare.
zip code [ˈ· ˌkəʊd] *s.* (*amer.*) codice di avviamento postale.
zippy [ˈzɪpɪ] *agg.* (*fam.*) vivace.
zir·con [ˈzɜːkən] *s.* (*min.*) zircone.
zo·diac [ˈzəʊdɪæk] *s.* zodiaco.
zombie [ˈzɒmbɪ] *s.* **1** zombi, morto vivente **2** (*fam.*) persona apatica.
zone [zəʊn] *s.* zona ♦ *v.tr.* dividere in zone.
zoo [zuː] *s.* zoo.
zo·olo·gist [zəʊˈɒlədʒɪst] *s.* zoologo.
zoom [zuːm] *v.intr.* **1** sfrecciare rombando **2** impennarsi (di prezzi) **3** zoomare, zumare ♦ *s.* **1** lo sfrecciare rumorosamente **2** impennata (di prezzi) **3** zoomata, zumata: – (*lens*), zoom.
zuc·chini [zuːˈkiːnɪ] (*pl. invar.*) *s.* (*amer.*) zucchina.
Zulu [ˈzuːluː] *agg.*, *s.* zulù.